DEUTSCHLAND
BENELUX
SUISSE / SCHWEIZ / SVIZZERA
ÖSTERREICH
ČESKÁ REPUBLIKA

STRASSEN- und REISEATLAS
TOERISTISCHE WEGENATLAS
TOURIST and MOTORING ATLAS
ATLAS ROUTIER et TOURISTIQUE
ATLANDE STRADALE e TURISTICO
ATLAS DE CARRETERAS y TURÍSTICO

MICHELIN

Inhaltsübersicht

Inhoud / Contents / Sommaire / Sommario / Sumario

Umschlaginnenseite: Übersicht
Binnenzijde van het omslag: Overzichtskaart
Inside front cover: Key to map pages

Intérieur de couverture : Tableau d'assemblage
Copertina interna: Quadro d'insieme
Portada interior: Mapa índice

D

Stadtpläne
Stadsplattegronden / Town plans / Plans de ville / Piante di città / Planos de ciudades

E - G

Zeichenerklärung: Deutschland - Schweiz - Österreich
Verklaring van de tekens: Duitsland - Zwitserland - Oostenrijk
Key: Germany - Switzerland - Austria
Légende : Allemagne - Suisse - Autriche
Legenda: Germania - Svizzera - Austria
Signos convencionales: Alemania - Suiza - Austria

H - J

Zeichenerklärung: Benelux
Verklaring van de tekens: Benelux
Key: Benelux
Légende : Benelux
Legenda: Benelux
Signos convencionales: Benelux

K - M

Zeichenerklärung: Tschechien
Verklaring van de tekens: Tsjechische Republiek
Key: Czech Republic
Légende : République Tchèque
Legenda: Repubblica Ceca
Signos convencionales: República Checa

N - O

Ruhrgebiet
Ruhrgebied / Ruhr Basin / Bassin de la Ruhr / Bacino della Ruhr / Cuenca del Ruhr

AA - AS

Europa / Europe 1: 3 500 000

2 - 115

Deutschland 1:300 000: Straßenverkehrsordnung / Übersicht
Duitsland 1:300 000: Wegcode / Overzchtskaart
Germany 1:300 000: Motoring regulations / Key to map pages
Allemagne 1/300 000 : Réglements routiers / Tableau d'assemblage
Germania 1:300 000: Regolamenti stradali / Quadro d'insieme
Alemania 1:300 000: Código de circulación / Mapa índice

116 - 137

Benelux 1:400 000: Straßenverkehrsordnung / Übersicht
Benelux 1:400 000: Wegcode / Overzchtskaart
Benelux 1:400 000: Motoring regulations / Key to map pages
Benelux 1/400 000: Réglements routiers / Tableau d'assemblage
Benelux 1:400 000: Regolamenti stradali / Quadro d'insieme
Benelux 1:400 000: Código de circulación / Mapa índice

138 - 153

Schweiz 1:400 000: Straßenverkehrsordnung / Übersicht
Zwitserland 1:400 000: Wegcode / Overzchtskaart
Switzerland 1:400 000: Motoring regulations / Key to map pages
Suisse 1/400 000 : Réglements routiers / Tableau d'assemblage
Svizzera 1:400 000: Regolamenti stradali / Quadro d'insieme
Suiza 1:400 000: Código de circulación / Mapa índice

154 - 173

Österreich 1:400 000: Straßenverkehrsordnung / Übersicht
Oostenrijk 1:400 000: Wegcode / Overzchtskaart
Austria 1:400 000: Motoring regulations / Key to map pages
Autriche 1/400 000 : Réglements routiers / Tableau d'assemblage
Austria 1:400 000: Regolamenti stradali / Quadro d'insieme
Austria 1:400 000: Código de circulación / Mapa índice

174 - 183

Tschechien 1:600 000: Straßenverkehrsordnung / Übersicht
Tsjechische Republiek 1:600 000: Wegcode / Overzchtskaart
Czech Republic 1:600 000: Motoring regulations / Key to map pages
République Tchèque 1/600 000 : Réglements routiers / Tableau d'assemblage
Repubblica Ceca 1:600 000: Regolamenti stradali / Quadro d'insieme
República Checa 1:600 000: Código de circulación / Mapa índice

184 - 301

Register
Index / Indice completo / Índice

Stadtpläne / Stadsplattegronden / Town plans
Plans de ville / Piante di città / Planos de ciudades

Deutschland
186 Aachen
187 Augsburg
188 Bayreuth
189 Berlin
191 Bonn
192 Braunschweig
195 Chemnitz
196 Dortmund
197 Dresden
198 Duisburg
199 Düsseldorf
200 Erfurt
201 Essen
204 Frankfurt am Main
205 Freiburg im Breisgau
206 Garmisch-Partenkirchen
210 Hamburg
212 Hannover
216 Karlsruhe
218 Kassel
219 Kiel
220 Köln
220 Konstanz
222 Leipzig
224 Lübeck
225 Magdeburg
225 Mainz
226 Mannheim
227 München
228 Munster
229 Neubrandenburg
230 Nürnberg
235 Potsdam
237 Regensburg
238 Rostock
241 Saarbrücken
243 Schwerin
246 Stuttgart
252 Wiesbaden
254 Würzburg

Belgique / België
256 Antwerpen
256 Arlon
257 Brugge
258 Bruxelles / Brussel
259 Charleroi
260 Gent
260 Hasselt
262 Leuven
261 Liège
262 Mons
263 Namur
264 Oostende
265 Tournai

Luxembourg/Luxemburg
266 Luxembourg

Nederland
267 Amsterdam
268 Arnhem
268 Breda
269 Groningen
270 Haag (Den)
271 Haarlem
271 Leeuwarden
272 Maastricht
272 Middelburg
273 Nijmegen
273 Rotterdam
275 Utrecht

Suisse
Schweiz / Svizzera
277 Basel
278 Bern
280 Fribourg
280 Genève
281 Interlaken
282 Lausanne
282 Lugano
281 Luzern
283 Martigny
283 Montreux
284 Neuchâtel
285 Sankt Gallen
285 Sankt Moritz
286 Schaffhausen
286 Sion
287 Zürich

Österreich
294 Salzburg
295 Wien

Česká Republika
299 Praha

Zeichenerklärung: Deutschland - Schweiz - Österreich

Verklaring van de tekens: Duitsland - Zwitserland - Oostenrijk

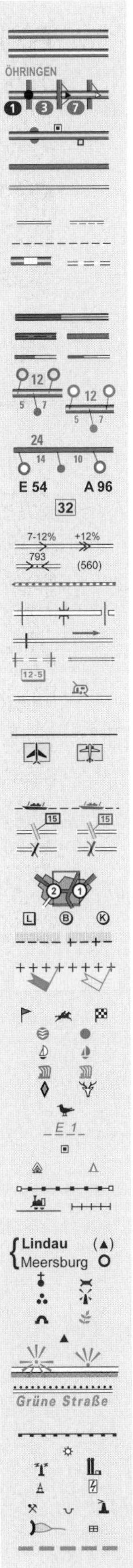

Straßen	**Wegen**
Autobahn	Autosnelweg
Schnellstraße mit getrennten Fahrbahnen	Gescheiden rijbanen van het type autosnelweg
Anschlussstellen: Voll - bzw. Teilanschlussstellen	Aansluitingen: volledig, gedeeltelijk
Anschlussstellennummern	Afritnummers
Tankstelle mit Raststätte - Hotel - Restaurant / SB-Restaurant	Serviceplaats - Hotels - Restaurant of zelfbediening
Internationale bzw.nationale Hauptverkehrsstraße	Internationale of nationale verbindingsweg
Überregionale Verbindungsstraße oder Umleitungsstrecke	Interregionale verbindingsweg
Straße mit Belag - ohne Belag	Verharde weg - onverharde weg
Wirtschaftsweg, Pfad	Landbouwweg, pad
Autobahn, Straße im Bau (ggf. voraussichtliches Datum der Verkehrsfreigabe)	Autosnelweg in aanleg, weg in aanleg (indien bekend: datum openstelling)
Straßenbreiten	**Breedte van de wegen**
Getrennte Fahrbahnen	Gescheiden rijbanen
4 Fahrspuren - 2 breite Fahrspuren	4 rijstroken - 2 brede rijstroken
2 oder mehr Fahrspuren - 2 schmale Fahrspuren	2 of meer rijstroken - 2 smalle rijstroken
Straßenentfernungen (Gesamt- und Teilentfernungen)	**Afstanden** (totaal en gedeeltelijk)
Mautstrecke auf der Autobahn	Gedeelte met tol op autosnelwegen
Mautfreie Strecke auf der Autobahn	Tolvrij gedeelte op autosnelwegen
auf der Straße	op andere wegen
Nummerierung - Wegweisung	**Wegnummers - Bewegwijzering**
Europastraße - Autobahn	Europaweg - Autosnelweg
Bundesstraße	Federale weg
Verkehrshindernisse	**Hindernissen**
Starke Steigung (Steigung in Pfeilrichtung)	Steile helling (pijlen in de richting van de helling)
Pass mit Höhenangabe - Höhe	Bergpas en hoogte boven de zeespiegel - Hoogte
Schwierige oder gefährliche Strecke	Moeilijk of gevaarlijk traject
Bahnübergänge: schnienengleich - Unterführung - Überführung	Wegovergangen: gelijkvloers, overheen, onderdoor
Mautstelle - Einbahnstraße	Tol - Weg met eenrichtingsverkeer
Gesperrte Straße - Straße mit Verkehrsbeschränkungen	Verboden weg - Beperkt opengestelde weg
Eingeschneite Straße: voraussichtl.Wintersperre	Sneeuw: vermoedelijke sluitingsperiode
Für Wohnanhänger gesperrt	Verboden voor caravans
Verkehrsmittel	**Vervoer**
Bahnlinie	Spoorweg
Flughafen - Flugplatz	Luchthaven - Vliegveld
Autotransport: (rotes Zeichen : saisonbedingte Verbindung)	Vervoer van auto's: (tijdens het seizoen: rood teken)
per Schiff	per boot
per Fähre (Höchstbelastung in t)	per veerpont (maximum draagvermogen in t.)
Fähre für Personen und Fahrräder	Veerpont voor voetgangers en fietsers
Unterkunft - Verwaltung	**Verblijf - Administratie**
Gekennzeichnete Orte sind im MICHELIN-FÜHRER aufgeführt	*Het onderstaande verwijst naar diverse Michelingidsen*
Orte mit Stadtplan im MICHELIN-FÜHRER	Plaats met een plattegrond in DE MICHELIN GIDS
Verwaltungshauptstadt	Hoofdplaats van administratief gebied
Verwaltungsgrenzen	Administratieve grenzen
Staatsgrenze: Zoll - Zollstation mit Einschränkungen	Staatsgrens: Douanekantoor - Douanekantoor met beperkte bevoegdheden
Sport - Freizeit	**Sport - Recreatie**
Golfplatz - Pferderennbahn - Rennstrecke	Golfterrein - Renbaan - Autocircuit
Segelflugplatz - Strandbad	Zweefvliegen- Zwemplaats
Yachthafen	Jachthaven
Sand-, Grasstrand	Stranden (zand, gras)
Freizeitanlage - Tierpark, Zoo	Recreatiepark - Safaripark, dierentuin
Vogelschutzgebiet	Vogelreservaat
Fernwanderweg	Lange afstandswandelpad
Abgelegenes Hotel oder Restaurant	Afgelegen hotel of restaurant
Schutzhütte - Campingplatz	Berghut - Kampeerterrein (tent, caravan)
Standseilbahn, Seilbahn, Sessellift	Kabelspoor, kabelbaan, stoeltjeslift
Museumseisenbahn - Zahnradbahn	Toeristentreintje - Tandradbaan
Sehenswürdigkeiten	**Bezienswaardigheden**
Hauptsehenswürdigkeiten: siehe GRÜNER REISEFÜHRER	*Belangrijkste bezienswaardigheden: zie DE GROENE GIDS*
Sehenswerte Orte, Ferienorte	Interessante steden of plaatsen, vakantieoorden
Sakral-Bau - Schloss, Burg	Kerkelijk gebouw - Kasteel
Ruine - Windmühle	Ruïne - Molen
Höhle - Garten, Park	Grot - Tuin, park
Sonstige Sehenswürdigkeit	Andere bezienswaardigheden
Rundblick - Aussichtspunkt	Panorama - Uitzichtpunt
Landschaftlich schöne Strecke	Schilderachtig traject
Ferienstraße	Toeristische route
Sonstige Zeichen	**Diverse tekens**
Industrieschwebebahn	Kabelvrachtvervoer
Industrieanlagen	Industrie
Funk-, Sendeturm - Raffinerie	Telecommunicatietoren of -mast - Raffinaderij
Erdöl-, Erdgasförderstelle - Kraftwerk	Olie- of gasput - Elektriciteitscentrale
Bergwerk - Steinbruch - Leuchtturm	Mijn - Steengroeve - Vuurtoren
Staudamm - Soldatenfriedhof	Stuwdam - Militaire begraafplaats
Nationalpark - Naturpark	Nationaal park - Natuurpark

Key: Germany - Switzerland - Austria	Légende : Allemagne - Suisse - Autriche
Roads	**Routes**
Motorway	Autoroute
Dual carriageway with motorway characteristics	Double chaussée de type autoroutier
Interchanges : complete, limited	Échangeurs : complet, partiels
Interchange numbers	Numéros d'échangeurs
Service area - Hotels -	Aire de service - Hôtels -
Restaurant or self-service	Restaurant ou libre-service
International and national road network	Route de liaison internationale ou nationale
Interregional and less congested road	Route de liaison interrégionale ou de dégagement
Road surfaced - unsurfaced	Route revêtue - non revêtue
Rough track, footpath	Chemin d'exploitation, sentier
Motorway, road under construction	Autoroute, route en construction
(when available: with scheduled opening date)	(le cas échéant : date de mise en service prévue)
Road widths	**Largeur des routes**
Dual carriageway	Chaussées séparées
4 lanes - 2 wide lanes	4 voies - 2 voies larges
2 or more lanes - 2 narrow lanes	2 voies ou plus - 2 voies étroites
Distances (total and intermediate)	**Distances** (totalisées et partielles)
Toll roads on motorway	Section à péage sur autoroute
Toll-free section on motorway	Section libre sur autoroute
on road	sur route
Numbering - Signs	**Numérotation - Signalisation**
European route - Motorway	Route européenne - Autoroute
Federal road	Route fédérale
Obstacles	**Obstacles**
Steep hill (ascent in direction of the arrow)	Forte déclivité (flèches dans le sens de la montée)
Pass and its height above sea level - Altitude	Col et sa cote d'altitude - Altitude
Difficult or dangerous section of road	Parcours difficile ou dangereux
Level crossing:	Passages de la route:
railway passing, under road, over road	à niveau, supérieur, inférieur
Toll barrier - One way road	Barrière de péage - Route à sens unique
Prohibited road - Road subject to restrictions	Route interdite - Route réglementée
Snowbound, impassable road during the period shown	Enneigement : période probable de fermeture
Caravans prohibited on this road	Route interdite aux caravanes
Transportation	**Transports**
Railway	Voie ferrée
Airport - Airfield	Aéroport - Aérodrome
Transportation of vehicles:	Transport des autos :
(seasonal services in red)	(liaison saisonnière en rouge)
by boat	par bateau
by ferry (load limit in tons)	par bac (charge maximum en tonnes)
Ferry (passengers and cycles only)	Bac pour piétons et cycles
Accommodation - Administration	**Hébergement - Administration**
The information below corresponds to MICHELIN GUIDE selections	*Indications limitées aux ressources sélectionnées dans les guides MICHELIN*
Town plan featured in THE MICHELIN GUIDE	Localité possédant un plan dans le Guide MICHELIN
Administrative district seat	Capitale de division administrative
Administrative boundaries	Limites administratives
National boundary:	Frontière :
Customs post - Secondary customs post	Douane - Douane avec restriction
Sport & Recreation Facilities	**Sports - Loisirs**
Golf course - Horse racetrack - Racing circuit	Golf - Hippodrome - Circuit automobile
Gliding - Bathing place	Vol à voile - Baignade
Pleasure boat harbour - Sailing	Port de plaisance - Centre de voile
Beaches (sand, grass)	Plage (sable, herbe)
Country park - Safari park, zoo	Base ou parc de loisirs - Parc animalier, zoo
Bird sanctuary, refuge	Réserve d'oiseaux
Long distance footpath	Sentier de grande randonnée
Secluded hotel or restaurant	Hôtel ou restaurant isolé
Mountain refuge hut - Caravan and camping sites	Refuge de montagne - Camping, caravaning
Funicular, cable car, chairlift	Funiculaire, téléphérique, télésiège
Tourist train - Rack railway	Train touristique - à crémaillère
Sights	**Curiosités**
Principal sights: see THE GREEN GUIDE	*Principales curiosités : voir LE GUIDE VERT*
Towns or places of interest, Places to stay	Localités ou sites intéressants, lieux de séjour
Religious building - Historic house, castle	Édifice religieux - Château
Ruins - Windmill	Ruines - Moulin à vent
Cave - Gardens, park	Grotte - Jardin, parc
Other places of interest	Autres curiosités
Panoramic view - Viewpoint	Panorama - Point de vue
Scenic route	Parcours pittoresque
Tourist route	Route touristique
Other signs	**Signes divers**
Industrial cable way	Transporteur industriel aérien
Industrial activity	Industries
Telecommunications tower or mast - Refinery	Tour ou pylône de télécommunications - Raffinerie
Oil or gas well - Power station	Puits de pétrole ou de gaz - Centrale électrique
Mine - Quarry - Lighthouse	Mine - Carrière - Phare
Dam - Military cemetery	Barrage - Cimetière militaire
National park - Nature park	Parc national - Parc naturel

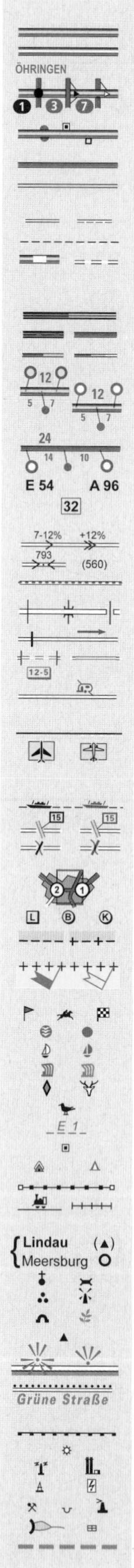

Legenda: Germania - Svizzera - Austria

Signos convencionales: Alemania - Suiza - Austria

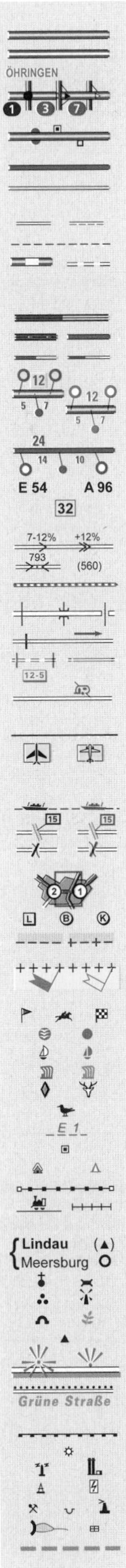

Legenda	Signos convencionales
Strade	**Carreteras**
Autostrada	Autopista
Doppia carreggiata di tipo autostradale	Autovía
Svincoli: completo, parziale	Enlaces : completo, parciales
Svincoli numerati	Números de los accesos
Area di servizio - Alberghi	Áreas de servicio - Hotel -
Restaurant of zelfbediening	Restaurant o auto servicio
Strada di collegamento internazionale o nazionale	Carretera de comunicación internacional o nacional
Strada di collegamento interregionale o di disimpegno	Carretera de comunicación interregional o alternativo
Strada rivestita - non rivestita	Carretera asfaltada - sin asfaltar
Strada per carri, sentiero	Camino agrícola, sendero
Autostrada, strada in costruzione	Autopista, carretera en construcción
(data di apertura prevista)	(en su caso: fecha prevista de entrada en servicio)
Larghezza delle strade	**Ancho de las carreteras**
Carreggiate separate	Calzadas separadas
4 corsie - 2 corsie larghe	Cuatro carriles - Dos carriles anchos
2 o più corsie - 2 corsie strette	Dos carriles o más - Dos carriles estrechos
Distanze (totali e parziali)	**Distancias** (totales y parciales)
tratto a pedaggio su autostrada	Tramo de peaje en autopista
tratto esente da pedaggio su autostrada	Tramo libre en autopista
Su strada	en carretera
Numerazione - Segnaletica	**Numeración - Señalización**
Strada europea - Autostrada	Carretera europea - Autopista
Strada federale	Carretera federal
Ostacoli	**Obstáculos**
Forte pendenza (salita nel senso della freccia)	Pendiente Pronunciada (las flechas indican el sentido del ascenso)
Passo - Altitudine	Puerto - Altitud
Percorso difficile o pericoloso	Recorrido difícil o peligroso
Passaggi della strada:	Pasos de la carretera:
a livello, cavalcavia, sottopassaggio	a nivel, superior, inferior
Casello - Strada a senso unico	Barrera de peaje - Carretera de sentido único
Strada vietata - Strada a circolazione regolamentata	Tramo prohibido - Carretera restringida
Innevamento: probabile periodo di chiusura	Nevada : Período probable de cierre
Strada con divieto di accesso per le roulottes	Carretera prohibida a las caravanas
Trasporti	**Transportes**
Ferrovia	Línea férrea
Aeroporto - Aerodromo	Aeropuerto - Aeródromo
Trasporto auto:	Transporte de coches:
(stagionale in rosso)	(Enlace de temporada: signo rojo)
su traghetto	por barco
su chiatta (carico massimo in t.)	por barcaza (carga máxima en toneladas)
Traghetto per pedoni e biciclette	Barcaza para el paso de peatones
Risorse - Amministrazione	**Alojamiento - Administración**
Le indicazioni si limitano alle risorse selezionate nella GUIDA ROSSA	*Indicaciones sobre los establecimientos seleccionados en LA GUÍA MICHELIN*
Località con pianta nella GUIDA ROSSA	Localidad con plano en LA GUÍA MICHELIN
Capoluogo amministrativo	Capital de división administrativa
Confini amministrativi	Limites administrativos
Frontiera:	Frontera:
Dogana - Dogana con limitazioni	Aduanas - Aduana con restricciones
Sport - Divertimento	**Deportes - Ocio**
Golf - Ippodromo - Circuito Automobilistico	Golf - Hipódromo - Circuito de velocidad
Volo a vela - Stabilimento balneare	Ala Delta ou parapente - Zona de baño
Porto turistico - Centro velico	Puerto deportivo - Vela
Spiaggia (sabbia, erba)	Playa (arena, hierba)
Parco divertimenti - Parco con animali, zoo	Parque de ocio - Reserva de animales, zoo
Riserva ornitologica	Reserva de pájaros
Sentiero per escursioni	Sendero de gran ruta
Albergo, ristorante isolato	Hotel o restaurante aislado
Rifugio - Campeggi, caravaning	Refugio de montaña - Camping, caravaning
Funicolare, funivia, seggiovia	Funicular, Teleférico, telesilla
Trenino turistico - a cremagliera	Tren turístico - Línea de cremallera
Mete e luoghi d'interesse	**Curiosidades**
Principali luoghi d'interesse, vedere LA GUIDA VERDE	*Principales curiosidades: ver LA GUÍA VERDE*
Località o siti interessanti, luoghi di soggiorno	Localidad o lugar interesante, lugar para quedarse
Edificio religioso - Castello	Edificio religioso - Castillo, fortaleza
Rovine - Mulino a vento	Ruinas - Molino de viento
Grotta - Giardino, parco	Cueva - Jardín, parque
Altri luoghi d'interesse	Curiosidades diversas
Panorama - Vista	Vista panorámica - Vista parcial
Percorso pittoresco	Recorrido pintoresco
Strada turistica	Carretera turística
Simboli vari	**Signos diversos**
Teleferica industriale	Transportador industrial aéreo
Industrie	Industrias
Torre o pilone per telecomunicazioni - Raffineria	Torreta o poste de telecomunicación - Refinería
Pozzo petrolifero o gas naturale - Centrale elettrica	Pozos de petróleo o de gas - Central eléctrica
Miniera - Cava - Faro	Mina - Cantera - Faro
Diga - Cimitero militare	Presa - Cementerio militar
Parco nazionale - Parco naturale	Parque nacional - Parque natural

Zeichenerklärung: Benelux

Verklaring van de tekens: Benelux

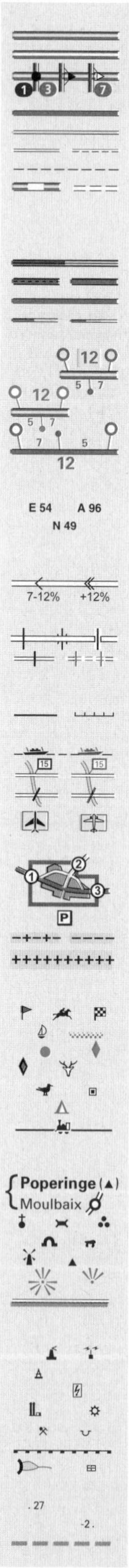

Zeichenerklärung	Verklaring van de tekens
Straßen	**Wegen**
Autobahn	Autosnelweg
Schnellstraße mit getrennten Fahrbahnen	Gescheiden rijbanen van het type autosnelweg
Anschlussstellen: Voll - bzw. Teilanschlussstellen	Aansluitingen: volledig, gedeeltelijk
Anschlussstellennummern	Afritnummers
Internationale bzw.nationale Hauptverkehrsstraße	Internationale of nationale verbindingsweg
Überregionale Verbindungsstraße oder Umleitungsstrecke	Interregionale verbindingsweg
Straße mit Belag - ohne Belag	Verharde weg - onverharde weg
Wirtschaftsweg - Pfad	Landbouwweg - Pad
Autobahn, Straße im Bau	Autosnelweg in aanleg - Weg in aanleg
(ggf. voraussichtliches Datum der Verkehrsfreigabe)	(indien bekend: datum openstelling)
Straßenbreiten	**Breedte van de wegen**
Getrennte Fahrbahnen	Gescheiden rijbanen
4 Fahrspuren - 3 Fahrspuren	4 rijstroken - 3 rijstroken
2 breite Fahrspuren	2 brede rijstroken
2 Fahrspuren - 1 Fahrspur	2 rijstroken - 1 rijstrook
Straßenentfernungen (Gesamt- und Teilentfernungen)	**Afstanden** (totaal en gedeeltelijk)
Mautstrecke auf der Autobahn	Gedeelte met tol op autosnelwegen
Mautfreie Strecke auf der Autobahn	Tolvrij gedeelte op autosnelwegen
auf der Straße	op andere wegen
Nummerierung - Wegweisung	**Wegnummers - Bewegwijzering**
Europastraße - Autobahn	Europaweg - Autosnelweg
Sonstige Straßen	Andere wegen
Verkehrshindernisse	**Hindernissen**
Starke Steigung (Steigung in Pfeilrichtung)	Steile helling (pijlen in de richting van de helling)
Bahnübergänge:	Wegovergangen:
schienengleich, Unterführung, Überführun	gelijkvloers, overheen, onderdoor
Mautstelle - Gesperrte Straße	Tol - Verboden weg
Verkehrsmittel (rotes Zeichen: saisonbedingte Verbindung)	**Vervoer** (tijdens het seizoen: rood teken)
Bahnlinie - Straßenbahn	Spoorweg - Tram
Autotransport:	Vervoer van auto's :
per Schiff	per boot
per Fähre (Höchstbelastung in t)	per veerpont (maximum draagvermogen in t.)
Personenfähre	Veerpont voor voetgangers
Flughafen - Flugplatz	Luchthaven - Vliegveld
Unterkunft - Verwaltung	**Verblijf - Administratie**
Orte mit Stadtplan im MICHELIN-FÜHRER	Plaats met een plattegrond in DE MICHELIN GIDS
Verwaltungshauptstadt	Hoofdplaats van administratief gebied
Verwaltungsgrenzen	Administratieve grenzen
Staatsgrenze	Staatsgrens
Sport - Freizeit	**Sport - Recreatie**
Golfplatz - Pferderennbahn - Rennstrecke	Golfterrein - Renbaan - Autocircuit
Yachthafen - Badestrand	Jachthaven - Strand
Erholungsgebiet - Badepark	Recreatiegebied - Watersport
Vergnügungspark - Tierpark, Zoo	Pretpark - Safaripark, dierentuin
Vogelschutzgebiet - Abgelegenes Hotel	Vogelreservaat - Afgelegen hotel
Campingplatz	Kampeerterrein (tent, caravan)
Museumseisenbahn	Toeristentreintje
Sehenswürdigkeiten	**Bezienswaardigheden**
Hauptsehenswürdigkeiten: siehe GRÜNER REISEFÜHRER	*Belangrijkste bezienswaardigheden: zie DE GROENE GIDS*
Sehenswerte orte, Ferienorte	Interessante steden of plaatsen, vakantieoorden
Sakral-Bau - Schloss, Burg - Ruine	Kerkelijk gebouw - Kasteel - Ruïne
Höhle - Vorgeschichtliches Steindenkmal	Grot - Megaliet
Museumsmühle - Sonstige Sehenswürdigkeit	Molen - Andere bezienswaardigheid
Rundblick - Aussichtspunkt	Panorama - Uitzichtpunt
Landschaftlich schöne Strecke	Schilderachtig traject
Sonstige Zeichen	**Diverse tekens**
Leuchtturm - Funk-, Sendeturm	Vuurtoren - Telecommunicatietoren of -mast
Erdöl-, Erdgasförderstelle	Olie- of gasput
Kraftwerk	Elektriciteitscentrale
Raffinerie - Industrieanlagen	Raffinaderij - Industrie
Bergwerk - Steinbruch	Mijn - Steengroeve
Industrieschwebebahn	Kabelvrachtvervoer
Staudamm - Soldatenfriedhof	Stuwdam - Militaire begraafplaats
Höhenangabe :	Hoogten :
über dem Meeresspiegel	boven de zeespiegel
unter dem Meeresspiegel	onder de zeespiegel
Nationalpark - Naturpark	Nationaal park - Natuurpark

Key: Benelux	Légende : Benelux
Roads	**Routes**
Motorway	Autoroute
Dual carriageway with motorway characteristics	Double chaussée de type autoroutier
Interchanges: complete, limited	Échangeurs : complet, partiels
Interchange numbers	Numéros d'échangeurs
International and national road network	Route de liaison internationale ou nationale
Interregional and less congested road	Route de liaison interrégionale ou de dégagement
Road surfaced - unsurfaced	Route revêtue - non revêtue
Rough track - Footpath	Chemin d'exploitation, sentier
Motorway, road under construction	Autoroute, route en construction
(when available: with scheduled opening date)	(le cas échéant : date de mise en service prévue)
Road widths	**Largeur des routes**
Dual carriageway	Chaussées séparées
4 lanes - 3 lanes	4 voies - 3 voies
2 wide lanes	2 voies larges
2 lanes - 1 lane	2 voies - 1 voie
Distances (total and intermediate)	**Distances** (totalisées et partielles)
Toll roads on motorway	Section à péage sur autoroute
Toll-free section on motorway	Section libre sur autoroute
on road	sur route
Numbering - Signs	**Numérotation - Signalisation**
European route - Motorway	Route européenne - Autoroute
Other roads	Autres routes
Obstacles	**Obstacles**
Steep hill (ascent in direction of the arrow)	Forte déclivité (flèches dans le sens de la montée)
Level crossing :	Passages de la route:
railway passing, under road, over road	à niveau, supérieur, inférieur
Toll barrier - Prohibited road	Barrière de péage - Route interdite
Transportation (seasonal services in red)	**Transports** (liaison saisonnière en rouge)
Railway - Tramway	Voie ferrée - Tramway
Transportation of vehicles:	Transport des autos :
by boat	par bateau
by ferry (load limit in tons)	par bac (charge maximum en tonnes)
Passenger ferry	Bac pour piétons
Airport - Airfield	Aéroport - Aérodrome
Accommodation - Administration	**Hébergement - Administration**
Town plan featured in THE MICHELIN GUIDE	Localité possédant un plan dans le Guide MICHELIN
Administrative district seat	Capitale de division administrative
Administrative boundaries	Limites administratives
National boundary	Frontière
Sport & Recreation Facilities	**Sports - Loisirs**
Golf course - Horse racetrack - Racing circuit	Golf - Hippodrome - Circuit autos, motos
Pleasure boat harbour - Beach	Port de plaisance - Plage
Recreational centre - Water park	Base de loisirs - Parc aquatique
Amusement park - Safari park, zoo	Parc d'attractions - Parc animalier, zoo
Bird sanctuary, refuge - Secluded hotels	Réserve d'oiseaux - Hôtel isolé
Caravan and camping sites	Camping, caravaning
Tourist train	Train touristique
Sights	**Curiosités**
Principal sights: see THE GREEN GUIDE	*Principales curiosités : voir LE GUIDE VERT*
Towns or places of interest, places to stay	Localités ou sites intéressants, lieux de séjour
Religious building - Historic house, castle - Ruins	Édifice religieux - Château - Ruines
Cave - Prehistoric monument	Grotte - Monument mégalithique
Museum in windmill - Other places of interest	Moulin à vent - Autre curiosité
Panoramic view - Viewpoint	Panorama - Point de vue
Scenic route	Parcours pittoresque
Other signs	**Signes divers**
Lighthouse - Telecommunications tower or mast	Phare - Tour ou pylône de télécommunications
Oil or gas well	Puits de pétrole ou de gaz
Power station	Centrale électrique
Refinery - Industrial activity	Raffinerie - Industries
Mine - Quarry	Mine - Carrière
Industrial cable way	Transporteur industriel aérien
Dam - Military cemetery	Barrage - Cimetière militaire
Altitudes :	Altitudes :
above sea level	au-dessus de la mer
below sea level	au-dessous de la mer
National park - Nature park	Parc national - Parc naturel

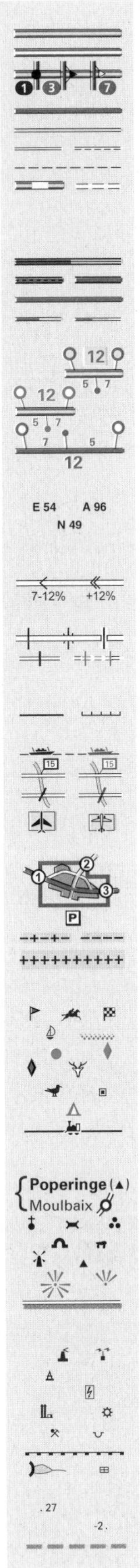

Legenda: Benelux		Signos convencionales: Benelux
Strade		**Carreteras**
Autostrada		Autopista
Doppia carreggiata di tipo autostradale		Autovía
Svincoli: completo, parziale		Enlaces : completo, parciales
Svincoli numerati	1 3 7	Números de los accesos
Strada di collegamento internazionale o nazionale		Carretera de comunicación internacional o nacional
Strada di collegamento interregionale o di disimpegno		Carretera de comunicación interregional o alternativo
Strada rivestita - non rivestita		Carretera asfaltada - sin asfaltar
Strada per carri, sentiero		Camino agrícola, sendero
Autostrada, strada in costruzione (data di apertura prevista)		Autopista, carretera en construcción (en su caso: fecha prevista de entrada en servicio)
Larghezza delle strade		**Ancho de las carreteras**
Carreggiate separate		Calzadas separadas
4 corsie - 3 corsie		Cuatro carriles - Tres carriles
2 corsie larghe		Dos carriles anchos
2 corsie - 1 corsia		Dos carriles - Un carril
Distanze (totali e parziali)		**Distancias** (totales y parciales)
tratto a pedaggio su autostrada	12 5 7	Tramo de peaje en autopista
tratto esente da pedaggio su autostrada	12	Tramo libre en autopista
Su strada	5 7 7 5 12	en carretera
Numerazione - Segnaletica		**Numeración - Señalización**
Strada europea - Autostrada	E 54 A 96	Carretera europea - Autopista
Altre strade	N 49	Otras carreteras
Ostacoli		**Obstáculos**
Forte pendenza (salita nel senso della freccia)	7-12% +12%	Pendiente Pronunciada (las flechas indican el sentido del ascenso)
Passaggi della strada: a livello, cavalcavia, sottopassaggio		Pasos de la carretera: a nivel, superior, inferior
Casello - Strada vietata		Barrera de peaje - Tramo prohibido
Trasporti (stagionale in rosso)		**Transportes** (Enlace de temporada: signo rojo)
Ferrovia - Tranvia		Línea férrea
Trasporto auto: su traghetto		Transporte de coches: por barco
su chiatta (carico massimo in t.)	15 15	por barcaza (carga máxima en toneladas)
Traghetto per trasporto passegeri		Barcaza para el paso de peatones
Aeroporto - Aerodromo		Aeropuerto - Aeródromo
Risorse - Amministrazione		**Alojamiento - Administración**
Le indicazioni si limitano alle risorse selezionate nella GUIDA MICHELIN		*Indicaciones sobre los establecimientos seleccionados en LA GUÍA MICHELIN*
Località con pianta nella GUIDA MICHELIN	1 2 3	Localidad con plano en LA GUÍA MICHELIN
Capoluogo amministrativo	P	Capital de división administrativa
Confini amministrativi		Limites administrativos
Frontiera		Frontera
Sport - Divertimento		**Deportes - Ocio**
Golf - Ippodromo - Circuito Automobilistico		Golf - Hipódromo - Circuito de velocidad
Porto turistico - Spiaggia		Puerto deportivo - Playa
Area per attività ricreative - Parco acquatico		Centro de recreo - Parque acuático
Parco divertimenti - Parco con animali, zoo		Parque de attracciones - Reserva de animales, zoo
Riserva ornitologica - Albergo, ristorante isolato		Reserva de pájaros - Hotel o restaurante aislado
Campeggi, caravaning		Camping, caravaning
Trenino turistico		Tren turístico
Mete e luoghi d'interesse		**Curiosidades**
Principali luoghi d'interesse, vedere LA GUIDA VERDE	Poperinge (▲)	*Principales curiosidades: ver LA GUÍA VERDE*
Località o siti interessanti, luoghi di soggiorno	Moulbaix	Localidad o lugar interesante, lugar para quedarse
Edificio religioso - Castello - Rovine		Edificio religioso - Castillo, fortaleza - Ruinas
Grotta - Monumento megalitico		Cueva - Monumento megalítico
Mulino a vento - Altri luoghi d'interesse		Molino de viento - Curiosidades diversas
Panorama - Vista		Vista panorámica - Vista parcial
Percorso pittoresco		Recorrido pintoresco
Simboli vari		**Signos diversos**
Faro - Torre o pilone per telecomunicazioni		Faro - Torreta o poste de telecomunicación
Pozzo petrolifero o gas naturale		Pozos de petróleo o de gas
Centrale elettrica		Central eléctrica
Raffineria - Industrie		Refinería - Industrias
Miniera - Cava		Mina - Cantera
Teleferica industriale		Transportador industrial aéreo
Diga - Cimitero militare		Presa - Cementerio militar
Altitudini:		Altitudes:
al di sopra del mare	. 27	sobre el mar
al di sotto del mare	-2 .	baso el mar
Parco nazionale - Parco naturale		Parque nacional - Parque natural

Zeichenerklärung: Tscheichien

Verklaring van de tekens: Tsjechische Republiek

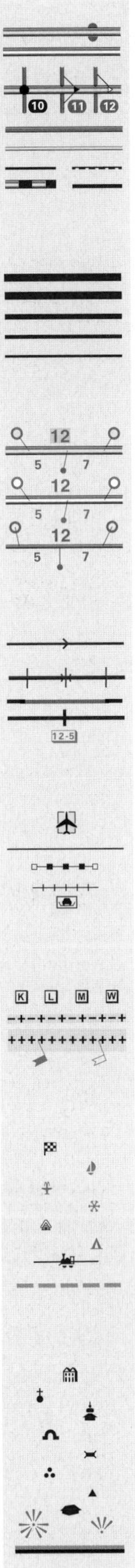

Straßen	Wegen
Autobahn - Tankstelle mit Raststätte	Autosnelweg - Serviceplaatsen
Schnellstraße mit getrennten Fahrbahnen	Gescheiden rijbanen van het type autosnelweg
Anschlussstellen: Voll - bzw. Teilanschlussstellen	Aansluitingen: volledig, gedeeltelijk
Anschlussstellennummern	Afritnummers
Internationale bzw.nationale Hauptverkehrsstraße	Internationale of nationale verbindingsweg
Überregionale Verbindungsstraße oder Umleitungsstrecke	Interregionale verbindingsweg
Straße mit Belag - ohne Belag	Verharde weg - onverharde weg
Autobahn, Straße im Bau	Autosnelweg in aanleg, weg in aanleg

Straßenbreiten	Breedte van de wegen
Getrennte Fahrbahnen	Gescheiden rijbanen
4 Fahrspuren	4 rijstroken
2 breite Fahrspuren	2 brede rijstroken
2 Fahrspuren	2 rijstroken
1 Fahrspur	1 rijstrook

Straßenentfernungen (Gesamt- und Teilentfernungen)	Afstanden (totaal en gedeeltelijk)
Mautstrecke auf der Autobahn - auf der Schnellstraße	Gedeelte met tol op autosnelwegen
Mautfreie Strecke auf der Autobahn - auf der Schnellstraße	Tolvrij gedeelte op autosnelwegen
auf der Straße	op andere wegen

Verkehrshindernisse	Hindernissen
Starke Steigung (Steigung in Pfeilrichtung)	Steile helling (pijlen in de richting van de helling)
Bahnübergänge:	Wegovergangen:
schnienengleich - Unterführung - Überführung	gelijkvloers, overheen, onderdoor
Straße mit Verkehrsbeschränkungen	Beperkt opengestelde weg
Mautstelle	Tol
Eingeschneite Straße: voraussichtl.Wintersperre	Sneeuw: vermoedelijke sluitingsperiode

Verkehrsmittel	Vervoer
Flughafen	Luchthaven
Bahnlinie	Spoorweg
Standseibahn, Seilbahn, Sessellift	Kabelspoor, kabelbaan, stoeltjeslift
Zahnradbahn	Tandradbaan
Autotransport per Fähre	Veerpont voor auto's

Verwaltung	Administratie
Verwaltungshauptstadt	Hoofdplaats van administratief gebied
Verwaltungsgrenzen	Administratieve grenzen
Staatsgrenze	Staatsgrens
Hauptzollamt - Zollstation mit Einschränkungen	Hoofddouanekantoor - Douanekantoor met beperkte bevoegdheden

Sport - Freizeit	Sport - Recreatie
Rennstrecke	Autocircuit
Yachthafen	Jachthaven
Thermalbad	Kuuroord
Skigebiet	Wintersportplaats
Schutzhütte	Berghut
Campingplatz	Kampeerterrein
Museumseisenbahn-Linie	Toeristentreintje
Nationalpark - Naturpark	Nationaal park - Natuurpark

Sehenswürdigkeiten	Bezienswaardigheden
Denkmalgeschützter Stadteil	Onder monumentenzorg
Sakral-Bau	Kerkelijk gebouw
Holzkirche	Houten kerk
Höhle	Grot
Schloss, Burg	Kasteel
Ruine	Ruïne
Sonstige Sehenswürdigkeit	Andere bezienswaardigheden
Freilichtmuseum	Openluchtmuseum
Rundblick - Aussichtspunkt	Panorama - Uitzichtpunt
Landschaftlich schöne Strecke	Schilderachtig traject

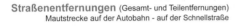

Key: Czech Republic

Légende : République Tchèque

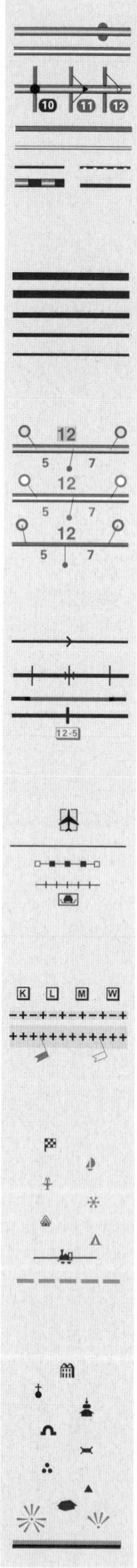

Key: Czech Republic	Légende : République Tchèque
Roads	**Routes**
Motorway - Service areas	Autoroute - Aires de service
Dual carriageway with motorway characteristics	Double chaussée de type autoroutier
Interchanges: complete, limited	Échangeurs : complet, partiels
Interchange numbers	Numéros d'échangeurs
International and national road network	Route de liaison internationale ou nationale
Interregional and less congested road	Route de liaison interrégionale ou de dégagement
Road surfaced - unsurfaced	Route revêtue - non revêtue
Motorway, road under construction	Autoroute, route en construction
Road widths	**Largeur des routes**
Dual carriageway	Chaussées séparées
4 lanes	4 voies
2 wide lanes	2 voies larges
2 lanes	2 voies
1 lane	1 voie
Distances (total and intermediate)	**Distances** (totalisées et partielles)
Toll roads on motorway - on express road	Section à péage sur autoroute - sur voie express
Toll-free section on motorway - on express road	Section libre sur autoroute - sur voie express
on road	sur route
Obstacles	**Obstacles**
Steep hill (ascent in direction of the arrow)	Forte déclivité (flèches dans le sens de la montée)
Level crossing:	Passages de la route:
railway passing, under road, over road	à niveau, supérieur, inférieur
Road subject to restrictions	Route réglementée
Toll barrier	Barrière de péage
Prohibited road - Snowbound, impassable road during the period shown	Enneigement : période probable de fermeture
Transportation	**Transports**
Airport	Aéroport
Railway	Voie ferrée
Funicular, cable car, chairlift	Funiculaire, téléphérique, télésiège
Rack railway	Voie à crémaillère
Car ferry	Bac pour autos
Administration	**Administration**
Administrative district seat	Capitale de division administrative
Administrative boundaries	Limites administratives
National boundary:	Frontière
Principal customs post - Secondary customs post	Douane principale - Douane avec restriction
Sport & Recreation Facilities	**Sports - Loisirs**
Racing circuit	Circuit automobile
Sailing	Centre de voile
Spa	Station thermale
Ski resort	Station de sports d'hiver
Mountain refuge hut	Refuge de montagne
Camping sites	Camping
Tourist train	Train touristique
National park - Nature park	Parc national - Parc naturel
Sights	**Curiosités**
Listed historic town	Ville classée
Religious building	Édifice religieux
Wooden church	Église en bois
Cave	Grotte
Historic house, castle	Château
Ruins	Ruines
Other places of interest	Autres curiosités
Open air museum	Musée de plein air
Panoramic view - Viewpoint	Panorama - Point de vue
Scenic route	Parcours pittoresque

Legenda: Repubblica Ceca

Signos convencionales: República Checa

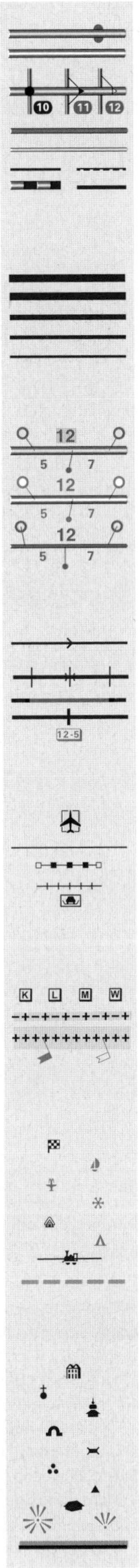

Legenda: Repubblica Ceca	Signos convencionales: República Checa
Strade	**Carreteras**
Autostrada - Area di servizio	Autopista - Áreas de servicio
Doppia carreggiata di tipo autostradale	Autovía
Svincoli: completo, parziale	Enlaces : completo, parciales
Svincoli numerati	Números de los accesos
Strada di collegamento internazionale o nazionale	Carretera de comunicación internacional o nacional
Strada di collegamento interregionale o di disimpegno	Carretera de comunicación interregional o alternativo
Strada rivestita - non rivestita	Carretera asfaltada - sin asfaltar
Autostrada, strada in costruzione	Autopista, carretera en construcción
Larghezza delle strade	**Ancho de las carreteras**
Carreggiate separate	Calzadas separadas
4 corsie	Cuatro carriles
2 corsie larghe	Dos carriles anchos
2 corsie	Dos carriles
1 corsia	Un carril
Distanze (totali e parziali)	**Distancias** (totales y parciales)
tratto a pedaggio su autostrada - su strada di tipo autostradale	Tramo de peaje en autopista - en vía rapido
tratto esente da pedaggio su autostrada - su strada di tipo autostradale	Tramo libre en autopista - en vía rapido
Su strada	en carretera
Ostacoli	**Obstáculos**
Forte pendenza (salita nel senso della freccia)	Pendiente Pronunciada (las flechas indican el sentido del ascenso)
Passaggi della strada:	Pasos de la carretera:
a livello, cavalcavia, sottopassaggio	a nivel, superior, inferior
Strada a circolazione regolamentata	Carretera restringida
Casello	Barrera de peaje
Innevamento: probabile periodo di chiusura	Nevada : Período probable de cierre
Trasporti	**Transportes**
Aeroporto	Aeropuerto
Ferrovia	Línea férrea
Funicolare, funivia, seggiovia	Funicular, Teleférico, telesilla
Ferrovia a cremagliera	Línea de cremallera
Trasporto auto su chiatta	Barcaza para el paso de coches
Amministrazione	**Alojamiento - Administración**
Capoluogo amministrativo	Capital de división administrativa
Confini amministrativi	Limites administrativos
Frontiera	Frontera
Dogana principale - Dogana con limitazioni	Aduana principal - Aduana con restricciones
Sport - Divertimento	**Deportes - Ocio**
Circuito Automobilistico	Circuito de velocidad
Centro velico	Vela
Stazione termale	Estación termal
Sport invernali	Área de esquí
Rifugio	Refugio de montaña
Campeggio	Camping
Trenino turistico	Tren turístico
Parco nazionale - Parco naturale	Parque nacional - Parque natural
Mete e luoghi d'interesse	**Curiosidades**
Citta' classificata	Ciudad destacada
Edificio religioso	Edificio religioso
Chiesa in legno	Iglesia de madera
Grotta	Cueva
Castello	Castillo, fortaleza
Rovine	Ruinas
Altri luoghi d'interesse	Curiosidades diversas
Museo all'aperto	Museo al aire libre
Panorama - Vista	Vista panorámica - Vista parcial
Percorso pittoresco	Recorrido pintoresco

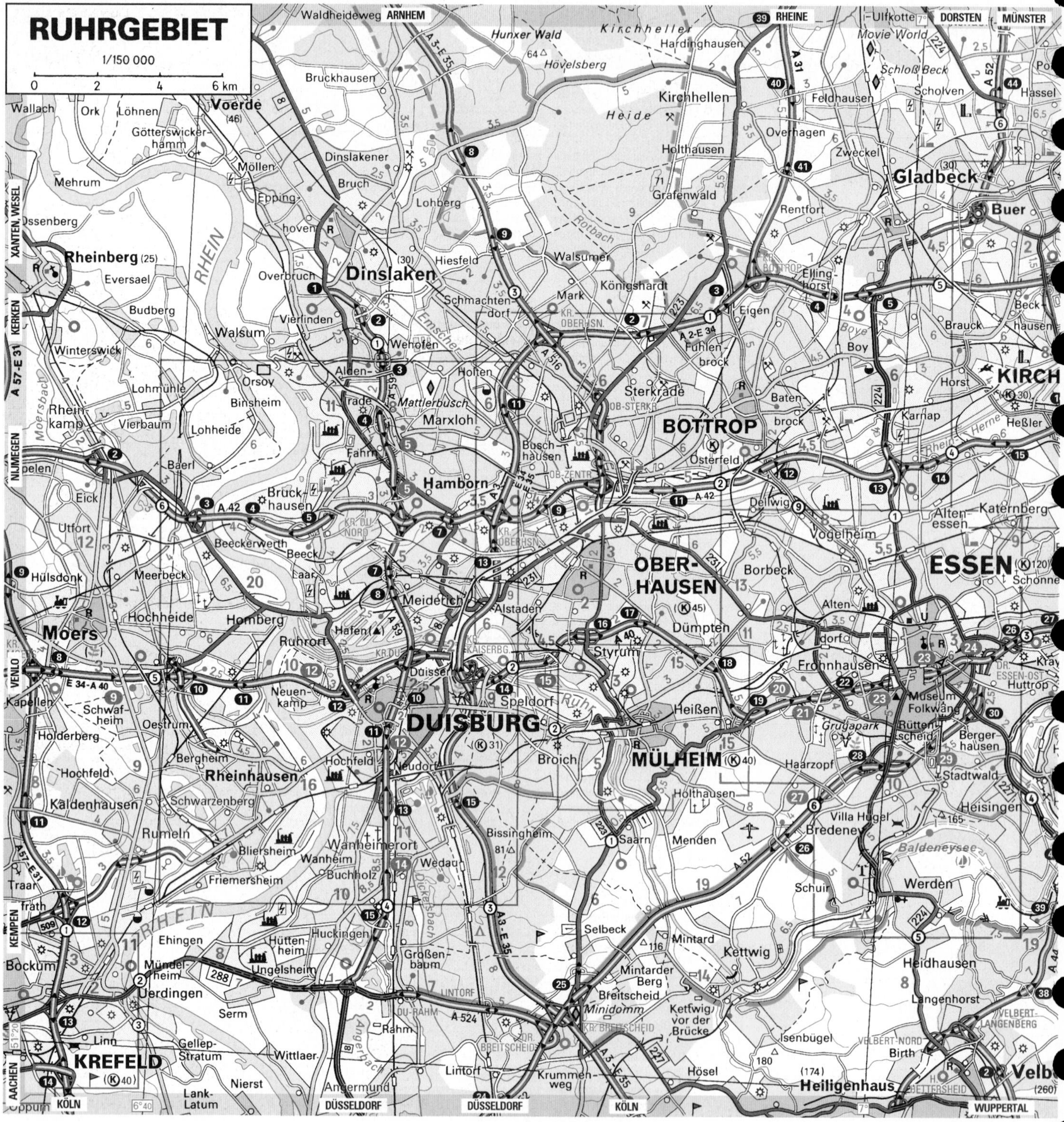

Spezielle Zeichen

Erholungsgebiet - Freizeitanlage
Yachthafen - Golfplatz
Garten, Park - Tierpark, Zoo
Museumseisenbahn-Linie
Jugendherberge
Kraftwerk
Bergwerk - Industrieanlagen
Kokerei - Stahlwerk
Kfz.- Industrie
Chem. Industrie

Bijzondere tekens

Recreatiegebied - Recreatiepark
Jachthaven - Golf
Tuin, park - Safaripark, dierentuin
Toeristentreintje
Jeugdherberg
Elektrische centrale
Mijn - Industrie
Cokesfabriek - IJzer en staal
Automobielind.
Chemie

Special symbols

Recreatioal centre - Country park
Sailing - Golf course
Garden, park - Safari park, zoo
Tourist train
Youth hostel
Power station
Mine - Industrial activity
Coking plant - Steel works
Car Industry
Chemical works

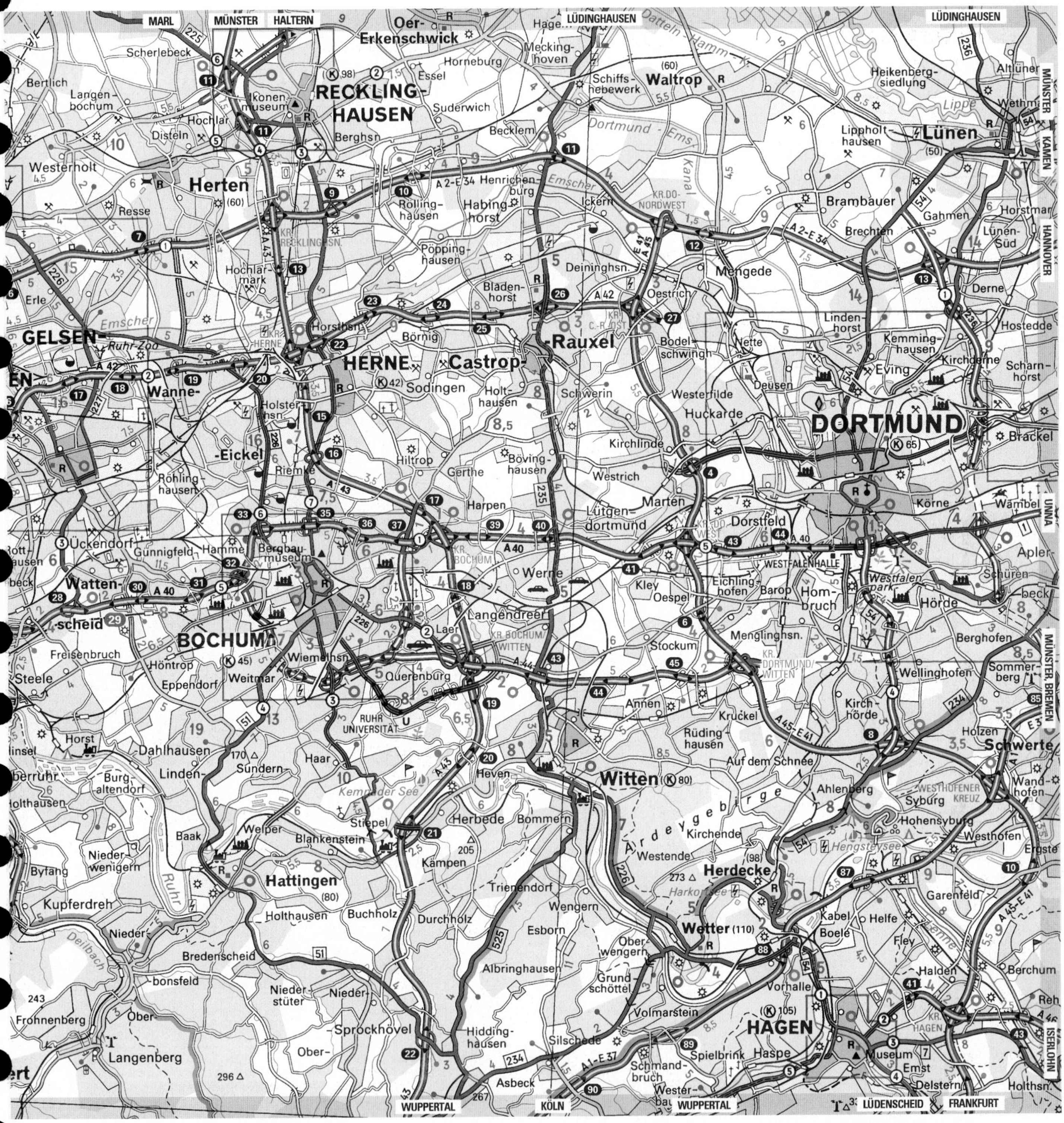

Signes particuliers

- Base de loisirs - Parc de loisirs
- Centre de voile - Golf
- Jardin, parc - Parc animalier, zoo
- Train touristique
- Auberge de jeunesse
- Centrale électrique
- Mine - Industries
- Cokerie - Sidérurgie
- Automobile
- Chimie

Segni convenzionali

- Bagno - Parco per attività ricreative
- Centro velico - Golf
- Giardino, parco - Parco con animali, zoo
- Trenino turistico
- Ostello della gioventù
- Centrale elettrica
- Miniera - Industrie
- Cokeria - Siderurgia
- Industria automobilistica
- Industria chimica

Signos especiales

- Zona recreativa - Parque de ocio
- Vela - Golf
- Jardín, parque - Zoo
- Tren turístico
- Albergue juvenil
- Central eléctrica
- Mina - Industrias
- Coquería - Siderurgia
- Industria del automóvil
- Industria química

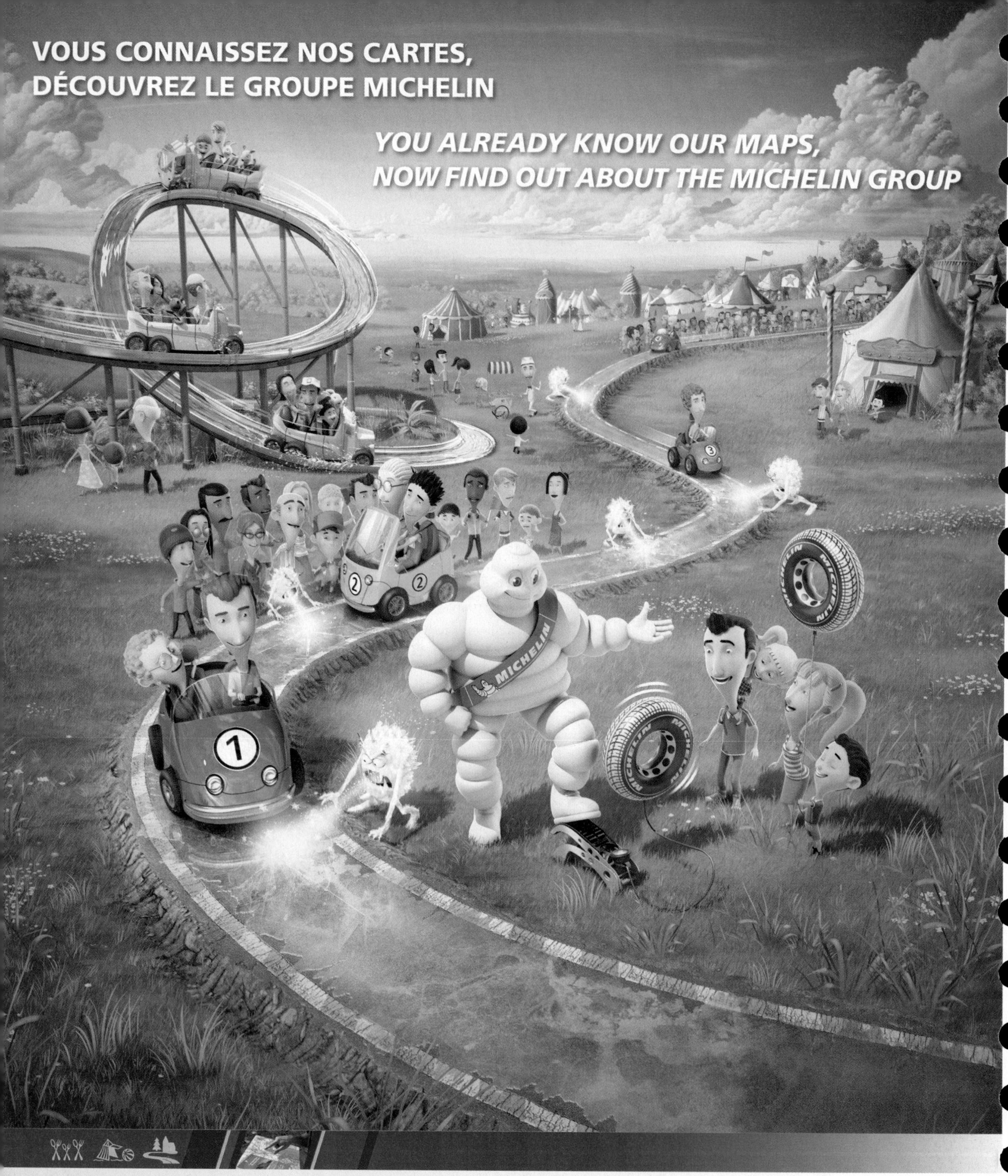
VOUS CONNAISSEZ NOS CARTES,
DÉCOUVREZ LE GROUPE MICHELIN
YOU ALREADY KNOW OUR MAPS,
NOW FIND OUT ABOUT THE MICHELIN GROUP
MICHELIN
1
2
3

L'aventure Michelin

Tout commence avec des balles en caoutchouc ! C'est ce que produit, vers 1880, la petite entreprise clermontoise dont héritent André et Édouard Michelin. Les deux frères saisissent vite le potentiel des nouveaux moyens de transport. L'invention du pneumatique démontable pour la bicyclette est leur première réussite. Mais c'est avec l'automobile qu'ils donnent la pleine mesure de leur créativité. Tout au long du 20e s., Michelin n'a cessé d'innover pour créer des pneumatiques plus fiables et plus performants, du poids lourd à la Formule 1, en passant par le métro et l'avion.

Très tôt, Michelin propose à ses clients des outils et des services destinés à faciliter leurs déplacements, à les rendre plus agréables... et plus fréquents. Dès 1900, le **Guide Michelin** fournit aux chauffeurs tous les renseignements utiles pour entretenir leur automobile, trouver où se loger et se restaurer. Il deviendra la référence en matière de gastronomie. Parallèlement, le Bureau des itinéraires offre aux voyageurs conseils et itinéraires personnalisés.

En 1910, la première collection de **cartes routières** remporte un succès immédiat ! En 1926, un premier guide régional invite à découvrir les plus beaux sites de Bretagne. Bientôt, chaque région de France a son **Guide Vert**. La collection s'ouvre ensuite à des destinations plus lointaines (de New York en 1968... à Taïwan en 2011).

Au 21e s., avec l'essor du numérique, le défi se poursuit pour les cartes et guides Michelin qui continuent d'accompagner le pneumatique. Aujourd'hui comme hier, la mission de Michelin reste l'aide à la mobilité, au service des voyageurs.

The Michelin Adventure

It all started with rubber balls! This was the product made by a small company based in Clermont-Ferrand that André and Edouard Michelin inherited, back in 1880. The brothers quickly saw the potential for a new means of transport and their first success was the invention of detachable pneumatic tyres for bicycles. However, the automobile was to provide the greatest scope for their creative talents.

Throughout the 20th century, Michelin never ceased developing and creating ever more reliable and high-performance tyres, not only for vehicles ranging from trucks to F1 but also for underground transit systems and aeroplanes.

From early on, Michelin provided its customers with tools and services to facilitate mobility and make travelling a more pleasurable and more frequent experience. As early as 1900, the ***Michelin Guide*** *supplied motorists with a host of useful information related to vehicle maintenance, accommodation and restaurants, and was to become a benchmark for good food. At the same time, the Travel Information Bureau offered travellers personalised tips and itineraries.*

The publication of the first collection of roadmaps, in 1910, was an instant hit! In 1926, the first regional guide to France was published, devoted to the principal sites of Brittany, and before long each region of France had its own ***Green Guide****. The collection was later extended to more far-flung destinations, including New York in 1968 and Taiwan in 2011.*

In the 21st century, with the growth of digital technology, the challenge for Michelin maps and guides is to continue to develop alongside the company's tyre activities. Now, as before, Michelin is committed to improving the mobility of travellers.

MICHELIN AUJOURD'HUI

N°1 MONDIAL DES PNEUMATIQUES

- 70 sites de production dans 18 pays
- 111 000 employés de toutes cultures, sur tous les continents
- 6 000 personnes dans les centres de Recherche & Développement

MICHELIN TODAY

WORLD NUMBER ONE TYRE MANUFACTURER

- *70 production sites in 18 countries*
- *111,000 employees from all cultures and on every continent*
- *6,000 people employed in research and development*

Avancer ensemble vers un
Moving forward together for

Mieux avancer, c'est d'abord innover pour mettre au point des pneus qui freinent plus court et offrent une meilleure adhérence, quel que soit l'état de la route.
C'est aussi aider les automobilistes à prendre soin de leur sécurité et de leurs pneus. Pour cela, Michelin organise partout dans le monde des opérations **Faites le plein d'air** pour rappeler à tous que la juste pression, c'est vital.

LA JUSTE PRESSION | *CORRECT TYRE PRESSURE*

- Sécurité
- Longévité
- Consommation de carburant optimale

BONNE PRESSION

RIGHT PRESSURE

- *Safety*
- *Longevity*
- *Optimum fuel consumption*

- Durée de vie des pneus réduite de 20% (- 8000 km)

-0,5 bar

-0,5 bar

- *Durability reduced by 20% (- 8,000 km)*

- Risque d'éclatement
- Hausse de la consommation de carburant
- Distance de freinage augmentée sur sol mouillé

-1 bar

-1 bar

- *Risk of blowouts*
- *Increased fuel consumption*
- *Longer braking distances on wet surfaces*

monde où la mobilité est plus sûre
a world where mobility is safer

Moving forward means developing tyres with better road grip and shorter braking distances, whatever the state of the road. It also involves helping motorists take care of their safety and their tyres.

To do so, Michelin organises "Fill Up With Air" campaigns all over the world to remind us that correct tyre pressure is vital.

L'USURE — *WEAR*

COMMENT DETECTER L'USURE

La profondeur minimale des sculptures est fixée par la loi à 1,6 mm.
Les manufacturiers ont muni les pneus d'indicateurs d'usure.
Ce sont de petits pains de gomme moulés au fond des sculptures et d'une hauteur de 1,6 mm.

DETECTING TYRE WEAR

The legal minimum depth of tyre tread is 1.6 mm.
Tyre manufacturers equip their tyres with tread wear indicators, which are small blocks of rubber moulded into the base of the main grooves at a depth of 1.6 mm.

LES PNEUMATIQUES CONSTITUENT LE SEUL POINT DE CONTACT ENTRE LE VÉHICULE ET LA ROUTE.

TYRES ARE THE ONLY POINT OF CONTACT BETWEEN VEHICLE AND ROAD.

Ci-dessous, la zone de contact réelle photographiée.

The photo below shows the actual contact zone.

PNEU NEUF

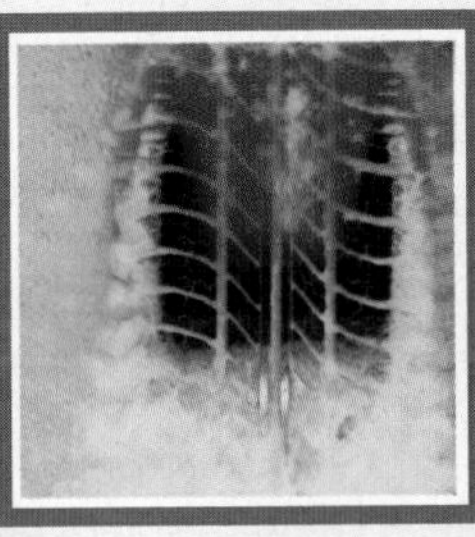

NEW TYRE

Au-dessous de cette valeur, les pneus sont considérés comme lisses et dangereux sur chaussée mouillée.

PNEU USÉ
(1,6 mm de sculpture)

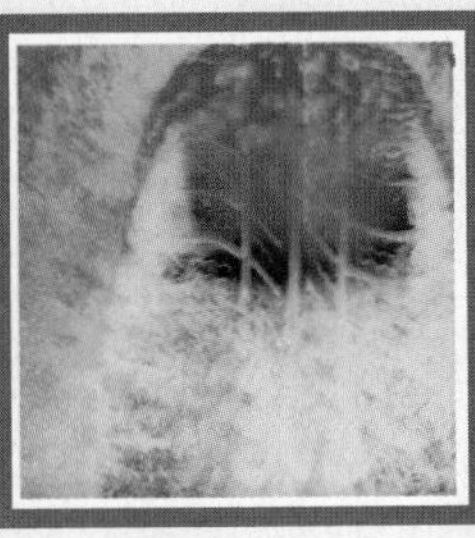

WORN TYRE
(1,6 mm tread)

If the tread depth is less than 1.6mm, tyres are considered to be worn and dangerous on wet surfaces.

Mieux avancer, c'est développer une mobilité durable

Moving forward means sustainable mobility

INNOVATION ET ENVIRONNEMENT

Chaque jour, Michelin innove pour diviser par deux d'ici à 2050 la quantité de matières premières utilisée dans la fabrication des pneumatiques, et développe dans ses usines les énergies renouvelables. La conception des pneus MICHELIN permet déjà d'économiser des milliards de litres de carburant, et donc des milliards de tonnes de CO2.

De même, Michelin choisit d'imprimer ses cartes et guides sur des « papiers issus de forêts gérées durablement ». L'obtention de la certification ISO14001 atteste de son plein engagement dans une éco-conception au quotidien.

Un engagement que Michelin confirme en diversifiant ses supports de publication et en proposant des solutions numériques pour trouver plus facilement son chemin, dépenser moins de carburant.... et profiter de ses voyages !

Parce que, comme vous, Michelin s'engage dans la préservation de notre planète.

INNOVATION AND THE ENVIRONMENT

By 2050, Michelin aims to cut the quantity of raw materials used in its tyre manufacturing process by half and to have developed renewable energy in its facilities. The design of MICHELIN tyres has already saved billions of litres of fuel and, by extension, billions of tonnes of CO2.

Similarly, Michelin prints its maps and guides on paper produced from sustainably managed forests and is diversifying its publishing media by offering digital solutions to make travelling easier, more fuel efficient and more enjoyable!

The group's whole-hearted commitment to eco-design on a daily basis is demonstrated by ISO 14001 certification.

Like you, Michelin is committed to preserving our planet.

Chattez avec Bibendum

Rendez-vous sur :
www.michelin.com/corporate/fr
Découvrez l'actualité et l'histoire de Michelin.

Chat with Bibendum

*Go to **www.michelin.com/corporate/fr***
Find out more about Michelin's history and the latest news.

QUIZZ

QUIZ

Michelin développe des pneumatiques pour tous les types de véhicules. Amusez-vous à identifier le bon pneu...

Michelin develops tyres for all types of vehicles.
See if you can match the right tyre with the right vehicle…

Solution : A-6 / B-4 / C-2 / D-1 / E-3 / F-7 / G-5

D. Chapuis/MICHELIN

S. Sauvignier/MICHELIN

D. Chapuis/MICHELIN

C. Eymenier/MICHELIN

Y. Duhamel/MICHELIN

- (A) Österreich
- (AL) Shqipëria
- (AND) Andorra
- (B) Belgique, België
- (BG) Bălgarija
- (BIH) Bosna i Hercegovina
- (BY) Belarus´
- (CH) Schweiz, Suisse, Svizzera
- (CY) Kýpros, Kibris
- (CZ) Česka Republika
- (D) Deutschland
- (DK) Danmark
- (E) España
- (EST) Eesti
- (F) France
- (FIN) Suomi, Finland
- (FL) Liechtenstein
- (GB) United Kingdom
- (GR) Elláda
- (H) Magyarország
- (HR) Hrvatska
- (I) Italia
- (IRL) Ireland
- (IS) Ísland
- (L) Luxembourg
- (LT) Lietuva
- (LV) Latvija
- (M) Malta
- (MC) Monaco
- (MD) Moldova
- (MK) Makedonija
- (MNE) Crna Gora
- (N) Norge
- (NL) Nederland
- (P) Portugal
- (PL) Polska
- (RO) România
- (RSM) San Marino
- (RUS) Rossija
- (S) Sverige
- (SK) Slovenská Republika
- (SLO) Slovenija
- (SRB) Srbija
- (TR) Türkiye
- (UA) Ukraïna
- (V) Vaticano

EUROPA
EUROPE
1: 3 500 000

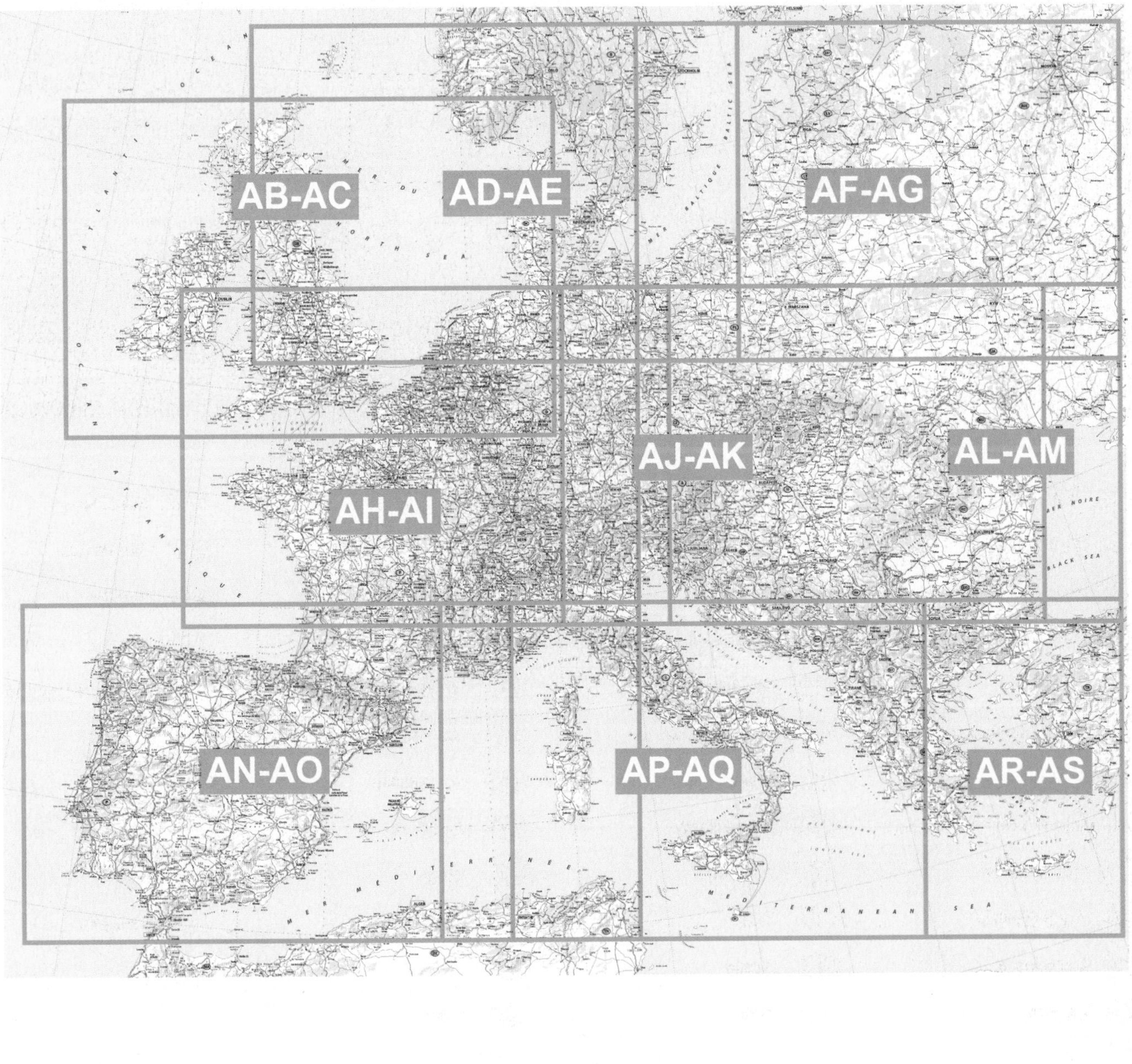

OCÉAN ATLANTIC
HEBRIDES
IRISH SEA
ENGLISH CHANNEL
LA MANCHE
St. George's Channel
North Channel
Bristol Channel
Cardigan Bay
The Minch
Little Minch
Sea of the Hebrides
Moray Firth
Pentland Firth
Firth of Forth
Firth of Clyde
Firth of Lorn
Solway Firth
SCOTLAND
HIGHLANDS
Grampian Mountains
NORTHERN IRELAND
WALES
Cambrian Mountains
IRL
GB
Lewis
Stornoway
St. Kilda
Tarbert
Harris
North Uist
Lochmaddy
South Uist
Lochboisdale
Barra
Castlebay
Uig
Portree
Dunvegan
Skye
Kyle of Lochalsh
Rhum
Mallaig
Coll
Tiree
Tobermory
Mull
Craignure
Fionnphort
Oban
Colonsay
Islay
Port Askaig
Jura
Port Ellen
Kintyre
Campbeltown
Arran
Brodick
Rothesay
Lochgilphead
Loch Fyne
Loch Linnhe
Fort William
Ben Nevis
1344
Loch Ness
Inverness
Nairn
Dingwall
Ullapool
Lochinver
Lairg
Tongue
Thurso
Dunnet Head
Wick
Hoy
Stromness
Brora
Dornoch
Elgin
Keith
Grantown-on-Spey
R. Spey
Aviemore
Newtonmore
1309
Braemar
Dee
Pitlochry
R. Tay
Forfar
Dundee
Arbroath
Perth
Crieff
Crianlarich
St Andrews
Stirling
Kinross
Kirkcaldy
North Berwick
Haddington
Falkirk
Dumbarton
Greenock
Dunoon
Glasgow
EDINBURGH
Hamilton
Lanark
Peebles
Galashiels
Kilmarnock
Ardrossan
Ayr
Moffat
Hawick
Jedburgh
R. Tweed
Dumfries
Cairnryan
Stranraer
Kirkcudbright
Carlisle
Hadrian's Wall
Penrith
Keswick
Workington
Whitehaven
Windermere
Kendal
977
893
Barrow-in-Furness
Heysham
Lancaster
Blackpool
Preston
Southport
Burnley
Bolton
LIVERPOOL
Birkenhead
Warrington
Manchester
Macclesfield
Crewe
Stoke-on-Trent
Chester
Wrexham
Oswestry
Shrewsbury
Welshpool
Newtown
Stafford
Wolverhampton
BIRMINGHAM
Ludlow
Kidderminster
Leominster
Hereford
Worcester
Ross-on-Wye
Abergavenny
Gloucester
Cheltenham
Cirencester
Swindon
Chippenham
Bath
Bristol
Newport
Cardiff
Weston-super-Mare
Merthyr Tydfil
Brecon
Llandrindod Wells
Aberystwyth
Dolgellau
Snowdon
1085
Caernarfon
Bangor
Holyhead
Anglesey
Llandudno
Colwyn Bay
Cardigan
Fishguard
St David's
Carmarthen
Haverfordwest
Milford Haven
Pembroke Dock
Llanelli
Swansea
Ilfracombe
Minehead
Exmoor
Barnstaple
Taunton
Wells
Warminster
Stonehenge
Salisbury
Yeovil
Dorchester
Poole
Bournemouth
Southampton
Weymouth
Bude
Launceston
Exeter
Honiton
Dartmoor
Sidmouth
Exmouth
Torquay
Paignton
Plymouth
Bodmin
Newquay
CORNWALL
St Ives
Truro
Penzance
Falmouth
Land's End
Lizard Point
Cap de
Isle of Man
Ramsey
Peel
Douglas
Malin Head
Buncrana
Letterkenny
Londonderry
Portrush
Coleraine
Giant's Causeway
Ballycastle
Antrim Glens
Strabane
Donegal
Ballymena
Larne
Lough Foyle
Lough Neagh
Lough Erne
R. Bann
Omagh
Enniskillen
Lisburn
BELFAST
Bangor
Armagh
Newry
Newcastle
Monaghan
Cavan
Dundalk
Ardee
Bundoran
Sligo
Belmullet
Ballina
Achill
Castlebar
Westport
Knock
Boyle
Carrick-on-Shannon
Longford
Roscommon
Lough Mask
Lough Corrib
Clifden
Connemara
Galway
Aran
Cliffs of Moher
Ballinasloe
Athlone
Lough Ree
Mullingar
Navan
Drogheda
R. Boyne
Kinnegad
DUBLIN
Tullamore
Loughrea
Shannon
Birr
Lough Derg
Ennistimon
Ennis
Portlaoise
Naas
Dún Laoghaire
Bray
Glendalough
926
Wicklow
Arklow
Roscrea
Nenagh
Limerick
Kilrush
Carlow
Kilkenny
R. Barrow
R. Suir
Tipperary
Cashel
Listowel
Tralee
Dingle
Cahersiveen
Lakes of Killarney
1041
Killarney
Mallow
R. Blackwater
Fermoy
Cahir
Clonmel
Carrick-on-Suir
New Ross
Enniscorthy
Wexford
Rosslare
Carnsore Point
Waterford
Dungarvan
Youghal
Cork
Cobh
Kenmare
Ring of Kerry
Glengarriff
Bantry
Lee
Skibbereen

MER DU NORD
NORTH SEA
Skagerrak
Stavanger
Sandnes
Egersund
Flekkefjord
Farsund
Lindesnes
Mandal
Kristiansand
Grimstad
Evje
Tonstad
Setesdal
Hirtshals
Hjørring
Ålborg
Hanstholm
Thisted
Nykøbing Mors
Skive
Viborg
Struer
Holstebro
Silkeborg
Ringkøbing
Herning
Skjern
Vejle
DK
Varde
Blåvands Huk
Esbjerg
Kolding
Ribe
Haderslev
Rømø
Sylt
Westerland
Tønder
Föhr
Niebüll
Nordfriesische Inseln
Husum
Sankt Peter-Ording
Rendsburg
Heide
Helgoland
Deutsche Bucht
Cuxhaven
Ostfriesische Inseln
Norden
Wilhelmshaven
Bremerhaven
Emden
Aurich
Oldenburg
BREMEN
Delmenhorst
Cloppenburg
Lingen
Osnabrück
Münster
Bielefeld
Paderborn
Hamm
Dortmund
Essen
Duisburg
Wuppertal
Krefeld
Mönchengladbach
DÜSSELDORF
KÖLN
Bonn
Siegen
Aachen
Koblenz
WIESBADEN
MAINZ
Waddeneilanden
Texel
Den Helder
Leeuwarden
Groningen
Delfzijl
Harlingen
Afsluitdijk
Sneek
Assen
Heerenveen
Emmen
Lelystad
Zwolle
Alkmaar
Hoorn
IJmuiden
AMSTERDAM
Haarlem
NL
Zandvoort
Keukenhof
Leiden
Hilversum
Amersfoort
Apeldoorn
Deventer
Enschede
Hengelo
Almelo
Scheveningen
DEN HAAG
Hoek van Holland
Delft
Gouda
Utrecht
Arnhem
Nijmegen
Europoort
ROTTERDAM
Dordrecht
Zierikzee
Middelburg
Vlissingen
Breda
Tilburg
's-Hertogenbosch
Eindhoven
Venlo
Roermond
Maastricht
Zeebrugge
Blankenberge
Knokke-Heist
Oostende
Brugge
Gent
ANTWERPEN
Mechelen
Hasselt
Leuven
BRUXELLES/BRUSSEL
B
Kortrijk
Ieper
Roeselare
Tournai
Mons
Charleroi
NAMUR
Liège
Verviers
Spa
Bastogne
L
Dunkerque
Calais
Cap Gris Nez
Pas de Calais
Strait of Dover
Boulogne-sur-Mer
Le Touquet-Paris-Plage
Berck
Montreuil
St-Omer
Béthune
LILLE
Lens
Arras
Douai
Valenciennes
Cambrai
Abbeville
Doullens
AMIENS
Le Tréport
Dieppe
Fraserburgh
Peterhead
Aberdeen
Stonehaven
Berwick-upon-Tweed
Alnwick
Blyth
South Shields
Tynemouth
Sunderland
Gateshead
Durham
Hartlepool
Middlesbrough
Darlington
Whitby
Scarborough
Thirsk
Harrogate
York
Bridlington
Leeds
Wakefield
Kingston-upon-Hull
Humber River
Scunthorpe
Grimsby
Doncaster
Sheffield
Chesterfield
Mansfield
Lincoln
Louth
Skegness
Boston
Nottingham
Derby
Grantham
The Wash
King's Lynn
Cromer
NORFOLK
Norwich
Great Yarmouth
Lowestoft
Loughborough
Leicester
Stamford
Peterborough
Coventry
Rugby
Kettering
Thetford
Huntingdon
Ely
Bury St Edmunds
Northampton
Cambridge
Ipswich
Felixstowe
Harwich
Little Clacton
Colchester
Chelmsford
ENGLAND
Banbury
Blenheim Palace
Aylesbury
Luton
St Albans
Oxford
Reading
Windsor
LONDON
Southend-on-Sea
Sheerness
Margate
Ramsgate
Canterbury
Maidstone
Ashford
Dover
Folkestone
Royal Tunbridge Wells
KENT
Guildford
Crawley
Winchester
Portsmouth
Worthing
Brighton
Newhaven
Eastbourne
Hastings
Chichester
Newport
Wight

MER DU NORD
NORTH SEA
Shetland
Unst
Yell
Hillswick
Sandness
Lerwick
Mainland
Sumburgh
Orkney
Westray
Rousay
Sanday
Mainland
Stronsay
Kirkwall
Stromness
Hoy
Pentland Firth
Dunnet Head
Tongue
Thurso
Wick
Lairg
Brora
Dornoch
Moray Firth
Dingwall
Nairn
Elgin
Banff
Fraserburgh
Inverness
Grantown-on-Spey
Keith
Peterhead
Loch Ness
Aviemore
Newtonmore
Aberdeen
Braemar
Dee
Mountains
Grampian
Stonehaven
Pitlochry
Forfar
Montrose
Dundee
Arbroath
Crieff
Perth
St Andrews
Crianlarich
Stirling
Kinross
Forth
Falkirk
Kirkcaldy
Firth of Forth
North Berwick
Glasgow
EDINBURGH
Haddington
Hamilton
Lanark
Berwick-upon-Tweed
Kilmarnock
Peebles
Galashiels
Coldstream
Moffat
Hawick
Jedburgh
Alnwick
GB
Dumfries
Hadrian's Wall
Newcastle upon Tyne
Blyth
South Shields
Tynemouth
Carlisle
Gateshead
Sunderland
Solway Firth
Workington
Keswick
Penrith
Durham
Hartlepool
Whitehaven
The Pennines
Darlington
Middlesbrough
Windermere
Whitby
Kendal
YORKSHIRE
Thirsk
Barrow-in-Furness
Scarborough
Fountains Abbey
Heysham
Lancaster
Skipton
Harrogate
Bridlington
Blackpool
Burnley
Bradford
Leeds
York
Preston
Halifax
Kingston-upon Hull
Southport
Bolton
LIVERPOOL
Huddersfield
Wakefield
Scunthorpe
MANCHESTER
Humber River
Birkenhead
Warrington
Stockport
Doncaster
Grimsby
Colwyn Bay
Chester
Sheffield
Macclesfield
Chatsworth
Chesterfield
Louth
Wrexham
Crewe
Stoke-on-Trent
Matlock
Mansfield
Lincoln
Skegness
Oswestry
Derby
Nottingham
Boston
The Wash
Cromer
Welshpool
Burton-upon-Trent
Grantham
King's Lynn
Shrewsbury
Stafford
Loughborough
Newtown
Walsall
Leicester
Stamford
Wisbech
NORFOLK
Great Yarmouth
Wolverhampton
Ludlow
BIRMINGHAM
Coventry
Peterborough
Norwich
Thetford
Førde
Urnes
Balestrand
Sogndalsfjøra
Lavik
Vangsnes
Lærdalsøyri
Borgund
Brekke
Sognefjorden
Gudvangen
Flåm
Voss
Dale
Hardangerjøkulen
Osterøya
Bergen
Kinsarvik
Hardangerfjorden
Folgefonna
Hardangervidd
Tysnesøy
Rosendal
Odda
Stord
Svortland
Bømlo
Sauda
Haukeligrend
Ølen
Hovden
Åmot
Sand
Haugesund
Karmøy
Boknafjorden
Hjelmelandsvågen
Skudeneshavn
Stavanger
Sandnes
ROGALAND
Svartevatn
Setesdal
Tonstad
Egersund
Flekkefjord
Farsund
Lindesnes
Mandal
Waddeneilanden
Leeuwarden
Groningen
Delfzijl
Emden
Norden
Texel
Harlingen
Sneek
Assen
Afsluitdijk
Den Helder
Heerenveen
IJsselmeer
Emmen
Enkhuizen
Emmeloord
Meppel
Alkmaar
Hoorn
Lelystad
Flevoland
Kampen
Zwolle
IJmuiden
AMSTERDAM
Nordhorn

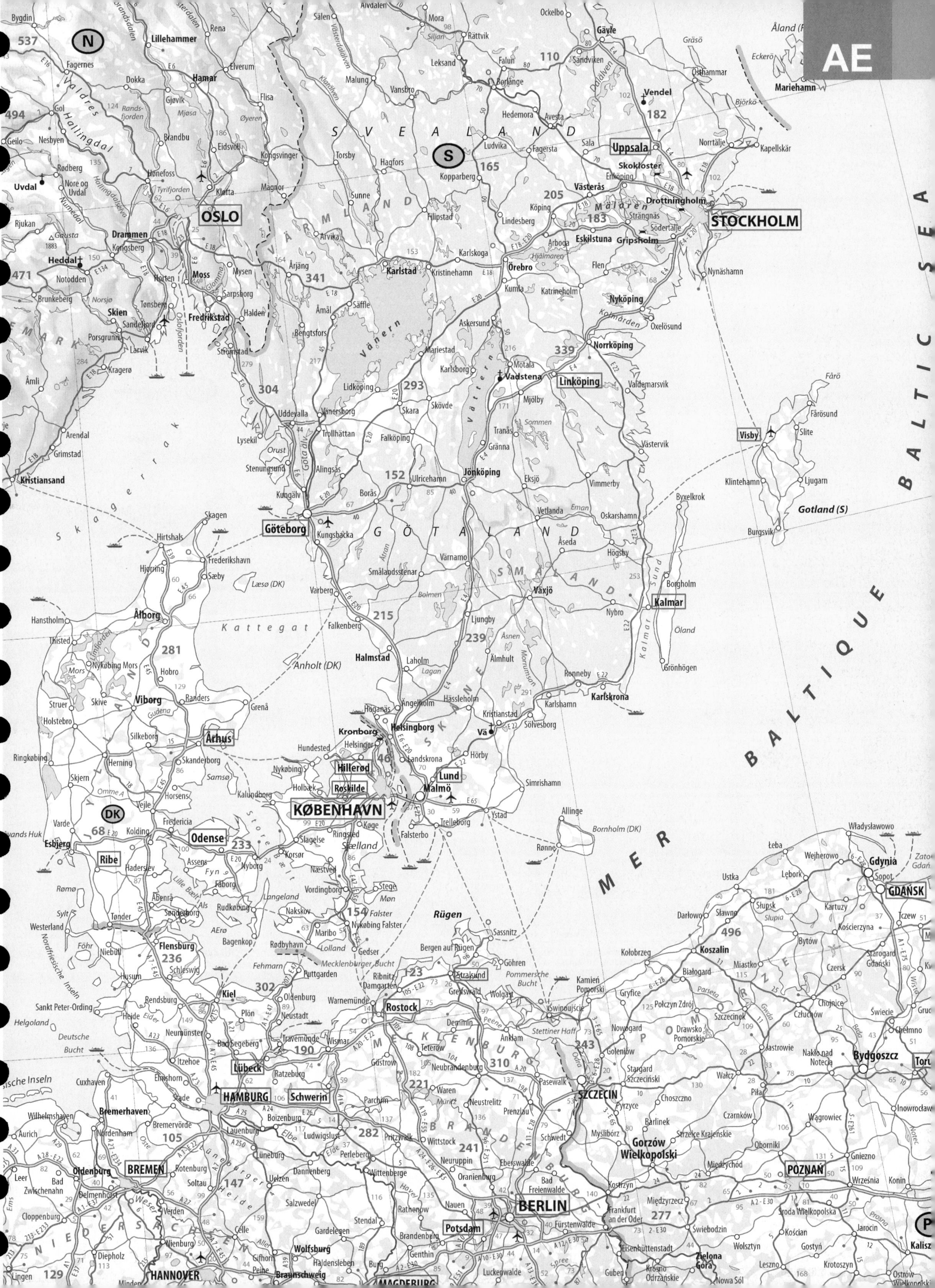
N
S
DK
OSLO
STOCKHOLM
KØBENHAVN
BERLIN
HAMBURG
SVEALAND
GÖTALAND
VÄRMLAND
SMÅLAND
SKÅNE
JYLLAND
MECKLENBURG
BRANDENBURG
NIEDERSACHSEN
POMORZE
BALTIC SEA
MER BALTIQUE
Skagerrak
Kattegat
Anholt (DK)
Læsø (DK)
Bornholm (DK)
Gotland (S)
Öland
Rügen
Fehmarn
Helgoland
Åland (F
Gräsö
Eckerö
Mariehamn
Bygdin
Lillehammer
Fagernes
Hamar
Elverum
Dokka
Gjøvik
Mjøsa
Flisa
Gol
Hallingdal
Geilo
Nesbyen
Brandbu
Eidsvoll
Kongsvinger
Rødberg
Uvdal
Hønefoss
Tyrifjorden
Kløfta
Magnor
Rjukan
Gausta
Drammen
Kongsberg
Heddal
Notodden
Moss
Mysen
Horten
Sarpsborg
Brunkeberg
Skien
Tønsberg
Sandefjord
Fredrikstad
Halden
Porsgrunn
Larvik
Strömstad
Kragerø
Åmli
Arendal
Grimstad
Kristiansand
Sälen
Alvdalen
Mora
Rättvik
Siljan
Leksand
Falun
Borlänge
Malung
Vansbro
Hedemora
Avesta
Ockelbo
Gävle
Sandviken
Östhammar
Vendel
Torsby
Hagfors
Ludvika
Fagersta
Sala
Uppsala
Norrtälje
Kapellskär
Skokloster
Enköping
Kopparberg
Sunne
Filipstad
Västerås
Köping
Lindesberg
Mälaren
Drottningholm
Strängnäs
Södertälje
Arboga
Eskilstuna
Gripsholm
Arvika
Karlskoga
Hjälmaren
Karlstad
Kristinehamn
Örebro
Flen
Årjäng
Nynäshamn
Kumla
Katrineholm
Säffle
Åmål
Nyköping
Oxelösund
Kolmården
Bengtsfors
Vänern
Askersund
Norrköping
Mariestad
Vättern
Motala
Vadstena
Linköping
Karlsborg
Lidköping
Valdemarsvik
Mjölby
Fårö
Fårösund
Uddevalla
Vänersborg
Skara
Skövde
Sommen
Visby
Slite
Trollhättan
Lysekil
Falköping
Tranås
Gränna
Västervik
Orust
Stenungsund
Alingsås
Jönköping
Eksjö
Vimmerby
Klintehamn
Ljugarn
Ulricehamn
Borås
Kungälv
Göteborg
Kungsbacka
Vetlanda
Eman
Oskarshamn
Byxelkrok
Burgsvik
Åseda
Högsby
Skagen
Hirtshals
Frederikshavn
Hjørring
Sæby
Värnamo
Smålandsstenar
Bolmen
Växjö
Borgholm
Kalmar
Nybro
Varberg
Falkenberg
Ljungby
Åsnen
Halmstad
Laholm
Lagan
Älmhult
Ronneby
Karlskrona
Grönhögen
Hanstholm
Ålborg
Thisted
Limfjorden
Nykøbing Mors
Hobro
Mors
Randers
Viborg
Skive
Struer
Grenå
Höganäs
Ängelholm
Hässleholm
Kristianstad
Karlshamn
Sölvesborg
Väå
Holstebro
Silkeborg
Århus
Kronborg
Helsingør
Helsingborg
Hundested
Ringkøbing
Herning
Skanderborg
Hillerød
Landskrona
Hörby
Simrishamn
Skjern
Nykøbing
Lund
Horsens
Samsø
Kalundborg
Holbæk
Roskilde
Malmö
Vejle
Ystad
Allinge
Varde
Kolding
Fredericia
Falsterbo
Trelleborg
Køge
Rønne
Esbjerg
Odense
Slagelse
Ringsted
Sjælland
Ribe
Haderslev
Assens
Korsør
Nyborg
Næstved
Fyn
Faaborg
Stege
Møn
Vordingborg
Rømø
Aabenraa
Als
Sønderborg
Langeland
Rudkøbing
Nakskov
Falster
Sylt
Westerland
Tønder
Ærø
Maribo
Nykøbing Falster
Lolland
Bagenkop
Rødbyhavn
Gedser
Sassnitz
Föhr
Niebüll
Flensburg
Schleswig
Husum
Bergen auf Rügen
Göhren
Mecklenburger Bucht
Puttgarden
Ribnitz-Damgarten
Stralsund
Pommersche Bucht
Kiel
Oldenburg
Greifswald
Wolgast
Kamień Pomorski
Rendsburg
Plön
Warnemünde
Rostock
Świnoujście
Sankt Peter-Ording
Heide
Neustadt
Demmin
Anklam
Stettiner Haff
Neumünster
Bad Segeberg
Travemünde
Wismar
Teterow
Deutsche Bucht
Itzehoe
Lübeck
Ratzeburg
Güstrow
Neubrandenburg
Pasewalk
Szczecin
Cuxhaven
Elmshorn
Schwerin
Waren
Müritz
Neustrelitz
Prenzlau
Stade
Parchim
Bremerhaven
Wilhelmshaven
Bremervörde
Boizenburg
Lauenburg
Ludwigslust
Pritzwalk
Wittstock
Schwedt
Aurich
Nordenham
Elbe
Lüneburg
Perleberg
Wittenberge
Neuruppin
Eberswalde
Oldenburg
Bremen
Rotenburg
Dannenberg
Oranienburg
Bad Freienwalde
Kostrzyn
Leer
Bad Zwischenahn
Delmenhorst
Soltau
Uelzen
Salzwedel
Nauen
Frankfurt an der Oder
Cloppenburg
Verden
Weser
Lüneburger Heide
Havel
Stendal
Rathenow
Potsdam
Fürstenwalde
Celle
Gardelegen
Brandenburg
Nienburg
Diepholz
Wolfsburg
Genthin
Eisenhüttenstadt
Gifhorn
Haldensleben
Burg
Luckenwalde
Spree
Guben
Krosno Odrzańskie
Lingen
Minden
Hannover
Braunschweig
Magdeburg
Peine
Władysławowo
Łeba
Wejherowo
Gdynia
Sopot
Gdańsk
Ustka
Lębork
Kartuzy
Darłowo
Sławno
Słupsk
Słupia
Kościerzyna
Tczew
Bytów
Kołobrzeg
Koszalin
Miastko
Starogard Gdański
Białogard
Czersk
Parsęta
Gryfice
Połczyn Zdrój
Chojnice
Świecie
Szczecinek
Człuchów
Chełmno
Nowogard
Drawsko Pomorskie
Goleniów
Stargard Szczeciński
Wałcz
Jastrowie
Nakło nad Notecią
Bydgoszcz
Piła
Pyrzyce
Choszczno
Czarnków
Wągrowiec
Inowrocław
Barlinek
Myślibórz
Strzelce Krajeńskie
Gorzów Wielkopolski
Oborniki
Gniezno
Międzychód
Poznań
Września
Konin
Międzyrzecz
Środa Wielkopolska
Świebodzin
Kościan
Jarocin
Wolsztyn
Gostyń
Zielona Góra
Nowa Sól
Leszno
Krotoszyn
Ostrów Wielkopolski
Kalisz
Nordfriesische Inseln
Ostfriesische Inseln
Ems
537
494
471
304
341
165
110
182
205
183
339
293
152
215
239
281
46
68
233
154
236
123
302
190
243
496
310
221
282
241
105
147
277
129

Åland (FIN)
Mariehamn
Vendel
Uppsala
Skokloster
Enköping
Västerås
Norrtälje
Kapellskär
Drottningholm
STOCKHOLM
Strängnäs
Södertälje
Eskilstuna
Gripsholm
Nynäshamn
Flen
Nyköping
Oxelösund
Norrköping
Valdemarsvik
Västervik
Vimmerby
Oskarshamn
Byxelkrok
Högsby
Borgholm
Kalmar
Nybro
Öland
Grönhögen
Karlskrona
Gotland (S)
Fårö
Fårösund
Visby
Slite
Klintehamn
Ljugarn
Burgsvik
BALTIC SEA
MER BALTIQUE
Bornholm (DK)
Hanko
Ekenäs
Pargas
TALLINN
Paldiski
Rakvere
Kohtla-Järve
Narva
Slancy
Tapa
Rapla
Paide
Jõgeva
Mustvee
Čudskoje Ozero
Gdov
Pl'ussa
EST
Türi
Põltsamaa
Tartu
Kärdla
Hiiumaa
Haapsalu
Vormsi
Muhu
Orissaare
Virtsu
Saaremaa
Kuressaare
Pärnu
Viljandi
Kilingi-Nõmme
Põlva
Võru
Pskovskoje Ozero
Pskov
Valga
Ostrov
Rūjiena
Salacgrīva
Valmiera
Smiltene
Cēsis
Gulbenē
Sigulda
Rīgas Jūras Līcis
Kolkasrags
Kolka
LV
Madona
Kārsava
Ventspils
Talsi
Jūrmala
RĪGA
Ogre
Rēzekne
Tukums
Jēkabpils
Aizkraukle
Kuldīga
Jelgava
Saldus
Dobele
Bauska
Krāslava
Daugavpils
Biržai
Rokiškis
Braslaŭ
Liepāja
Joniškis
Mažeikiai
Skuodas
Telšiai
Kuršėnai
Šiauliai
Panevėžys
Utena
Plungė
Radviliškis
Palanga
LT
Kėdainiai
Ukmergė
Raseiniai
Klaipėda
Šilutė
Tauragė
Jurbarkas
KAUNAS
VILNIUS
Trakai
Smarhon
Tilsit
Neman
(ROSSIJA)
Vilkaviškis
Marijampolė
Prienai
Alytus
Polessk
Svetlogorsk
Čern'achovsk
Gusev
Kaliningrad
Gvardejsk
Pravdinsk
Baltijsk
Mamonovo
Bagrationovsk
Druskininkai
Lida
Navahrudak
Hrodna
Ščučyn
Masty
Slonim
Vaŭkavysk
Ivacevičy
Bjaroza
Pružany
Kobryn
Brest
Władysławowo
Łeba
Wejherowo
Gdynia
Sopot
GDAŃSK
Ustka
Lębork
Słupsk
Darłowo
Sławno
Kartuzy
Kościerzyna
Tczew
Malbork
Elbląg
Braniewo
Lidzbark Warmiński
Kętrzyn
Węgorzewo
Giżycko
Ełk
Suwałki
Augustów
Mrągowo
Olsztyn
Ostróda
Szczytno
Grajewo
Białystok
Koszalin
Kołobrzeg
Białogard
Miastko
Bytów
Czersk
Starogard Gdański
Kwidzyn
Iława
Łomża
Kamień Pomorski
Gryfice
Połczyn Zdrój
Szczecinek
Człuchów
Chojnice
Świecie
Grudziądz
Chełmno
Brodnica
Mława
Przasnysz
Ostrołęka
Bielsk Podlaski
Hajnówka
Nowogard
Drawsko Pomorskie
Jastrowie
Goleniów
Stargard Szczeciński
SZCZECIN
Wałcz
Piła
Nakło nad Notecią
Bydgoszcz
Toruń
Ciechanów
Ostrów Mazowiecka
Sokołów Podlaski
Pyrzyce
Choszczno
Barlinek
Myślibórz
Czarnków
Wągrowiec
Inowrocław
Ciechocinek
Włocławek
Sierpc
Płońsk
Pułtusk
Płock
Mińsk Mazowiecki
Siedlce
Biała Podlaska
Terespol
Gorzów Wielkopolski
Strzelce Krajeńskie
Oborniki
Gniezno
Sochaczew
WARSZAWA
Żyrardów
Radzyń Podlaski
Włodawa
Kostrzyn
Międzychód
POZNAŃ
Września
Konin
Koło
Kutno
Łowicz
Skierniewice
Dęblin
Kovel'
Frankfurt an der Oder
Międzyrzecz
Świebodzin
Środa Wielkopolska
Jarocin
Kalisz
Pabianice
ŁÓDŹ
Tomaszów Mazowiecki
Radom
Puławy
LUBLIN
Chełm
Ljuboml'
Volodymyr-Volyns'kyj
Eisenhüttenstadt
Zielona Góra
Krosno Odrzańskie
Guben
Wolsztyn
Kościan
Gostyń
Krotoszyn
Leszno
Nowa Sól
Ostrów Wielkopolski
Sieradz
Zduńska Wola
Piotrków Trybunalski
Kazimierz Dolny
Krasnystaw
Zamość
Kraśnik
Novovolyns'k
PL

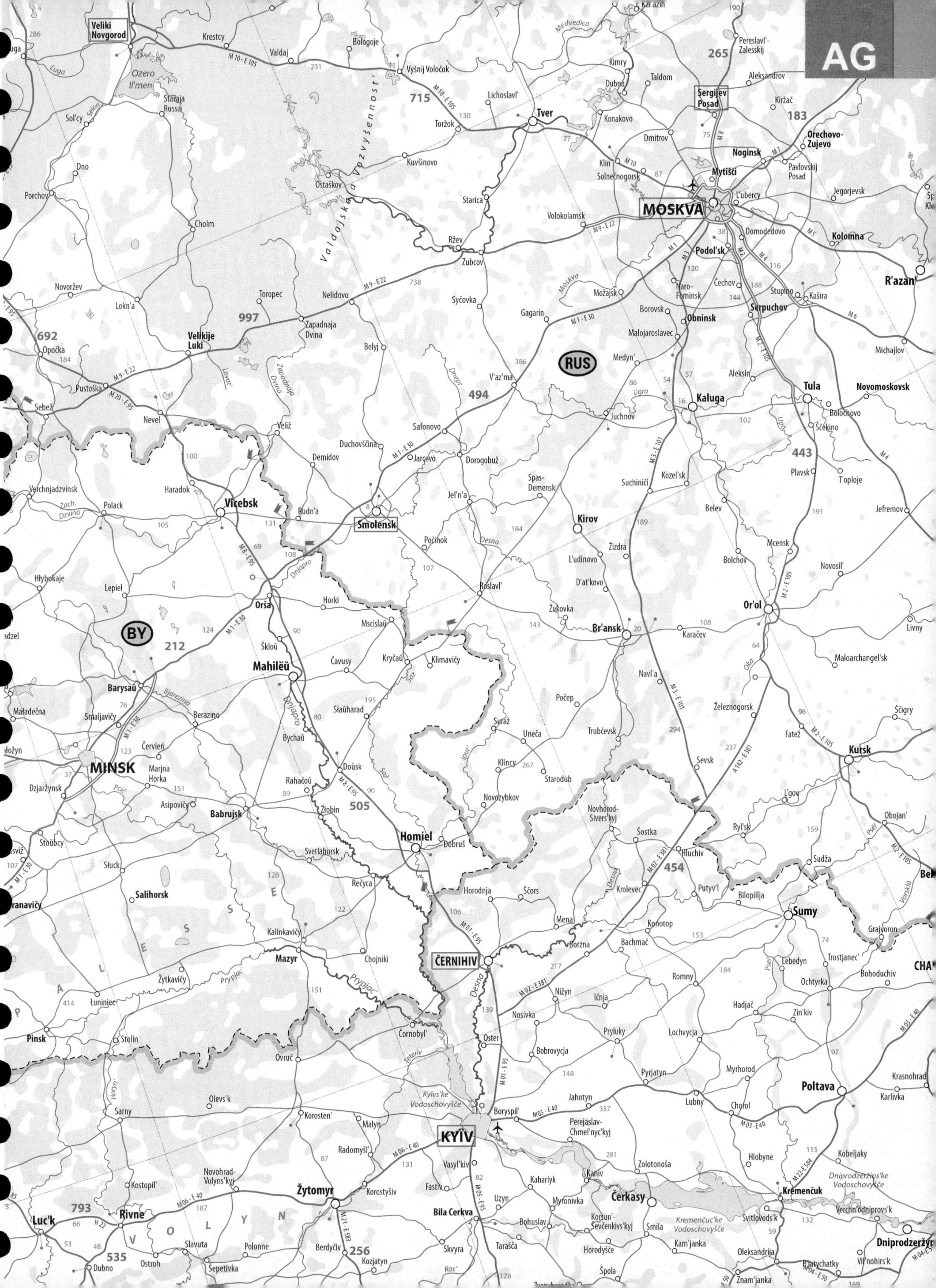
Veliki Novgorod
Krestcy
Valdaj
Bologoje
Vyšnij Voločok
Medvedica
Kimry
Pereslavl'-Zalesskij
Aleksandrov
Taldom
Dubna
Sergijev Posad
Kiržač
Luga
Ozero Il'men
Staraja Russa
Sol'cy
Šelon
Lichoslavl'
Tver
Toržok
Konakovo
Dmitrov
Orechovo-Zujevo
Noginsk
Pavlovskij Posad
Klin
Solnečnogorsk
Mytišči
Kuvšinovo
Ostaškov
Valdajskaja Vozvyšennost'
Dno
Porchov
Starica
Volokolamsk
MOSKVA
L'ubercy
Jegorjevsk
Cholm
Ržev
Zubcov
Domodedovo
Podol'sk
Kolomna
R'azan'
Moskva
Možajsk
Naro-Fominsk
Čechov
Stupino
Kašira
Serpuchov
Novoržev
Toropec
Nelidovo
Syčovka
Gagarin
Borovsk
Obninsk
Lokn'a
Zapadnaja Dvina
Malojaroslavec
Velikije Luki
Belyj
Dnepr
RUS
Medyn'
Michajlov
Opočka
Aleksin
Pustoška
Sebež
Nevel
Lovat'
V'az'ma
Ugra
Kaluga
Tula
Novomoskovsk
Juchnov
Bolochovo
Ščekino
Veliž
Safonovo
Duchovščina
Demidov
Jarcevo
Dorogobuž
Plavsk
T'oploje
Verchnijadzvinsk
Haradok
Vicebsk
Polack
Zach. Dzvina
Rudn'a
Smolensk
Spas-Demensk
Jel'n'a
Kozel'sk
Suchiniči
Belev
Jefremov
Kirov
Počinok
Desna
Žizdra
L'udinovo
Mcensk
Bolchov
Novosil'
Hlybokaje
Lepiel
Dnjapro
Orša
Horki
Roslavl'
D'at'kovo
Žukovka
Or'ol
Livny
BY
Mscislaŭ
Br'ansk
Karačev
Maloarchangel'sk
Škloŭ
Mahilëŭ
Čavusy
Kryčaŭ
Klimavičy
Barysaŭ
Bjarezina
Maładečna
Smaljavičy
Berazino
Navl'a
Počep
Oka
Železnogorsk
Ščigry
Slaŭharad
Suraž
Unieča
Trubčevsk
Fatež
Bychaŭ
Červień
MINSK
Marjna Horka
Dzjaržynsk
Doŭsk
Klincy
Starodub
Sevsk
Kursk
Rahačoŭ
Asipovičy
Babrujsk
Žlobin
Novozybkov
Novhorod-Sivers'kyj
L'gov
Obojan'
Stoŭbcy
Svetlahorsk
Homiel
Dobruš
Šostka
Hluchiv
Ryl'sk
Sluck
Salihorsk
Rečyca
Horodnja
Ščors
Krolevec
Putyv'l
Bilopillja
Sudža
Sumy
Baranavičy
Mena
Konotop
Borzna
Bachmač
Grajvoron
Kalinkavičy
Mazyr
Chojniki
ČERNIHIV
Romny
Lebedyn
Trostjanec'
Bohoduchiv
Ochtyrka
Žytkavičy
Prypjac'
Nižyn
Ičnja
Hadjač
Luninec
Zin'kiv
Pinsk
Stolin
Čornobyl'
Oster
Nosivka
Pryluky
Lochvycja
Ovruč
Bobrovycja
Pyrjatyn
Myrhorod
Krasnohrad
Teteriv
Poltava
Karlivka
Olevs'k
Kyjivs'ke Vodoschovyšče
Boryspil'
Jahotyn
Lubny
Chorol
Sarny
Korosten'
Malyn
Perejaslav-Chmel'nyc'kyj
KYÏV
Radomyšl'
Hlobyne
Kobeljaky
Vasyl'kiv
Zolotonoša
Kaniv
Kaharlyk
Dniprodzeržins'ke Vodoschovyšče
Novohrad-Volyns'kyj
Kostopil'
Žytomyr
Korostyšiv
Fastiv
Kremenčuk
Uzyn
Myronivka
Čerkasy
Verchn'odniprovs'k
Luc'k
Rivne
Bila Cerkva
Bohuslav
Korsun'-Ševčenkivs'kyj
Smila
Kremenčuc'ke Vodoschovyšče
Svitlovods'k
Dniprodzeržyn
Slavuta
Polonne
Berdyčiv
Skvyra
Tarašča
Horodyšče
Kam'janka
Oleksandrija
Dubno
Ostroh
Šepetivka
Kozjatyn
Špola
Znam'janka
P'jatychatky
Vil'nohirs'k
Ros'
P A L E S S E
V O L Y N
M10-E105
M9-E22
M1-E30
M8-E95
M01-E95
M02-E381
M03-E40
M06-E40
M05-E95
M21-E583
M2-E105
M3-E101
A142-E381
M20-E95
265
183
715
997
692
494
443
212
505
454
793
535
256

DUBLIN
Dun Laoghaire
Bray
Wicklow
Arklow
Carlow
Kilkenny
New Ross
Enniscorthy
Wexford
Rosslare
Waterford
Carnsore Point
Anglesey
Holyhead
Bangor
Llandudno
Colwyn Bay
Caernarfon
Snowdon
Cardigan Bay
Cambrian Mountains
St. George's Channel
WALES
Aberystwyth
Fishguard
Cardigan
St David's
Haverfordwest
Milford Haven
Pembroke Dock
Carmarthen
Llanelli
Swansea
Merthyr Tydfil
Cardiff
Newport
Bristol Channel
Bristol
Weston-super-Mare
Ilfracombe
Minehead
Exmoor
Barnstaple
Taunton
Bude
Launceston
Exeter
Dartmoor
Newquay
Bodmin
CORNWALL
St Ives
Penzance
Land's End
Lizard Point
Truro
Falmouth
Plymouth
Paignton
Torquay
Exmouth
Sidmouth
Honiton
Yeovil
Dorchester
Weymouth
Poole
Bournemouth
Wight
Newport
Southampton
Portsmouth
Salisbury
Winchester
Stonehenge
Warminster
Wells
Bath
Chippenham
Swindon
Cirencester
Gloucester
Cheltenham
Oxford
Blenheim Palace
Reading
Windsor
Newbury
LONDON
Aylesbury
Luton
St Albans
Chelmsford
Southend-on-Sea
Sheerness
Margate
Ramsgate
Canterbury
Maidstone
Ashford
Dover
Folkestone
Strait of Dover
Royal Tunbridge Wells
Guildford
Crawley
Brighton
Worthing
Chichester
Newhaven
Eastbourne
Hastings
ENGLAND
Colchester
Harwich
Felixstowe
Ipswich
Little Clacton
Bury St Edmunds
Thetford
Norwich
Great Yarmouth
Lowestoft
Cromer
King's Lynn
NORFOLK
The Wash
Wisbech
Peterborough
Huntingdon
Ely
Cambridge
Bedford
Northampton
Kettering
Stamford
Leicester
Coventry
Rugby
Warwick
Stratford-upon-Avon
Banbury
BIRMINGHAM
Wolverhampton
Walsall
Kidderminster
Worcester
Hereford
Ross-on-Wye
Abergavenny
Brecon
Llandrindod Wells
Leominster
Ludlow
Newtown
Shrewsbury
Welshpool
Oswestry
Wrexham
Chester
Dolgellau
Stafford
Stoke-on-Trent
Crewe
Macclesfield
Derby
Burton-upon-Trent
Nottingham
Loughborough
Grantham
Lincoln
Boston
Skegness
Mansfield
Matlock
Chatsworth
Chesterfield
Sheffield
Doncaster
Scunthorpe
Grimsby
Louth
Kingston-upon-Hull
Humber River
Leeds
Bradford
Halifax
Huddersfield
Wakefield
MANCHESTER
Stockport
Warrington
LIVERPOOL
Birkenhead
Southport
Preston
Bolton
ENGLISH CHANNEL
LA MANCHE
Alderney
Cap de la Hague
Guernsey
Sark
Channel Islands (GB)
Jersey
Pointe de Barfleur
Cherbourg-Octeville
Valognes
Omaha Beach
Barneville-Carteret
Carentan
Bayeux
Arromanches
St-Lô
CAEN
Coutances
Granville
Villedieu-les-Poêles
Vire
Ouessant
Roscoff
Perros-Guirec
Tréguier
Paimpol
St-Pol-de-Léon
Morlaix
Lannion
Guingamp
St-Quay-Portrieux
St-Cast-le-Guildo
St-Malo
Le Mont-St-Michel
Avranches
Dinard
Dinan
Dol-de-Bretagne
Brest
Landerneau
Pointe de St. Mathieu
Morgat
Douarnenez
Châteaulin
Carhaix-Plouguer
St-Brieuc
Lamballe
Loudéac
Pointe du Raz
Audierne
Quimper
Pont-l'Abbé
Concarneau
Quimperlé
Lorient
Hennebont
Pontivy
Josselin
Ploërmel
Auray
Carnac
Vannes
Quiberon
Belle Ile
Redon
RENNES
Fougères
Vitré
Mortain
Domfront
Flers
Laval
Mayenne
Alençon
Château-Gontier
Châteaubriant
Nozay
La Baule
St-Nazaire
Pornic
NANTES
Ancenis
Angers
Saumur
Cholet
Noirmoutier-en-l'Île
Challans
St-Jean-de-Monts
La Roche-sur-Yon
Les Sables-d'Olonne
Luçon
Bressuire
Thouars
Fontenay-le-Comte
Niort
Ré
La Rochelle
Oléron
Rochefort
Marennes
Royan
Soulac-sur-Mer
Gironde
Lesparre-Médoc
Lacanau-Océan
BORDEAUX
Cap-Ferret
Blaye
Saintes
Cognac
St-Jean-d'Angély
Angoulême
Barbezieux
Chalais
Libourne
St-Emilion
Périgueux
Ruffec
Confolens
St-Junien
LIMOGES
Bellac
Poitiers
Parthenay
St-Maixent-l'École
Châtellerault
Loudun
Chinon
Azay-le-Rideau
Tours
Amboise
Chenonceau
Loches
Blois
Chambord
Vendôme
Château-du-Loir
Château-Renault
La Flèche
Le Mans
La Ferté-Bernard
Nogent-le-Rotrou
Mortagne-au-Perche
Argentan
Falaise
Bagnoles-de-l'Orne
L'Aigle
Évreux
Bernay
Lisieux
Pont-l'Évêque
Honfleur
Deauville
Trouville
Cabourg
Le Havre
Étretat
Fécamp
Yvetot
Jumièges
Pont-Audemer
ROUEN
Dieppe
Le Tréport
Neufchâtel-en-Bray
Abbeville
AMIENS
Boulogne-sur-Mer
Le Touquet-Paris-Plage
Berck
Montreuil
Hesdin
St-Pol-sur-Ternoise
Arras
Doullens
Calais
Cap Gris Nez
Pas de Calais
Dunkerque
St-Omer
Hazebrouck
Béthune
Lens
LILLE
Douai
Cambrai
Péronne
St-Quentin
Montdidier
Noyon
Compiègne
Beauvais
Clermont
Gournay-en-Bray
Les Andelys
Gisors
Chantilly
Senlis
Pontoise
Mantes-la-Jolie
Vernon
St-Germain-en-Laye
Versailles
PARIS
Disneyland Paris
Meaux
Coulommiers
Dreux
Rambouillet
Chartres
Verneuil-sur-Avre
Étampes
Corbeil-Essonnes
Melun
Fontainebleau
Nemours
Provins
Montereau-Fault-Yonne
Pithiviers
Montargis
Châteaudun
ORLÉANS
Châteauneuf-sur-Loire
St Benoit
Beaugency
Gien
Briare
Auxerre
Salbris
Romorantin-Lanthenay
Vierzon
Cosne-sur-Loire
Clamecy
La Charité-sur-Loire
Bourges
Nevers
Issoudun
Châteauroux
Le Blanc
La Châtre
Argenton-sur-Creuse
St-Amand-Montrond
St-Pierre-le-Moûtier
Moulins
Montluçon
St-Pourçain-sur-Sioule
Vichy
Gannat
Riom
Thiers
Guéret
Aubusson
Bourganeuf
La Souterraine
Puy de Dôme
CLERMONT-FERRAND
La Bourboule
Le Mont-Dore
Puy de Sancy
Issoire
Ussel
Bort-les-Orgues
Uzerche
Tulle
Brive-la-Gaillarde
Vallée de la Dordogne
Mauriac
Murat
Plomb du Cantal
St-Flour
Aurillac
Gouffre de Padirac
Souillac
Lascaux
Les Eyzies-de-Tayac
Brioude
Middelburg
Vlissingen
Zeebrugge
Blankenberge
Knokke-Heist
Brugge
Oostende
De Panne
Veurne
Roeselare
Ieper
Kortrijk
Tourcoing
Roubaix
Hoek v
IQUE

AMSTERDAM
NL
Haarlem
Den Haag
Rotterdam
Utrecht
Groningen
Leeuwarden
Zwolle
Arnhem
Nijmegen
Eindhoven
Antwerpen
Gent
Bruxelles/Brussel
Liège
Namur
Charleroi
Maastricht
Aachen
L
Luxembourg
Reims
Metz
Nancy
Saarbrücken
Strasbourg
Colmar
Mulhouse
Épinal
Dijon
Besançon
Lyon
Grenoble
Genève
Annecy
Chambéry
Lausanne
Bern
CH
Basel
Zürich
Luzern
Aosta/ Aoste
Torino
Milano
Bergamo
Brescia
Verona
Venezia
Padova
Trento
Bolzano/Bozen
Innsbruck
Salzburg
München
Augsburg
Ulm
Stuttgart
Karlsruhe
Heidelberg
Mannheim
Mainz
Wiesbaden
Frankfurt am Main
D
Würzburg
Nürnberg
Regensburg
Köln
Bonn
Düsseldorf
Duisburg
Essen
Dortmund
Wuppertal
Münster
Osnabrück
Bielefeld
Hannover
Bremen
Hamburg
Schwerin
Berlin
Potsdam
Magdeburg
Leipzig
Dresden
Erfurt
Kassel
Göttingen
Braunschweig
Wolfsburg
Halle
Chemnitz
Plzeň
Karlovy Vary
Ostfriesische Inseln
Waddeneilanden
Niedersachsen
Harz
Eifel
Taunus
Schwarzwald
Vosges
Württemberg
Alpen
Lombardia
Dolomiti
Regione dei Laghi
Golfo di Venezia

BERLIN
Potsdam
MAGDEBURG
SZCZECIN
Gorzów Wielkopolski
POZNAŃ
Włocławek
Płock
WARSZA
ŁÓDŹ
PL
Kalisz
Zielona Góra
Cottbus
Leipzig
Halle
DRESDEN
WROCŁAW
Legnica
Opole
Częstochowa
Kielce
Katowice
KRAKÓW
Wieliczka
ERFURT
Jena
Gera
Chemnitz
Ústí nad Labem
Liberec
Hradec Králové
PRAHA
Pardubice
Karlovy Vary
Plzeň
CZ
Jihlava
Olomouc
OSTRAVA
BRNO
Zlín
Žilina
SK
Banská Bystrica
Trenčín
Nitra
Trnava
BRATISLAVA
WIEN
České Budějovice
NÜRNBERG
Regensburg
Erlangen
Fürth
Augsburg
MÜNCHEN
SALZBURG
Linz
A
Sankt Pölten
Graz
Klagenfurt
Innsbruck
Großglockner
BUDAPEST
H
Győr
Székesfehérvár
Veszprém
Balaton
Pécs
LJUBLJANA
SLO
ZAGREB
HR
Rijeka
Trieste
Udine
VENEZIA
Padova
Verona
Trento
Bolzano/Bozen
Brescia
Ferrara
Ravenna
Banja Luka
BIH
SARAJEVO
Zenica
Tuzla
Osijek

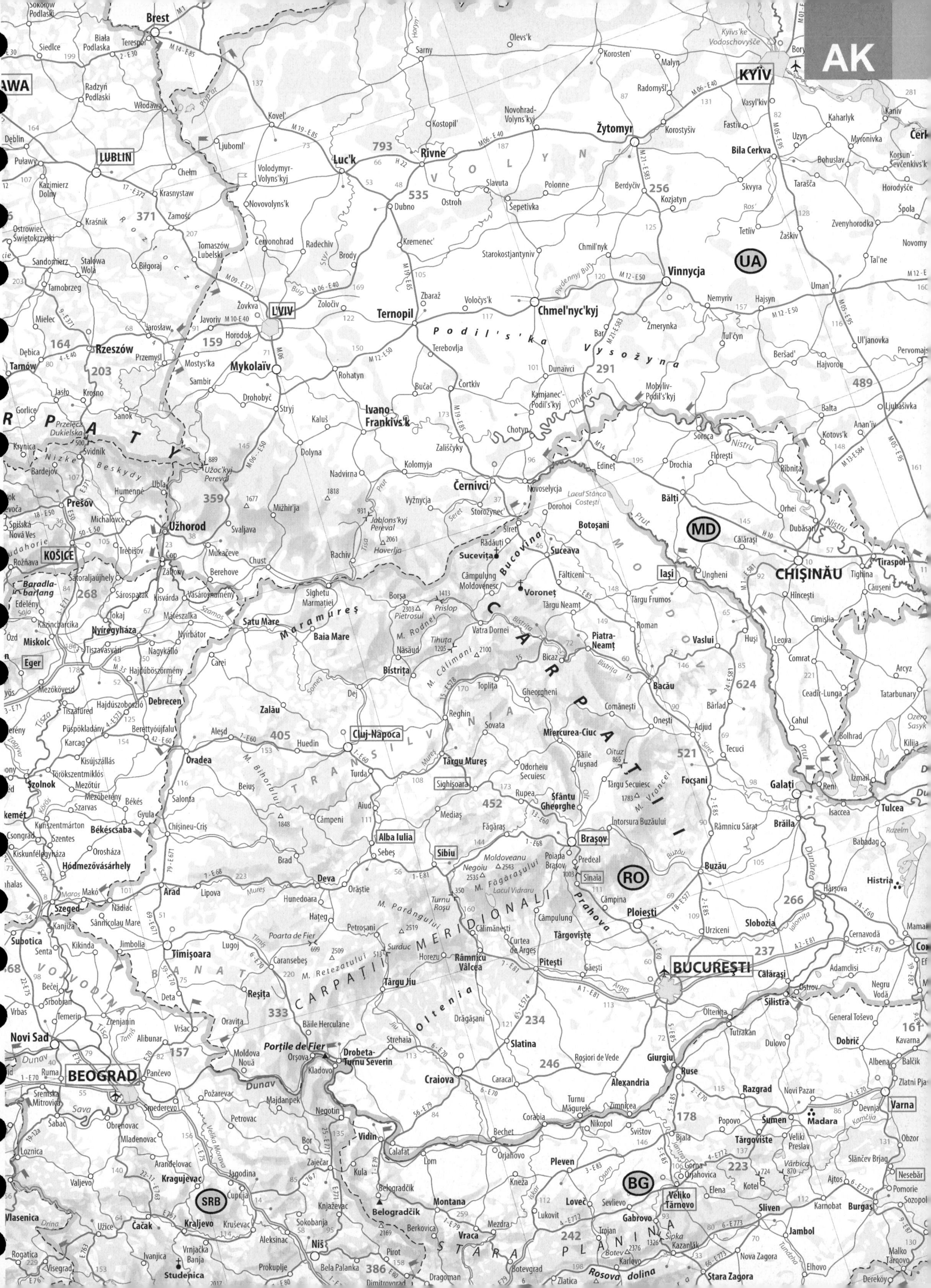
Brest
Biała Podlaska
Terespol
Siedlce
Radzyń Podlaski
Włodawa
Dęblin
Puławy
LUBLIN
Chełm
Krasnystaw
Kazimierz Dolny
Zamość
Kraśnik
Ostrowiec Świętokrzyski
Tomaszów Lubelski
Sandomierz
Stalowa Wola
Biłgoraj
Tarnobrzeg
Mielec
Jarosław
Dębica
Rzeszów
Tarnów
Przemyśl
Jasło
Krosno
Gorlice
Sanok
Krynica
Przełęcz Dukielska
Bardejov
Svidník
Prešov
KOŠICE
Spišská Nová Ves
Humenné
Michalovce
Trebišov
Užhorod
Rožňava
Baradla-barlang
Edelény
Sátoraljaújhely
Sárospatak
Kazincbarcika
Miskolc
Eger
Tokaj
Nyíregyháza
Tiszavasvári
Mezőkövesd
Hajdúböszörmény
Debrecen
Tiszafüred
Hajdúszoboszló
Püspökladány
Karcag
Berettyóújfalu
Kisújszállás
Törökszentmiklós
Szolnok
Mezőtúr
Mezőberény
Szarvas
Békés
Gyula
Békéscsaba
Kunszentmárton
Szentes
Csongrád
Orosháza
Kiskunfélegyháza
Hódmezővásárhely
Makó
Szeged
Kanjiža
Subotica
Senta
Kikinda
Novi Sad
Vrbas
Bečej
Srbobran
Temerin
Zrenjanin
BEOGRAD
Pančevo
Ruma
Sremska Mitrovica
Šabac
Obrenovac
Smederevo
Požarevac
Mladenovac
Loznica
Valjevo
Arandelovac
Kragujevac
Jagodina
Ćuprija
Kraljevo
Kruševac
Čačak
Užice
Vlasenica
Rogatica
Višegrad
Ivanjica
Vrnjačka Banja
Studenica
Aleksinac
Niš
Prokuplje
Sokobanja
Zaječar
Knjaževac
Bor
Negotin
Majdanpek
Petrovac
Kladovo
Bela Palanka
Pirot
Dimitrovgrad
SRB
Vrsac
Alibunar
Oravita
Moldova Nouă
Deta
Reșița
Timișoara
Jimbolia
Lugoj
Caransebeș
Arad
Lipova
Nădlac
Sânnicolau Mare
Chișineu-Criș
Salonta
Oradea
Aleșd
Beiuș
Carei
Satu Mare
Baia Mare
Sighetu Marmației
Maramureș
Zalău
Huedin
Cluj-Napoca
Dej
Bistrița
Năsăud
Turda
Aiud
Câmpeni
Alba Iulia
Deva
Hunedoara
Hațeg
Orăștie
Petroșani
Sebeș
Sibiu
Mediaș
Sighișoara
Târgu Mureș
Reghin
Sovata
Toplița
Vatra Dornei
Gheorgheni
Miercurea-Ciuc
Odorheiu Secuiesc
Băile Tușnad
Târgu Secuiesc
Sfântu Gheorghe
Rupea
Făgăraș
Brașov
Poiana Brașov
Predeal
Sinaia
Întorsura Buzăului
Câmpina
Ploiești
Câmpulung
Târgoviște
Curtea de Argeș
Pitești
Râmnicu Vâlcea
Călimănești
Horezu
Târgu Jiu
Găești
BUCUREȘTI
Călărași
Slobozia
Urziceni
Buzău
Râmnicu Sărat
Focșani
Brăila
Galați
Tecuci
Bârlad
Adjud
Onești
Comănești
Bacău
Piatra-Neamț
Bicaz
Roman
Târgu Neamț
Târgu Frumos
Iași
Vaslui
Huși
Suceava
Fălticeni
Câmpulung Moldovenesc
Voroneț
Sucevița
Rădăuți
Siret
Botoșani
Dorohoi
Bucovina
Borșa
Pietrosul
Prislop
Tihuța
M. Rodnei
M. Călimani
TRANSILVANIA
CARPAȚII
MERIDIONALI
CARPAȚII
Moldoveanu
Negoiu
M. Făgărașului
Lacul Vidraru
Turnu Roșu
M. Parângului
Poarta de Fier
M. Retezatului
Surduc
M. Bihorului
Oituz
M. Vrancei
Oltenia
Drăgășani
Slatina
Caracal
Craiova
Strehaia
Drobeta-Turnu Severin
Orșova
Porțile de Fier
Băile Herculane
Calafat
Vidin
Bechet
Corabia
Turnu Măgurele
Zimnicea
Roșiori de Vede
Alexandria
Giurgiu
Ruse
Oltenița
Tutrakan
Silistra
Cernavodă
Hârșova
Tulcea
Isaccea
Babadag
Histria
Negru Vodă
Constanța
Ostrov
Adamclisi
General Toševo
Dobrič
Kavarna
Balčik
Albena
Zlatni Pjasăci
Varna
Devnja
Madara
Šumen
Novi Pazar
Razgrad
Dulovo
Popovo
Târgovište
Veliki Preslav
Obzor
Slănčev Brjag
Nesebăr
Pomorie
Sozopol
Burgas
Ajtos
Karnobat
Sliven
Kotel
Jambol
Elhovo
Stara Zagora
Nova Zagora
Kazanlăk
Šipka
Karlovo
Gabrovo
Veliko Tărnovo
Gorna Orjahovica
Elena
Sevlievo
Loveč
Trojan
Lukovit
Pleven
Svištov
Nikopol
Bjala
Kneža
Orjahovo
Lom
Montana
Vraca
Mezdra
Berkovica
Belogradčik
Kula
Botevgrad
Dragoman
Zlatica
Rosova dolina
STARA PLANINA
BG
RO
MD
UA
CHIȘINĂU
Tiraspol
Tighina
Căușeni
Hîncești
Cimișlia
Leova
Comrat
Ceadîr-Lunga
Cahul
Vulcănești
Bolhrad
Izmail
Reni
Kilija
Tatarbunary
Arcyz
Ungheni
Călărași
Orhei
Dubăsari
Bălți
Florești
Soroca
Drochia
Edineț
Ribnița
Kotovs'k
Anan'iv
Balta
Ljubašivka
Pervomajs'k
Hajvoron
Beršad'
Ul'janovka
Tul'čyn
Nemyriv
Hajsyn
Uman'
Tal'ne
Novomy
Zvenyhorodka
Šola
Tetiiv
Žaškiv
Skvyra
Taraščа
Horodyšče
Bohuslav
Korsun'-Ševčenkivs'kyj
Myronivka
Kaharlyk
Kaniv
Čerk
Uzyn
Bila Cerkva
Fastiv
Vasyl'kiv
KYÏV
Bory
Kyïvs'ke Vodoschovyšče
Malyn
Korosten'
Radomyšl'
Korostyšiv
Žytomyr
Berdyčiv
Kozjatyn
Vinnycja
Žmerynka
Chmel'nyc'kyj
Bar
Mobyliv-Podil's'kyj
Dunaïvci
Kamjanec'-Podil's'kyj
Chotyn
Starokostjantyniv
Chmil'nyk
Polonne
Šepetivka
Slavuta
Ostroh
Novohrad-Volyns'kyj
Olevs'k
Sarny
Kostopil'
Rivne
Dubno
Luc'k
Kovel'
Ljuboml'
Volodymyr-Volyns'kyj
Novovolyns'k
Červonohrad
Radechiv
Brody
Kremenec'
Zbaraž
Voločys'k
Ternopil
Zoločiv
L'VIV
Žovkva
Javoriv
Horodok
Mostys'ka
Sambir
Drohobyč
Mykolaïv
Stryj
Rohatyn
Terebovlja
Bučač
Čortkiv
Zališčyky
Ivano-Frankivs'k
Kaluš
Dolyna
Kolomyja
Nadvirna
Černivci
Novoselycja
Storožynec'
Vyžnycja
Mižhir'ja
Jablons'kyj Pereval
Hoverlja
Rachiv
Svaljava
Mukačeve
Berehove
Chust
Čop
Záhony
Kisvárda
Vásárosnamény
Mátészalka
Nyírbátor
Nagykálló
Užoc'kyj Pereval
Podil's'ka Vysočyna
VOLYN
Roztocze
KARPATY
Nizke Beskydy
VOJVODINA
BANAT
Dunav
Sava
Dunărea
Nistru
Dniester
Prut
Siret
Mureș
Someș
Olt
Jiu
Argeș
Ialomița
Prahova
Tisza
Tisa
Maros
Körös
Szamos
Timiș
Velika Morava
Pivdennyj Buh
Bug
Ros'
Styr
Horyn'
Prypjat'
Lacul Stânca Costești
Lacul Razelm
Ozero Sasyk
Iskăr
Osam
Jantra
Kamčija
Tundža
Drina
M1
M14-E85
M06-E40
M19-E85
M12-E50
M09-E372
M10-E40
M05-E95
M21-E583
M13-E584
M1-E581
A1-E81
A2-E81
1-E60
1-E68
7-E81
2-E85
5-E85
6-E70
1-E70
1-E75
6-E773
3-E83
4-E772
2-E70
9-E87
793
535
371
256
159
164
203
268
359
291
489
405
452
521
624
266
237
333
234
246
157
178
223
242
386
161
68

WARSZAWA
POZNAŃ
ŁÓDŹ
LUBLIN
WROCŁAW
KRAKÓW
Katowice
Częstochowa
Rzeszów
Kielce
Radom
Brest
L'VIV
PL
KARPATY
DRESDEN
PRAHA
CZ
BRNO
Ostrava
Olomouc
Hradec Králové
Pardubice
Jihlava
České Budějovice
Liberec
Ústí nad Labem
WIEN
BRATISLAVA
SK
Žilina
Trenčín
Nitra
Trnava
Banská Bystrica
KOŠICE
Prešov
Užhorod
A
Linz
Sankt Pölten
Graz
Klagenfurt
Salzburg
BUDAPEST
H
Győr
Székesfehérvár
Veszprém
Debrecen
Miskolc
Nyíregyháza
Szeged
Kecskemét
Pécs
Balaton
Timişoara
Oradea
Arad
Satu Mare
LJUBLJANA
SLO
Maribor
ZAGREB
HR
Rijeka
Osijek
Trieste
BEOGRAD
SRB
Novi Sad
Subotica
VOJVODINA
Kragujevac
SARAJEVO
BIH
Banja Luka
Tuzla
Zenica
Dunav
Donau

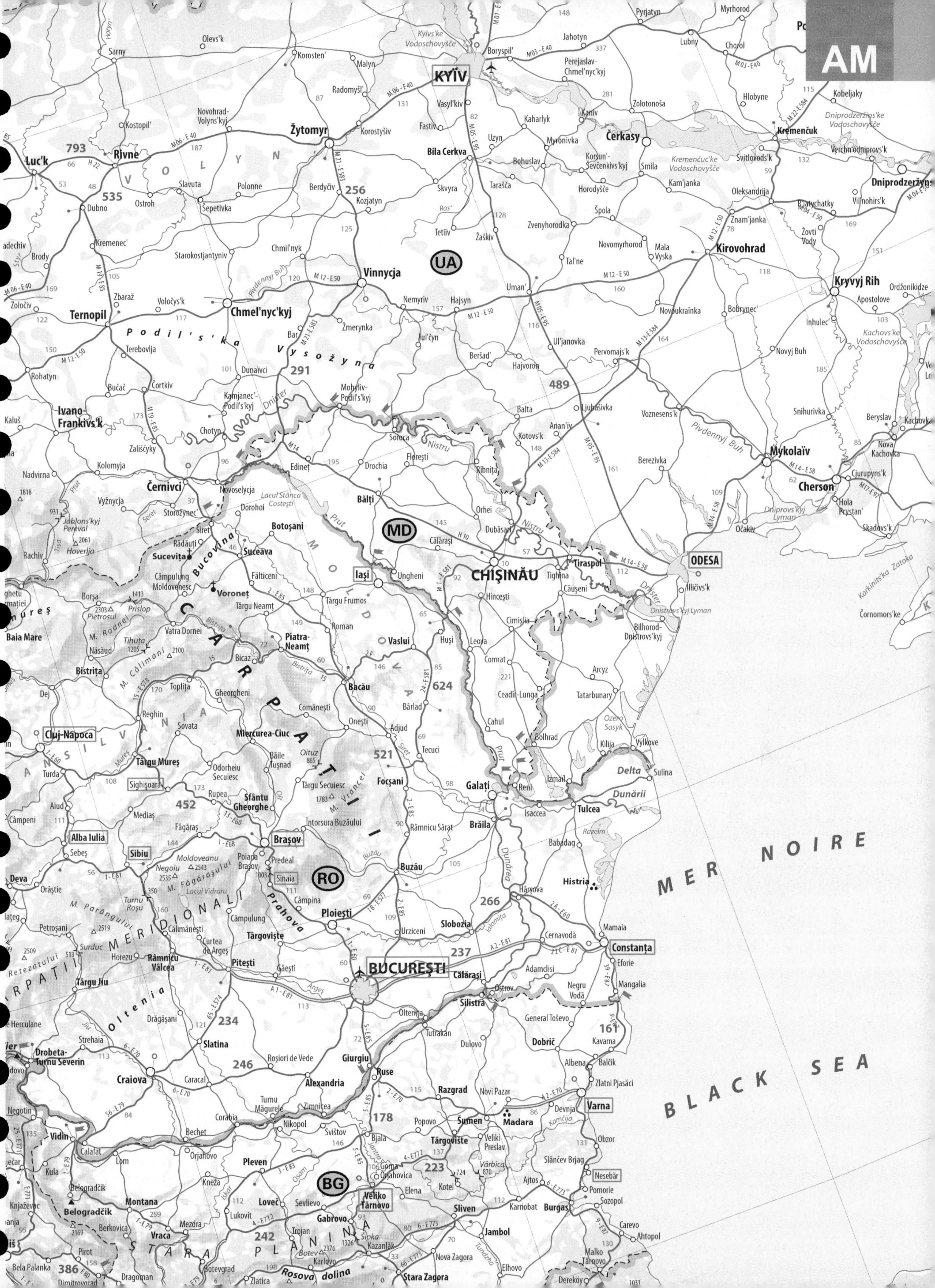
KYÏV
Boryspil'
Pyrjatyn
Myrhorod
Lubny
Chorol
Jahotyn
Perejaslav-Chmel'nyc'kyj
Kyïvs'ke Vodoschovyšče
Olevs'k
Sarny
Korosten'
Malyn
Radomyšl'
Vasyl'kiv
Fastiv
Zolotonoša
Hlobyne
Kobeljaky
Kremenčuk
Dniprodzeržyns'ke Vodoschovyšče
Novohrad-Volyns'kyj
Kostopil'
Žytomyr
Korostyšiv
Kaharlyk
Kaniv
Čerkasy
Myronivka
Uzyn
Bila Cerkva
Bohuslav
Korsun'-Ševčenkivs'kyj
Smila
Kremenčuc'ke Vodoschovyšče
Svitlovods'k
Verchn'odniprovs'k
Dniprodzeržyns'k
Luc'k
Rivne
V O L Y N
Slavuta
Polonne
Berdyčiv
Skvyra
Tarašča
Horodyšče
Kam'janka
Oleksandrija
Pjatychatky
Vil'nohirs'k
Dubno
Ostroh
Šepetivka
Kozjatyn
Ros'
Špola
Znam'janka
Žovti Vody
Zvenyhorodka
Kremenec'
Brody
Starokostjantyniv
Chmil'nyk
Tetiïv
Žaškiv
Novomyrhorod
Mala Vyska
Kirovohrad
UA
Tal'ne
Vinnycja
Pivdennyj Buh
Zbaraž
Voločys'k
Chmel'nyc'kyj
Uman'
Kryvyj Rih
Ordžonikidze
Apostolove
Zoločiv
Ternopil
Nemyriv
Hajsyn
Novoukraïnka
Bobrynec'
Inhulec'
Kachovs'ke Vodoschovyšče
P o d i l ' s ' k a
V y s o ž y n a
Žmerynka
Bar
Tul'čyn
Ul'janovka
Terebovlja
Beršad'
Pervomajs'k
Novyj Buh
Rohatyn
Dunaïvci
Hajvoron
Bučač
Čortkiv
Kamjanec'-Podil's'kyj
Mohyliv-Podil's'kyj
Dnister
Ivano-Frankivs'k
Balta
Ljubašivka
Voznesens'k
Snihurivka
Beryslav
Kachovka
Nova Kachovka
Kaluš
Chotyn
Soroca
Kotovs'k
Anan'iv
Nistru
Zališčyky
Kolomyja
Edineţ
Drochia
Floreşti
Rîbniţa
Berezivka
Mykolaïv
Nadvirna
Černivci
Novoselycja
Lacul Stânca Costeşti
Bălţi
Cherson
Cjurupyns'k
Hola Prystan'
Vyžnycja
Storožynec'
Dorohoi
Orhei
Dniprovs'kyj Lyman
Očakiv
Skadovs'k
Jablons'kyj Pereval
Hoverlija
Siret
Rădăuţi
Botoşani
MD
Dubăsari
Călăraşi
Rachiv
Tisa
Suceviţa
Suceava
Bucovina
Iaşi
Ungheni
CHIŞINĂU
Tighina
Tiraspol
ODESA
Illičivs'k
Karkinits'ka Zatoka
Câmpulung Moldovenesc
Voroneţ
Fălticeni
Târgu Frumos
Hînceşti
Căuşeni
Borşa
Pietrosul
Prislop
Târgu Neamţ
Dnistrovs'kyj Lyman
Čornomors'ke
Mureş
M. Rodnei
Vatra Dornei
Roman
Cimişlia
Bilhorod-Dnistrovs'kyj
Baia Mare
Tihuţa
Piatra-Neamţ
Vaslui
Huşi
Leova
Năsăud
M. Călimani
Bistriţa
Bicaz
Comrat
Bistriţa
Bacău
Arcyz
Dej
Toplita
Gheorghieni
Ceadîr-Lunga
Tatarbunary
C A R P A Ţ I I
Comăneşti
Bârlad
Reghin
Oneşti
Adjud
Cahul
Ozero Sasyk
Sovata
Miercurea-Ciuc
Tecuci
Bolhrad
Kilija
Vylkove
Cluj-Napoca
Băile Tuşnad
Oituz
Prut
Izmail
Delta
Sulina
Târgu Mureş
Odorheiu Secuiesc
Focşani
Turda
Sighişoara
Târgu Secuiesc
M. Vrancei
Galaţi
Reni
Dunării
Aiud
Rupea
Sfântu Gheorghe
Isaccea
Tulcea
Mediaş
Brăila
Câmpeni
Făgăraş
Întorsura Buzăului
Râmnicu Sărat
Razelm
Alba Iulia
Braşov
Babadag
Sebeş
Sibiu
Moldoveanu
Poiana Braşov
Predeal
Buzău
Negoiu
M. Făgăraşului
Sinaia
RO
Histria
Deva
Orăştie
Lacul Vidraru
Câmpina
Hârşova
MER NOIRE
Turnu Roşu
M. Parângului
Prahova
Ploieşti
Slobozia
Haţeg
Petroşani
Călimăneşti
Câmpulung
Mamaia
Surduc
M E R I D I O N A L I
Târgovişte
Cernavodă
Retezatului
Curtea de Argeş
Urziceni
Constanţa
Horezu
Râmnicu Vâlcea
Piteşti
Găeşti
BUCUREŞTI
Călăraşi
Eforie
Târgu Jiu
Argeş
Adamclisi
Ostrov
Negru Vodă
Mangalia
Oltenia
Silistra
Herculane
Drăgăşani
Olteniţa
General Toševo
Strehaia
Slatina
Tutrakan
Dulovo
Dobrič
Kavarna
Drobeta-Turnu Severin
Roşiori de Vede
Giurgiu
Albena
Balčik
Craiova
Caracal
Ruse
Alexandria
Razgrad
Novi Pazar
Zlatni Pjasăci
Negotin
Turnu Măgurele
Zimnicea
Devnja
Varna
BLACK SEA
Bechet
Corabia
Nikopol
Popovo
Šumen
Madara
Kamčija
Vidin
Svištov
Bjala
Târgovište
Veliki Preslav
Obzor
Calafat
Orjahovo
Jantra
Slănčev Brjag
Lom
Kula
Pleven
Gorna Orjahovica
Vărbica
Nesebăr
Belogradčik
Kneža
Osam
BG
Kotel
Ajtos
Pomorie
Veliko Tărnovo
Elena
Knjaževac
Montana
Loveč
Sevlievo
Sliven
Karnobat
Burgas
Sozopol
Lukovit
Gabrovo
Berkovica
Mezdra
Trojan
Jambol
Carevo
Ahtopol
Vraca
S T A R A
P L A N I N A
Šipka
Botev
Kazanlăk
Tundža
Pirot
Karlovo
Nova Zagora
Malko Tărnovo
Bela Palanka
Botevgrad
Rosova dolina
Elhovo
Dimitrovgrad
Dragoman
Zlatica
Stara Zagora
Dereköy

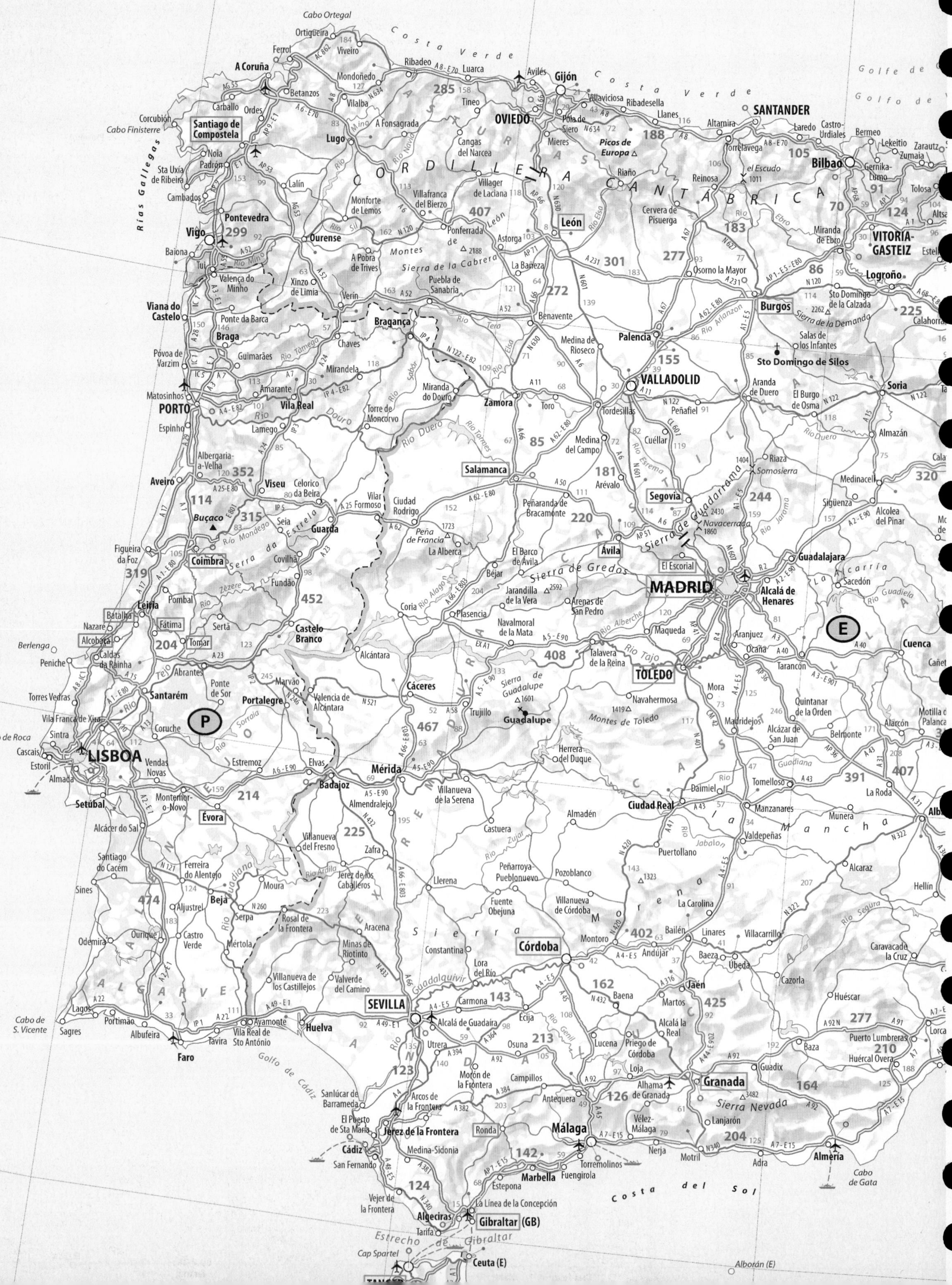
Cabo Ortegal
Ortigueira
Viveiro
Ferrol
A Coruña
Costa Verde
Ribadeo
Luarca
Avilés
Gijón
Golfe de
Golfo de
Betanzos
Mondoñedo
Vilalba
Tineo
Villaviciosa
Ribadesella
Llanes
SANTANDER
Carballo
Ordes
OVIEDO
Pola de Siero
Altamira
Laredo
Castro-Urdiales
Bermeo
Corcubión
Cabo Finisterre
Santiago de Compostela
Lugo
A Fonsagrada
Cangas del Narcea
Mieres
Picos de Europa
Torrelavega
Lekeitio
Zarautz
Zumaia
Noia
Padrón
Rías Gallegas
CORDILLERA CANTÁBRICA
Riaño
el Escudo
Bilbao
Gernika-Lumo
Sta Uxía de Ribeira
Lalín
Villager de Laciana
Reinosa
Tolosa
Cambados
Monforte de Lemos
Villafranca del Bierzo
León
Cervera de Pisuerga
Miranda de Ebro
Pontevedra
Vigo
Ourense
Ponferrada
Astorga
VITORIA-GASTEIZ
Baiona
A Pobra de Trives
Montes de León
Sierra de la Cabrera
La Bañeza
Osorno la Mayor
Tui
Valença do Minho
Xinzo de Limia
Puebla de Sanabria
Logroño
Verín
Sto Domingo de la Calzada
Viana do Castelo
Burgos
Ponte da Barca
Bragança
Benavente
Sierra de la Demanda
Calahorra
Braga
Chaves
Medina de Rioseco
Palencia
Salas de los Infantes
Póvoa de Varzim
Guimarães
Mirandela
Sto Domingo de Silos
Amarante
VALLADOLID
Aranda de Duero
Soria
Matosinhos
Vila Real
Miranda do Douro
Zamora
Toro
Tordesillas
Peñafiel
El Burgo de Osma
PORTO
Torre de Moncorvo
Rio Douro
Rio Duero
Espinho
Lamego
Medina del Campo
Cuéllar
Almazán
Albergaria-a-Velha
Riaza
Somosierra
Aveiro
Viseu
Celorico da Beira
Salamanca
Arévalo
Medinaceli
Vilar Formoso
Ciudad Rodrigo
Segovia
Sigüenza
Alcolea del Pinar
Buçaco
Seia
Guarda
Peñaranda de Bracamonte
Navacerrada
Sierra de Guadarrama
Figueira da Foz
Serra da Estrela
Peña de Francia
La Alberca
Ávila
Guadalajara
Coimbra
Covilhã
El Barco de Ávila
El Escorial
Fundão
Béjar
Sierra de Gredos
MADRID
Alcalá de Henares
Sacedón
La Alcarria
Pombal
Leiria
Jarandilla de la Vera
Arenas de San Pedro
Batalha
Coria
Plasencia
Fátima
Sertã
Castelo Branco
Navalmoral de la Mata
Maqueda
Aranjuez
Nazaré
Alcobaça
Tomar
Berlenga
Caldas da Rainha
Alcántara
Talavera de la Reina
Rio Tajo
Ocaña
Cuenca
Peniche
Abrantes
TOLEDO
Tarancón
Ponte de Sor
Marvão
Cáceres
Sierra de Guadalupe
Mora
Torres Vedras
Santarém
Portalegre
Valencia de Alcántara
Navahermosa
Quintanar de la Orden
Vila Franca de Xira
Trujillo
Guadalupe
Montes de Toledo
Madridejos
Motilla del Palancar
Cabo de Roca
Sintra
Coruche
Alcázar de San Juan
Alarcón
Belmonte
Cascais
LISBOA
Herrera del Duque
Estoril
Vendas Novas
Estremoz
Elvas
Mérida
Almada
Badajoz
Villanueva de la Serena
Daimiel
Tomelloso
La Roda
Setúbal
Montemor-o-Novo
Évora
Almendralejo
Ciudad Real
Manzanares
Munera
Castuera
Almadén
La Mancha
Alcácer do Sal
Villanueva del Fresno
Zafra
Valdepeñas
Puertollano
Santiago do Cacém
Ferreira do Alentejo
Jerez de los Caballeros
Peñarroya-Pueblonuevo
Pozoblanco
Alcaraz
Llerena
Sines
Moura
Beja
Fuente Obejuna
Villanueva de Córdoba
La Carolina
Hellín
Aljustrel
Serpa
Rosal de la Frontera
Sierra Morena
Castro Verde
Aracena
Bailén
Linares
Villacarrillo
Ourique
Mértola
Minas de Riotinto
Montoro
Andújar
Odemira
Constantina
Córdoba
Caravaca de la Cruz
Baeza
Úbeda
Lora del Río
ALGARVE
Villanueva de los Castillejos
Valverde del Camino
Jaén
Cazorla
SEVILLA
Carmona
Baena
Martos
Huéscar
Lagos
Ayamonte
Cabo de S. Vicente
Sagres
Portimão
Albufeira
Faro
Tavira
Vila Real de Sto António
Huelva
Alcalá de Guadaíra
Écija
Alcalá la Real
Lorca
Osuna
Lucena
Priego de Córdoba
Baza
Puerto Lumbreras
Utrera
Golfo de Cádiz
Morón de la Frontera
Loja
Guadix
Huércal Overa
Campillos
Granada
Sanlúcar de Barrameda
Arcos de la Frontera
Alhama de Granada
Antequera
Sierra Nevada
El Puerto de Sta María
Jerez de la Frontera
Ronda
Vélez-Málaga
Lanjarón
Málaga
Cádiz
Medina-Sidonia
Nerja
Motril
Almería
Adra
San Fernando
Torremolinos
Cabo de Gata
Marbella
Fuengirola
Estepona
Costa del Sol
Vejer de la Frontera
La Línea de la Concepción
Algeciras
Gibraltar (GB)
Tarifa
Estrecho de Gibraltar
Cap Spartel
Ceuta (E)
Alborán (E)
P
E

BORDEAUX
TOULOUSE
MONTPELLIER
MARSEILLE
PAMPLONA
ZARAGOZA
BARCELONA
VALÈNCIA
PALMA DE MALLORCA
ALGER
MURCIA
Alacant/ Alicante
Donostia-San Sebastián
Andorra la Vella
Perpignan
Carcassonne
Lourdes
Avignon
Nîmes
Arles
Aix-en-Provence
Grenoble
Valence
Le Puy-en-Velay
Rocamadour
Conques
Albi
Moissac
Les Baux-de-Provence
Pont du Gard
Monestir de Poblet
Huesca
Lleida
Girona
Tarragona
Teruel
Castelló de la Plana/ Castellón de la Plana
Mallorca
Menorca
Ibiza
Formentera
P Y R É N É E S
P I R I N E O S
Golfe du Lion
Costa Brava
Golfo de València
ISLAS BALEARES
MER MÉDITERRANÉE
Grande Kabylie
Tizi-Ouzou
Bejaïa
Blida
Médéa
Sétif
Jijel

TORINO
Piacenza
Reggio nell'Emilia
Parma
Modena
Ferrara
Comacchio
Ravenna
Mali Lošinj
Susa
San Michele
Sestriere
Lautaret
Montgenèvre
Briançon
Pinerolo
Asti
Alessandria
Tortona
Salsomaggiore Terme
BOLOGNA
Imola
Cervia
Faenza
Forlì
Cesena
Rimini
Riccione
Pesaro
Fano
Cattolica
San Marino
Senigallia
Ancona
Guillestre
Savigliano
Saluzzo
Alba
Fossano
GENOVA
Gap
Barcelonnette
Larche
Cuneo
Mondovi
Savona
Rapallo
Sestri Levante
La Spezia
Cerreto
Abetone
Carrara
Massa
Montecatini Terme
Pistoia
Bagno di Romagna
Montélimar
Nyons
Serres
Durance
Bonette
Digne-les-Bains
Allos
St-Etienne-de-Tinée
Tende
Finale Ligure
Riviera
Ligure
Forte dei Marmi
Lucca
Prato
Pontassieve
Urbino
Mont Ventoux
Sisteron
Alassio
Ventimiglia
Imperia
Golfo di Genova
Viareggio
Pisa
Empoli
FIRENZE
Sansepolcro
Jesi
Civitanova Marche
Carpentras
Apt
Manosque
Grand Canyon du Verdon
Sospel
Castellane
Menton
San Remo
Bordighera
Vence
Grasse
Monaco
Monte-Carlo
Nice
Livorno
San Gimignano
Arezzo
Città di Castello
Gubbio
Fabriano
Macerata
Fermo
Les Baux-de-Provence
Salon-de-Provence
Aix-en-Provence
Draguignan
Antibes
Cannes
Le Luc
Fréjus
St-Raphaël
Ste-Maxime
St-Tropez
Martigues
Aubagne
Brignoles
MARSEILLE
La Ciotat
Toulon
Hyères
Le Lavandou
Côte d'Azur
Iles d'Hyères
MER LIGURE
Volterra
Cecina
Siena
Montepulciano
Chianciano Terme
Cortona
Perugia
Assisi
Foligno
Spoleto
Todi
Orvieto
Ascoli Piceno
Teramo
Piombino
Portoferraio
Elba
Follonica
Grosseto
Capraia (I)
Cap Corse
Bolsena
Montefiascone
Viterbo
Terni
Rieti
Gran Sasso
L'Aquila
Pescara
St-Florent
Bastia
L'Île-Rousse
Calvi
Monte Cinto
CORSE
Golfe de Porto
Porto
Corte
Pianosa (I)
Tarquinia
Civitavecchia
ROMA
Vaticano
Tivoli
Avezzano
Fiuggi
Sora
Cargèse
Vizzavona
Aléria
Ajaccio
Ostia
Albano Laziale
Velletri
Frosinone
Latina
Anzio
Abbazia Montecassino
Formia
Terracina
Gaeta
Propriano
Sartène
Porto-Vecchio
Bonifacio
Bouches de Bonifacio
Maddalena
Sta Teresa Gallura
Palau
Golfo Aranci
Asinara
Tempio Pausania
Olbia
Porto Torres
Sassari
Siniscola
Ozieri
Alghero
Bosa
Macomer
Nuoro
SARDEGNA
Monti del Gennargentu
Arbatax
Oristano
Laconi
Guspini
Iglesias
Muravera
Carbonia
CAGLIARI
S. Pietro
S. Antioco
MER TYRRHÉNIENNE
TYRRHENIAN SEA
Egadi
Erice
Trapani
Alcamo
Segesta
Marettimo
Favignana
Marsala
Castelvetrano
Mazara del Vallo
R R A N É E
Djalita
Cap Blanc
Bizerte
Menzel Bourguiba
Cap Bon
Pantelleria (I)
Chetaibi
Massif de l'Edough
Tabarka
Nefza
Mateur
La Marsa
Carthage
Kelibia
Menzel Temime
Collo
Skikda
Annaba
El Kala
Béja
Mejez El Bab
TUNIS
Hammam Lif
Grombalia
Cap Carbon
Bejaïa
Jijel
El Milia
Azzaba
Aïn Draham
Jendouba
Mts de la Medjerda
Mts de Téboursouk
O. Mejerda
Zaghouan
Nabeul
Hammamet
Golfe de Hammamet
Ziama Mansouria
Djemila
CONSTANTINE
Guelma
Sakiet Sidi Youssef
Téboursouk
El Fahs
Sétif
El Eulma
Chelghoum El Aïd
Oued-Zénati
Souk-Ahras
Le Kef
Enfida
Sousse
Bordj-Bou-Arreridj
Aïn-M'Lila

SARAJEVO
Bosansko Grahovo
Donji Vakuf
Bugojno
Rogatica
Višegrad
Ivanjica
Vrnjačka Banja
Studenica
Aleksinac
Niš
Prokuplje
Bela Palanka
Starigrad Paklenica
Pag
Zadar
Obrovac
Knin
Livno
Biograd na moru
Dugi Otok
Kornati
Šibenik
Sinj
Trogir
Split
Omiš
Šolta
Brač
Imotski
Makarska
Hvar
Vis
Korčula
Pelješac
Mljet
Lastovo
Konjic
Jablanica
Buško Jezero
Mostar
Neretva
Foča
Pljevlja
Prijepolje
Novi Pazar
Kosovska Mitrovica / Mitrovicë
Kopaonik
Leskovac
Pernik
Priština / Prishtinë
Gračanica
Gnjilane / Gjilan
Vranje
Surdulica
Kjustendil
Dupnica
Blagoevgrad
Žabljak
Bijelo Polje
Berane
MNE
Andrijevica
Peć / Pejë
Dečani
KOSOVO
Đakovica / Gjakovë
Prizren
Kumanovo
Kriva Palanka
Delčevo
Bileca
Vrtac
Nikšić
Trebinje
PODGORICA
Prokletije
Dubrovnik
Herceg Novi
Kotor
Cetinje
Cavtat
Boka Kotorska
Budva
Bar
Skadarsko Jezero
Shkodër
Drin
Pukë
Kukës
Tetovo
SKOPJE
Štip
Veles
Strumica
MK
Kičevo
Prilep
Vardar
Gevgelija
Ulcinj
Shëngjin
Lezhë
Peshkopi
Burrel
Debar
Zerqan
Krujë
Durrës
Shijak
TIRANË
Struga
Ohrid
Resen
Bitola
Ohridsko Ezero
Prespansko Ezero
Kavajë
Rrogozhinë
Cërrik
Elbasan
Lushnjë
AL
Pogradec
Devoll
Fier
Berat
Korçë
Vjosë
Vlorë
Këlcyrë
Përmet
Kepi i Gjihezës
Tepelenë
Gjirokastër
Sarandë
Buthrotum
Palaiokastritsa
Kérkyra
Igoumenitsa
Párga
Paxoí
Dalmatinska Obala
ADRIATIQUE
ADRIATIC SEA
Pescara
Chieti
Vasto
Termoli
Vieste
Promontorio del Gargano
Manfredonia
San Severo
Lucera
Foggia
Isérnia
Campobasso
Cerignola
Barletta
Trani
Molfetta
Bari
Canosa di Puglia
Andria
Bitonto
Ariano Irpino
Benevento
Melfi
Altamura
Gioia del Colle
Fasano
Brindisi
PUGLIA
Caserta
Avellino
NAPOLI
Vesuvio
Pompei
Pozzuoli
Castellammare
Amalfi
Sorrento
Capri
Costiera Amalfitana
Salerno
Battipaglia
Paestum
Potenza
Matera
Martina Franca
Taranto
Manduria
Lecce
Otranto
Gallipoli
C. Sta Maria di Leuca
Scanzano Jonico
Golfo di Taranto
Sapri
M. Pollino
Castrovillari
Sibari
Rossano
San Giovanni in Fiore
Paola
Cosenza
La Sila
Crotone
Nicastro
Catanzaro
Vibo Valentia
Eolie o Lipari
Stromboli
Salina
Vulcano
Gioia Tauro
Villa San Giovanni
Locri
Messina
Milazzo
Reggio di Calabria
PALERMO
Termini Imerese
Cefalù
Barcellona Pozzo di Gotto
Taormina
Monreale
Nebrodi
Monte Etna
Adrano
Acireale
Catania
Caltanissetta
Enna
Piazza Armerina
Sciacca
Platani
Lentini
Siracusa
Canicattì
Caltagirone
Agrigento
Licata
Gela
Ragusa
Noto
Modica
SICILIA
C. Passero
MEDITERRANEAN
Gozo
Malta
Valletta
M
Linosa (I)
Édessa
Giannitsá
Flórina
Náousa
Alexándreia
Ptolemaïda
Véroia
Kastoriá
Kozáni
Kateríni
Árgos Orestikó
Ólympos
Grevená
Elassóna
Tírnavos
Metéora
Kalampáka
Métsovo
Tríkala
Ioánnina
Kardítsa
GR
Árta
Karpenísi
Préveza
Vónitsa
Amfilochía
Lefkáda
Agrínio
Náfpaktos
Mesolóngi
Ithákí
Kefalloniá
Sámi
Argostóli
Pátra
Káto Achaïa
Amaliáda
Pýrgos
Olympía
Zákynthos
Kyparissía
Gargaliánoi
Iónia Nisiá
MER IONIENNE
IONIAN SEA

Mali Lošinj
Pag
Starigrad Paklenica
Zadar
Dugi Otok
Biograd na moru
Kornati
Obrovac
Knin
Bosansko Grahovo
Donji Vakuf
Bugojno
Livno
SARAJEVO
Rogatica
Višegrad
Ivanjica
Vrnjačka Banja
Studenica
Aleksinac
Prokuplje
Šibenik
Sinj
Trogir
Split
Omiš
Brač
Šolta
Hvar
Vis
Imotski
Makarska
Mostar
Jablanica
Konjic
Foča
Pljevlja
Prijepolje
Novi Pazar
Kosovska Mitrovica / Mitrovicë
Priština / Prishtinë
Gračanica
Žabljak
Bijelo Polje
Berane
MNE
Andrijevica
Nikšić
Bileca
Trebinje
Korčula
Pelješac
Mljet
Lastovo
Dubrovnik
Cavtat
Herceg Novi
Kotor
Boka Kotorska
Budva
Cetinje
PODGORICA
Peć / Pejë
Dečani
Đakovica / Gjakovë
Prizren
Prokletije
Tetovo
Skadarsko Jezero
Shkodër
Bar
Ulcinj
Pukë
Kukës
Peshkopi
Lezhë
Shëngjin
Burrel
Dëbar
Kičevo
Krujë
Zerqan
TIRANË
Durrës
Shijak
Struga
Ohrid
Ohridsko Ezero
Kavajë
Cërrik
Elbasan
Rrogozhinë
Lushnjë
AL
Pogradec
Berat
Korçë
Fier
Vlorë
Këlcyrë
Përmet
Kepi i Gjihezës
Tepelenë
Gjirokastër
Sarandë
Buthrotum
Palaiokastritsa
Kérkyra
Igoumenitsa
Párga
Paxoí
Rimini
Riccione
Pesaro
Fano
Cattolica
Senigallia
Urbino
Ancona
Jesi
Civitanova Marche
Gubbio
Fabriano
Macerata
Fermo
Assisi
San Benedetto del Tronto
Ascoli Piceno
Foligno
Spoleto
Teramo
Gran Sasso
Terni
Rieti
Pescara
Chieti
L'Aquila
Vasto
Termoli
Vieste
Sulmona
Promontorio del Gargano
ROMA
Vaticano
Tivoli
Avezzano
Fiuggi
Sora
Isernia
San Severo
Manfredonia
Lucera
Foggia
Campobasso
Ostia
Albano Laziale
Velletri
Frosinone
Cassino
Latina
Anzio
Abbazia di Montecassino
Terracina
Formia
Gaeta
Benevento
Ariano Irpino
Cerignola
Canosa di Puglia
Barletta
Trani
Molfetta
Andria
Bitonto
Bari
Melfi
Altamura
Gioia del Colle
Fasano
Brindisi
Caserta
NAPOLI
Vesuvio
Pompei
Pozzuoli
Castellammare
Ischia
Capri
Sorrento
Amalfi
Costiera Amalfitana
Avellino
Salerno
Battipaglia
Paestum
Potenza
Matera
Martina Franca
Taranto
Manduria
Lecce
Otranto
Gallipoli
C. Sta Maria di Leuca
Scanzano Jonico
Golfo di Taranto
Sapri
M. Pollino
Castrovillari
Sibari
Rossano
San Giovanni in Fiore
La Sila
Paola
Cosenza
Crotone
Nicastro
Catanzaro
Vibo Valentia
Stromboli
Lipari
Eolie o Lipari
Salina
Vulcano
Gioia Tauro
Locri
Villa San Giovanni
Messina
Milazzo
Reggio di Calabria
Barcellona Pozzo di Gotto
PALERMO
Termini Imerese
Cefalù
Nebrodi
Taormina
Monte Etna
Adrano
Acireale
Catania
Erice
Egadi
Marettimo
Favignana
Trapani
Alcamo
Segesta
Monreale
Marsala
Castelvetrano
Mazara del Vallo
Sciacca
Caltanissetta
Enna
Piazza Armerina
Lentini
Siracusa
Agrigento
Canicattì
Caltagirone
Licata
Gela
Ragusa
Noto
Modica
C. Passero
SICILIA
Pantelleria (I)
Gozo
Malta
Valletta
M
Linosa (I)
I
MER ADRIATIQUE
Dalmatinska Obala
ADRIATIC SEA
MER TYRRHÉNIENNE
TYRRHENIAN SEA
MER IONIENNE
IONIAN SEA
Iónia Nisiá
MEDITERRANÉE
Kefall

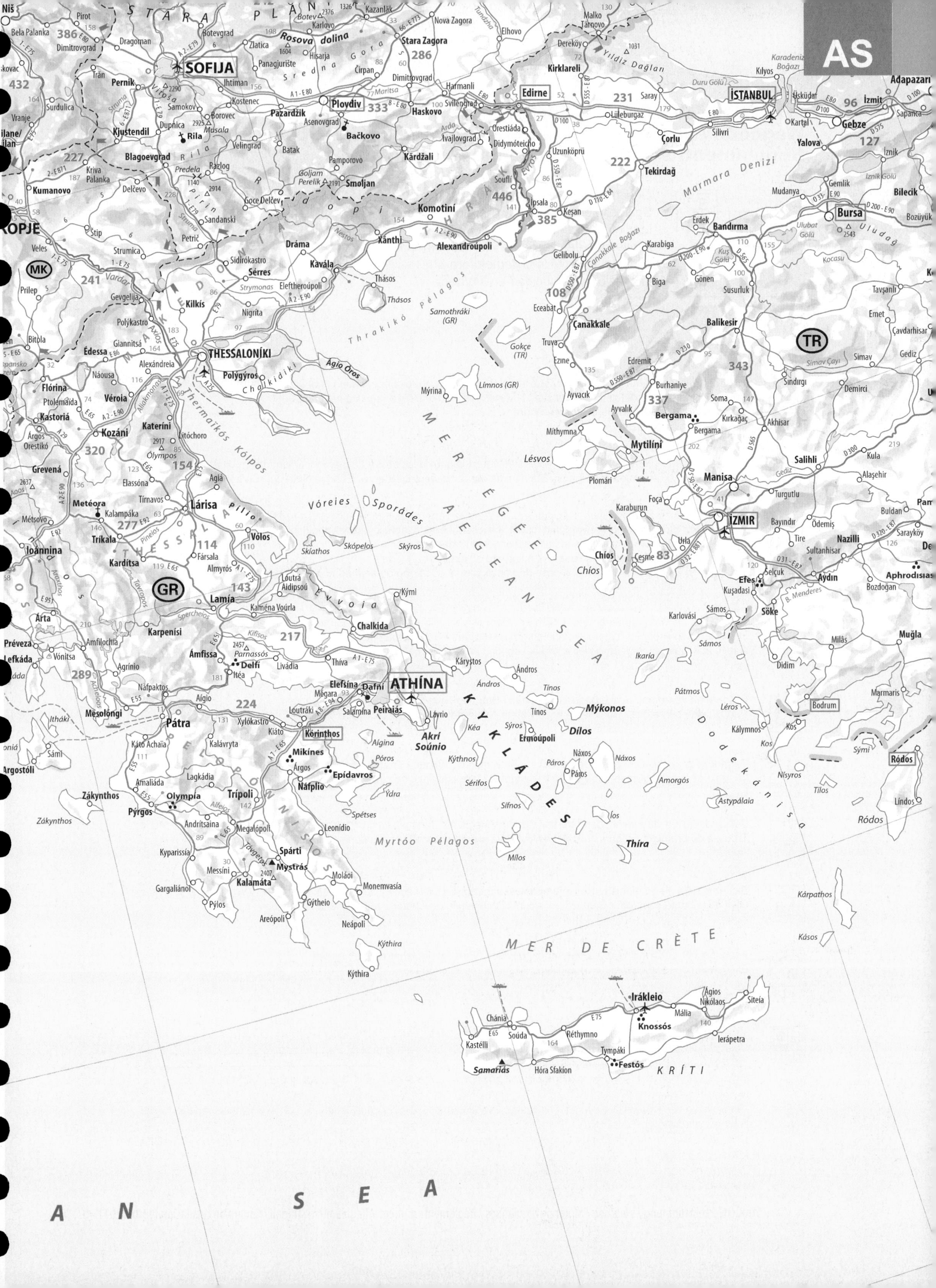
Niš
Pirot
Bela Palanka
Dimitrovgrad
Dragoman
Botevgrad
Zlatica
Rosova dolina
Karlovo
Kazanlăk
Nova Zagora
Stara Zagora
Elhovo
Malko Tărnovo
Dereköy
Yıldız Dağları
Kırklareli
Kılyos
Karadeniz Boğazı
Adapazarı
SOFIJA
Pernik
Vitoša
Ihtiman
Panagjurište
Hisarja
Sredna Gora
Čirpan
Dimitrovgrad
Harmanli
Edirne
Saray
İSTANBUL
Üsküdar
İzmit
Sapanca
Surdulica
Vranje
Samokov
Kostenec
Pazardžik
Plovdiv
Asenovgrad
Haskovo
Svilengrad
Lüleburgaz
Silivri
Kartal
Gebze
Yalova
Dupnica
Borovec
Musala
Rila
Kjustendil
Bačkovo
Arda
Ivajlovgrad
Orestiáda
Didymóteicho
Çorlu
İznik
Kriva Palanka
Blagoevgrad
Velingrad
Batak
Kărdžali
Uzunköprü
Tekirdağ
Marmara Denizi
Kumanovo
Predela
Razlog
Pamporovo
Goljam Perelik
Smoljan
Souflí
Gemlik
Bilecik
Mudanya
Delčevo
Pirin
Goce Delčev
Rodopi
Komotiní
Thráki
Ipsala
Keşan
Bursa
Bozüyük
Uludağ
SKOPJE
Sandanski
Štip
Petrič
Dráma
Xánthi
Alexandroúpoli
Bandırma
Erdek
Ulubat Gölü
Veles
Strumica
Sidirókastro
Sérres
Kavála
Thásos
Gelibolu
Karabiga
Kuş Gölü
Çanakkale Boğazı
MK
Prilep
Vardar
Gevgelija
Kilkís
Strymonas
Eleftheroúpoli
Biga
Gönen
Susurluk
Tavşanlı
Makedonía
Nigrita
Samothráki (GR)
Thrakikó Pélagos
Eceabat
Çanakkale
Balıkesir
Emet
Bitola
Polýkastro
Giannitsá
Édessa
THESSALONÍKI
Gokçe (TR)
Truva
Ezine
Edremit
TR
Simav
Gediz
Náousa
Alexándreia
Polýgyros
Chalkidikí
Ágio Óros
Límnos (GR)
Mýrina
Ayvacık
Burhaniye
Sındırgı
Demirci
Flórina
Ptolemaída
Véroia
Kastoriá
Kozáni
Kateríni
Olympos
Litóchoro
Thermaïkós Kólpos
Ayvalık
Bergama
Soma
Kırkağaç
Akhisar
Grevená
Elassóna
Tírnavos
Lárisa
Pílio
Mer Égée
Aegean Sea
Míthymna
Mytilíni
Lésvos
Plomári
Salihli
Kula
Meteóra
Kalampáka
Métsovo
Trikala
Vólos
Vóreies Sporádes
Skiáthos
Skópelos
Skýros
Karaburun
Foça
Manisa
İZMİR
Turgutlu
Alaşehir
Ioánnina
Thessalía
Fársala
Almyrós
Kardítsa
Chíos
Çeşme
Urla
Bayındır
Ödemiş
Tire
Nazilli
Sultanhisar
Buldan
Sarayköy
GR
Lamía
Loutrá Aidipsoú
Évvoia
Kými
Selçuk
Efes
Kuşadası
Aydın
Aphrodisias
Bozdoğan
Árta
Kaména Voúrla
Karpenísi
Chalkida
Sámos
Karlovási
Söke
B. Menderes
Préveza
Lefkáda
Amfilochía
Vónitsa
Parnassós
Ámfissa
Delfí
Itéa
Livádia
Thíva
Kárystos
Ándros
Tínos
Ikaría
Milás
Muğla
Agrínio
Náfpaktos
Elefsína
Dafní
ATHÍNA
Mégara
Salamína
Peiraiás
Lávrio
Mýkonos
Dílos
Sýros
Ermoúpoli
Pátmos
Léros
Dodekánisa
Didim
Bodrum
Marmaris
Mesolóngi
Ithákí
Pátra
Aígio
Xylókastro
Loutráki
Kiáto
Kórinthos
Akrí Soúnio
Kéa
Kýthnos
Kálymnos
Kos
Sými
Ródos
Argostóli
Sámi
Káto Achaïa
Kalávryta
Mikínes
Árgos
Epídavros
Náfplio
Aígina
Póros
Sérifos
Páros
Náxos
Amorgós
Nísyros
Tílos
Lindos
Zákynthos
Amaliáda
Lagkádia
Olympía
Pýrgos
Trípoli
Ýdra
Spétses
Sífnos
Kykládes
Astypálaia
Andritsaina
Megalópoli
Leonídio
Íos
Kyparissía
Spárti
Mystrás
Myrtóo Pélagos
Thíra
Mílos
Messíni
Kalamáta
Moláoi
Monemvasía
Kárpathos
Gargaliánoi
Pýlos
Gýtheio
Areópoli
Neápoli
Kýthira
Kásos
Mer de Crète
Iráklеio
Ágios Nikólaos
Siteía
Chánia
Mália
Kastélli
Soúda
Réthymno
Knossós
Ierápetra
Tympáki
Festós
Samariás
Hóra Sfakíon
Kríti
An Sea

Straßenverkehrsordnung
Wegcode / Motoring regulations / Réglements routiers
Regolamenti stradali / Código de circulación

	D
	50
	100
	130

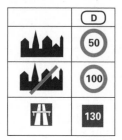

Geschwindigkeitsbegrenzung in km/h
Snelheidsbeperkingen (in km/uur)
Maximum Speed Limit: in kilometres per hour
Limitations de vitesse en kilomètres/heure
Limite di velocità in chilometri/ora
Limitación de velocidad en km/hora

Maximal zulässiger Blutalkoholgehalt / Maximaal toegelaten alcoholconcentratie in het bloed / Maximum blood alcohol level
Taux maximum d'alcool toléré dans le sang / Tasso massimo di alcol ammesso nel sangue
Indice máximo de alcohol permitido en sangre

D 0.5g/l

Mindestalter für Autofahrer: 18 Jahre / Minimum leeftijd van de bestuurder: 18 jaar / Minimum driving age: 18 years
Age minimum du conducteur : 18 ans / Età minima del conducente: 18 anni / Edad minima del conductor: 18 años

D

Anlegen von Sicherheitsgurten vorn und hinten vorgeschrieben / Gebruik van veiligheidsgordels vooraan en achteraan verplicht
Seat belts must be worn by driver and all passengers in front and rear seats
Port de la ceinture de sécurité à l'avant et à l'arrière obligatoire
Cintura di sicurezza sedili anteriori e posteriori obbligatoria / Cinturón de seguridad obligatorio en asientes delanteros y trasesos

D

Helmpflicht für Motorradfahrer und -beifahrer / Gebruik van valhelm verplicht voor bestuurders en passagiers van motorfietsen
Helmets compulsory for motorcycle riders and passengers / Port du casque pour les motocyclistes et les passagers obligatoire
Casco obbligatorio per motociclisti e loro passeggeri / Casco de conductor y pasajero obligatorio en motocicletes

D

Spikereifen verboten / Spijkerbanden verboden / Studded tyres forbidden
Pneus cloutés interdits / Gomme da neve vietate / Neumáticos claveteados prohibidos

D

Warndreieck vorgeschrieben / Gevarendriehoek verplicht / Warning Triangle compulsory
Triangle de présignalisation obligatoire / Triangolo di presegnalazione obbligatorio / Triangulo de preseñalización obligatorio

D

Verbandskasten vorgeschrieben / Verbandtrommel verplicht / First aid kit compulsory
Trousse de premiers secours obligatoire / Valigetta pronto soccorso obbligatoria / Botiguin obligatorio

D

Sicherheitsweste empfohlen / Reflecterend vest aanbevolen / Reflective jacket recommended
Gilet de sécurité conseillé / Giubbotto di sicurezza consigliato / Chaleco reflectante aconsejado

D

Feuerlöscher empfohlen / Brandblusser aanbevolen / Fire extinguisher recommended
Extincteur conseillé / Estintore consigliato / Extinctor recomendado

D

Benötigte Dokumente: Zulassungs- oder Mietwagenpapiere, Haftpflicht-versicherungsnachweis, Nationalitätskennzeichen.
Vereiste documenten: inschrijvingsbewijs of huurcontract van het voertuig, verzekering voor burgerlijke aansprakelijkheid, officiële nummerplaat.
Documents required. Vehicle registration document or rental agreement. Third party Insurance certificate. National vehicle identification plate.
Documents nécessaires : certificat d'immatriculation du véhicule ou de location, assurance responsabilité civile, plaque nationale.
Documenti necessari: certificato d'immatricolazione del veicolo o di noleggio, assicurazione responsabilità civile, targa nazionale.
Documentos necesarios: certificado de matriculación del vehiculo o certificado de alquiler, seguro de responsabilidad civil, placa indicativa del país

1: 300 000

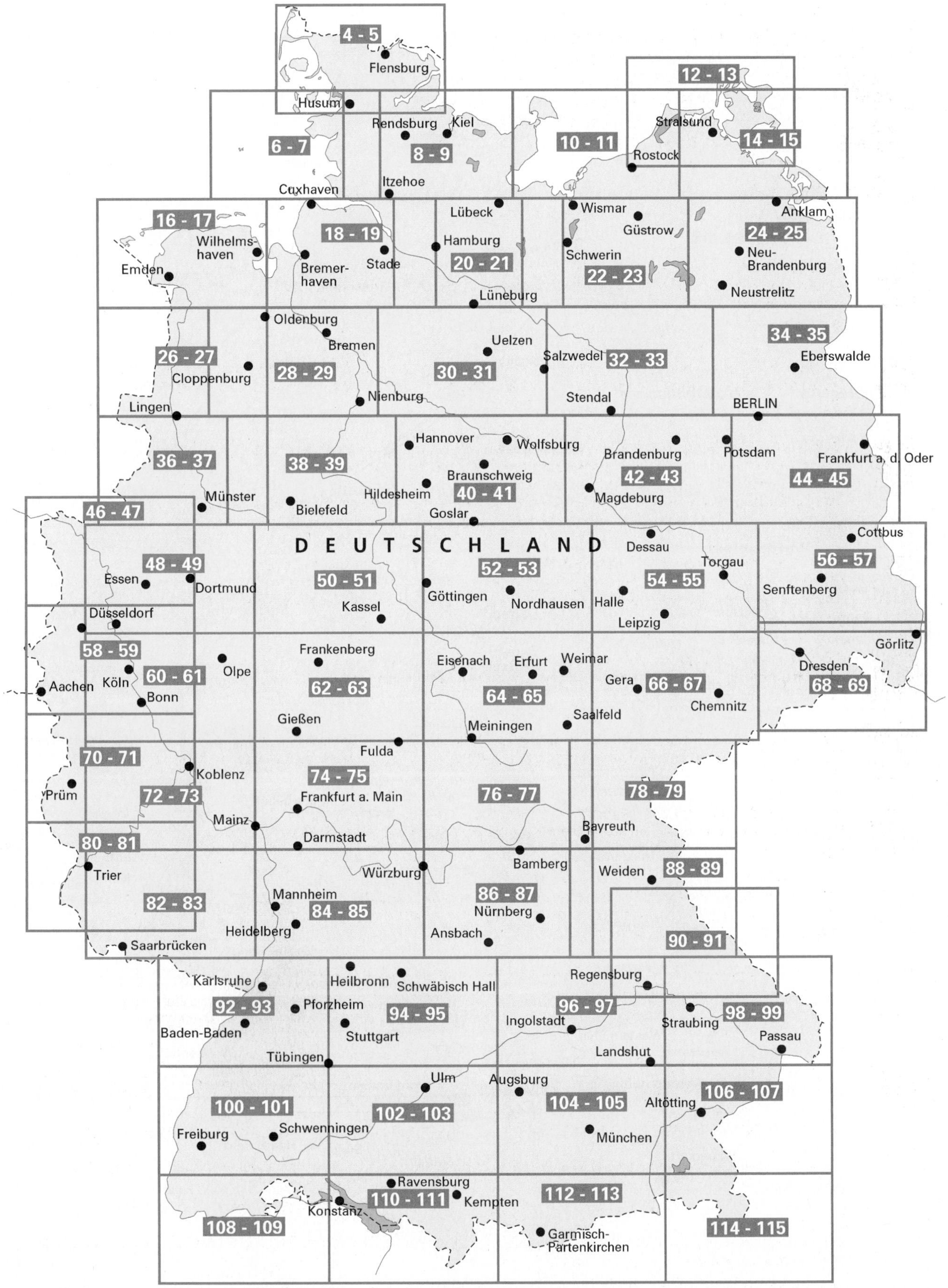
4 - 5
Flensburg
12 - 13
Husum
Rendsburg
Kiel
6 - 7
8 - 9
10 - 11
Stralsund
14 - 15
Rostock
Cuxhaven
Itzehoe
16 - 17
Wilhelms-
haven
Emden
18 - 19
Bremer-
haven
Stade
Lübeck
Hamburg
20 - 21
Lüneburg
Wismar
Güstrow
Schwerin
22 - 23
Anklam
24 - 25
Neu-
Brandenburg
Neustrelitz
Oldenburg
Bremen
26 - 27
Cloppenburg
28 - 29
Uelzen
30 - 31
Salzwedel
32 - 33
34 - 35
Eberswalde
Lingen
Nienburg
Stendal
BERLIN
36 - 37
38 - 39
Hannover
Wolfsburg
Braunschweig
Brandenburg
Potsdam
Frankfurt a. d. Oder
42 - 43
44 - 45
Münster
Bielefeld
Hildesheim
40 - 41
Magdeburg
Goslar
46 - 47
D E U T S C H L A N D
Dessau
Cottbus
48 - 49
50 - 51
52 - 53
54 - 55
56 - 57
Essen
Dortmund
Göttingen
Nordhausen
Halle
Torgau
Senftenberg
Kassel
Leipzig
Düsseldorf
Görlitz
58 - 59
Frankenberg
Eisenach
Erfurt
Weimar
Dresden
Olpe
60 - 61
62 - 63
64 - 65
Gera
66 - 67
68 - 69
Aachen
Köln
Bonn
Chemnitz
Gießen
Saalfeld
Meiningen
Fulda
70 - 71
Koblenz
74 - 75
76 - 77
78 - 79
Prüm
72 - 73
Frankfurt a. Main
Mainz
Bayreuth
Darmstadt
80 - 81
Bamberg
Trier
Würzburg
Weiden
88 - 89
Mannheim
86 - 87
82 - 83
84 - 85
Nürnberg
Heidelberg
Ansbach
90 - 91
Saarbrücken
Karlsruhe
Heilbronn
Schwäbisch Hall
Regensburg
92 - 93
Pforzheim
94 - 95
96 - 97
98 - 99
Baden-Baden
Stuttgart
Ingolstadt
Straubing
Passau
Tübingen
Landshut
Ulm
Augsburg
100 - 101
102 - 103
104 - 105
Altötting
106 - 107
Schwenningen
Freiburg
München
Ravensburg
110 - 111
Kempten
112 - 113
Konstanz
108 - 109
114 - 115
Garmisch-
Partenkirchen

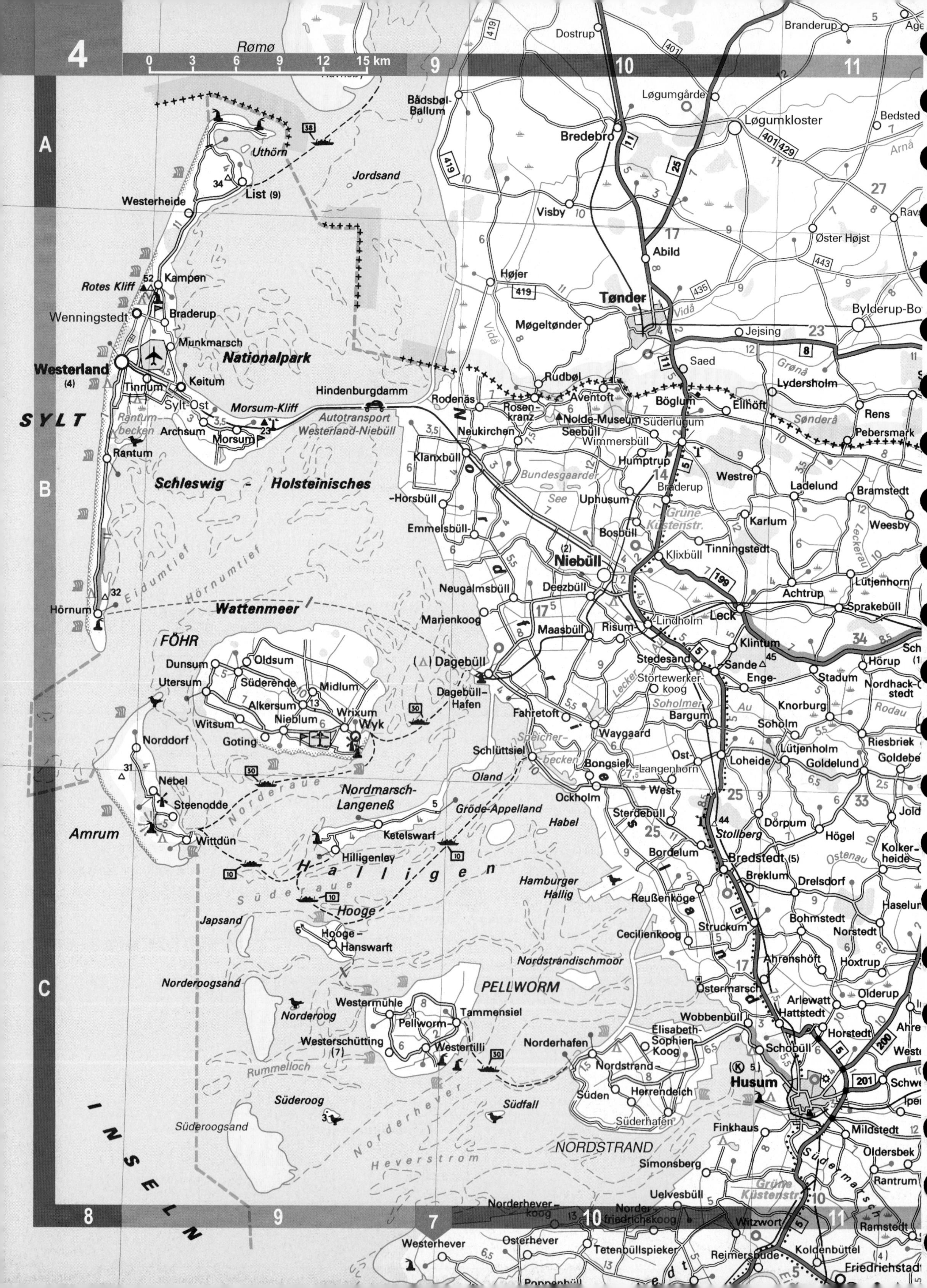

Rømø
0 3 6 9 12 15 km
9
10
11
A
B
C
8
9
7
10
11
Dostrup
Branderup
Løgumgårde
Løgumkloster
Bedsted
Bådsbøl-Ballum
Bredebro
Arnå
Visby
Ravsted
Øster Højst
Abild
Højer
Tønder
Vidå
Bylderup-Bov
Møgeltønder
Jejsing
Saed
Grønå
Lydersholm
Rudbøl
Aventoft
Rodenäs
Rosenkranz
Böglum
Ellhöft
Nolde-Museum
Seebüll
Süderlügum
Søndera
Rens
Pebersmark
Neukirchen
Wimmersbüll
Klanxbüll
Humptrup
Bundesgaarder See
Westre
Ladelund
Bramstedt
Braderup
Uphusum
Grüne Küstenstr.
Karlum
Weesby
-Horsbüll
Emmelsbüll-
Bosbüll
Klixbüll
Tinningstedt
Lecker Au
Niebüll
Neugalmsbüll
Deezbüll
Achtrup
Lütjenhorn
Marienkoog
Lindholm
Leck
Sprakebüll
Maasbüll
Risum-
Klintum
Stedesand
Sande
Hörup
Stadum
Nordhackstedt
(Δ) Dagebüll
Störtewerkerkoog
Enge-
Dagebüll-Hafen
Knorburg
Soholmer Au
Rodau
Fahretoft
Bargum
Soholm
Waygaard
Speicherbecken
Lütjenholm
Riesbriek
Schlüttsiel
Ost-
Loheide
Goldelund
Goldebek
Oland
Bongsiel
Langenhorn
West-
Ockholm
Sterdebüll
Dörpum
Högel
Jold
Stollberg
Bordelum
Bredstedt (5)
Ostenau
Kolkerheide
Breklum
Drelsdorf
Hamburger Hallig
Reußenköge
Haselund
Bohmstedt
Struckum
Norstedt
Cecilienkoog
Ahrenshöft
Hoxtrup
Nordstrandischmoor
Ostermarsch
Arlewatt
Olderup
Hattstedt
Wobbenbüll
Elisabeth-Sophien-Koog
Horstedt
Ahrenviöl
Schobüll
Norderhafen
Nordstrand
Husum
Schwesing
Herrendeich
Süden
Süderhafen
Finkhaus
Mildstedt
NORDSTRAND
Oldersbek
Simonsberg
Südermarsch
Rantrum
Uelvesbüll
Norderhever-koog
Norderfriedrichskoog
Witzwort
Ramstedt
Westerhever
Osterhever
Tetenbüllspieker
Reimersbude
Koldenbüttel
Friedrichstadt
Poppenbüll
Uthörn
Jordsand
List (9)
Westerheide
Rotes Kliff
Kampen
Wenningstedt
Braderup
Munkmarsch
Nationalpark
Westerland (4)
Tinnum
Keitum
Sylt-Ost
Morsum-Kliff
Hindenburgdamm
Autotransport Westerland-Niebüll
SYLT
Rantumbecken
Archsum
Morsum
Rantum
Schleswig - Holsteinisches
Eidumtief
Hörnumtief
Hörnum
Wattenmeer
FÖHR
Dunsum
Oldsum
Utersum
Süderende
Midlum
Alkersum
Wrixum
Witsum
Nieblum
Wyk
Goting
Norddorf
Nebel
Steenodde
Amrum
Wittdün
Norderaue
Nordmarsch-Langeneß
Gröde-Appelland
Habel
Ketelswarf
Hilligenley
Halligen
Süderaue
Hooge
Japsand
Hooge-Hanswarft
Norderoogsand
PELLWORM
Westermühle
Tammensiel
Norderoog
Pellworm
Westerschütting (7)
Westertilli
Rummelloch
Süderoog
Südfall
Süderoogsand
Norderhever
Heverstrom
INSELN

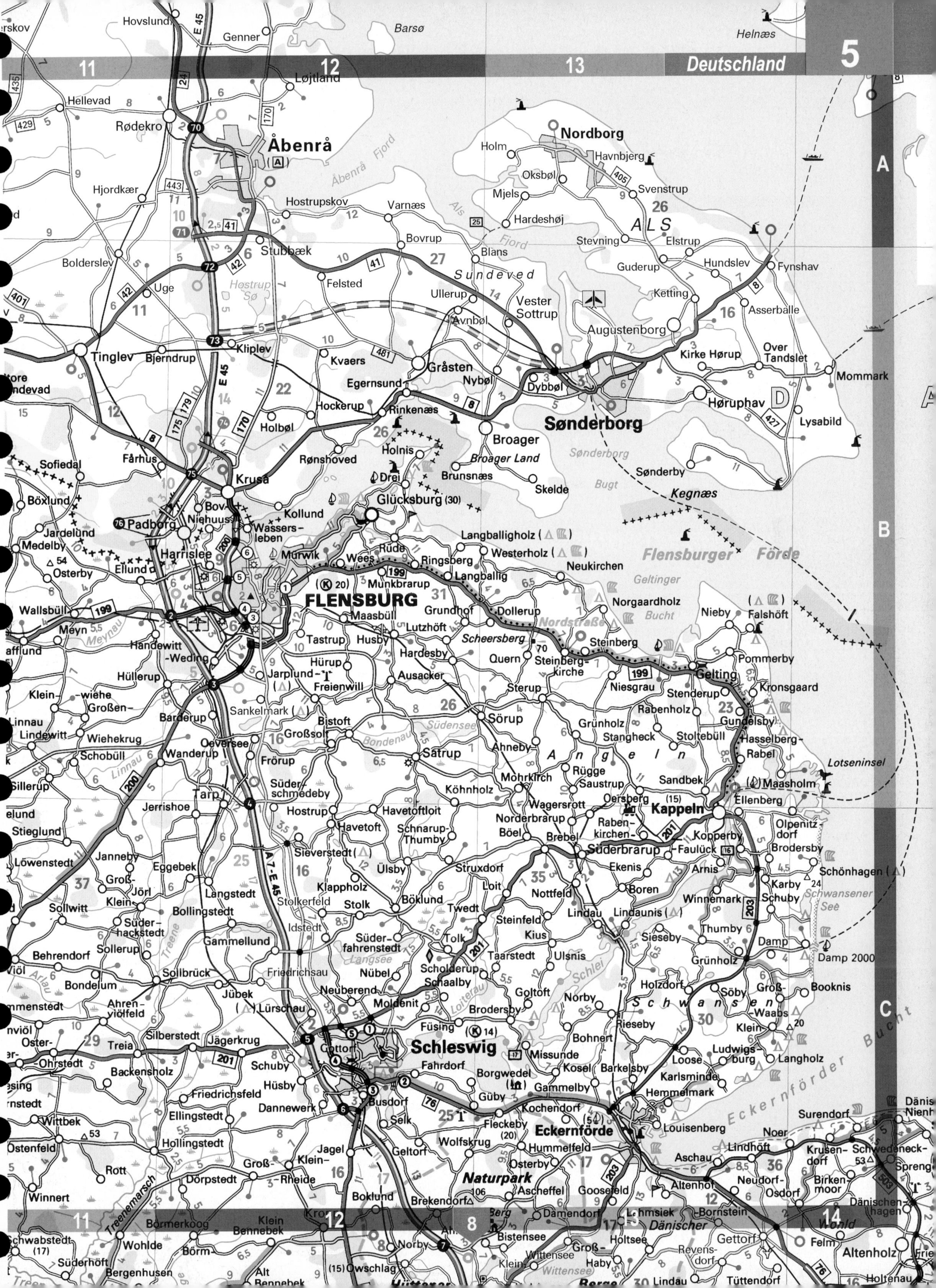

11
12
13
Deutschland
5
Hovslund
Genner
Barsø
Helnæs
Løjtland
Hellevad
Rødekro
Åbenrå
Åbenrå Fjord
Nordborg
Holm
Havnbjerg
Oksbøl
Mjels
Svenstrup
Hardeshøj
ALS
Hjordkær
Hostrupskov
Varnæs
Als Fjord
Bovrup
Stubbæk
Bolderslev
Blans
Stevning
Elstrup
Guderup
Hundslev
Fynshav
Uge
Felsted
Sundeved
Høstrup Sø
Ullerup
Vester Sottrup
Ketting
Asserballe
Avnbøl
Augustenborg
Tinglev
Bjerndrup
Kliplev
Kvaers
Gråsten
Kirke Hørup
Over Tandslet
Mommark
Egernsund
Nybøl
Dybbøl
Høruphav
Hockerup
Rinkenæs
Sønderborg
Holbøl
Broager
Lysabild
Holnis
Broager Land
Sønderborg Bugt
Rønshoved
Sofiedal
Fårhus
Brunsnæs
Sønderby
Skelde
Kruså
Drei
Kegnæs
Böxlund
Bov
Glücksburg (30)
Kollund
Niehuus
Padborg
Jardelund
Wassersleben
Langballigholz
Medelby
Harrislee
Mürwik
Wees
Rüde
Westerholz
Flensburger Förde
Osterby
Ellund
Ringsberg
Neukirchen
Langballig
Geltinger Bucht
Munkbrarup
FLENSBURG
Norgaardholz
Wallsbüll
Maasbüll
Grundhof
Dollerup
Nordstraße
Nieby
Falshöft
Meyn
Tastrup
Husby
Lutzhöft
Handewitt
Scheersberg
Steinberg
Steinbergkirche
Quern
Hardesby
Pommerby
Hüllerup
Hürup
Jarplund
Freienwill
Ausacker
Niesgrau
Gelting
Kronsgaard
Sterup
Stenderup
Rabenholz
Sankelmark
Bistoft
Barderup
Sörup
Grünholz
Gundelsby
Linnau
Lindewitt
Wiehekrug
Großsolt
Südensee
Stangheck
Stoltebüll
Hasselberg
Oeversee
Wanderup
Satrup
Ahneby
Angeln
Rabel
Schobüll
Frörup
Lotseninsel
Maasholm
Sillerup
Rügge
Saustrup
Sandbek
Ellenberg
Mohrkirch
Süderschmedeby
Köhnholz
Oersberg
Kappeln
Tarp
Jerrishoe
Wagersrott
Hostrup
Havetoftloit
Olpenitz
Norderbrarup
Stieglund
Havetoft
Schnarup-Thumby
Rabenkirchen
Kopperby
Böel
Brebel
Faulück
Brodersby
Süderbrarup
Janneby
Löwenstedt
Eggebek
Sieverstedt
Arnis
Ekenis
Struxdorf
Ülsby
Schönhagen
Karby
Jörl
Langstedt
Boren
Schuby
Schwansener See
Loit
Nottfeld
Klappholz
Winnemark
Lindaunis
Lindau
Bollingstedt
Sollwitt
Stolk
Böklund
Twedt
Stolkerfeld
Süderhackstedt
Steinfeld
Idstedt
Thumby
Kius
Sieseby
Damp
Tolk
Treene
Gammellund
Süderfahrenstedt
Langsee
Sollerup
Behrendorf
Taarstedt
Ulsnis
Grünholz
Damp 2000
Viöl
Schoolderup
Schlei
Arlau
Sollbrück
Friedrichsau
Nübel
Bondelum
Schaalby
Holzdorf
Söby
Booknis
Jübek
Goltoft
Neuberend
Norby
Schwansen
Ahrenviölfeld
Lürschau
Moldenit
Loiterau
Brodersby
Waabs
Füsing
Rieseby
Klein
Silberstedt
Jägerkrug
Schleswig
Treia
Bohnert
Oster-Ohrstedt
Gottorf
Missunde
Ludwigsburg
Langholz
Loose
Kosel
Barkelsby
Schuby
Backensholz
Fahrdorf
Borgwedel
Karlsminde
Hüsby
Gammelby
Friedrichsfeld
Hemmelmark
Eckernförder Bucht
Dannewerk
Busdorf
Güby
Kochendorf
Dänisch Nienhof
Wittbek
Ellingstedt
Surendorf
Selk
Louisenberg
Fleckeby (20)
Eckernförde
Noer
Ostenfeld
Hollingstedt
Wolfskrug
Jagel
Geltorf
Hummelfeld
Aschau
Lindhöft
Krusendorf
Schwedeneck
Sprenge
Rott
Groß-Rheide
Klein-Rheide
Osterby
Naturpark
Gooseföld
Altenhof
Neudorf
Birkenmoor
Osdorf
Dörpstedt
Ascheffel
Winnert
Treenemarsch
Boklund
Brekendorf
Dänischenhagen
Dämendorf
Lehmsiek
Bornstein
Schwabstedt (17)
Börmerkoog
Klein Bennebek
Bistensee
Holtsee
Dänischer Wohld
Gettorf
Felm
Altenholz
Wohlde
Börm
Norby
Wittensee
Groß-Wittensee
Revensdorf
Süderhöft
Bergenhusen
Alt Bennebek
(15) Owschlag
Klein-Wittensee
Haby
Lindau
Tüttendorf
Holtenau
Meynau
Linnau
Bondenau
A
B
C
D
E 45
A 7 - E 45
14

6
0 3 6 9 12 15 km
7
8
Japsan
Norderoogsand
R D S E E
C
INSELN
Süderoogsan
S C H E
D
H T
Helgoland
Düne
(▲) Helgoland
HELGOLÄNDER BUCHT
E
Scharhörn
Neuwerk
6
7
17
8
9
NSELN
Großer Knechtsand

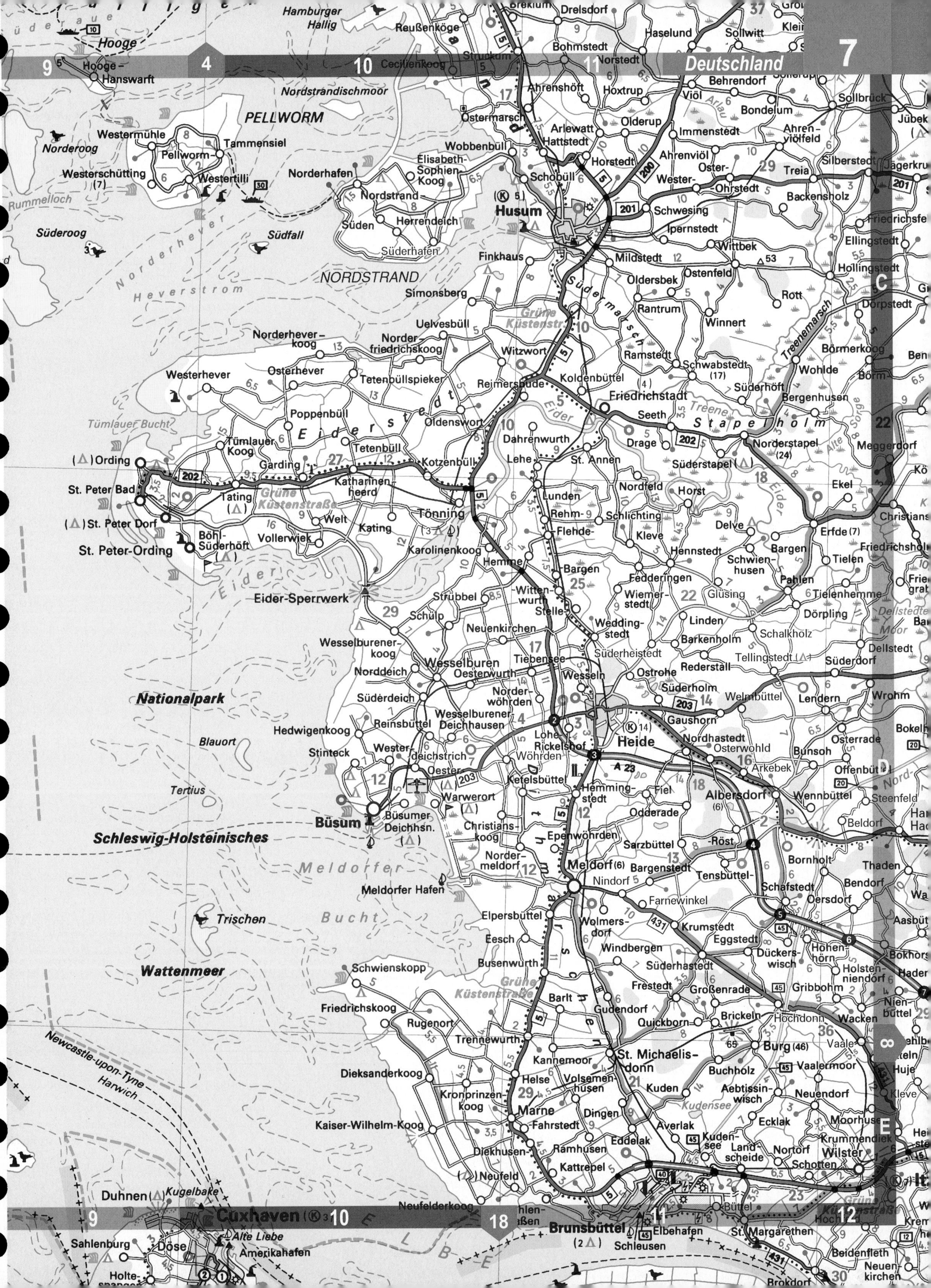
Hamburger Hallig
Reußenköge
Brekum
Drelsdorf
Haselund
Sollwitt
Hooge
Hooge-Hanswarft
Cecilienkoog
Struckum
Bohmstedt
Norstedt
Behrendorf
Nordstrandischmoor
Ahrenshöft
Hoxtrup
Viöl
Sollbrück
Bondelum
Ostermarsch
Arlewatt
Hattstedt
Olderup
Immenstedt
Ahrenviölfeld
Jübek
PELLWORM
Westermühle
Tammensiel
Pellworm
Norderoog
Westerschütting
Westertilli
Wobbenbüll
Elisabeth-Sophien-Koog
Norderhafen
Horstedt
Ahrenviöl
Oster-Ohrstedt
Silberstedt
Treia
Jägerkrug
Schobüll
Wester-Ohrstedt
Backensholz
Nordstrand
Rummelloch
Husum
Schwesing
Süden
Herrendeich
Ipernstedt
Friedrichsfeld
Süderoog
Südfall
Süderhafen
Wittbek
Ellingstedt
Mildstedt
Finkhaus
Hollingstedt
Norderhever
Oldersbek
Ostenfeld
NORDSTRAND
Heverstrom
Simonsberg
Rott
Rantrum
Dörpstedt
Süder marsch
Winnert
Uelvesbüll
Grüne Küstenstraße
Norderheverkoog
Norderfriedrichskoog
Witzwort
Ramstedt
Schwabstedt
Treenemarsch
Börmerkoog
Wohlde
Westerhever
Osterhever
Tetenbüllspieker
Reimersbude
Koldenbüttel
Süderhöft
Börm
Bergenhusen
Friedrichstadt
Treene
Stapelholm
Tümlauer Bucht
Poppenbüll
Eiderstedt
Oldenswort
Seeth
Eider
Dahrenwurth
Drage
Norderstapel
Meggerdorf
Sorge
Tümlauer Koog
Tetenbüll
Lehe
St. Annen
Süderstapel
Ording
Garding
Kotzenbüll
St. Peter Bad
Katharinenheerd
Nordfeld
Horst
Ekel
Tating
Lunden
Tönning
Rehm-Flehde-Bargen
Schlichting
Delve
Christiansholm
St. Peter Dorf
Welt
Kating
Kleve
Erfde
Böhl-Süderhöft
Vollerwiek
Karolinenkoog
Hennstedt
Bargen
Friedrichsholm
St. Peter-Ording
Hemme
Schwienhusen
Tielen
Fedderingen
Pahlen
Wittenwurth
Wiemerstedt
Glüsing
Tielenhemme
Eider-Sperrwerk
Strübbel
Stelle
Weddingstedt
Linden
Dörpling
Schülp
Neuenkirchen
Schalkholz
Dellstedter Moor
Wesselburenerkoog
Barkenholm
Dellstedt
Süderheistedt
Tellingstedt
Wesselburen
Tiebensee
Süderdorf
Norddeich
Oesterwurth
Wesseln
Ostrohe
Rederstall
Norderwöhrden
Süderholm
Süderdeich
Welmbüttel
Lendern
Wrohm
Nationalpark
Wesselburener Deichhausen
Gaushorn
Hedwigenkoog
Reinsbüttel
Lohe-Rickelshof
Heide
Nordhastedt
Osterwohld
Bokelholm
Osterrade
Blauort
Stinteck
Westerdeichstrich
Wöhrden
Bunsoh
Arkebek
Offenbüttel
Oesterdeichstrich
Ketelsbüttel
Hemmingstedt
Fiel
Albersdorf
Wennbüttel
Tertius
Warwerort
Steenfeld
Büsum
Büsumer Deichhsn.
Odderade
Beldorf
Schleswig-Holsteinisches
Christianskoog
Epenwöhrden
Sarzbüttel
Röst
Bornholt
Thaden
Meldorfer
Nordermeldorf
Meldorf
Bargenstedt
Tensbüttel-
Nindorf
Bendorf
Meldorfer Hafen
Farnewinkel
Schafstedt
Oersdorf
Trischen
Bucht
Elpersbüttel
Wolmersdorf
Krumstedt
Aasbüttel
Eesch
Eggstedt
Hohenhörn
Windbergen
Dückerswisch
Bokhorst
Wattenmeer
Schwienskopp
Busenwurth
Süderhastedt
Holstenniendorf
Hadenfeld
Frestedt
Großenrade
Gribbohm
Barlt
Friedrichskoog
Gudendorf
Nienbüttel
Rugenort
Quickborn
Brickeln
Hochdonn
Wacken
Trennewurth
Burg
Vaale
Newcastle-upon-Tyne
Harwich
Kannemoor
St. Michaelisdonn
Vaalermoor
Dieksanderkoog
Helse
Volsemenhusen
Buchholz
Huje
Kuden
Aebtissinwisch
Neuendorf
Kronprinzenkoog
Marne
Dingen
Kudensee
Kleve
Fahrstedt
Averlak
Ecklak
Moorhusen
Kaiser-Wilhelm-Koog
Eddelak
Kudensee
Landscheide
Krummendiek
Diekhusen-
Ramhusen
Nortorf
Wilster
Kattrepel
Schotten
Neufeld
Itzehoe
Duhnen
Kugelbake
Neufelderkoog
Büttel
Cuxhaven
Brunsbüttel
Elbehafen
St. Margarethen
Alte Liebe
Sahlenburg
Döse
Amerikahafen
Schleusen
Beidenfleth
Elbe
Holte-Spangen
Brokdorf
Neuenkirchen

0 3 6 9 12 15 km
Husum
Schleswig
Eckernförde
Friedrichstadt
Rendsburg
Büdelsdorf
Heide
Meldorf
Albersdorf
Hanerau-Hademarschen
Hohenwestedt
Nortorf
Aukrug
Kellinghausen
Itzehoe
Wilster
Brunsbüttel
Marne
Burg
Hohenlockstedt
Bad Bramstedt
Naturpark Hüttener Berge
Naturpark Aukrug
Treenemarsch
Stapelholm
Südermarsch
Eider
Treene
Sorge
Königsmoor
Hohner See
Dellstedter Moor
Nord-Ostsee-Kanal
Kudensee
Schlei
Wittensee
Grüne Küstenstraße
Ahrenviöl
Ahrenshöft
Bondelum
Viöl
Hollingstedt
Jübek
Silberstedt
Treia
Jagel
Kropp
Owschlag
Fockbek
Hohn
Erfde
Tielen
Pahlen
Dörpling
Hennstedt
Lunden
Süderstapel
Norderstapel
Seeth
Tellingstedt
Süderdorf
Wrohm
Hamdorf
Jevenstedt
Nienkattbek
Westerrönfeld
Osterrönfeld
Schacht-Audorf
Bokel
Legan
Barlohe
Beringstedt
Gokels
Schenefeld
Wacken
Vaale
Nutteln
Kaaks
Edendorf
Lägerdorf
Breitenburg
Münsterdorf
Kronsmoor
Wrist
Hitzhusen
St. Michaelisdonn
Eddelak
Averlak
St. Margarethen
Brokdorf
Beidenfleth
Elbehafen
Schleusen
Wöhrden
Hemmingstedt
Lohe-Rickelshof
Wesselburen
Tönning
Ostenfeld
Mildstedt
Schwabstedt
Wohlde
Bergenhusen
Meggerdorf
Christiansholm
Friedrichsholm
Elsdorf-Westermühlen
Gnutz
Timmaspe
Ellerdorf
Emkendorf
Westensee
Haby
Holzbunge
Sehestedt
Fleckeby
Güby
Busdorf
Fahrdorf
Missunde
Gettorf
Ascheffel
Ahlefeld
Bistensee
Damendorf
Wittensee
Hütten
Lindau
Haßmoor
Osterstedt
Tappendorf
Remmels
Nindorf
Todenbüttel
Lütjenwestedt
Oldenbüttel
Steenfeld
Beldorf
Bornholt
Thaden
Seefeld
Puls
Wapelfeld
Reher
Jahrsdorf
Christinenthal
Hadenfeld
Bokhorst
Looft
Peissen
Silzen
Lockstedt
Ridders
Oeschebüttel
Rosdorf
Mühlenbarbek
Störkathen
Fitzbek
Willenscharen
Sarlhusen
Rade
Hennstedt
Arpsdorf
Ehndorf
Bünzen
Wasbek
Innien
Grauel
Meezen
Poyenberg
Brammer
Luhnstedt
Bargstedt
Stafstedt
Embühren
Haale
Hamweddel
Breiholz
Schülp
Nübbel
Hörsten
Bargstall
Friedrichsgraben
Tielenhemme
Dellstedt
Prinzenmoor
Bokelhop
Osterrade
Offenbüttel
Bunsoh
Arkebek
Wennbüttel
Osterwohld
Nordhastedt
Gaushorn
Welmbüttel
Lendern
Schalkholz
Linden
Barkenholm
Rederstall
Süderheistedt
Wiemerstedt
Fedderingen
Glüsing
Weddingstedt
Ostrohe
Süderholm
Fiel
Odderade
Sarzbüttel
Röst
Bargenstedt
Tensbüttel
Farnewinkel
Nindorf
Schafstedt
Oersdorf
Bendorf
Warringholz
Aasbüttel
Eggstedt
Krumstedt
Windbergen
Süderhastedt
Frestedt
Großenrade
Gudendorf
Quickborn
Brickeln
Hochdonn
Buchholz
Kuden
Aebtissinwisch
Neuendorf
Ecklak
Moorhusen
Krummendiek
Heiligenstedten
Kleve
Oldendorf
Ottenbüttel
Huje
Mehlbek
Nienbüttel
Holstenniendorf
Hohenhörn
Dückerswisch
Gribbohm
Vaalermoor
Landscheide
Nortorf
Schotten
Kudensee
Ramhusen
Kattrepel
Dingen
Volsemenhusen
Helse
Kannemoor
Barlt
Busenwurth
Eesch
Elpersbüttel
Wolmersdorf
Epenwöhrden
Nordermeldorf
Christianskoog
Ketelsbüttel
Neufeld
Diekhusen-Fahrstedt
Mühlenstraßen
Westermoor
Wulfsmoor
Kremperheide
Dägeling
Neuenkirchen
Oelixdorf
Winseldorf
Lohbarbek
Wittenbergen
Föhrden-Barl
Borstel
Quarnstedt
Hagen
Hardebek
Wiemersdorf
Fuhlendorf
Weddelbrook
Mönkloh
Lentföhrden
Voßberg
Osterhorn
Westerhorn
Brokstedt
Paden-stedt
Bargfeld
Prehnsfelde
Mörel
Heinkenborstel
Oldenhütten
Nienborstel
Borgdorf-Seedorf
Bordesholm
Warder
Altmühlendorf
Vollstedt
Alt Duvenstedt
Schirnau
Bünsdorf
Borgstedt
Lohe-Föhrden
Tetenhusen
Königshügel
Ekel
Delve
Bargen
Schwienhusen
Alt Bennebek
Klein Bennebek
Börm
Börmerkoog
Dörpstedt
Groß Rheide
Klein Rheide
Boklund
Brekendorf
Norby
Geltorf
Selk
Dannewerk
Hüsby
Schuby
Ellingstedt
Friedrichsfeld
Jägerkrug
Backensholz
Wittbek
Ipernstedt
Schwesing
Oster-Ohrstedt
Wester-Ohrstedt
Immenstedt
Olderup
Arlewatt
Hattstedt
Horstedt
Schobüll
Finkhaus
Oldersbek
Rantrum
Winnert
Ramstedt
Rott
Koldenbüttel
Witzwort
Drage
St. Annen
Nordfeld
Horst
Schlichting
Kleve
Rehm-Flehde-Bargen
Hemme
Wittenwurth
Stelle
Neuenkirchen
Tiebensee
Wesselburenerkoog
Süderhöft
Uelvesbüll
Dahrenwurth
Sollbrück
Sollwitt
Haselund
Hoxtrup
Behrendorf
Ahrenviölfeld
Bollingstedt
Langstedt
Gammellund
Stolk
Klappholz
Böklund
Tolk
Süderfahrenstedt
Nübel
Neuberend
Moldenit
Füsing
Schaalby
Taarstedt
Brodersby
Goltoft
Ulsnis
Lindaunis
Boren
Nottfeld
Steinfeld
Kius
Sieseby
Holzdorf
Rieseby
Bohnert
Kosel
Barkelsby
Loose
Gammelby
Borgwedel
Kochendorf
Hummelfeld
Osterby
Goosefeld
Lehmsiek
Holtsee
Bovenau
Ehlersdorf
Ostenfeld
Bredenbek
Rade
Schwabe
Bokelholm
Altenkattbek
Ohe
Brux
Dätgen
Krumstedt
Ostermarsch
Reimersbude
Hohenaspe
Drage
Itzehoe
Schleswig
Husum
Heide
Rendsburg
Nortorf

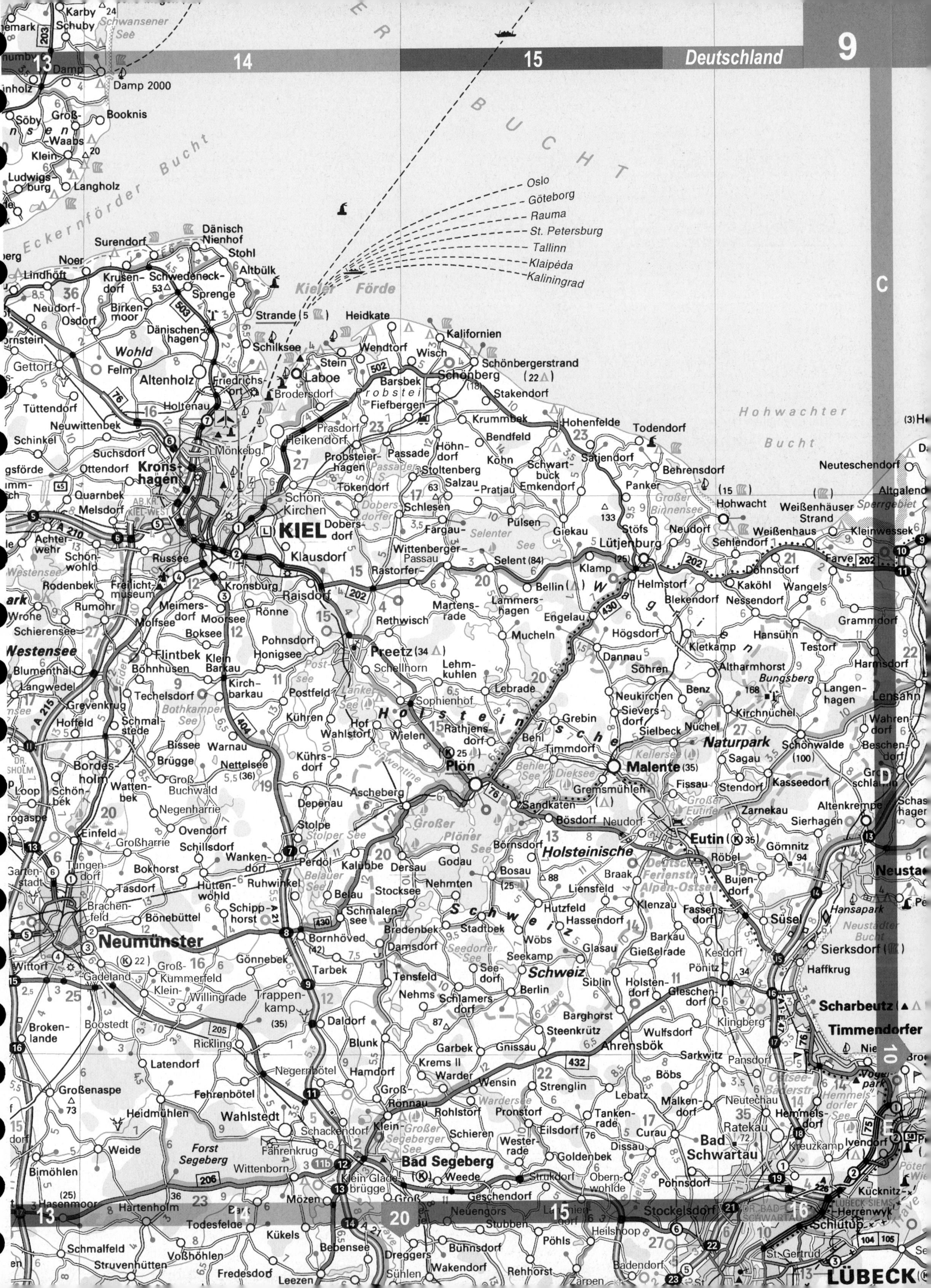

Kieler Förde
Eckernförder Bucht
Hohwachter Bucht
Oslo
Göteborg
Rauma
St. Petersburg
Tallinn
Klaipėda
Kaliningrad
KIEL
Neumünster
Plön
Preetz
Eutin
Malente
Lütjenburg
Bad Segeberg
Bad Schwartau
LÜBECK
Neustadt
Scharbeutz
Timmendorfer
Süsel
Sierksdorf
Haffkrug
Schönberg
Laboe
Heikendorf
Kronshagen
Altenholz
Flintbek
Bordesholm
Raisdorf
Ahrensbök
Wahlstedt
Holsteinische Schweiz
Naturpark
Großer Plöner See
Selenter See
Bungsberg
Wagrien
Probstei
Westensee
Wohld
Forst Segeberg
Damp 2000
Strande
Schilksee
Kalifornien
Hohwacht
Lensahn
Kasseedorf
Ascheberg
Bornhöved
Trappenkamp
Stockelsdorf
Ratekau
Boostedt
Gadeland
Einfeld
Schleswig-Holstein
Holtenau
Friedrichsort
Mönkeberg
Schönkirchen
Dänischenhagen

0 3 6 9 12 15 km
17
18
19
Hyllekrog
Bælt
Fehmarn-Belt
Markelsdorfer Huk
Nördlicher Binnensee
Wester-markelsdorf
Dänschen-dorf
Schlagsdorf
Westfehmarn-
Gammen-dorf
Puttgarden
FEHMARN
Bojendorf
Petersdorf
Lemken-dorf
Sulsdorf
Land-kirchen
Bannesdorf
Orth
Lemken-hafen
Burg
Vitzdorf
Burg-staaken
Meeschendorf
Albertsdorf
Avendorf
Staberdorf
Staberhuk
C
O S
Fehmarnsund
(▲) Fehmarnsund-brücke
Großenbroderfähre
(3) Heiligenhafen
Großenbrode
Dazendorf
Neuteschendorf
Lütjenbrode
Altgalendorf
Gremersdorf
Deutsche Ferienstr. Alpen-Ostsee
Sütel
Neukirchen
Kleinwessek
Kraksdorf
Oldenburg i. Holstein
Farve
Heringsdorf
Siggen
Göhl
Süssau
Gaarz
Rosenfelde
Grammdorf
Oldenburger Graben
Augusten-hof
Koselau
Harmsdorf
Damlos
Riepsdorf
Grube
Dahme (5)
Langen-hagen
Lensahn
Kabelhorst
MECKLENBURGER
BUCHT
Wahren-dorf
Manhagen
Cismar
Kellenhusen
Beschen-dorf
Rotenhuse
D
Groß-schlamin
Brenken-hagen
Lensterstrand
Altenkrempe
Schas-hagen
Bliesdorf
Grömitz (10)
Kühlungsb
-West
Neustadt i. Holstein (4)
Bastorf
Rerik
Rettin
Pelzerhaken
Hansapark
Neustädter Bucht
Trelleborg
Helsinki
Tallinn
Wustrow
Sperrgebiet
Zweedorf
Gersdorf
Salzhaff
Sierksdorf
Roggow
Biendorf
Lübecker Bucht
Sandhagen
Rakow
Scharbeutz
Gollwitz
Neubukow
Poel
Kaltenhof
Timmendorfer Strand (10)
Insel Poel
Boiensdorf
Krem
Niendorf
Groß Schwansee
Warnkenhagen
Brodten
Elmenhorst
Alt Bukow
Teschow
Travemünde
Hohen Schönberg
Boltenhagen
Kirchdorf
Blowatz
Ravensberg
Timmendorf
Kalkhorst
Klütz
Tarnewitz
Wismarbucht
Fährdorf
Hagebök
Garvensdorf
Harkensee
Pötenitz
Neuenhagen
Groß Strömkendorf
Wohlenberger Wiek
Priwall
Hohen Wieschendorf
Neuburg-Steinhausen
Oberhof
Rankendorf
Krusen-hagen
Pötenitzer Wiek
Welzin
Wohlenberg
Zierow
Kartlow
Teplitz
Züsow
Kücknitz
Roggenstorf
Damshagen
Gramkow
Dassow
Bössow
Hornstorf
Lübeck-Siems
Herrenwyk
Moor
WISMAR
Glasin
Wendorf
Benz
Neuhof
Schlutup
Rolofs-hagen
Schwanbeck
Mallentin
Warnow
Groß Walmstorf
Gägelow
Rüggow
Nevern
Selmsdorf
Stepenitz
Malzow
Barnekow
Krassow
Neukloster
LÜBECK
Papenhusen
Gressow
Zurow
16
24
21
22
28
29
Trave

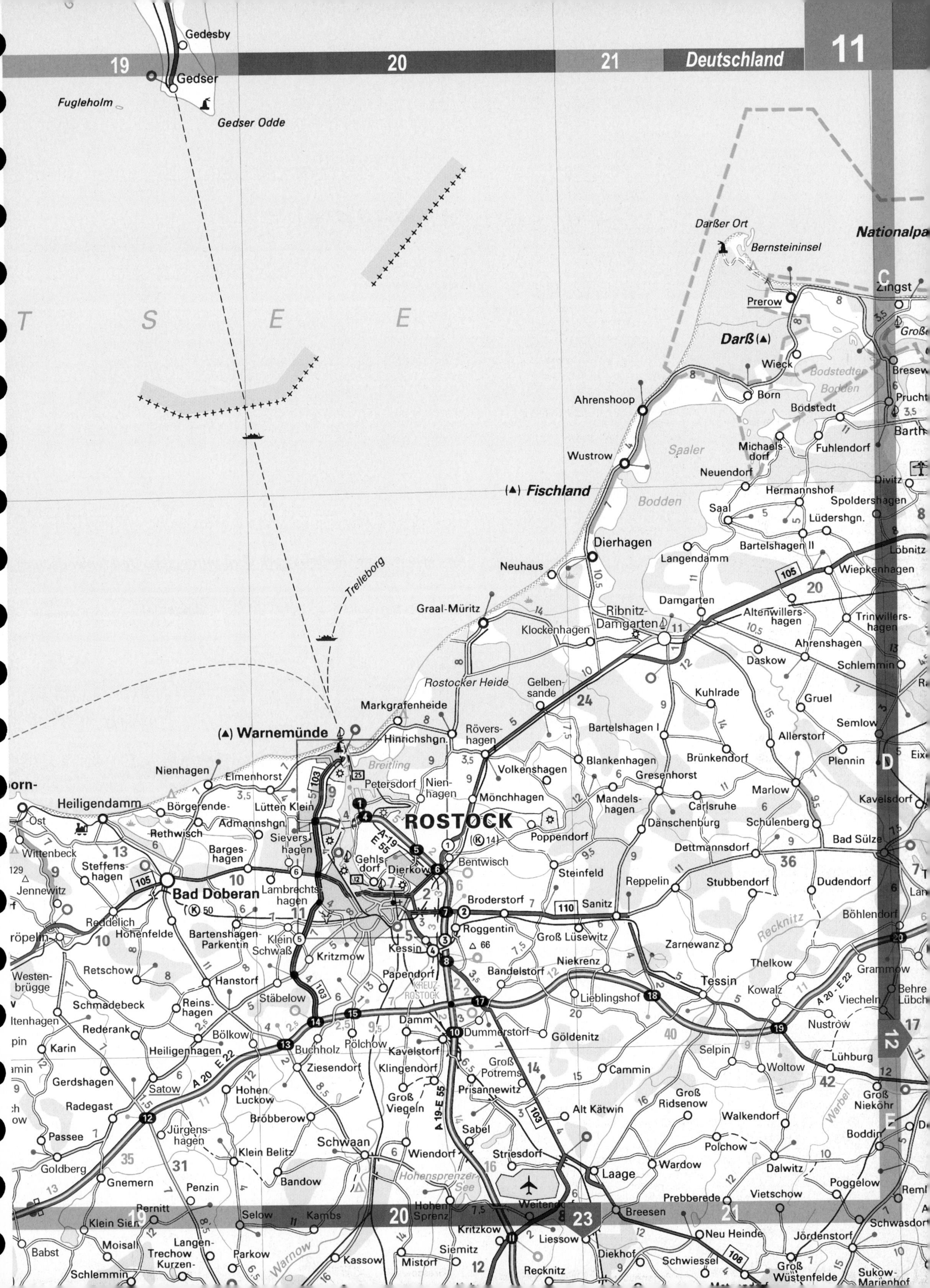

Gedesby
Gedser
Fugleholm
Gedser Odde
T S E E
Trelleborg
Darßer Ort
Bernsteininsel
Nationalpa
Zingst
Prerow
Darß (▲)
Wieck
Bodstedter Bodden
Bresew
Born
Pruchte
Bodstedt
Ahrenshoop
Barth
Michaelsdorf
Fuhlendorf
Saaler Bodden
Wustrow
Neuendorf
Divitz
(▲) Fischland
Hermannshof
Spoldershagen
Saal
Lüdershgn.
Dierhagen
Bartelshagen II
Löbnitz
Langendamm
Neuhaus
Wiepkenhagen
Damgarten
Graal-Müritz
Ribnitz-Damgarten
Altenwillershagen
Trinwillershagen
Klockenhagen
Ahrenshagen
Daskow
Schlemmin
Rostocker Heide
Gelbensande
Kuhlrade
Gruel
Markgrafenheide
Semlow
Bartelshagen I
(▲) Warnemünde
Hinrichshgn.
Rövershagen
Allerstorf
Breitling
Blankenhagen
Brünkendorf
Plennin
Nienhagen
Elmenhorst
Volkenshagen
Gresenhorst
Petersdorf
Nienhagen
Marlow
Kavelsdorf
Mönchhagen
Mandelshagen
Carlsruhe
Heiligendamm
Börgerende-
Lütten Klein
Rethwisch
Admannshgn.
ROSTOCK
Poppendorf
Dänschenburg
Schulenberg
Bad Sülze
Wittenbeck
Bargeshagen
Sievershagen
Bentwisch
Dettmannsdorf
Steffenshagen
Gehlsdorf
Dierkow
Steinfeld
Reppelin
Stubbendorf
Dudendorf
Jennewitz
Bad Doberan
Lambrechtshagen
Broderstorf
Sanitz
Böhlendorf
Reddelich
Roggentin
Hohenfelde
Bartenshagen-Parkentin
Klein Schwaß
Groß Lüsewitz
Recknitz
Zarnewanz
Kritzmow
Kessin
Niekrenz
Retschow
Westenbrügge
Papendorf
Bandelstorf
Thelkow
Grammow
Hanstorf
Kreuz Rostock
Tessin
Kowalz
Schmadebeck
Reinshagen
Stäbelow
Lieblingshof
Viecheln
Rederank
Damm
Dummerstorf
Göldenitz
Nustrow
Bölkow
Karin
Heiligenhagen
Buchholz
Pölchow
Kavelstorf
Selpin
Lühburg
Ziesendorf
Klingendorf
Groß Potrems
Cammin
Woltow
Gerdshagen
Satow
Hohen Luckow
Prisannewitz
Groß Niekohr
Radegast
Groß Viegeln
Groß Ridsenow
Alt Kätwin
Brobberow
Walkendorf
Passee
Jürgenshagen
Sabel
Boddin
Schwaan
Polchow
Klein Belitz
Wiendorf
Striesdorf
Goldberg
Wardow
Laage
Dalwitz
Gnemern
Bandow
Hohensprenzer See
Poggelow
Penzin
Vietschow
Bernitt
Hohen Sprenz
Weitendorf
Prebberede
Klein Sien
Selow
Kambs
Breesen
Schwasdorf
Kritzkow
Neu Heinde
Jördenstorf
Babst
Moisall
Langen-Trechow
Parkow
Liessow
Kurzen-
Warnow
Siemitz
Diekhof
Schwiessel
Groß Wüstenfelde
Sukow-Marienhof
Schlemmin
Kassow
Mistorf
Recknitz
A 20 E 22
A 19 E 55

0 3 6 9 12 15 km
21
22
B
C
D
11
14
20
Darßer Ort
Bernsteininsel
Nationalpark Vorpommersche Boddenlandschaft
Zingst
Zingst (▲)
Großer Werder
Prerow
Darß (▲)
Große Kirr
Oie
Wieck
Bodstedter Bodden
Barther Bodden
Grabow
Bresewitz
Groß Mohrdorf
Ahrenshoop
Born
Pruchten
Nisdorf
Bodstedt
Barth
Küstrow
Günz
Saaler Bodden
Michaelsdorf
Fuhlendorf
Neu Bartelshagen
Altenpleen
Wustrow
Neuendorf
Groß Kordshagen
STRALS
(▲) Fischland
Divitz
Hermannshof
Spoldershagen
Kenz
Flemendorf
Lassentin
Saal
Lüdershgn.
Karnin
Niepars
Dierhagen
Bartelshagen II
Löbnitz
Martensdorf
Neuhaus
Langendamm
Kummerow
Wiepkenhagen
Velgast
Trelleborg
Damgarten
Barthe
Graal-Müritz
Ribnitz-Damgarten
Altenwillershagen
Trinwillershagen
Altenhagen
Schuenhagen
Klockenhagen
Daskow
Ahrenshagen
Weitenhagen
Jakobsdorf
Steinhagen
Wolfshagen
Rostocker Heide
Gelbensande
Schlemmin
Ravenhorst
Millienhagen
Richtenberg
Markgrafenheide
Kuhlrade
Gruel
Abtshag
Hinrichshgn.
Rövershagen
Bartelshagen I
Semlow
Oebelitz
Franzburg
Allerstorf
Leplow
Breitling
Volkenshagen
Blankenhagen
Brünkendorf
Plennin
Eixen
Hugoldsdorf
Petersdorf
Nienhagen
Gresenhorst
Buchholz
Mönchhagen
Mandelshagen
Marlow
Drechow
ROSTOCK
Carlsruhe
Kavelsdorf
Papenhagen
Dänschenburg
Schulenberg
Splietsdorf
Poppendorf
Gehlsdorf
Dierkow
Bentwisch
Dettmannsdorf
Bad Sülze
Gremersdorf
Steinfeld
Reppelin
Stubbendorf
Dudendorf
Tribsees
Siemersdorf
Kirch Baggendorf
Broderstorf
Langsdorf
Roggentin
Böhlendorf
Recknitz
Gransebieth
Groß Lüsewitz
Kessin
Kritzmow
Zarnewanz
Breesen
Deyelsdorf
Wendisch Bagger
A 19
E 55
105
Trebel

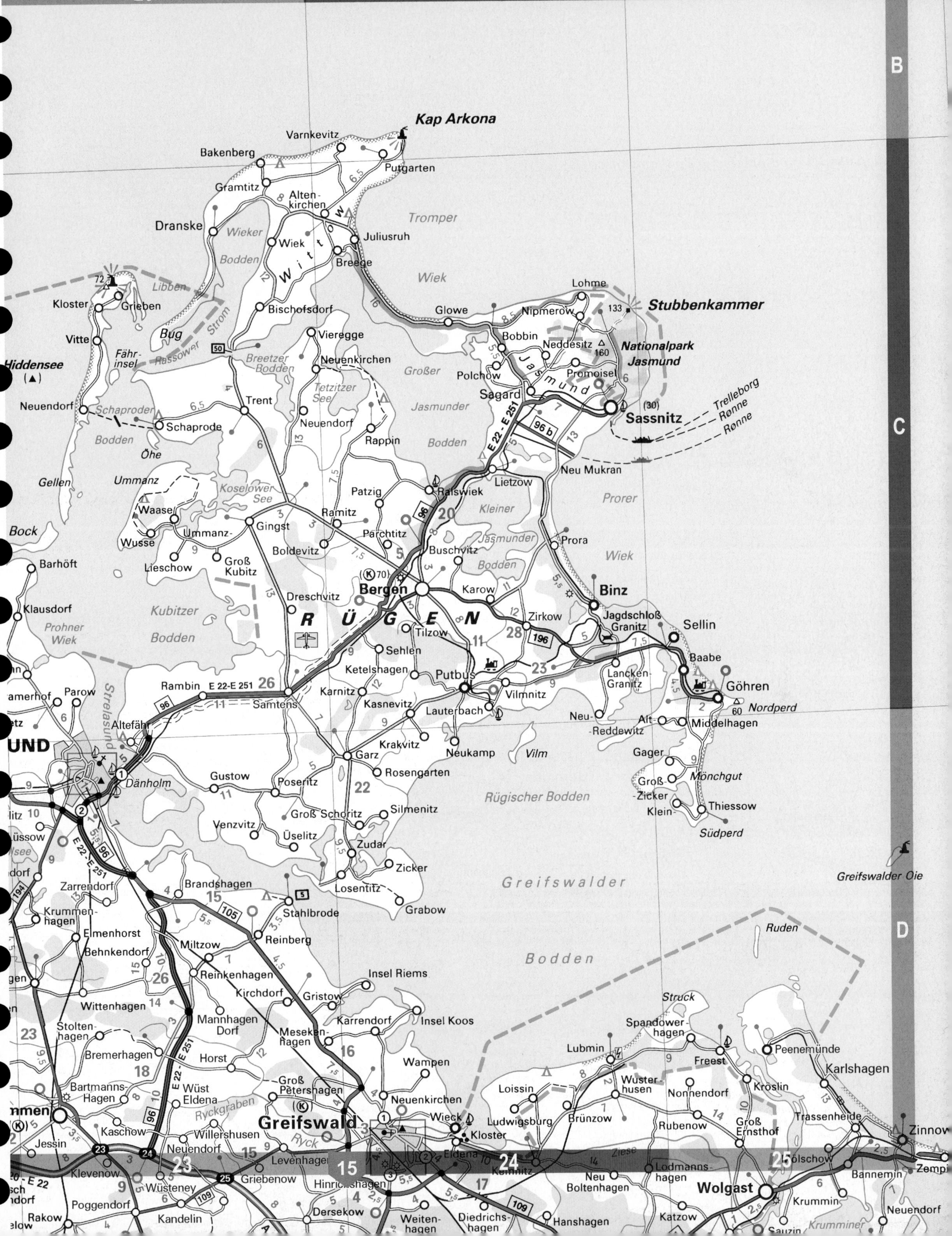

23
24
B
C
D
Kap Arkona
Varnkevitz
Bakenberg
Putgarten
Gramtitz
Alten-kirchen
Dranske
Wieker
Bodden
Wiek
Juliusruh
Breege
Wittow
Tromper
Wiek
Kloster
Grieben
Libben
Bug
Strom
Vitte
Fähr-insel
Rassower
Hiddensee
Neuendorf
Schaproder
Schaprode
Bodden
Öhe
Gellen
Ummanz
Waase
Wusse
Lieschow
Groß Kubitz
Bock
Barhöft
Klausdorf
Kubitzer
Bodden
Prohner Wiek
Bischofsdorf
Vieregge
Breetzer Bodden
Neuenkirchen
Tetzitzer See
Trent
Neuendorf
Rappin
Koselower See
Gingst
Ummanz-
Patzig
Ralswiek
Ramitz
Parchtitz
Boldevitz
Dreschvitz
Bergen
RÜGEN
Tilzow
Sehlen
Ketelshagen
Rambin
E 22-E 251
Samtens
Karnitz
Kasnevitz
Putbus
Vilmnitz
Lauterbach
Neukamp
Vilm
Altefähr
Dänholm
UND
Parow
Gustow
Poseritz
Garz
Krakvitz
Rosengarten
Venzvitz
Groß Schoritz
Silmenitz
Üselitz
Zudar
Zicker
Losentitz
Grabow
Glowe
Lohme
Nipmerow
Stubbenkammer
Bobbin
Neddesitz
Nationalpark Jasmund
Jasmund
Polchow
Promoisel
Sagard
Großer
Jasmunder
Bodden
Sassnitz
Trelleborg
Rønne
Rønne
96 b
Neu Mukran
Lietzow
Kleiner
Jasmunder
Bodden
Prorer
Wiek
Prora
Buschvitz
Karow
Binz
Zirkow
Jagdschloß Granitz
Sellin
Baabe
Göhren
Nordperd
Lancken-Granitz
Neu-Reddewitz
Alt-
Middelhagen
Gager
Mönchgut
Groß-Zicker
Klein-
Thiessow
Südperd
Rügischer Bodden
Greifswalder
Bodden
Greifswalder Oie
Ruden
Zarrendorf
Brandshagen
Stahlbrode
Krummenhagen
Elmenhorst
Behnkendorf
Miltzow
Reinberg
Reinkenhagen
Wittenhagen
Kirchdorf
Gristow
Insel Riems
Stoltenhagen
Mannhagen Dorf
Meseken-hagen
Karrendorf
Insel Koos
Bremerhagen
Horst
Wampen
Bartmanns-Hagen
Wüst Eldena
Groß Petershagen
Neuenkirchen
Ryckgraben
Greifswald
Wieck
Kloster
Ludwigsburg
Loissin
Lubmin
Struck
Spandower-hagen
Peenemünde
Freest
Karlshagen
Wusterhusen
Kröslin
Nonnendorf
Brünzow
Rubenow
Groß Ernsthof
Trassenheide
Zinnow
Kaschow
Willershusen
Neuendorf
Jessin
Ryck
Eldena
Levenhagen
Kemnitz
Ziese
Lodmannshagen
Neu Boltenhagen
Wolgast
Zölschow
Bannemin
Krummin
Neuendorf
Klevenow
Wüsteney
Griebenow
Hinrichshagen
Poggendorf
Kandelin
Dersekow
Weitenhagen
Diedrichshagen
Hanshagen
Katzow
Rakow
Lüssow
Krumminer

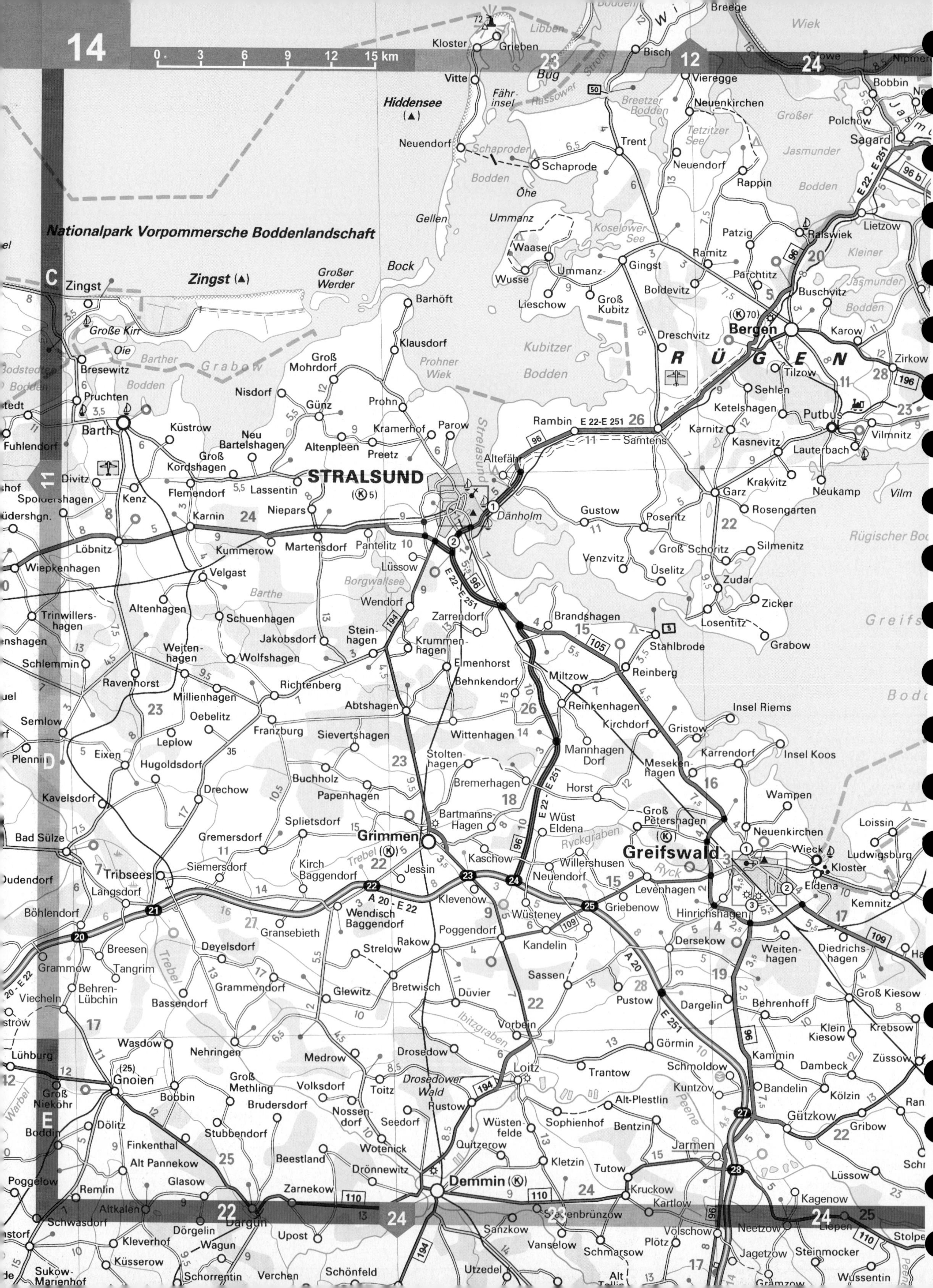
0 3 6 9 12 15 km
Nationalpark Vorpommersche Boddenlandschaft
Hiddensee
Kloster
Grieben
Vitte
Neuendorf
Fähr-insel
Schaproder Bodden
Schaprode
Gellen
Bock
Großer Werder
Zingst
Große Kirr
Oie
Barther Bodden
Grabow
Bodstedter Bodden
Bresewitz
Pruchten
Barth
Fuhlendorf
Küstrow
Neu Bartelshagen
Groß Kordshagen
Divitz
Spoldershagen
Kenz
Flemendorf
Lassentin
Karnin
Niepars
Löbnitz
Kummerow
Martensdorf
Pantelitz
Wiepkenhagen
Velgast
Altenhagen
Trinwillershagen
Schuenhagen
Jakobsdorf
Steinhagen
Weitenhagen
Wolfshagen
Schlemmin
Ravenhorst
Millienhagen
Richtenberg
Oebelitz
Semlow
Eixen
Leplow
Franzburg
Hugoldsdorf
Drechow
Kavelsdorf
Bad Sülze
Tribsees
Langsdorf
Böhlendorf
Breesen
Tangrim
Grammow
Behren-Lübchin
Viecheln
Wasdow
Lühburg
Gnoien
Groß Nieköhr
Dölitz
Boddin
Finkenthal
Alt Pannekow
Poggelow
Remlin
Altkalen
Schwasdorf
Dargun
Kleverhof
Wagun
Kusserow
Sukow-Marienhof
Schorrentin
Verchen
Schönfeld
Upost
Dörgelin
Glasow
Zarnekow
Stubbendorf
Bobbin
Groß Methling
Nehringen
Bassendorf
Grammendorf
Deyelsdorf
Gransebieth
Siemersdorf
Gremersdorf
Kirch Baggendorf
Splietsdorf
Grimmen
Papenhagen
Buchholz
Sievertshagen
Abtshagen
Wendisch Baggendorf
Strelow
Glewitz
Rakow
Bretwisch
Düvier
Medrow
Volksdorf
Brudersdorf
Toitz
Nossendorf
Seedorf
Wotenick
Beestland
Drönnewitz
Demmin
Drosedow
Drosedower Wald
Rustow
Loitz
Jessin
Klevenow
Poggendorf
Kandelin
Wüsteney
Sassen
Vorbein
Ibitzgraben
Pustow
Dargelin
Görmin
Trantow
Schmoldow
Kuntzow
Alt-Plestlin
Sophienhof
Bentzin
Wüstenfelde
Quitzerow
Kletzin
Tutow
Jarmen
Kruckow
Kartlow
Sanzkow
Vanselow
Schmarsow
Völschow
Plötz
Utzedel
Alt Tellin
Neetzow
Jagetzow
Steinmocker
Wussentin
Stolpe
Liepen
Kagenow
Lüssow
Gützkow
Gribow
Bandelin
Kölzin
Dambeck
Kammin
Klein Kiesow
Krebsow
Züssow
Groß Kiesow
Behrenhoff
Weitenhagen
Diedrichshagen
Dersekow
Hinrichshagen
Levenhagen
Griebenow
Neuendorf
Willershusen
Kaschow
Wüst Eldena
Bartmanns-Hagen
Bremerhagen
Stoltenhagen
Wittenhagen
Mannhagen Dorf
Horst
Groß Petershagen
Greifswald
Ryck
Ryckgraben
Eldena
Wieck
Kloster
Ludwigsburg
Loissin
Kemnitz
Neuenkirchen
Wampen
Karrendorf
Insel Koos
Mesekenhagen
Gristow
Kirchdorf
Insel Riems
Reinkenhagen
Miltzow
Behnkendorf
Elmenhorst
Krummenhagen
Zarrendorf
Wendorf
Lüssow
Borgwallsee
Barthe
Trebel
Peene
Warbel
Reinberg
Stahlbrode
Brandshagen
Grabow
Losentitz
Zicker
Zudar
Üselitz
Venzvitz
Groß Schoritz
Silmenitz
Poseritz
Gustow
Rosengarten
Garz
Krakvitz
Neukamp
Vilm
Lauterbach
Putbus
Vilmnitz
Kasnevitz
Karnitz
Ketelshagen
Sehlen
Tilzow
Zirkow
Karow
Bergen
Buschvitz
Parchtitz
Ralswiek
Lietzow
Patzig
Ramitz
Boldevitz
Dreschvitz
Gingst
Groß Kubitz
Lieschow
Ummanz
Waase
Wusse
Koselower See
Kubitzer Bodden
Prohner Wiek
Barhöft
Klausdorf
Groß Mohrdorf
Nisdorf
Günz
Prohn
Kramerhof
Parow
Altenpleen
Preetz
STRALSUND
Strelasund
Altefähr
Dänholm
Rambin
Samtens
RÜGEN
Trent
Neuendorf
Rappin
Tetzitzer See
Neuenkirchen
Vieregge
Breetzer Bodden
Bug
Rassower Strom
Libben
Wieker Bodden
Bisch
Breege
Wiek
Bobbin
Polchow
Großer Jasmunder Bodden
Sagard
Kleiner Jasmunder Bodden
Glowe
Nipmerow
Rügischer Bodden
Greifswalder Bodden
Kaschow
E 22-E 251
A 20-E 22
A 20
E 251
96
96 b
105
109
110
194
196
Zingst (▲)
Hiddensee (▲)
Öhe

Lohme
Stubbenkammer
Nationalpark
Jasmund
Promoisel
Sassnitz
Trelleborg
Rønne
Rønne
Neu Mukran
Prorer
Prora
Wiek
Binz
Jagdschloß
Granitz
Sellin
Baabe
Lancken-
Granitz
Göhren
Nordperd
Neu-
-Reddewitz
Alt-
Middelhagen
Gager
Mönchgut
Groß-
-Zicker
Klein-
Thiessow
Südperd
Greifswalder Oie
Ruden
Struck
Spandower-
hagen
Lubmin
Freest
Peenemünde
Karlshagen
Wuster-
husen
Nonnendorf
Kröslin
Brünzow
Rubenow
Groß
Ernsthof
Trassenheide
Zinnowitz
Ziese
Mölschow
Zempin
Neu
Boltenhagen
Lodmanns-
hagen
Bannemin
Koserow
Kölpinsee
Wolgast
Krummin
Neuendorf
Katzow
Sauzin
Krumminer
Wiek
Loddin
Gnitz
Achterwasser
Wrangelsburg
Hohendorf
Lütow
Ückeritz
USEDOM
København
Rønne
Ystad
Lühmannsdorf
Buddenhagen
Peenestrom
Warthe
Lieper
Winkel
Naturpark
Pudagla
Bansin
Heringsdorf
Steinfurth
Zemitz
Wehrland
Karlsburg
Schmollensee
Dewichow
Ahlbeck
Pulow
Wahlendow
Lassan
Rankwitz
Benz
Gothensee
Międzyzdroje
Świnoujście
Klein
Bünzow
Rubkow
Usedom
Neppermin
Korswandt
Buggen-
hagen
Morgenitz
Mellenthin
Katschow
Warszów
Daugzin
Murchin
Suckow
Zirchow
Przytór
Jez.
Wicko
Wlk.
Pinnow
Oderhaff
Garz
Wydrzany
Ziethen
Klotzow
Dargen
Lubin
Groß Pol
Usedom
Stolpe
Gummlin
Kamminke
Zecherin
Karsibór
Welzin
Peene
Görke
Anklam
Wilhelmshof
Karnin
Wielki

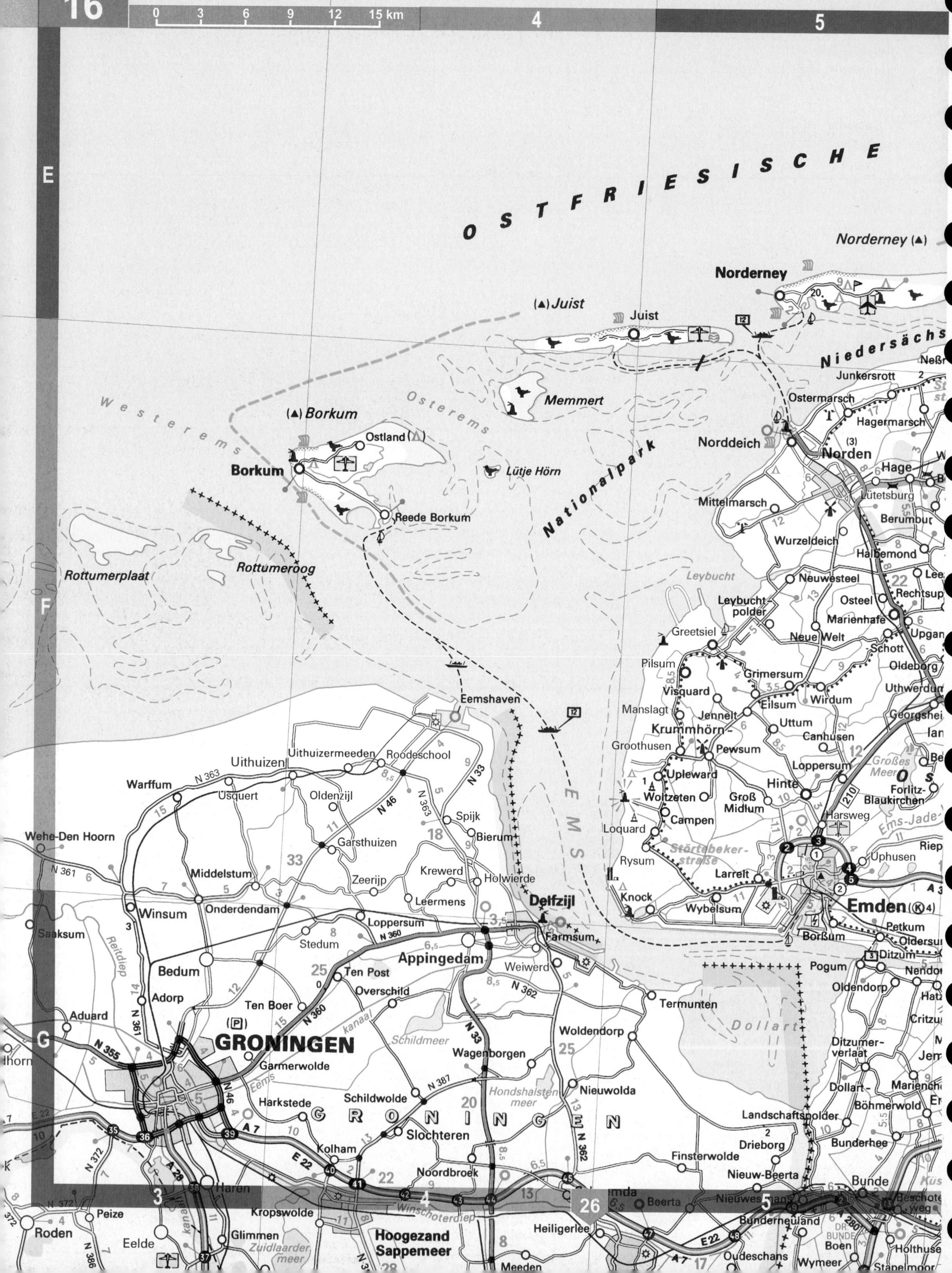

0 3 6 9 12 15 km
4
5
E
F
G
3
4
5
26
OSTFRIESISCHE
Norderney (▲)
Norderney
(▲) Juist
Juist
Niedersächs
Memmert
(▲) Borkum
Borkum
Ostland
Lütje Hörn
Reede Borkum
Westerems
Osterems
Nationalpark
Rottumerplaat
Rottumeroog
Norddeich
Norden
Hage
Lütetsburg
Berumbur
Junkersrott
Ostermarsch
Hagermarsch
Mittelmarsch
Wurzeldeich
Halbemond
Leybucht
Neuwesteel
Leybucht-polder
Osteel
Rechtsup
Marienhafe
Greetsiel
Neue Welt
Upgan
Schott
Pilsum
Grimersum
Oldeborg
Visquard
Eilsum
Wirdum
Uthwerdum
Manslagt
Jennelt
Uttum
Georgshei
Krummhörn
Canhusen
Groothusen
Pewsum
Loppersum
Großes Meer
Upleward
Hinte
Forlitz-Blaukirchen
Woltzeten
Groß Midlum
Campen
Harsweg
Loquard
Ems-Jade
Rysum
Störtebekerstraße
Uphusen
Riep
Larrelt
Knock
Wybelsum
Emden
Petkum
Borßum
Oldersum
Ditzum
Pogum
Nendo
Oldendorp
Termunten
Dollart
Ditzumer-verlaat
Dollart-
Böhmerwold
Landschaftspolder
Drieborg
Bunderhee
Finsterwolde
Nieuw-Beerta
Bunde
Nieuweschans
Bunderneuland
Boen
Holthuse
Wymeer
Stapelmoor
Oudeschans
Beerta
Heiligerlee
Meeden
Eemshaven
Uithuizermeeden
Roodeschool
Uithuizen
Warffum
Usquert
Oldenzijl
Spijk
Bierum
Garsthuizen
Wehe-Den Hoorn
Middelstum
Krewerd
Holwierde
Zeerijp
Leermens
Winsum
Onderdendam
Delfzijl
Loppersum
Farmsum
Saaksum
Stedum
Reitdiep
Bedum
Appingedam
Ten Post
Weiwerd
Overschild
Adorp
Ten Boer
Aduard
GRONINGEN
Schildmeer
Woldendorp
Wagenborgen
Garmerwolde
Eems
Harkstede
Schildwolde
Hondshalstermeer
Nieuwolda
GRONINGEN
Slochteren
Kolham
Noordbroek
Haren
Peize
Roden
Kropswolde
Eelde
Glimmen
Zuidlaardermeer
Hoogezand Sappemeer
Winschoterdiep
EMS
N 363
N 46
N 33
N 361
N 360
N 355
N 362
N 387
N 372
N 386
A 7
A 28
E 22

INSELN
Wangerooge
Spiekeroog
Langeoog
Baltrum
Minsener Oog
Mellum
Wattenmeer
Jade
Jadebusen
Störtebekerstraße
Ostfriesland
Ammerland
Ems-Jade-Kanal
Nordgeorgsfehnkanal
Ewiges Meer
Meerhusener Moor
Wiesmoor
Grüne Küstenstr.
Baltrum
Langeoog
Spiekeroog
Wangerooge
Neuharlingersiel
Harlesiel
Bensersiel
Dornumersiel
Dornumergrode
Ostbense
Carolinensiel
Friederikensiel
Minsen
Schillig
Horumersiel
Nesse
Dornum
Westdorf
Westerbur
Gründeich
Utgast
Esens
Groß-Holum
Altharlingersiel
Neufunnixsiel
Werdum
Thunum
Stedesdorf
Roggenstede
Fulkum
Holtgast
Arle
Utarp
Ochtersum
Großheide
Nenndorf
Willmsfeld
Westerholt
Neuschoo
Moorweg
Dunum
Burhafe
Buttforde
Funnix
Berdum
Eggelingen
Wiefels
Blersum
Blomberg
Eversmeer
Berumerfehn
Wittmund
Webershausen
Ogenbargen
Willen
Ardorf
Langefeld
Dietrichsfeld
Middels-Westerloog
Moorhusen
Münkeboe
Tannenhausen
Georgsfd.
Plaggenburg
Spekendorf
Müggenkrug
Hovel
Leerhafe
Kleinlsums
Rispel
Südbrookmerland
Victorbur
Pfalzdorf
Kollrunge
Sandhorst
Aurich
Brockzetel
Wallinghausen
Moordorf
Wiesedermeer
Reepsholt
Marcardsmoor
Upschört
Westerende Kirchloog
Wiesens
Wrisser Hammrich
Friedeburg
Etzel
Kirchdorf
Wiesede
Strudden
Horsten
Schirum
Holtrop
Wiesederfehn
Marx
Ludwigsdorf
Ostersander
Aurich-Oldendorf
Wilhelmsfehn II
Wiesmoor
Bohlenbergerfeld
Zetel
Ihlow
Ochtelbur
Ihlowerfehn
Ihlowerhorn
Westersander
Mitte-Großefehn
Ost-Großefehn
Voßbarg
Streek
Neuenburg
Bockhorn
Simonswolde
West-Großefehn
Spetzerfehn
Bentstreek
Timmel
Hatshausen
Hinrichsfehn
Strackholt
Grabstede
Tergast
Neukamperfehn
Fiebing
Bagband
Neufirrel
Oltmannsfehn
Astederfeld
Moormerland
Jheringsfehn
Neudorf
Stapel
Tarbarg
Bredehorn
Bockhornerfeld
Conneforde
Warsingsfehn
Kleinoldendorf
Schwerinsdorf
Meinersfehn
Moorwinkelsdamm
Terborg
Neermoor
Hesel
Uplengen
Remels
Halsbek
Großsander
Hollriede
Spohle
Wapeldorf
Veenhusen
Eggelogerfeld
Petersfeld
Nethen
Lammertsfehn
Jübberde
Felde
Nüttermoor
Holtland
Nordgeorgsfehn
Linswege
Garnholterdamm
Logabirum
Brinkum
Ihausen
Hollwege
Hollen
Filsum
Westerstede
Wiefelstede
Loga
Nortmoor
Ammersum
Nuttel
Rastede
Leer
Nettelburg
Westerloy
Mansie
Gristede
Südende
Bingum
Esklum
Stickhsn.
Detern
Apen
Elmendorf
Amdorf
Augustfehn
Ocholt
Breinermoor
Driever
Torsholt
Aue
Borbeck
Potshausen
Folmhusen
Backemoor
Nordloh
Howiek
Rostrup
Neuenkruge
Weener
Ihrhove
Collinghorst
Holte
Barßel
Godensholt
Bad Zwischenahn
Kayhsn.
Bloh
Mark
Hohenkirchen
Wangerland
Neugarmssiel
Alt-Garmssiel
St. Joost
Tettens
Oldorf
Waddewarden
Westrum
Hooksiel
Sengwarden
Voslapp
Fedderwardergroden
Fedderwarden
Sillenstede
Jever
Cleverns-Sandel
Rahrdum
Grafschaft
Accum
Schortens
Altengroden
Wilhelmshaven
Roffhsn.
Dykhausen
Dose
Sande
Gödens
Neustadtgödens
Cäciliengroden
Dangast
Ellenserdammersiel
Blauhand
Steinhsn.
Langendamm
Varel
Schweiburg
Norderschweiburg
Seghorn
Obenstrohe
Altjührden
Neuenwege
Heubült
Jaderberg
Jaderkreuzmoor
Bekhsn.
Lehmdermoor
Lehmden
Dieksmannshsn.
Langwarden
Ruhwarden
Eckwarden
Eckwarderhörne
Delfshausen
Großenmeer
Loy
Wahnbek
A 28-E 22
A 29
A 31
E
F
G
18
27

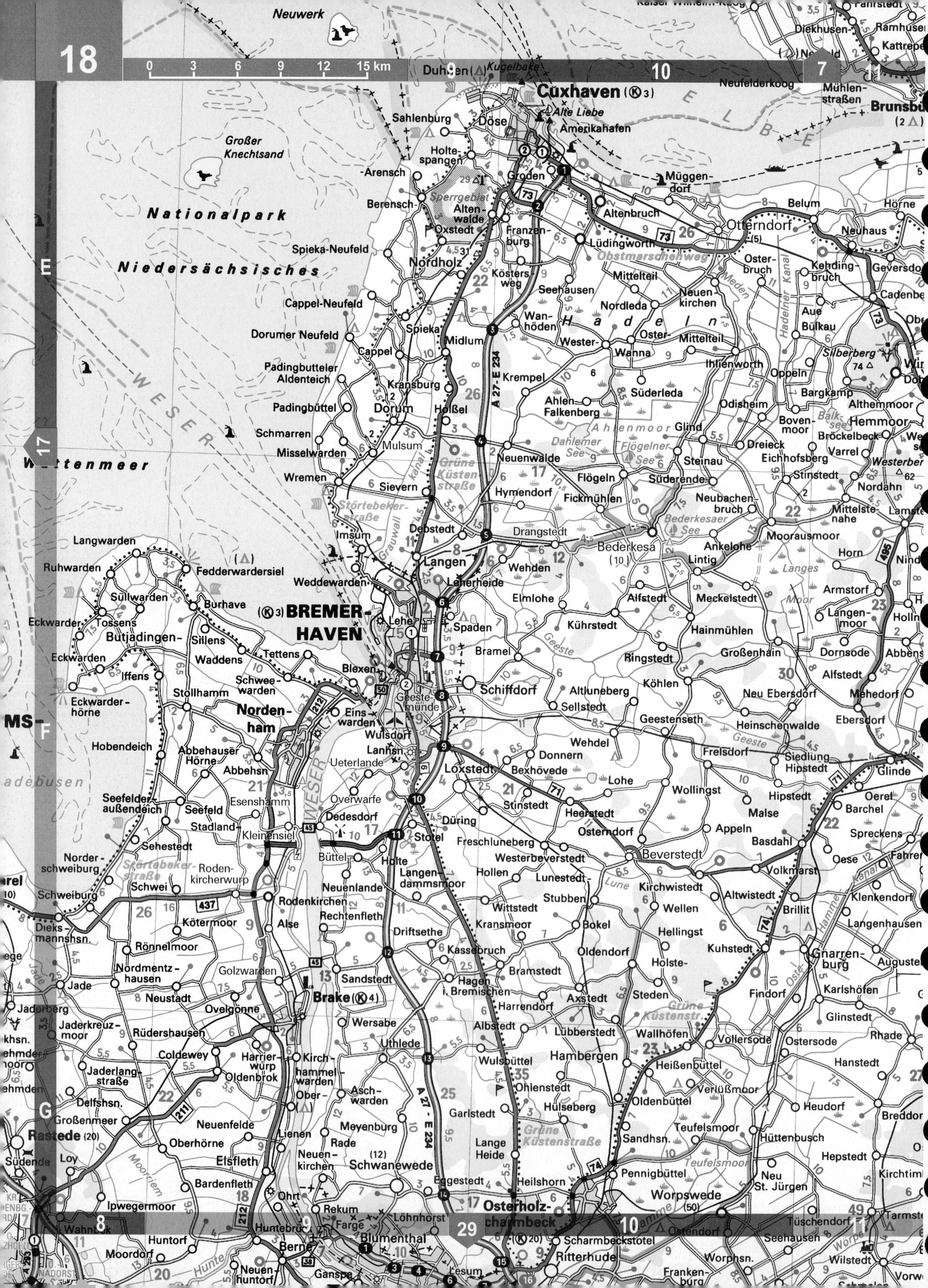
0 3 6 9 12 15 km
Neuwerk
Großer Knechtsand
Nationalpark
Niedersächsisches
Wattenmeer
WESER
ELBE
Cuxhaven (Ⓚ3)
Alte Liebe
Amerikahafen
Kugelbake
Duhnen
Döse
Sahlenburg
Holte-spangen
Arensch
Berensch
Sperrgebiet
Altenwalde
Groden
Oxstedt
Franzenburg
Spieka-Neufeld
Nordholz
Köstersweg
Cappel-Neufeld
Spieka
Midlum
Dorumer Neufeld
Cappel
Padingbutteler Aldenteich
Kransburg
Padingbüttel
Dorum
Holßel
Schmarren
Misselwarden
Mulsum
Wremen
Sievern
Grüne Küstenstraße
Störtebekerstraße
Imsum
Debstedt
Langen
Weddewarden
Leherheide
Langwarden
Ruhwarden
Fedderwardersiel
Süllwarden
Burhave
Eckwarder-Tossens
Butjadingen-
Sillens
Waddens
Tettens
Eckwarden
Iffens
Eckwarder-hörne
Stollhamm
Schweewarden
Blexen
(Ⓚ3) BREMERHAVEN
Lehe
Spaden
Bramel
Schiffdorf
Geestemünde
Einswarden
Wulsdorf
Nordenham
Lanhsn
Uеterlande
Hobendeich
Abbehauser Hörne
Abbehsn
Loxstedt
Seefelder außendeich
Seefeld
Esenshamm
Overwarfe
Dedesdorf
Stadland
Kleinensiel
Sehestedt
Düring
Stotel
Norder-schweiburg
Rodenkircherwurp
Büttel
Holte
Langendammsmoor
Schweiburg
Schwei
Rodenkirchen
Neuenlande
Dieksmannshsn.
Kötermoor
Alse
Rechtenfleth
Driftsethe
Rönnelmoor
Kassebruch
Nordmentzhausen
Golzwarden
Sandstedt
Hagen i. Bremischen
Jade
Neustadt
Brake (Ⓚ4)
Jaderberg
Ovelgönne
Wersabe
Jaderkreuzmoor
Rüdershausen
Uthlede
Coldewey
Harrierwurp
Kirchhammelwarden
Jaderlangstraße
Oldenbrok
Delfshsn.
Oberhammelwarden
Aschwarden
Großenmeer
Neuenfelde
Meyenburg
Rastede (20)
Oberhörne
Lienen
Rade
Loy
Elsfleth
Neuenkirchen
Schwanewede (12)
Südende
Bardenfleth
Ipwegermoor
Ohrt
Rekum
Farge
Lönnhorst
Wahnbek
Huntebrück
Blumenthal
Huntorf
Moordorf
Berne
Neuenhuntorf
Ganspe
Lesum
Hunte
Moorriem
Duhnen
Müggendorf
Altenbruch
Lüdingworth
Otterndorf (5)
Obstmarschenweg
Mittelteil
Seehausen
Nordleda
Neuenkirchen
Wanhöden
Hadeln
Wester-
Oster-
Wanna
Mittelteil
Ihlienworth
Krempel
Süderleda
Ahlen-Falkenberg
Ahlenmoor
Dahlemer See
Flögelner See
Neuenwalde
Hymendorf
Flögeln
Fickmühlen
Drangstedt
Bederkesa (10)
Bederkesaer See
Wehden
Elmlohe
Kührstedt
Alfstedt
Meckelstedt
Hainmühlen
Geeste
Ringstedt
Köhlen
Altluneberg
Sellstedt
Geestenseth
Wehdel
Donnern
Bexhövede
Lohe
Stinstedt
Heerstedt
Osterndorf
Freschluneberg
Westerbeverstedt
Beverstedt
Hollen
Lunestedt
Lune
Stubben
Kirchwistedt
Wellen
Wittstedt
Kransmoor
Bokel
Hellingst
Oldendorf
Holste-
Bramstedt
Axstedt
Steden
Harrendorf
Albstedt
Lübberstedt
Wallhöfen
Hambergen
Wulsbüttel
Heißenbüttel
Ohlenstedt
Verlüßmoor
Hülseberg
Oldenbüttel
Garlstedt
Lange Heide
Teufelsmoor
Sandhsn.
Heilshorn
Pennigbüttel
Eggestedt
Osterholz-Scharmbeck (Ⓚ20)
Scharmbeckstotel
Ritterhude
Worpswede (50)
Neu St. Jürgen
Ostendorf
Worphsn.
Frankenburg
Tüschendorf
Seehausen
Wilstedt
Tarmstedt
Neufelderkoog
Mühlenstraßen
Brunsbüttel
Diekhusen-
Ramhusen
Kattrepel
Belum
Neuhaus
Hörne
Osterbruch
Kehdingbruch
Geversdorf
Cadenberge
Aue
Bülkau
Silberberg
Oppeln
Bargkamp
Odisheim
Althemmoor
Hemmoor
Glind
Bovenmoor
Balksee
Bröckelbeck
Dreieck
Eichhofsberg
Varrel
Steinau
Westerberg
Süderende
Stinstedt
Nordahn
Neubachenbruch
Mittelstenahe
Mooräusmoor
Ankelohe
Lintig
Horn
Langes Moor
Armstorf
Langenmoor
Großenhain
Dornsode
Alfstedt
Neu Ebersdorf
Mehedorf
Heinschenwalde
Ebersdorf
Frelsdorf
Siedlung Hipstedt
Glinde
Wollingst
Hipstedt
Malse
Barchel
Appeln
Basdahl
Spreckens
Oese
Volkmarst
Altwistedt
Klenkendorf
Brillit
Langenhausen
Kuhstedt
Gnarrenburg
Hamme
Findorf
Karlshöfen
Vollersode
Glinstedt
Ostersode
Rhade
Hanstedt
Heudorf
Breddorf
Hüttenbusch
Hepstedt
Kirchtimke
A 27 - E 234
Hadelner Kanal
Medem
Oste
Hamme-Oste-Kanal
Grauwall-kanal
Sperrgebiet
Wattenmeer
adebusen
Jade

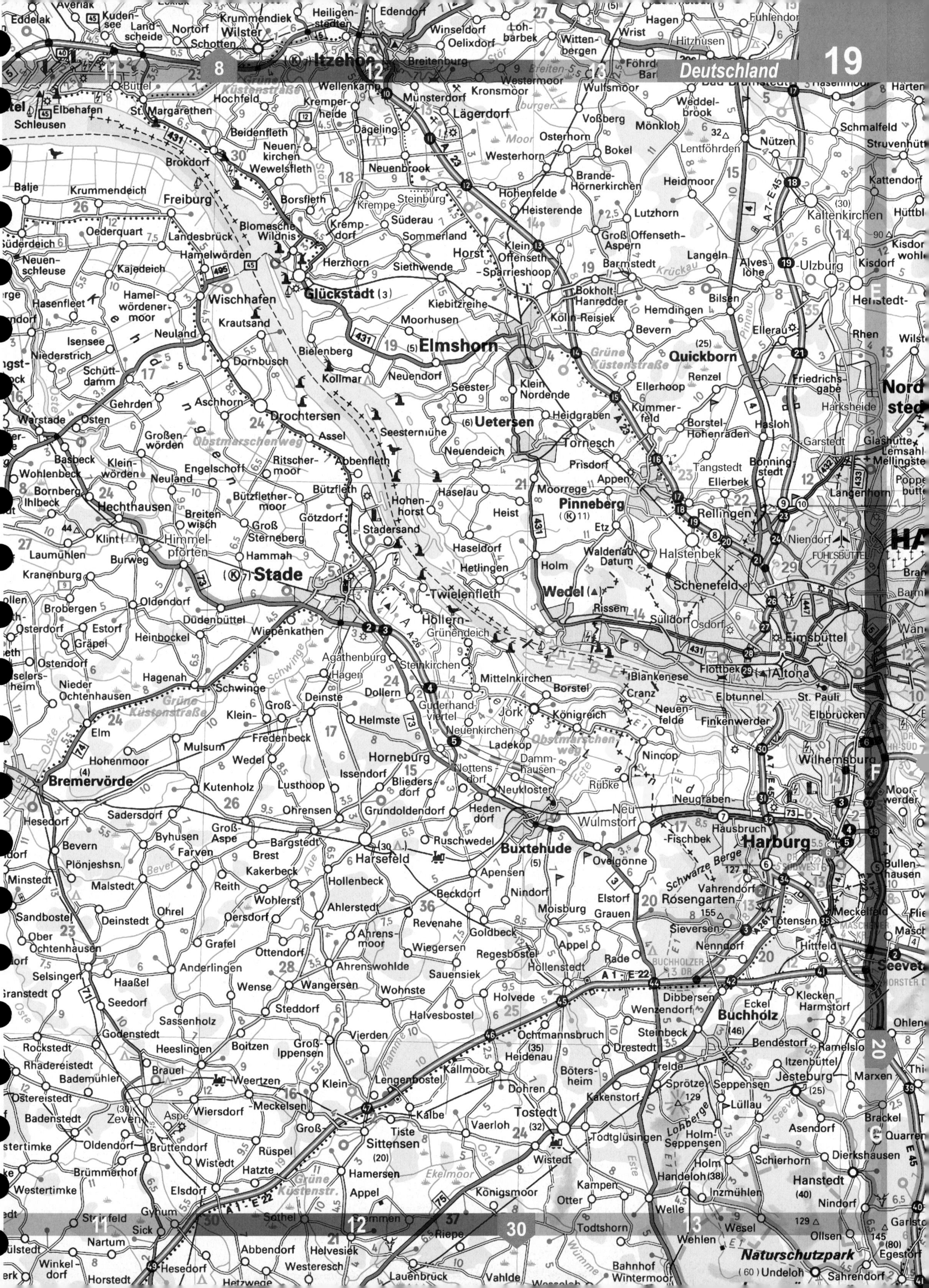
Itzehoe
Wilster
Glückstadt
Elmshorn
Uetersen
Tornesch
Pinneberg
Quickborn
Wedel
Schenefeld
Halstenbek
Rellingen
Eimsbüttel
Altona
Blankenese
Finkenwerder
Wilhelmsburg
Harburg
Neu Wulmstorf
Buxtehude
Stade
Drochtersen
Freiburg
Wischhafen
Hechthausen
Bremervörde
Harsefeld
Horneburg
Jork
Kaltenkirchen
Ulzburg
Barmstedt
Horst
Kellinghusen
Zeven
Sittensen
Tostedt
Buchholz
Jesteburg
Rosengarten
Hollenstedt
Seevetal
Hanstedt
Naturschutzpark
Undeloh
Lägerdorf
Krempe
Kollmar
Brokdorf
Obstmarschenweg
Grüne Küstenstraße
Elbe
Schwarze Berge
Harksheide
Fuhlsbüttel
Norderstedt

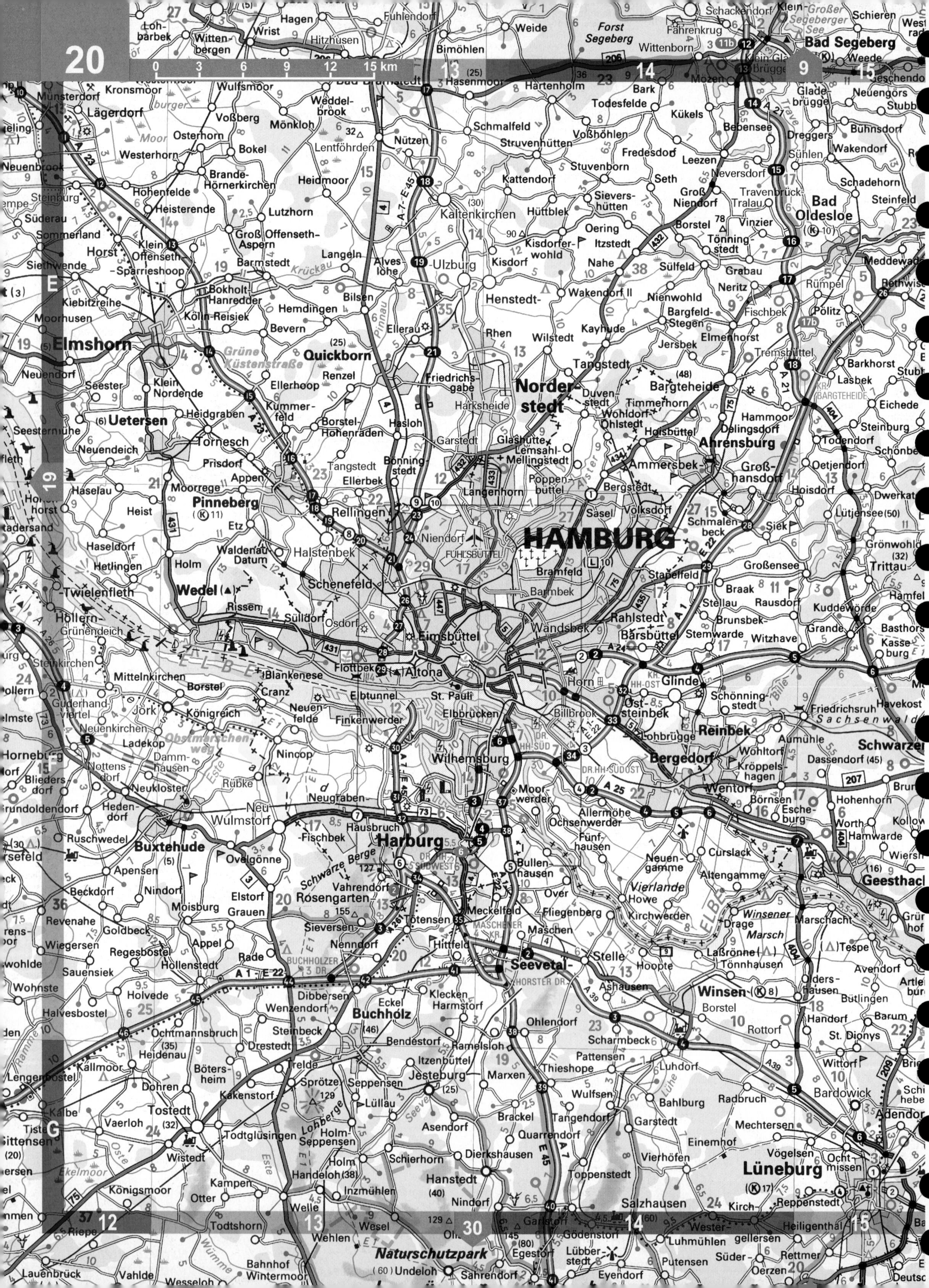

0 3 6 9 12 15 km
HAMBURG
Norderstedt
Elmshorn
Uetersen
Pinneberg
Wedel
Quickborn
Tornesch
Halstenbek
Schenefeld
Rellingen
Kaltenkirchen
Henstedt-Ulzburg
Bad Segeberg
Bad Oldesloe
Bargteheide
Ahrensburg
Ammersbek
Großhansdorf
Glinde
Reinbek
Bergedorf
Wentorf
Schwarzenbek
Geesthacht
Winsen
Lüneburg
Seevetal
Buchholz
Harburg
Buxtehude
Neu Wulmstorf
Jork
Stade
Tostedt
Jesteburg
Hanstedt
Salzhausen
Bardowick
Adendorf
Trittau
Lägerdorf
Horst
Barmstedt
Kellinghusen
Wrist
Altona
Eimsbüttel
Wandsbek
Blankenese
St. Pauli
Wilhelmsburg
Finkenwerder
Fuhlsbüttel
Niendorf
Langenhorn
Bramfeld
Barmbek
Horn
Billbrook
Rahlstedt
Barsbüttel
Vierlande
Rosengarten
Neugraben-Fischbek
Hausbruch
Elbtunnel
Elbbrücken
Grüne Küstenstraße
Obstmarschenweg
ELBE
Krückau
Pinnau
Alster
Bille
Este
Seeve
Luhe
Trave
Sachsenwald
Schwarze Berge
Lohberge
Forst Segeberg
Naturschutzpark
Winsener Marsch
A 1
A 7
A 21
A 23
A 24
A 25
A 26
A 39
E 22
E 45

Eilsdorf
Curau
Bad Schwartau
Ratekau
Kreuzkamp
Ivendorf
Priwall
Potenitz
Pötenitzer Wiek
Rankendorf
Welzin
Oberhof
Wohlenberg
Wiek
Goldenbek
Dissau
Strukdorf
Pohnsdorf
Kücknitz
Dassow
Roggenstorf
Dassower See
Langnien-dorf
Heilshoop
Stockelsdorf
Dr. Bad Schwartau
Lübeck Siems
Herrenwyk
Schlutup
Schwanbeck
Moor
Rolofs-hagen
Mallentin
Warnow
Groß Walmstorf
Proseken
Gägelow
Pöhls
Badendorf
Zarpen
St. Gertrud
Selmsdorf
Stepenitz
Malzow
Papenhusen
Gressow
Barnekow
LÜBECK
St. Lorenz
Reinfeld
Ratzbek
Hamberge
Eichholz
Palingen
Menzendorf
Grieben
Börzow
Grevesmühlen
Metelsdorf
Moisling
St. Jürgen
Herrnburg
Lockwisch
Schönberg
Bernstorf
Wotenitz
Plüschow
Beidendorf
Klein Wesenberg
Niendorf
Wulfsdorf
St. Hubertus
Lüdersdorf
Roduchelstorf
Sievershagen
Upahl
Groß Krankow
Groß Barnitz
Westerau
Groß Schenkenberg
Kronsforde
Blankensee
Schattin
Neuleben
Groß Siemz
Lindow
Löwitz
Vitense
Rehna
Hanshagen
Testorf
Rüting
Bobitz
Groß Grönau
Grinau
Krummesse
Klein-Groß
Rieps
Utecht
Stove
Groß Rünz
Bülow
Wedendorf
Hindenberg
Schönhof
Sieben-bäumen
Bliestorf
Klempau
Sarau
Thandorf
Carlow
Demern
Köchelstorf
Veelböken
Mühlen Eichsen
Zickhusen
Groß Boden
Kastorf
Rondeshagen
Pogeez
Ratzeburger See
Schlags-dorf
Groß Molzahn
Klocksdorf
Radegast
Botelsdorf
Goddin
Dalberg-Wendelstorf
Alt Meteln
Steinhorst
Düchelsdorf
Berkenthin
Buchholz
Röggeliner See
Holdorf
Stresdorf
Rugensee
Göldenitz
Naturpark
Bäk
Schlag-brügge
Breesen
Meetzen
Frauenmark
Cramon
Böken
Schip-horst
Labenz
Klinkrade
Einhaus
Harms-dorf
Mechow
Dechow
Dragun
Klein Trebbow
Behlendorf
Duvensee
St. Georgsberg
Ziethen
Groß Thurow
Roggendorf
Gadebusch
Drieberg
Cramonshagen
Sandes-neben
Deutsche
Mustin
Ratzeburg
Goldensee
Naturpark
Ganzow
Bendhof
Herren Steinfeld
Kirch Stück
Wentorf
Kühsen
Lankau
Küchensee
Kittlitz
Dutzow
Groß Salitz
Brüsewitz
Pingelshagen
Nusse
Panten
Schmilau
Fredeburg
Sirksfelde
Ferienstraße
Salem
Kneese
Krembz
Lützow
Rosenhagen
Warnitz
Lankow
Koberg
Poggen-see
Hammer
Lauenburgische
Dargow
Schaalsee
Pokrent
Gottesgabe
Neumühler See
Neumühle
Alpen-Ostsee
Alt Mölln
Bresahn
Renzow
Köthel
Borstorf
Mölln
Lüttauer See
Sterley
Schaalsee
Stöllnitz
Groß Welzin
Grambow
Wittenförden
Bälau
Brunsmark
Seedorf
Rögnitz
Badow
Klein Rogahn
Mühlenrade
Breitenfelde
Lehmrade
Großzecher
Lassahn
Schretstaken
Drüsensee
Hollenbek
Neuenkirchen
Drönnewitz
Woez
Perlin
Wodenhof
Wüstmark
Fuhlen-hagen
Talkau
Woltersdorf
Grambek
Kehrsen
Marienstedt
Neuhof
Döbbersen
Stralendorf
Tramm
Seen
Dümmersee
Boddin
Gudow
Boize
Zarrentin
Tessin
Dümmer
Walsmühlen
Pampow
Hornbek
Sophien-thal
Boissow
Parum
Schossin
Elmenhorst
Güster
Testorf
Püttelkow
Valluhn
Lüttow
Karft
Dreilützow
Holthusen
Roseburg
Sahms
Besenthal
Kölzin
Waschow
Hülseburg
Warsow
Klein Pampau
Siebeneichen
Langenlehsten
Kogel
Dodow
Wittenburg
Sülstorf
Müssen
Gallin
Lehsen
Bobzin
Bandenitz
Neu Zachun
Büchen-Dorf
Pötrau
Greven
Scharbow
Hoort
Schulendorf
Bröthen
Leistenförde
Granzin
Camin
Perdöhl
Helm
Zapel
Viez
Alte Salzstraße
Witzeeze
Bennin
Wulfskuhl
Sperrgebiet
Körchow
Kraak
Wangelau
Dalldorf
Lüttenmark
Rodenwalde
Albertinenhof
Kirch Jesar
Lütau
Gülzow
Schwanheide
Groß-Bengerstorf
Toddin
Hagenow
Krukow
Basedow
Zweedorf
Gresse
Klein-Banzin
Kloddram
Moraas
Juliusburg
Nostorf
Vellahn
Setzin
Stroh-kirchen
Schnaken-bek
Lauenburg
Boizenburg
Zahrensdorf
Tessin
Pätow-Steegen
Hagenow Heide
Horst
Neu Gülze
Dersenow
Pritzier
Warlitz
Kuhstorf
Jasnitz
Hohnstorf
Bahnhof-Boizenburg
Melkof
Barförde
Brackede
Blücher
Brahlstorf
Bresegard
Bullendorf
Gülze
Redefin
Picher
Alte Salzstr.
Garlstorf
Echem
Hittbergen
Wende-wisch
Radegast
Besitz
Quassel
Gößlow
Sude
Kummer
Lüdersburg
Jürgenstorf
Teldau
Preten
Groß Krams
Göhlen
Karze
Neu Wendischthun
Sückau
Garlitz
Belsch
Alt Krenzlin
Rosenthal
Garze
Krusendorf
Lübtheen
Probst Jesar
Scharnebeck
Bleckede
Sumte
Rosien
Loosen
Griese
Neetze
Trebs
Rullstorf
Boltersen
ELBE
Neuhaus
Leussow
Ludwigsluster Kanal
Erbstorf
Sülbeck
Neetze
Breetze
Alt Garge
Haar
Jessenitz
Sperrgebiet
Glaisin
Viehle
Stapel
Laupin
Gegend
Wendhausen
Süttorf
Barskamp
Darchau
Bresegard
Thomas-burg
Walmsburg
Vielank
Grebs
Reinstorf
Köstorf
Neu Darchau
Vockfey
Zeetze
Tewswoos
Niendorf a. d. Rögnitz
Göhren
Wendisch-Evern
Horndorf
Raden-beck
Ellringen
Harmstorf
Elbuferstraße
Laave
Naturpark
Vastorf
Dahlem
Tosterglope
Ventschau
Drethem
Kaarßen
Woosmer
Malliß
Bavendorf
Deutschland
21
22
31
E
F
G

0 3 6 9 12 15 km
WISMAR
SCHWERIN
Grevesmühlen
Gadebusch
Hagenow
Ludwigslust
Neustadt-Glewe
Crivitz
Warin
Neukloster
Brüel
Sternberg
Wittenburg
Rehna
Lübtheen
Zarrentin
Schönberg
Bad Kleinen
Schweriner See
Schaalsee
Naturpark
Sperrgebiet
Dümmersee
Neumühler See
Pinnower See
Barniner See
Großer Wariner See
Neuklostersee
Störwasserstraße
Neuer Kanal
Müritz-Elde-Wasserstraße
Ludwigsluster Kanal
Sude
Rögnitz
Stepenitz
Radegast
Warnow
Löcknitz
Schilde
Schaale
Rankendorf
Welzin
Oberhof
Wohlenberg
Hohen Wieschendorf
Zierow
Gramkow
Strömkendorf
Krusenhagen
Kartlow
Neuburg-Steinhausen
Passee
Teplitz
Goldberg
Hornstorf
Benz
Neuhof
Glasin
Moor
Rolofshagen
Mallentin
Warnow
Groß Walmstorf
Proseken
Wendorf
Gägelow
Rüggow
Nevern
Babst
Schwanbeck
Selmsdorf
Malzow
Papenhusen
Gressow
Barnekow
Krassow
Zurow
Menzendorf
Börzow
Grieben
Metelsdorf
Lübow
Dorf Mecklenburg
Reinstorf
Lübberstorf
Göllin
Bernstorf
Wotenitz
Plüschow
Beidendorf
Moltow
Schimm
Büschow
Pennewitt
Roduchelstorf
Groß Siemz
Sievershagen
Upahl
Groß Krankow
Groß Stieten
Jesendorf
Mankmoos
Vitense
Hanshagen
Testorf
Rüting
Bobitz
Hohen Viecheln
Warin
Klein-Labenz
Löwitz
Lindow
Wedendorf
Schönhof
Hindenberg
Ventschow
Neuhof
Zahrensdorf
Bülow
Groß Rünz
Köchelstorf
Veelböken
Mühlen Eichsen
Zickhusen
Flessenow
Rubow
Langen Jarchow
Blankenberg
Stove
Carlow
Demern
Klocksdorf
Botelsdorf
Goddin
Alt Meteln
Dalberg-Wendelstorf
Lübstorf
Kuhlen
Keez
Groß Görnow
Holdorf
Stresdorf
Cramon
Rugensee
Retgendorf
Breesen
Meetzen
Frauenmark
Böken
Liessow
Weitendorf
Dechow
Dragun
Klein Trebbow
Cambs
Groß Thurow
Roggendorf
Cramonshagen
Drieberg
Kirch Stück
Rampe
Kaarz
Goldensee
Ganzow
Bendhof
Herren Steinfeld
Dutzow
Groß Salitz
Brüsewitz
Pingelshagen
Wickendorf
Jülchendorf
Kritzow
Leezen
Kneese
Rosenhagen
Warnitz
Lankow
Wendorf
Dargow
Krembz
Lützow
Pokrent
Gottesgabe
Neumühle
Langen Brütz
Weberin
Venzkow
Bresahn
Renzow
Gneven
Demen
Stöllnitz
Groß Welzin
Grambow
Wittenförden
Raben Steinfeld
Godern
Gädebehn
Lassahn
Rögnitz
Badow
Klein Rogahn
Pinnow
Woez
Perlin
Wodenhof
Bülow
Neuenkirchen
Drönnewitz
Wüstmark
Großer Dreesch
Mueß
Barnin
Runow
Marienstedt
Neuhof
Döbbersen
Stralendorf
Schwerin-Süd
Wessin
Boddin
Tessin
Boissow
Parum
Dümmer
Walsmühlen
Pampow
Plate
Kladrum
Püttelkow
Schossin
Sukow
Zapel
Goldenbow
Karft
Holthusen
Banzkow
Göhren
Ruthenbeck
Friedrichsruhe
Dreilützow
Warsow
Waschow
Kölzin
Hülseburg
Sülstorf
Tramm
Dodow
Bandenitz
Mirow
Severin
Klinken
Domsühl
Lehsen
Bobzin
Neu Zachun
Lübesse
Raduhn
Perdöhl
Helm
Scharbow
Hoort
Camin
Zapel
Viez
Uelitz
Goldenstädt
Garwitz
Zieslübbe
Wulfskuhl
Körchow
Kraak
Rastow
Friedrichsmoor
Rodenwalde
Kirch Jesar
Fahrbinde
Matzlow-
Damm
Albertinenhof
Toddin
Moraas
Lüblow
Dreenkrögen
Dütschow
Kloddram
Vellahn
Setzin
Strohkirchen
Wöbbelin
Spornitz
Banzin
Pätow-Steegen
Hagenow Heide
Neuhof
Kiekindemark
Dersenow
Pritzier
Kuhstorf
Jasnitz
Alt Brenz
Melkof
Warlitz
Brahlstorf
Bresegard
Blievenstorf
Redefin
Picher
Weselsdorf
Quassel
Gößlow
Warlow
Kummer
Groß Laasch
Karrenzin
Preten
Groß Krams
Belsch
Herzfeld
Sückau
Garlitz
Alt Krenzlin
Göhlen
Muchow
Rosien
Probst Jesar
Loosen
Griese
Gegend
Neuhaus
Trebs
Leussow
Glaisin
Karstädt
Grabow
Zierzow
Möllenbeck
Haar
Jessenitz
Prislich
Balow
Stapel
Laupin
Bresegard
Kremmin
Darchau
Vielank
Wanzlitz
Dambeck
Tewswoos
Niendorf a. d. Rögnitz
Eldena
Groß Warnow
Reckenzin
Laave
Dadow
Malliß
Drethem
Kaarßen
Woosmer
Milow
Prötlin
Dallmin
A 20 E 22
A 24 - E 26
A 14
16 17 18 19 21 32 10

Jürgenshagen
Schwaan
Sabel
Wiendorf
Striesdorf
Polchow
Boddin
Klein Belitz
Laage
Wardow
Dalwitz
Gnemern
Bandow
Hohensprenzer See
Penzin
Bernitt
Hohen Sprenz
Weitendorf
Prebberede
Selow
Kambs
Breesen
Altkalen
Kritzkow
Neu Heinde
Jördenstorf
Schwasdorf
Moisall
Langen-Trechow
Parkow
Liessow
Diekhof
Kleverhof
Kurzen-
Warnow
Kassow
Mistorf
Siemitz
Schwiessel
Groß Wüstenfelde
Sukow-Marienhof
Küsserow
Neuendorf
Groß Schwiesow
Recknitz
Matgendorf
Steinhagen
Karow
Kuhs
Plaaz
Dröltz
Pölitz
Levitzow
Lelkendorf
Bützow
Sarmstorf
Klein-Markow
Katelbogen
Zepelin
Lüssow
Warnkenhagen
Groß-
Qualitz
Rühn
Strenz
Glasewitz
Tolzin
Thürkow
Gülzow
Suckow
Mierendorf
Alt Sührkow
Baumgarten
Nebel
Parumer See
Güstrow
Schlieffenberg
Dalkendorf
Teterower See
Schlakendorf
Roggow
Hohen Mistorf
Zernin
Boldebuck
Reinshagen
Groß Roge
Teschow
Warnow
Dreetz
Tarnow
Sumpfsee
Klueß
Vietgest
Wattmannshagen
Teterow
Boitin
Karcheez
Inselsee
Nienhagen
Lalendorf
Remplin
Gutow
Prüzen
Lübzin
Groß Raden
Bölkow
Kirch Rosin
Groß Wokern
Malchin
Ganschow
Mamerow
Hohen Demzin
Zehna
Hoppenrade
Bansow
Klaber
Bristow
Witzin
Ruchow
Groß-Upahl
Nienhagen
Mecklenburgische Schweiz
Gielow
Großer Sternberger See
Klein Grabow
Koppelow
Malchiner See
Pastin
Lenzen
Klein-
Gerdshagen
Bellin
Barz
Basedow
Mustin
Charlottenthal
Langhagen
Schorssow
Reimershagen
Kuchelmiß
Lohmen
Groß Tessin
Serrahn
Kirch Grubenhagen
Demzin
Woserin
Christinenhof
Dobrow
Woseriner See
Dahmen
Lupendorf
Dabel
Suckwitz
Alt Sammit
Krakow a. See
Vollrathsruhe
Kleinpritzer See
Moltzow
Faulenrost
Schwinkendorf
Hohen Pritz
Kukuk
Naturpark
Groß Bäbelin
Klocksin
Dobbertin
Schwinzer Heide
Krakower See
Hohen Wangelin
Wamckow
Below
Dobbin
Linstow
Hungerstorf
Groß Niendorf
Goldberger See
Alt Schönau
Techentin
Zidderich
Goldberg
Sperrgebiet
Alt-Gaarz
Neu-
Sommerstorf
Mestlin
Langenhagen
Nossentiner-
Schwinzer Heide
Torgelow
Zölkow
Wendisch Waren
Damerower See
Grabowhöfe
Diestelow
Neu Poserin
Loppin
Vielist
Neu Falkenhagen
Mühlenhof
Klein Wangelin
Karow
Drewitzer See
Jabel
Kossebade
Herzberg
Grambow
Zahren
Penzlin
Zarchlin
Nossentiner Hütte
Benthen
Silz
Kölpinsee
Waren
Granzin
Passow
Gallin
Leisten
Alt Schwerin
Fleesensee
Werder
Plauerhagen
Weisin
Küppentin
Göhren-Lebbin
Dargelutz
Greven
Malchow
Klink
Müritz
Stralendorf
Plau a. See
Plauer See
Lenz
Wasserstr.
Brook
Penkow
Neuhof
Lutheran
Barkow
Sembzin
Lübz
Rom
Kritzow
Grüssow
Sietow
Benzin
Adamshoffnung
Lexow
Paarsch
Gischow
Schlemmin
Klein Niendorf
Zislow
Walow
Parchim
Müritz
Burow
Karbow-
Gnevsdorf
Satow
Groß Kelle
Gotthun
Kreien
Vietlübbe
Kogel
Slate
Siggelkow
Klein Pankow
Wilsen
Ganzlin
Stuer
Rogeez
Minzow
Ludorf
Retzow
Dambeck
Röbel
Groß Pankow
Darß
Klein Damerow
Altenhof
Fincken
Zielow
Redlin
Wendisch Priborn
Bütow
Rechlin
Tessenow
Jännersdorf
Krempendorf
Jaebetz
Massow
Kambs
Vipperow
Marnitz
Suckow
Stepenitz
Meyenburg
Zepkow
Melz
Priborn
Ruhner Berge
Porep
Wredenhagen
Müritzarm
Telschow-Weitgendorf
Frehne
Freyenstein
Dosse
Kieve
Sagast
Schmolde
Buchholz
Pampin
Silmersdorf
Grabow-Buckow
Grabow-Below
Below
Lütkendorf
Brügge
Putlitz
Gerdshagen
Tetschendorf
Wittstocker Heide
Sewekow
Berge
Hülsebeck
Halenbeck
Wulfersdorf
Heinrichsdorf
Buschhof
Rapshagen
Berlinchen
Pirow
Preddöhl
Rohlsdorf
Blesendorf
Eichenfelde
Schwarz
Gülitz
Stepenitz
Wernikow
Zempow
Bresch
Triglitz
Falkenhagen
Zaatzke
Dranse
Biesen
Lockstädt
Haßlow

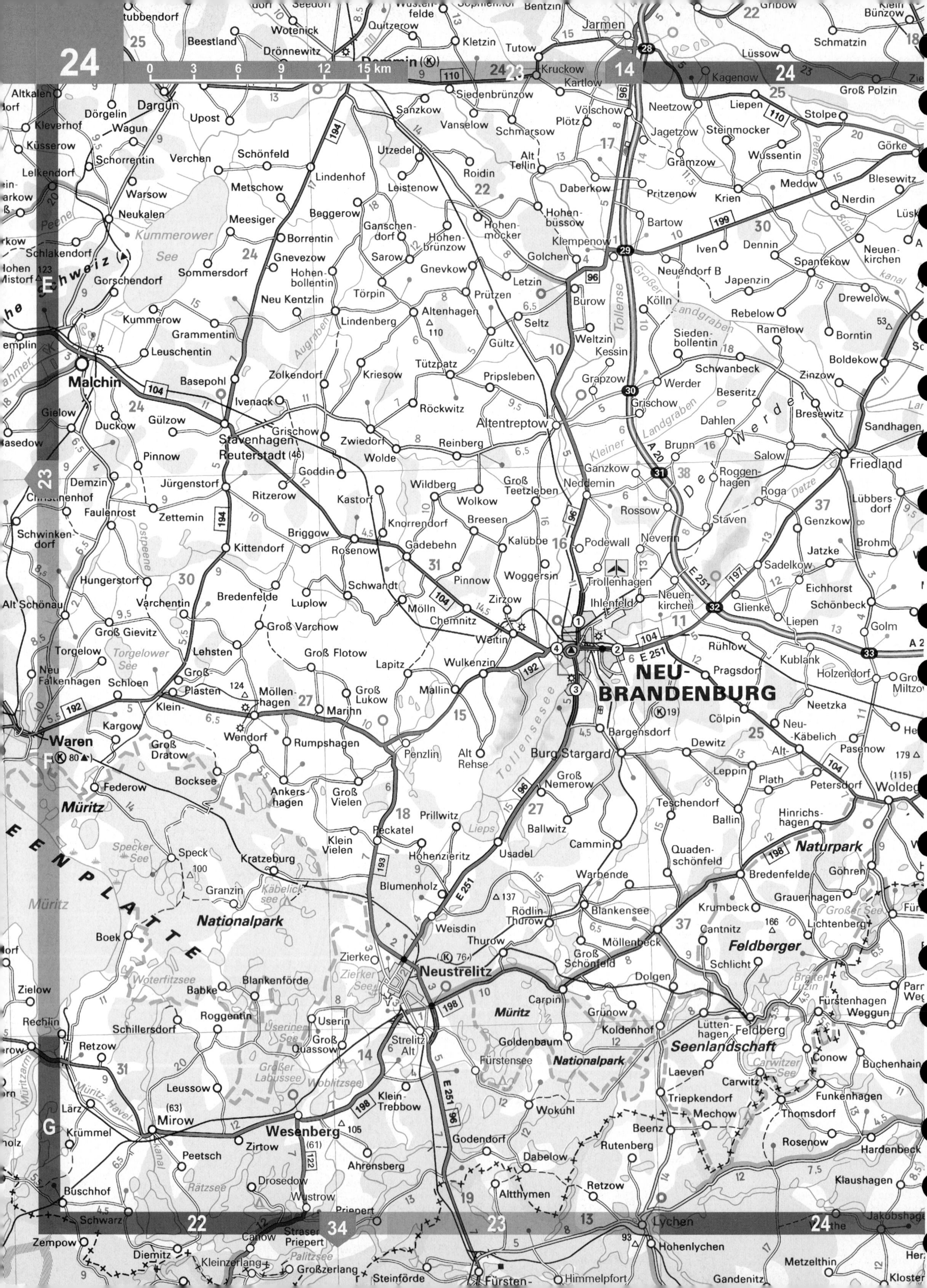

0 3 6 9 12 15 km
Beestland
Wotenick
Quitzerow
Drönnewitz
Demmin
Kletzin
Tutow
Jarmen
Kruckow
Kartlow
Lüssow
Kagenow
Schmatzin
Groß Polzin
Altkalen
Dargun
Dörgelin
Wagun
Kleverhof
Küsserow
Upost
Siedenbrünzow
Sanzkow
Vanselow
Schmarsow
Völschow
Plötz
Neetzow
Liepen
Stolpe
Jagetzow
Steinmocker
Görke
Schorrentin
Verchen
Schönfeld
Utzedel
Alt Tellin
Gramzow
Wussentin
Lelkendorf
Lindenhof
Roidin
Leistenow
Daberkow
Pritzenow
Krien
Medow
Blesewitz
Nerdin
Warsow
Metschow
Neukalen
Beggerow
Ganschendorf
Hohenbrünzow
Hohenmocker
Hohenbüssow
Bartow
Meesiger
Borrentin
Klempenow
Iven
Dennin
Neuenkirchen
Kummerower See
Schlakendorf
Gnevezow
Sarow
Golchen
Spantekow
Gorschendorf
Sommersdorf
Hohenbollentin
Gnevkow
Letzin
Neuendorf B
Japenzin
Törpin
Prützen
Burow
Kölln
Drewelow
Neu Kentzlin
Altenhagen
Rebelow
Kummerow
Lindenberg
Seltz
Weltzin
Siedenbollentin
Ramelow
Borntin
Grammentin
Gültz
Kessin
Leuschentin
Malchin
Zolkendorf
Kriesow
Tützpatz
Pripsleben
Grapzow
Schwanbeck
Boldekow
Zinzow
Basepohl
Werder
Beseritz
Ivenack
Röckwitz
Grischow
Gielow
Duckow
Gülzow
Altentreptow
Dahlen
Bresewitz
Sandhagen
Stavenhagen Reuterstadt
Zwiedorf
Wolde
Reinberg
Brunn
Salow
Friedland
Pinnow
Goddin
Ganzkow
Roggenhagen
Demzin
Jürgenstorf
Wildberg
Groß Teetzleben
Neddemin
Roga
Lübbersdorf
Ritzerow
Kastorf
Wolkow
Rossow
Faulenrost
Zettemin
Knorrendorf
Breesen
Staven
Genzkow
Schwinkendorf
Briggow
Rosenow
Gädebehn
Kalübbe
Podewall
Neverin
Kittendorf
Jatzke
Brohm
Sadelkow
Hungerstorf
Schwandt
Pinnow
Woggersin
Trollenhagen
Eichhorst
Varchentin
Bredenfelde
Luplow
Zirzow
Ihlenfeld
Neuenkirchen
Schönbeck
Alt Schönau
Mölln
Chemnitz
Glienke
Liepen
Golm
Groß Gievitz
Groß Varchow
Weitin
Rühlow
Kublank
Torgelow
Torgelower See
Lehsten
Groß Flotow
Lapitz
Wulkenzin
Pragsdorf
Holzendorf
Neu Falkenhagen
Schloen
Groß Plasten
Möllenhagen
Groß Lukow
Mallin
NEU-BRANDENBURG
Klein-
Marihn
Neetzka
Kargow
Wendorf
Rumpshagen
Bargensdorf
Cölpin
Neu-Kabelich
Waren
Groß Dratow
Penzlin
Alt Rehse
Burg Stargard
Dewitz
Alt-
Pasenow
Federow
Bocksee
Ankershagen
Groß Vielen
Groß Nemerow
Leppin
Plath
Petersdorf
Woldegk
Müritz
Prillwitz
Tollensesee
Teschendorf
Ballin
Hinrichshagen
Peckatel
Lieps
Ballwitz
Naturpark
Specker See
Speck
Klein Vielen
Kratzeburg
Hohenzieritz
Usadel
Cammin
Quadenschönfeld
Warbende
Bredenfelde
Göhren
Granzin
Käbelicksee
Blumenholz
Grauenhagen
Müritz
Nationalpark
Rödlin
Thurow
Blankensee
Krumbeck
Weisdin
Cantnitz
Lichtenberg
Boek
Thurow
Möllenbeck
Feldberger
Zierke
Zierker See
Groß Schönfeld
Schlicht
Neustrelitz
Dolgen
Zielow
Woterfitzsee
Babke
Blankenförde
Carpin
Fürstenhagen
Weggun
Rechlin
Roggentin
Userin
Grünow
Lüttenhagen
Feldberg
Schillersdorf
Userinsee
Groß Quassow
Strelitz Alt
Goldenbaum
Koldenhof
Seenlandschaft
Retzow
Fürstensee
Nationalpark
Laeven
Conow
Buchenhain
Großer Labussee
Woblitzsee
Carwitzer See
Leussow
Klein-Trebbow
Carwitz
Funkenhagen
Triepkendorf
Lärz
Mirow
Wokuhl
Mechow
Thomsdorf
Krümmel
Wesenberg
Beenz
Zirtow
Godendorf
Rosenow
Hardenbeck
Peetsch
Rutenberg
Dabelow
Ahrensberg
Rätzsee
Drosedow
Retzow
Klaushagen
Buschhof
Wustrow
Althymen
Schwarz
Priepert
Lychen
Jakobshagen
Canow
Straser Priepert
Zempow
Hohenlychen
Diemitz
Kleinzerlang
Großzerlang
Palitzsee
Metzelthin
Steinförde
Fürsten-
Himmelpfort
Gandenitz
Kloster

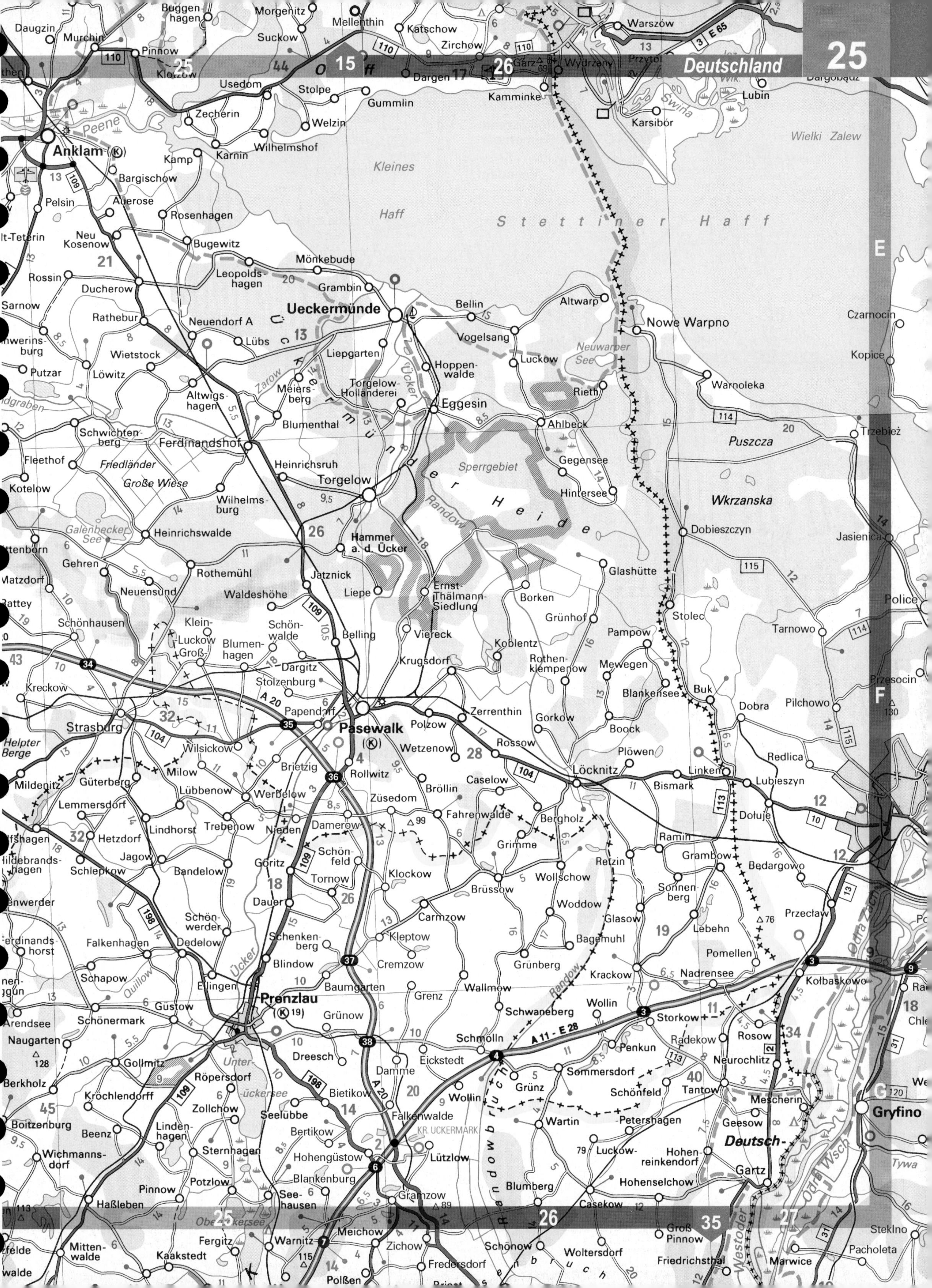
Daugzin
Murchin
Buggen-hagen
Pinnow
Morgenitz
Mellenthin
Katschow
Suckow
Zirchow
Warszów
Usedom
Klotzow
Stolpe
Dargen
Garz
Wydrzany
Przytór
Kamminke
Lubin
Gummlin
Zecherin
Welzin
Karsibór
Anklam
Karnin
Wilhelmshof
Kamp
Peene
Kleines
Wielki Zalew
Bargischow
Pelsin
Auerose
Rosenhagen
Haff
Stettiner Haff
Neu Kosenow
Bugewitz
Rossin
Leopolds-hagen
Mönkebude
Grambin
Ducherow
Sarnow
Rathebur
Neuendorf A
Lübs
Ueckermünde
Bellin
Altwarp
Nowe Warpno
Czarnocin
Vogelsang
Neuwarper See
Wietstock
Liepgarten
Hoppen-walde
Luckow
Kopice
Putzar
Löwitz
Altwigs-hagen
Meiers-berg
Torgelow-Holländerei
Eggesin
Rieth
Warnoleka
Blumenthal
Ahlbeck
Puszcza
Trzebież
Schwichten-berg
Ferdinandshof
Fleethof
Friedländer
Große Wiese
Heinrichsruh
Sperrgebiet
Gegensee
Kotelow
Torgelow
Hintersee
Wkrzanska
Wilhelms-burg
Ueckermünder Heide
Randow
Galenbecker See
Heinrichswalde
Hammer a. d. Ücker
Dobieszczyn
Jasienica
Gehren
Rothemühl
Jatznick
Glashütte
Matzdorf
Neuensund
Waldeshöhe
Liepe
Ernst-Thälmann-Siedlung
Borken
Police
Schönhausen
Klein-Luckow
Groß-Luckow
Schön-walde
Belling
Grünhof
Stolec
Viereck
Pampow
Tarnowo
Blumen-hagen
Dargitz
Koblentz
Rothen-klempenow
Krugsdorf
Mewegen
Kreckow
Stolzenburg
Blankensee
Buk
Przesocin
Dobra
Pilchowo
Strasburg
Papendorf
Pasewalk
Polzow
Zerrenthin
Gorkow
Boock
Helpter Berge
Wilsickow
Wetzenow
Rossow
Plöwen
Redlica
Brietzig
Rollwitz
Löcknitz
Linken
Lubieszyn
Mildenitz
Güterberg
Milow
Caselow
Bismark
Lübbenow
Werbelow
Züsedom
Bröllin
Lemmersdorf
Fahrenwalde
Dołuje
Nieden
Damerow
Bergholz
Trebenow
Lindhorst
Hetzdorf
Grimme
Ramin
Schön-feld
Jagow
Retzin
Grambow
Bedargowo
Hildebrands-hagen
Schlepkow
Bandelow
Göritz
Tornow
Klockow
Wollschow
Brüssow
Sonnen-berg
Dauer
Woddow
Przecław
Carmzow
Glasow
Lebehn
Schön-werder
Schenken-berg
Kleptow
Bagemühl
Ferdinands-horst
Falkenhagen
Dedelow
Pomellen
Blindow
Cremzow
Grünberg
Schapow
Quillow
Ücker
Krackow
Nadrensee
Kołbaskowo
Ellingen
Baumgarten
Wallmow
Grenz
Prenzlau
Wollin
Güstow
Grünow
Schwaneberg
Storkow
Arendsee
Schönermark
Radekow
Rosow
Naugarten
Dreesch
Schmölln
A 11 - E 28
Penkun
Neurochlitz
Gollmitz
Unter-ückersee
Damme
Eickstedt
Sommersdorf
Röpersdorf
Schönfeld
Tantow
Berkholz
Bietikow
Grünz
Mescherin
Kröchlendorff
Zollchow
Wollin
Gryfino
Boitzenburg
Seelübbe
Falkenwalde
Wartin
Petershagen
Geesow
Linden-hagen
KR. UCKERMARK
Beenz
Bertikow
Deutsch-
Wichmanns-dorf
Sternhagen
Hohengüstow
Lützlow
Luckow-
Hohen-reinkendorf
Tywa
Potzlow
Blankenburg
Gartz
Pinnow
Blumberg
Hohenselchow
See-hausen
Gramzow
Haßleben
Casekow
Oberückersee
Meichow
Randowbruch
Groß Pinnow
Westoder
Odra Wsch.
Fergitz
Warnitz
Zichow
Schönow
Woltersdorf
Stekno
Mitten-walde
Kaakstedt
Pacholeta
Fredersdorf
Friedrichsthal
Marwice
Polßen

GRONINGEN
Slochteren
Kolham
Noordbroek
Scheemda
Drieborg
Finsterwolde
Bunderhee
Nieuw Beerta
Bunde
Beerta
Nieuweschans
Bunderneuland
Haren
Peize
Roden
Eelde
Kropswolde
Glimmen
Zuidlaarder meer
Winschoterdiep
Hoogezand Sappemeer
Heiligerlee
Oudeschans
Wymeer
Boen
Holthusen
Stapelmoor
De Punt
Noordlaren
Meeden
Veendam
Winschoten
Donderen
Langelo
Dünebroek
Diele
Zuidlaren
Blijham
Bellingwolde
Vellage
Norg
Vries
Tynaarlo
Spijkerboor
Wildervank
Oude Pekela
Brual
Rhederfeld
Tunxdorf
Nieuwe Pekela
Wedde
Annen
Hunze
Alteveer
Rhede
Borsum
Eext
Gieten
Onstwedde
Vlagtwedde
Neurhede
Herbrum
Assen
Bourtange
Neuheede
Lehe
Gasselternijveen
Bovensmilde
Rolde
Stadskanaal
Heede
Smilde
Hijkersmilde
DRENTHE
Drouwen
Buinen
Jipsinghuizen
Neudersum
Dörpen
Dersum
Mussel
Hooghalen
Musselkanaal
Hasselbrock
Walchum
Ahlen
Kluse
Oranjekanaal
Borger
Schoonloo
NEDERLAND
Sustrumermoor
Steinbild
Exloo
Valthermond
Ter Apel
Sustrum
Düthe
Neusustrum
Beilen
Westerbork
De Kiel
Siedlung Niederlangen
Fresenburg
Schoonoord
Odoorn
Nieuw Weerdinge
Rütenmoor
Niederlangen
Orvelte
Valthe
Rütenbrock
Oberlangen
Lathen
Wijster
Spier
Bruntinge
Klijndijk
Roswinkel
Hilter
Landegge
Weerdinge
Zweeloo
Meppen
Noordsleen
Emmer-Compascuum
Lindloh
Altenberge
Emen
Haren
Haar
Tinnen
Emmen
Erm
Fehndorf
Altharen
Emmeln
Wesuwe
Wesuwermoor
Siedlung
Hoogeveen
Verlengde Hoogeveense Vaart
Hebelermeer
Bersede
Hüntel
Hemsen
Hollandscheveld
Wachtum
Klazienaveen
Nieuw-Amsterdam
Zwartemeer
Versen
Meppen
Nieuwlande
Dalen
Schöninghausdorf
Provinzialmoor
Fullener Moor
Groß-Fullen
Coevorden
Klein-Fullen
Schoonebeek
Rühlerfeld
Rühlermoor
Rühle
Helte
De Krim
Nieuw-Schoonebeek
Eschebrügge
Slagharen
Heseper Moor
Klein-Hesepe
Teglingen
Agterhorn
Kolnvenn
Neuringe
Twist
Ringe
Lutten
Laar
Echteler
Neugnadenfeld
Rühlertwist
Heseper Torfwerk
Groß-Hesepe
Varloh
Ane
Dedemsvaart
Emlichheim
Haselaar
Adorf
Geeste
Bramhar
Hardenberg
Großringe
Lager Bathorn
Wietmarscher Twist
Dalum
Osterbrock
Heemse
Hoogstede
Biene
Vechte
Clusorth
Wielen
Georgsdorf
Holthsn.
Ratzel
Haftenkamp
Füchtenfeld
Großer Sand
Bergentheim
Esche
Alte Piccardie
Lingen
Balderhaar
Wilsum
Mariënberg
Gölenkamp
Veldhsn.
Osterwald
Wietmarschen
Nordlohne
Kloosterhaar
Egge
Itterbeck
Neuenhaus
Schepsdorf
Brink
Wierfall
Uelsen
Bimolten
Lohne
Den Ham
Vroomshoop
Westerhaar-Vriezenveensewijk
Langeveen
Getelo
Grasdorf
Lage
Halle
Süd-Lohne
Ems
Dortmund-Ems-Kanal
Ruiten Aa
Bourtanger Moor
Oranjekanaal
Musselkanaal
Noord-Willemskanaal
Hondsrug

Deutschland
27
28
Ammerland
Leer
Bingum
Esklum
Driever
Nettelburg
Amdorf
Breinermoor
Ammersum
Stickhsn.
Detern
Augustfehn
Apen
Westerloy
Mansie
Ocholt
Torsholt
Elmendorf
Gristede
Folmhusen
Potshausen
Backemoor
Ihrhove
Weener
Collinghorst
Holte
Mark
Ihren
West-
Rhauder-moor
Ost-rhauder-fehn
Steenfelde
Flachsmeer
Rajen
Rhauder-
overledingen-
West-rhauderfehn
Völlen
Völlenerfehn
Papenburg
Klostermoor
Langholt
fehn
Ramsloh
Saterland-
Strücklingen
Süd
Hollenermoor
Elisabeth-fehn
West
Barßel
Nordloh
Lohe
Godensholt
Wittenberge
Westerscheps
Harkebrügge
Ahrensdorf
Ostermoor
Kamperfehn
Kampe
Scharrel
Bätholt
Sedelsberg
Schwaneburgermoor
Friesoythe
Altenoythe
Bad Zwischenahn
Howiek
Rostrup
Kayhsn.
Neuenkruge
Bloh
Wahnbek
Ekern
Portsloge
Petersfehn
Nord-
Edewecht
Kleefeld
Süd-
Jeddeloh I
Friedrichsfehn
Holttange
Süddorf
Husbäke
Klein Scharrel
Hundsmühlen
Achternmeer
Tungeln
Edewechterdamm
Küstenk.
Jeddeloh II
Vehnemoor
Oberlethe
Wardenburg
Bümmerstede
Sandkrug
Astrup
Hülsberg
Benthullen
Papenburg-Obenende
Altburlage
Neu-
Moor-Siedlung
Prüfgelände
Bockhorst
Wester-moor
Neulehe
Ester-Wegen
Neuscharrel
Börgermoor
Küstenkanal
Mühlenberg
Surwold
Haar
Hilkenbrook
Gehlenberg
Ellerbrock
Soeste
Bösel
Petersdorf
Beverbrok
Littel
-Ost
Westerburg
Charlottendorf-West
Neudörpen
Neubörger
Breddenberg
Neulorup
Neuvrees
Vordesten-Thüle
Glaßdorf
Mittelsten-
Garrel
Nikolausdorf
Hengstlage
Döhlen
Huntlosen
Beverbruch
Bissel
Großenkneten
Wippingen
Ohe
Börger
Lorup
Markhsn.
Thülsfelde
Thülsfelder Stausee
Tweel
Sage
Moorbek
Renkenberge
Rastdorf
Neumarkhausen
Petersfeld
Falkenberg
Kellerhöhe
Varrelbusch
Heinefelde
Steinloge
Hümmling
Spahnharrenstätte
Harrenstätte
Werpeloh
Vrees
Peheim
Dwergte
Resthsn.
Grönheim
Stalförden
Bethen
Ahlhorn
Bockholte
Lindern
Molbergen
Höltinghsn.
Halen
Sögel
Clemenswerth
Werlte
Osterlindern
Cloppenburg
Ahlhorner Heide
Visbek
Endel
Sprakel
Ostenwalde
Auen
Wehm
Liener
Ermke
Emstekerfeld
Emstek
Vahren
Großen-ging
Matrum
Lahn
Marren
Wieste
Tegelrieden
Sevelten
Schneiderkrug
Eisten
Garenernieholt
Hammel
Lastrup
Kneheim
Staperfeld
Cappeln
Hagstedt
Hüven
Ahmsen
Wachtum
Suhle
Warnstedt
Tenstedt
Bühren
Klein Berßen
Groß Berßen
Vinnen
Benstrup
Hemmelte
Elsten
Osterhausen
Spreda
Langförden
Apeldorn
Lähden
Herßum
Augustenfeld
Elbergen
Hamstrup
Schwichteler
Calveslage
Westerloh
Holte
Lodbergen
Vestrup
Lohe
Westerlohmühlen
Lastrup
Helmighsn.
Herbergen
Calhorn
Bakum
Hülsen
Löningen
Böen
Neuenbunnen
Essen
Bevern
Lüsche
Hausstette
Daren
Westrum
Addrup
Flechum
Ehren
Winkum
Ostendorf
Carum
Haselünne
Eltern
Herzlake
Aselage
Hahnenmoor
Menslage
Quakenbrück
Artlandroute
Märschendorf
Bookhof
Bottorf
Andrup
Felsen
Hahlen
Wohld
Dinklage
Bückelte
Börstel
Andorf
Groß Mimmelage
Lechterke
Dohren
Anten
Badbergen
Wehdel
Brockdorf
Lotten
Grafeld
Renslage
Langwege
Klein Brockdorf
Bawinkel
Groß Bawinkel
Berge
Dalvers
Nortrup
Grönloh
Kroge
Mühlen
Diepholz
Ohrtermersch
Wettrup
Ohrte
Loxten
Farwick
Talge
Drope
Bippen
Haneberg
Druchhorn
Holdorf
Handrup
Restrup
Rüsfort
Fladderlohsn.
Steinfeld
Nordholte
Gersten
Vechtel
Kettenkamp
Gehrde
Langenberg
Haverbek
Hestrup
Dalum
Eggermühlen
Bersenbrück
Drehle
Nellinghof
Langen
Lengerich
Rentrup
Klein Bokern
Ankum
Rüssel
Woltrup
Wittenberg
Osterfeine
Bergfeine
Baccum
Andervenne
Fürstenau
Schwagstorf
Thuine
Damme
Dümmerlohausen
Rüschendorf
Mundersum
Ostereden
Hollenstede
Alfhausen
Neuenkirchen
Dümmer
Rottinghausen
Messingen
Freren
Poggenort
Dümmer See

A m m e r l a n d
Westerloy
Mansie
Apen
Gristede
Südende
Loy
Oberhörne
Elsfleth
Bardenfleth
0 3 6 9 12 15 km
18
Potshausen
Aue
Borbeck
Ipwege
Rostrup
Howiek
Nordloh
Barßel
Godensholt
Bad Zwischenahn
Kayhsn.
Neuenkruge
Bloh
Wahnbek
Huntorf
Moordorf
Huntebrück
Berne
Neuenhuntorf
West
Lohe
Wittenberge
Elisabethfehn
Ekern
Portsloge
Petersfehn
Köterende
OLDENBURG
Westerscheps
Kleefeld
Neuenkoop
Strücklingen
Süd
Holttange
Nord-Edewecht
Oberhsn.
Pfahlhsn.
Harkebrügge
Hollenermoor
Jeddeloh I
Friedrichsfehn
Hude
Langholt
Saterland-Ramsloh
Ahrensdorf
Süddorf
Husbäke
Klein Scharrel
Hundsmühlen
Wüsting
Bookholzberg
Ostermoor
Kampe
Achternmeer
Tungeln
Lintel
Nordenholz
Scharrel
Kamperfehn
Edewechterdamm
Jeddeloh II
Kl. Bümmerstede
Altmoorhsn.
Vielstedt
Bätholt
Schwaneburgermoor
Vehnemoor
Oberlethe
Wardenburg
Sandkrug
Kirchkimmen
Sedelsberg
Hülsberg
Benthullen
Astrup
Hatterwüsting
Heidhusen
Stein
Bockhorst
Friesoythe
Altenoythe
Littel
Dingstede
Falkenburg
Neuscharrel
Bösel
Petersdorf
Beverbrok
-Ost
Westerburg
Hatten
Bergedorf
Gehlenberg
Ellerbrock
Kirchhatten
Hilkenbrook
Charlottendorf-West
Sandhatten
Neulorup
Vordesten
Glaßdorf
Huntlosen
Klattenhof
Breddenberg
Neuvrees
-Thüle
Nikolausdorf
Hengstlage
Döhlen
Neerstedt
Hengsterholz
Mittelsten
Garrel
Westrittrum
Markhsn.
Beverbruch
Bissel
Großenkneten
Brettorf
Thülsfelde
Tweel
Sage
Moorbek
Naturpark
Aschenstedt
Lorup
Thülsfelder Stausee
Dötlingen
Rastdorf
Falkenberg
Neumarkhausen
Petersfeld
Kellerhöhe
Heinefelde
Steinloge
Varrelbusch
Aumühle
Vrees
Dwergte
Resthsn.
Ahlhorn
Wildeshausen
Harrenstätte
Peheim
Grönheim
Braut
Visbeker-Bräutigam
Holzhsn.
Bockholte
Stalförden
Bethen
Höltinghsn.
Halen
Thölstedt
Winkelsett
Werlte
Lindern
Osterlindern
Molbergen
Cloppenburg
AHLHORNER HEIDE
Endel
Varnhorn
Pestrup
Reckum
Auen
Emstekerfeld
Düngstrup
Wildeshauser
Wehm
Liener
Ermke
Vahren
Visbek
Kleinenkneten
Hölingen
Matrum
Erlte
Rechterfeld
Marren
Großenging
Tegelrieden
Emstek
Schneiderkrug
Wöstendöllen
Wieste
Sevelten
Ellenstedt
Colnrade
Garenerniehholt
Kneheim
Stapelfeld
Cappeln
Hagstedt
Astrup
Ahmsen
Hammel
Lastrup
Tenstedt
Bühren
Ambergen
Einen
Wachtum
Suhle
Wärnstedt
Elsten
Langförden
Vinnen
Benstrup
Hemmelte
Osterhausen
Spreda
Holtrup
Goldenstedt
Natenstedt
Augustenfeld
Elbergen
Hamstrup
Schwichteler
Calveslage
Rüssen
Lodbergen
Vestrup
Lohe
Lutten
Varenesch
Holte
Helmighsn.
Herbergen
Calhorn
Bakum
Oythe
Amerbusch
Arkeburg
Böen
Lüsche
Daren
Löningen
Neuenbunnen
Essen
Bevern
Hausstette
Telbrake
Aldorf
Westrum
Addrup
Vechta
Ehren
Winkum
Ostendorf
Carum
Großes Moor
Barnstorf
Herzlake
Aselage
Quakenbrück
Märschendorf
Mäkel
Hahnenmoor
Menslage
Artlandroute
Bottorf
Cornau
Hahlen
Wohld
Dinklage
Lohne
Düste
Börstel
Andorf
Groß Mimmelage
Lechterke
Brockdorf
Aschen
Drebber
Dreeke
Anten
Badbergen
Wehdel
Donstorf
Grafeld
Renslage
Langwege
Ossenbeck
Dickel
Dalvers
Klein Brockdorf
Heede
Berge
Nortrup
Grönloh
Kroge
Diepholzer Moor
St. Hülfe
Ohrte
Loxten
Farwick
Mühlen
Rehden
Bippen
Talge
Wetschen
Haneberg
Druchhorn
Diepholz
Restrup
Rüsfort
Holdorf
Steinfeld
Vechtel
Kettenkamp
Fladderlohsn.
Gehrde
Langenberg
Haverbek
Langenteilen
Geestmoor
Dalum
Eggermühlen
Bersenbrück
Drehle
Nellinghof
Klein Bokern
Ankum
Osterfeine
Wagenfeld
Schwagstorf
Rüssel
Woltrup
Wittenberg
Bergfeine
Lembruch
Düversbruch
Osterouen
38
Damme
Dümmerlohausen
Förlingen
Hollenstede
Alfhausen
Neuenkirchen
Dammer Berge
Ruschendorf
Dümmer
Stemmer Moor
Dübbelau See
Rottinghausen
Burlage
Hude
Merzen
Grüne Küstenstr.
Küstenk.
Hunte
Soeste
Vehne
Lethe
Hase
Marka
27
G
H
I
12
13

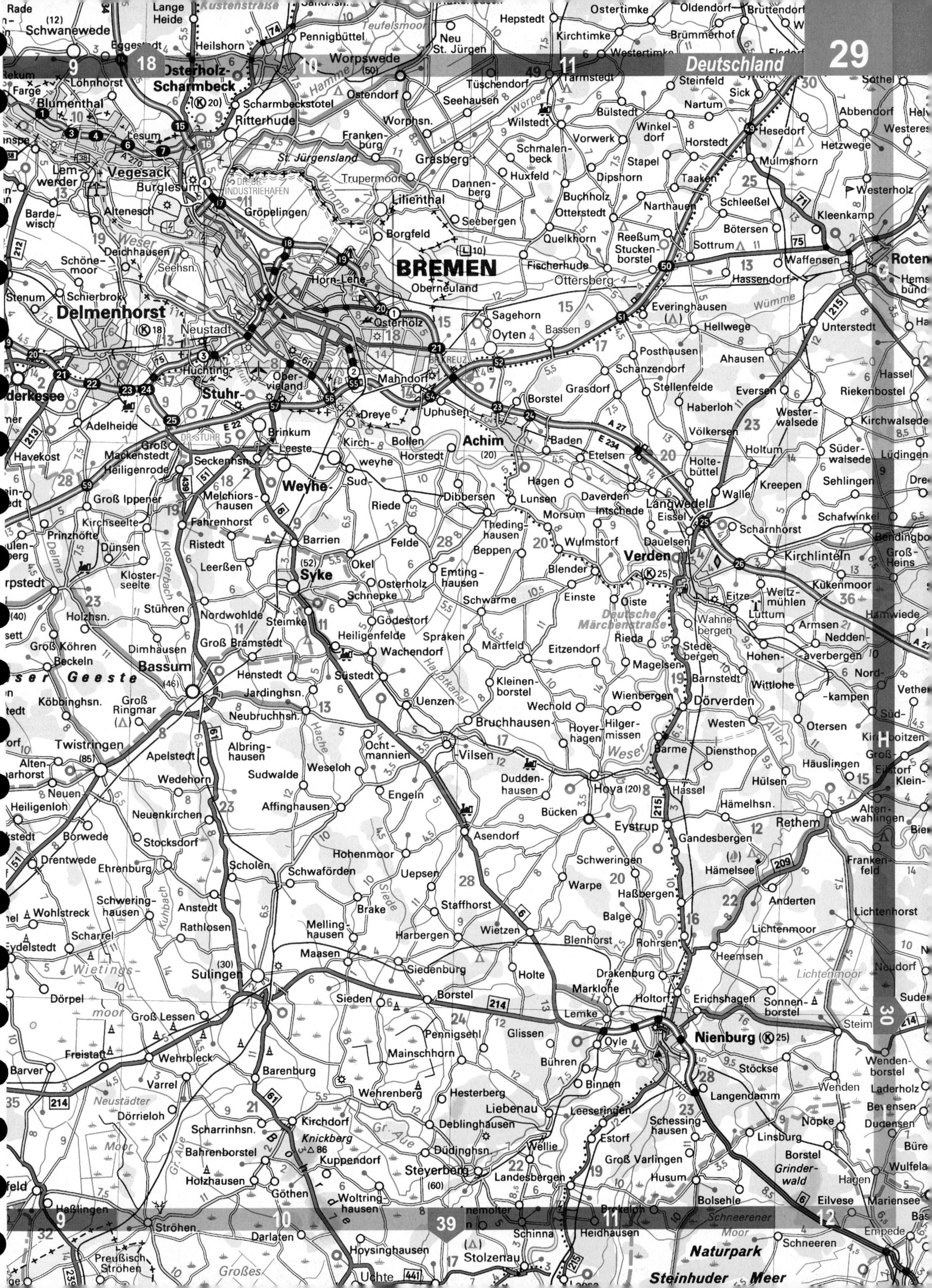
BREMEN
Delmenhorst
Osterholz-Scharmbeck
Vegesack
Lilienthal
Worpswede
Ritterhude
Blumenthal
Lemwerder
Burglesum
Gröpelingen
Horn-Lehe
Oberneuland
Borgfeld
Grasberg
Tarmstedt
Ottersberg
Oyten
Achim
Stuhr
Weyhe
Brinkum
Huchting
Syke
Bassum
Twistringen
Verden
Langwedel
Dörverden
Hoya
Eystrup
Bruchhausen-Vilsen
Asendorf
Sulingen
Siedenburg
Nienburg
Liebenau
Steyerberg
Stolzenau
Uchte
Rethem
Kirchlinteln
Sottrum
Rotenburg
Ganderkesee
Harpstedt
Wildeshausen
Schwanewede
Lunsen
Thedinghausen
Martfeld
Wietzen
Marklohe
Drakenburg
Heemsen
Ströhen
Wagenfeld
Barnstorf
Diepholz
Teufelsmoor
Hamme
Wümme
Weser
Aller
Hache
Hunte
Delme
Siede
Große Aue
Geeste
Deutsche Märchenstraße
Kreuz Bremen
Wietingsmoor
Neustädter Moor
Naturpark Steinhuder Meer
Grinderwald
Schneerener Moor
Knickberg 86
A 27
A 1
E 22
E 234
6
51
61
74
75
209
214
215
441
18
10
11
39
12
30

0 3 6 9 12 15 km
Sittensen
Wistedt
Seppensen
Holm
Schierhorn
Dierkshausen
Einemhof
Vierhöfen
Toppenstedt
Hamersen
Ekelmoor
Kampen
Handeloh
Hanstedt
Inzmühlen
Welle
Garlstorf
Salzhausen
Kirch-
Sothel
Stemmen
Todtshorn
Wesel
Ollsen
Gödenstorf
Wester-
Luhmühlen
Riepe
Wehlen
Naturschutzpark
Egestorf
Lübberstedt
Abbendorf
Helvesiek
Westeresch
Wümme
Bahnhof Wintermoor
Putensen
Süder-
Hetzwege
Lauenbrück
Vahlde
Wesseloh
Undeloh
Sahrendorf
Eyendorf
Lüneburg
Ehrhorn
Wilseder Berg
Scheeßel
Fintel
Wintermoor
Wilsede
Döhle
Raven
Wetzen
Westerholz
Benkeloh
Insel
Barrl
Lüneburger Heide
Oldendorf
Drögennindorf
Kleenkamp
Westervesede
Ostervesede
Großenwede
Niederhaverbeck
Ober-
Volkwardingen
Evendorf
Soderstorf
Bartelsdorf
Deepen
Hörpel
Deutsche Ferienstr. Alpen-Ostsee
Amelinghausen
Rotenburg
Zahrensen
Schneverdingen
Borstel i. d. Kuhle
Schwindebeck
Hemsbunde
Veerse
Lünzen
Brockel
Behringen
Rehlingen
Hemslingen
Grauen
Steinbeck
Diersbu
Unterstedt
Hastedt
Söhlingen
Schülern
Scharrl
Hützel
Rehrhof
Bothel
Bellen
Schwalingen
Heber
Bispingen
Tewel
Sprengel
Hemsen
Wulfsode
Hassel
Rosebruch
Brochdorf
Ilhorn
Langeloh
Hillern
Harmelingen
Riekenbostel
Gilmerdingen
Deimern
Töpingen
Heide
Schatensen
Kirchwalsede
Wiedau
Neuenkirchen
Wolterdingen
Sperrgebiet
Wittorf
Hiddingen
Heide Park
Alvern
Breloh
Lüdingen
Buchholz
Behningen
Hötzingen
Ilster
Brockhöfe
Nindorf
Soltau
Munster
Lintzel
Sehlingen
Dreeßel
Visselhövede
Harber
Moide
Kohlenbissen
Thonhagen
Schafwinkel
Jeddingen
Ottingen
Frielingen
Ellerndorf
Bendingbostel
Kettenburg
Meinern
Suroide
Oerrel
Groß-Heins
Stellichte
Bommelsen
Marbostel b. Soltau
Dethlingen
Brambostel
Lehrde
Hilligensehl
Meinholz
Wichtenbeck
Kükenmoor
Sieverdingen
Jarlingen
Riepe
Trauen
Kroge
Jettebruch
Wietzendorf
Reiningen
Kreutzen
Hamwiede
Ebbingen
Benefeld
Bomlitz
Faßberg
Nedden-
Idsingen
Hünzingen
Dorfmark
Reddingen
Schmarbeck
Vogelpark
Lönsgrab
Poitzen
Fulde
Honerdingen
Tietlingen
Müden
Vethem
Walsrode
Fallingbostel
Becklingen
Hetendorf
Lönsstein
Gerdehaus
Oberohe
Orbke
Falkenberg
Wardböhmen
Bonstorf
Hausselberg
Süd-
Düshorn
Lager Orbke
Nindorf
Baven
Unterlüß
Kirchboitzen
Hollige
Hermannsburg
Weesen
Groß-Eilstorf
Beetenbrück
Bockhorn
Bleckmar
Klein-
Altenboitzen
Böhme
Sperrgebiet
Hasselhorst
Dohnsen
Beckedorf
Lutterloh
Krelingen
Bergen
Naturpark
Altenwahlingen
Böhme
Lager Bergen-Belsen
Bollersen
Oldendorf
Bierde
Ostenholz
Belsen
Südheide
Hodenhagen
Westenholz
Sülze
Starkshorn
Frankenfeld
Eilte
Ahlden
Offen
Eversen
Gedenkstätte
Rebberlah
Eickeloh
Serengeti-Park
Ostenholzer Moor
Walle
Achterberg
Altensalzkoth
Lichtenhorst
Grethem
Meißendorf
Hassel
Feuerschützenbostel
Eschede
Scharnhorst
Gilten
Hademstorf
Nienhagen
Meiße
Hüttensee
Jägerei
Neudorf
Bothmer
Essel
Engehausen
Wolthausen
Habighorst
Kragen
Norddrebber
Buchholz
Thören
Bannetze
Winsen
Hustedt
Höfer
Suderbruch
Aller
Ohe
Schwarmstedt
Marklendorf
Hornbostel
Südwinsen
Scheuen
Luttern
Steimbke
Rodewald
Grindau
Jeversen
Wietze
Oldau
Stedden
Groß Hehlen
Vorwerk
Garßen
Alvern
Beedenbostel
Wendenborstel
Niederstöcken
Esperke
Wieckenberg
Hambühren
Gockenholz
Jarnsen
Obere Bauerschaft
Laderholz
Hope
Ovelgönne
Lachte
Celle
Bevensen
Lutter
Vesbeck
Wietzenbruch
Lachtehausen
Lachendorf
Dudensen
Mandelsloh
Lindwedel
Berkhof
Altencelle
Oppershausen
Büren
Helstorf
Dudenbostel
Wietzenbruch
Allerhoop
Wulfelade
Welze
Bennemühlen
Elze
Dasselsbruch
Adelheidsdorf
Offensen
Hagen
Abbensen
Meitze
Großes Moor
Bockelskamp
Wienhausen
Mariensee
Averhoy
Brelingen
Mellendorf
Fuhrberg
Großmoor
Basse
Meyer
Negenborn
Wedemark
Nienhagen
Langlingen
Empede
Scherenbostel
Papenhorst
Eicklingen
Suttorf
Scharrel
Wiechendorf
Ehlershausen
Wathlingen
Hohnebostel
Otternhagen
Bissendorf
Wettmar
A 7 - E 45
A 27 - E 234

Naturpark
Elbufer-Göhrde
Elbuferstraße
Forst Göhrde
Drawehn
Wendland
Hoher Mechtin
Hoher Berg
Blauer Berg
Lüßberg
Malloh
Bickelsteiner Heide
Klötzer Forst
Straße der Romanik
Deutsche Ferienstraße Alpen-Ostsee
Elbe-Seitenkanal
Dumme
Ohre
Jeetze
Purnitz
Ilmenau
Lachte
Schwarzwasser
Kleine Aller
Großes Moor
Oerreler Moor
Hahnenmoor
Rullstorf
Erbstorf
Sülbeck
Neetze
Breetze
Alt Garge
Viehle
Haar
Stapel
Jesser
Vögelsen
Ochtmissen
Reppenstedt
Wendhausen
Barskamp
Walmsburg
Darchau
Heiligenthal
Barendorf
Reinstorf
Köstorf
Neu Darchau
Vockfey
Zeetze
Laave
Tewswoos
Rettmer
Wendisch-Evern
Deutsch-Evern
Horndorf
Radenbeck
Ellringen
Harmstorf
Dahlem
Tosterglope
Ventschau
Drethem
Kaarßen
Woosmer
Vastorf
Bavendorf
Melbeck
Kolkhagen
Wulfstorf
Dahlenburg
Nahrendorf
Wietze
Tießau
Tripkau
Wehningen
Bienenbüttel
Aljarn
Ahndorf
Pommoissel
Hitzacker
Landsatz
Rüterberg
Dömitz
Grünhagen
Eddelstorf
Bostelwiebeck
Boitze
Oldendorf
Röthen
Göhrde
Penkefitz
Damnatz
Barnstedt
Hohnstorf
Eitzen I
Altenmedingen
Vorwerck
Groß Thondorf
Metzingen
Dambeck
Grabau
Dannenberg
Bargdorf
Niendorf I
Strothe
Streetz
Tellmer
Rieste
Bruchtorf
Secklendorf
Zienitz
Wedderien
Quickborn
Bornsen
Jelmstorf
Medingen
Himbergen
Riebrau
Karwitz
Nebenstedt
Velgen
Varendorf
Seedorf
Römstedt
Prisser
Bückau
Natendorf
Bad Bevensen
Groß-Hesebeck
Stoetze
Zernien
Bellahn
Hohenbünstorf
Weste
Mützingen
Soven
Groß Heide
Hanstedt
Wessenstedt
Jastorf
Klein-Hesebeck
Höver
Hohenzethen
Gülden
Breselenz
Jameln
Zadrau
Barum
Tätendorf
Testorf
Redemoißel
Ebstorf
Vinstedt
Oetzendorf
Schmölau
Sallahn
Weitsche
Emmendorf
Oetzen
Bankewitz
Krummasel
Grabow
Allenbostel
Westerweyhe
Kirchweyhe
Neumühle
Zarenthien
Groß Wittfeitzen
Melzingen
Stöcken
Polau
Karmitz
Künsche
Stadorf
Molzen
Riestedt
Waddeweitz
Rehbeck
Linden
Schwienau
Oldenstadt
Rosche
Zebelin
Uelzen
Gerdau
Rätzlingen
Molbath
Gohlefanz
Diahren
Küsten
Lüchow
Groß Süstedt
Bohlsen
Batensen
Dalldorf
Bussau
Satemin
Bargfeld
Hansen
Klein Süstedt
Hanstedt II
Wellendorf
Clenze
Köhlen
Dolgow
Woltersdorf
Böddenstedt
Növenthien
Güstritz
Bösel
Holdenstedt
Lehmke
Suhlendorf
Gistenbeck
Luckau
Bahnsen
Holxen
Stederdorf
Ostedt
Kassau
Wustrow
Rebenstorf
Graulingen
Wrestedt
Emern
Kölau
Spithal
Lübbow
Suderburg
Bollensen
Könau
Proitze
Bergen
Seebenau
Wieren
Varbitz
Schnega
Räber
Stadensen
Nettelkamp
Soltendieck
Billerbeck
Niembergen
Brietz
Salzwedel
Kakau
Müssingen
Warpke
Andorf
Hösseringen
Nienwohlde
Flinten
Thielitz
Barnebeck
Henningen
Gerstedt
Breitenhees
Bodenteich
Dahrendorf
Kortenbeck
Osterwohle
Reinstorf
Schafwedel
Bonese
Langenapel
Wieblitz-Eversdorf
Bokel
Röhrsen
Schmölau
Dambeck
Lüder
Langenbrügge
Dülseberg
Dähre
Ellenberg
Wallstawe
Weyhausen
Behren
Mahlsdorf
Kuhfelde
Hagen
Lüben
Altensalzwedel
Sprakensehl
Schweimke
Fahrendorf
Gieseritz
Valfitz
Blickwedel
Wierstorf
Stöcken
Neuekrug
Masel
Obernholz
Erpensen
Peckensen
Diesdorf
Abbendorf
Siedenlangenbeck
Darrigsdorf
Steimke
Rade
Räderloh
Hankensbüttel
Waddekath
Bierstedt
Allersehl
Isenhagen
Wittingen
Bornsen
Mehmke
Endeholz
Emmen
Suderwittingen
Stöckheim
Rohrberg
Hohentramm
Apenburg
Bargfeld
Repke
Ohrdorf
Jübar
Beetzendorf
Steinhorst
Dedelstorf
Wunderbüttel
Ahlum
Hanum
Lüdelsen
Jeeben
Neuendorf
Oerrel
Bandau
Metzingen
Lingwedel
Mahnburg
Tangeln
Wohlenrode
Langwedel
Knesebeck
Küstorf
Zasenbeck
Gladdenstedt
Hohenhenningen
Zahrenholz
Nettgau
Mellin
Nesenitz
Grebshorn
Groß Oesingen
Vorhop
Schneflingen
Radenbeck
Ristedt
Schönewörde
Transvaal
Wendischbrome
Bunkenburg
Betzhorn
Boitzenhagen
Wiswedel
Klötze
Wahrenholz
Immekath
Pollhöfen
Weißenberge
Altendorf
Dönitz
Spechtshorn
Voitze
Brome
Schwiesau
Ummern
Wesendorf
Steimke
Kusey
Hohne
Ehra-Lessien
Tülau
Neuferchau
Quarnebeck
Zicherie
Wenze
Neuhaus
Wagenhoff
Stüde
Jahrsau
Rönitz
Nienhof
Hahnenhorn
Grußendorf
Bergfeld
Croya
Müden
Platendorf
Trippigleben
Jeggau
Sassenburg
Neudorf
Parsau
Barwedel
Tiddische
Kaiserwinkel
Köckte
Kästorf
Westerbeck
Deutschland

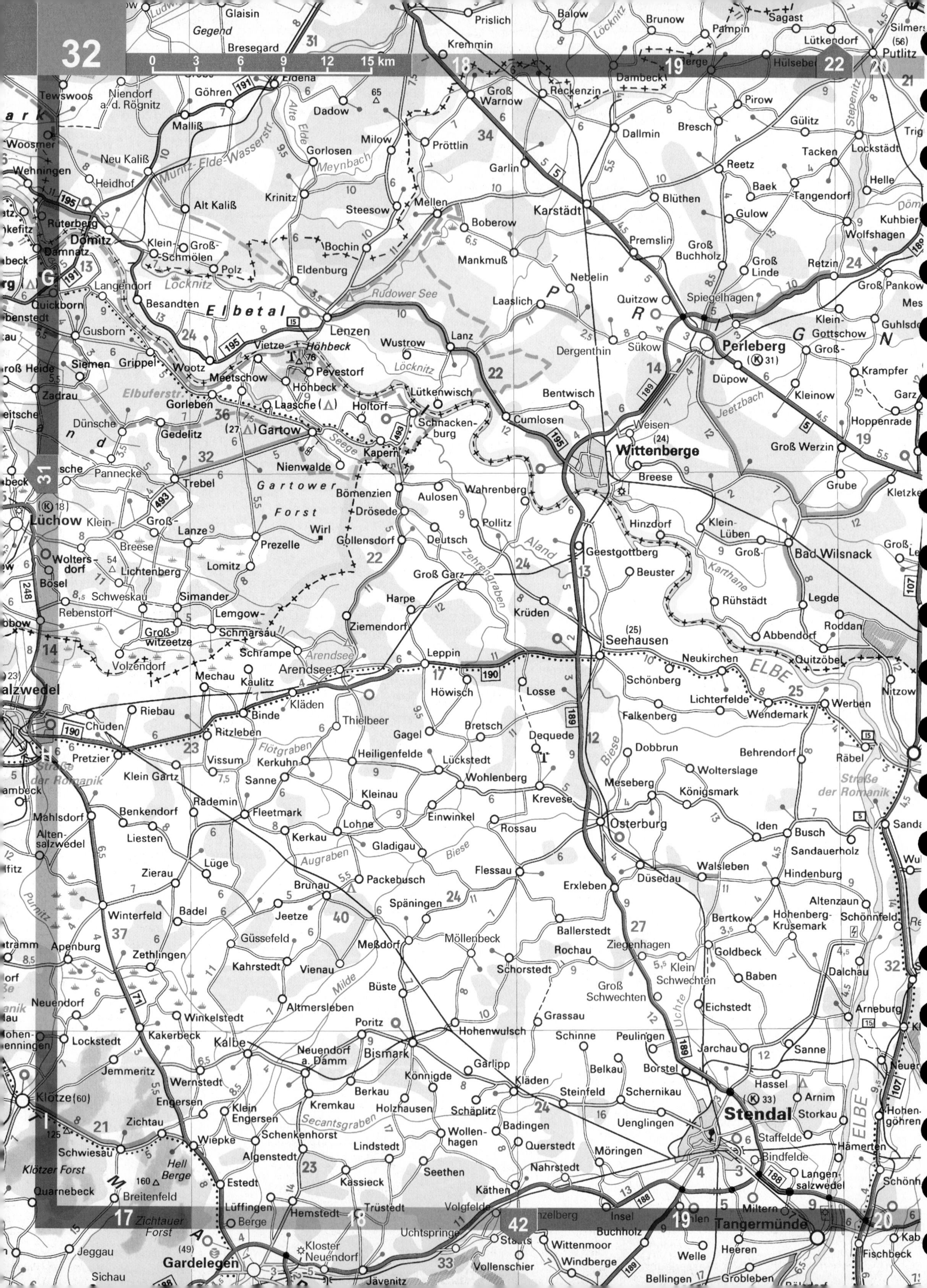
0 3 6 9 12 15 km
Glaisin
Gegend
Bresegard
Prislich
Balow
Brunow
Pampin
Sagast
Silmersdorf
Kremmin
Lütkendorf
Putlitz
Löcknitz
Eldena
Tewswoos
Niendorf a. d. Rögnitz
Göhren
Dadow
Groß Warnow
Reckenzin
Dambeck
Berge
Hülsebeck
Pirow
Gülitz
Mallíß
Alte Elde
Meynbach
Prötlin
Dallmin
Bresch
Stepenitz
Woosmer
Neu Kalíß
Müritz-Elde-Wasserstr.
Gorlosen
Milow
Garlin
Reetz
Tacken
Lockstädt
Wehningen
Heidhof
Krinitz
Steesow
Mellen
Karstädt
Blüthen
Baek
Tangendorf
Helle
Alt Kalíß
Boberow
Gulow
Kuhbier
Rüterberg
Dömitz
Dannatz
Klein-Schmölen
Groß-
Polz
Bochin
Eldenburg
Mankmuß
Premslin
Groß Buchholz
Groß Linde
Wolfshagen
Retzin
Löcknitz
Langendorf
Quickborn
Besandten
Elbetal
Rudower See
Nebelin
Laaslich
Quitzow
Spiegelhagen
Groß Pankow
Gusborn
Lenzen
Wustrow
Lanz
Dergenthin
Sükow
Perleberg
Klein-Gottschow
Groß-
Guhlsdorf
Siemen
Grippel
Wootz
Vietze
Höhbeck
Pevestorf
Höhbeck
Meetschow
Löcknitz
Düpow
Krampfer
Zadrau
Elbuferstr.
Gorleben
Laasche
Holtorf
Lütkenwisch
Bentwisch
Kleinow
Garz
Jeetzbach
Dünsche
Gedelitz
Gartow
Schnackenburg
Cumlosen
Weisen
Hoppenrade
Seege
Kapern
Wittenberge
Groß Werzin
Pannecke
Trebel
Nienwalde
Breese
Grube
Gartower Forst
Bömenzien
Aulosen
Wahrenberg
Kletzke
Lüchow
Klein-
Groß-
Breese
Lanze
Drösede
Wirl
Prezelle
Gollensdorf
Deutsch
Pollitz
Hinzdorf
Klein-Lüben
Groß-
Bad Wilsnack
Wolters-dorf
Lichtenberg
Lomitz
Aland
Geestgottberg
Zehrengraben
Bösel
Schweskau
Simander
Groß Garz
Beuster
Karthane
Legde
Rebenstorf
Lemgow-
Harpe
Krüden
Rühstädt
Groß-witzeetze
Schmarsau
Ziemendorf
Seehausen
Abbendorf
Roddan
Volzendorf
Schrampe
Arendsee
Leppin
Neukirchen
ELBE
Quitzöbel
Mechau
Kaulitz
Arendsee
Höwisch
Losse
Schönberg
Nitzow
Salzwedel
Kläden
Binde
Lichterfelde
Wendemark
Werben
Riebau
Chüden
Thielbeer
Gagel
Bretsch
Falkenberg
Ritzleben
Flötgraben
Dequede
Dobbrun
Pretzier
Vissum
Kerkuhn
Heiligenfelde
Lückstedt
Biese
Behrendorf
Räbel
Straße der Romanik
Klein Gartz
Sanne
Wohlenberg
Meseberg
Wolterslage
Königsmark
Straße der Romanik
Rademin
Kleinau
Krevese
Mahlsdorf
Benkendorf
Fleetmark
Einwinkel
Osterburg
Iden
Busch
Sanda
Alten-salzwedel
Liesten
Kerkau
Lohne
Rossau
Sandauerholz
Gladigau
Augraben
Biese
Lüge
Zierau
Flessau
Walsleben
Hindenburg
Packebusch
Erxleben
Düsedau
Brunau
Späningen
Altenzaun
Winterfeld
Badel
Jeetze
Hohenberg-Krusemark
Schönfeld
Bertkow
Ballerstedt
Apenburg
Güssefeld
Meßdorf
Möllenbeck
Ziegenhagen
Goldbeck
Zethlingen
Rochau
Kahrstedt
Vienau
Schorstedt
Klein Schwechten
Dalchau
Groß Schwechten
Baben
Milde
Büste
Neuendorf
Altmersleben
Eichstedt
Uchte
Arneburg
Winkelstedt
Grassau
Poritz
Hohenwulsch
Lockstedt
Kakerbeck
Kalbe
Schinne
Peulingen
Jarchau
Sanne
Neuendorf a. Damm
Bismark
Garlipp
Jemmeritz
Belkau
Borstel
Wernstedt
Könnigde
Kläden
Hassel
Arnim
Berkau
Steinfeld
Schernikau
Klötze
Engersen
Kremkau
Holzhausen
Klein Engersen
Schäplitz
Stendal
Storkau
Hohen-göhren
Zichtau
Secantsgraben
Badingen
Uenglingen
Schenkenhorst
Wollen-hagen
Staffelde
Hämerten
Schwiesau
Wiepke
Lindstedt
Querstedt
Möringen
Bindfelde
Hell Berge
Algenstedt
Seethen
Nahrstedt
Langen-salzwedel
Klötzer Forst
ELBE
Schönhausen
Estedt
Kassieck
Käthen
Quarnebeck
Breitenfeld
Lüffingen
Trüstedt
Volgfelde
Insel
Miltern
Hemstedt
Zichtauer Forst
Berge
Uchtspringe
Buchholz
Tangermünde
Jeggau
Kloster Neuendorf
Staats
Wittenmoor
Welle
Heeren
Fischbeck
Gardelegen
Vollenschier
Windberge
Sichau
Jävenitz
Bellingen
Grobleben

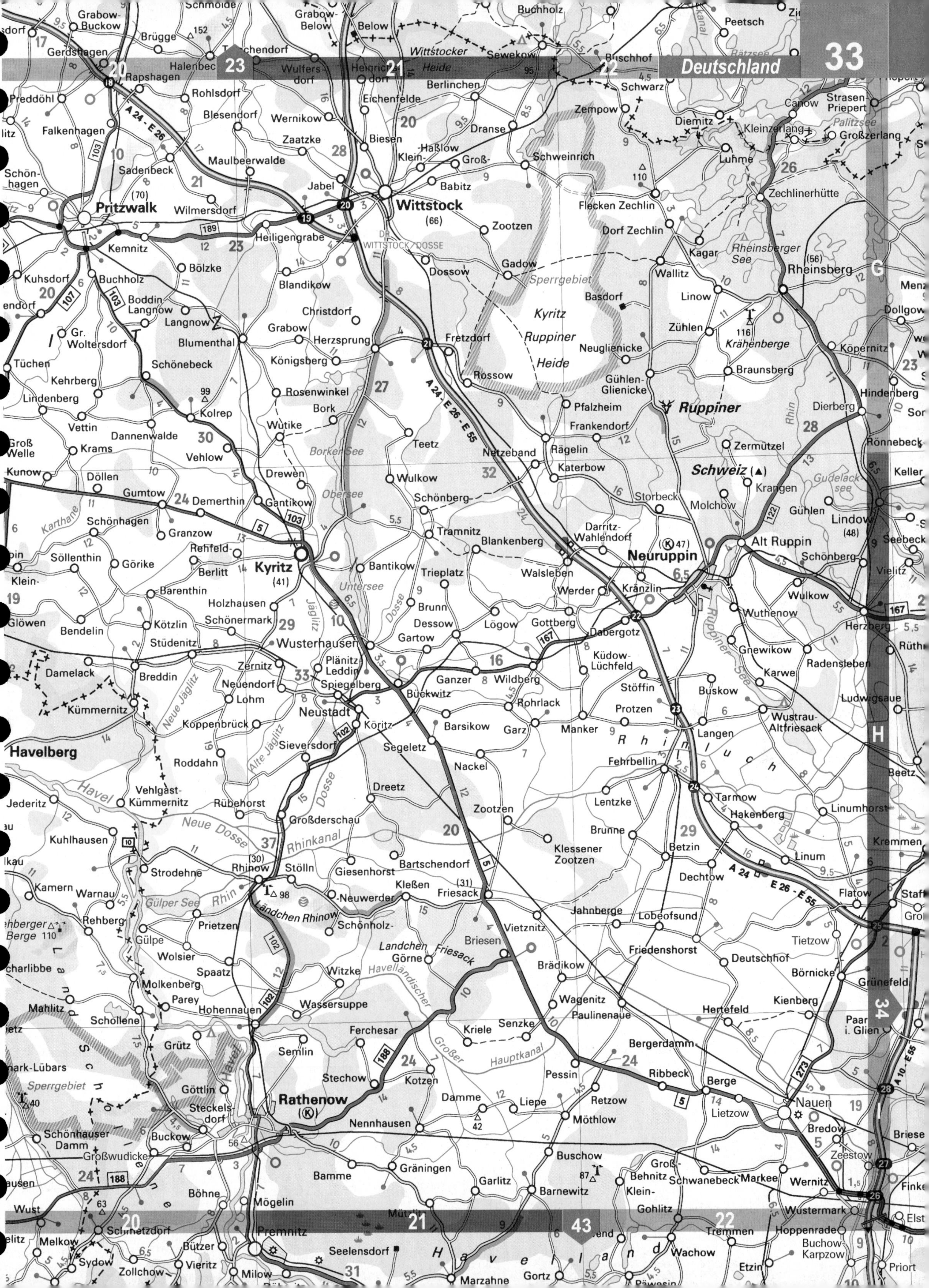
Grabow-Buckow
Gerdshagen
Brügge
Halenbeck
Rapshagen
Preddöhl
Rohlsdorf
Blesendorf
Falkenhagen
Sadenbeck
Maulbeerwalde
Schönhagen
Pritzwalk
Wilmersdorf
Kemnitz
Bölzke
Kuhsdorf
Buchholz
Boddin-Langnow
Langnow
Gr. Woltersdorf
Tüchen
Blumenthal
Schönebeck
Kehrberg
Lindenberg
Kolrep
Vettin
Dannenwalde
Groß Welle
Krams
Vehlow
Kunow
Döllen
Gumtow
Demerthin
Schönhagen
Granzow
Karthane
Söllenthin
Görike
Rehfeld-Berlitt
Kyritz
Klein-Glöwen
Barenthin
Holzhausen
Schönermark
Bendelin
Kötzlin
Stüdenitz
Wusterhausen
Damelack
Breddin
Zernitz
Neuendorf
Lohm
Kümmernitz
Koppenbrück
Neustadt
Havelberg
Roddahn
Sieversdorf
Vehlgast-Kümmernitz
Rübehorst
Jederitz
Havel
Neue Dosse
Kuhlhausen
Großderschau
Rhinkanal
Strodehne
Rhinow
Kamern
Warnau
Gülper See
Rhin
Rehberg
Rehberger Berge
Gülpe
Prietzen
Wolsier
Spaatz
Scharlibbe
Molkenberg
Mahlitz
Parey
Hohennauen
Schollene
Grütz
Wassersuppe
Semlin
Ferchesar
Stechow
Sperrgebiet
Göttlin
Steckelsdorf
Rathenow
Buckow
Schönhauser Damm
Großwudicke
Wust
Melkow
Schmetzdorf
Sydow
Zollchow
Bützer
Vieritz
Milow
Premnitz
Möglin
Böhne
Bamme
Nennhausen
Gräningen
Seelensdorf
Havelland
Marzahne
Gortz
Grabow-Below
Below
Wittstocker Heide
Heinrichsdorf
Wulfersdorf
Eichenfelde
Wernikow
Zaatzke
Biesen
Jabel
Wittstock
Heiligengrabe
Blandikow
Christdorf
Grabow
Herzsprung
Königsberg
Rosenwinkel
Bork
Wutike
Borker See
Drewen
Obersee
Gantikow
Tramnitz
Bantikow
Untersee
Jäglitz
Dosse
Plänitz-Leddin
Spiegelberg
Köritz
Segeletz
Dreetz
Giesenhorst
Bartschendorf
Stölln
Neuwerder
Ländchen Rhinow
Schönholz-
Witzke
Havelländischer
Kotzen
Damme
Buchholz
Sewekow
Berlinchen
Dranse
Haßlow
Klein-
Groß-
Babitz
Schweinrich
Zootzen
Dossow
Gadow
Sperrgebiet
Kyritz Ruppiner Heide
Fretzdorf
Rossow
Pfalzheim
Teetz
Wulkow
Netzeband
Schönberg
Blankenberg
Trieplatz
Brunn
Dessow
Gartow
Lögow
Ganzer
Wildberg
Bückwitz
Barsikow
Rohrlack
Garz
Nackel
Zootzen
Klessener Zootzen
Friesack
Kleßen
Ländchen Friesack
Görne
Briesen
Vietznitz
Kriele
Senzke
Großer Hauptkanal
Liepe
Möthlow
Pessin
Retzow
Buschow
Barnewitz
Garlitz
Peetsch
Buschhof
Schwarz
Zempow
Diemitz
Luhme
Canow
Strasen
Priepert
Kleinzerlang
Großzerlang
Palitzsee
Zechlinerhütte
Flecken Zechlin
Dorf Zechlin
Kagar
Rheinsberger See
Rheinsberg
Wallitz
Basdorf
Linow
Zühlen
Krähenberge
Neuglienicke
Braunsberg
Gühlen-Glienicke
Ruppiner Schweiz
Frankendorf
Rägelin
Katerbow
Zermützel
Storbeck
Molchow
Krangen
Darritz-Wahlendorf
Neuruppin
Walsleben
Werder
Kränzlin
Gottberg
Dabergotz
Küdow-Lüchfeld
Stöffin
Protzen
Manker
Ruppiner See
Buskow
Langen
Rhinluch
Fehrbellin
Tarmow
Lentzke
Hakenberg
Brunne
Betzin
Dechtow
Linum
Jahnberge
Lobeofsund
Friedenshorst
Brädikow
Wagenitz
Paulinenaue
Bergerdamm
Ribbeck
Berge
Lietzow
Groß-Behnitz
Klein-Gohlitz
Schwanebeck
Markee
Wachow
Tremmen
Etzin
Menz
Dollgow
Köpernitz
Hindenberg
Dierberg
Rönnebeck
Gudelacksee
Keller
Gühlen
Lindow
Alt Ruppin
Schönberg
Seebeck
Vielitz
Wulkow
Wuthenow
Herzberg
Gnewikow
Radensleben
Rüthnick
Karwe
Ludwigsaue
Wustrau-Altfriesack
Beetz
Linumhorst
Kremmen
Flatow
Staffelde
Tietzow
Deutschhof
Börnicke
Grünefeld
Hertefeld
Kienberg
Paaren i. Glien
Nauen
Bredow
Zeestow
Wernitz
Wustermark
Hoppenrade
Buchow-Karpzow
Priort
Elstal
Brieselang
Finkenkrug
A 24 - E 26
A 24 - E 26 - E 55
A 10 - E 55
Dreieck Wittstock/Dosse

0 3 6 9 12 15 km
Godendorf
Rutenberg
Dabelow
Retzow
Rosenow
Hardenbeck
Klaushagen
Wichmannsdorf
Beenz
Sternhagen
Potzlow
Haßleben
Oberückersee
Lychen
Hohenlychen
Warthe
Jakobshagen
Strasen
Priepert
Palitzsee
Großzerlang
Steinförde
Fürstenberg (62)
Himmelpfort
Gandenitz
Metzelthin
Herzfelde
Klosterwalde
Mittenwalde
Fergitz
Kaakstedt
Gerswalde
Krohnhorst
Flieth
Tangersdorf
Densow
Netzow
Kreuzkrug
Friedenfelde
Stegelitz
Drögen
Neuglobsow
Altglobsow
Bredereiche
Havel
Templin (59)
Milmersdorf
Böckenberg
Groß Fredenwalde
Buchholz
Beutel
Röddelin
Temmen
Menz
Zernikow
Blumenow
Barsdorf
Hindenburg
Götschendorf
Dollgow
Seilershof
Dannenwalde
Großwoltersdorf
Hammelspring
Dargersdorf
Ringenwalde
Poratz
Köpernitz
Wolfsruh
Neulögow
Marienthal
Havel
Gollin
Vietmannsdorf
Zabelsdorf
Storkow
Friedrichswalde
Glambeck
Schulzendorf
Altlüdersdorf
Ribbeck
Grunewald
Parlow
Hindenberg
Dierberg
Sonnenberg
Gransee (53)
Mildenberg
Neuhof
Kurtschlag
U C K E R M A R K
Schorfheide
Rönnebeck
Schönermark
Badingen
Wesendorf
Groß-Dölln
Klein-
Joachimsthal
Grimnitzsee
Neugrimnitz
Gudelacksee
Keller
Baumgarten
Kraatz-
Kleinmutz
Zehdenick (50)
Kappe
Althüttendorf
Lindow (48)
Meseberg
Buberow
Strubensee
Werbellinsee
Senftenhütte
Seebeck-
Schönberg
Glambeck
Häsen
Schluft
Krewelin
Vielitz
Großmutz
Gutengermendorf
Bergsdorf
Vosskanal
Liebenthal
Altenhof
Golzow
Löwenberg
Liebenberg
Falkenthal
Groß-Schönebeck
Herzberg
Grieben
Linde
Neulöwenberg
Hammer
Eichhorst
Britz
Rüthnick
Klandorf
Lichterfelde
Radensleben
Grüneberg
Liebenwalde
Finowfurt
Eberswalde
Ludwigsaue
Teschendorf
Neuholland
Zerpenschleuse
Marienwerder
Finow
Neuendorf
Freienhagen
Havel-Oder-Kanal
Ruhlsdorf
Spechthausen
Beetz
Hohenbruch
Nassenheide
Sophienstädt
Friedrichsthal
Klosterfelde
Sommerfeld
Nationale Mahn- und Gedenkstätte
Zehlendorf
Prenden
Melchow
Trampe
Linumhorst
Sachsenhsn.
Stolzenhagen
Biesenthal
Klobbicke
Ruppiner Kanal
Oranienburg
Schmachtenhgn.
Wandlitz
Lanke
Grüntal
Tuchen-
Kremmen
Germendorf
Lehnitz
Wensickendorf
Heckelberg
Flatow
Staffelde
Schwante
Leegebruch
Borgsdorf
Zühlsdorf
Danewitz
Rüdnitz
Tempelfelde
Freudenberg
Groß-Ziethen
Vehlefanz
Kr. Oranienburg
Birkenwerder
Basdorf
Ladeburg
Beiersdorf
Dr. Havelland
Summt
Schönow
Bernau (79)
Schönfeld
Eichstädt
Velten
Hohen-Neuendorf
Bergfelde
Mühlenbeck
Schönwalde
Zepernick
Willmersdorf
Weesow
Grünefeld
Marwitz
Schönfließ
Schönerlinde
Börnicke
Hirschfelde
Paaren i. Glien
Perwenitz
Bötzow
Schildow
Dr. Pankow
Buch
Schwanebeck
Birkholz
Löhme
Werneuchen
Pausin
Wansdorf
Hennigsdorf
Frohnau
Glienicke
Seefeld
Wegendorf
Schönwalde
Havelkanal
Dr. Schwanebeck
Blumberg
Krummensee
Wesendahl
BERLIN
Pankow
Lindenberg
Ahrensfelde
Buchholz
Brieselang
Zeestow
Tegeler See
Weißensee
Hohenschönhsn.
Mehrow
Altlandsberg
Falkenhagen
Reinickendorf
Berlin-Tegel
Marzahn
Hönow
Eggersdorf
Finkenkrug
Falkensee
Spandau
Hellersdorf
Neuenhagen
Petershagen
Elstal
Dallgow
Staaken
Lichtenberg
Hoppegarten
Fredersdorf
Priort
Seeburg
Dahlwitz-
Vogelsdorf
Tassdorf
A 10 - E 26 - E 55
A 11 - E 28
A 10 - E 55
E 251
A 111
A 114

Deutschland
35
Bertikow
Hohengüstow
Blankenburg
Lützlow
Seehausen
Warnitz
Meichow
Zichow
Melzow
Polßen
Fredersdorf
Briest
Passow
Schmiedeberg
Biesenbrow
Wilmersdorf
Grünow
Schönermark
Günterberg
Greiffenberg
Frauenhagen
Hohen-Landin
Nieder-
Heinersdorf
Welsow
Görlsdorf
Pinnow
Mürow
Kerkow
Dobberzin
Angermünde
Crussow
Altkünkendorf
Schmargendorf
Herzsprung
Neukünkendorf
Groß-Ziethen
Klein-
Bölkendorf
Serwest
Parstein
Parsteiner See
Brodowin
Lüdersdorf
Kloster Chorin
Sandkrug
Liepe
Oderberg
Hohensaaten
Alte Oder
Niederfinow
Schiffshebewerk
Hohenwutzen
Neuenhagen
Bralitz
Tornow
Hohenfinow
Falkenberg
Bad Freienwalde
Cöthen
Dannenberg
Gersdorf
Wölsickendorf
Wollenberg
Brunow
Steinbeck
Leuenberg
Harnekop
Tiefensee
Sternebeck
Frankenfelde
Prötzel
Gielsdorf
Klosterdorf
Bollersdorf
Hohenstein
Strausberg
Garzin
Märkische Schweiz
Bahnhof-Rehfelde
Rehfelde
Werder
Zinndorf
Hennickendorf
Lichtenow
Hoppegarten
Schlagenthin
Müncheberg
Luckow-
Hohenreinkendorf
Hohenselchow
Casekow
Blumberg
Groß Pinnow
Woltersdorf
Schönow
Friedrichsthal
Kummerow
Stendell
Kunow
Welse
Vierraden
Gatow
Schwedt
Berkholz-Meyenburg
Nationalpark
Felchow
Zützen
Flemsdorf
Criewen
Schöneberg
Stützkow
Stolpe
Friedrichsthaler Wasserstraße
Oder
Gellmersdorf
Stolzenhagen
Lunow
Neuendorf
Schiffmühle
Neurüdnitz
Neuküstrinchen
Neureetz
Altreetz
Altranft
Altwriezen-Beauregard
Eichwerder
Wriezen
Haselberg
Schulzendorf
Bliesdorf
Altlewin
Kunersdorf
Möglin
Neutrebbin
Sietzing
Reichenow
Ihlow
Batzlow
Altfriedland
Reichenberg
Naturpark
Quappendorf
Neuhardenberg
Buckow
Münchehofe
Hermersdorf-
Wulkow
Waldsieversdorf
Obersdorf
Trebnitz
Worin
Görlsdorf
Altrosenthal
Jahnsfelde
Marxdorf
Diedersdorf
Seelow
Dolgelin
Lebus
Gartz
Deutsch-
Westoder
Oder
Marwice
Widuchowa
Polnischer
Krzywin
Ognica
Rurzyca
Krajnik-Dolny
Nawodna
Krzymów
Piasek
Bielinek
Stoki
Chojna
Czachów
Metno
Lubiechów-Dln.
Cedynia
Orzechów
Klępicz
Stare Objezierze
Osinów Dln.
Stara Rudnica
Golice
Moryń
Siekierki
Stare Łysogórki
Gozdowice
Neulietzegöricke
Neulewin
Oderbruch
Ortwig
Neubarnim
Groß Neuendorf
Czelin
Kienitz
Letschin
Kiehnwerder
Steintoch
Sophienthal
Zechin
Hauptgraben
Genschmar
Golzow
Gusow
Platkow
Werbig
Alt Tucheband
Gorgast
Küstrin-Kietz
Manschnow
Rathstock
Sachsendorf
Reitwein
Podelzig
Wirów
Sobieradz
Chwarstnica
Tywa
Steklno
Pacholeta
Roznowo
Swochowo
Kunowo
Lubicz
Babinek
Lubanowo
Banie
Kozielice
Baniewice
Piaseczno
Tetyń
Zelechowo
Swobnica
Lisie Pole
Grzybno
Kierzków
Trzcińsko-Zdrój
Rów
Góralice
Dobropole
Stołeczna
Brwice
Czerników
Godków
Gogolice
Piaseczno
Nawrocko
Narost
Chłopowo
Rościn
Witnica
Przyjezierze
Białęgi
Goszków
Warnice
Różańsko
Bielin
POLSKA
Dyszno
Zielin
Mieszkowice
Smolnica
Troszyn
Oborzany
Dębno
Kłosów
Boleszkowice
Dargomyśl
Myśla
Cychry
Bogusław
Chwarszczany
Porzecze
Namyślin
Wlk. Kamień
Mały
Sarbinowo
Kaleńsko
Szumiłowo
Dąbroszyn
Kostrzyn
Zabice
Górzyca
Laski Lubuskie
ODRA

0 3 6 9 12 15 km
Balderhaar
Wilsum
Esche
Alte Piccardie
Sand
Lingen (33)
Gölenkamp
Veldhsn.
Osterwald
Wietmarschen
Nordlohne
Uelsen (22)
Neuenhaus
Schepsdorf
Den Ham
Striepe
Brink
Waterfall
Grasdorf
Bimolten
Lohne
Vroomshoop
Westerhaar-Vriezenveensewijk
Langeveen
Getelo
Lage
Südlohne
Halle
Klausheide
Ems-Vechte-Kanal
Daarle
Vriezenveen
Geesteren
Vasse
Lattrop
Elbergen
Hooge Hexel
Hellendoorn
Tubbergen
Ootmarsum
Nordhorn (22)
Engdener Wüste
Gleesen
Bernte
Mariaparochie
Fleringen
Tilligte
Brandlecht
Engden
Leschede
Emsbüren
Wierden
Kanaal Almelo-Nordhorn
Albergen
Hestrup
Drievorden
Listrup
Almelo
Denekamp
Mehringen
Rossum
Dinkel
Ahlde
Rijssen
Weerselo
Saasveld
Oldenzaal
Kr. Schüttorf
Bornerbroek
De Lutte
Schüttorf (32)
Bexten
Salzbergen
Enter
Borne
Deurningen
Springbiel
Samern
Steide
Gildehaus
Bad Bentheim (50)
Sudderdorf
Rheine
Goor
Delden
Hengelo
Losser
Bardel
Ohne
Landersum
Markelo
ENSCHEDE
Overdinkel
Glane
Brechte
Haddorf
Neuenkirchen (64)
Bilk
Diepenheim
Beckum
Gronau (40)
Ochtrup (65)
Hengevelde
Boekelo
Glanerbrug
Welbergen
Wettringen (55)
Usselo
Langenhorst
Gelselaar
Haaksbergen
Epe
Neede
Metelen (58)
Burgsteinfurt
Borculo
Buurse
Alstätte
Vogelpark
Buurserbeek
Nienborg
Haltern
Eibergen
Rekken
Graes
Steinfurt
Oldenkott
Lünten
Hamaland-Route
Heek
Leer
Borghorst
Beltrum
Ammeloe
Wessum
Alst
Ottenstein
Ahaus (50)
Schöppingen (94)
Horstmar (88)
Ellewick
Groenlo
Zwillbrock
Wüllen
Frettholt
Eggerode
Asbeck
Laer
Vreden (40)
Legden
Rosendahl-Höpingen
Holthausen
Berkel
Ziewent
Slinge
Osterwick
Esking
Darfeld
Holtwick
Aulendorf
Lichtenvoorde
Winterswijk
Midlich
Stadtlohn (40)
Estern
Beerlage
Büren
Billerbeck (138)
Bredevoort
Gescher (62)
Tungerloh-Capellen
Lutum
Baumberge
Aalten
Kotten
Oeding
Südlohn
Longinusturm
Coesfeld (81)
Stevern
Nordvelen
Tungerloh-Pröbsting
Goxel
Darup
Großburlo
Weseke
Hochmoor
Nottuln
Schapdetten
Barlo
Velen
Stevede
Holsterbrink
Rorup
Lette
Bösensell
Spork
Hemden
Vardingholt
Ramsdorf
Hamaland-Route
Karthaus
Appelhülsen
Holtwick
Stenern
Welte
Bocholt (26)
Borken (46)
Gemen
Buldern
Lowick
Rhede
Hoxfeld
Maria Veen
Merfeld
Liedern
Mussum
Merfelder Bruch
Hiddingsel
Dülmen (70)
Krechting
Rhedebrügge
Heiden
Groß Reken
Biemenhorst
Thebing
Marbeck
Lebbing
Reken-Hülsten
Dernekamp
Dahldrup
Buschhausen
Bahnhof
Klein Reken
Hausdülmen
Loikum
Dingden
Naturpark Hohe Mark
Lavesum
Borkenberge
Ems
Dortmund-Ems-Kanal
Vechte

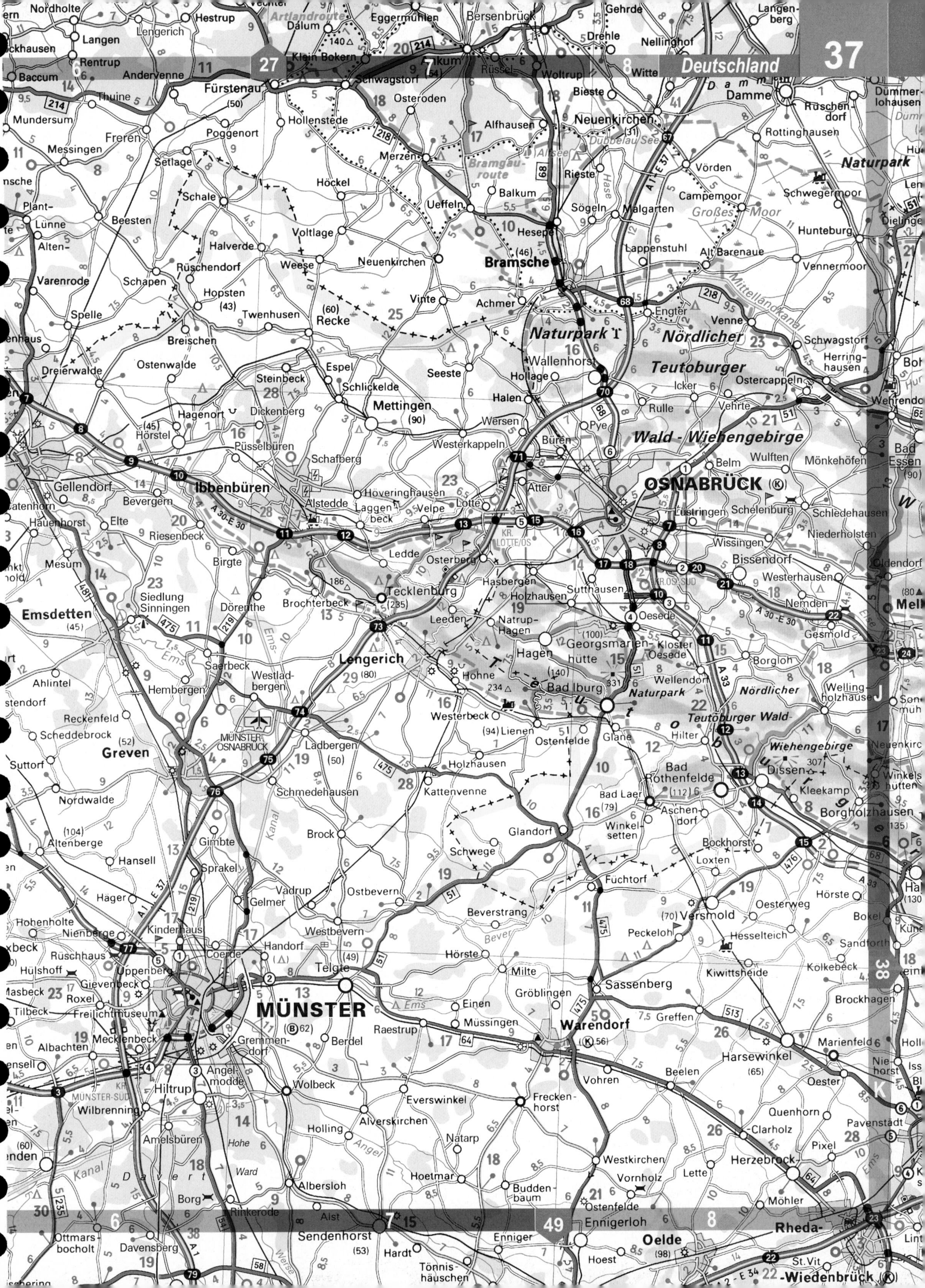
Nordholte
Hestrup
Lengerich
Dalum
Artlandroute
Eggermühlen
Bersenbrück
Gehrde
Langen-berg
Langen
Rentrup
Andervenne
Klein Bokern
Ankum
Rüssel
Woltrup
Drehle
Nellinghof
Witte
Baccum
Fürstenau
Schwagstorf
Osteroden
Bieste
Damme
Dümmer-lohausen
Thuine
Mundersum
Freren
Hollenstede
Alfhausen
Neuenkirchen
Dubbelau See
Rüschendorf
Rottinghausen
Messingen
Poggenort
Setlage
Merzen
Bramgau-route
Rieste
Vörden
Naturpark
Schale
Höckel
Balkum
Campemoor
Schwegermoor
Plant-
Lünne
Beesten
Uffeln
Sögeln
Malgarten
Großes Moor
Alten-
Voltlage
Hesepe
Lappenstuhl
Alt Barenaue
Hunteburg
Halverde
Weese
Neuenkirchen
Bramsche
Vennermoor
Varenrode
Schapen
Hopsten
Vinte
Achmer
Engter
Venne
Spelle
Twenhusen
Recke
Naturpark
Nördlicher
Teutoburger
Schwagstorf
Herring-hausen
Breischen
Wallenhorst
Dreierwalde
Ostenwalde
Steinbeck
Espel
Schlickelde
Seeste
Hollage
Icker
Ostercappeln
Halen
Rulle
Vehrte
Wehrendorf
Hagenort
Dickenberg
Mettingen
Hörstel
Wersen
Pye
Wald - Wiehengebirge
Püsselbüren
Westerkappeln
Büren
Belm
Wulften
Mönkehöfen
Bad Essen
Schafberg
Gellendorf
Bevergern
Ibbenbüren
Höveringhausen
Atter
OSNABRÜCK
Schelenburg
Schledehausen
Alstedde
Laggenbeck
Velpe
Lotte
Lüstringen
Hauenhorst
Elte
A 30-E 30
Riesenbeck
KR. LOTTE/OS
Niederholsten
Wissingen
Ledde
Osterberg
Bissendorf
Mesum
Birgte
Hasbergen
KR. OS-SÜD
Westerhausen
Sutthausen
Holzhausen
Tecklenburg
Brochterbeck
Siedlung Sinningen
Dörenthe
Natrup-Hagen
Nemden
Emsdetten
Leeden
Oesede
Gesmold
Georgsmarien-hütte
Kloster Oesede
Hagen
Lengerich
Borgloh
Saerbeck
Ahlintel
Westladbergen
Wellendorf
Hohne
Bad Iburg
Naturpark
Nördlicher
Wellingholzhausen
Hembergen
Teutoburger Wald
Westerbeck
Lienen
Glane
Reckenfeld
Scheddebrock
MÜNSTER-OSNABRÜCK
Ostenfelde
Hilter
Wiehengebirge
Greven
Ladbergen
Suttorf
Holzhausen
Bad Rothenfelde
Dissen
Winkelshütten
Kleekamp
Schmedehausen
Kattenvenne
Bad Laer
Aschendorf
Nordwalde
Borgholzhausen
Winkelsetten
Altenberge
Gimbte
Glandorf
Brock
Bockhorst
Schwege
Hansell
Loxten
Sprakel
Füchtorf
Vadrup
Häger
Gelmer
Ostbevern
Hörste
Oesterweg
Hohenholte
Nienberge
Beverstrang
Versmold
Kinderhaus
Westbevern
Bokel
Peckeloh
Hesselteich
Rüschhaus
Coerde
Handorf
Hörste
Sandforth
Hülshoff
Uppenberg
Kiwittsheide
Kolkebeck
Gievenbeck
Telgte
Milte
Masbeck
Roxel
Gröblingen
Sassenberg
Brockhagen
Tilbeck
Freilichtmuseum
Einen
MÜNSTER
Greffen
Müssingen
Warendorf
Mecklenbeck
Raestrup
Berdel
Marienfeld
Albachten
Gremmendorf
Harsewinkel
Angelmodde
Beelen
Vohren
Oester
KR. MÜNSTER-SÜD
Hiltrup
Wolbeck
Freckenhorst
Wilbrenning
Everswinkel
Quenhorn
Alverskirchen
Pavenstädt
Holling
Clarholz
Amelsbüren
Natarp
Pixel
Westkirchen
Herzebrock
Davert
Hoetmar
Vornholz
Lette
Albersloh
Borg
Buddenbaum
Ostenfelde
Möhler
Rinkerode
Alst
Sendenhorst
Ennigerloh
Rheda-
Ottmarsbocholt
Davensberg
Enniger
Oelde
Hardt
Hoest
St. Vit
Tönnishäuschen
-Wiedenbrück

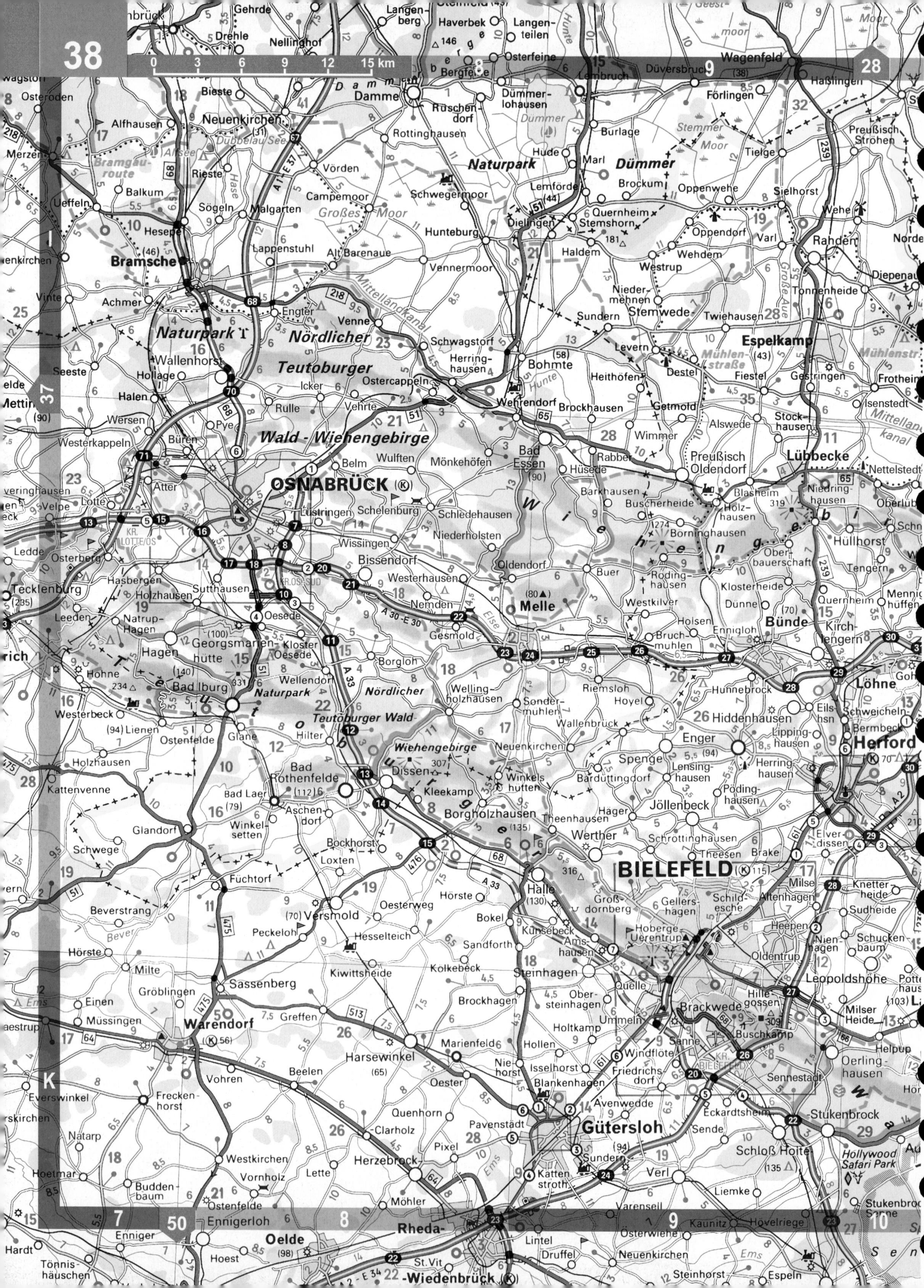
0 3 6 9 12 15 km
37
28
50
OSNABRÜCK (K)
BIELEFELD (K)
Gütersloh
Herford (K)
Bramsche
Damme
Naturpark Dümmer
Dümmer
Lembruch
Wagenfeld
Rahden
Espelkamp
Lübbecke
Preußisch Oldendorf
Bad Essen
Bohmte
Melle
Bünde
Löhne
Enger
Spenge
Werther
Halle
Versmold
Warendorf
Harsewinkel
Oelde
Rheda-Wiedenbrück (K)
Verl
Schloß Holte-Stukenbrock
Leopoldshöhe
Oerlinghausen
Sennestadt
Brackwede
Steinhagen
Borgholzhausen
Dissen
Bad Rothenfelde
Bad Laer
Bad Iburg
Georgsmarienhütte
Hagen
Hasbergen
Tecklenburg
Westerkappeln
Wallenhorst
Ostercappeln
Bissendorf
Hilter
Glandorf
Füchtorf
Sassenberg
Ostenfelde
Ennigerloh
Everswinkel
Freckenhorst
Herzebrock
Clarholz
Marienfeld
Hiddenhausen
Kirchlengern
Hüllhorst
Stemwede
Lemförde
Diepholz
Hunteburg
Vörden
Neuenkirchen
Alfhausen
Merzen
Naturpark Nördlicher Teutoburger Wald - Wiehengebirge
Naturpark Nördlicher Teutoburger Wald
Wiehengebirge
Teutoburger Wald
Mittellandkanal
Großes Moor
Stemmer Moor
Mühlenstraße
Bramgau-route
Hollywood Safari Park
Ems
Hunte
Else
A 30 - E 30
A 33
A 2
A 1 - E 37
E 34

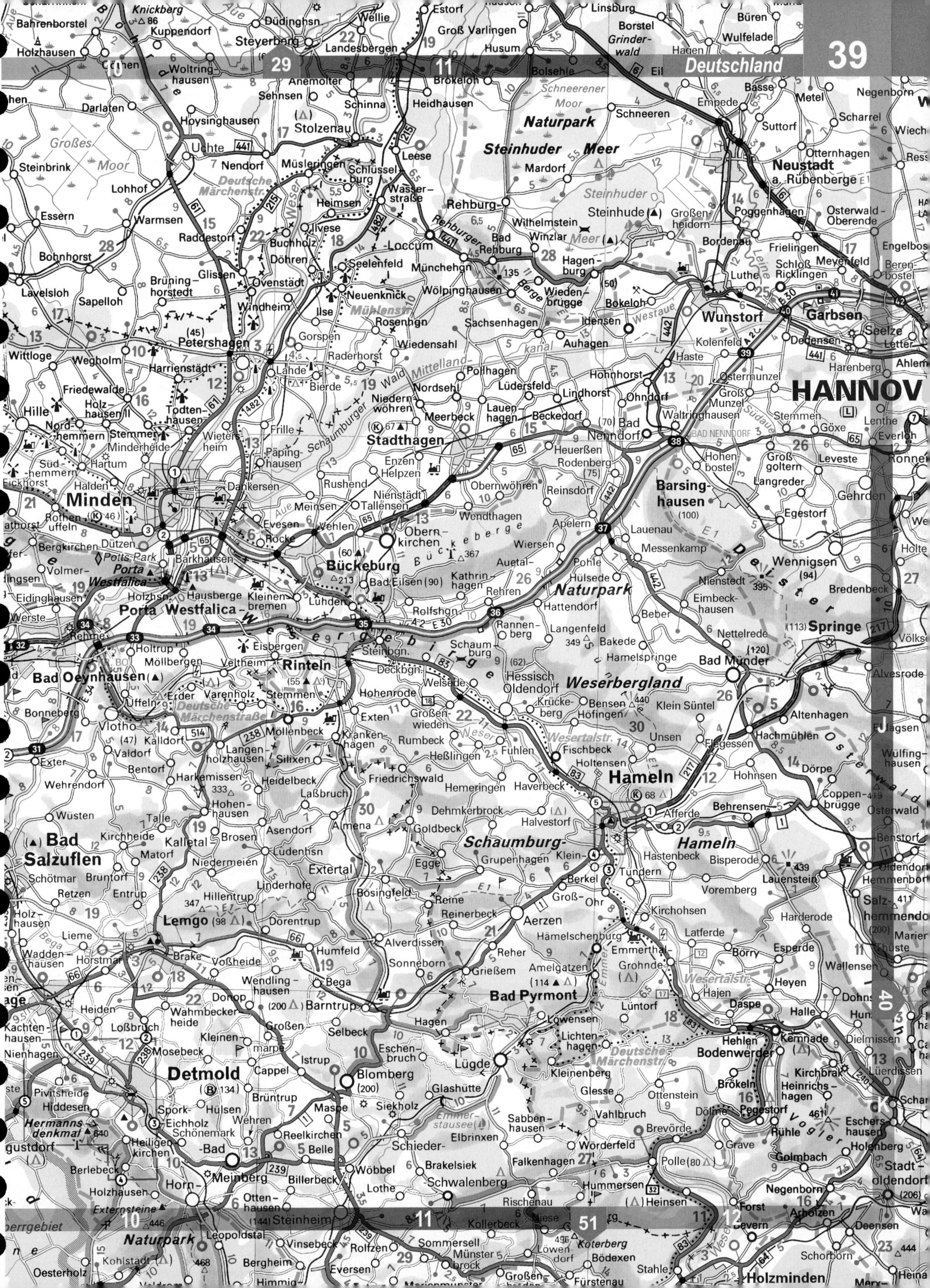
HANNOV
Minden
Porta Westfalica
Bad Oeynhausen
Rinteln
Bückeburg
Stadthagen
Obernkirchen
Bad Nenndorf
Wunstorf
Garbsen
Seelze
Neustadt a. Rübenberge
Barsinghausen
Wennigsen
Springe
Bad Münder
Hameln
Hessisch Oldendorf
Weserbergland
Naturpark
Steinhuder Meer
Petershagen
Stolzenau
Uchte
Loccum
Rehburg
Bad Rehburg
Wölpinghausen
Sachsenhagen
Lindhorst
Lauenau
Vlotho
Bad Salzuflen
Lemgo
Kalletal
Extertal
Aerzen
Bad Pyrmont
Lügde
Blomberg
Detmold
Horn-Bad Meinberg
Schieder-Schwalenberg
Steinheim
Barntrup
Emmerthal
Bodenwerder
Polle
Holzminden
Stadtoldendorf
Hille
Espelkamp
Hermannsdenkmal
Externsteine
Schaumburg-
Hameln
Deister
Süntel
Mittellandkanal
Weser
Deutsche Märchenstraße
Wesertalstr.
Steyerberg
Landesbergen
Husum
Linsburg
Leese
Wiedensahl
Auhagen
Pollhagen
Nienstädt
Meerbeck
Kathrinhagen
Rodenberg
Apelern
Gehrden
Pattensen
Ronnenberg
Coppenbrügge
Salzhemmendorf
Lauenstein
Kirchohsen
Grohnde
Ottenstein
Eschershausen
Lüerdissen
Kemnade
Holenberg
Negenborn
Bevern
Fürstenau
Rischenau
Falkenhagen
Brakelsiek
Wöbbel
Belle
Reelkirchen
Glashütte
Sabbenhausen
Brevörde
Vahlbruch
Heinsen
Forst
Deensen

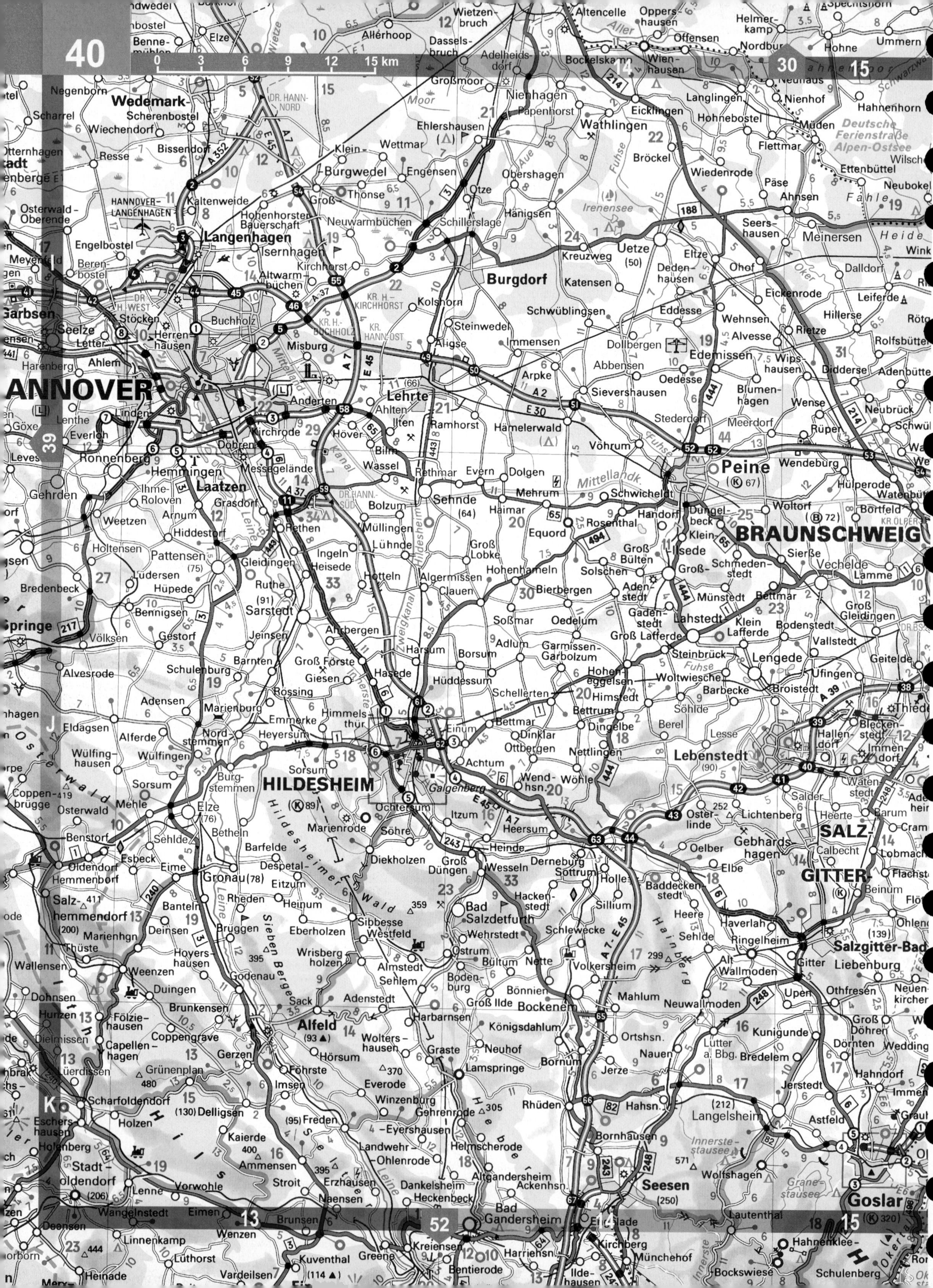
0 3 6 9 12 15 km
Wedemark-Scherenbostel
Langenhagen
HANNOVER-LANGENHAGEN
Isernhagen
Burgwedel
Neuwarmbüchen
Garbsen
Seelze
HANNOVER
Lehrte
Burgdorf
Uetze
Wathlingen
Nienhagen
Eicklingen
Langlingen
Müden
Deutsche Ferienstraße Alpen-Ostsee
Hohne
Ummern
Meinersen
Edemissen
Peine
Sehnde
Laatzen
Hemmingen
Ronnenberg
Gehrden
Pattensen
Sarstedt
Springe
BRAUNSCHWEIG
Vechelde
Lengede
Hildesheimer Wald
HILDESHEIM
Elze
Gronau
Nordstemmen
Lebenstedt
SALZGITTER
Salzgitter-Bad
Bad Salzdetfurth
Bockenem
Alfeld
Sieben Berge
Hainberg
Hils
Lamspringe
Seesen
Langelsheim
Goslar
Bad Gandersheim
Kreiensen
Stadtoldendorf
Delligsen
Freden
Duingen
Holle
Baddeckenstedt
Liebenburg
Schladen
Mittellandkanal
Deister
Osterwald
Innerste-stausee
Granestausee
Harsum
Algermissen
Giesen
Söhlde
Ilsede
Lahstedt
Hohenhameln
A 7
A 2
A 37
A 39
E 45
E 30
J
K
39
30
15
52
14
13
18

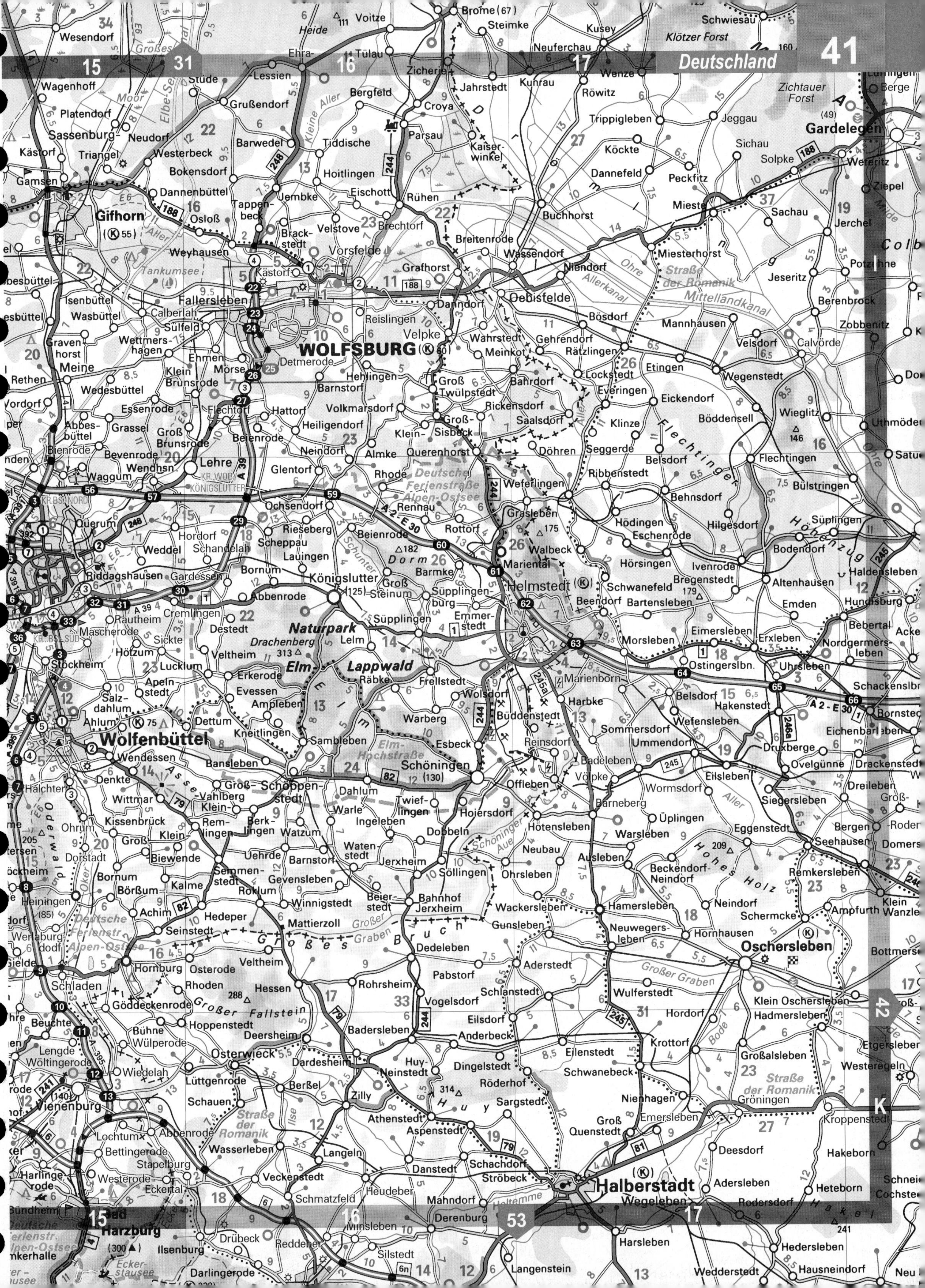
Wolfsburg
Gifhorn
Wolfenbüttel
Helmstedt
Königslutter
Schöningen
Halberstadt
Oschersleben
Gardelegen
Oebisfelde
Vorsfelde
Fallersleben
Lehre
Osterwieck
Vienenburg
Bad Harzburg
Wegeleben
Calvörde
Flechtingen
Haldensleben
Schöppenstedt
Naturpark Elm-Lappwald
Drömling
Flechtinger Höhenzug
Großes Bruch
Großer Fallstein
Huy
Hohes Holz
Asse
Oderwald
Mittellandkanal
Allerkanal
Straße der Romanik
Deutsche Ferienstraße Alpen-Ostsee
Elm-Hochstraße
Zichtauer Forst
Klötzer Forst
A 2 - E 30
A 39
A 395

0 3 6 9 12 15 km
Lindstedt
Querstedt
Möringen
Nahrstedt
Kassieck
Seethen
Hämerten
Bindfelde
Langen-salzwedel
Schönhausen
Damm
Großwudicke
Hemstedt
Berge
Vinzelberg
Uchtspringe
Kloster Neuendorf
Gardelegen
Jävenitz
Staats
Wittenmoor
Vollenschier
Windberge
Insel
Buchholz
Dahlen
Tangermünde
Miltern
Welle
Heeren
Grobleben
Bellingen
Lüderitz
Demker
Bölsdorf
Groß Schwarzlosen
Köckte
Buch
Schelldorf
Stegelitz
Weißewarte
Wust
Kabelitz
Melkow
Schmetzdorf
Fischbeck
Sydow
Zollchow
Mangelsdorf
Briest
Groß-wulkow
Jerichow
Redekin
Klein-
Alten-Klitsch
Neuen-
Hohen-bellin
Zabakuck
Klietznick
Nielebock
Brettin
Roßdorf
Weteritz
Ziepel
Jerchel
Milde
Colbitz-
Letzlinger
Heide
Sperrgebiet
Potzehne
Letzlingen
Roxförde
Berenbrock
Zobbenitz
Klüden
Calvörde
Dorst
Born
Uthmöden
Satuelle
Ohre
Scherneck
Schernebeck
Schönwalde
Jerchel
Tangerhütte
Grieben
Ferchland
Birkholz
Derben
Altenplathow
Genthin
Bittkau
Burgstall
Uchtdorf
Dolle
Sandbeiendorf
Cröchern
Mahlwinkel
Cobbel
Polte
Ringfurth
Parey
Bergzow
Mützel
Straße der Romanik
Angern
Bertingen
Sandfurth
Güsen
Zerben
Ihleburg
Parchen
Kehnert
Havelsche Mark
Blumenthal
Colbitz
Rogätz
Parchau
Elbe-Havel-Kanal
Hohenseeden
Gladau
Fiener
Tucheim
Neuenhofe
Lindhorst
Loitsche
Schartau
Zielitz
Burg
Reesen
Rietzel
Krüssau
Paplitz
Süplingen
Haldensleben
Hillersleben
Heinrichsberg
Meseberg
Farsleben
Samswegen
Niegripp
Grabow
Stresow
Theeßen
Reesdorf
Wedringen
Haldensleben II
Vahldorf
Wolmirstedt
Detershagen
Waldfrieden
Hundisburg
Jersleben
Glindenberg
Schiffshebewerk
Hohenwarthe
Schermen
Madel
Drewitz
Magdeburgerforth
Bebertal
Gutenswegen
Groß Ammensleben
Ackendorf
Nordgermersleben
Rottmersleben
Klein-Dahlenwarsleben
Meitzendorf
Lostau
Möser
Pietzpuhl
Pabsdorf
Lüttgenziatz
Wüsten-jerichow
Groß Santersleben
Hermsdorf
Ebendorf
Barleben
Rothensee
Stegelitz
Körbelitz
Hohenziatz
Dörnitz
Schackensleben
Bornstedt
Hohenwarsleben
Irxleben
Eichenbarleben
Ochtmersleben
Biederitz
Gerwisch
Woltersdorf
Wörmlitz
Tryppehna
Lübars
Büden
Ziepel
Lühe
Drackenstedt
Olvenstedt
Niederndodeleben
Wellen
Dreileben
Stadtfeld
Heyrothsberge
Möckern
Zeppernick
Loburg
Königsborn
Nedlitz
Wallwitz
Ehle
Dalchau
Klein-Rodensleben
Groß-
Bergen
MAGDEBURG
Cracau
Menz
Brietzke
Rosian
Seehausen
Domersleben
Hohendodeleben
Ottersleben
Wahlitz
Karith
Vehlitz
Pechau
Ladeburg
Göbel
Hobeck
Isterbies
Nedlitz
Sarre
Schleibnitz
Reform
Salbke
Gommern
Dannigkow
Klein Wanzleben
Ampfurth
Westerhüsen
Randau
Umflutkanal
Leitzkau
Deetz
Wanzleben
Osterweddingen
Langenweddingen
Beyendorf
Plötzky
Pretzien
ELBE
Elbenau
Bottmersdorf
Dodendorf
Dornburg
Prödel
Buhlendorf
Lindau
Dobritz
Blumenberg
Sülze
Sülldorf
Schönebeck
Ranies
Glinde
Lübs
Badewitz
Klein-Germersleben
Groß-
Schwaneberg
Bahrendorf
Welsleben
Gödnitz
Schora
Zernitz
Moritz
Altenweddingen
Felgeleben
Pömmelte
Pulspforde
Bode
Etgersleben
Biere
Eggersdorf
Gnadau
Groß Mühlingen
Güterglück
Walternienburg
Nutha
Nuthe
Westeregeln
Wespen
Barby
Zerbst
Mühlsdorf
Luso
Wolmirsleben
Borne
Klein Mühlingen
Hohenlepte
Egeln
Kroppenstedt
Eickendorf
Tornitz
Werkleitz
Jütrichau
Tarthun
Unseburg
Breitenhagen
Leps
Bias
Atzendorf
Calbe
Saale
Gr. Rosenburg
Trabitz
Hakeborn
Glöthe
Streetz
Törten
Lust
Förderstedt
Schneidlingen
Cochstedt
Üllnitz
Brumby
Schwarz
Patzetz
Lödderitz
Steckby
Rodleben
Rietzmeck
Hecklingen
Groß Börnecke
Löderburg
Staßfurt
Neugattersleben
Wedlitz
Zuchau
Diebzig
Kühren
Steutz
DESSAU
Mennewitz
Aken
Groß-kuhnau
Klein-
Gerbitz
Neu Königsaue
Hohenerxleben
Dornbock
Landgraben
Heteborn
Groß-kuhnau
A 2 - E 30
A 14
A 14 - E 49

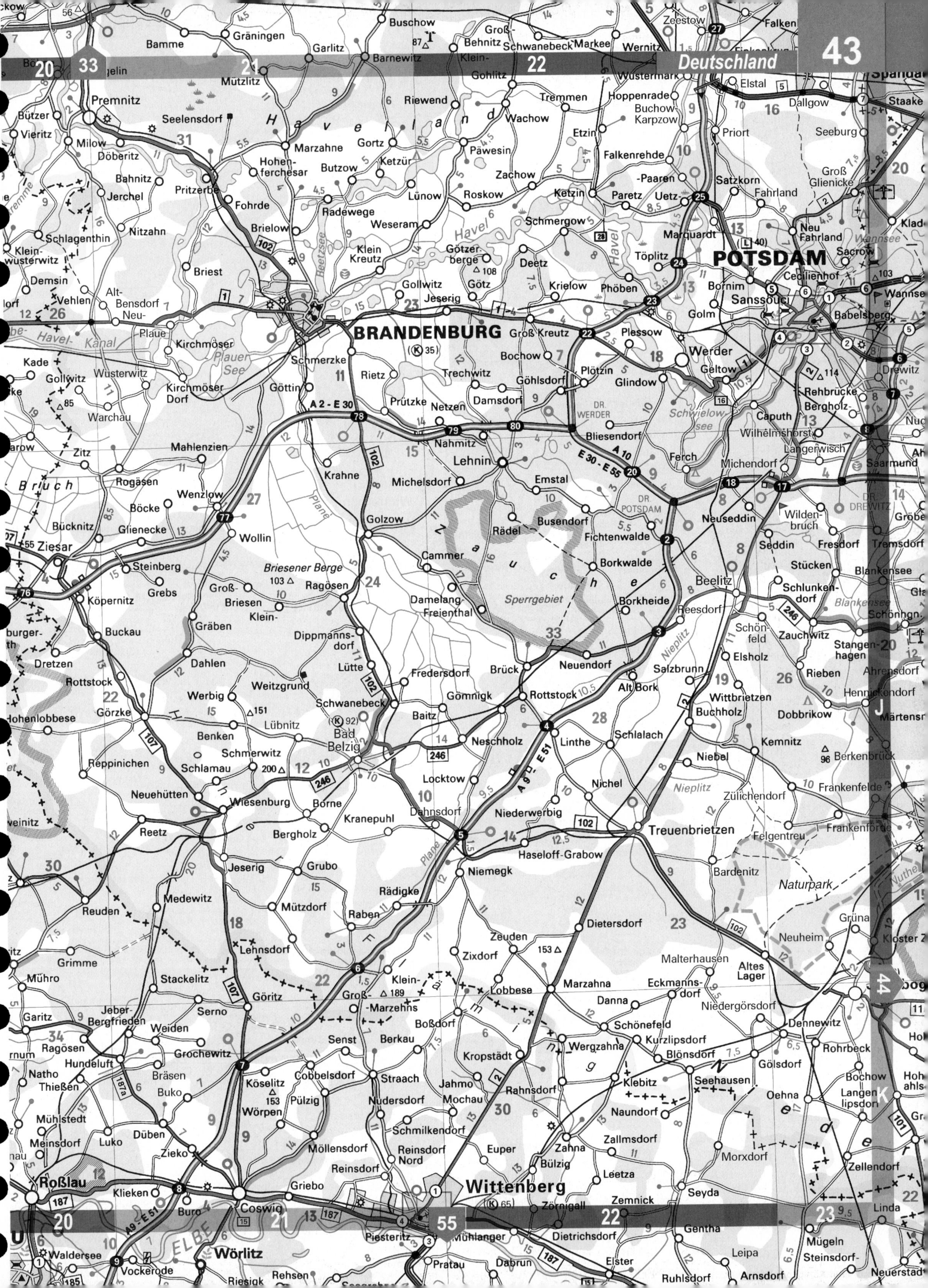
Bamme
Gräningen
Buschow
Garlitz
Barnewitz
Groß-Behnitz
Schwanebeck
Markee
Wernitz
Zeestow
Falkensee
Klein-Behnitz
Gohlitz
Wustermark
Elstal
Dallgow
Staaken
Spandau
Premnitz
Mützlitz
Riewend
Tremmen
Hoppenrade
Buchow-Karpzow
Priort
Seeburg
Bützer
Vieritz
Seelensdorf
Havelland
Wachow
Etzin
Milow
Döberitz
Marzahne
Gortz
Pätwesin
Falkenrehde
Groß Glienicke
Bahnitz
Hohenferchesar
Butzow
Ketzür
Zachow
Paaren
Satzkorn
Fahrland
Jerchel
Pritzerbe
Fohrde
Radewege
Lünow
Roskow
Ketzin
Paretz
Uetz
Nitzahn
Brielow
Weseram
Schmergow
Marquardt
Neu Fahrland
Kladow
Schlagenthin
Klein-Wusterwitz
Klein Kreutz
Götzer Berge
Deetz
Töplitz
POTSDAM
Sacrow
Briest
Havel
Cecilienhof
Demsin
Vehlen
Alt-Bensdorf
Gollwitz
Götz
Krielow
Phöben
Bornim
Sanssouci
Wannsee
Neu-Bensdorf
Plaue
Jeserig
Golm
Babelsberg
Elbe-Havel-Kanal
Kirchmöser
BRANDENBURG
Groß Kreutz
Plessow
Werder
Kade
Plauer See
Schmerzke
Bochow
Geltow
Drewitz
Gollwitz
Wusterwitz
Rietz
Trechwitz
Plötzin
Glindow
Rehbrücke
Kirchmöser Dorf
Göttin
Göhlsdorf
Bergholz
Warchau
Prützke
Netzen
Damsdorf
Caputh
Schwielowsee
Wilhelmshorst
A 2 - E 30
Nahmitz
Bliesendorf
Langerwisch
Mahlenzien
Zitz
Lehnin
Ferch
Michendorf
Saarmund
Krahne
Michelsdorf
Emstal
A 10
E 30 - E 55
Rogäsen
Bruch
Wenzlow
Böcke
Golzow
Rädel
Busendorf
Neuseddin
Wildenbruch
Bücknitz
Glienecke
Wollin
Fichtenwalde
Seddin
Fresdorf
Tremsdorf
Ziesar
Steinberg
Cammer
Zauche
Borkwalde
Stücken
Blankensee
Briesener Berge
Beelitz
Schlunkendorf
Köpernitz
Grebs
Groß-Briesen
Ragösen
Damelang-Freienthal
Sperrgebiet
Borkheide
Reesdorf
Schönhagen
Buckau
Klein-Briesen
Gräben
Dippmannsdorf
Schönfeld
Zauchwitz
Stangenhagen
Dretzen
Dahlen
Lütte
Brück
Neuendorf
Nieplitz
Salzbrunn
Elsholz
Rieben
Ahrensdorf
Rottstock
Werbig
Weitzgrund
Fredersdorf
Gömnigk
Rottstock
Alt Bork
Wittbrietzen
Henickendorf
Görzke
Hohenlobbese
Schwanebeck
Baitz
Buchholz
Dobbrikow
Benken
Lübnitz
Bad Belzig
Linthe
Schlalach
Kemnitz
Schmerwitz
Neschholz
Niebel
Berkenbrück
Reppinichen
Schlamau
Hoher Fläming
Locktow
Nichel
Zülichendorf
Frankenfelde
Neuehütten
Wiesenburg
Borne
Dahnsdorf
Niederwerbig
Treuenbrietzen
Frankenförde
Kranepuhl
Reetz
Bergholz
Haseloff-Grabow
Felgentreu
Jeserig
Grubo
Niemegk
Bardenitz
Naturpark
Medewitz
Rädigke
Reuden
Mützdorf
Raben
Dietersdorf
Grüna
Zeuden
Neuheim
Kloster Zinna
Lehnsdorf
Zixdorf
Malterhausen
Altes Lager
Grimme
Mühro
Stackelitz
Klein-Marzehns
Lobbese
Marzahna
Eckmannsdorf
Danna
Niedergörsdorf
Görsdorf
Groß-Marzehns
Göritz
Jüterbog
Jeber-Bergfrieden
Serno
Schönefeld
Garitz
Bossdorf
Dennewitz
Weiden
Senst
Berkau
Kurzlipsdorf
Ragösen
Grochewitz
Kropstädt
Wergzahna
Blönsdorf
Rohrbeck
Gölsdorf
Rahnsdorf
Klebitz
Seehausen
Oehna
Bochow
Hohenahlsdorf
Fläming
Natho
Hundeluft
Bräsen
Köselitz
Cobbelsdorf
Straach
Jahmo
Langenlipsdorf
Thießen
Buko
Pülzig
Nudersdorf
Mochau
Naundorf
Niederer Fläming
Mühlstedt
Wörpen
Schmilkendorf
Zahna
Zallmsdorf
Morxdorf
Meinsdorf
Luko
Düben
Zieko
Möllensdorf
Reinsdorf Nord
Euper
Bülzig
Leetza
Zellendorf
Roßlau
Reinsdorf
Griebo
Wittenberg
Klieken
Coswig
Zörnigall
Zemnick
Seyda
Buro
Linda
Elbe
Piesteritz
Mühlanger
Dietrichsdorf
Gentha
Mügeln
Waldersee
Wörlitz
Leipa
Steinsdorf
Vockerode
Pratau
Dabrun
Elster
Riesigk
Rehsen
Ruhlsdorf
Arnsdorf
Neuerstadt

0 3 6 9 12 15 km
Spandau
Reinickendorf
Weißensee
Hohenschönhsn.
Marzahn
Mehrow
Altlandsberg
Strausberg
Hellersdorf
Neuenhagen
Petershagen
Eggersdorf
Bahnhof-Rehfelde
Staaken
Lichtenberg
Hoppegarten
Fredersdorf
Rehfelde
Werder
Seeburg
Dahlwitz
Vogelsdorf
Hennickendorf
Zinndorf
Tassdorf
Lichtenow
Groß Glienicke
Gatow
Treptow
Köpenick
Schöneiche
Herzfelde
Kagel
Rüdersdorf
Kladow
Woltersdorf
Friedrichshagen
Kienbaum
Steglitz
Großer Müggelsee
Wilhelmshgn.
Grünheide
Peetzsee
Löcknitz
Sacrow
Zehlendorf
Grünau
Langer See
Müggelheim
Erkner
Wannsee
Kleinmachnow
Gosen
Hangelsberg
Babelsberg
Teltow
Groß-ziethen
Schmöckwitz
Seddinsee
Neu Zittau
Stahnsdorf
Ruhlsdorf
Waßmannsdorf
Berlin-Brandenburg
Eichwalde
Spreeau
Braunsdorf
Drewitz
Güterfelde
Großbeeren
Mahlow
Selchow
Waltersdorf
Schulzendorf
Zeuthen
Wernsdorf
Hartmannsdorf
Spreenhagen
Schenkenhorst
Glasow
Rotberg
Schönefelder Kreuz
Oder-Spree-Kanal
Markgrafpieske
Nudow
Sputendorf
Diedersdorf
Dahlewitz
Wildau
Niederlehme
Blankenfelde
Genshagen
Saarmund
Ahrensdorf
Zernsdorf
Friedersdorf
Alt Stahnsdorf
Kolpin
Rieplos
Ludwigsfelde
Löwenbruch
Brusendorf
Ragow
Königs Wusterhsn.
Kablow
Senzig
Bindow
Kummersdorf
Reichenwalde
Siethen
Rangsdorf
Groß Machnow
Zeesen
Wolzig
Gröben
Groß Schulzendorf
Blossin
Philadelphia
Storkow
Fresdorf
Tremsdorf
Großbeuthen
Kerzendorf
Wietstock
Glienicke
Mittenwalde
Gussow
Wolziger See
Blankensee
Thyrow
Märkisch Wilmersdorf
Telz
Gallun
Gräbendorf
Kolberg
Görsdorf
Groß Schauen
Glau
Nunsdorf
Dabendorf
Notte-Kanal
Schöneiche
Bestensee
Prieros
Selchow
Schönhgn.
Trebbin
Schünow
Zossen
Pätz
Großer Selchower See
Wendisch Rietz
Christinendorf
Kallinchen
Motzen
Stangenhagen
Klein Schulzendorf
Saalow
Streganz
Schwerin
Kliestow
Gadsdorf
Mellensee
Ahrensdorf
Lüdersdorf
Töpchin
Kehrigk
Hennickendorf
Wiesenhagen
Rehagen
Wünsdorf
Klein-Köris
Hermsdorf
Märtensmühle
Kummersdorf-Alexanderdorf
Klausdorf
Schwerin
Groß-
Teupitz
Münchehofe
Sperenberg
Egsdorf
Berkenbrück
Ruhlsdorf
Dahme-Umflut-K.
Neuendorfer See
Scharfenbrück
Tornow
Halbe
Neuendorf
Frankenfelde
Zesch
Märkisch Buchholz
Hohenbrück Neu Schadow
Woltersdorf
Kummersdorf Gut
Frankenförde
Gottow
Horstwalde
Köthen
Leibsch
Luckenwalde
Hammerfließ
Mückendorf
Freidorf
Oderin
Neu Lübbenau
Schönefeld
Radeland
Krausnicker Berge
Kolzenburg
Schöbendorf
Paplitz
Groß Wasserburg
Jänickendorf
Stülpe
Briesen
Baruth/Mark
Dornswalde
Dürrenhofe
Lynow
Klasdorf
Staakow
Krausnick
Grüna
Golmberg
Schlepzig
Kloster Zinna
Rietzneuendorf-Friedrichshof
Merzdorf
Ließen
Groß Ziescht
Waldow
Jüterbog
Petkus
Schönwalde
Charlottenfelde
Lubolz
Hartmannsdorf
Markendorf
Damsdorf
Freiwalde
Hohengörsdorf
Golßen
Zützen
Wahlsdorf
Schenkendorf
Rohrbeck
Schlenzer
Sellendorf
Reichwalde
Niewitz
Lübben
Bochow
Buckow
Falkenhain
Treppendorf
Hohenahlsdorf
Glienig
Jetsch
Kasel-Golzig
Schiebsdorf
Langenlipsdorf
Werbig
Sernow
Niebendorf-Heinsdorf
Drahnsdorf
Neuendorf
Gräfendf.
Krossen
Nonnendorf
Görsdorf
Kreblitz
Duben
Dahme
Kümmritz
Welsickendorf
Reinsdf.
Gebersdorf
Ragow
Wildau-Wentdorf
Zieckau
Gießmannsdorf
Zellendorf
Illmersdorf
Terpt
Hohenseefeld
Dahme
Klein Radden
Wiepersdorf
Pitschen-Pickel
Hindenberg
Rosenthal
Uckro
Cahnsdorf
Linda
Meinsdorf
Kemlitz
Langengrassau
Luckau
Groß Beuchow
Stolzenhain
Willmersdorf
Stöbritz
Weißen
Schweinitzer Fließ
Bollensdorf
Wüstermarke
Spreewald
Kittlitz
Ahlsdorf
Knippelsdorf
Schönewalde
Neuerstadt
Waltersdf.
Goßmar
Görlsdorf
Schlabendorf
A 10
A 13
A 113
A 115
E 30 - E 55
A 13 - E 36 - E 55
23
56
48
24
25

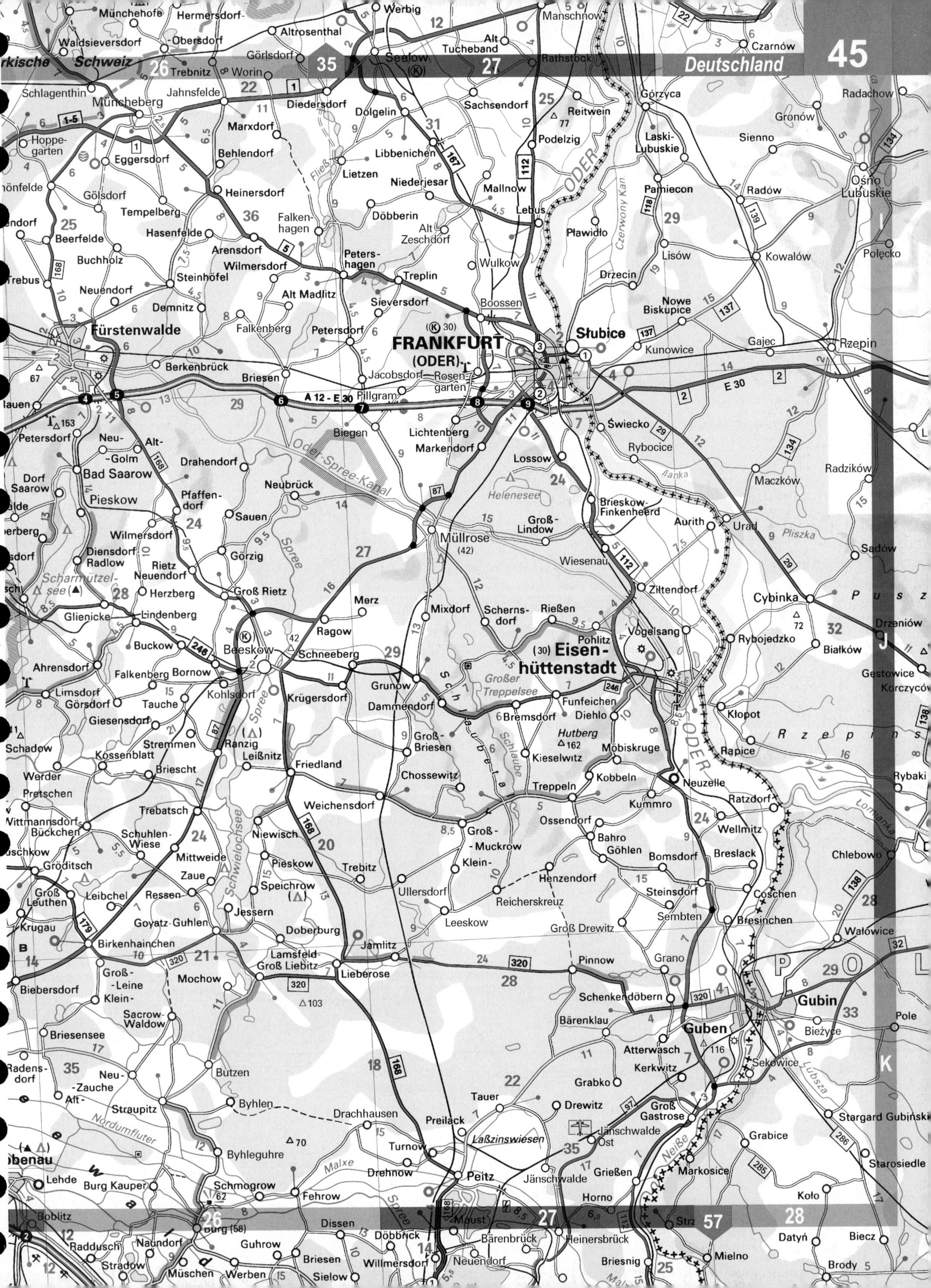

Münchehofe
Hermersdorf
Werbig
Manschnow
Czarnów
Waldsieversdorf
Obersdorf
Altrosenthal
Alt Tucheband
Märkische Schweiz
Trebnitz
Worin
Görlsdorf
Seelow
Rathstock
Schlagenthin
Jahnsfelde
Müncheberg
Diedersdorf
Dolgelin
Sachsendorf
Reitwein
Górzyca
Radachów
Gronów
Hoppegarten
Marxdorf
Podelzig
Eggersdorf
Behlendorf
Libbenichen
Laski Lubuskie
Sienno
Lietzen
Ośno Lubuskie
Gölsdorf
Heinersdorf
Niederjesar
Mallnow
Pamiecon
Radów
Tempelberg
Döbberin
Lebus
Beerfelde
Hasenfelde
Falkenhagen
Alt Zeschdorf
Pławidło
Czerwony Kan.
Arensdorf
Buchholz
Wilmersdorf
Petershagen
Wulkow
Lisów
Kowalów
Połęcko
Trebus
Steinhöfel
Treplin
Drzecin
Neuendorf
Alt Madlitz
Sieversdorf
Boossen
Nowe Biskupice
Demnitz
Fürstenwalde
Falkenberg
Petersdorf
FRANKFURT (ODER)
Słubice
Kunowice
Gajec
Rzepin
Berkenbrück
Briesen
Jacobsdorf
Rosengarten
Pillgram
A 12 - E 30
E 30
Petersdorf
Neu-Golm
Alt-Golm
Biegen
Lichtenberg
Markendorf
Świecko
Rybocice
Radzików
Bad Saarow
Drahendorf
Lossow
Maczków
Dorf Saarow
Oder-Spree-Kanal
Helenesee
Pieskow
Neubrück
Pfaffendorf
Brieskow-Finkenheerd
Ilanka
Sauen
Groß-Lindow
Aurith
Urad
Pliszka
Wilmersdorf
Müllrose
Sadów
Diensdorf-Radlow
Görzig
Spree
Wiesenau
Scharmützelsee
Rietz Neuendorf
Ziltendorf
Cybinka
Herzberg
Groß Rietz
Merz
Puszcza
Glienicke
Lindenberg
Mixdorf
Schernsdorf
Rießen
Pohlitz
Vogelsang
Rybojedzko
Białków
Drzeniów
Buckow
Beeskow
Ragow
Eisenhüttenstadt
Ahrensdorf
Falkenberg
Bornow
Schneeberg
Gestowice
Korczyców
Limsdorf
Görsdorf
Kohlsdorf
Tauche
Grunow
Schlaube
Großer Treppelsee
Funfeichen
Krügersdorf
Dammendorf
Bremsdorf
Diehlo
Giesensdorf
Hutberg
Kłopot
Schadow
Stremmen
Ranzig
Groß-Briesen
Möbiskruge
Rzepin
Kossenblatt
Leißnitz
Friedland
Kieselwitz
Rapice
Werder
Briescht
Chossewitz
Kobbeln
Rybaki
Pretschen
Treppeln
Neuzelle
Ratzdorf
Trebatsch
Weichensdorf
Kummro
Wittmannsdorf-Bückchen
Schuhlen-Wiese
Niewisch
Groß-Muckrow
Ossendorf
Wellmitz
Łomianka
Schwielochsee
Bahro
Göhlen
Gröditsch
Mittweide
Pieskow
Trebitz
Bomsdorf
Breslack
Chlebowo
Zaue
Klein-Muckrow
Henzendorf
Groß Leuthen
Leibchel
Ressen
Speichrow
Ullersdorf
Steinsdorf
Coschen
Reicherskreuz
Sembten
Krugau
Goyatz-Guhlen
Jessern
Leeskow
Groß Drewitz
Bresinchen
Birkenhainchen
Doberburg
Jamlitz
Wałowice
Lamsfeld-Groß Liebitz
Lieberose
Pinnow
Grano
Groß-Leine
Mochow
Biebersdorf
Klein-Leine
Schenkendöbern
Gubin
Sacrow-Waldow
Bärenklau
Guben
Pole
Briesensee
Atterwasch
Bieżyce
Radensdorf
Neu-Zauche
Butzen
Kerkwitz
Sękowice
Lubsza
Alt-Zauche
Grabko
Tauer
Straupitz
Byhlen
Drewitz
Nordumfluter
Drachhausen
Preilack
Groß Gastrose
Stargard Gubiński
Lakoma
Laßzinswiesen
Jänschwalde Ost
Grabice
Byhleguhre
Turnow
Neiße
Malxe
Drehnow
Peitz
Jänschwalde
Grießen
Markosice
Starosiedle
Lübbenau
Lehde
Burg Kauper
Schmogrow
Fehrow
Horno
Koło
Boblitz
Burg
Dissen
Maust
Strz
Datyń
Biecz
Raddusch
Naundorf
Döbbrick
Bärenbrück
Heinersbrück
Guhrow
Mielno
Stradow
Briesen
Willmersdorf
Neuendorf
Briesnig
Müschen
Werben
Sielow
Brody
Spreewald
POL

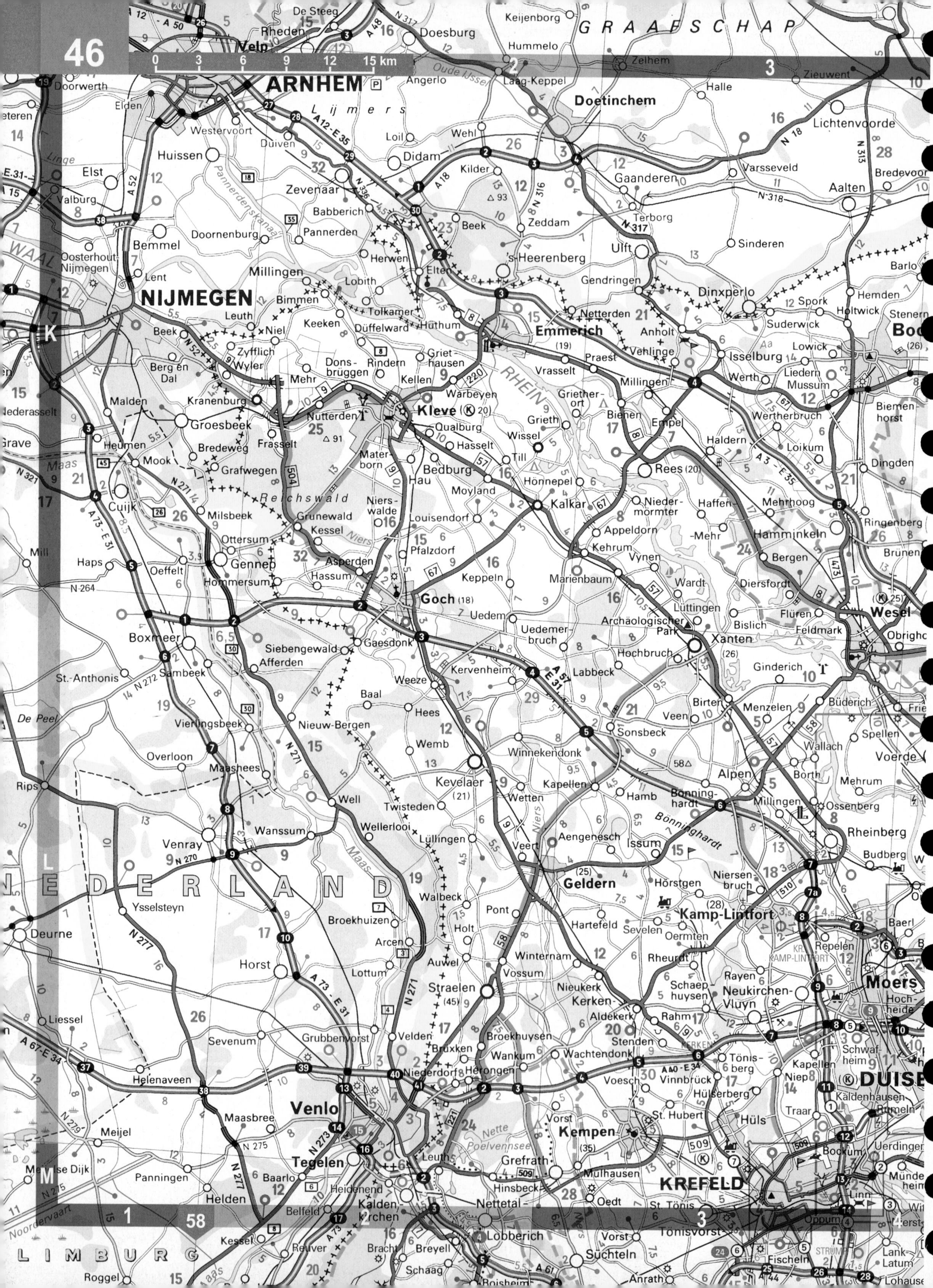
0 3 6 9 12 15 km
GRAAFSCHAP
ARNHEM
Doetinchem
Lichtenvoorde
Aalten
NIJMEGEN
Emmerich
Kleve
Reichswald
Kalkar
Rees
Goch
Xanten
Wesel
Boxmeer
Venray
NEDERLAND
Geldern
Kamp-Lintfort
Moers
Kevelaer
Horst
Venlo
Tegelen
Straelen
Kempen
KREFELD
DUISB
Deurne
LIMBURG
RHEIN
Maas
WAAL
Lijmers
Bönninghardt
K
L
M
58

Zwillbrock
Vreden
Asbeck
Laer
Legden
Höpingen
Rosendahl
Osterwick
Darfeld
Aulendorf
Häger
Holtwick
Midlich
Beerlage
Hohenholte
Nienberge
Winterswijk
Stadtlohn
Estern
Büren
Billerbeck
Havixbeck
Rüschhaus
Lutum
Hülshoff
Gescher
Tungerloh-Capellen
Baumberge
Masbeck
Gievenbeck
Kotten
Oeding
Südlohn
Longinusturm
Roxel
Coesfeld
Stevern
Tilbeck
Freilichtmuseum
Nordvelen
Tungerloh Pröbsting
Goxel
Darup
Mecklenbeck
Großburlo
Weseke
Nottuln
Schapdetten
Albachten
Velen
Hochmoor
Holsterbrink
Rorup
Bösensell
Stevede
Lette
Ramsdorf
Hamaland-Route
Karthaus
Appelhülsen
Vardingholt
Münster-Süd
Wilbrenning
Welte
Rhede
Borken
Gemen
Buldern
Senden
Merfeld
Hoxfeld
Maria Veen
Merfelder Bruch
Hiddingsel
Rhedebrügge
Heiden
Groß Reken
Dülmen
Krechting
Marbeck
Leblich
Reken
Hülsten
Daldrup
Thebing
Buschhausen
Bahnhof
Dernekamp
Ottmarsbocholt
Naturpark
Hohe Mark
Klein Reken
Hausdülmen
Davensberg
Lavesum
Borkenberge
Vischering
Raesfeld
Kallenbach
Sythen
Ascheberg
Marienthal
Rhade
Erle
Lembeck
Holtwick
Halterner Stausee
Seppenrade
Lüdinghausen
Ermen
Dämmerwald
Barkenberg
Haltern
Hullern
Westerwinkel
Mahlberg
Freiheit
Flaesheim
Nordkirchen
Capelle
Schermbeck
Wulfen
Lippramsdorf
Hamm
Olfen
Selm
Damm
Sölten
Holsterhausen
Waldsiedlung
Marl-Nord
Ahsen
Südkirchen
Peddenberg
Hervest
Die Haard
Beifang
Drevenack
Gahlen
Brassert
Hüls
Sinsen
Vinnum
Bork
Gartrop-Bühl
Hünxe
Besten
Marl
Oer-Erkenschwick
Datteln
Cappenberg
Siehe auch RUHRGEBIET
Dorsten
Horneburg
Waltrop
Altlünen
Polsum
Scherlebeck
Feldhausen
Hassel
Recklinghausen
Schiffshebewerk
Lünen
Bergkamen
Bruckhausen
Kirchhellen
Zweckel
Scholven
Westerholt
Ickern
Brambauer
Möllen
Herten
Kr. Do-Nordwest
Dinslaken
Grafenwald
Gladbeck
Buer
Resse
Habinghorst
Brechten
Lünen-Süd
Hiesfeld
Walsumer-Mark
Castrop-Rauxel
Mengede
Lanstrop
Derne
Schmachtendorf
Kr. Oberhsn
Evin
Kurl
Walsum
Alden
Sterkrade
Gelsenkirchen
Herne
Sodingen
Dortmund
Marxloh
Bottrop
Karnap
Heßler
Wanne-Eickel
Hiltrop
Gerthe
Lütgendortmund
Brackel
Asseln
Hamborn
Oberhausen
Altenessen
Essen
Bochum
Werne
Aplerbeck
Homberg
Meiderich
Borbeck
Watten-scheid
Langendreer
Hombruch
Sölde
Dümpten
Kray
Steele
Stockum
Eichlinghofen
Hörde
Hontrop
Weitmar
Rheinhausen
Speldorf
Linden
Rüdinghausen
Holzen
Schwerte
Mülheim
Broich
Heisingen
Überruhr
Dahlhausen
Kemnader See
Stiepel
Witten
Syburg
Villigst
Duisburg
Bissingheim
Wanheimerort
Bredeney
Burgaltendorf
Herbede
Bommern
Herdecke
Ergste
Wedau
Baldeneysee
Hattingen
Wengern
Kupferdreh
Kabel
Buchholz
Großenbaum
Selbeck
Werden
Wetter
Hagen
Niederbonsfeld
Sprockhövel
Vorhalle
Breitscheid
Kettwig
Volmarstein
Letmathe
Rahm
Velbert
Langenberg
Haspe
Angermund
Lintorf
Hösel
Heiligenhaus
Hohenlimburg
Ratingen
Herzkamp
Haßlinghausen
Westerbauer
Selbecke
Rohdenhaus
Tönisheide
Neviges
Dönberg
Gevelsberg
Milspe
Voerde
Zurstraße
Kaiserswerth
Homberg
Deutschland
Siehe auch RUHRGEBIET

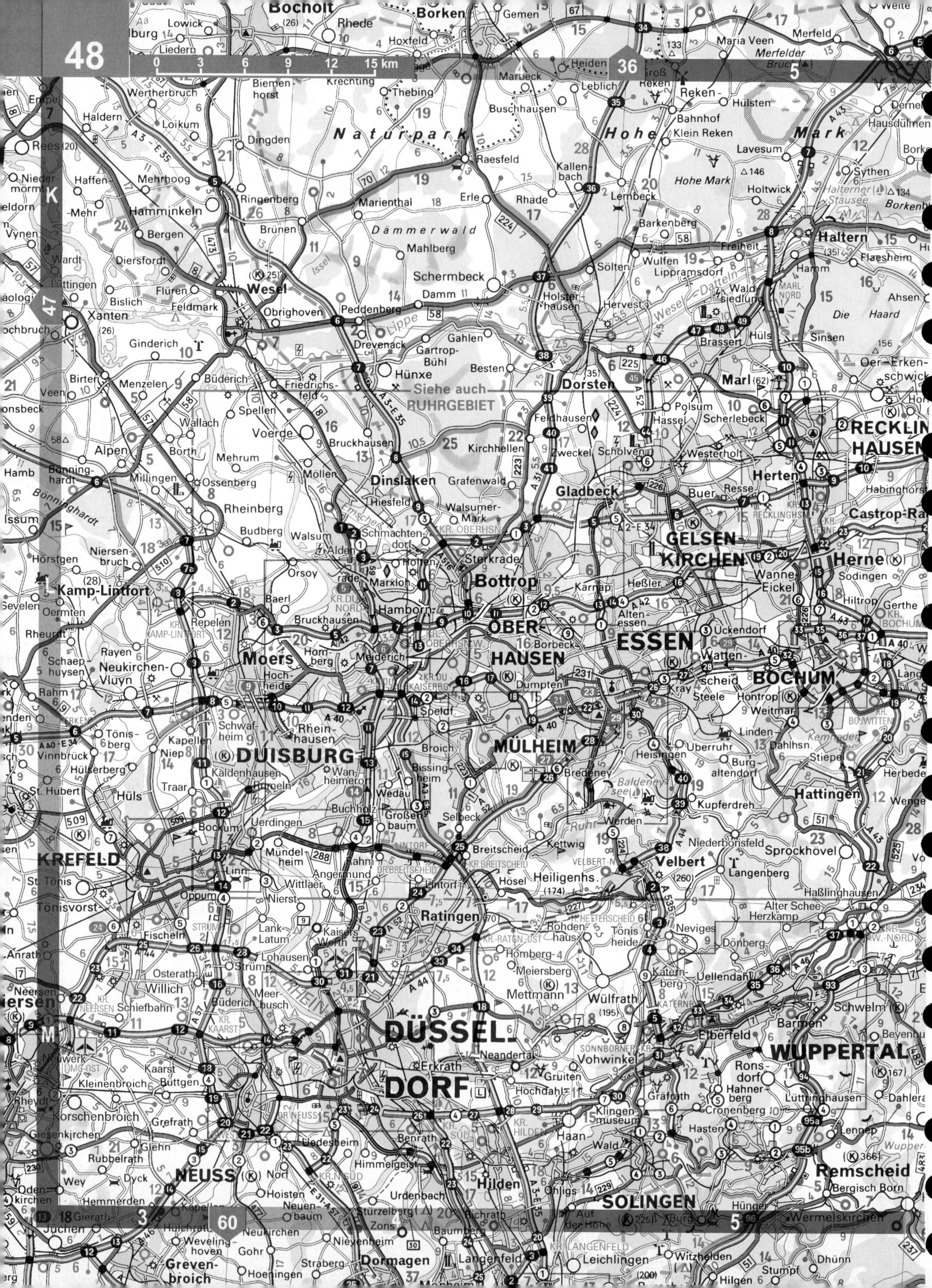
0 3 6 9 12 15 km
Bocholt
Borken
Rhede
Gemen
Heiden
Reken
Maria Veen
Merfeld
Naturpark
Hohe Mark
Raesfeld
Hamminkeln
Wesel
Schermbeck
Dämmerwald
Dorsten
Haltern
Marl
Xanten
Hünxe
Siehe auch RUHRGEBIET
Voerde
Dinslaken
Kirchhellen
Gladbeck
Recklinghausen
Herten
Rheinberg
Kamp-Lintfort
Bottrop
Gelsenkirchen
Herne
Castrop-Rauxel
Moers
Oberhausen
Essen
Bochum
Duisburg
Mülheim
Hattingen
Krefeld
Velbert
Sprockhövel
Ratingen
Heiligenhaus
Düsseldorf
Mettmann
Wülfrath
Wuppertal
Schwelm
Neuss
Hilden
Haan
Solingen
Remscheid
Kaarst
Meerbusch
Willich
Tönisvorst
Dormagen
Langenfeld
Leichlingen
Grevenbroich
Wermelskirchen
Korschenbroich
Viersen
Neukirchen-Vluyn
Velbert
Erkrath

Dülmen
Senden
Lüdinghausen
Olfen
Selm
Datteln
Waltrop
Lünen
Ascheberg
Drensteinfurt
Sendenhorst
Ahlen
HAMM
Ennigerloh
Oelde
Neubeckum
Beckum
Werne
Bergkamen
Kamen
Bönen
Welver
Soest
Bad Sassendorf
DORTMUND
Unna
Werl
Wickede
Fröndenberg
Menden
Neheim-Hüsten
Arnsberg
Möhnesee
Schwerte
Witten
Herdecke
Wetter
HAGEN
Iserlohn
Hemer
Balve
Sundern
Altena
Neuenrade
Werdohl
Lüdenscheid
Plettenberg
Halver
Radevormwald
Wipperfürth
Meinerzhagen
Finnentrop
Eslohe
Schmallenberg
Lennestadt
Gevelsberg
Ennepetal
Schalksmühle
Naturpark Arnsberger Wald
Naturpark Homert
SAUERLAND
Ebbegebirge
Möhnesee
Lippe
Ruhr
Lenne
Beckumer Berge
Davert

0 3 6 9 12 15 km
Rheda-
-Wiedenbrück
Stromberg
Batenhorst
Rietberg
Verl
Schloß Holte
Hollywood Safari Park
Augustdorf
Stukenbrock-Senne
Sperrgebiet
Senne
Naturpark
Hövelhof
Delbrück
Schlangen
Bad Lippspringe
Eggegebirge
PADERBORN
Schloß Neuhaus
Sennelager
Lippstadt
Wadersloh
Liesborn
Bad Waldliesborn
Mastholte
Benteler
Langenberg
Salzkotten
Geseke
Erwitte
Bad Westernkotten
Anröchte
Büren
Borchen
Lichtenau
Teutoburger Wald
Südlicher
Wewelsburg
Haaren
Wünnenberg
Sindfeld
Fürstenberg
Marsberg
Rüthen
Warstein
Naturpark
Arnsberger Wald
Brilon
Olsberg
Bestwig
Meschede
Hennesee
Diemelsee
Willingen
Korbach
Bad Arolsen
Winterberg
Kahler Asten
Medebach
Schmallenberg
Bad Fredeburg
Edersee
Waldeck
Twiste
Diemel
Möhne
Lippe
Ems
Ruhr
Altenbeken
Kleinenberg
Scherfede
Wrexen
Eversberg
Freienohl
Bad Sassendorf
Möhnesee
Belecke
Hirschberg
Altenrüthen
Nordenau
Züschen
Hallenberg

Höxter
Holzminden
Dassel
Einbeck
Brakel
Driburg
Beverungen
Uslar
Hardegsen
Göttingen
Warburg
Hofgeismar
Hann. Münden
Kassel
Witzenhausen
Wolfhagen
Baunatal
Lohfelden
Borgentreich
Trendelburg
Bad Karlshafen
Lippoldsberg
Bodenfelde
Adelebsen
Rosdorf
Dransfeld
Helsa
Großalmerode
Bad Sooden-
Naumburg
Zierenberg
Vellmar
Fuldatal
Grebenstein
Immenhausen
Calden
Nieheim
Stadtoldendorf
Bevern
Fürstenberg
Solling-
Naturpark
Reinhardswald
Kaufunger Wald
Meißner-
Habichtswald
Wilhelmshöhe
Deutsche Märchenstraße
Wesertalstraße
Deutschland

0 3 6 9 12 15 km
Goslar
Bad Harzburg
Wernigerode
Nationalpark Brocken
Hochharz
Bad Gandersheim
Einbeck
Clausthal-Zellerfeld
Nationalpark
Harz
Braunlage
Northeim
Osterode
Herzberg
Bad Lauterberg
Bad Sachsa
Nörten-Hardenberg
Duderstadt
Ellrich
Bleicherode
Worbis
Heiligenstadt
Leinefelde
Eichsfeld
Dingelstädt
Bad Sooden-Allendorf
Naturpark
Eichsfeld
Mühlhausen
Eschwege
Hainich-
Deutsche Ferienstraße Alpen-Ostsee
Deutsche Märchenstraße
Ohmgebirge
Dün
Seeburger See
Oderteich
Sösestausee
Odertalsperre
Großer Knollen 687
Ravensberg 659
Auf dem Acker
Rotenberg
Gedenkstätte "Dora"
Schlotheim
Wanfried
Friedland
Bovenden
Wolfshagen
Seesen
Torfhaus
Schierke
Sorge
Hohegeiß
Zorge
Wieda
Walkenried
Tettenborn
Nordhausen
Sollstedt
Dünwald
Kallmerode
Lengenfeld unt. Stein
Katharinenberg
Hildebrandshausen
Herleshausen

Halberstadt
Quedlinburg
Thale
Blankenburg
Wernigerode
Elbingerode
Rübeland
Hasselfelde
Stiege
Gernrode
Ballenstedt
Harzgerode
Aschersleben
Staßfurt
Hettstedt
Mansfeld
Eisleben
Lutherstadt
Sangerhausen
Nordhausen
Kelbra
Roßla
Allstedt
Artern
Bad Frankenhausen
Sondershausen
Querfurt
Nebra
Kölleda
Weißensee
Greußen
Kindelbrück
Heldrungen
Roßleben
Wiehe
Bad Bibra
Straußfurt
Ilfeld
Stolberg
Wippra
Harz-Hochstraße
Roßtrappe
Bodetal
Ramberg
Großer Auerberg
Clausstraße
Straße der Romanik
Goldene Aue
Kyffhäuser Gebirge
Kyffhäuser
Barbarossahöhle
Hohe Schrecke
Schmücke
Hainleite
Hakel
Rappbodestausee
Stausee Kelbra
Süßer See
Selke
Bode
Wipper
Helme
Unstrut
Leine
Saale

54
0 3 6 9 12 15 km
53
42
66
Calbe
Breitenhagen
Gr. Rosenburg
Trabitz
Steckby
Rodleben
Tornau
Meinsdorf
Roßlau
Coswig
Wörlitz
Vockerode
Waldersee
DESSAU
Mildensee
Rietzmeck
Steutz
Kühren
Aken
Groß-kuhnau
Klein-
Mosigkau
Kochstedt
Kleutsch
Oranienbaum
Riesigk
Horstdf.
Kakau
Staßfurt
Neu-gattersleben
Wedlitz
Zuchau
Gerbitz
Diebzig
Mennewitz
Dornbock
Hohenerxleben
Strenzfeld
Nienburg
Pobzig
Wulfen
Rathmannsdorf
Bernburg
Altenburg
Drosa
Kleinzerbst
Reppichau
Latdorf
Micheln
Elsnigk
Ilberstedt
Dröbel
Zabitz
Osternien-burg
Kleinpaschleben
Aderstedt
Roschwitz
Poley
Trinum
Porst
Scheuder
Libbesdorf
Sollnitz
Jüdenberg
Gröna
Großpaschleben
Merzien
Quellendorf
Baalberge
Köthen
Biendorf
Brumby
Plötzkau
Peißen
Preußlitz
Cörmigk
Wülknitz
Groß-badegast
Reupzig
Hinsdorf
Schierau
Thurland
Raguhn
Retzau
Möhlau
Schackenthal
Beesen-laublingen
Dohndorf
Wörbzig
Arensdorf
Meilendorf
Tornau v. d. Heide
Zschornewitz
Gräfenhainichen
Schackstedt
Lebendorf
Gerlebogk
Pfaffendorf
Edderitz
Baasdorf
Prosigk
Riesdorf
Salzfurt-kapelle
Jeßnitz
Burgkemnitz
Gröbern
Alsleben
Trebnitz
Gröbzig
Maasdorf
Zehbitz
Muldenstein
Strenznaundf
Edlau
Piethen
Görzig
Weißandt-Gölzau
Radegast
Löberitz
Thalheim
Bobbau
Wolfen
Schlaitz
Gossa
Könnern
Nelben
Garsena
Schlettau
Wieskau
Greppin
Friedersdf.
Krina
Rothenburg
Zickeritz
Löbejün
Schortewitz
Zörbig
Sandersdorf
Mühlbeck
Muldestausee
Gerbstedt
Friedeburg
Domnitz
Plötz
Kaltenmark
Stumsdorf
Zscherndf.
Pouch
Heiligenthal
Döbel
Ostrau
Groß-zöberitz
Bitterfeld
Rösa
Zabenstedt
Freist
Nauendorf
Petersberg
Rieda
Glebitzsch
Holzweißig
Löbnitz
Bösenburg
Kloschwitz
Wettin
Neutz-Lettewitz
Wallwitz
Straße der Romanik
Spören
Schrenz
Kütten
Quetzdölsdorf
Petersroda
Sperrgebiet
Sausedlitz
Burgsdorf
Zaschwitz
Gimritz
Nehlitz
Brachstedt
Roitzsch
Schwittersdorf
Beesenstedt
Teicha
Morl
Oppin
Schwerz
Zaasch
Laue
Reibitz
Hedersleben
Fienstedt
Brachwitz
Sennewitz
Tornau
Niemberg
Brehna
Schenkenberg
Benndorf
Badrina
Dederstedt
Schochwitz
Lettin
HALLE
Braschwitz
Landsberg
Zschernitz
Kyhna
Delitzsch
Schönwölkau
Lindenhayn
Unterrißdorf
Neehausen
Salzmünde
Dölau
Trotha
Hohenthurm
Neukyhna
Brinnis
Döbernitz
Hohenroda
Lüttchendorf
Zappendorf
Halle-Neustadt
Peißen
Reußen
Klitschmar
Selben
Helfta
Süßer See
Höhnstedt
Langenbogen
Bennstedt
Klepzig
Sietzsch
Lissa
Kletzen-Zschortau
Krensitz
Aseleben
Seeburg
Queis
Kölsa
Erdeborn
Amsdorf
Wansleben a. See
Zscherben
Reideburg
Wiedemar
Zwochau
Krostitz
Röblingen a. See
Naundorf
Bruckdorf
Wiesenena
Wolteritz
Rack-witz
Alberstedt
Teutschenthal
Holleben
Dieskau
Glesien
Zschölkau
Schraplau
Stedten
Etzdorf
Gröbers
Freiroda
Radefeld
Podelwitz
Hohenheida
Esperstedt
Delitz a. Berge
Ammendorf
Großkugel
Schkeuditzer Kreuz
Kursdorf
Wiederitzsch
Seehausen
Farnstädt
Döcklitz
Dornstedt
Steuden
Großgräfendorf
Korbetha
Döllnitz
Lochau
Schkeuditz
Plaußig
Obhausen
Schafstädt
Schkopau
Burg-liebenau
Raßnitz
Ermlitz
Lützschena-Stahmeln
Lindenthal
Thekla
Bad Lauchstädt
Weiße Elster
Gohlis
Querfurt
Nemsdorf-Göhrendorf
Klobikau
Milzau
Wallendorf
Zweimen
Kötschlitz
Bienitz
Burghsn.
Böhlitz-Ehrenbg.
Wünsch
Merseburg
Zöschen
Dölzig
Nieder-schmon
Barnstädt
Geusa
Günthersdorf
Rückmarsdorf
Mölkau
Engelsdorf
Langeneichstädt
Geiseltalsee
Kreypau
Schlade-bach
Frankenheim
Grockstädt
Schmirma
Beuna
Frankleben
Leuna
Kötzschau
Großlehna
Kulkwitzer See
Grünau
Holzhausen
Liederstädt
Jüdendorf
Mücheln
Spergau
Bad Dürrenberg
Markranstädt
Liebertwolkwitz
Reinsdorf
Steigra
Schnellroda
Krumpa
Groß-kayna
Goddula
Nempitz
Quesitz
Rehbach
Markkleeberg
Nebra
Albersroda
Braunsbedra
Kulkwitz
Wachau
Wetzendorf
Karsdorf
Branderoda
Leiha
Roßbach
Großkorbetha
Lützen
Knauthain
Gleina
Reichardts-werben
Räpitz
Güldengossa
Burg-scheidungen
Baumersroda
Gröst
Straße der Romanik
Schkortleben
Knautnaundorf
Störmthal
Zeuchfeld
Dreiskau-Muckern
Tröbsdorf
Pettstädt
Rippach
Starsiedel
Kitzen
Zwenkau
Laucha
Freyburg
Markröhlitz
Uichteritz
Groß-görschen
Scheidens
Pötzschau
Poserna
Böhlen
Bad Bibra
Balgstädt
Weißenfels
Granschütz
Muschwitz
Werben
Wiederau
Löbschütz
Rötha
Burkersroda
Kleinjena
Goseck
Zorbau
Pegau
Audigast
Espenhain
Naumburg
Burgheßler
Schönburg
Langendorf
Webau
Hohen-
Groß-grimma
Elstertrebnitz
Groitzsch
Lippendf.
Groß-zössen
Pleiße
Saale
Elbe
Mulde
Fuhne
Ziethe
Taube
Landgraben
Luppe
A 9 - E 51
A 14
E 49
A 143
A 38
E 49 - E 51

Wittenberg
Möllensdorf
Reinsdorf
Reinsdorf Nord
Euper
Zahna
Bülzig
Zallmsdorf
Leetza
Morxdorf
Zellendorf
Welsicken-dorf
Reinsdf.
Seyda
Zörnigall
Zemnick
Linda
Stolzenhain
Meinsdorf
Piesteritz
Mühlanger
Dietrichsdorf
Gentha
Mügeln
Steinsdorf
Pratau
Dabrun
Elster
Leipa
Ruhlsdorf
Arnsdorf
Neuerstadt
Ahlsdorf
Schönewalde
Weißen
Knippelsdorf
Seegrehna
Listerfehrda
Dixförda
Großkorga
Eutzsch
Rackith
Wartenburg
Gorsdorf
Jessen
Schweinitz
Holzdorf
Brandis
Wildenau
Wiepersdorf
Selbitz
Globig
Hemsendorf
Bleddin
Purzien
Löben
Kremitz
Grassau
Werchau
Bergwitz
Kemberg
Gaditz
Klöden
Grabo
Arnsnesta
Dubro
Jeßnigk
Rotta
Schnellin
Trebitz
Rade
Gerbisbach
Annaburg
Borken
Kolochau
Radis
Ateritz
Düßnitz
Lebien
Polzen
Schlieben
Meuro
Pretzsch
Malitschkendorf
Ochsenkopf
Reinharz
Axien
Plossig
Mahdel
Priesitz
Groß-Naundorf
Rahnisdorf
Herzberg
Oelsig
Schköna
Bad Schmiedeberg
Sperrgebiet
Osteroda
Prettin
Buckau
Wörblitz
Großtreben-Dautzschen
Fermerswalde
Gräfendorf
Dahlenberg
Dommitzsch
Züllsdorf
Großrössen
Bahnsdorf
Nexdorf
Tornau
Söllichau
Trossin
Elsnig
Löhsten
Wiederau
Kossa
Bayern
Falkenberg
Döbern
Rosenfeld
Döbrichau
Uebigau
Schnaditz
Bad Düben
Authausen
Roitzsch
Neiden
Zwethau
Wildgrube
Weidenhain
Dreiheide
Zinna
Rehfeld
Kölsa
Falkenberg
Doinsdorf
Vellaune
Glaucha
Görschlitz
Pressel
Beilrode
Schmerkendorf
Beiersdorf
Wöllnau
Großwig
Süptitz
Kötten
Wahrenbrück
Laußig
Wildenhain
Torgau
Graditz
Arzberg
Lönnewitz
Bad Liebenwerda
Hohenprießnitz
Gruna
Battaune
Gräfendorf
Loßwig
Blumberg
Bönitz
Mockrehna
Klitzschen
Pflückuff
Weßnig
Saxdorf
Lausitz
Zschepplin
Doberschütz
Mehderitzsch
Köllitsch
Stehla
Zobersdorf
Krippehna
Audenhain
Staupitz
Mahlitzschen
Koßdorf
Möglenz
Mörtitz
Sprotta
Langenreichenbach
Beckwitz
Martinskirchen
Prieschka
Naundorf
Strelln
Wildschütz
Belgern
Neuburxdorf
Oschätzchen
Kospa
Pressen
Paschwitz
Gneisenaustadt Schildau
Taura
Liebersee
Reichenhain
Eilenburg
Schöna
Neußen
Burxdorf
Kosilenzien
Röcknitz
Kobershain
Sitzenroda
Kaisa
Staritz
Mühlberg
Kröbeln
Liemehna
Dahlener Heide
Lausa
Nieska
Jesewitz
Böhlitz
Ochsensaal
Bockwitz
Wohlau
Fichtenberg
Spansberg
Gotha
Thallwitz
Thammenhain
Schmannewitz
Altenau
Püchau
Großzschepa
Hohburg
Falkenhain
Schöna
Schirmenitz
Jacobsthal
Pehritzsch
Börln
Paußnitz
Lichtensee
Nischwitz
Lüptitz
Kühnitzsch
Bucha
Cavertitz
Kreinitz
Taucha
Wurzen
Dahlen
Sörnewitz
Wülknitz
LEIPZIG
Machern
Bennewitz
Körlitz
Dornreichenbach
Meltewitz
Lampertswalde
Laas
Strehla
Gohlis
Streumen
Gerichshain
Altenbach
Großböhla
Liebschützberg
Zeithain
Borsdorf
Brandis
Kühren
Luppa
Wellerswalde
Riesa
Röderau
Burkartshain
Calbitz
Gaunitz
Merkwitz
Borna
Beucha
Polenz
Sachsendorf
Collmberg
Collm
Oschatz
Göhlis
Albrechtshain
Ammelshain
Altenhain
Fremdiswalde
Erdmannshain
Trebsen
Neichen
Wermsdorf
Lampersdorf
Lonnewitz
Mautitz
Poppitz
Fuchshain
Naunhof
Seelingstädt
Gornewitz
Nerchau
Roda
Thalheim
Bloßwitz
Nickritz
Heyda
Klinga
Parthenstein
Cannewitz
Mahlis
Naundorf
Seerhsn.
Threna
Großsteinberg
Beiersdf.
Mutzschen
Limbach
Stauchitz
Prausitz
Köhra
Böhlen
Liptitz
Glossen
Mügeln
Hohenwussen
Hof
Mehltheuer
Niederlommatzsch
Belgershain
Pomßen
Grethen
Grimma
Döben
Ragewitz
Ablaß
Niedergoseln
Staucha
Striegnitz
Wölkisch
Oelzschau
Schkortitz
Thümmlitzwalde
Börtewitz
Sornzig
Ostrau
Wuhnitz
Lommatzsch
Otterwisch
Höfgen
Zschoppach
Gallschütz
Schrebitz
Mölbis
Hainichen
Großbardau
Leipnitz
Dürrweitzschen
Zschochau
Großbuch
Bockelwitz
Kiebitz
Thierbach
Lauterbach
Kleinbardau
Großbothen
Kössern
Polkenberg
Naunhof
Großweitzschen
Ottewig
Schleinitz
Leuben
Steinbach
Glasten
Schönbach
Sermuth
Leisnig
Mockritz
Planitz-Deila
Eula
Kitzscher
Etzoldshain
Tanndorf
Westewitz
Dürrweitzschen
Käbschütz
ELBE
Mulde
Schwarze Elster
Neugraben
Schweinitzer Fließ
Kremitz
Schwarzer Graben
Parthe
Jahna
Döllnitz
Heide
Fliethe
Deutschland

0 3 6 9 12 15 km
44
26
55
68
24
25
K
L
M
Lübbenau
Ragow
Byhleguhre
Wildau-Wentdorf
Zieckau
Gießmannsdorf
Terpt
Hindenberg
Cahnsdorf
Burg Kauper
Schmogrow
Boblitz
Groß Beuchow
Kemlitz
Langengrassau
Luckau
Willmersdorf-Stöbritz
Kittlitz
Raddusch
Naundorf
Burg (58)
Guhrow
Bollensdorf
Wüstermarke
Waltersdf.
Goßmar
Görlsdorf
Schlabendorf
Bischdorf
Stradow
Müschen
Werben
Schöna-Kolpien
Lebusa
Gehren
Beesdau
Zinnitz
Koßwig
Vetschau
Milkersdorf
Kunersdorf
Eichow
Werchau
Walddrehna
Bornsdorf
Mallenchen
Groß Jehser
Saßleben
Hohenbucko
Schwarzenburg
Wehnsdorf
Bergen
Drehna
Weißack
Calau
Bolschwitz
Limberg
Kassig
Naundorf
Berga
Proßmarke
Gahro
Crinitz
Groß Mehßow
Kemmen
Missen
Kleinkrausnik
Ogrosen
Wehrhain
Zeckerin
Babben
Craupe
Werchow
Laasow
Schlieben
Hillmersdorf
Gollmitz
Settinchen
Buchwäldchen
Casel
Stechau
Friedersdf.
Sonnewalde
Goßmar
Breitenau
Reddern
Siewisch
Trebbus
Schönewalde
Gosda
Muckwar
Oelsig
Dübrichen
Münchhausen
Bronkow
Frankena
Lindthal
Gröbitz
Pritzen
Drebkau
Prießen
Finsterwalde
Massen
Göllnitz
Altdöbern
Greifenhain
Buchhain
Werenzhain
-Kirchhain
Henners-dorf
Lug
Neupetershain Nord
Nexdorf
Doberlug-
Eichholz-
Lieskau
Kausche
Langennaundf.
Schilda
Lugau
Schacksdorf
Wormlage
Neupetershain
-Drößig
Dollenchen
Freienhufen
Groß-räschen
Wildgrube
Lichterfeld
Sallgast
Saalhausen
Tröbitz
Schönborn
Lindena
Fischwasser
Bahnsdorf
Welzow
Drochow
Gruhno
Rückersdorf
Bergheide
Proschim
Domsdorf
Schadewitz
Sorno
Annahütte
Meuro
Lieske
Friedersdorf
Klettwitz
Lausitzring
Sedlitz
Maasdf.
Theisa
Oppelhain
Hörlitz
Senftenberg
Wahrenbrück
Thalberg
Staupitz
Kostebrau
Bad Liebenwerda
Gorden
Grünewalde
Schipkau
Brieske
Klein Partwitz
Geierswalde
Lausitz
Senftenberger See
Großkoschen
Zobersdorf
Kraupa
Hohenleipisch
Schwarzheide
Tätzschwitz
Laubusch
Haida
Döllingen-
Lauchhammer
Neuwiese
Prieschka
Biehla
-Kahla
Biehlen
Peickwitz
Oschätzchen
Elsterwerda
Plessa
Schwarze Elster
Ruhland
Schwarzbach
Hosena
-Dorf
-Nord
Lauta-
Reichenhain
Saathain
Hohenbocka
Schwarzkollm
Stolzenhain
Tettau
Bröthen
Kröbeln
Prösen
Schraden
Pulsnitz
Arnsdorf
Guteborn
Leippe
Dörgenhausen
Nieska
Nauwalde
Frauendorf
Spansberg
Wainsdorf
Gröden
Lindenau
Hermsdorf
Grünewald
Wittichenau
Gröditz
Hirschfeld
Groß-thiemig
Jannowitz
Zeißholz
Pulsen
Frauenhain
Merzdorf
Kroppen
Cosel-
Wiednitz
Bernsdorf
Lichtensee
Koselitz
Röderaue-
Strauch
Groß-kmehlen
Ortrand
Zeisholz
Oßling
Wülknitz
Treugeböhla
Oelsnitz-Niegeroda
Blochwitz
Kraußnitz
Grüngräbchen
Straßgräbchen
Skaska-
Streumen
Görzig
Uebigau
Weißig
Linz
Ponickau
Schwepnitz
Großgrabe
Bulleritz
Döbra
Zeithain
Peritz
Zabeltitz
Walda-Kleinthiemig
Skäßchen
Schönborn
Sperrgebiet
Schiedel
Milstrich
Glaubitz
Bauda
Lamperts-walde
Cunnersdorf
Zschornau-
Quersa-Brockwitz
Stölpchen
Schmorkau
Schönteichen-
Deutsch-baselitz
Göhlis
Wildenhain
Schönfeld
Thiendorf
Brauna
Nünchritz
Folbern
Sacka
Neukirch
Königs-brück
Kamenz
Piskowitz
Poppitz
Großenhain
-Cunnersdorf
Tauscha
Lückersdorf-
Nebelschütz
Nickritz
Boritz
Goltzscha
Skassa
Strießen
Kalkreuth
Reichenau
-Gelenau
Heyda
Merschwitz
Reinersdorf
Laußnitz
Reichenbach-
Prietitz
Panschwitz-Kuckau
Hirschstein
Lenz
Freitelsdorf-
Dobra
Gräfenhain
Bischheim-Häslich
Gersdorf-Möhrsdorf
Prausitz
Priestewitz
Keulenberg
Nieder-jommatzsch
Seußlitz
Diesbar-
Baßlitz
Beiersdorf
Ebersbach
Rödern
Kleinnaundorf-Würschnitz
Höckendorf
Oberlichtenau
Elstra
Kmehlen-Gävernitz
Großdobritz
Naunhof
Großnaundorf
Steina
Schwarzenberg
Wölkisch
Zehren
Radeburg
Großdittmanns-dorf
Ottendorf-Okrilla
Friedersdorf
Rauschwitz
Lommatzsch
Diera
Ockrilla
Steinbach
Bärwalde
Medingen
Lichtenberg
Pulsnitz
Ohorn
Gröbern
Berbisdorf
Lomnitz
Wachtnitz
Niederau
Promnitztal-
Marsdf.
Wachau
Burkau
Leuben
Jahna-Löthain
Weinböhla
Auer
Moritzburg
Barnsdf.
Hermsdf.
Seifersdorf
Leppersdorf
Bretnig
Rammenau
Planitz-Deila
Weixdorf
Liegau-Augustusbad
Groß-röhrsdorf
Frankenthal
Bischofswerda
Käbschütztal
Meißen
Sachsische Weinstr.
Friedewald
Volkersdf.
Coswig
DRESDEN-KLOTZSCHE
Lange-brück
Klein-
Goldbach
Reichenberg
A 13 - E 55
A 15 - E
A 4 - E 40
DR. SPREEWALD
DR. DRESDEN

Turnow
Laßzinswiesen
Jänschwalde Ost
Grabice
Dąbrowa
Starosiedle
Malxe
Drehnow
Peitz
Jänschwalde
Grießen
Markosice
Neiße
Fehrow
Horno
Koło
Dissen
Döbbrick
Maust
Bärenbrück
Heinersbrück
Strzegów
Datyń
Biecz
Mierków
Briesen
Willmersdorf
Neuendorf
Briesnig
Mielno
Brody
Lubsko
Sielow
Schmellwitz
Cottbuser See
Grötsch
Sacro
Lubsza
Mulknitz
Forst
Jasień
COTTBUS
Dissenchen
Gosda I
Zasieki
Nowa Rola
Ströbitz
Haasow
Kolkwitz
Branitz
Dubrau
Groß Jamno
Bronice
Kiekebusch
Kahren
Kathlow
Gręzawa
Pstrąg
Pietrzyków
Drożków
Gallinchen
Koppatz
Roggosen
Sergen
Groß Schacksdorf
Groß-Bademeusel
Klein-Bademeusel
Tuplice
Schorbus
Groß Oßnig
Komptendf.
Gahry
Jocksdorf
Debinka
Sieniawa Żarska
Klein-Döbbern
Neuhausen
Laubsdorf
Mattendorf
Lipinki-Łużyckie
Strzeszowice
Groß-
Bagenz
Drieschnitz-Kahsel
Groß Kölzig
Preschen
Trzebiel
Talsperre Spremberg
Hornow
Jehserig
Papproth
Bohsdorf
Döbern
Jerischke
Zelz
Grotów
Groß Luja
Wadelsdorf
Niwica
Sellessen
Friedrichshain
Żarki Wielkie
Bloischdorf
Reuthen
Tschernitz
Mirostowice Dln.
Spremberg
Graustein
Groß Düben
Jämlitz
Bad Muskau
Piotrów
Halbendorf
Kromlau
Nowe Czaple
Skroda
Trattendorf
Schleife
Łęknica
Dobrochów
Wymiarki
Gablenz
Schwarze Pumpe
Sabrodt
Rohne
Trebendorf
Krauschwitz
Mulkwitz
Sagar
Skerbersdorf
Spreewitz
Weißwasser
Neiße
Mühlrose
Weißkeißel
Przewóz
Muskauer Heide
Pechern
Podrosche
Neustadt
Klein Priebus
Seidewinkel
Burghammer
Burg
Sperrgebiet
Gozdnica
Lipna
Hoyerswerda
Nochten
Sprey
Steinbach
Zeißig
Weißkollm
Bärwalde
Boxberg
Viereichen
Daubitz
Spohla
Knappenrode
Rietschen
Neusorge
Sobolice
Bory Dolnośląskie
Maukendorf
Knappensee
Kringelsdorf
Reichwalde
Neuliebel
Lodenau
Silbersee
Lohsa
Hähnichen
Jagodzin
Koblenz
Litschen
Uhyst
Stannewisch
Hoske
Groß Särchen
Schwarzer Schöps
Klitten
Kosel
Trebus
Wartha
Steinitz
Mönau
Kreba-Neudorf
Rothenburg
Kotten
Zimpel
Tauer
Mücka
Petershain
Uhsmannsdf.
Bielawa Dolna
Kleine Spree
Lieske
Moholz
Nieder-Neundorf
Commerau
Hermsdorf
Neudorf
Horka
Nysa Łużycka
Eutrich
Oppitz
Halbendorf
Förstgen
Sproitz
Biehain
Königswartha
Milkel
Niesky
Ralbitz
Commerau
Steinölsa
Quitzdorf a. See
Kaltwasser
Deschka
Rosenthal
Neschwitz
Lomske
Crosta
Klein-saubernitz
Groß-Radisch
Kollm
Klein-Krauscha
Groß-Krauscha
Luppa
Groß-dubrau
Jänkendorf
Horka
Guttau
Weigersdorf
Diehsa
Kodersdorf
Pieńsk
Räckelwitz
Puschwitz
Quatitz
Malschwitz
Waldhufen
Nieder-Seifersdorf
Wiesa
Zodel
Loga
Radibor
Niedergurig
Gebelzig
Żarki Średnie
Crostwitz
Kleinbautzen
Baruth
Saurierpark
Kleinwelka
Buchholz
Königshainer Gebirge
Kunnersdorf
Prischwitz
Salzenforst-Bolbritz
Niederkaina
Purschwitz
Groditz
Vierkirchen
Arnsdorf-Hilbersdorf
Königshain
A4 - E40
Weißenberg
Melaune
Uhyst
Göda
Bautzen
Kotitz
Schöpstal
Girbigsdorf
Zgorzelec
Stacha
Drehsa
Lautitz
Reichenbach
Grubschütz
Jenkwitz
Doberschau
Hochkirch
Klein Radmeritz
Markersdorf
Landeskrone
Ebendörfel
Rachlau
Kittlitz
Rosenhain
Gnaschwitz
Gaußig
Schmölln
Obergurig
Groß-postwitz
Czorneboh
Großdehsa
Sohland
Gersdorf
GÖRLITZ
Deutsch Ossig
Studnisk Dln.
Oberlausitz
Deutschland

0 3 6 9 12 15 km
LIMBURG
Tegelen
Kempen
KREFELD
Nettetal
Lobberich
Süchteln
Tönisvorst
Roggel
Beesel
Naturpark
Swalmen
Brüggen
Dülken
Viersen
Willich
Roermond
Maas-Schwalm-Nette
MÖNCHEN-GLADBACH
Rheydt
Korschenbroich
Wegberg
NEUSS
Echt
Wassenberg
Jüchen
Heinsberg
Erkelenz
Grevenbroich
Süsteren
Hückelhoven
Geleen
Linnich
Bedburg
Geilenkirchen
Brunssum
Bergheim
Heerlen
Landgraaf
Übach-Palenberg
Jülich
Baesweiler
Aldenhoven
Elsdorf
Valkenburg
Kerkrade
Alsdorf
Niederzier
Herzogenrath
Kerpen
Würselen
Eschweiler
Langerwehe
Düren
Gulpen
AACHEN
Stolberg
Kreuzau
Erftstadt
Eupen
Roetgen
Nideggen
Zülpich
Verviers
Simmerath
Raerener Wald
Dreilagerbach-Stausee
Rur-Stausee
Parc naturel

47

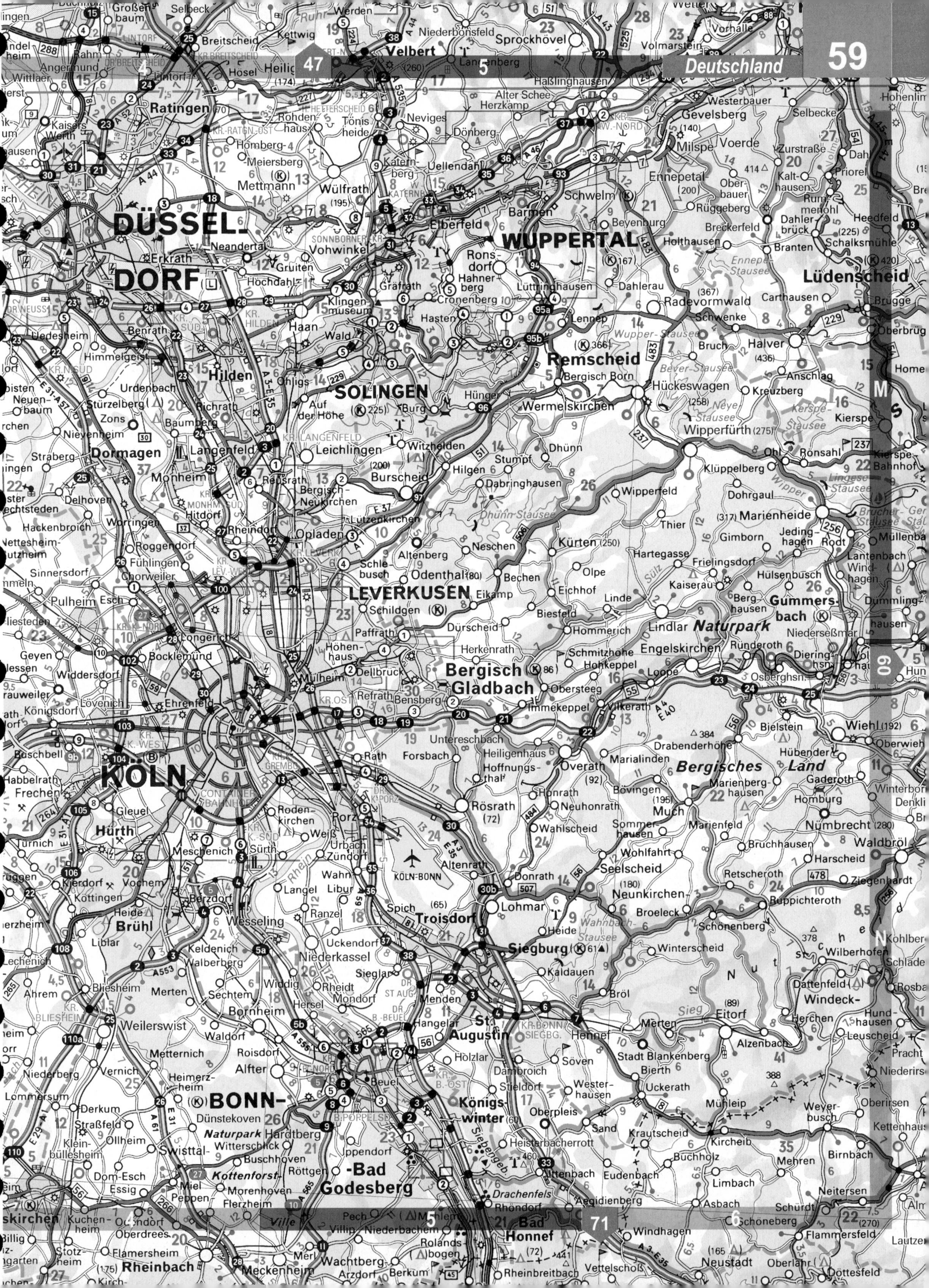
DÜSSELDORF
WUPPERTAL
SOLINGEN
LEVERKUSEN
KÖLN
BONN-
-Bad Godesberg
Ratingen
Mettmann
Velbert
Sprockhövel
Gevelsberg
Ennepetal
Schwelm
Barmen
Elberfeld
Vohwinkel
Neandertal
Erkrath
Haan
Hilden
Langenfeld
Leichlingen
Monheim
Dormagen
Remscheid
Lennep
Radevormwald
Hückeswagen
Wermelskirchen
Burscheid
Wipperfürth
Lüdenscheid
Halver
Kierspe
Marienheide
Gummersbach
Lindlar
Engelskirchen
Naturpark
Bergisches Land
Bergisch Gladbach
Odenthal
Kürten
Overath
Rösrath
Much
Wiehl
Nümbrecht
Waldbröl
Lohmar
Troisdorf
Siegburg
St. Augustin
Hennef
Eitorf
Windeck-
Königswinter
Bad Honnef
Niederkassel
Wesseling
Brühl
Hürth
Frechen
Pulheim
Bornheim
Alfter
Weilerswist
Rheinbach
Meckenheim
Wachtberg
Naturpark Kottenforst-Ville
Köln-Bonn
Drachenfels

60

71

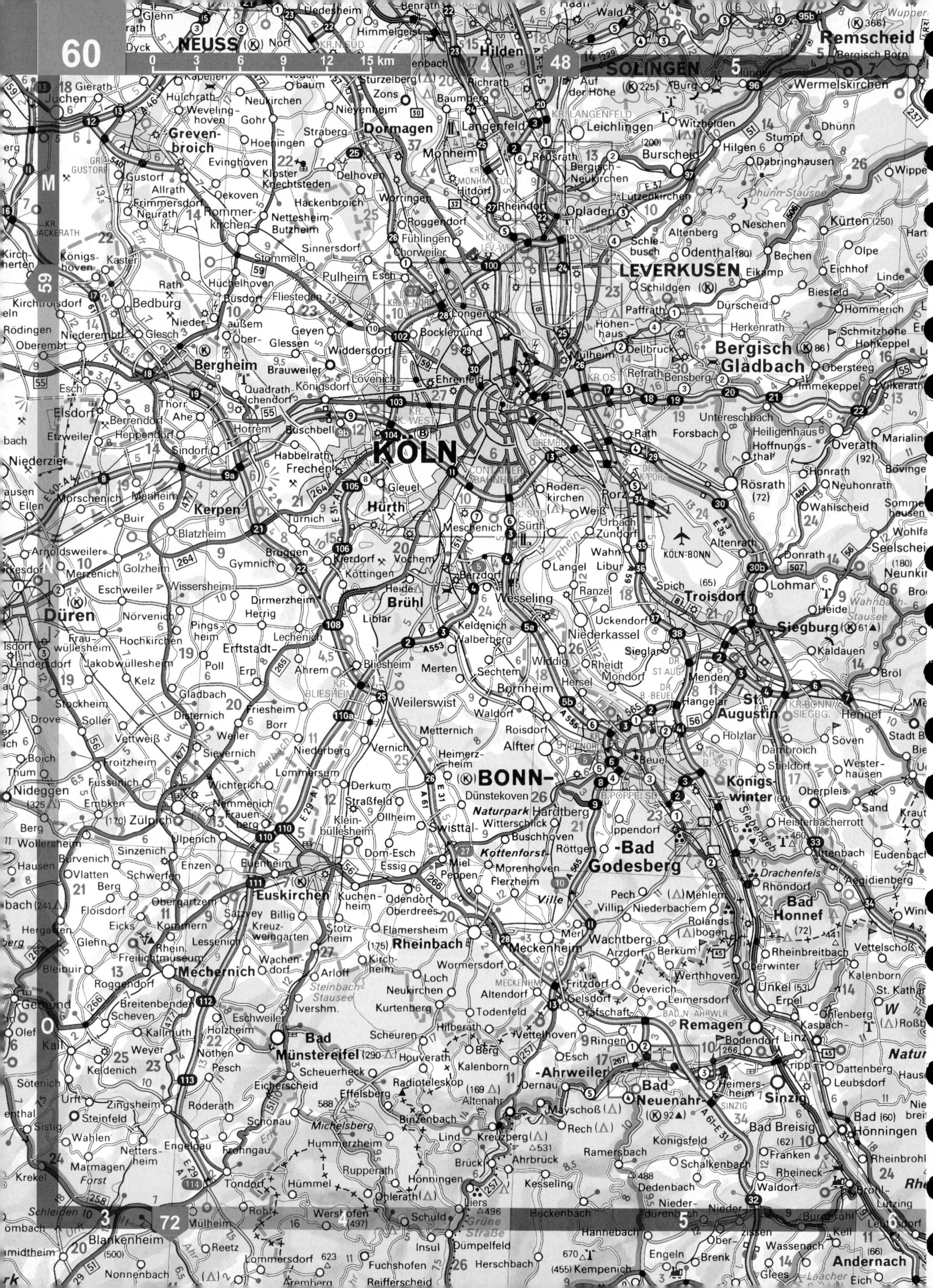

0 3 6 9 12 15 km
NEUSS
Remscheid
Hilden
SOLINGEN
Wermelskirchen
Grevenbroich
Dormagen
Langenfeld
Leichlingen
Burscheid
Monheim
Opladen
Pulheim
LEVERKUSEN
Bedburg
Bergheim
Bergisch Gladbach
KÖLN
Frechen
Hürth
Kerpen
Düren
Brühl
Wesseling
Troisdorf
Lohmar
Siegburg
Niederkassel
St. Augustin
Erftstadt
Weilerswist
BONN-
Alfter
Königswinter
Hennef
-Bad Godesberg
Bad Honnef
Zülpich
Euskirchen
Rheinbach
Meckenheim
Mechernich
Remagen
Bad Münstereifel
-Ahrweiler
Bad Neuenahr
Sinzig
Bad Breisig
Andernach
Nideggen
Overath
Rösrath
KÖLN-BONN
Drachenfels
Naturpark
Kottenforst
Ville
Steinbach-Stausee
Michelsberg
Radioteleskop
Blankenheim
Grüne Straße

Plettenberg
Halver
Hückeswagen
Wipperfürth
Kierspe
Meinerzhagen
Ebbegebirge
Nordhelle
Attendorn
Finnentrop
Lennestadt-
Schmallenberg
Marienheide
Gummersbach
Naturpark Ebbegebirge
Kirchhundem
Bergneustadt
Drolshagen
Olpe
Naturpark
Hilchenbach
Wiehl
Bergisches Land
Reichshof
Wenden
Kreuztal
Netphen
Nümbrecht
Waldbröl
Freudenberg
Siegen
Morsbach
Windeck-
Eitorf
Kirchen
Betzdorf
Wissen
Neunkirchen
Wilnsdorf
Herdorf
Daaden
Burbach
Haiger
Altenkirchen
Hachenburg
Bad Marienberg
Hoher Westerwald
Rennerod
Westerburg
Neustadt
Dierdorf
Selters
Neuwied
Westerwald
Weilburg
Ransbach-
Wirges
Siegerland
Panorama-Park Sauerland
Rhein-Weser-Turm
Biggesee
Wiehltal-Stausee
Agger-Stausee
Dreifelder Weiher
Krombach-Stausee
Obernau-Stausee
Breitenbach Stausee

0 3 6 9 12 15 km
Schmallenberg
Winterberg
Kahler Asten
Hallenberg
Bad Berleburg
Rothaargebirge
Wittgensteiner Land
Erndtebrück
Bad Laasphe
Sackpfeife
Biedenkopf
Battenberg
Frankenberg
Burgwald
Wasserberg
Tauschenberg
Wetter
Marburg
Kirchhain
Stadtallendorf
Amöneburg
Homberg
Gladenbach
Dillenburg
Haiger
Herborn
Dünsberg
Wetzlar
Gießen
Lahntal-Ferienstraße
Deutsche Märchenstraße
Lich
Grünberg
Laubach
Hungen
Braunfels
Weilburg
Solms
Linden
Haina
Rosenthal
Gemünden
Edersee
Waldeck
Bad Wildungen
Sachsenberg
Goddelsheim
Züschen
Neukirchen
Dautphetal
Ebsdorfergrund
Staufenberg
Lollar
Wettenberg
Heuchelheim
Pohlheim
Schiffenberg
Reiskirchen
Buseck
Mücke
Ahlar
Leun
Löhnberg

Fritzlar
Melsungen
Borken
Homberg
Spangenberg
Rotenburg
Bebra
Bad Hersfeld
Schwalmstadt-Treysa
Ziegenhain
Neukirchen
Neustadt
Alsfeld
Lauterbach
Schlitz
Hünfeld
Fulda
Bad Salzschlirf
Herbstein
Gudensberg
Felsberg
Wabern
Knüllwald-
Knüll
Knüllgebirge
Eisenberg
Seulingswald
Kirchheim
Niederaula
Neuenstein-
Morschen
Alheim-
Ludwigsau-
Haunetal-
Burghaun
Grebenau
Schwalmtal-
Feldatal-
Eiterfeld
Petersberg
Künzell
Eichenzell
Großenlüder
Hessisch Lichtenau
Wildeck-
Friedewald
Deutsche Ferienstraße Alpen-Ostsee
Deutsche Märchenstraße
Schlitzerländer Tierfreiheit
Naturpark Hessische Rhön
Milseburg
Vogelsberg
Taufstein
Hoherodskopf
Forst Neuhof
Rimberg
Mosenberg
Heiligenberg
A 7-E 45
A 4-E 40
A 5-E 40
51
75
64

0 3 6 9 12 15 km
Mühlhausen
Eschwege
Eichsfeld
Hainich
Werratal
Nationalpark Hainich
Bad Langensalza
Gotha
Eisenach
Wartburg (516)
Ruhla
Großer Inselsberg
Friedrichroda
Waltershausen (325)
Tabarz
Bad Salzungen
Bad Liebenstein
Schmalkalden
Steinbach-Hallenberg
Zella-Mehlis
Suhl
Oberhof
Meiningen
Wasungen
Vacha
Philippsthal
Heringen
Gerstungen
Sontra
Treffurt
Creuzburg
Mihla
Wanfried
Dermbach
Kaltennordheim
Tann (381)
Hilders
Breitungen
Barchfeld
Tambach-Dietharz
Georgenthal
Ohrdruf
Floh
Kanzlersgrund
Rennsteig
Klassikerstraße
Sperrgebiet
Naturpark
Wasserkuppe
Milseburg
Ellenbogen
Marienglashöhle
Ebertswiese
Werra
Hörsel
Nesse
Unstrut
Thamsbrück
Großengottern
Schönstedt
Behringen
Wutha-Farnroda
Seebach
Mechterstädt
Sättelstädt
Friedrichswerth
Emleben
Schwabhausen
Hörselgau
Laucha
Brotterode
Kleinschmalkalden
Seligenthal
Schwallungen
Walldorf
Themar
Schleusingen
Dietzhausen
Benshausen
Christes
Kühndorf
Rohr
Dillstädt
Grub
Erlau
Bischofrod
Marisfeld
Vachdorf
Obermaßfeld-Grimmenthal
Untermaßfeld
Ritschenhausen
Henneberg
Herpf
Helmershausen
Frankenheim
Kaltensundheim
Kaltenwestheim
Unterweid
Oberweid
Birx
Ehrenberg
Fladungen
Nordheim
Mellrichstadt
Stetten
Willmars
Neustädtles
Wüstensachsen
A4 - E 40
A 71
A 73
E 45
E 3

Großenehrich
Clingen
Niedertopfstedt
Griefstedt
Hemleben
Beichlingen
Schmücke
Wohlmirstedt
Alten-roda
Rohnstedt
Herrnschwende
Bucha
Lossa
Mittelsömmern
Günstedt
Schillingstedt
Großmonra
Kutzleben
Weißensee
Leubingen
Bachra
Billroda
Bad Bibra
Gangloffsömmern
Ostramondra
Kölleda
Borgau
Burkersroda
Bruchstedt
Straußfurt
Frohndorf
Rastenberg
Braunsroda
Burgheßler
Ballhausen
Großneuhausen
Hardisleben
Klosterhäseler
Sömmerda
Orlishausen
Olbersleben
Bad Tennstedt
Schwerstedt
Wundersleben
Herrengosserstedt
Lossa
Guthmannshausen
Straße der Romanik
Unstrut
Werningshausen
Vogelsberg
Eckartsberga
Gebesee
Tromsdorf
Taugwitz
Herbsleben
Haßleben
Sprötau
Großbrembach
Buttstädt
Schloßvippach
Gebstedt
Auerstedt
Alperstedt
Niederreißen
Riethnordhausen
Andisleben
Vippachedelhausen
Willerstedt
Rannstedt
Dachwig
Großrudestedt
Neumark
Oberreißen
Bad Sulza
Eckstedt
Buttelstedt
Niedertrebra
Nöda
Berlstedt
Schwerstedt
Pfiffelbach
Schmiedehausen
Walschleben
Elxleben
Stotternheim
Großfahner
Udestedt
Ballstedt
Ramsla
Sachsenhausen
Liebstedt
Wickerstedt
Mittelhausen
Gierstädt
Witterda
Schwerborn
Ollendorf
Hottelstedt
Apolda
Eckolstädt
Tiefthal
Großobringen
Niederroßla
Großmölsen
Buchenwald
Wormstedt
Kleinmölsen
Niederzimmern
Utenbach
Dornburg
Bienstädt
Kerspleben
Mahn- und Gedenkstätte
Oßmannstedt
Tötttelstädt
Vieselbach
Herressen
Zimmern
ERFURT
Tiefurt
Molschleben
Gaberndorf
Umpferstedt
Kleinromstedt
Nerkewitz
Neuengönna
Linderbach
Hopfgarten
Zimmernsupra
Alach
Marbach
Mönchenholzhausen
Kapellendorf
Lehesten
Nohra
WEIMAR
Porstendorf
Bindersleben
Ermstedt
Isserstedt
Klassikerstraße
Kunitz
Schloß Belvedere
Büßleben
Lehnstedt
Gamstädt
Schmira
Großschwabhausen
Großrettbach
Windischholzhausen
Troistedt
Legefeld
Mellingen
Bischleben
Ingersleben
Waltersleben
Egstedt
Gutendorf
Klein-
Neudietendorf
Oettern
Magdala
Lichtenhain
JENA
Apfelstädt
Molsdorf
Klettbach
Mechelroda
Großlöbichau
Wechmar
Wandersleben
KREUZ ERFURT
Eischleben
Werningsleben
Tonndorf
Bad Berka
Lohma
Bucha
Lobeda
Ichtershausen
Kirchheim
Hohenfelden
Blankenhain
Schorba
Mühlberg
Wachsenburg
Rudisleben
Elxleben
Tannroda
Tromlitz
A 4 - E 40
Rothenstein
Holzhausen
Alkersleben
Osthausen
Wülfershausen
Kranichfeld
Milda
Großpürschütz
Arnstadt
Sperrgebiet
Dornheim
Thangelstedt
Keßlar
Altenberga
Böseleben
Barchfeld
Lengefeld
Marlishausen
Witzleben
Rittersdorf
Neckeroda
Gumperda
Leuchtenburg
Siegelbach
Wüllersleben
Haufeld
Reinstädt
Kahla
Wölfis
Dosdorf
Dannheim
Dienstedt
Seitenroda
Gossel
Hettstedt
Teichel
Engerda
Dienstädt
Crawinkel
Plaue
Wipfratal
Stadtilm
Großer Kalmberg
Breitenheerda
Neusitz
Heilingen
Orlamünde
Hummelshain
Liebenstein
Reinsfeld
Niederwillingen
Großliebringen
Ehrenstein
Remda
Großkochberg
Freienorla
Gräfenroda
Neuroda
Neusiß
Traßdorf
Nahwinden
Teichröda
Teichweiden
Uhlstädt
Zeutsch
Langendembach
Geschwenda
Heyda
Dörnfeld
Groschwitz
Kirchhasel
Langenorla
Martinroda
Gösselborn
Rudolstadt
Friedebach
Kleindembach
Geraberg
Bücheloh
Singerberg
Solsdorf
Cumbach
Kolkwitz
Herschdorf
Oppurg
Elgersburg
Unterpörlitz
Wolfsberg
Gräfinau-Angstedt
Paulinzella
Greifenstein
Schwarza
Schloßkulm
Reichenbach
Pößneck
Gehlberg
Wümbach
Rottenbach
Krölpa
Wernburg
Bodelwitz
Manebach
Ilmenau
Langewiesen
Königsee
Bad Blankenburg
Unterwellenborn
Schmücke
Pennewitz
Köditz
Saalfeld
Könitz
Ranis
Schmorda
Gehren
Allendorf
Schwarzburg
Kamsdorf
Moxa
Stützerbach
Herschdorf
Oberhain
Dittrichshütte
Feengrotten
Bucha
Gössitz
Paska
Möhrenbach
Dröbischau
Sitzendorf
Obernitz
Kaulsdorf
Neidenberga
Schmiedefeld a. R.
Unterweißbach
Arnsgereuth
Eyba
Hohenwarte
Böhlen
Mellenbach-Glasbach
Wittgendorf
Bier- und Burgenstraße
Stausee
Vesser
Frauenwald
Oberweißbach
Meura
Hoheneiche
Unterloquitz
Hockeroda
Reitzengeschwenda
Drognitz
Neustadt a. Rennsteig
Großbreitenbach
Cursdorf
Oberloquitz
Leutenberg
Neuenbeuthen
Meuselbach-Schwarzmühle
Schweinbach
Altengesees
Weisbach
Schleusingerneundorf
Altenfeld
Reichmannsdorf
Marktgölitz
Großgeschwenda
Gießübel
Oelze
Katzhütte
Schleusegrund
Schmiedefeld
Thimmendorf
Masserberg
Lichte
Probstzella
Lückenmühle
Steinbach
Schönbrunn
Goldisthal
Neuhaus a. Rennweg
Lichtentanne
Gahma
Ruppersdorf
Hinternah
Heubach
Großer Farmdenkopf
Piesau
Lauenstein
Steinbach
Friesau
Waldau
Schnett
Fehrenbach
Rennsteig
Spechtsbrunn
Ebersdorf
Eliasbrunn
Wiedersbach
Waffenrod
Scheibe-Alsbach
Lauscha
Ernstthal
Lehesten

0 3 6 9 12 15 km
Zeuchfeld
Pettstädt
Straße der Romantik
Rippach
Starsiedel
Kitzen
Zwenkau
Störmthal
Dreiskau-Muckern
Pötzschau
Balgstädt
Weißenfels
Goseck
Poserna
Scheidens
Groß-göhlen
Löbschütz
Rötha
Espenhain
Bad Bibra
Burkersroda
Kleinjena
Naumburg
Burgheßler
Schönburg
Langendorf
Zorbau
Granschütz
Webau
Muschwitz
Werben
Wiederau
Pegau
Audigast
Lippendf.
Groß-zössen
Kloster-häseler
Nieder-möllern
Wethau
Prittitz
Gieckau
Nessa
Hohen-mölsen
Groß-grimma
Elstertrebnitz
Groitzsch
Neu-kieritzsch
Breunsdorf
Heuersdorf
Lobstädt
Eckarts-berga
Bad Kösen
Zembschen
Werschen
Profen
Reuden
Deuben
Gröben
Stößen
Taugwitz
Mertendorf
Teuchern
Auligk
Michelwitz
Lucka
Deutzen
Regis-Breitingen
Großheringen
Prießnitz
Pretzsch
Trebnitz
Theißen
Nonne-witz
Draschwitz
Weiße Elster
Langendorf
Ramsdorf
Bad Sulza
Stöben
Leislau
Meyhen
Löbitz
Osterfeld
Luckenau
Meineweh
Könderitz
Falkenhain
Haselbach
Rehmsdorf
Mumsdorf
Treben
Schmiede-hausen
Molau
Camburg
Schkölen
Nautschütz
Döschwitz
Kretzschau
Zeitz
Tröglitz
Wintersdorf
Meuselwitz
Fockendorf
Eckolstädt
Hainchen
Kleinhelmsdf.
Droyßig
Gerstenberg
Zetzscha
Wormstedt
Dornburg
Steudnitz
Frauenprießnitz
Dothen
Königshofen
Walpernhain
Haynsburg
Geußnitz
Droßdorf
Spora
Würchwitz
Kriebitzsch
Rositz
Lödla
Dorndorf
Wetzdorf
Buchheim
Wetterzeube
Breitenbach
Groß-pörthen
Kayna
Starken-berg
Altenburg
Neuengönna
Tautenburg
Crossen
Lonzig
Schellbach
Lehesten
Golmsdorf
Rauschwitz
Eisenberg
Sperrgebiet
Heuckewalde
Naundorf
Göhren
Porstendorf
Hainspitz
Hartmanns-dorf
Aga
Bröckau
Pölzig
Dobitschen
Mockern
Nobitz
Ehrenberg
Graitschen
Bürgel
Rauda
Caaschwitz
Hirschfeld
Lumpzig
Gleina
Lehndorf
Kunitz
Roben
Bethenhausen
Altkirchen
Söllmnitz
Weißenborn
Tautenhain
Reichstädt
Zehma
Bad Köstritz
Langenberg
Brahmenau
Drogen
Groß-stöbnitz
Großlöbichau
Schöngleina
Bad Klosterlausnitz
Großenstein
Wildenbörten
Podelwitz
Jena
Albersdf.
Hermsdorf
Rüdersdorf
Löbichau
Schmölln
Lobeda
Schlöben
Hermsdorfer Kreuz
Korbußen
Gößnitz
Kraftsdorf
Gera
Nöbdenitz
Weißbach
Reichen-bach
Niedern-dorf
Grünberg
Stadtroda
Quirla
St. Gangloff
Ronneburg
Posterstein
Vollmershain
Ponitz
Geisen-hain
Saara
Tröbnitz
Groß-bockedra
Lindenkreuz
Kauern
Heuke-walde
Thonhausen
Erdmannsdorf
Roda
Lippersdorf
Ottendorf
München-bernsdorf
Zedlitz
Hilbersdorf
Rückers-dorf
Crimmit-schau
Mannichswalde
Neukirchen
Leuchten-burg
Oberbodnitz
Renthendorf
Neuensorga
Blankenhain
Seitenroda
Karlsdorf
Frießnitz
Wünschendorf
Langenreinsdf.
Lauenhain
Mosel
Wolfersdorf
Seelingstädt
Nieder-albertsdorf
Lauterbach
Dänkritz
Hummelshain
Trockenborn
Zwackau
Ottmanns-dorf
Großebers-dorf
Wolfersdorf
Langen-hessen
Crossen
Weida
Berga
Langen-bernsdorf
Königs-walde
Lichtenau
Mittelpöllnitz
Nieder-pöllnitz
Steinsdorf
Groß-kundorf
Trünzig
Stöcken
Langendembach
Neustadt a. d. Orla
Dreitsch
Braunsdorf
Hohenölsen
Leubnitz
Steinpleis
Kleindembach
Neunhofen
Triptis
Staitz
Göhren-Döhlen
Walterdorf
Teichwolframsdorf
Werdau
Oppurg
Weira
Auma
Wöhlsdorf
Hohenleuben
Wildetaube
Neumühle
Fraureuth
Rupperts-grün
Bodelwitz
Oberoppurg
Linda
Langen-wetzendorf
Nitschareuth
Beiersdorf
Lichtentanne
Wernburg
Daumitsch
Dreba
Moßbach
Merkendorf
Mehla
Triebes
Gommla
Mohlsdorf
Reudnitz
Schönfels
Zadelsdorf
Zeulenroda
Zoghaus
Reuth
Knau
Tegau
Naitschau
Neuärgerniß
Greiz
Schönbach
Neumark
Ebersbrunn
Schmorda
Moxa
Plothen
Dittersdorf
Pahren
Langen-wolschendorf
Pöllwitz
Wellsdorf
Reichenbach
Ober-Heinsdorf
Unter-Heinsdorf
Paska
Bucha
Volkmanns-dorf
Göschitz
Dobia
Elsterberg
Netzschkau
Mylau
Ziegenrück
Weckersdorf
Neundorf
Löhma
Brockau
Schneidenbach
Irfers-grün
Crispendorf
Oettersdorf
Ebersgrün
Arns-grün
Limbach
Waldkirchen
Drognitz
Eßbach
Wisenta
Lössau
Thierbach
Cossengrün
Ruppertsgrün
Plohn
Liebschütz
Oschitz
Schleiz
Langenbuch
Pausa
Steins-dorf
Jocketa
Weißensand
Lengenfeld
Obercrinitz
Wildenau
Liebengrün
Möschlitz
Oberböhmsdorf
Ranspach
Bernsgrün
Fröbersgrün
Pöhl
Herlas-grün
Hartmannsgrün
Weisbach
Mühltroff
Syrau
Jößnitz
Helmsgrün
Treuen
Steinberg
Rodewisch
Rempten-dorf
Mehltheuer
Rebesgrün
Lückenmühle
Gräfenwarth
Langenbach
Schönberg
Kauschwitz
Stausee Pöhl
Thoßfell
Schreiers-grün
Ruppersdorf
Zollgrün
Plauen
Bleiloch Stausee
Wernsdorf
Unterkoskau
Altmannsgrün
Friesau
Saalburg
Tanna
Rodau
Neundorf
Neuensalz
Reumtengrün
Auerbach
Ebersdorf
Schilbach
Tobertitz
Straßberg
Mechel-grün
Trieb
Ellefeld
Falkenstein

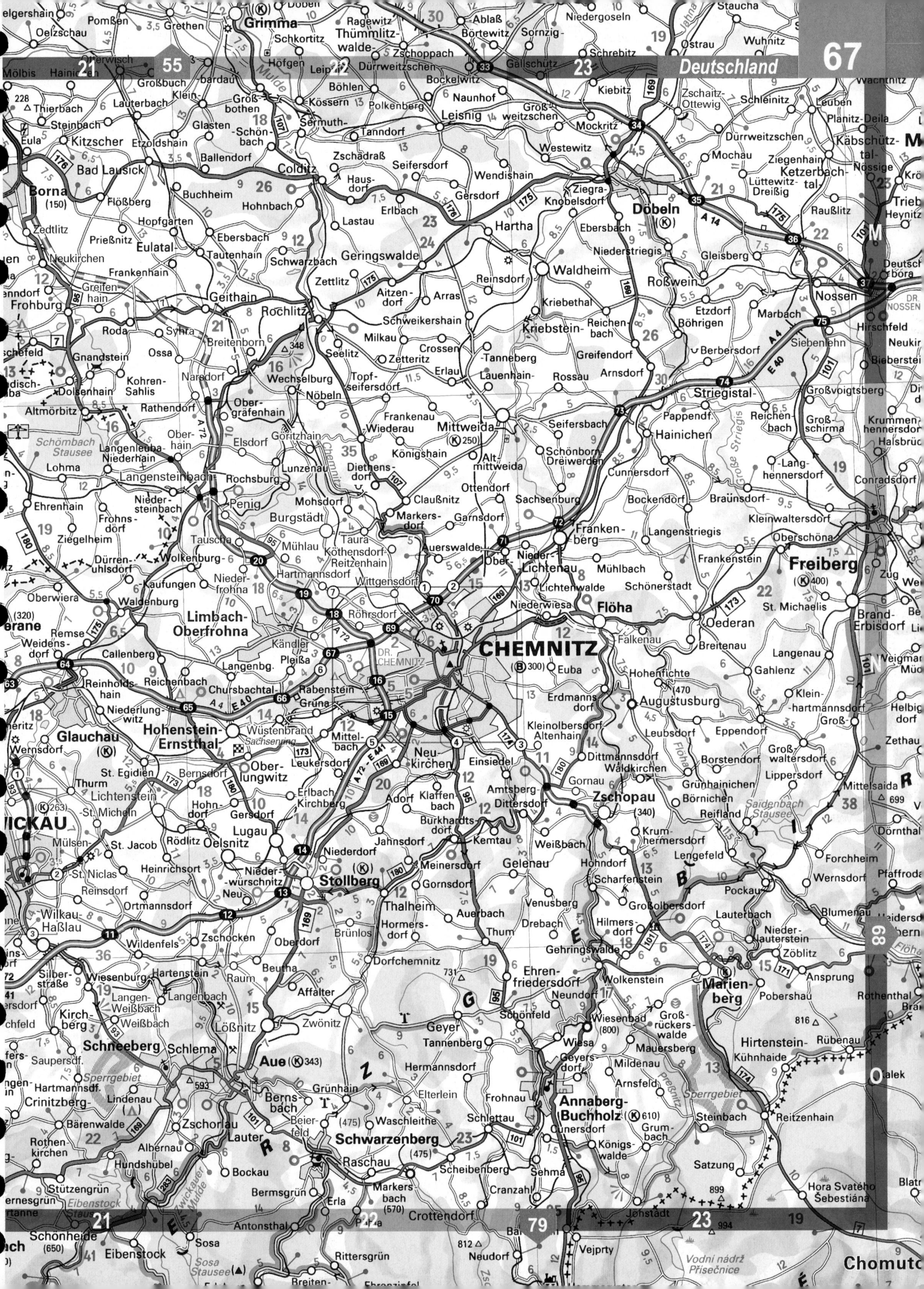
Grimma
Leisnig
Döbeln
Colditz
Bad Lausick
Borna
Geithain
Rochlitz
Hartha
Waldheim
Roßwein
Nossen
Geringswalde
Mittweida
Frankenberg
Hainichen
Freiberg
Brand-Erbisdorf
Oederan
Flöha
CHEMNITZ
Augustusburg
Zschopau
Marienberg
Limbach-Oberfrohna
Hohenstein-Ernstthal
Glauchau
Lichtenstein
Oelsnitz
Stollberg
Thalheim
Burgstädt
Penig
Waldenburg
Kitzscher
Frohburg
Lugau
Annaberg-Buchholz
Schwarzenberg
Aue
Schneeberg
Zwönitz
Geyer
Ehrenfriedersdorf
Wolkenstein
Wilkau-Haßlau
Kirchberg
Eibenstock
Schönheide
Johstadt
Vejprty
Chomutov
Hora Svatého Šebestiána
Sachsenring
Sperrgebiet
Saidenbach Stausee
Eibenstock Stausee
Sosa Stausee
Vodní nádrž Přísečnice
Schömbach Stausee
Mulde
Zwickauer Mulde
Chemnitz
Flöha
Große Striegis
Jahna
Preßnitz
A 4
A 14
A 72
E 40
E 441

0 3 6 9 12 15 km
DRESDEN
Meißen
Coswig
Radebeul
Freital
Heidenau
Pirna
Königstein
Bad Schandau
Dippoldiswalde
Altenberg
Glashütte
Freiberg
Brand-Erbisdorf
Olbernhau
Teplice
Ústí nad Labem
Litvínov
Litoměřice
Radeberg
Radeburg
Moritzburg
Weinböhla
Wilsdruff
Tharandt
Kamenz
Königsbrück
Pulsnitz
Stolpen
Bischofswerda
Lommatzsch
Nossen
Sayda
Seiffen
Neuhausen
Zinnwald-Georgenfeld
Cinovec
Dubí
Krupka
Bílina
Osek
Duchcov
Bystřany
Chabařovice
Děčínský Sněžník
Sächsische Weinstraße
Gebirge
Elbsandstein
Bastei
Lilienstein
Klingenberg Stausee
Lehnmühle Stausee
Geisingberg
Kahleberg
Schwartenberg
Keulenberg
Schwarzenberg
Komáří hůrka
Freiberger Mulde
Weißeritz
Wilde Weißeritz
Gimmlitz
Triebisch
Müglitz
Röder
Polenz
Elbe
Flöha
Loschwitz
Klotzsche
Gompitz
Tolkewitz
Zschertnitz
Pillnitz
Moldava
Mikulov
Hora Svaté Kateřiny
Nová Ves v Horách
Horní Jiřetín
Kostomlaty p. Milešovkou
Hrob
Košťany
Meziboří
Tisá
Jílové
Libouchec
Telnice
Petrovice
Rosenthal-Bielatal
Bad Gottleuba
Berggießhübel
Bahretal
Liebstadt
Lauenstein
Geising
Fürstenwalde
Rehefeld-Zaunhaus
Rechenberg-Bienenmühle
Holzhau
Hermsdorf
Frauenstein
Mulda
Lichtenberg
Weißenborn
Halsbrücke
Niederschöna
Grillenburg
Mohorn
Kesselsdorf
Pesterwitz
Bannewitz
Kreischa
Rabenau
Possendorf
Oelsa
Seifersdorf
Höckendorf
Malter-Paulsdorf
Schmiedeberg
Kipsdorf
Bärenfels
Schellerhau
Sebnitz
Hohnstein
Lohmen
Stadt Wehlen
Rathen
Struppen
Gohrisch
Papstdorf
Dürrröhrsdorf-Dittersbach
Wilschdorf
Fischbach
Arnsdorf
Großröhrsdorf
Ottendorf-Okrilla
Moritzburg
Medingen
Großenhain
A 4 – E 40
A 13 – E 55
A 17
E 55
E 442

Niesky
Kaltwasser
Ralbitz
Königswartha
Commerau
Rosenthal
Neschwitz
Lomske
Crosta
Klix
Klein-saubernitz
Steinölsa
Quitzdorf a. See
Groß-Radisch
Kollm
Jänkendorf
Luppa
Groß-dubrau
Guttau
Weigers-dorf
Diehsa
Kodersdorf
Zodel
Räckelwitz
Puschwitz
Radibor
Quatitz
Malschwitz
Gebelzig
Waldhufen
Nieder-Seifersdorf
Wiesa
Żarki Średnie
Crostwitz
Loga
Niedergurig
Klein-bautzen
Baruth
Saurierpark
Kleinwelka
Buchholz
Königshainer
Kunnersdorf
Prischwitz
Salzenforst-Bolbritz
Nieder-kaina
Purschwitz
Gröditz
Weißen-berg
Vierkirchen
Melaune
Arnsdorf-Hilbersdorf
Königshain
Gebirge
Schöpstal-Girbigsdorf
Zgorzelec
Uhyst
Stacha
Göda
Bautzen
Drehsa
Kotitz
Lautitz
Reichenbach
Grubschütz
Jenkwitz
Doberschau
Hochkirch
Klein-radmeritz
Markersdf
Landeskrone
Demitz-Thumitz
Ebendörfel
Gnaschwitz
Rachlau
Kittlitz
Rosenhain
GÖRLITZ
Studnisk Dln.
Schmölln
Gaußig
Obergurig
Groß-postwitz
Czorneboh
Großdehsa
Löbau
Sohland
Gersdorf
Deutsch Paulsdorf
Deutsch Ossig
Putzkau
Neukirch
Wilthen
Cunewalde
Bischdorf
Friedersdorf
Sulików
Kirschau
Crostau
Weigsdorf-Koblitz
Rosenbach
Ebersdf.
Herwigs-dorf
Hagen-werder
Ringenhain
Beiersdorf
Lawalde
Großschweidnitz
Kemnitz
Schönau-Berzdorf
Radzimów
Radomierzyce
Lausitzer Bergland
Schirgis-walde
Schönbach
Oppach
Nieder-cunnersdorf
Bernstadt
Berthelsdorf
Steinigt-wolmsdorf
Wehrs-dorf
Taubenheim
Dürr-hennersdf.
Ober-
Rennersdorf
Zawidów
Sohland a. d. Spree
Neusalza-Spremberg
Strahwalde
Krzewina
Langburkersdorf
Lobendava
Herrnhut
Dittersbach
Ostritz
Habartice
Neustadt
Šluknov
Ebersbach
Walddorf
Groß-hennersdorf
Działoszyn
Višňová
Jiříkov
Ruppersdf.
Dolni Poustevna
Velký Šenov
Neugersdorf
Eibau
Oberoderwitz
Schlegel
Wyszków
Mikulášovice
Neueibau
Nieder-oderwitz
Ober-seifersdorf
Dittelsdorf
Trzcieniec
Sebnitz
Staré Křečany
Rumburk
Leutersdf.
Turoszów
Lichtenhain
Kirnitzschtal
Wittgendorf
Hirsch-felde
Frýdlant
Brtníky
Seifhenners-dorf
Spitz-kunnersdorf
Mittel-herwigsdf.
Zittau
Bogatynia
Ottendorf
Saupsdorf
Hainewalde
Hinter-hermsdorf
Raspe
Ostrauer Scheibe
Nationalpark Sächsische Schweiz
Krásná Lípa
Varnsdorf
Hörnitz
Rybarzowice
Bertsdorf
Sieniawka
Schmilka
Großschönau
Olbersdf.
Waltersdorf
Hrádek n. Nisou
Dolni Podluži
Jiřetín p. Jedlovou
Jonsdorf
Hřensko
Zittauer Geb.
Mníšek
Janov
Jetřichovice
Chřibská
Lausche
Oybin
Chrastava
Lückendorf
Arnoltice
Srbská Kamenice
Krompach
Hochwald
Petrovice
LABE
Česká Kamenice
Kytlice
Lužické hory
Rynoltice
Ludvíkovice
Kamenický Šenov
Cvikov
Jablonné v Podještědí
LIBEREC
Děčín
Nový Bor
Křižany
Benešov n. Ploučnici
Lindava
Ještěd
Boletice n. Labem
Volfartice
Sloup v. Čechách
Brniště
Hor. Libchava
Žandov
Česká Lípa
Stráž p. Ralskem
Osečná
Těchlovice
Zákupy
Hodkovice n. Mohelkou
Český Dub
Příbram
Malé Březno
Mimoň
Verneřice
Zahrádky
Podhora
Kravaře
Lovečkovice
Jestřebí
Staré Splavy
Máchovo jezero
Kuřivody
Strážiště
Blíževedly
Vlhošť
Sedlo
Třebušín
Úštěk
Libešice
Doksy
Mohelnice n. Jiz
Dolni Krupá
Březina
Tuhaň
Dubá
Okna
Mnichovo Hradiště

0 3 6 9 12 15 km
58
80
Raeren
Kettenis
Raerener Wald
Roetgen
Dreilägerbach-Stausee
Vossenack
Simonskall
Abenden
Schmidt
Berg
Wollersheim
Zülpich
Frauenberg
Ülpenich
Sinzenich
Lammersdorf
Steckenborn
Rur-Stausee
Hasenfeld
Hausen
Heimbach
Vlatten
Bürvenich
Schwerfen
Euskirchen
Dison
Limbourg
Barrage de la Vesdre
Rollesbroich
Strauch
Woffelsbach
Rurberg
Berg
Floisdorf
Obergartzem
Satzvey
Billig
Verviers
Simmerath
Kesternich
Hellberg
Hergarten
Eicks
Kommern
Kreuzweingarten
Barrage de la Gileppe
Parc naturel
Konzen
Imgenbroich
Eicherscheid
Urft-Stausee
Einruhr
Kermeter
Glehn
Rhein. Freilichtmuseum
Lessenich
Heusy
Jalhay
Dedenborn
National
Bleibuir
Mechernich
Wachendorf
Roggendorf
Polleur
Mützenich
Monschau
Hammer
Erkensruhr
Park
Gemünd
Breitenbenden
Eschweiler
Scheven
Hautes-Fagnes-Eifel
Höfen
Rohren
Forst
Eifel
Dreiborn
Herhahn
Olef
Kall
Kallmuth
Holzheim
Tiège
Sart
Schleiden
Weyer
Nöthen
Baraque Michel
Kalterherberg
Schöneseiffen
Keldenich
Pesch
Signal de Botrange
Monschau
Harperscheid
Sötenich
Eicherscheid
Wahlerscheid
Olef-Stausee
Urft
Zingsheim
Roderath
Hockay
Blumenthal
Steinfeld
Schönau
Sistig
Deutsch-Belgischer
Hellenthal
Wahlen
Engelgau
Frohngau
Francorchamps
HAUTES FAGNES
HOHES VENN
Robertville
Elsenborn
Hollerath
Reifferscheid
Krekel
Nettersheim
Marmagen
Forst
Tondorf
Malmédy
Warche
Wirtzfeld
Rescheid
Schleiden
Rohr
Waimes
Bütgenbach
Rocherath
Oberschömbach
Blankenheim
Mülheim
Bellevaux
Faymonville
Udenbreth
Schmidtheim
Reetz
Stavelot
Büllingen (Bullange)
Weißer Stein
Nonnenbach
Lommersdorf
Trois-Ponts
Amblève
Losheimergraben
Naturpark
Freilingen
Ripsdorf
Ahrhütte
Wanne
Ligneuville
(Amblève) Amel
Honsfeld
Berk
Dahlem
Losheim
Kronenburg
Esch
Dollendorf
Heppenbach
Stadtkyll
Alendorf
Uedelhoven
Grand Halleux
Recht
Hallschlag
Feusdorf
Kerschenbach
Wiesbaum
Üxheim
Meyerode
Junkerath
Petit-Thier
Born
Manderfeld
Ormont
Leudersdorf
Ommer-Wald
Roth
Schüller
Andler
Birgel
Auw
Schneifel
Schönfeld
Kerpen
Nohn
Vielsalm
Roth
St.-Vith
Schönberg
Schlausenbach
Reuth
Steffeln
Oberbettingen
Hillesheim
Salmchâteau
Crombach
Our
Olzheim
Auel
Zilsdorf
Ihrenbrück
Oberlascheid
Kleinlangenfeld
Kalenborn-Scheuern
Dohm-Lammersdorf
Commanster
Steinebrück
Schwarzer Mann
Duppach
Rockeskyll
Lommersweiler
Winterscheid
Wascheid
Willwerath
Beho
Grüfflingen
Bleialf
Sellerich
Weinsheim
Schwirzheim
Kasselburg
Dockweiler
Groß-langenfeld
Brandscheid
Oos
Gerolstein
Pelm
Winterspelt
Prüm
Kirchweiler
Gouvy
Oudler
Weweler
Büdesheim
Lissingen
Neunkirchen
Burg-Reuland
Heckhuscheid
Habscheid
Weinsfeld
Rommersheim
Wallersheim
Büscheid
Limerle
Hersdorf
Kopp
Neroth
Oberstadtfeld
Hautbellain
Wemperhaardt
Lützkampen
Masthorn
Birresborn
Deutsche Wildstraße
Wallenborn
Pronsfeld
Niederlauch
Schönecken
Salm
Üdersdorf
Weiswampach
Ouren
Üttfeld
Lünebach
Mürlenbach
Troisvierges
Leidenborn
Nimsreuland
Densborn
Brockscheid
Dackscheid
Lasel
Neustraßburg
Weidenbach
Heinerscheid
Eschfeld
Lichtenborn
Manderscheid
Neuheilenbach
Meisburg
Bleckhausen
Asselborn
Deutsch-
Arzfeld
Waxweiler
Lascheid
Zendscheid
Eckfeld
Balesfeld
Manderscheid
Nimshuscheid
Irrhausen
Lambertsberg
Plütscheid
Neidenbach
Deudesfeld
Dahnen
Clervaux
Daleiden
Jucken
Krautscheid
Seffern
St. Thomas
Steinborn
Bettenfeld
Mosenberg
Marnach
Dasburg
Preischeid
Philippsweiler
Oberweiler
Staffelstein
Eisenschmitt
Kyllburg
Oberkail
Hosingen
Ammeldingen
Ehlenz
Malberg
Grüne Straße
Echtershausen
Bickendorf
Fließem
Orsfeld
Schwelier
Karlshausen
Altscheid
Biersdorf
Himmerod
Neuerburg
Überseisenbach
Weidingen
Stausee Bitburg
Nattenheim
Otrang Röm. Villa
Gindorf
Deutsche
Groß-Minderlittgen
Wilwerwiltz
Gemünd
Koxhausen
Rittersdorf
Consthum
Rodershausen
Hermesdorf
Erdorf
Badem
Metterich
Wildstr.
Luxemburgischer
Sinspelt
Baustert
Dudeldorf
Spangdahlem
Stolzembourg
Grüne Str.
Oberweis
Bitburg
Landscheid
Hoscheid
Kautenbach
Geichlingen
Niederkail
Büderscheid
Vianden
Obersgegen
Bettingen
Eifelpark
Binsfeld
Gobelsmühle
Hütting
Messerich
Röhl
Bergweiler
Lipperscheid
Roth
Körperich
Stockem
Herforst
Bourscheid
Fouhren
Speicher
Niersbach
Brandenbourg
Peffingen
Eßlingen
Salmtal
Sûre

Bad Godesberg
Rheinbach
Meckenheim
Wachtberg
Bad Honnef
Remagen
Unkel
Linz
Sinzig
Bad Neuenahr
-Ahrweiler
Bad Breisig
Bad Hönningen
Naturpark
Rhein
Westerwald
Neuwied
Andernach
Bendorf
Vallendar
Koblenz
Lahnstein
Neustadt
Adenau
Hohe Acht
Nürburgring
Nürburg
Hohe Eifel
Mayen
Mendig
Maria Laach
Laacher See
Kaisersesch
Ulmen
Cochem
Treis-
-Karden
Moseltal
Mosel-Weinstr.
Boppard
Rheingoldstr.
Hunsrück-Höhenstraße
Kastellaun
Zell
Marienburg
Bullay
Beilstein
Bad-Bertrich
Wittlich
Traben-
Trarbach
Kirchberg
Simmern
St. Goar
Oberwesel
Emmelshausen
Rhens
Polch
Münstermaifeld
Kobern-Gondorf
Winningen
Dieblich
Kelberg
Daun
Gillenfeld
Grüne Straße
Hahn
Kröv
Ürzig
Bernkastel-Kues
Kruft
Plaidt
Mülheim-Kärlich
Weißenthurm
Ochtendung
Bassenheim
Burgbrohl
Brohl-Lützing
Rheinbrohl
Niederbreitbach
Waldbreitbach
Dierdorf
Puderbach
Ehrenburg
Altenahr
Kreuzberg
Ahrbrück
Dümpelfeld
Bad Münstereifel
Euskirchen
Swisttal
Drachenfels
Rhöndorf

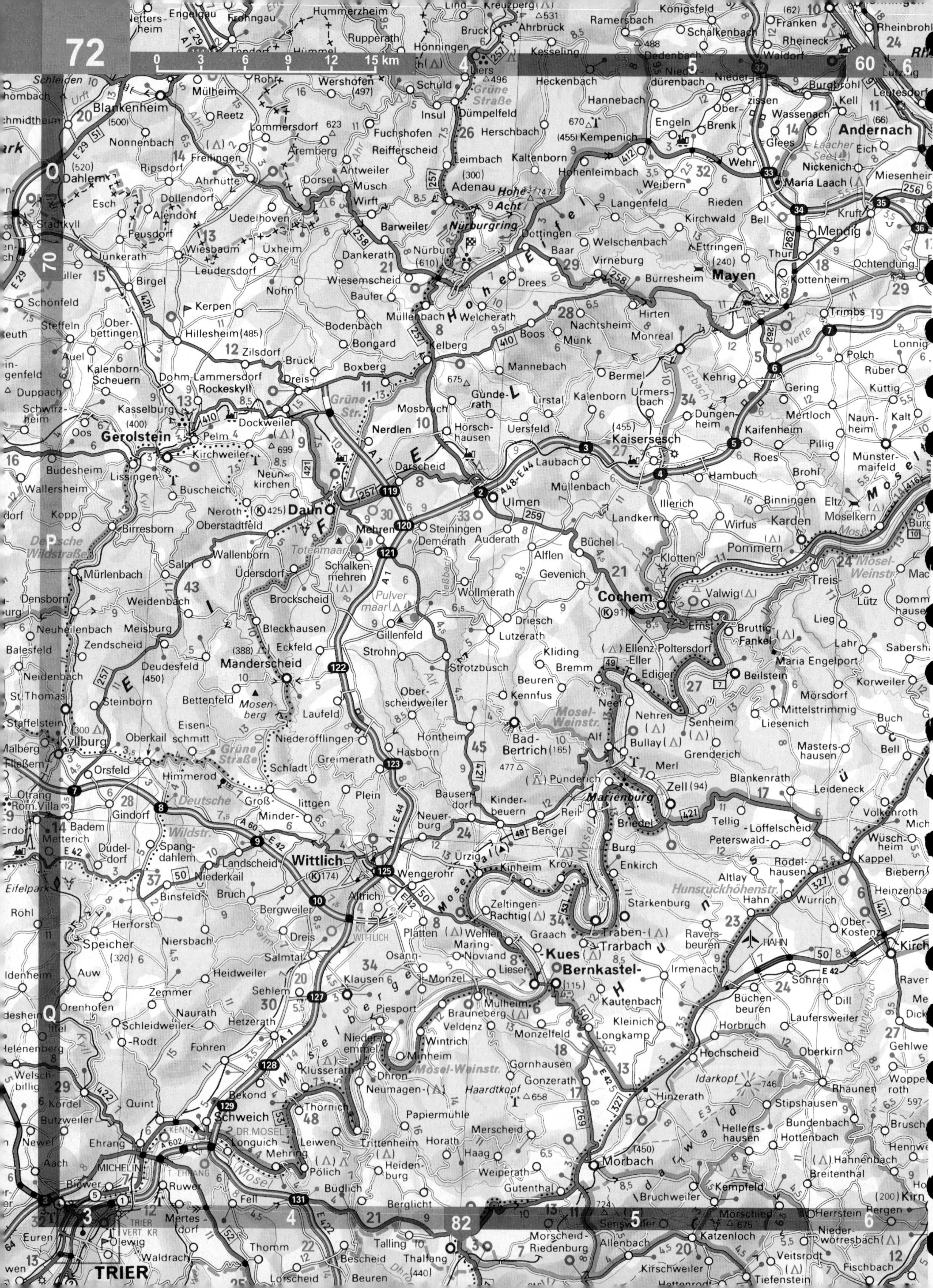

0 3 6 9 12 15 km
Blankenheim
Dahlem
Stadtkyll
Jünkerath
Hillesheim
Gerolstein
Daun
Ulmen
Adenau
Nürburgring
Hohe Acht
Kelberg
Mayen
Andernach
Maria Laach
Mendig
Kaisersesch
Cochem
Treis-Karden
Beilstein
Zell
Bad-Bertrich
Manderscheid
Wittlich
Kyllburg
Bitburg
Speicher
Schweich
Trier
Bernkastel-Kues
Traben-Trarbach
Morbach
Hahn
Kirchberg
Kastellaun
Thalfang
Hermeskeil
Idarkopf
Grüne Straße
Deutsche Wildstraße
Mosel-Weinstr.
Hunsrückhöhenstr.
Eifelpark
Hohe Eifel
Eifel
Moselberge
Hunsrück
Idarwald
Mosel

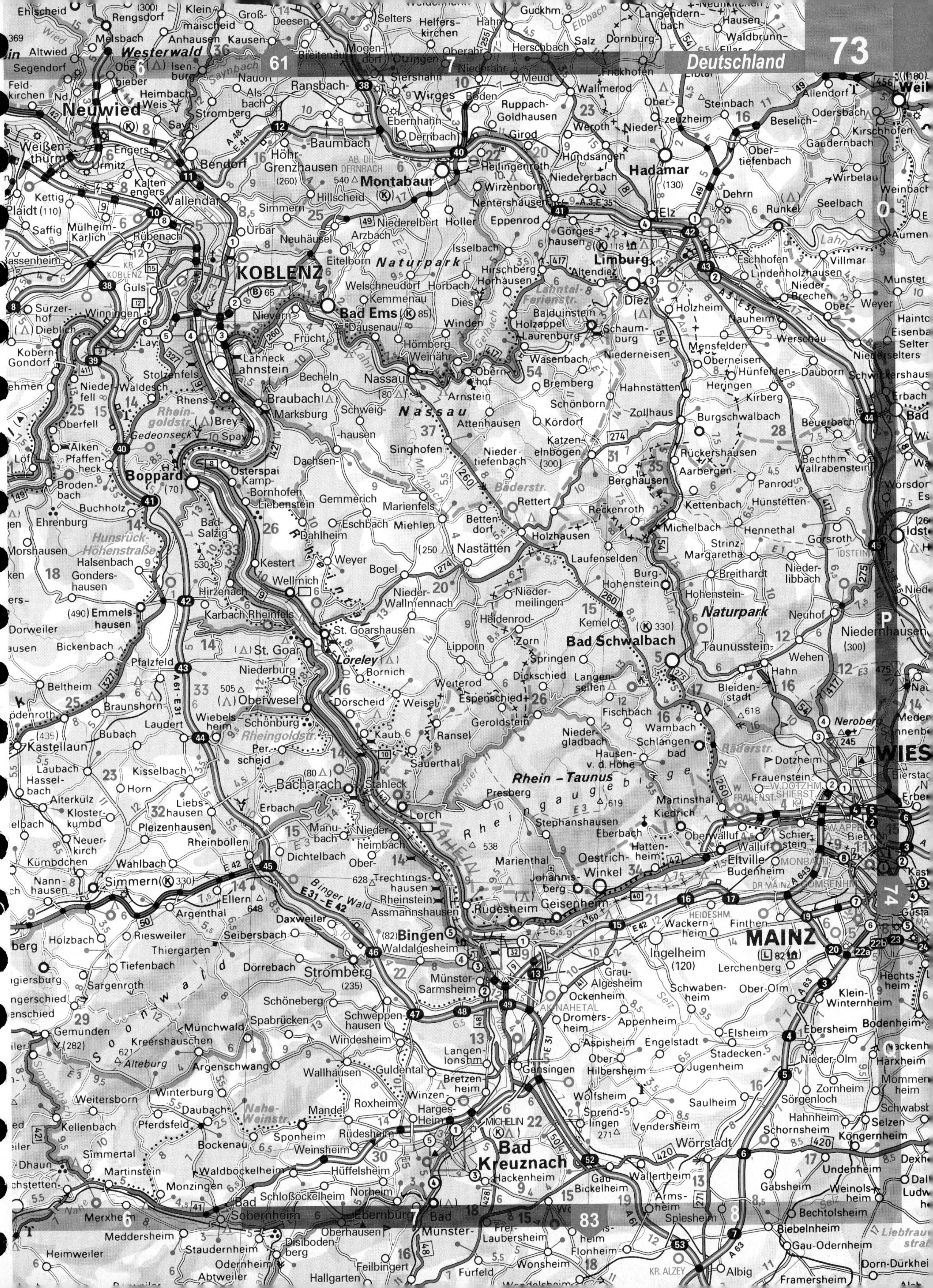
Westerwald
Neuwied
Bendorf
Vallendar
Montabaur
Hadamar
Limburg
Diez
KOBLENZ
Bad Ems
Nassau
Lahnstein
Braubach
Boppard
Naturpark
Nassau
Rhein-Taunus
Rheingaugebirge
Bad Schwalbach
Taunusstein
Idstein
St. Goarshausen
St. Goar
Loreley
Oberwesel
Bacharach
Lorch
Kastellaun
Simmern
Rüdesheim
Geisenheim
Oestrich-Winkel
Eltville
Bingen
MAINZ
Ingelheim
Stromberg
Soonwald
Bad Kreuznach
Bad Sobernheim
Bad Münster
Wörrstadt
Hunsrück-Höhenstraße
Rheingoldstr.
Nahe-Weinstr.
Bäderstr.
Lahntal-Ferienstr.
Binger Wald
Hunsrück
Nahe
Rhein
Lahn
Aar
Wisper
Mühlbach
Gelbach
Selz
Saynbach
Wiesbaden
Wiesbaden-Dotzheim
Wiesbaden-Frauenstein
Wiesbaden-Schierstein
Wiesbaden-Biebrich
Budenheim
Finthen
Lerchenberg
Ober-Olm
Nieder-Olm
Sprendlingen
Gensingen
Langenlonsheim
Alzey
Hohenstein
Heidenrod
Nastätten
Holzhausen
Katzenelnbogen
Hahnstätten
Aarbergen
Hünstetten
Niedernhausen
Kiedrich
Hattenheim
Johannisberg
Assmannshausen
Trechtingshausen
Rheinstein
Waldalgesheim
Münster-Sarmsheim
Weinsheim
Hüffelsheim
Norheim
Hackenheim
Bretzenheim
Windesheim
Rheinböllen
Emmelshausen
Pfalzfeld
Ransbach-Baumbach
Höhr-Grenzhausen
Wirges
Hillscheid
Simmern
Elz
Runkel
Villmar
Hünfelden
Selters
Mengerskirchen
Bad Camberg
Waldbrunn
Weilburg
Niederselters
A3 E35
A61 E31
A48 E44
A60
A63
A643
E42
A671
Deutschland
61
7
6
73
74
83
8
O
P
Q

0 3 6 9 12 15 km
Wetzlar
Weilburg
Butzbach
Münzenberg
Laubach
Hungen
Nidda
Naturpark
Hochtaunus
Bad Nauheim
Friedberg
Usingen
Bad Camberg
Idstein
Bad Homburg
Oberursel
Königstein
Kronberg
Bad Soden
Eschborn
Kelkheim
Hofheim
FRANKFURT
OFFENBACH
Hanau
Mühlheim
Maintal
Bad Vilbel
Nidderau
Karben
Bruchköbel
Erlensee
Langenselbold
WIESBADEN
Hochheim
Rüsselsheim
Hattersheim
Höchst
Sachsenhausen
Neu-Isenburg
Heusenstamm
Seligenstadt
Rodgau
Dietzenbach
Dreieich
Langen
Mörfelden-Walldorf
Rödermark
Babenhausen
Dieburg
DARMSTADT
Groß-Gerau
Griesheim
Pfungstadt
Groß-Umstadt
Großostheim
Nierstein
Oppenheim
Ober-Ramstadt
Reinheim
Main
RHEIN
Großer Feldberg
Opelzoo
Hessenpark
Saalburg
Friedrichsdorf
Taunus

Vogelsberg
Herbstein
Petersberg
Künzell
Neuhof
Forst Neuhof
Rhön
Gersfeld
Bischofsheim
Schlüchtern
Steinau
Bad Soden-Salmünster
Büdingen
Wächtersbach
Naturpark Bad Orb
Gelnhausen
Hessischer Spessart
Deutsche Märchenstraße
Deutsche Ferienstraße
Spessart-Höhenstraße
Bad Brückenau
Dreistelzberg
Sperrgebiet
Hammelburg
Frammersbach
Lohr a. Main
Gemünden
Karlstadt
Naturpark
Aschaffenburg
Mespelbrunn
Bayerischer Spessart
Klosterkuppel
Geiersberg
Marktheidenfeld
Würzburg
Main
Gramschatzer Wald
Deutsche Ferienstraße Alpen-Ostsee

0 3 6 9 12 15 km
14
15
16
64
75
86
Meiningen
Bad Neustadt
Bad Kissingen
Schweinfurt
Haßfurt
Hildburghausen
Schleusingen
Themar
Mellrichstadt
Bad Königshofen
Münnerstadt
Hofheim
Zeil a. Main
Werneck
Arnstein
Volkach
Gerolzhofen
Ebrach
Dettelbach
Bischofsheim
Gersfeld
Ostheim v. d. Rhön
Bad Bocklet
Knetzgau
Eltmann
Naturpark
Bayerische Rhön
Rhön
Wasserkuppe
Kreuzberg
Haßberge
Steigerwald Höhenstraße
Straße der Residenzen
Großer Gleichberg
Kleiner Gleichberg
Hochrhön-straße
Rother Kuppe
Heidelstein
Platzer Kuppe
Ellertshäuser See
Schonungen
Sennfeld
Gochsheim
Grafenrheinfeld
Schwebheim
Niederwerrn
Euerbach
Oerlenbach
Rannungen
Maßbach
Thundorf
Stadtlauringen
Sulzfeld
Großbardorf
Aub
Sulzdorf a. d. Lederhecke
Königsberg i. Bayern
Ebelsbach
Trappstadt
Rodach
Römhild
Sondheim
Nordheim
Fladungen
Hollstadt
Unsleben
Salz
Hammelburg
Wiesentheid

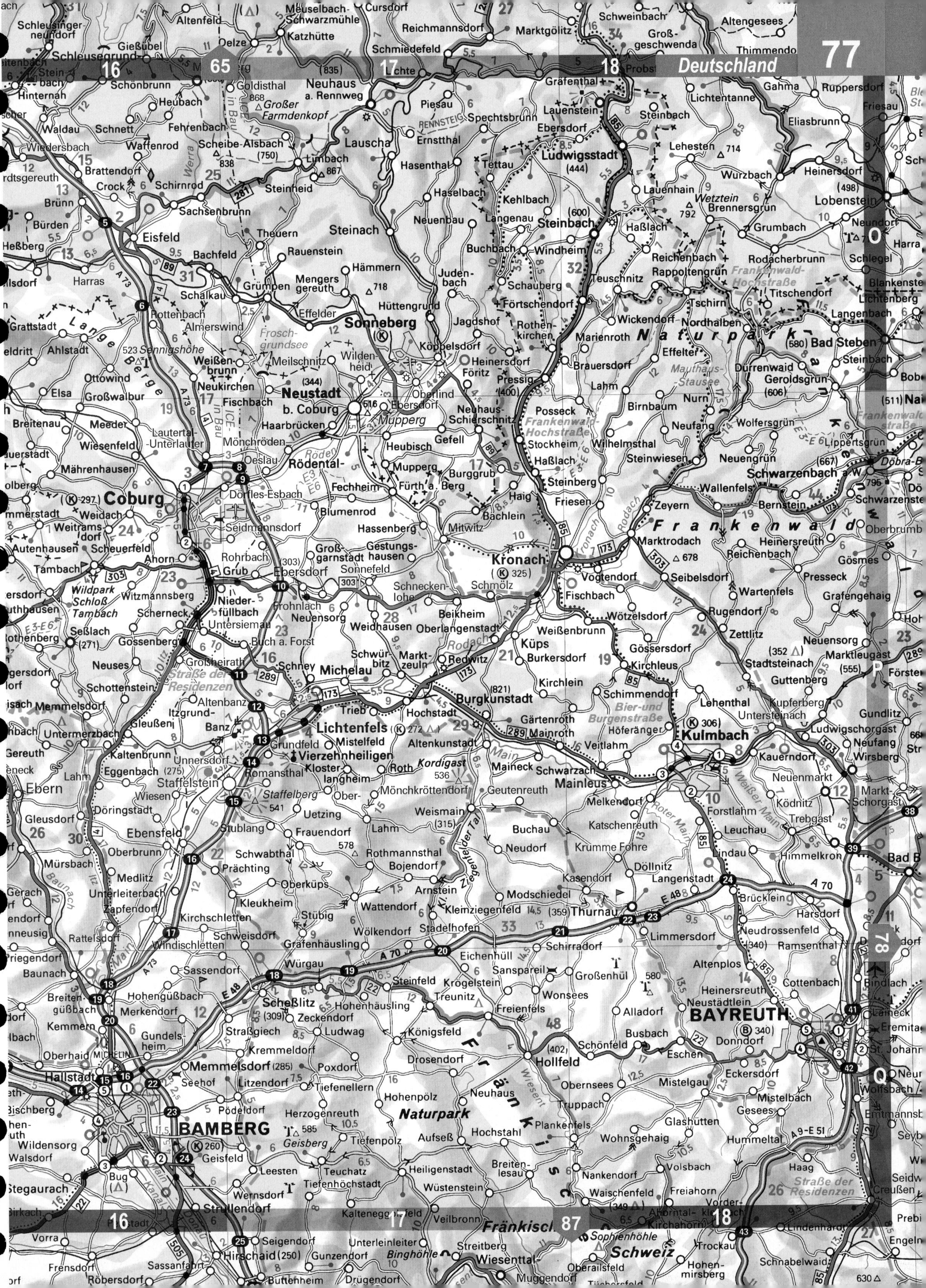
Neuhaus a. Rennweg
Lauscha
Steinach
Sonneberg
Neustadt b. Coburg
Coburg
Eisfeld
Rödental
Ludwigsstadt
Steinbach
Tettau
Kronach
Naturpark Frankenwald
Frankenwald
Bad Steben
Lobenstein
Schwarzenbach a. W.
Marktrodach
Kulmbach
Burgkunstadt
Lichtenfels
Michelau
Staffelstein
Vierzehnheiligen
Ebern
Bamberg
Hallstadt
Scheßlitz
Hollfeld
Thurnau
Mainleus
Bayreuth
Naturpark
Fränkische Schweiz
Waischenfeld
Straße der Residenzen
Bier- und Burgenstraße
Frankenwald-Hochstraße
Rennsteig
Lange Berge
Hirschaid
Wiesenttal
Creußen
Bad Berneck
Wirsberg
Stadtsteinach
Marktleugast
Helmbrechts
Seßlach
Gefell
Weißenbrunn
Küps
Redwitz
Ebensfeld
Weismain
Memmelsdorf

0 3 6 9 12 15 km
Plauen
Hof
Naila
Bad Steben
Lobenstein
Ludwigsstadt
Steinbach
Helmbrechts
Münchberg
Schwarzenbach a.W.
Schwarzenbach a. d. Saale
Rehau
Selb
Kulmbach
Mainleus
Thurnau
Bayreuth
Bad Berneck
Bischofsgrün
Wunsiedel
Marktredwitz
Weißenstadt
Warmensteinach
Fichtelberg
Weidenberg
Kemnath
Erbendorf
Creußen
Hollfeld
Stadtsteinach
Marktleugast
Kronach
Naturpark Frankenwald
Frankenwald
Naturpark Fichtelgebirge
Fichtelgebirge
Naturpark Steinwald
Frankenwald-Hochstraße
Frankenwaldstraße
Bier- und Burgenstraße
Porzellanstraße
Fichtelgebirgsstraße
Glasstraße
Straße der Residenzen
Bayerische Ostmarkstraße
Bleiloch Stausee
Mauthaus-Stausee
Untreusee
Förmitzspeicher
Fichtelsee
Schneeberg
Ochsenkopf
Großer Waldstein
Großer Kornberg
Kösseine
Luisenburg
Döbra-Berg
Rauher Kulm
Sophienhöhle
Schweiz
Weißer Main
Roter Main
Saale
A 9 E 51
A 72
A 93
A 70
E 48
E 49
77
66
88
18
19
20

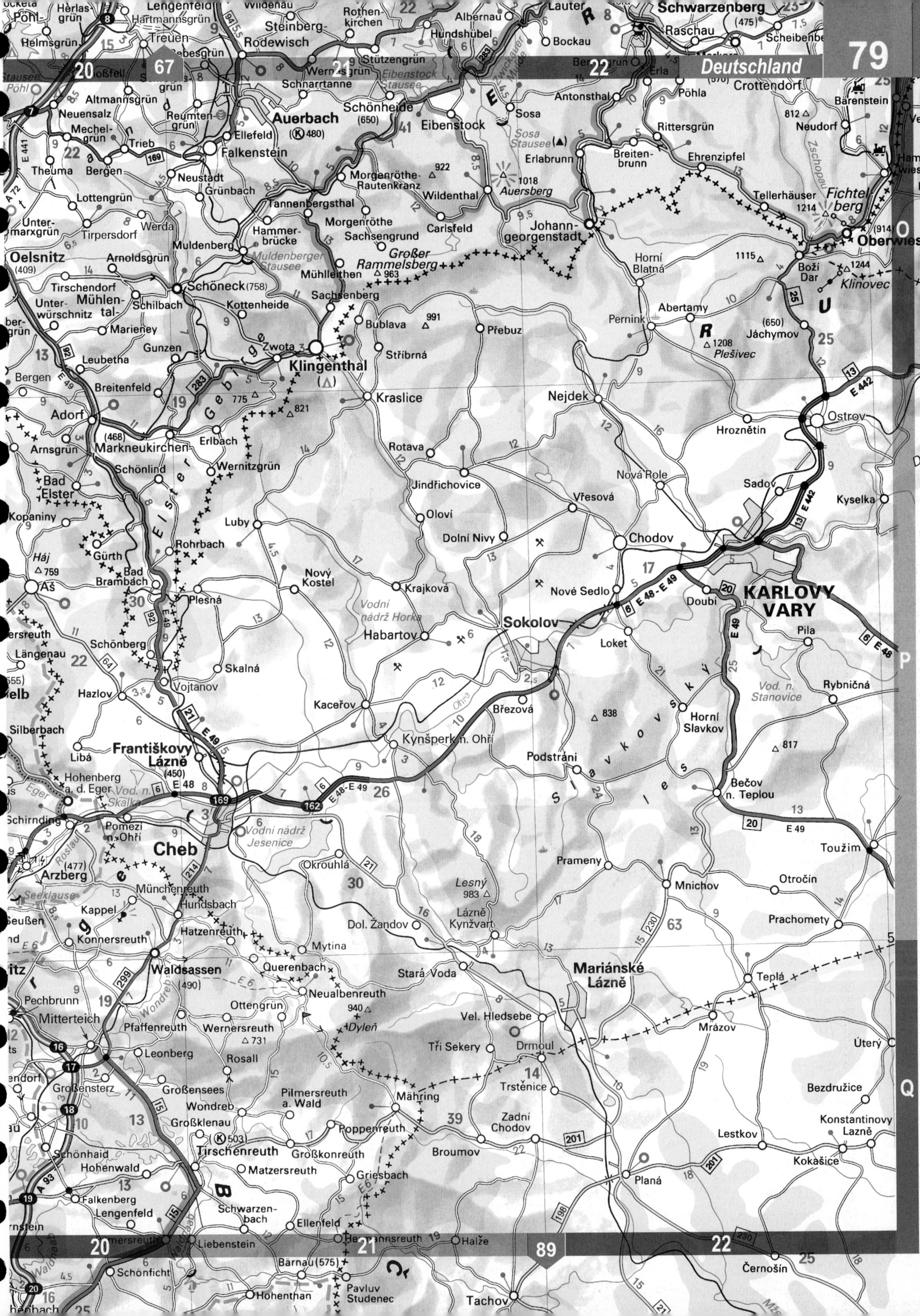
Schwarzenberg
Raschau
Lengenfeld
Rothenkirchen
Steinberg
Albernau
Hundshübel
Bockau
Treuen
Rodewisch
Stützengrün
Wernesgrün
Schnarrtanne
Eibenstock Stausee
Antonsthal
Pöhla
Crottendorf
Bärenstein
Vejprty
Erla
Altmannsgrün
Neuensalz
Auerbach
Schönheide
Eibenstock
Sosa
Rittersgrün
Neudorf
Reumtengrün
Mechelgrün
Ellefeld
Falkenstein
Trieb
Theuma
Bergen
Sosa Stausee
Erlabrunn
Breitenbrunn
Ehrenzipfel
Neustadt
Grünbach
Morgenröthe-Rautenkranz
Wildenthal
Auersberg
Tellerhäuser
Fichtelberg
Lottengrün
Tannenbergsthal
Tirpersdorf
Werda
Hammerbrücke
Morgenröthe
Sachsengrund
Carlsfeld
Johanngeorgenstadt
Oberwiesenthal
Oelsnitz
Arnoldsgrün
Muldenberg
Muldenberger Stausee
Großer Rammelsberg
Mühlleithen
Horní Blatná
Boží Dar
Klínovec
Tirschendorf
Mühlental
Schöneck
Schilbach
Kottenheide
Sachsenberg
Pernink
Abertamy
Jáchymov
Plešivec
Marieney
Bublava
Přebuz
Gunzen
Zwota
Klingenthal
Stříbrná
Leubetha
Bergen
Breitenfeld
Kraslice
Nejdek
Ostrov
Adorf
Markneukirchen
Erlbach
Hroznětín
Arnsgrün
Rotava
Schönlind
Wernitzgrün
Bad Elster
Jindřichovice
Nová Role
Sadov
Kyselka
Kopaniny
Oloví
Vřesová
Luby
Dolní Nivy
Chodov
Rohrbach
Gürth
Háj
Aš
Bad Brambach
Nový Kostel
Krajková
Nové Sedlo
Doubí
KARLOVY VARY
Plesná
Vodní nádrž Horka
Habartov
Sokolov
Loket
Pila
Schönberg
Skalná
Rybničná
Hazlov
Vojtanov
Kaceřov
Březová
Horní Slavkov
Vod. n. Stanovice
Silberbach
Libá
Františkovy Lázně
Kynšperk n. Ohří
Podstrání
Slavkovský les
Hohenberg a. d. Eger
Bečov n. Teplou
Schirnding
Pomezí n. Ohří
Cheb
Vodní nádrž Jesenice
Toužim
Arzberg
Okrouhlá
Prameny
Mnichov
Otročín
Münchenreuth
Hundsbach
Lesný
Kappel
Lázně Kynžvart
Prachomety
Dol. Žandov
Hatzenreuth
Konnersreuth
Mytina
Waldsassen
Querenbach
Stará Voda
Mariánské Lázně
Teplá
Neualbenreuth
Pechbrunn
Mitterteich
Ottengrün
Dyleň
Vel. Hledsebe
Mrázov
Pfaffenreuth
Wernersreuth
Tři Sekery
Drmoul
Úterý
Leonberg
Rosall
Trstěnice
Großensterz
Großensees
Pilmersreuth a. Wald
Mähring
Bezdružice
Wondreb
Zadní Chodov
Großklenau
Poppenreuth
Konstantinovy Lázně
Schönhaid
Tirschenreuth
Großkonreuth
Broumov
Lestkov
Kokašice
Hohenwald
Matzersreuth
Griesbach
Planá
Falkenberg
Lengenfeld
Schwarzenbach
Ellenfeld
Liebenstein
Hermannsreuth
Halže
Schönficht
Bärnau
Pavluv Studenec
Hohenthan
Tachov
Černošín

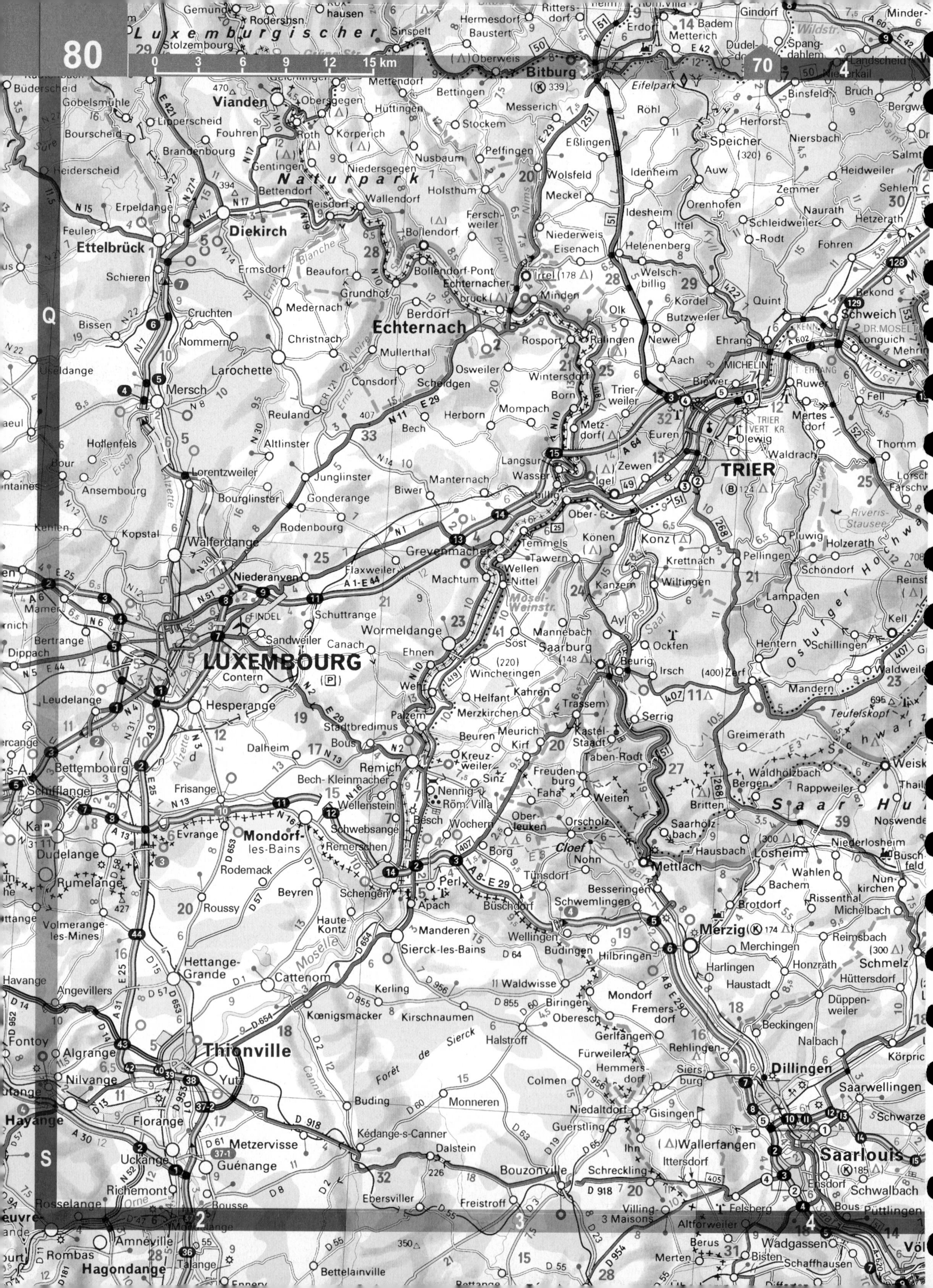
Luxemburgischer
Naturpark
0 3 6 9 12 15 km
Vianden
Bitburg
Diekirch
Ettelbrück
Echternach
Mersch
Larochette
Trier
Konz
Grevenmacher
Luxembourg
Hesperange
Saarburg
Remich
Mondorf-les-Bains
Mettlach
Merzig
Perl
Schengen
Sierck-les-Bains
Cattenom
Thionville
Yutz
Hettange-Grande
Dudelange
Bettembourg
Rumelange
Hayange
Florange
Guénange
Metzervisse
Bouzonville
Dillingen
Saarlouis
Saarwellingen
Speicher
Schweich
Kell
Losheim
Wallerfangen
Wadgassen
Hagondange
Amnéville
Rombas
Moselle
Forêt de Sierck
Saar-Hunsrück
Osburger Hochwald
Schwarzwälder Hochwald
Mosel-Weinstr.
Eifelpark
Teufelskopf
Riveris-Stausee

Wittlich
Bernkastel-Kues
Traben-Trarbach
Kirchberg
Morbach
Hunsrückhöhenstr.
Soonwald
Idarwald
Hochwald
Naturpark
Kirn
Idar-Oberstein
Birkenfeld
Baumholder
Sperrgebiet
Hermeskeil
Nonnweiler
Thalfang
Erbeskopf
Nohfelden
Freisen
Kusel
Lauterecken
Meisenheim
Sobernheim
Gemünden
Rhaunen
Hahn
Tholey
St. Wendel
Ottweiler
Neunkirchen
Homburg
Landstuhl
Ramstein-Miesenbach
Bruchmühlbach-Miesau
Zweibrücken
St. Ingbert
Sulzbach
Friedrichsthal
Bexbach
Eppelborn
Illingen
Merchweiler
Heusweiler
Riegelsberg
Lebach
Wadern
Schaumberg
Bostalsee
Mosel-Weinstr.
Nahe-Weinstr.
Nordpfälzer Bergland
Sierck
Glan-Münchweiler
Waldmohr
Kirkel
Blieskastel
Saarbrücken
Lauterecken
Wolfstein
Kaiserslautern

TRIER
Konz
Mettlach
Merzig
Dillingen
Saarlouis
Völklingen
SAARBRÜCKEN
Forbach
Stiring-Wendel
Sarreguemines
St. Avold
Creutzwald
Merlebach
Lebach
Wadern
Weiskirchen
Hermeskeil
Thalfang
Morbach
Birkenfeld
Idar-Oberstein
Baumholder
Nohfelden
St. Wendel
Tholey
Ottweiler
Neunkirchen
Homburg
Zweibrücken
St. Ingbert
Blieskastel
Sulzbach
Friedrichsthal
Kusel
Bexbach
Illingen
Eppelborn
Heusweiler
Riegelsberg
Püttlingen
Losheim
Schmelz
Saarwellingen
Wallerfangen
Überherrn
Großrosseln
Kleinblittersdorf
Grosbliederstroff
Mandelbachtal
Gersheim
Bitche
Naturpark
Saar-Hunsrück
Schwarzwälder Hochwald
Osburger Hochwald
Erbeskopf
Teufelskopf
Bostalsee
Schaumberg
Hunsrück-Höhenstr.
Sperrgebiet
MICHELIN
0 3 6 9 12 15 km
72
81
Q
R
S
4
5
6

Simmertal
Dhaun
Martinstein
Bockenau
Sponheim
Rüdesheim
Weinsheim
Waldböckelheim
Hüffelsheim
Bad Kreuznach
Hackenheim
Wörrstadt
Wallertheim
Monzingen
Schloßböckelheim
Norheim
Bickelheim
Nahe
Merxheim
Meddersheim
Sobernheim
Ebernburg
Oberhausen
Disibodenberg
Bad Münster-
Frei-Laubersheim
Wöllstein
Eckelsheim
Flonheim
Spiesheim
Armsheim
Bechtolsheim
Biebelnheim
Gau-Odernheim
Heimweiler
Staudernheim
Odernheim
Abtweiler
Feilbingert
Hallgarten
Fürfeld
Wonsheim
KR. ALZEY
Albig
Dorn-Dürkheim
Framersheim
Alsheim
Bärweiler
Becherbach
Lauschied
Lettweiler
Hochstätten
Wendelsheim
Erbes-Büdesheim
Dittelsheim
Hundsbach
Rehborn
Obermoschel
Winterborn
Mörsfeld
Dautenheim
Jeckenbach
Meisenheim
Schweinschied
Münsterappel
Oberhausen a. d. Appel
Bechenheim
Niederwiesen
Offenheim
Alzey
Eppelsheim
Hochborn
Westhofen
Bechtheim
Sien
Löllbach
Callbach
Alsenz
Gaugrehweiler
Kriegsfeld
Orbis
Freimersheim
Flomborn
Osthofen
Langweiler
Odenbach
Schiersfeld
Mannweiler-Cölln
Gerbach
Ilbesheim
Ober-Flörsheim
Gundersheim
Gundheim
Abenheim
Lauterecken
Grumbach
Ginsweiler
Gangloff
Waldgrehweiler
Becherbach
Reipoltskirchen
Ranschweiler
Schönborn
Dielkirchen
Kirchheimbolanden
Gauersheim
Stetten
Mölsheim
Flörsheim-Dalsheim
Herrnsheim
Glanbrücken
Offenbach-Hundheim
Hohenöllen
Nußbach
Marienthal
Bolanden
Dannenfels
Albisheim
Pfrimm
Zellertal
Monsheim
Pfeddersheim
St. Julian
Horschbach
Hinzweiler
Einöllen
Rockenhausen
Dörrmoschel
Donnersberg
Marnheim
Bockenheim
Offstein
Horchheim
Ulmet
Welchweiler
Königsberg
Wolfstein
Relsberg
Niederkirchen
Imsweiler
Falkenstein
Steinbach
Rüssingen
Biedesheim
Heppenheim
Weinsheim
Altenglan
Eßweiler
Kreimbach-Kaulbach
Gehrweiler
Alsenbrück-Langmeil
Börrstadt
Dreisen
Göllheim
Kerzenheim
Asselheim
Obrigheim
Obersülzen
Großniedesheim
Dirmstein
Bosenbach
Rothselberg
Schallodenbach
Winnweiler
Höringen
Lohnsfeld
Breunigweiler
Eisenberg
Ebertsheim
Grünstadt
Laumersheim
Föckelberg
Jettenbach
Oberstaufenbach
Olsbrücken
Schneckenhausen
Münchweiler
Sippersfeld
Ramsen
Hettenleidelheim
Eckbach
Heßheim
Großkarlbach
Reichenbach-Steegen
Kollweiler
Hirschhorn
Otterberg
Wartenberg-Rohrbach
Kleinkarlbach
Kirchheim
Frankenthal
Schwedelbach
Katzweiler
Sembach
Neuhemsbach
Wattenheim
Weisenheim
Kottweiler-Schwanden
Mackenbach
Weilerbach
Otterbach
Mehlingen
Alsenborn
Altleiningen
Carlsberg
Höningen
Weisenheim a. Berg
Herxheim
Freinsheim
Lambsheim
Niedermohr
Rodenbach
Erfenbach
Morlautern
Enkenbach
Hertlingshausen
Kallstadt
Erpolzheim
Miesenbach
Siegelbach
Isenach
Leistadt
Birkenheide
Maxdorf
Steinwenden
Ramstein-
Eselsfürth
Peterskopf
Ringwall
Ungstein
Hardenburg
Limburg
Fußgönheim
Friedelsheim
Einsiedlerhof
Kindsbach
Fischbach
Frankenstein
Bad Dürkheim
Schauernheim
Landstuhl
KAISERSLAUTERN
Hohenecken
Hochspeyer
Wachenheim
Hauptstuhl
Bruchmühlbach-Miesau
Bann
Dansenberg
Harter kopf
Weidenthal
Drachenfels
Niederkirchen
Deidesheim
Rödersheim-Gronau
Aschbacherhof
Waldleiningen
Kurpfalz-Park
Mittelbrunn
Queidersbach
Stelzenberg
Mölschbach
Neidenfels
Lindenberg
Deutsche Weinstr.
Meckenheim
Gerhardsbrunn
Obernheim-Kirchenarnbach
Trippstadt
Linden
Wald
Esthal
Frankeneck
Lambrecht
Gimmeldingen
Mußbach
Böhl-
Schopp
Johanniskreuz
Elmstein
Weinbiet
Haßloch
Iggelheim
Saalstadt
Weselberg
Schmalenberg
Speyerbach
Iggelbach
Neustadt
Speyerdorf
Hermersberg
Geiselberg
Naturpark
Hambacher Schloß
Lachen-
Herschberg
Steinalben
Heltersberg
Eschkopf
Diedesfeld
Kalmit
Maikammer
St. Martin
Höheinöd
Deutsche Schuhstraße
Hanhofen
Waldfischbach
Burgalben
Thaleischweiler-Fröschen
Hofstätten
Erlenkopf
Kirrweiler
Altdorf
Geinsheim
Harthausen
Leimen
Taubensuhl
Massweiler
Rieschweiler
Mühlbach
Donsieders
Clausen
Merzalben
Pfälzer
Weißenberg
Ludwigshöhe
Edenkoben
Gommersheim
Schwegenheim
Rhodt
Höheischweiler
Rodalben
Hermersbergerhof
Ramberg
Edesheim
Großfischlingen
Weingarten
Gräfenstein
Lauter
Dernbach
Burrweiler
Hochstadt
Essingen
Hainbach
Münchweiler
Eußerthal
Frankweiler
Rinnthal
Albersweiler
Böchingen
Lustadt
Westheim
Gersbach
Wilgartswiesen
Sarnstall
Siebeldingen
Zeiskam
Germersheim
Ruppertsweiler
Annweiler
Winzeln
Pirmasens
Hinterweidenthal
Trifels
Landau
Asselstein
Ilbesheim
Ottersheim
Niedersimten
Lemberg
Hauenstein
Lug
Leinsweiler
Offenbach
Bellheim
Erlenbrunn
Salzwoog
Waldrohrbach
Mörzheim
Kröppen
Vinningen
Dahn
Erfweiler
Völkersweiler
Impflingen
Altdahn
Gossersweiler-Stein
Silz
Mädenburg
Rülzheim
Langmühle
Heuchelheim
Insheim
Herxheim
Trulben
Landeck
Klingenmünster
Billigheim-Ingenheim
Kuhardt
Großer Eyberg
Busenberg
Vorderweidenthal
Rohrbach
Klingbach
Deutsche Schuhstraße
Erlenbach
Birkenhördt
Eppenbrunn
Wieslautern
Berwartstein
Niederhorbach
Steinweiler
Rheinzabern
Hatzenbühl
Leimersheim
Neupotz
Fischbach b. Dahn
Rumbach
Bundenthal
Reisdorf
Oberer
Dörrenbach
Barbelroth
Winden
Erlenbach
Jockgrim
Ludwigswinkel
Bad
Kandel
Leopoldshafen
Saarbach

84
0 3 6 9 12 15 km
74
83
93
Q
R
S
MANNHEIM
LUDWIGSHAFEN
HEIDELBERG
Worms
Speyer
Schwetzingen
Frankenthal
Viernheim
Lampertheim
Weinheim
Heppenheim
Bensheim
Lorsch
Bürstadt
Pfungstadt
Griesheim
Oppenheim
Gernsheim
Michelstadt
Erbach
Bad König
Eberbach
Hirschhorn
Neckargemünd
Sinsheim
Wiesloch
Walldorf
Hockenheim
Leimen
Schriesheim
Ladenburg
Germersheim
Philippsburg
Waghäusel
Bad Schönborn
Östringen
Eppingen
Reinheim
Groß-Umstadt
Lindenfels
Wald-Michelbach
Beerfelden
Naturpark
Bergstraße
Odenwald
Nibelungenstr.
Siegfriedstr.
Deutsche Ferienstraße
Burgenstraße
Neckartal
Liebfrauenstraße
Fürstenlager
Königstuhl
Katzenbuckel
Steinsberg
Tromm
Holiday Park
Neckar
Rhein

WÜRZBURG
Marktheidenfeld
Wertheim
Miltenberg
Amorbach
Walldürn
Tauberbischofsheim
Bad Mergentheim
Weikersheim
Buchen
Naturpark
Tropfsteinhöhle
Mosbach
Neckartal-
Osterburken
Adelsheim
Boxberg
Lauda-Königshofen
Künzelsau
Öhringen
Neckarsulm
Bad Friedrichshall
Wimpfen
HEILBRONN
Schwäbisch Hall
Langenburg
Blaufelden
Crailsheim
Hardheim
Grünsfeld
Dörzbach
Krautheim
Schöntal
Jagsthausen
Möckmühl
Forchtenberg
Waldenburg
Neuenstein
Ravenstein
Romantische Straße
Deutsche Ferienstraße Alpen-Ostsee
Nibelungen-Str.
Siegfriedstraße
Schwäbische Dichterstr.
Straße der Residenzen
Deutsche Ferienstraße
Deutsche Ferienstr.
Hohenloher Ebene
Sperrgebiet
Salzbergwerk
DREIECK WÜRZBG WEST
A 81 - E 41
A 3 - E 41
A 6 - E 50
Main
Tauber
Jagst
Kocher
Seckach
Erfa
Aalbach

0 3 6 9 12 15 km
Volkach
Krautheim
Lülsfeld
Schallfeld
Geusfeld
Falsbrunn
Lisberg
Prolsdorf
Steigerwald Höhenstraße
Prosselsheim
Rimbach
Brünnau
Oberschwarzach
Ebrach (325)
Schönbrunn i. Steigerwald
Steinsdorf
Kürnach
Neusetz
Sommerach
Eichfeld
Neuses a. Sand
Kammerforst
Straße der Residenzen
Ampferbach
Burgebrach (269)
Estenfeld
Dimbach
Schönaich
Untersteinach
Burgwindheim
Euerfeld
Brück
Neuses a. Berg
Reupelsdorf
Laub
Prichsenstadt
Altenschönbach
Mönchsambach
Lengfeld
Dettelbach
Schwarzach a. Main
Ebersbrunn
Rottendorf
Bibergau
Mainsondheim
Wiesentheid
Geesdorf
Großbirkach
Treppendorf
Gerbrunn
Rottendorf
Feuerbach
Gräfenneuses
Naturpark
Reichmannsdorf
Randersacker
Biebelried
Geiselwind
Aschbach
Oberköst
Theilheim
Mainstockheim
Albertshofen
Kleinlangheim
Abtswind
Schlüsselfeld (299)
Wachenroth
Mühlhausen
Biebelried
Großlangheim
Rüdenhausen
Westheim
Kitzingen (191)
Greuth
Haag
Freihaslach
Kaltensondheim
Wiesenbronn
Castell
Appenfelden
Elsendorf
Eibelstadt
Sulzfeld a. Main
Schwanberg 474
Prühl
Burghaslach
Hohenfeld
Rödelsee
Birklingen
Stierhöfstetten
Oberrimbach
Breitenlohe
Gleißenberg
Höchstadt a. d. Aisch
Winterhausen
Erlach
Mainbernheim
Oberscheinfeld
Steigerwald
Kleinweisach
Dutendorf
Geroldshausen
Sommerhausen
Iphofen
Fuchsstadt
Frickenhausen a. Main
Marktsteft
Michelfeld
Burgambach
Markt Taschendorf
Lonnerstadt
Goßmannsdorf
Willanzheim
Markt Einersheim
Enzlar
Frankfurt
Vestenbergsgreuth
Hermersdorf
Marktbreit
Altmannshausen
Scheinfeld (306)
Uehlfeld
Sterpersdorf
Tückelhausen
Ochsenfurt
Obernbreit
Hüttenheim
Mittelsteinach
Steigerwald Höhenstraße
Schornweisach
Giebelstadt
(194)
Dornheim
Markt Bibart
Unterlaimbach
Allersheim
Gaukönigshofen
Enheim
Seinsheim
Nenzenheim
Limpurger Forst
Münchsteinach
Dachsbach
Martinsheim
Wässerndorf
Gerhardshofen
Birnbaum
Euerhausen
Gnötzheim
Ullstadt
Baudenbach
Gutenstetten
Geißlingen
Krassolzheim
Rezelsdorf
Hopferstadt
Ippesheim
Hohenlandsberg 498
Langenfeld
Ehebach
Diespeck
Oberreichenbach
Oberickelsheim
Markt Nordheim
Sugenheim
Unternesselbach
Sonderhofen
Oellingen
Herrnberchtheim
Reusch
Deutenheim
Dettendorf
Hemmersheim
Weigenheim
Neustadt a. d. Aisch (292)
Brunn
Münchaurach
Wilhelmsdorf
Stalldorf
Gelchsheim
Herbolzheim
Krautostheim
Rüdisbronn
Birkenfeld
Gollhofen
Geckenheim
Dietersheim
Riedenheim
Aub
Gollachostheim
Gollach
Ulsenheim
Berolzheim
Herrnneuses
Baldersheim
Uffenheim (330)
Dottenheim
Emskirchen
Simmershofen
Oberntief
Schellert
Strüth
Bieberehren
Waldmannshofen
Auernhofen
Welbhausen
Ipsheim
Eichelberg
Hagenbüchach
Schäftersheim
Röttingen
Langensteinach
Neuherberg
Bad Windsheim (314)
Neidhardswinden
Frauental
Ergersheim
Mailheim
Aurach
Laubenbach
Tauberrettersheim
Klingen
Schwebheim
Lenkersheim
Linden
Langenzenn
Weikersheim
Creglingen
Equarhofen (277)
Mörlbach
Pfaffenhofen
Freilandmuseum
Jobstgreuth
Markt Erlbach
Ohrenbach
Illesheim
Ickelheim
Wilhermsdorf
Neubronn
Freudenbach
Großharbach
Gallmersgarten
Westheim
Unteraltenbernheim
Buch
Neuhof a. d. Zenn
Zenn
Laudenbach
Herrgottskirche
Endsee
Burgbernheim
Obernzenn
Kirchfarrnbach
Standorf
Tauberzell
Trautskirchen
Oberreichenbach
Vorbachzimmern
Münster
Finsterlohr
Adelshofen
Reichelshofen
Marktbergel
Petersberg 504
Egenhausen
Oberfeldbrecht
Hirschneuses
Rinderfeld
Romantische Straße
Gattenhofen
Nordenberg
Virnsberg
Andorf
Seubersdorf
Wermutshausen
Wildentierbach
Oberrimbach
Steinsfeld
Schweinsdorf
Burghausen
Oberdachstetten
Neustetten
Neudorf
Niederstetten (307)
Spielbach
Detwang
Flachslanden
Rügland
Großhabersdorf
Hachtel
Rothenburg o. d. Tauber (425)
Windelsbach
Naturpark
Obersulzbach
Frank. Rezat
Kettenhöfstetten
Dietenhofen
Kleinhaslach
Neusitz
Gunzendorf
Frankenhöhe
Bürglein
Riedbach
Geslau
Gräfenbuch
Wernsbach
Leuzendorf
Kirnberg
Unterfelden
Colmberg (442)
Brünst
Weihenzell
Bruckberg
Schrozberg
Gebsattel
Buch a. Wald
Lehrberg
(B) 409
Heilsbronn (410)
Schmalfelden
Burgenstraße
Lohr
525
Neubruck
Gammesfeld
Schönbronn
Hagenau
Ansbach
Obereichenbach
Wicklesgreuth
Faulenberg
Altmühl
Winden
492
Insingen
Diebach
Blaufelden (460)
Wiesenbach
(543) Schillingsfürst
Schalkhausen
Petersaurach
Hausen a. Bach
Oestheim
Leutershausen
Wiedersbach
Sachsen
(440) Neuendettelsau
Brettheim
Brunst
Elpersdorf
Lichtenau
Romantische Str.
Neunstetten
Brodswinden
Fränkische Rezat
Brettenfeld
Wettringen
Rot a. See (419)
Dombühl
Wattenbach
Gerabronn
Michelbach a. d. Lücke
Erzberg
Wörnitz
Aurach
(420) Herrieden
Burgoberbach
Jagst
Beimbach
554
A 6-E 50
Weinberg
Wolframs-Eschenbach (445)
Hengstfeld
Leibelbach
Rauenzell
Gaggstadt
Dorfgütingen
Elbersroth
Kirchberg
Wallhausen
Schnelldorf
Breitenau
Leidendorf
Merkendorf
Gröningen
KR. FEUCHTWANGEN/ CRAILSHM.
Thann
Weidenbach
Biederbach
Ruppertshofen
Ellrichshausen
(450) Feuchtwangen
Sachsbach
Großenried
Ornbau
Haundorf
Triensbach
Satteldorf
Reichenbach
Bechhofen
Eckartshausen
Roßfeld
Thürnhofen
Wieseth
Heinersdorf
Kappel
Kreßberg-Marktlustenau
Larrieden
Dentlein
Königshofen
Arberg
Goldbach
Crailsheim (412)
Waldtann
Schopfloch
Burk
Wald
Lorenzenzimmern
534
Westgartshausen
Altmühlsee
Heide
Lellenfeld
85
76
95

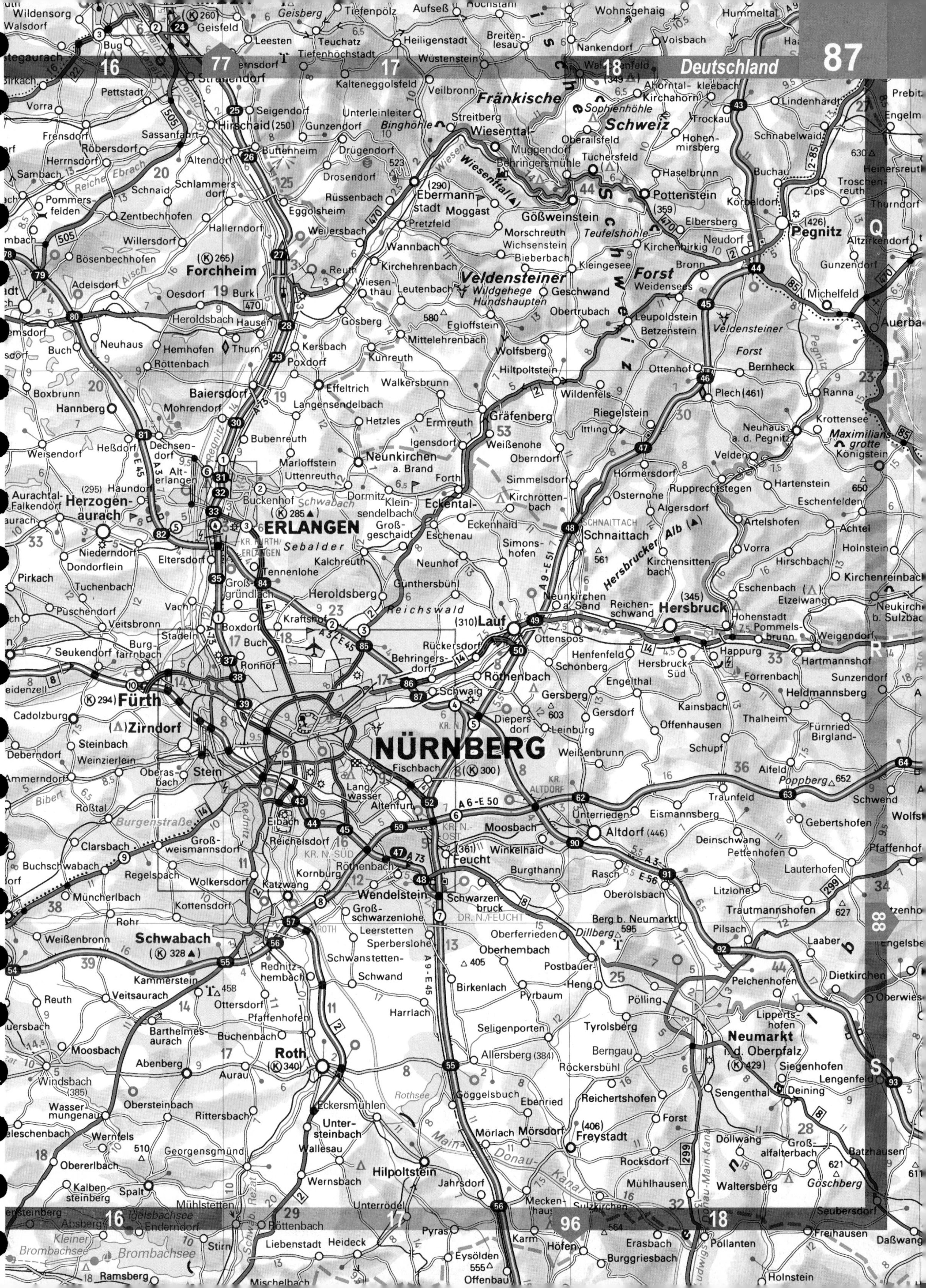
Fränkische Schweiz
Veldensteiner Forst
Hersbrucker Alb
Sebalder Reichswald
Wiesenttal
Teufelshöhle
Sophienhöhle
Binghöhle
Maximiliansgrotte
Wildgehege Hundshaupten
Bamberg
Hirschaid
Buttenheim
Forchheim
Ebermannstadt
Gößweinstein
Pottenstein
Pegnitz
Auerbach
Baiersdorf
Erlangen
Herzogenaurach
Gräfenberg
Neunkirchen a. Brand
Eckental
Schnaittach
Lauf
Hersbruck
Happurg
Fürth
Zirndorf
Stein
Nürnberg
Fischbach
Feucht
Wendelstein
Altdorf
Schwarzenbruck
Schwabach
Roth
Neumarkt i. d. Oberpfalz
Freystadt
Hilpoltstein
Allersberg
Spalt
Windsbach
Abenberg
Heideck
Rothsee
Kleiner Brombachsee
Brombachsee
Main-Donau-Kanal
Burgenstraße
Dillberg
Poppberg
Göschberg
Velden
Königstein
Plech
Neuhaus a. d. Pegnitz
Cadolzburg
Oberasbach
Roßtal
Langwasser
Eibach
Katzwang
Leerstetten
Pyrbaum
Postbauer-Heng
Berg b. Neumarkt
Pilsach
Deining
Seubersdorf
Höfen
Pollanten
Greding
Eschenau
Kalchreuth
Heroldsberg
Röthenbach
Schwaig
Diepersdorf
Leinburg
Offenhausen
Pommelsbrunn
Hartenstein
Betzenstein
Hiltpoltstein
Egloffstein
Kirchehrenbach
Pretzfeld
Eggolsheim
Höchstadt
Adelsdorf
Heroldsbach
Hemhofen
Röttenbach
Möhrendorf
Dechsendorf
Uttenreuth
Spardorf
Buckenhof
Tennenlohe
Eltersdorf
Veitsbronn
Seukendorf
Wolkersdorf
Rednitzhembach
Büchenbach
Georgensgmünd
Pleinfeld
Ramsberg
Deutschland

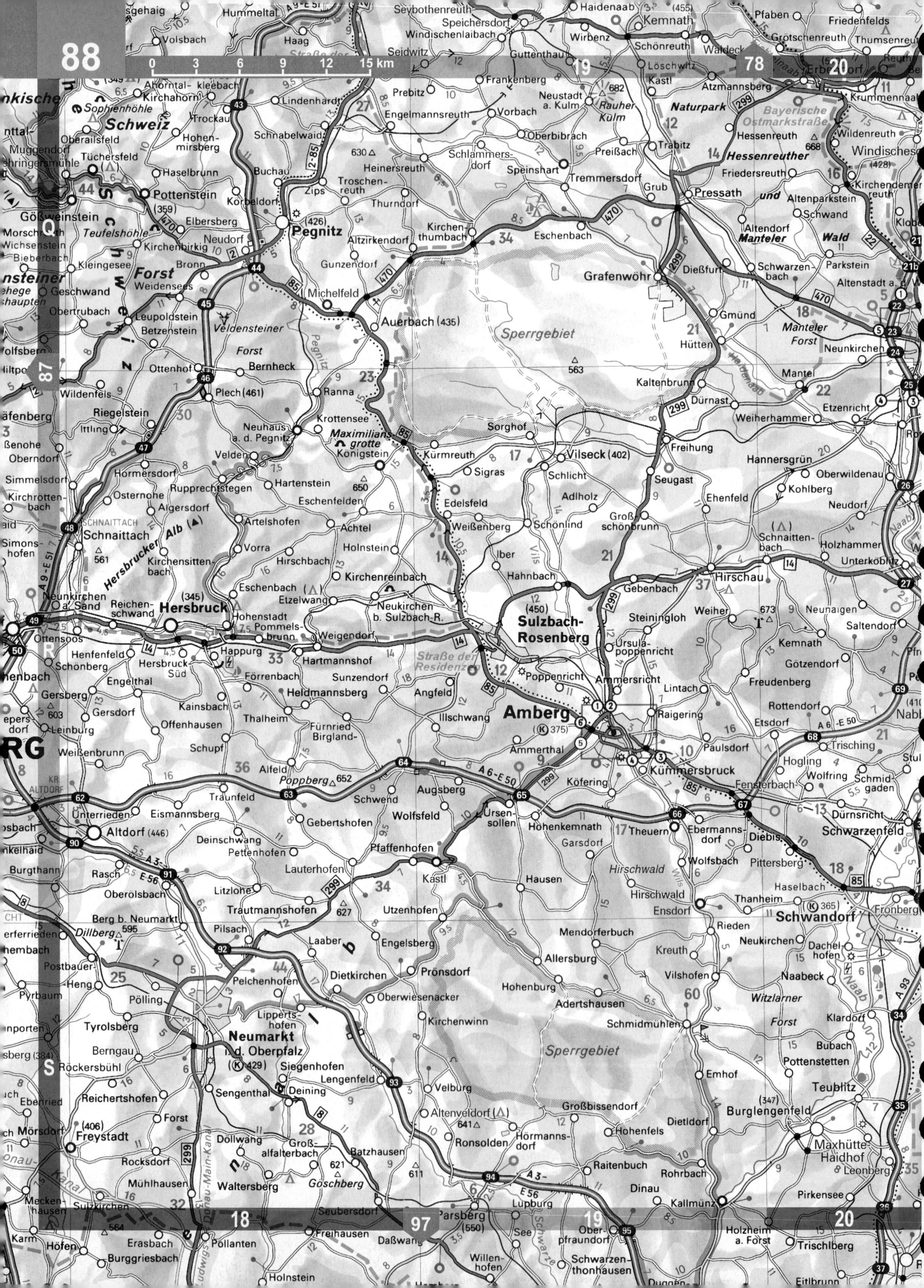
0 3 6 9 12 15 km
Pegnitz
Pottenstein
Gößweinstein
Fränkische Schweiz
Veldensteiner Forst
Auerbach (435)
Sperrgebiet
Grafenwöhr
Pressath
Kemnath
Naturpark
Hessenreuther und Manteler Wald
Bayerische Ostmarkstraße
Manteler Forst
Weiherhammer
Vilseck (402)
Hirschau
Schnaittach
Hersbrucker Alb
Hersbruck
Neunkirchen a. Sand
Sulzbach-Rosenberg
Amberg
Straße der Residenzen
Kümmersbruck
Altdorf (446)
Neumarkt i. d. Oberpfalz
Freystadt
Schmidmühlen
Burglengenfeld
Maxhütte-Haidhof
Schwandorf
Schwarzenfeld
Teublitz
Kallmünz
Parsberg (550)
Velburg
Kastl
Lauterhofen
Hohenburg
Ensdorf
Hirschwald
Maximiliansgrotte
Königstein
Neuhaus a. d. Pegnitz
Plech (461)
Happurg
Pommelsbrunn
Hartmannshof
Poppberg 652
Ammerthal
Theuern
Dietkirchen
Lupburg
Rauher Kulm
Neustadt a. Kulm
Speinshart
Eschenbach
Kirchenthumbach
Freihung
Gebenbach
Weiden
Dillberg 595
Postbauer-Heng
Pyrbaum
Berching
Deining
Seubersdorf
Daßwang
Ludwigs-Donau-Main-Kanal
Witzlarner Forst
A 6 - E 50
A 3 - E 56
A 9 - E 51
A 93
18 19 20
78 97 87

Hohenwald
Matzersreuth
Griesbach
Planá
Kokašic
Falkenberg
Lengenfeld
Schwarzenbach
Ellenfeld
Pilmersreuth
Liebenstein
Hermannsreuth
Halže
Černošín
Schönficht
Bärnau (575)
Pavluv Studenec
Tachov
Hohenthan
Eppenreuth
Ploßberg
Knižeci strom
829
Studánka
Wildenau
Altglashütte
901
Entenbühl
Nová Hospoda
Stříbro
Püchersreuth
Lesná
Staré Sedliště
Störnstein
Flossenbürg
Kladruby
Neustadt a. d. Waldnaab
Floß
Waldkirch
Žebráky
Bor
Georgenberg
Theisseil
Neuenhammer
Grafenreuth
Leßlohe
Rozvadov
Weiden i. d. Opf
Bernrieth
Přimda
Stráž
Bonětice
Zhoř
Waldthurn
801
Fahrenberg
Hagendorf
Pleystein
Bechtsrieth
Roggenstein
Waldhaus
Diana
Pirk
(570)
Vohenstrauß
Altenstadt
Lohma
Pfrentsch
Michldorf
Irchenrieth
Oberlind
Bělá nad Radbuzou
Semněvice
Engleshof
Leuchtenberg
Moosbach
Mířkov
Eslarn
Železná
Smolov
Naturpark
Böhmischbruck
Hostouň
Radbuza
Bernrieth
Deindorf
Etzgersrieth
Tröbes
Velký Zvon
863
Horšovský Týn
Hochspeicher Rabenleite
Großenschwand
771
Ameisenberg
Oberlangau
Söllitz
Dietersdorf
Oberpfälzer
Wald
Tännesberg
Ebene
896
Trausnitz
Wildstein
Pullenried
Poběžovice
Stein
(656)
Schönsee
Rybník
Blížejov
Gleiritsch
Stadlern
Pamsendorf
Schwarzach
Weiding
Trichenricht
Gaisthal
(550) Teunz
Schönau
Postřekov
Draženov
Unteraich
Oberviechtach
Lind
Steinlohe
Nemanice
Domažlice
Niedermurach
Altenschneeberg
Klenčí p. Čerchovem
Guteneck
Schneeberg
Ober-murach
Tiefenbach
Dürnersdorf
Pertolzhofen
Treffelstein
Höll
Willhof
Winklarn
Haag
Babylon
Schwarzach
Dieterskirchen
Irlach
Spielberg
Altendorf
Zangenstein
Kulz
Biberbach
Čerchov
1042
Unterauerbach
Schwarz-hofen
Pillmersried
(510)
Waldmünchen
Thanstein
Hiltersried
Ast
Č. Kubice
Hohenirlach
(398)
708
Herzogau
Maxov
Kemnath
Neunburg v. Wald
Eixendorfer See
Folmava
Fuhrn
Lengfeld
Rötz
Schönthal
Unterhütte
Všeruby
Schafberg
Geigant
Schachten
Taxöldern
Penting
Seebarn
Naturpark
Katzbach
Taxölderner Forst
Bernried
Gleißenberg
(410)
Furth i. Wald
Eschlkam
Wackersdorf
Alletsried
Grafenkirchen
Warzenried
Altenschwand
Neukirchen-Balbini
Engelsdorf
Balbersdorf
Ränkam
Blechhammer
Oberer
Bayerische Ostmarkstraße
Schwarzenberg
Neukirchen b. Hl. Blut
Steinberg
Bodenwöhr
Fronau
Pemfling
Waffenbrunn
Weiding
Arnschwang
Hoher Bogen
Stamsried
Zenching
Bruck i. d. Oberpfalz
Strahlfeld
Windischbergerdorf
Schwarzriegel
1079
Rittsteig
Pitzling
Willmering
Walting
Thenried
Rimbach
Fischbach
Kaspeltshub
Neubäu
Pösing
Chambach
Runding
Wetterfeld
Unter-traubenbach
(K) 368
Cham
Regen
Bergham
Ramsried
Haibühl
Stefling
Altenkreith
Roding
Chammünster
Grafenwiesen
Hohenwarth
Arrach
Nittenau
(356)
Walderbach
Bayerischer
Radling
Chamerau
Kaitersberg
Reichenbach
Churpfahrpark Loifling
Vilzing
Wald
Blaibach
Kötzting
(408)
1133
Großer Riedelstein
Heilinghausen
Wilting
Traidersdorf
Traitsching
Zandt
Miltach
Blaibacher See
Schorndorf
Trasching
Wettzell
Wolfersdorf
Roßbach
Unterzell
Woppmannsdorf
Neuhaus
Wolfersdorf
Bayerische Ostmarkstr.
Arnbruck
Hauzendorf
677
Michelsneukirchen
Sattelpeilnstein
Krailing
Drachselsried
(345)
Regenstauf
Kürn
Hollenstein-see
Süssenbach
Schillertswiesen
Sattelbogen
Wiesing

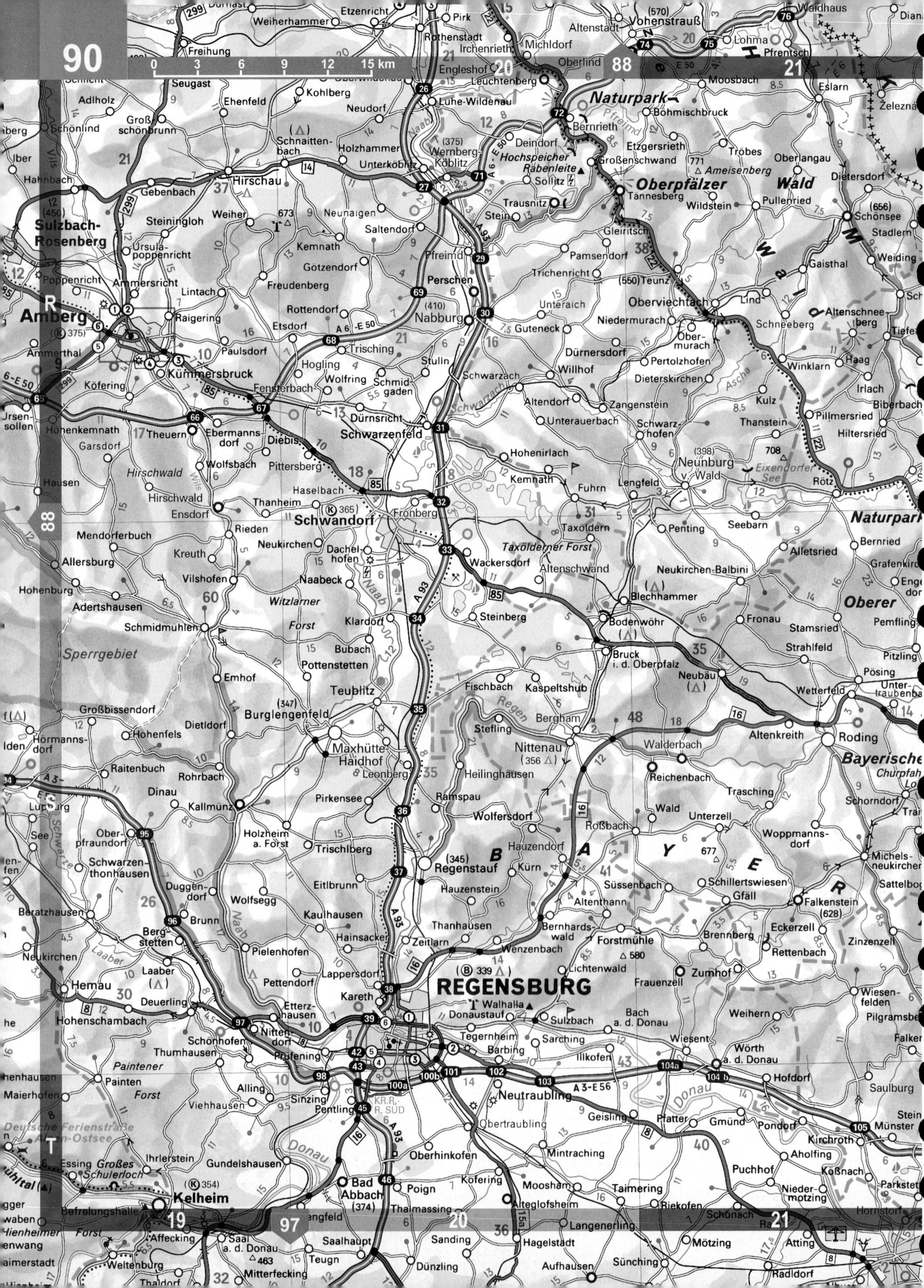
0 3 6 9 12 15 km
88
21
20
19
97
Weiherhammer
Etzenricht
Pirk
Rothenstadt
Irchenrieth
Michldorf
Altenstadt
Vohenstrauß
Waidhaus
Lohma
Pfrentsch
Oberlind
Leuchtenberg
Engleshof
Moosbach
Eslarn
Freihung
Seugast
Kohlberg
Ehenfeld
Adlholz
Neudorf
Luhe-Wildenau
Naturpark
Böhmischbruck
Schönlind
Groß-schönbrunn
Schnaittenbach
Holzhammer
Wernberg-Köblitz
Bernrieth
Deindorf
Hochspeicher Rabenleite
Großenschwand
Etzgersrieth
Tröbes
Oberlangau
Ameisenberg
Dietersdorf
Hahnbach
Gebenbach
Hirschau
Unterköblitz
Sollitz
Oberpfälzer
Tännesberg
Wald
Wildstein
Pullenried
Schönsee
Sulzbach-Rosenberg
Steiningloh
Weiher
Neunaigen
Saltendorf
Trausnitz
Stein
Gleiritsch
Stadlern
Ursulapoppenricht
Kemnath
Götzendorf
Pfreimd
Pamsendorf
Weiding
Poppenricht
Ammersricht
Freudenberg
Perschen
Trichenricht
Teunz
Gaisthal
Lintach
Rottendorf
Nabburg
Unteraich
Oberviechtach
Lind
Altenschneeberg
Amberg
Raigering
Etsdorf
Guteneck
Niedermurach
Obermurach
Schneeberg
Ammerthal
Paulsdorf
Trisching
Dürnersdorf
Pertolzhofen
Winklarn
Haag
Kümmersbruck
Hogling
Wolfring
Schmidgaden
Stulln
Schwarzach
Willhof
Dieterskirchen
Irlach
Köfering
Fensterbach
Altendorf
Zangenstein
Kulz
Biberbach
Ursensollen
Hohenkemnath
Theuern
Ebermannsdorf
Dürnsricht
Schwarzenfeld
Unterauerbach
Schwarzhofen
Thanstein
Pillmersried
Hiltersried
Garsdorf
Diebis
Hohenirlach
Neunburg v. Wald
Eixendorfer See
Rötz
Hausen
Hirschwald
Wolfsbach
Pittersberg
Haselbach
Kemnath
Fuhrn
Lengfeld
Ensdorf
Thanheim
Schwandorf
Fronberg
Taxöldern
Penting
Seebarn
Naturpark
Mendorferbuch
Rieden
Neukirchen
Dachelhofen
Taxöldener Forst
Alletsried
Bernried
Allersburg
Kreuth
Wackersdorf
Altenschwand
Neukirchen-Balbini
Grafenkirch
Hohenburg
Vilshofen
Naabeck
Blechhammer
Adertshausen
Witzlarner Forst
Steinberg
Oberer
Schmidmühlen
Klardorf
Bodenwöhr
Fronau
Stamsried
Pemfling
Sperrgebiet
Bubach
Bruck i. d. Oberpfalz
Strahlfeld
Pottenstetten
Neubäu
Pitzling
Emhof
Teublitz
Fischbach
Kaspeltshub
Pösing
Wetterfeld
Untertraubenbach
Großbissendorf
Burglengenfeld
Regen
Bergham
Stefling
Hörmannsdorf
Hohenfels
Dietldorf
Maxhütte-Haidhof
Nittenau
Walderbach
Altenkreith
Roding
Raitenbuch
Rohrbach
Leonberg
Heilinghausen
Reichenbach
Bayerische
Churpfalz
Dinau
Kallmünz
Pirkensee
Ramspau
Trasching
Schorndorf
Lupburg
See
Oberpfraundorf
Holzheim a. Forst
Trischlberg
Wolfersdorf
Roßbach
Wald
Unterzell
Woppmannsdorf
Schwarzenthonhausen
Regenstauf
Hauzendorf
Kürn
Michelsneukirchen
Duggendorf
Eitlbrunn
Hauzenstein
Süssenbach
Schillertswiesen
Sattelbogen
Beratzhausen
Wolfsegg
Kaulhausen
Altenthann
Gfäll
Falkenstein
Brunn
Bergstetten
Thanhausen
Bernhardswald
Forstmühle
Eckerzell
Zinzenzell
Neukirchen
Laaber
Pielenhofen
Hainsacker
Zeitlarn
Wenzenbach
Brennberg
Rettenbach
Hemau
Deuerling
Pettendorf
Lappersdorf
Lichtenwald
Zumhof
Frauenzell
Wiesenfelden
REGENSBURG
Walhalla
Donaustauf
Sulzbach
Bach a. d. Donau
Weihern
Pilgramsberg
Hohenschambach
Etterzhausen
Kareth
Nittendorf
Schönhofen
Thumhausen
Prüfening
Tegernheim
Barbing
Sarching
Illkofen
Wiesent
Wörth a. d. Donau
Hofdorf
Falkenfels
Paintener Forst
Painten
Maierhofen
Alling
Viehhausen
Sinzing
Pentling
Neutraubling
Geisling
Pfatter
Gmünd
Pondorf
Saulburg
Münster
Kirchroth
Deutsche Ferienstraße Alpen-Ostsee
Donau
Obertraubling
Mintraching
Aholfing
Kößnach
Essing
Großes Schulerloch
Ihrlerstein
Gundelshausen
Oberhinkofen
Puchhof
Parkstetten
Kelheim
Bad Abbach
Poign
Köfering
Moosham
Taimering
Niedermotzing
Alteglofsheim
Riekofen
Schönach
Befreiungshalle
Thalmassing
Langenerling
Hornstorf
Hienheimer Forst
Affecking
Saal a. d. Donau
Saalhaupt
Sanding
Hagelstadt
Mötzing
Atting
Teugn
Dünzling
Aufhausen
Sünching
Weltenburg
Mitterfecking
Radldorf
Thaldorf

89
22
23
Bělá nad Radbuzou
Semněvice
Holýšov
Dolní Lukavice
Mířkov
Smolov
Hostouň
Radbuza
Staňkov
Merklín
Přeštice
Úhlava
Letiny
Horšovský Týn
Poběžovice
Rybník
Schwarzach
Bližejov
Křenice
Koloveč
Švihov
Skašov
Žinkovy
Měčín
Draženov
Postřekov
Domažlice
Chudenice
Dolany
Steinlohe
Nemanice
Klenčí p. Čerchovem
Němčice
Bolešiny
Treffelstein
Höll
Babylon
Kdyně
Klatovy
Plánice
Čerchov
Waldmünchen
Ast
Č. Kubice
Maxov
Mochtín
Herzogau
Folmava
Všeruby
Pocinovice
Janovice nad Uhlavou
Unterhütte
Schafberg
Schachten
Jezvín
Geigant
Katzbach
Gleißenberg
Furth i. Wald
Eschlkam
Warzenried
Strážov
Běšiny
Kolinec
Balbersdorf
Ränkam
Chudenín
Nýrsko
Dešenice
Bayerische Ostmarkstraße
Schwarzenberg
Neukirchen b. Hl. Blut
Svatá Kateřina
Milence
Čachrov
Velhartice
Arnschwang
Děpoltice
Weiding
Waffenbrunn
Hoher Bogen
Zenching
Windischbergerdorf
Willmering
Schwarzriegel
Rittsteig
Želená Lhota
Hlavňovice
Chambach
Walting
Hamry
Thenried
Rimbach
Cham
Runding
Regen
Engelshütt
Großer Osser
Hojsova Stráž
Můstek
Javorná
Petrovice
Ramsried
Haibühl
Královský hvozd
Künisches Geb.
Chammünster
Grafenwiesen
Hohenwarth
Chamerau
Arrach
Lam
Lohberg
Pancíř
Radling
Kaitersberg
Hartmanice
Vilzing
Wald
Blaibach
Kötzting
Großer Riedelstein
Jezerní h.
Spičák
Wilting
Traidersdorf
Sommerau
Hindenburg-Kanzel
Zandt
Miltach
Blaibacher See
Schwarzeck
Brennes
Železná Ruda
Wolfersdorf
Wettzell
Neuhaus
Arnbruck
Bayerisch Eisenstein
Lacken-Berg
Kremelná
Sattelpeilnstein
Krailing
Höllensteinsee
Drachselsried
Großer Arber
Prášily
Wiesing
Oberried
Arbersee
Zwieslerwaldhaus
Srní
Gossersdorf
Prackenbach
Viechtach
Blossersberg
Großer Falkenstein
Loitzendorf
Rattenberg
Bodenmais
Regenhütte
Roledník
Schönau
Asbach
Rechertsried
Konzell
Böbrach
Ludwigsthal
Spiegelhütte
Geiersthal
Erzbergwerk
Rabenstein
Buchenau
Stallwang
Kollnburg
Teisnach
Oberauerkiel
Lindberg
Trinkwasserspeicher Frauenau
Rattiszell
Elisabethszell
Klinglbach
Kirchaitnach
Zwiesel
Modrava
Haibach
Pröller
Patersdorf
Langdorf
Grün
St. Englmar
Allersdorf
Kaikenried
Haselbach
Naturpark
Bärnzell
Frauenau
Ascha
Ruhmannsfelden
Regen
Schweinhütt
Mitterfels
Neukirchen
Rettenbach
Achslach
March
Rinchnachmündt
Großer Rachel
Steinburg
Hirschenstein
Gotteszell
Zachenberg
Rinchnach
Nationalpark
Hunderdorf
Perasdorf
Kalteck
Habischried
Eschenberg
Althütte
Ober-Hirschberg
Einödriegel
Ellerbach
Klingenbrunn
Waldhäuser
Bayerischer
Wald
Hochdorf
Schlag
Furth
Bogen
Bernried
Bischofsmais
Zell
Kirchberg
Kirchdorf
Spiegelau
Riedlhütte
Degernbach
Schwarzach
St. Oswald
Bogenberg
Edenstetten
Grafling
Seiboldsried
Abtschlag
Eppenschlag
Neuschönau
21
22
98
23
24
Niederwinkling
Pfelling
Aschenau
Egg
Greising
Untermitterdorf
Itting
Aichbach
Welchenberg
Offenberg
Metten
Rusel
Grafenau
Straubing

0 3 6 9 12 15 km
83
100
Walschbron
Langmühle
Trulben
Dahn
Erfweiler
Altdahn
Gossersweiler-Stein
Silz
Landau
Madenburg
Impflingen
Heuchelheim
Insheim
Billigheim
Ingenheim
Rohrbach
Wasgau
Großer Eyberg
513
Busenberg
Vorderweidenthal
Eppenbrunn
(390)
Erlenbach
Birkenhördt
Niederhorbach
Barbelroth
Winden
Berwartstein
Oberer
Dörrenbach
Fischbach-b. Dahn
Rumbach
Wieslautern
Bundenthal
Reisdorf
561
Ludwigswinkel
Saarbach
Nothweiler
Nieder-schlettenbach
Bad Bergzabern (200)
Deutsche Weinstraße
Oberotterbach
Freckenfeld
Minfeld
Bitche
(243)
418
Sturzelbronn
Schönau
Hirschthal
571
Chau de Fleckenstein
Bobenthal
St. Mundatwald
Germanshof
Weiler
Schweigen-Rechtenbach
Schaidt
Otterbach
Enchenberg
Eguelshardt
Obersteinbach
Niedersteinbach
Wissembourg
Schweighofen
Steinfeld
Bienwald
Lemberg
Etang de Hanau
Dambach
Climbach
Büchelberg
Parc Régional des Vosges du Nord
Lembach
529
Hochwald
Bienwaldmühle
Philippsbourg
Grd Wintersberg
580
Riedseltz
Schleithal
Scheibenhardt
Baerenthal
Langensoultzbach
Lobsann
Hunspach
Seebach
Salmbach
Lauterbourg
Niederbronn les-Bains
Wœrth
Preuschdorf
Oberlauterbach
Neewiller-près-Lauterbourg
Wingen
Reipertswiller
Zinswiller
Reichshoffen
Soultz
Trimbach
Mothern
Wimmenau
Moder
Gunstett
Surbourg
Hatten
Niederrœdern
Gundershoffen
Zinsel du Nord
Betschdorf
Steinmauern
Rhe Nature de la Sauer
Ingwiller
Mertzwiller
Forêt de Haguenau
Seltz
la Petite-Pierre
Obermodern-Zutzendorf
Sauer
Plittersdorf
Beinheim
Ottersdorf
Rastatt
Pfaffenhoffen
Dossenheim-sur-Zinsel
Bouxwiller
Haguenau
Soufflenheim
Wintersdorf
Schweighouse s.-Moder
Rœschwoog
Iffezheim
BAS-RHIN
Schirrheim
Sessenheim
Hügelsheim
Col de Saverne
(410)
Niederschaeffolsheim
Oberhoffen-s.-Moder
Marienthal
Söllingen
Dettwiller
Hochfelden
Bischwiller
Drusenheim
BADEN-BADEN
Wilwisheim
Mommenheim
Weitbruch
Gries
Greffern
Stollhofen
Leiberstung
Sinzheim
Rheinmünster
Canal de la Marne au Rhin
Saverne
Brumath
Schwarzach
Weitenung
Herrlisheim
Ulm
Weyersheim
Zorn
Lichtenau
Moos
Steinbach
Gougenheim
Helmlingen
Scherzheim
Balzhofen
Altschweier
Marmoutier
Rumersheim
Hœrdt
Gambsheim
Unzhurst
Bühl
Reitwiller
Memprechtshofen
Willgottheim
Vendenheim
Freistett
Gamshurst
Ottersweier
Altwindeck
Truchtersheim
la Wantzenau
Rheinau
301
Neusatz
Mossig
Wasselonne
Wiwersheim
Mundolsheim
Reichstett
Diersheim
Rheinbischofsheim
Lauf
Sasbach
Marlenheim
STRASBOURG
Hœnheim
Honau
Leutesheim
Achern
(145)
Sasbachwalden
Westhoffen
Furdenheim
Oberhausbergen
Bischheim
Linx
Wagshurst
Schiltigheim
Auenheim
Fautenbach
Ittenheim
Zierolshofen
Bodersweier
Önsbach
1163
Achenheim
Renchen
Kappelrodeck
Ergersheim
Mosbach
Kammbach
Legelshurst
Ulm
Seebach (406)
Bruche
Lingolsheim
Holtzheim
Kork
Waldulm
Acher
Oberhaslach
Mutzig
Molsheim
Entzheim
Kehl
(140)
Urloffen
Badische Weinstr.
Ottenhöfen
Duttlenheim
Willstätt
Sand
Appenweier
Ringelbach
Schauenburg
Mollkirch
Illkirch-Graffenstaden
Eckartsweier
Nußbach
Allerheiligen Wasserfälle
Rosheim
Geispolsheim
Goldscheuer
Marlen
Oberkirch
(195)
Lautenbach
Hesselhurst
Ebersweier
Bühl
Durbach
Fegersheim
Eschau
Ödsbach
Obernai
Krautergersheim
Rammersweier
(270)
Oppenau
Ottrott
Plobsheim
Zell-Weierbach
Mont Ste. Odile
(761)
Altenheim
Neuried
Schutterwald
Offenburg
(165)
Hohenberg
Bad Antogast
Mooswald
871
Rench
Valff
Dundenheim
Elgersweier
Ortenberg
Ibach
Barr
Andlau
Erstein
Ichenheim
Hofweier
Zunsweier
Ohlsbach
Haigerach
Schönwald
Löcherberg
Meißenheim
Niederschopfheim
Hohberg
Schutterzell
Reichenbach
Gengenbach
(172)
Berg
Bad Peterstal
(400)
Sand
Ottenheim
Rhin
A4-E25
A35
A5-E35
A352
E52
N4
N63
N353
D263
D1062
D1063
D1083
D1340
D1004
D1420
D919
S
T
U
6
7
8

KARLSRUHE
PFORZHEIM
Bruchsal
Bretten
Ettlingen
Mühlacker
Vaihingen
Leonberg
Sindelfingen
Böblingen
Herrenberg
Tübingen
Rottenburg
Nagold
Calw
Wildberg
Altensteig
Freudenstadt
Baiersbronn
Forbach
Gernsbach
Gaggenau
Rastatt
Malsch
Bad Herrenalb
Bad Wildbad i. Schwarzwald
Neuenbürg
Bad Liebenzell
Weil der Stadt
Renningen
Eppingen
Maulbronn
Knittlingen
Weingarten
Stutensee
Eggenstein-Leopoldshafen
Wörth a. Rhein
Rheinstetten
Karlsbad
Waldbronn
Pfinztal
Remchingen
Keltern
Birkenfeld
Schömberg
Bad Teinach-Zavelstein
Dornstetten
Horb
Pfalzgrafenweiler
Haiterbach
Gäufelden
Ammerbuch
Schwarzwald-Bäderstraße
Schwarzwaldhochstraße
Schwarzwald-Tälerstraße
Schwäbische Dichterstraße
Naturpark Stromberg-Heuchelberg
Naturpark Schönbuch
Mummelsee
Hornisgrinde
Schliffkopf
Hohloh
Badener Höhe
Mehliskopf
Merkur
Teufelsmühle
Mauzenberg
Sommerberg
Nagoldstaubecken

0 3 6 9 12 15 km
HEILBRONN
Neckarsulm
Öhringen
Schwäbisch H
Brackenheim
Lauffen
Besigheim
Bietigheim-
-Bissingen
Vaihingen
Markgröningen
Asperg
Marbach
Backnang
Murrhardt
Gaildorf
Naturpark
Schwäbisch-
Fränkischer
Wald
Löwensteiner
Berge
Idyllische Straße
Ludwigsburg
Kornwestheim
Winnenden
Waiblingen
Schorndorf
Welzheim
Lorch
Schwäbische Dichterstr.
Leonberg
Gerlingen
Ditzingen
Korntal-
Fellbach
Bad Cannstatt
STUTTGART
Esslingen
Schurwald
Straße der Staufer
Göppingen
Ebersbach
Plochingen
Sindelfingen
Böblingen
Leinfelden-Echterdingen
Filderstadt-
Ostfildern
Wendlingen
Kirchheim
Nürtingen
Weilheim
Metzingen
Bad Urach
Reutlingen
Tübingen
Naturpark Schönbuch
Schönbuch
Teck
Römerstein
Laichingen
Geislingen
Eislingen
Donzdorf
Tiefenhöhle
Schwäbische Dichterstraße
Hohe Warte
Uracher Wasserfall
85
93
102
S
T
U
11
12
13

Feuchtwangen
Crailsheim
Dinkelsbühl
Ellwangen
Wassertrüdingen
Oettingen
Nördlingen
Bopfingen
Aalen
Wasseralfingen
Hüttlingen
Schwäbisch Gmünd
Oberkochen
Königsbronn
Neresheim
Heidenheim
Giengen a. d. Brenz
Herbrechtingen
Geislingen
Gundelfingen
Lauingen
Dillingen
Höchstädt a. d. Donau
Langenau
Günzburg
Leipheim
Elchingen
Sontheim a. d. Brenz
Niederstotzingen
Steinheim a. Albuch
Westhausen
Lauchheim
Kapfenburg
Riesbürg
Wallerstein
Harburg
Deutsche Ferienstraße Alpen-Ostsee
Romantische Straße
Schwäbische Albstraße
Hammerschmiede See
Idyllische Straße
Ellwanger Berge
Albuch
Härtsfeld
Donau
Donaumoos
Hesselberg
Lonetal
Charlottenhöhle
Volkmarsberg
Hausknecht
Furtle Paß
Grünen-Berg
Liezheimer Forst
KR. FEUCHTWANGEN/CRAILSHM.
KR. ULM/ELCHINGEN

0 3 6 9 12 15 km
Gunzenhausen
Pleinfeld
Hilpoltstein
Freystadt
Thalmässing
Greding
Berching
Weißenburg
Treuchtlingen
Pappenheim
Naturpark
Altmühltal
Eichstätt
Kipfenberg
Wemding
Monheim
Harburg (Schwaben)
Donauwörth
Rain
Neuburg a. d. Donau
INGOLSTADT
Gaimersheim
Schrobenhausen
Pfaffenhofen
Meitingen
Wertingen
Aichach
Weißenburger Wald
Hohlbügel
Hahnenkamm
Deutsche Ferienstraße Alpen-Ostsee
Romantische Straße
Donau
Altmühl
Brombachsee
Igelsbachsee
Altmühlsee
Donaumoos
Hagenauer Forst
17
18
87
104
16
95

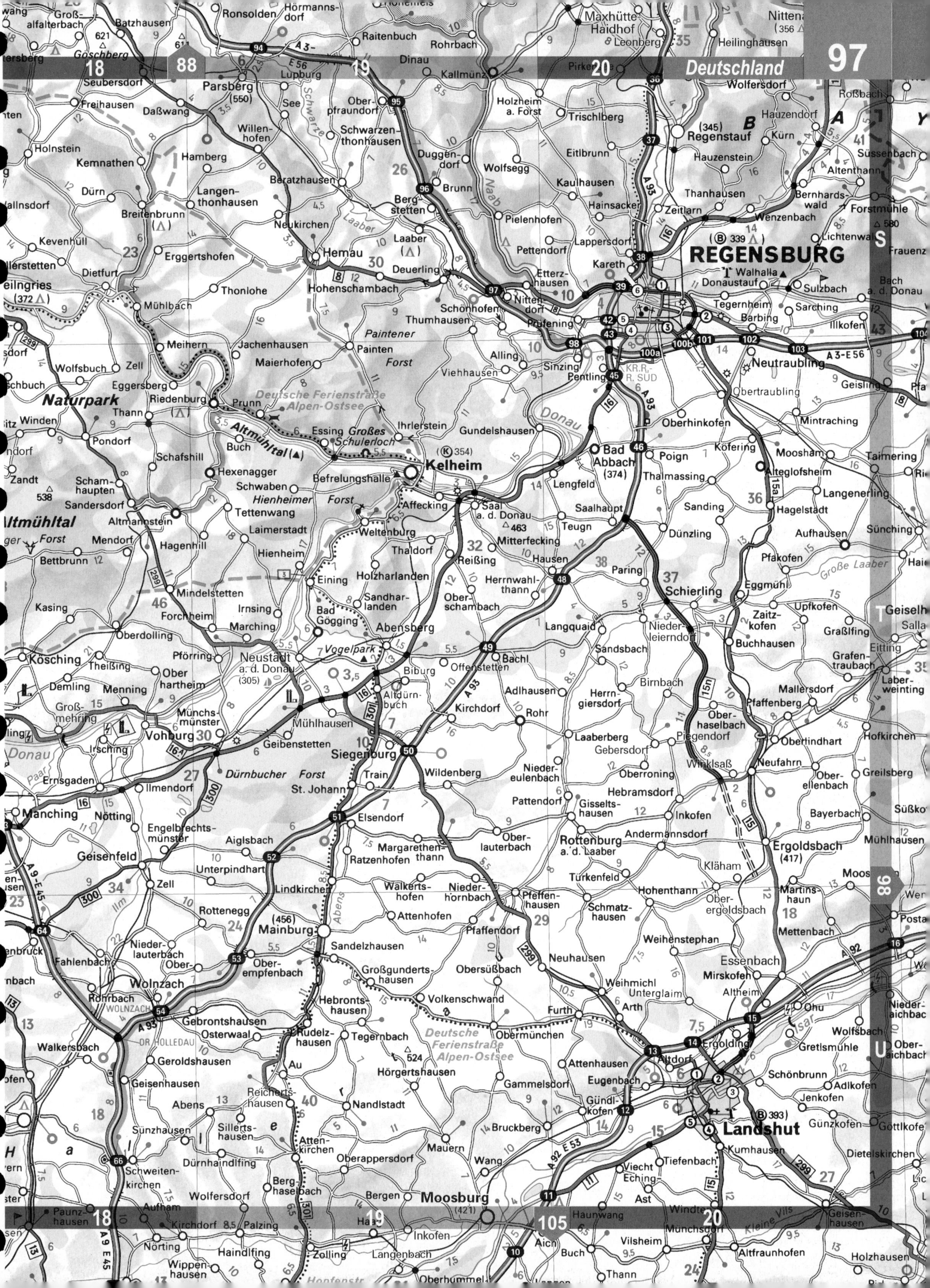
REGENSBURG
Landshut
Kelheim
Bad Abbach
Neustadt a. d. Donau
Abensberg
Siegenburg
Mainburg
Rottenburg a. d. Laaber
Ergoldsbach
Schierling
Neutraubling
Regenstauf
Parsberg
Hemau
Beratzhausen
Riedenburg
Vohburg
Manching
Geisenfeld
Wolnzach
Moosburg
Nandlstadt
Au
Ergolding
Altdorf
Essenbach
Langquaid
Bad Gögging
Painten
Laaber
Kallmünz
Maxhütte-Haidhof
Dietfurt
Beilngries
Kösching
Naturpark Altmühltal
Paintener Forst
Hienheimer Forst
Dürnbucher Forst
Deutsche Ferienstraße Alpen-Ostsee
Donau
Naab
Große Laaber
Isar
Walhalla
Weltenburg
Befreiungshalle
Großes Schulerloch
Vogelpark
A 3 - E 56
A 93
A 92 E 53
A 9 E 45

0 3 6 9 12 15 km
Bayerischer Wald
Roding
Chamerau
Kötzting
Kaitersberg
Arrach
Lam
Lohberg
Großer Riedelstein
Blaibach
Miltach
Zandt
Vilzing
Radling
Churpfahpark Loifling
Wilting
Traidersdorf
Blaibacher See
Bayerische Ostmarkstr.
Wettzell
Arnbruck
Drachselsried
Großer Arber
Oberried
Bodenmais
Hollenstein-see
Krailing
Wiesing
Viechtach
Blossersberg
Schönau
Asbach
Böbrach
Geiersthal
Erzbergwerk
Teisnach
Oberauerkiel
Schwarzer Regen
Patersdorf
Kaikenried
Regen
Rechertsried
Kollnburg
Kirchaitnach
Kinglbach
Prackenbach
Rattenberg
Gossersdorf
Loitzendorf
Konzell
Traitsching
Wolfersdorf
Neuhaus
Sattelpeilnstein
Sattelbogen
Michelsneukirchen
Woppmannsdorf
Unterzell
Roßbach
Süssenbach
Schillertswiesen
Gfäll
Falkenstein (628)
Altenthann
Brennberg
Eckerzell
Rettenbach
Zinzenzell
Frauenzell
Zumhof
Lichtenwald
Stallwang
Wiesenfelden
Pilgramsberg
Rattiszell
Elisabethszell
Haibach
Grün
Pröller
St. Englmar
Naturpark
Allersdorf
Ruhmannsfelden
Achslach
Hirschenstein
Gotteszell
Zachenberg
March
Habischried
Bischofsmais
Einödriegel
Kalteck
Ober-Hirschberg
Bernried
Perasdorf
Rettenbach
Haselbach
Falkenfels
Ascha
Mitterfels
Neukirchen
Saulburg
Steinach
Steinburg
Hunderdorf
Weihern
Wiesent
Wörth a. d. Donau
Bach a. d. Donau
Hofdorf
Donau
Geisling
Pfatter
Gmünd
Pondorf
Kirchroth
Münster
Aholfing
Puchhof
Kößnach
Parkstetten
Furth
Bogen
Bogenberg
Degernbach
Schwarzach
Edenstetten
Grafling
Niederwinkling
Aschenau
Offenberg
Egg
Metten
Greising
Rusel
Welchenberg
Pfelling
Ainbrach
Itting
Niedermotzing
Hornstorf
Taimering
Riekofen
Schönach
Rain
Langenerling
Mötzing
Atting
Sünching
Radldorf
Haidenkofen
Alburg
Straubing
Perkam
Pönning
Feldkirchen
Aiterhofen
Schambach
Irlbach
Maria-posching
Natternberg
Deggendorf
Mietraching
Schaufling
Deggenau
Unterfrohnstetten
Seebach
Geiselhöring
Sallach
Gundhöring
Salching
Geltolfing
Straßkirchen
Stephansposching
Michaelsbuch
Pankofen
Plattling
Hengersberg
Niederalteich
Grafentraubach
Laberweinting
Hainsbach
Metting
Oberpiebing
Paitzkofen
Altenbuch
Hadersbach
Eschlbach
Niedersunzing
Oberschneiding
Schwimmbach
Leiblfing
Arndorf
Otzing
Moos
Thundorf
Neuhofen
Hofkirchen
Reißing
Hankofen
Haidlfing
Triching
Wallersdorf
Tabertshausen
Aholming
Langenisarhofen
Aicha
Winzer
Martinsbuch
Hüttenkofen
Hailing
Greilsberg
Weichshofen
Mengkofen
Waibling
Ganacker
Moosfürth
Nd.-pöring
Ottmaring
Wisselsing
Osterhofen
Süßkofen
Ottering
Großköllinbach
Pilsting
Zeholfing
Oberpöring
Ettling
Buchhofen
Altenmarkt
Künzing
Tunding
Mühlhausen
Moosthenning
Thürnthenning
Lengthal
Dornwang
Landau a. d. Isar
Wallerfing
Wisselsdorf
Pitzling
Obergessenbach
Reichstorf
Forsthart
Wallerdorf
Moosthann
Weng
Postau
Niederhöcking
Oberhöcking
Mamming
Exing
Gottersdorf
Gergweis
Eichendorf
Bubach
Gottfrieding
Wildthurn
Dingolfing
Wörth
Loiching
Teisbach
Niederviehbach
Frauenbiburg
Mettenhausen
Aufhausen
Kröhstorf
Kriestorf
Walchsing
Haunersdorf
Roßbach
Münchsdorf
Freundorf
Alders
Niederaichbach
Weigendorf
Griesbach
Vils
Mariakirchen
Thanndorf
Oberviehbach
Steinberg
Reisbach
Simbach
Arnstorf
Haidenburg
Emmersdorf
Wolfsbach
Oberaichbach
Oberspechtrain
Haingersdorf
Wendelskirchen
Marklkofen
Frontenhausen
Johanniskirchen
Adlkofen
Kirchberg
Kröning-Jesendorf
Aham
Ruhstorf
Malgersdorf
Jagerndorf
Egglham
Dummeldorf
Amsham
Göttlkofen
Haberskirchen
Unterzeitlarn
Dietersburg
Baumgarten
Dietelskirchen
Gerzen
Niedertrennbach
Kollbach
Unterrohrbach
Zell
Schönau
Nöham
Waldhof
Lichtenhaag
Obertrennbach
Diepoltskirchen
Unterhöft
Leberskirchen
Hölsbrunn
Johannesbrunn
Rimbach
Falkenberg
Neuhofen
Reichenberg
Brombach
Geisenhausen
Vilsbiburg
Reichenebach
Taufkirchen
Pfarrkirchen
Binabiburg
Dirnaich
Gangkofen
Staudach
Holzhausen
Anzenkirchen
A 3-E 56
A 92-E 53
E 53

Pancíř
Jezerní h.
Špičák
Hindenburg-Kanzel
Hartmanice
Kašperské Hory
Nezdice
Strašín
Čestice
Javorník
Rejštejn
Železná Ruda
Křemelná 1125
Čkyně
Bayerisch Eisenstein (724)
Lacken-Berg 1337
Zwieslerwaldhaus
Prášily
Srní
Stachy
Zdíkovec
Zdíkov
Großer Falkenstein 1312
Regenhütte
Roledník 1315
Vimperk
Ludwigsthal
Spiegelhütte
1252 Sokol
1117
Rabenstein
Buchenau
Lindberg
1219
Trinkwasserspeicher Frauenau
Zwiesel (585)
Modrava
Kvilda
Prachatice
Světlá 1128
Langdorf
Bärnzell
Borová Lada
Libinské Sedlo
1362 Boubín
Schweinhütt
Frauenau
Černá hora 1315
Großer Rachel
Rinchnachmündt
Horní Vltavice
Rinchnach
Nationalpark
1371 Lusen
Eschenberg 1042
Althütte
Finsterau
Strážný 1115
Ellerbach
Klingenbrunn
Waldhäuser
Bayerischer Wald
1196 Hohlstein
Lenora
Volary
Schlag
Riedlhütte
Altschönau
Strážný
Zell
Kirchberg
Kirchdorf
Spiegelau (730)
St. Oswald-
Mitter-firmiansreut
České Žleby
Abtschlag
Eppenschlag
Neuschönau
Mauth
Annathal
Unter-mitterdorf
Schönanger
Schönbrunn
Philippsreut
Stožec
Grafenau (610)
(812) Hohenau
Bischofsreut
Auersbergsreut
Innernzell
(564) Schönberg
Neudorf
Kreuzberg
Herzogsreut
(813) Haidmühle
Želna
Hunding
Schöfweg
Eberhardsreuth
Ringelai
1167 Haidel
Hinterschmiding
Daxstein
Solla
Freyung (658)
Grainet
Frauenberg
Grattersdorf
(450) Zenting
Haus i. Wald
Hochstein 1332
Dreisesselberg
Plechý 1378
Vorder-freundorf
Riggerding
(503) Thurmansbang
Saldenburg
Perlesreut
Kumreut
Böhm-zwiesel
Altreichenau
Nová Pec
Ranfels
Eisenbernreut
Karlsbach
Neureichenau
Schöllnach
Rothau
Hintereben
Waldkirchen (575)
Lacken-häuser
Holzschlag 1338
Hochfichtl
Museumsdorf
(436) Röhrnbach
Jandelsbrunn
Schwarzenberg a. Böhmerwald
Iggensbach
Außernzell
Fürstenstein
(528) Tittling
Erlauzwiese
Klafferstraß
Schönberg
Schöne
Fürsteneck
Außern-brunst
Dorn
Breitenberg
Eging (420)
Witzmanns-berg
Gr. thannensteig
Hinteranger
Klaffer
Moldaublick
Bayerische Ostmarkstr.
Prag
Holzfreyung
Sonnen
Ulrichsberg
Neßlbach
Garham
Neukirchen vorm Wald
Raßberg
Krinning
Hofkirchen
Aicha vorm Wald
Hutthurm
Büchlberg (489)
Thalberg
Julbach
Aigen i. Mühlkr.
Raths-mannsdorf
Haselbach
Hauzenberg (545)
930
877 Schlägl
Ruderting
Straßkirchen
Ober-diendorf
Germannsdorf
Nebelberg
Meßner-schag
Kirchberg
Tiefenbach
Hundsdorf
Thyrnau
Jahrdorf
Graphitbergwerk
Vilshofen (307)
Windorf
Peilstein
Schönau
Otterskirchen
Salzweg
Kollerschlag
Schaibing
Wegscheid
Hanging
Oepping
Sandbach
Aunkirchen
Kellberg
Wildenranna
Rohrbach i. Ob
Untergriesbach
Erlau
Söldenau
Vogelpark
Freinberg
Pyrawang
Obernzell
Ameisberg 941
Sprin
Jägerwirth
Passau (290)
Esternberg
Kasten
Gottsdorf
Oberkappel
Karlsbach
Sarleinsbach
Altenmarkt
Beutelsbach
Ortenburg (350)
Vichtenstein
Neustift
Talsperre Jochenstein
Putzleinsdorf
Rainding
Neukirchen
Schardenberg
Haugstein 895
Pfarrkirchen i. Mühlkr.
Dorfbach
(358) Fürstenzell
Altenhof
Neuburg
Engelhartszell
Lembach i. Mühlkr.
St. Salvator
Wernstein
Münzkirchen
St. Roman
St. Aegidi
Hofkirchen i. Mühlkr.
Altenfelden
Uttlau
Bad Hofenstadt
Vornbach
Schmidham
Grund
Niederkappel
Brunnenthal
Engertsham
Neuhaus
Reutern
Obermühl a.d.D.
Kleinze i. Mühl
Sulzbach
Schärding
Rainbach i. Innkr.
Wesenufer
Kleeberg
Weng
Bad Griesbach i. Rottal (535)
Lengham
Tettenweis
Ruhstorf
Mittich
St. Florian a. Inn
Mitterndorf
Waldkirchen a. W.
Untermühl
Schwaim
Reding
Neukirchen a. Walde
Schlögen
Karpfham
Unterschwärzenbach
Suben
Diersbach
Haibach o. d. D.
Taufkirchen
BÖHMERWALD
ŠUMAVA
BAYERISCHER WALD
SAUWALD
STATE
Vltava
Regen
Ohe
Ilz
Inn
Osterbach
Ranna
Kl. Mühl
Volyňka
A3-E56
23
24
25
107

0 3 6 9 12 15 km
92
108
FRANCE
HAUT-RHIN
U
V
W
Offenburg
Erstein
Barr
Sélestat
COLMAR
Lahr
Friesenheim
Gengenbach
Haslach
Hausach
Triberg
Elzach
Waldkirch
Emmendingen
Endingen
Kenzingen
Herbolzheim
Ettenheim
Europa-Park
Kaiserstuhl
Vogtsburg-
Breisach
Neuf-Brisach
FREIBURG I. BREISGAU
Gundelfingen
Denzlingen
Kirchzarten
Höllental
Titisee-
Neustadt
Hinterzarten
Feldberg
Schauinsland
Belchen
Todtnau
Schönau
St. Blasien
Schluchsee
Bad Krozingen
Staufen
Müllheim
Neuenburg
Badenweiler
Kandern
Todtmoos
Andolsheim
Marckolsheim
Rhein
Grand Canal d'Alsace
Badische Weinstr.
Grüne Str.

Freudenstadt
Dornstetten
Hochdorf
Horb
Glatten
Loßburg
Bad Rippoldsau
Zwieselberg
Dietersweiler
Rexingen
Dießen
Nordstetten
Empfingen
Haigerloch
Hechingen
Bad Niedernau
Dußlingen
Mössingen
Hohenzollern
Raichberg
Bisingen
Balingen
Tailfingen
Albstadt-Ebingen
Alpirsbach
Schenkenzell
Schiltach
Sulz
Dornhan
Oberndorf
Schramberg
Rottweil
Schömberg
Lochenstein
Lemberg
Deilingen
Königsfeld i. Schwarzwald
St. Georgen
Villingen-Schwenningen
Trossingen
Spaichingen
Dreifaltigkeitsberg
Bad Dürrheim
Tuningen
Tuttlingen
Mühlheim
Fridingen
Beuron
Knopfmacherfelsen
Kolbinger Höhle
Naturpark Obere Donau
Schwäbische Albstraße
Sperrgebiet
Donaueschingen
Bräunlingen
Hüfingen
Geisingen
Immendingen
Löffingen
Blumberg
Stockach
Engen
Hohenhewen
Hohentwiel
Singen
Radolfzell
Bonndorf
Stühlingen
Schaffhausen
Gr. Hundskopf
Schwarzwald Tälerstr.
Deutsche Uhrenstraße
Hegaublick
Grüne Straße
Aachquelle
Staubecken
Wutach
Donau
Neckar
Eyach
Länge
Tonau
8
9
10
11
12
93
102
109

0 3 6 9 12 15 km
94
101
110
Reutlingen
Pfullingen
Bad Urach
Mössingen
Münsingen
Blaubeuren
Schelklingen
Ehingen
Burladingen
Trochtelfingen
Gammertingen
Tailfingen
Albstadt
Ebingen
Zwiefalten
Munderkingen
Riedlingen
Biberach a. d. Riß
Bad Buchau
Federsee
Sigmaringen
Mengen
Bad Saulgau
Bad Schussenried
Meßkirch
Pfullendorf
Ostrach
Altshausen
Aulendorf
Bad Waldsee
Weingarten
Ravensburg
Überlingen
Salem
Heiligenberg
Schwäbische Dichterstraße
Oberschwäbische Barockstraße
Hohenzollern Alb
Reutlinger Alb
Schwäbische Alb
Donau
Große Lauter
Altdorfer Wald
Bussen
Heiligkreuztal
Bärenhöhle
Nebelhöhle
Raichberg
Haldenhof

ULM
Neu Ulm
Langenau
Elchingen
Günzburg
Leipheim
Burgau
Offingen
Dornstadt
Blaustein
Senden
Weißenhorn
Vöhringen
Illertissen
Laupheim
Krumbach
Thannhausen
Ursberg
Ichenhausen
Babenhausen
Ochsenhausen
Memmingen
Mindelheim
Bad Wörishofen
Ottobeuren
Kaufbeuren
Leutkirch
Marktoberdorf
Obergünzburg
Zusmarshausen
Dinkelscherben
Ziemetshausen
Neusäß
-Westliche Wälder
Augsburg-
Naturpark
Oberschwäbische Barockstraße
Donaumoos
Iller
Günz
Mindel
Roth
Rot
Rottum
Kammlach
Zusam
Wertach
Kirchheim
Türkheim
Erolzheim
Kirchberg
Dietenheim
Buxheim
Aitrach
Legau
Bad Grönenbach
Irsee
Neugablonz
E 52
E 54
A 8
A 7
A 96
A7-E43

0 3 6 9 12 15 km
AUGSBURG
Friedberg
Aichach
Gersthofen
Neusäß
Stadtbergen
Königsbrunn
Bobingen
Schwabmünchen
Mering
Landsberg a. Lech
Buchloe
Kaufering
Fürstenfeld-bruck
Olching
Gröbenzell
Germering
Gilching
Puchheim
Gräfelfing
Gauting
Starnberg
Herrsching
Andechs
Dießen
Weilheim
Tutzing
Wolfratshausen
Schongau
Peiting
Peißenberg
Polling
Penzberg
Marktoberdorf
Markt Indersdorf
Altomünster
Dasing
Mittelstetten
Moorenweis
Kottgeisering
Grafrath
Wessobrunn
Romantische Straße
Ammersee
Wörthsee
Pilsensee
Starnberger See
Lech
Amper
Ammer
Windach-Speicher
Ilka Höhe
Forstenrieder Park
A 8
A 96
A 95
A 952
E 52
E 54
E 533

96
103
112

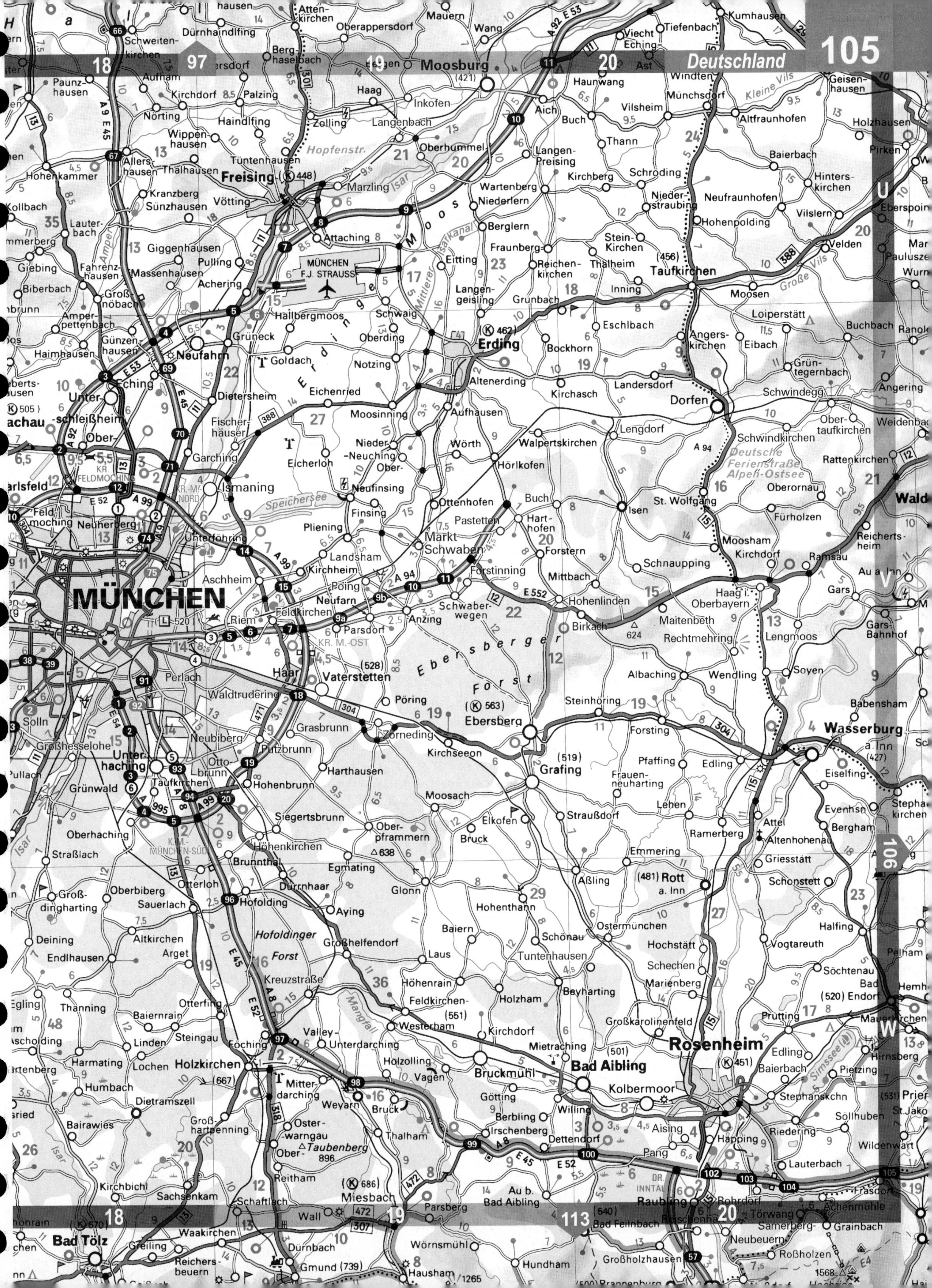

Moosburg
Freising
Erding
Dorfen
Taufkirchen
MÜNCHEN
MÜNCHEN F.J. STRAUSS
Unterschleißheim
Ismaning
Garching
Neufahrn
Eching
Aschheim
Kirchheim
Poing
Feldkirchen
Riem
Haar
Vaterstetten
Perlach
Waldtrudering
Unterhaching
Neubiberg
Ottobrunn
Putzbrunn
Grasbrunn
Zorneding
Kirchseeon
Ebersberg
Ebersberger Forst
Grafing
Markt Schwaben
Anzing
Forstinning
Hohenlinden
Isen
Haag i. Oberbayern
Wasserburg a. Inn
Rott a. Inn
Aßling
Höhenkirchen
Brunnthal
Hofolding
Hofoldinger Forst
Sauerlach
Aying
Holzkirchen
Bruckmühl
Bad Aibling
Kolbermoor
Rosenheim
Raubling
Miesbach
Gmund
Hausham
Bad Tölz
Wall
Valley
Weyarn
Dietramszell
Otterfing
Grünwald
Pullach
Solln
Taufkirchen
Oberhaching
Straßlach
Erdinger Moos
Mittlerer Isarkanal
Speichersee
Hopfenstr.
Deutsche Ferienstraße Alpen-Ostsee
Mangfall
Simssee
Isar
Amper
Kleine Vils
Große Vils
Taubenberg
Wasserburg
Halfing
Vogtareuth
Prutting
Söchtenau
Stephanskirchen
Samerberg
Neubeuern
Brannenburg
Velden
Vilsbiburg

0 3 6 9 12 15 km
Vilsbiburg
Gangkofen
Eggenfelden
Pfarrkirchen
Postmünster
Massing
Neumarkt-St. Veit
Töging
Ampfing
Mühldorf
Waldkraiburg
Neuötting
Altötting
Burghausen
Simbach
Braunau
Marktl
Garching
Trostberg
Wasserburg a. Inn
Tittmoning
Traunreut
Waging
Laufen
Oberndorf
Freilassing
Traunstein
Siegsdorf
Prien
Chiemsee
Herreninsel
Fraueninsel
Ruhpolding
Bad Reichenhall
Aschau
Grassau
Bergen
Inzell
Weilhart Forst
Tachinger See
Waginger See
Abtsdorfer See
Salzach
Inn
Alz
Traun
Rott
Deutsche Ferienstr. Alpen-Ostsee
A 94 - E 552
A 8 E 52 - E 60
Schwand im Innkreis
Mattighofen
Lamprechtshausen
Michaelbeuern
Hochfelln
Kampenwand
Teisenberg
Haunsberg

Deutschland
Bad Hohenstadt
Vornbach
Münzkirchen
St. Roman
St. Aegidi
Hofkirchen i. Mühlkr.
Uttlau
Schmidham
Grund
Brunnenthal
Neuhaus
Reutern
Schärding
Rainbach i. Innkr.
Waldkirchen a. Wesen
Weng
Bad Griesbach i. Rottal
Kleeberg
Ruhstorf
Mittich
St. Florian a. Inn
Mitterndorf
Kopfing i. Innkr.
Untermühl
Zengham
Tettenweis
Reding
Diersbach
Schlögen
Haibach o.d.D.
Schwaim
Karpfham
Unterschwarzenbach
Suben
Taufkirchen a.d.P.
Sigharting
Neukirchen a. Walde
St. Agatha
Talsperre Aschach
Rott
Kühnham
Pocking
Hartkirchen
St. Marienkirchen b. Schärding
Natternbach
Eschenau i. Hausruckkr.
Asbach
Weihmörting
Schonburg
Andorf
Enzenkirchen
Maiden
Hartkirchen
Kößlarn
Teuflau
St. Willibald
Würding
Mitterding
Bad Füssing
Pram
Raab
Peuerbach
Stroheim
Rotthalmünster
Tutting
Antiesenhofen
Eggerding
Waizenkirchen
Kirchham
Reichersberg
Altschwendt
Munchham
Egglfing
Obernberg
Ort i. Innkr.
Zell a.d.P.
Prambachkirchen
Malching
Aigen
Lambrechten
Riedau
St. Martin i. Innkr.
Michaelnbach
Gallsbach
INN
Kirchdorf a.I.
St. Georgen b. Obernberg
Kallham
St. Thomas
Ering
Mühlheim
Dorf
Pötting
Utzenaich
Andrichsfurth
Kumpfmühl
Neumarkt i. Hausruckkr.
Pollham
St. Marienkirchen a.d. Polsenz
Mining
Weilbach
Antiesen
Taiskirchen
Senftenbach
Geinberg
Altheim
Aurolzmünster
Taufkirchen a.d.T.
Grieskirchen
Bad Schallerbach
Peter a. Hart
Gurten
Pram
Wendling
Polling i. Innkr.
Eitzing
Peterskirchen
Weng i. Innkreis
Ried i. Innkreis
Tumeltsham
Geiersberg
Rottenbach
Hofkirchen a.d.T.
Schlüßlberg
Gallspach
Schmiding Vogelpark
Ach
St. Veit i. Innkr.
Kirchheim
Aistersheim
Moosbach
Mehrnbach
Pramerdorf
Weibern
Geisenheim
Pichl b. Wels
Treubach
Roßbach
Hohenzell
Haag
Mauerkirchen
Aspach
St. Marienkirchen
Meggenhofen
Kematen a. I.
Mettmach
Turmberg
Höhnhart
Pattigham
Eberschwang
Gaspoltshofen
Offenhausen
Lohnsburg
Geboltskirchen
Uttendorf
Waldzell
Pramet
Pennewang
Irnharting
Maria Schmolln
Bachmanning
Mattig
Holzleithen
Schalchen
Wolfsegg a. Hausruck
Ottnang
Niederthalheim
Lambach
St. Johann a. Walde
Göblberg
Ampflwang
Mattighofen
Frauschereck
Thomasroith
Atzbach
Stadl-Paura
Kobernaußer Wald
Pfaffstätt
Zell a. Pettenfirst
Redlthal
Frankenburg
Schwanenstadt
Bad Wimsbach-Neydharting
Munderfing
Neukirchen a.d.V.
Ungenach
Auerbach
Abern
Rüstorf
Zipf
Roitham
Redl
Vöcklabruck
Attnang-Puchheim
Friedburg
Fornach
Schneegattern
Lindach
Palting
Lochen
Vöcklamarkt
Timelkam
Perwang
Mühlham
Pöndorf
Unterregau
Steyrermühl
Mösendorf
Gampern
Laakirchen
Aurachkirchen
Kirchham
Mattsee
Straßwalchen
Tannberg
Schwaigern
Frankenmarkt
Reichenthalheim
Steindorf
Lenzing
Aurach a. Hongar
Köstendorf
Winkl
Irrsdorf
Ohlsdorf
Obertrumer See
Oberhofen a. Irrsee
Seewalchen
Schörfling
Gschwandt
Schleedorf
Neumarkt
St. Georgen i. Attergau
Alpenberg
Pinsdorf
Viechtwang
Attersee
Gmunden
Haslau
Gmundnerberg
St. Konrad
Ort
Abtsdorf
Weyregg a. Attersee
Wallersee
Zeller See
Saurüsselkogel
Straß i. Attergau
Altmünster
Ramsau
Henndorf
Zell a. Moos
Nußdorf a. Attersee
Neukirchen
Traunstein
Kolomannsberg
Oberwang
Attersee (Kammersee)
Grünau i. Almtal
Eugendorf
Mondsee
Großalm
Traunsee
Langbathsee
Traunkirchen
Stockwinkl
Heckenau
Plainfeld
Thalgau
Seefeld
Hochlecken-Hs.
Loibichl
Steinbach a. Attersee
Feuerkogel
Rindbach
St. Lorenz
Pichl-Auhof
Schober
Ebensee
Cumberland
Koppl
Hof
Fuschlsee
Plomberg
Unterach
Weißenbach a. Attersee
Gr. Höllkogel
Roith
Eibenberg
Steinberg
Gaisberg
Ebenau
Scharfling
Schafberg
Höllengebirge
Burgau
Burggrabenklamm
Langwies
Fuschl
Faistenau
SALZBURG
Tiefbrunau
St. Gilgen
Schwarzensee
Leonsberg
Offensee
Glasenbach
Schwarzenberg
Vordersee
Ried
St. Wolfgang
Elsbethen
Hintersee
Wiestal-Stausee
Zwölferhorn
St. Wolfgangsee
Mitterweißenbach
Traun
Oberasch
Zinkenbach
Schönberg
Woising
Salzkammergut
Innviertel
Hausruckviertel
Oberösterreich
Mondsee
Vöckla
Aurach
Ager
E 55-60
E 56-E 552
E 552
A 1
A 8

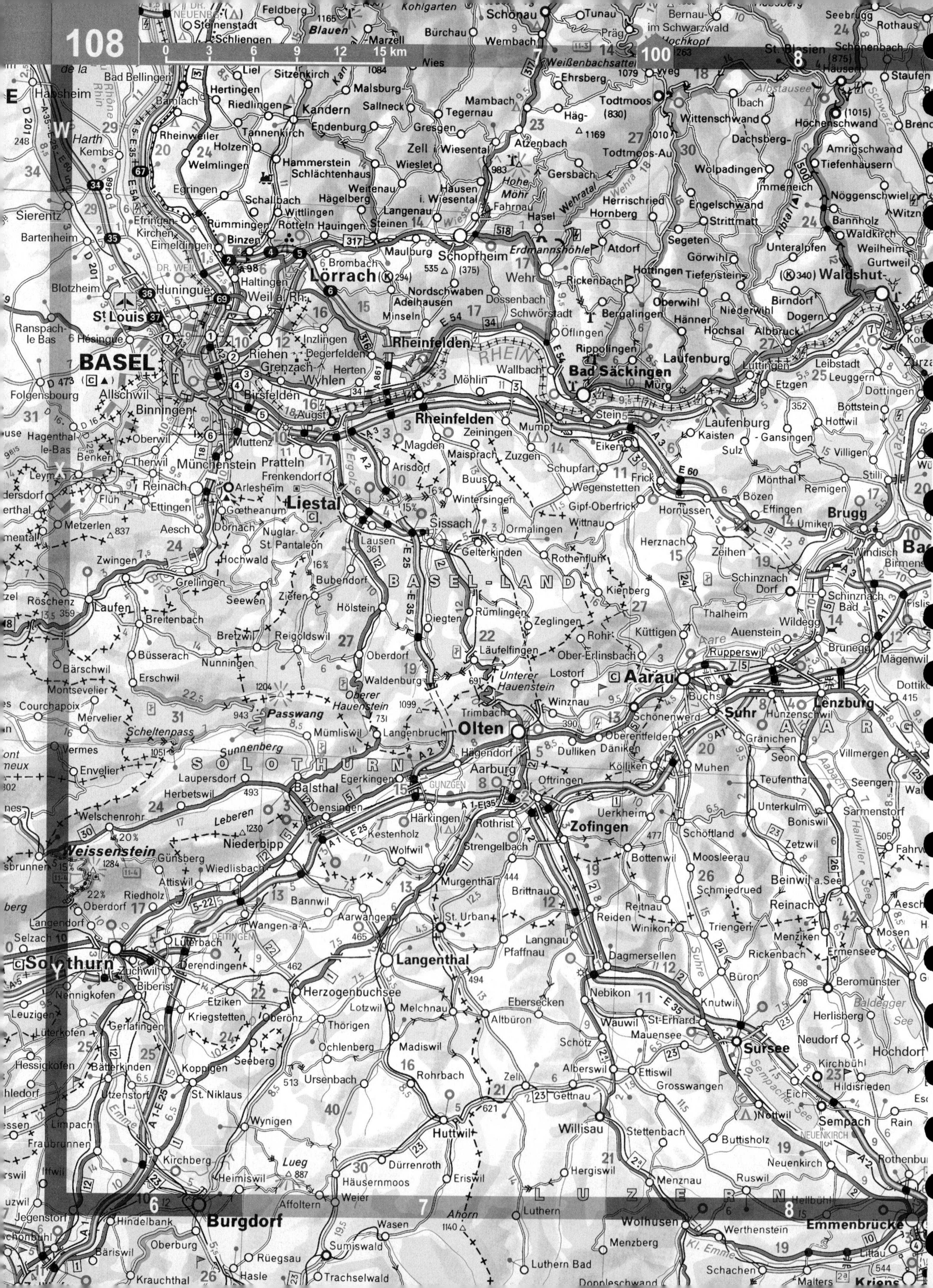
0 3 6 9 12 15 km
100
BASEL
Lörrach
Weil a. Rh.
Huningue
St Louis
Riehen
Grenzach-Wyhlen
Rheinfelden
Bad Säckingen
Laufenburg
Waldshut-
Schopfheim
Wehr
Todtmoos
St. Blasien
Schönau
Kandern
Liestal
Sissach
Pratteln
Muttenz
Münchenstein
Arlesheim
Allschwil
Binningen
Birsfelden
Augst
Möhlin
Frick
Brugg
Aarau
Lenzburg
Suhr
Olten
Aarburg
Zofingen
Langenthal
Solothurn
Balsthal
Oensingen
Niederbipp
Laufen
Passwang
Weissenstein
BASEL-LAND
SOLOTHURN
AARGAU
LUZERN
Herzogenbuchsee
Huttwil
Willisau
Sursee
Sempach
Burgdorf
Emmenbrücke
Kriens
RHEIN
Aare
Emme
Sempacher See
Hallwiler See
Baldegger See

SCHAFFHAUSEN
Singen
Radolfzell
Zellersee
Untersee
Stein a. R.
Diessenhofen
Steckborn
Tiengen
Rheinfall
Neuhausen
Eglisau
Bülach
Kloten
Frauenfeld
WINTERTHUR
Wettingen
Dietikon
ZÜRICH
Uster
Wetzikon
Küsnacht
Thalwil
Adliswil
Horgen
Wädenswil
Rapperswil
Baar
Zug
Cham
Einsiedeln
Küssnacht
Weggis
Näfels
Wattwil
Lichtensteig
T H U R G
Z Ü R I C H
Z U G
S C H W Y Z

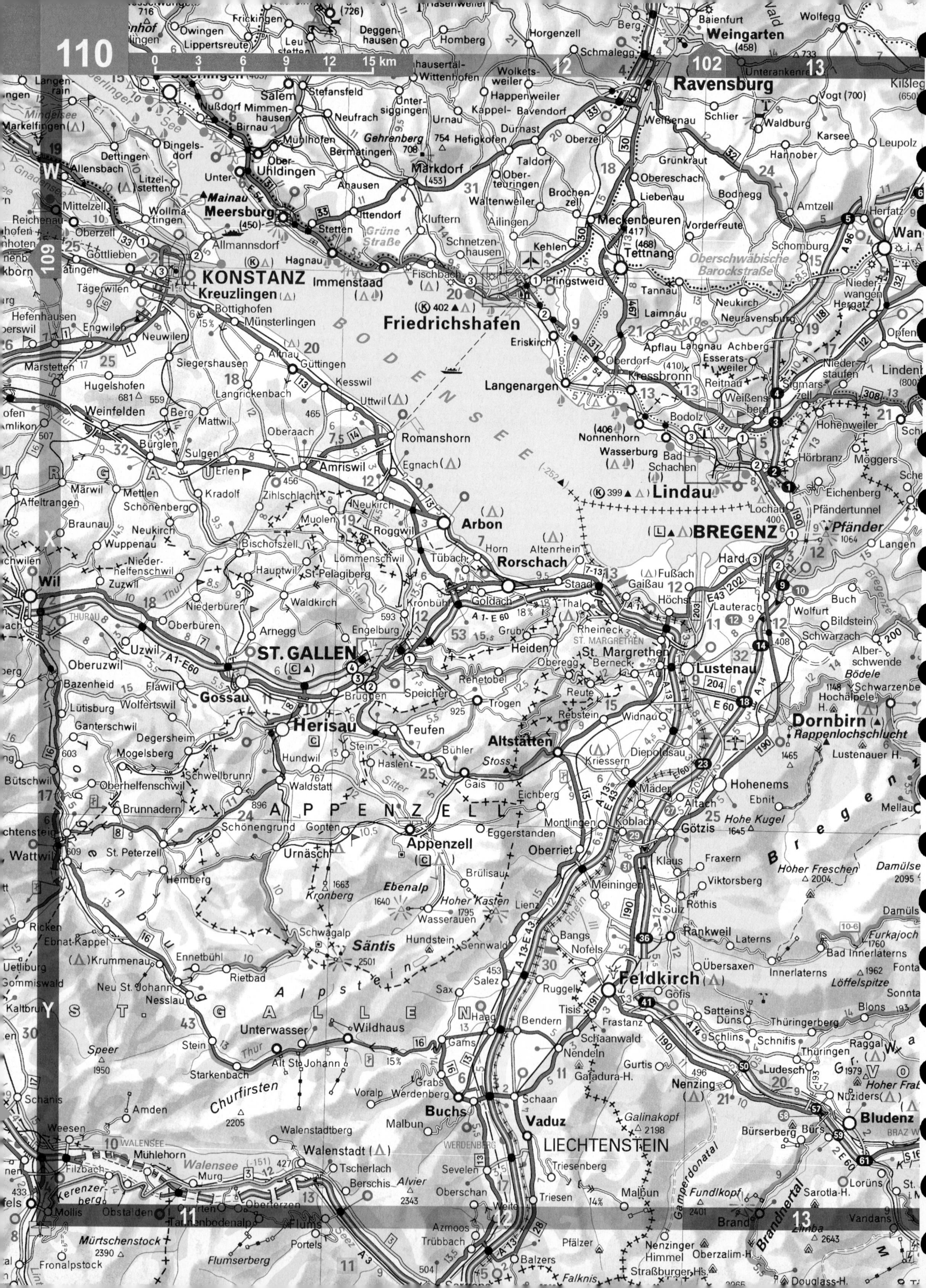
0 3 6 9 12 15 km
102
109
Weingarten
Ravensburg
Überlingen
Salem
Markdorf
Meersburg
Mainau
KONSTANZ
Kreuzlingen
Immenstaad
Friedrichshafen
BODENSEE
Langenargen
Kressbronn
Tettnang
Meckenbeuren
Lindau
BREGENZ
Pfänder
Romanshorn
Arbon
Rorschach
Weinfelden
Amriswil
Wil
ST. GALLEN
Gossau
Herisau
Lustenau
Dornbirn
Rappenlochschlucht
Altstätten
Hohenems
APPENZELL
Appenzell
Säntis
Hoher Kasten
Ebenalp
Feldkirch
Götzis
Rankweil
Buchs
Vaduz
LIECHTENSTEIN
Schaan
Wildhaus
Unterwasser
Churfirsten
Walensee
Walenstadt
Bludenz
Nenzing
Galinakopf
Bregenzer Wald
Oberschwäbische Barockstraße
Grüne Straße
Thurgau
St. Gallen
Toggenburg
Alpstein
Mürtschenstock
Flumserberg
Falknis
Brandnertal
Gamperdonatal

Leutkirch
Immenried
Adrazhofen
Ausnang
Wuchzenhofen
Altusried
Dietmannsried
Probstried
Untrasried
Günzach
Ruderatshofen
Aitrang
Eber
Herlazhofen
Kimratshofen
Krugzell
Haldenwang
Bertoldshofen
Urlau
Lauben
Börwang
Kraftisried
Wildpoldsried
Unterthingau
Marktoberdorf
Walzlings
Leubas
Friesenhofen
Walters-hofen
Badsee
Schmidsfelden
Wiggensbach
Oberthingau
Leuterschach
Beuren
Stötten
Betzigau
Balteratsried
Christazhofen
Rohrdorf
Oberkürnach
Kempten
Sulzschneid
Ratzenried
Neutrauchburg
Kreuzthal
Wald
Görisried
Siggen
Durach
Lengenwang
Isny
Schwarzer Grat
Buchenberg
DR. ALLGÄU
Eisenharz
Gießen
Argenbühl
Großholzleute
Wengen
Waltenhofen
Bodelsberg
Eglofs
Kleinweiler
Hellengerst
Sulzberg
Ruckholz
Maierhofen
Gestratz
Niedersonthofen
Ottacker
Moosbach
Oy
Mittelberg
Seeg
Roßhaupten
Heimenkirch
Grünenbach
Weitnau
Sibratshofen
Petersthal
Enzenstetten
Nesselwang
Rothenbach
Ebratshofen
Wilhams
Diepolz
Oberdorf
Martinszell
Vorderburg
Grüntensee
Hohenfreiberg
Hopferau
Hopfen a.See
Eisenberg
Rieden
Ellhofen
Knottenried
Rottach
Wertach
Weißbach
Edelsberg
Füssen
Weiler
Simmerberg
Stiefenhofen
Missen
Stein
Rettenberg
Kranzegg
Jungholz
Pfronten
Dorf
Buflings
Alpsee
Grünten
Wertacher Hörnle
Steinach
Weißensee
Oberreute
Deutsche Alpenstraße
Immenstadt
Bühl
Unterjoch
Alpsee
Oberstaufen
Paradies
Thalkirchdorf
Blaichach
Burgberg
Breitenberg
Vils
Unterpinswang
Steibis
Kemptener-Hs
Sonthofen
Oberjoch-Paß
Schlicke
Sulzberg
Aach
Gunzesried
Schattwald
Zöblen
Tannheimer Gruppe
Pflach
Riefensberg
Hochgrat
Ofterschwang
Oberjoch
Hindelang
Grän
Rusch
Bad Oberdorf
Tannheim
Nesselwängle
Reutte
Doren
Krumbach
Scheidewang Alp
Höllritzer Alp
Tiefenberg
Altstädten
Hinterstein
Lechaschau
Höfen
Hoher Häderich
Balderschwang
Hörnerhaus
Vilsalpsee
Ehrenberg
Langenegg
Müselbach
Hittisau
Riedberghorn
Bolsterlang
Schöllang
Gaichtpaß
Lingenau
Egg
Fischen
Großer Daumen
Lailachspitze
Heiterwang
Obermaiselstein
Weißenbach
Riedbergpaß
Tiefenbach
Nebelhorn
Lansberger H.
Lech
Andelsbuch
Sibratsgfäll
Rieden
Thaneller
Amagmach
Rohrmoos
Oberstdorf
Engeratsgundhorf
Forchach
Rinnen
Winterstaude
Edmund-Probst-Haus
Prinz-Luitpold-Hs
Reuttener H.
Breitachklamm
Hirschgundtal
Bezau
Reuthe
Schönenbach
Oytal
Hochvogel
Stanzach
Knittelkarspitze
Vorderhornbach
Gerstruben
Mahdtal-Hs
Bizau
Hoher Ifen
Höfats
Hornbachtal
Kelmen
Schnepfau
Riezlern
Faistenoy
Hinterhornbach
Namlos
Diedamskopf
Spielmannsau
Elmen
Schwarzwasserhütte
Hirschegg
Kanzelwand
Mittelberg
Kemptner-H.
Urbeleskarspitze
Namloser Wetterspitze
Mittagspitze
Au
Deutsches
Allgäuer Alpen
Gr. Krottenkopf
Häselgehr
Bschlabs
Schoppernau
Bödmen
Einödsbach
Hermann V. Barth-H.
Baad
Liechelkopf
Mindelheimer-H.
Zollgebiet
Rappenseehütte
Widderstein
Unt.-Biber-A
Elbigenalp
Faschina
Hopfreben
Pfafflar
Hahntennjoch
Zitterklapfen
Hochtannbergpaß
Hohes Licht
Muttekopf
Nesslegg
Biberacher H.
Bach
Schröcken
Biberkopf
Warth
Holzgau
Gramais
Gr. Schlenkerspitze
Buchboden
Steeg
Madau
Braunarlspitze
Zuger Hochlicht
Steinsee-H.
Imst
Oberlech
Leiterspitze
Göppinger H.
Lech
Kaisers
Mils b. Imst
Zug
Rutikopf
Wetterspitze
Memminger H.
Württemberger Hs.
Starkenbach
Imsterberg
Arlberg
Rote Wand
Ravensburger H.
Zürs
Stuttgarter H.
Kaiserjoch-H.
Parseierspitze
Schönwies
Freiburger H.
Spullersee
Flexenpaß
Valluga
PETTNEU
Ansbacher H.
Wenns
Braz
Innerbraz
Wald a. Arlberg
Klösterle
Langen a.A.
Stuben
St. Jakob
Pettneu
Schnann
Flirsch
Grins
Stanz
Zams
Venetberg
Arlbergpaß
Rauz
St. Christoph
Stanzertal
PIANS
Landeck
Fließ
Piller
Anton Montafon
Klostertal
Dalaas
Kaltenberg
ST. ANTON a. Arlberg
Hoher Riffler
Strengen
Pians
LANDECK W
Arlbergtunnel
Trisannabrücke
Inntal
Bartholomäberg
Silbertal
Rosanna
Verwall
Edmund Graf H.
Seekopf
Pontlatzerbrücke
Schruns
Kaltenberg
Obladis
Kauns
Hochjoch
Reutlinger H.
Madaunspitze
Kappl
See
Ascher-H.
Ladis
Prutz
13
14
15
103
112

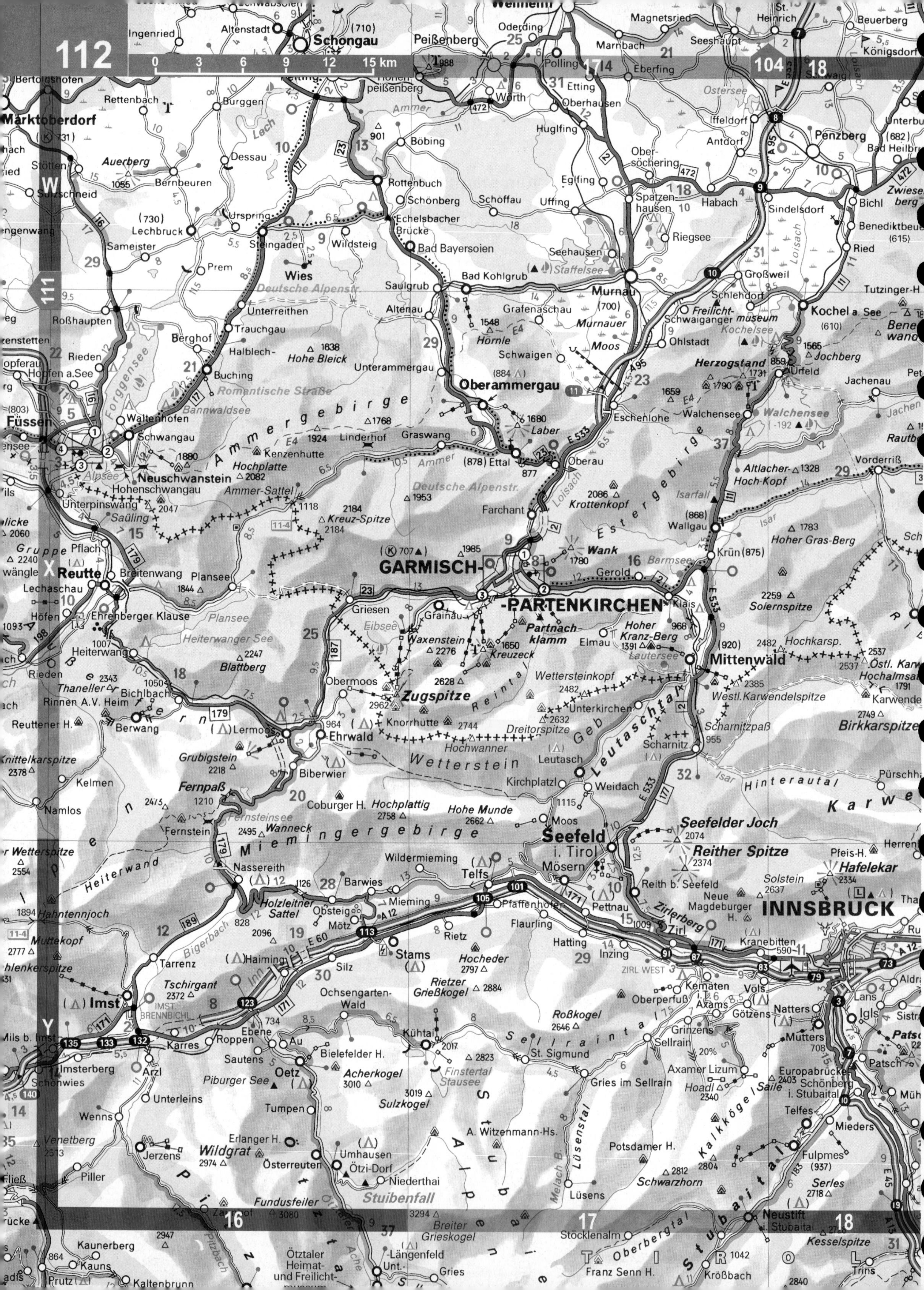
0 3 6 9 12 15 km
104
111
Schongau
Peißenberg
Weilheim
Polling
Seeshaupt
Penzberg
Marktoberdorf
Auerberg
Bernbeuren
Lechbruck
Steingaden
Wies
Rottenbuch
Echelsbacher Brücke
Bad Bayersoien
Bad Kohlgrub
Murnau
Staffelsee
Kochel a. See
Kochelsee
Herzogstand
Walchensee
Jachenau
Ohlstadt
Eschenlohe
Oberammergau
Unterammergau
Saulgrub
Ammergebirge
Linderhof
Ettal
Oberau
Füssen
Forggensee
Schwangau
Neuschwanstein
Hohenschwangau
Hochplatte
Kenzenhütte
Ammer-Sattel
Kreuz-Spitze
Deutsche Alpenstr.
Romantische Straße
Reutte
Plansee
Heiterwanger See
Ehrenberger Klause
GARMISCH-
-PARTENKIRCHEN
Wank
Krottenkopf
Estergebirge
Farchant
Wallgau
Krün
Barmsee
Gerold
Klais
Mittenwald
Hoher Kranz-Berg
Lautersee
Partnachklamm
Elmau
Grainau
Eibsee
Waxenstein
Kreuzeck
Zugspitze
Reintal
Wettersteinkopf
Wetterstein
Dreitorspitze
Hochwanner
Leutasch
Leutaschtal
Scharnitz
Scharnitzpaß
Westl. Karwendelspitze
Soiernspitze
Birkkarspitze
Hinterautal
Karwe
Ehrwald
Lermoos
Biberwier
Fernpaß
Fernsteinsee
Coburger H.
Hochplattig
Hohe Munde
Mieminger Gebirge
Seefeld i. Tirol
Seefelder Joch
Reither Spitze
Mösern
Hafelekar
Solstein
Zirl
Zirlerberg
INNSBRUCK
Telfs
Mieming
Holzleitner Sattel
Nassereith
Heiterwand
Stams
Silz
Haiming
Imst
Tschirgant
Rietzer Grießkogel
Kühtai
Oetz
Ötztal
Acherkogel
Sulzkogel
Sellraintal
St. Sigmund
Gries im Sellrain
Axamer Lizum
Hoadl
Kalkkögel
Götzens
Völs
Kematen
Igls
Patsch
Europabrücke
Schönberg i. Stubaital
Telfes
Mieders
Fulpmes
Serles
Stubaital
Neustift i. Stubaital
Stubaier Alpen
Lüsens
Lüsenstal
Schwarzhorn
Potsdamer H.
A. Witzenmann-Hs.
Umhausen
Ötzi-Dorf
Niederthai
Stuibenfall
Längenfeld
Ötztaler Heimat- und Freilicht-
Franz Senn H.
Oberbergtal
Kesselspitze
Wildgrat
Jerzens
Pitzbach
Kaunerberg
Kauns
Kaltenbrunn
Prutz
16
17
18
W
X
Y
TIROL

18
105
19
20
Bad Tölz
Miesbach
Au b. Bad Aibling
Raubling
Bad Feilnbach
Törwang
Samerberg
Achenmühle
Grainbach
Neubeuern
Roßholzen
Waakirchen
Greiling
Reichersbeuern
Gaißbach
Marienstein
Dürnbach
Gmund (739)
Wall
Parsberg
Wörnsmühl
Hausham
Hundham
Großholzhausen
Brannenburg
Degerndorf
Nußdorf
Hochries
St. Quirin
Schliersee
Fischbachau
Wackersberg
Isar-Winkel
Rechelkopf
Bad Wiessee
Tegernsee
Schliersee
Mitteralm
Flintsbach
Windshausen
Spitzstein
Arzbach
Abwinkl
Rottach-Egern
Neuhaus
Aurach
Geitau
Wendelstein
Sudelfeld
Fischbach
Sachrang
Erl
Lenggries
Fockenstein
Wallberg
Spitzing-Sattel
Bayrischzell
Tatzelwurm
Niederaudorf
Brauneck
Scharling
Spitzingsee
Wasserfall
Wall
Niederndorf
Wegscheid
Fleck
Blecksteinhaus
Rotwand
Oberaudorf
Kreuth
Roßstein
Risserkogel
Brünnstein
Tannern
Winkel
Bayerwald
Trainsjoch
Kiefersfelden
Ebbs
Rauchenberg
Glashütte
Wildbad-Kreuth
Valepp
Ursprungtal
Ursprung-Paß
Deutsche Alpenstraße
Schinder
Ht. Sonnwendjoch
Achenpaß
Halserspitz
Bayralm
Landl
Ht.-Vd. Thiersee
Pendling
Kufstein
Kaisertal
Stripsenjoch
Kaisergebirge
Sylvenstein-Stausee
Achenwald
Mangfallgebirge
Erzh. Johann-Klause
Langkampfen
Hintersteinersee
Fall
Demeljoch
Juifen
Achental
Guffertspitze
Mariastein
Schwoich
Scheffau
Wilder
Achenkirch
Steinberg a. R.
Pinegg
Kienberg
Angath
Kirchbichl
Bad Häring
Söll
Ellmau
Schreckenspitze
Vorderunutz
Aschau
Schönau
Tölzer H.
Achensee
Brandenberg
Breitenbach a. I.
Wörgl
Itter
Hohe Salve
Hinterriß
Seebergspitze
Hochiß
Rofangebirge
Kundl
Brixen
Plumsersattel
Erfurter H.
Kramsach
Oberau
Niederau
Hopfgarten
Westendorf
Pertisau
Bayreuther H.
Münster
Rattenberg
Mühltal
Maurach
Kanzelkehre
Brixlegg
Thierbach
Alpenrose-H.
Großer Ahornboden
Sonnjoch
Eben
Wiesing
Reith
Auffach
Alpbach
Falken-H.
Eng
Achenseebahn
Jenbach
Straß i.z.
Kelchsau
Rettenbach
Stanserjoch
Tratzberg
Bruck a. Z.
Inneralpbach
Lamsenjoch-H.
Stans
Schlitters
Breitegg
Wildschönau
Buch
Wiedersberger H.
Fügenberg
Vomp
Schwaz
Fügen
Hart
Gr. Galtenberg
Bettelwurfspitze
Kellerjoch
Uderns
Sonnenjoch
Neue Bamberger H.
Kitzbühel
Gnadenwald
Terfens
Pill
Hall i. Tirol
Fritzens
Weer
Kaltenbach
Salzachgeier
Absam
Wattens
Weerberg
Stumm
Volders
Vögelsberg
Ried
Gilfertberg
Aschau
Tulfes
Hochfügen
Kreuzjoch
Gerlospaß
Wald i. Pinzgau
Zellberg
Rohrberg
Neukirchen a. Großvenediger
Rinn
Volderwildbad
Rastkogelhütte
Zell a. Ziller
Gerlos
Krimml
Nafing-H.
Gerlosberg
Gmund
Speicher Durlaßboden
Gerlosplatte
Hirzerberg
Hainzenberg
Gerlostal
Rastkogel
Krimmler Wasserfälle
Glungezer
Meißner Hs.
Schwendau
Ramsau
Hippach
Trattenköpfl
Wildgerlostal
Krimmler Achental
Hütteltalkopf
Kreuzspitze
Mayrhofen
Brandberg
Zittauer H.
Vorderlanersbach
Penken
Lizumer H.
Lanersbach
Finkenberg
Häusling
Zillerkopf
Reichenspitze
Ellbögen
Pfons
Tuxertal
Maria Rast
Zillergrund
Schlieferspitze
Lizumer Reckner
Tux
Edel - H.
Ahornspitze
Bärenbad
Plauener H
Richter-H.
Matrei a. Brenner
Navis
Stillupp-Speicher
Ziller
Kasern
Speicher Zillergründl
Glockenkar-K. Vetta d'Italia
Schafseitenspitze
Hintertux
Krimmler Tauern / Pso dei Tauri
Birnlücke / Flla dei Picco
Steinach
Ginzling
Rauchkofel / M. Fumo
Tuxerjoch
Hoher Riffler
Roßwandspitze
Hundskehljoch
Tridentina
Dreiherrnspitze / Pco dei Tre Signori
Schmirn
Gefrorene
Zemmgrund
Stilluppgrund
Kasseler H.
114
W
X
Y

0 3 6 9 12 15 km
106
113
Siegsdorf
Vogling
Teisenberg
Bergen
Bernau
Übersee
Feldwies
Grassau
Aschau
Hohenaschau
Marquartstein
Ruhpolding
Hochfelln
Kampenwand
Unterwössen
Schleching
Geigelstein
Oberwössen
Reit i.Winkl
Maserer Paß
Kössen
Inzell
Zwiesel
Bad Reichenhall
Gletschergarten
Thumsee
Karlstein
Bayerisch Gmain
Großgmain
Predigtstuhl
Marzoll
Piding
Anger
Hammerau
Wals-Siezenheim
Hellbrunn
Anif
Grödig
Untersberg
Marktschellenberg
Schneizlreuth
Melleck
Unterjettenberg
Sonntagshorn
Dürrnbachhorn
Deutsche Alpenstr.
Rauschberg
Weißbach
Seegatterl
Winklmoos
Unken
Heutal
Bischofswiesen
Berchtesgaden
Schwarzeck
Ramsau
Schönau a.Königssee
Königssee
Hintersee
Reiter Alpe
Nationalpark
Hochkalter
Watzmann
St. Bartholomä
Jenner
Gotzenalm
Kahlersberg
Walchsee
Durchholzen
Schwendt
Ebbs
Zahmer Kaiser
Pyramidenspitze
Stripsenkopf
Stripsenjoch
Kaisergebirge
Wilder Kaiser
Ellmauer Halt
Gaudeamus-H.
Griesenau
Kirchdorf i.T.
Erpfendorf
Waidring
Strub
Paß Strub
Lofer
Loferer Alpe
Steinplatte
Fellhorn
Straubinger Hs.
Kirchberg
Loferer Steinberge
Gr. Ochsenhorn
Maria Kirchental
St. Martin b. Lofer
Seisenbergklamm
Lamprechtshöhle
Weißbach
Gr. Hundstod
Obersee
Berchtesgaden
Ingolstädter Hs.
Kärlinger Haus
Steinernes Meer
Scheffau
St. Johann i. Tirol
Spital
Ellmau
Going
Oberndorf
St. Ulrich a. Pillersee
St. Jakob i. Haus
Leoganger Steinberge
Saalachtal
Birnhorn
Reith b. Kitzbühel
Kitzbüheler Horn
Fieberbrunn
Hochfilzen
Grießenpaß
Peter-Wiechenthaler-H.
Riemann-Hs.
Breithorn
Selbhorn
Eckbert-H.
Hohe Salve
Schwarzsee
Brixen
KITZBÜHEL
Kirchberg i.T.
Westendorf
Alpenrose-H.
Hahnenkamm
Aurach
Wildseeloder
Grießen
Hütten
Leogang
Saalfelden
Maria Alm
Hinterthal
Wildenkarkogel
Asitz-K.
Bischof
Saalbach
Harham
Dientner
Dienten
Hintermoos
Rettenbach
Spertental
Aschau
Jochberg
Bochumer H.
Hinterglemm
Mitter Lengau
Glemmtal
Alpen
Schattberg
Viehhofen
Maishofen
Hundstein
Schmittenhöhe
Thumersbach
Gr. Rettenstein
Geißstein
Hochkogel
Zell a. See
Zeller See
Bruck a.d. Großglocknerstraße
Taxenbach
Paß Thurn
Wildkogel
Mühlbach
Bramberg
Mittersill
Stuhlfelden
Uttendorf
Steindorf
Piesendorf
Embach
St. Georgen
Salzach
Niedernsill
Hollersbach
Neukirchen a. Großvenediger
Felbertal
Stubachtal
Maiskogel
Kaprun
Kaprunertal
Fuschertal
Bernkogel
Imbachhorn
Fusch a.d. Großglocknerstr.
Rauris
Salzburger H.
Gleiwitzer H.
Schößwendklamm
Schrottkopf
Kesselfall-Alpenhaus
Krefelder H.
Limbergsperre
Bärenschlucht
Bad Fusch
Wörth
Breitfuß
Hintersee
Kitzsteinhorn
Stausee Wasserfallboden
Hoher Tenn
Schwarzkopf
Bucheben
Enzingerboden
Drossensperre
Ferleiten
Türchlwand
Fürther H.
Tauernkogel
Thüringer H.
Moosersperre
Gr. Wiesbachhorn
Stausee Mooserboden
Mannlkopf
Hohe Fürlegg
Felbertauerntunnel
Rudolfs-H.
Weißsee
Gr. Bärenkopf
Edelweißspitze
Innergschlöß
Prager H.
Sonnblick
Matreier Tauernhaus
Kalser Tauern
Oberwalder H.
Trauneralm
Fuscher Törl
Zitterauer Tisch
Großvenediger
Pasterze
Großglockner-Hochalpenstraße
Gr. Geiger
Badener H.
Wasserfallwinkel
Franz-Josephs-Höhe
Großglockner
Hocharn
Schareck
Kolm Saigurn
Niedersachsen Hs.
Birnlücke / Fta dei Picco
Dreiherrnspitze / Pco dei Tre Signori
Muntanitz
Kalser Tauernhaus
Kasereck
Sportgastein

Deutschland
SALZBURG
Hallein
Golling
Kuchl
Bischofshofen
St. Johann i. Pongau
BAD GASTEIN
Bad Hofgastein
Dorfgastein
Großarl
Wagrain
Flachau
Altenmarkt
Radstadt
Schladming
Ramsau a. Dachstein
Filzmoos
Abtenau
Gosau
Hallstatt
Obertraun
Bad Goisern
Bad Ischl
Bad Aussee
Grundlsee
Altaussee
St. Wolfgang
St. Gilgen
Strobl
Werfen
Werfenweng
Tenneck
Pfarrwerfen
Mühlbach a. Hochkönig
Obertauern
Untertauern
Tweng
Mauterndorf
St. Michael i. Lungau
Tamsweg
Mariapfarr
St. Margarethen
Zederhaus
Muhr
Katschberg
Tennengebirge
Dachsteingruppe
Salzkammergut
Totes Gebirge
Schladminger Tauern
Radstädter Tauern
Hoher Dachstein 2995
Hunerkogel
Krippenstein 2109
Roßbrand 1770
Gerzkopf 1729
Schafberg 1783
Zwölferhorn 1520
Seekareck
Radstädter Tauernpaß
Hochgolling 2863
Hochwurzen 1850
Planai 1894
Hauser Kaibling 2015
Stoderzinken 2048
Eisriesenwelt
Tauerntunnel
Katschberg-tunnel
Dachstein-Rieseneishöhle
Liechtensteinklamm
Paß Lueg
Paß Gschütt 964
Lammeröfen
Hallstätter See
Wolfgangsee
Schwarzensee
Gosausee
Zauchensee
Hintersee

Straßenverkehrsordnung
Wegcode / Motoring regulations / Réglements routiers
Regolamenti stradali / Código de circulación

	B	L	NL
	50	50	50
	90	90	80
	120	130	120

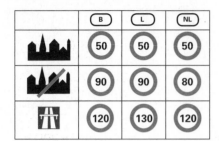

Geschwindigkeitsbegrenzung in km/h
Snelheidsbeperkingen (in km/uur)
Maximum Speed Limit: in kilometres per hour
Limitations de vitesse en kilomètres/heure
Limite di velocità in chilometri/ora
Limitación de velocidad en km/hora

Maximal zulässiger Blutalkoholgehalt / Maximaal toegelaten alcoholconcentratie in het bloed / Maximum blood alcohol level
Taux maximum d'alcool toléré dans le sang / Tasso massimo di alcol ammesso nel sangue / Indice máximo de alcohol permitido en sangre
B L NL 0.5g/l

Mindestalter für Kinder auf den Frontsitzen / Minimum leeftijd van passagiers vooraan:
Children under years of age not permitted in front seats / Age minimum des enfants admis à l'avant:
Età minima dei bambini ammessi sul sedile anteriore / Edad minima permitide a menores para circular en el asiento delantero derecho:
L 11 NL 12

Mindestalter für Autofahrer: 18 Jahre / Minimum leeftijd van de bestuurder: 18 jaar / Minimum driving age: 18 years
Age minimum du conducteur : 18 ans / Età minima del conducente: 18 anni / Edad minima del conductor: 18 años
B L NL

Anlegen von Sicherheitsgurten vorn und hinten vorgeschrieben / Gebruik van veiligheidsgordels vooraan en achteraan verplicht
Seat belts must be worn by driver and all passengers in front and rear seats
Port de la ceinture de sécurité à l'avant et à l'arrière obligatoire
Cintura di sicurezza sedili anteriori e posteriori obbligatoria / Cinturón de seguridad obligatorio en asientes delanteros y trasesos
B L NL

Helmpflicht für Motorradfahrer und -beifahrer / Gebruik van valhelm verplicht voor bestuurders en passagiers van motorfietsen
Helmets compulsory for motorcycle riders and passengers / Port du casque pour les motocyclistes et les passagers obligatoire
Casco obbligatorio per motociclisti e loro passeggeri / Casco de conductor y pasajero obligatorio en motocicletes
B L NL

Spikereifen erlaubt / Spijkerbanden toegestaan / Studded tyres allowed
Pneus cloutés autorisés / Gomme da neve autorizzate / Neumáticos claveteados autorizados
B 01/11 - 31/03 L 01/12 - 31/03

Spikereifen verboten / Spijkerbanden verboden / Studded tyres forbidden / Pneus cloutés interdits
Gomme da neve vietate / Neumáticos claveteados prohibidos
NL

Warndreieck vorgeschrieben / Gevarendriehoek verplicht / Warning Triangle compulsory / Triangle de présignalisation obligatoire
Triangolo di presegnalazione obbligatorio / Triangulo de preseñalización obligatorio
B L NL

Verbandskasten vorgeschrieben / Verbandtrommel verplicht
First aid kit compulsory / Trousse de premiers secours obligatoire
Valigetta pronto soccorso obbligatoria / Botiguin obligatorio
B

Verbandskasten empfohlen / Verbandtrommel aanbevolen
First aid kit recommended
Trousse de premiers secours conseillée
Valigetta pronto soccorso consigliata / Botiguin recomendado
L NL

Sicherheitsweste vorgeschrieben / Reflecterend vest verplicht
Reflective jacket compulsory / Gilet de sécurité obligatoire
Giubbotto di sicurezza obbligatorio / Chaleco reflectante obligatorio
B L

Sicherheitsweste empfohlen / Reflecterend vest aanbevolen
Reflective jacket recommended / Gilet de sécurité conseillé
Giubbotto di sicurezza consigliato
Chaleco reflectante aconsejado
NL

Feuerlöscher vorgeschrieben / Brandblusser verplicht
Fire extinguisher compulsory / Extincteur obligatoire
Estintore obbligatorio / Extinctor obligatorio
B

Feuerlöscher empfohlen / Brandblusser aanbevolen
Fire extinguisher recommended / Extincteur conseillé
Estintore consigliato / Extinctor recomendado
L NL

Benötigte Dokumente: Zulassungs- oder Mietwagenpapiere, Haftpflicht-versicherungsnachweis, Nationalitätskennzeichen.
Vereiste documenten: inschrijvingsbewijs of huurcontract van het voertuig, verzekering voor burgerlijke aansprakelijkheid, officiële nummerplaat.
Documents required. Vehicle registration document or rental agreement. Third party Insurance certificate. National vehicle identification plate.
Documents nécessaires : certificat d'immatriculation du véhicule ou de location, assurance responsabilité civile, plaque nationale.
Documenti necessari: certificato d'immatricolazione del veicolo o di noleggio, assicurazione responsabilità civile, targa nazionale.
Documentos necesarios: certificado de matriculación del vehiculo o certificado de alquiler, seguro de responsabilidad civil, placa indicativa del país

1: 400 000

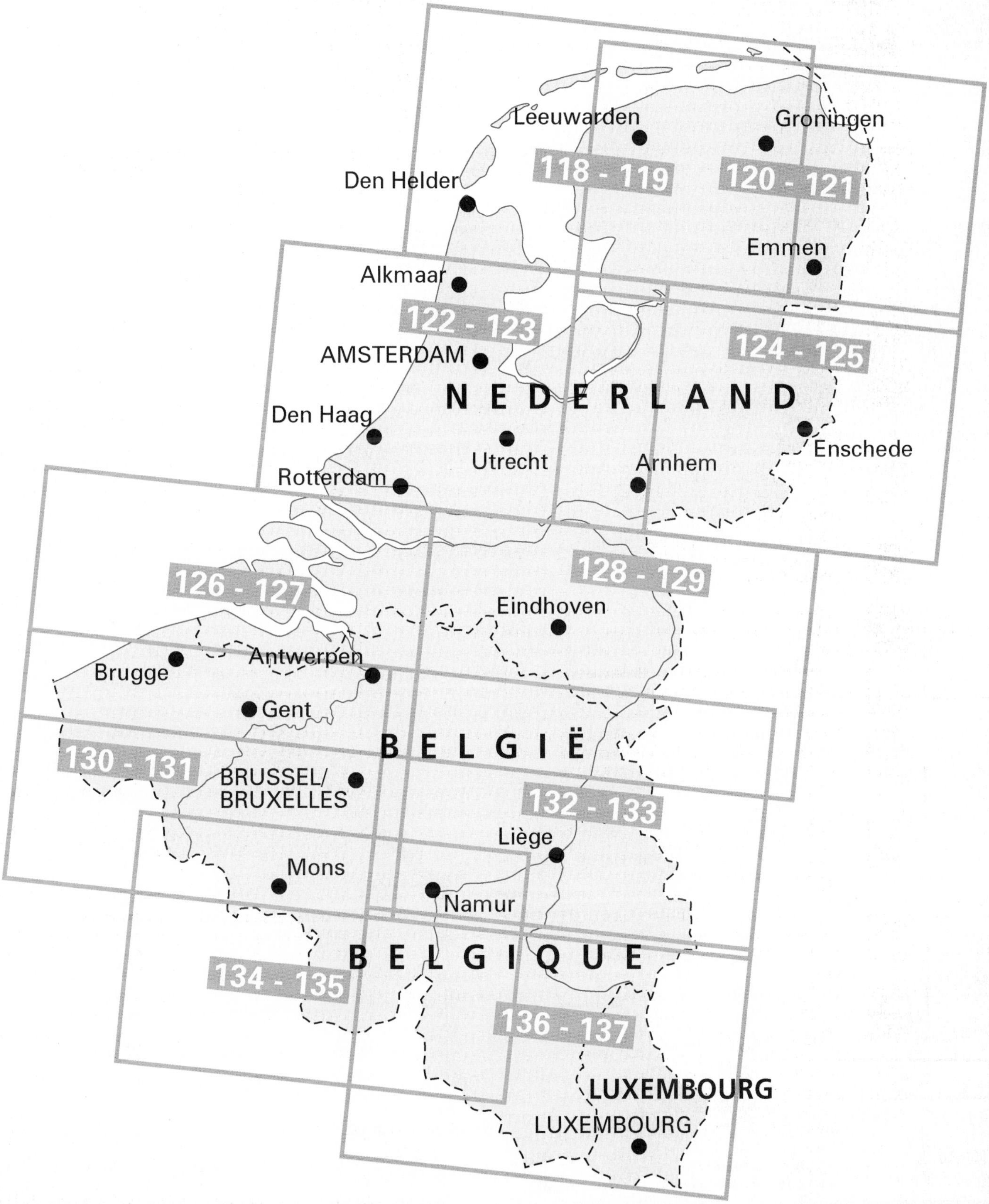
Leeuwarden
Groningen
118 - 119
120 - 121
Den Helder
Emmen
Alkmaar
122 - 123
124 - 125
AMSTERDAM
NEDERLAND
Den Haag
Enschede
Utrecht
Arnhem
Rotterdam
128 - 129
126 - 127
Eindhoven
Antwerpen
Brugge
Gent
BELGIË
130 - 131
BRUSSEL/
BRUXELLES
132 - 133
Liège
Mons
Namur
BELGIQUE
134 - 135
136 - 137
LUXEMBOURG
LUXEMBOURG

0 4 8 12 16 20 km
H
J
K
1
2
3
WADDENEILANDEN
De Boschplaat
Hollum
Borndiep
Oosterend
Hoorn
Midsland
Lies
TERSCHELLING
Kaart
West-Terschelling
Vliestroom
Terschellingerwad
Oost-Vlieland
Richel
VLIELAND
Griend
St.-Jacobiparochie
Minnertsga
Tzummarum
Oosterbierum
Sexbierum
Ried
Dongjum
Waardgronden
Eijerlandse Gat
Midlum
Franeker
Harlingen
Hitzum
Tzum
Winsum
De Eijerlandse Duinen
De Cocksdorp
WADDENZEE
Achlum
Arum
Lollum
De Slufter
Eijerlandse Polder
De Muy
Nationaal Park
Pingjum
Zurich
Witmarsum
De Koog
Oosterend
TEXEL
Duinen
Lorentzsluizen
Wons
Bolsward
Natuurrecreatiecentrum
De Waal
Makkum
Exmorra
Allingawier
van Texel
Den Burg
Piaam
Tjerkwerd
Oosthem
De Westerduinen
Den Hoorn
Oudeschild
Gaast
Blauwhuis
Parrega
Ferwoude
Afsluitdijk
Breezanddijk
A7-E22
De Geul
't Horntje
Oudega
Workum
(Súdwest Fryslân)
Noorderhaaks
Marsdiep
Gaastmeer
De Fluezen
Huisduinen
Den Helder
Nieuw Den Helder
De Schooten
Den Oever
Oosterland
Stevinsluizen
Hindeloopen
Koudum
Elahuizen
Woudsend
(Wieringen)
Hippolytushoef
Molkwerum
Balk
De Zandloper
Breezand
Westerland
Hemelum
Gaasterland
Julianadorp
Gelderse Buurt
Amstelmeer
Wieringermeer
Stavoren
Warns
Bakhuizen
Rijs
Sondel
Nijemirdum
Oudemirdum
Anna Paulowna
Wieringerwerf
Groote Keeten
Noordhollandskanaal
Callantsoog
't Zand
't Zwanenwater
Wieringerwaard
Slootdorp
Middenmeer
Polder
IJSSELMEER
Schagerbrug
St.-(Zijpe)
Maartensvlotbrug
Zeewering
Schagen
Kolhorn
Barsingerhorn
Medemblik
Petten
St.-Maarten
Hondsbosse
Burgervlotbrug
Winkel
Opperdoes
Andijk
Zijdewind
Twisk
Onderdijk
Dirkshorn
(Harenkarspel)
Nieuwe-Niedorp
Warmenhuizen
Wervershoof
(Drechterland)
Camperduin
Groet
Oudkarspel
Hoogwoud
Midwoud
Enkhuizen
123
Opmeer
Sijbekarspel
(Noorder-Koggenland)
Hoogkarspel
Schoorl
Spanbroek
Nibbixwoud
Bovenkarspel
(Stede-Broec)
Langedijk
Broek op L.
Koedijk
Obdam
Wadway
Westwoud
Zwaag
Urk
Bergen
Wognum
De Streek

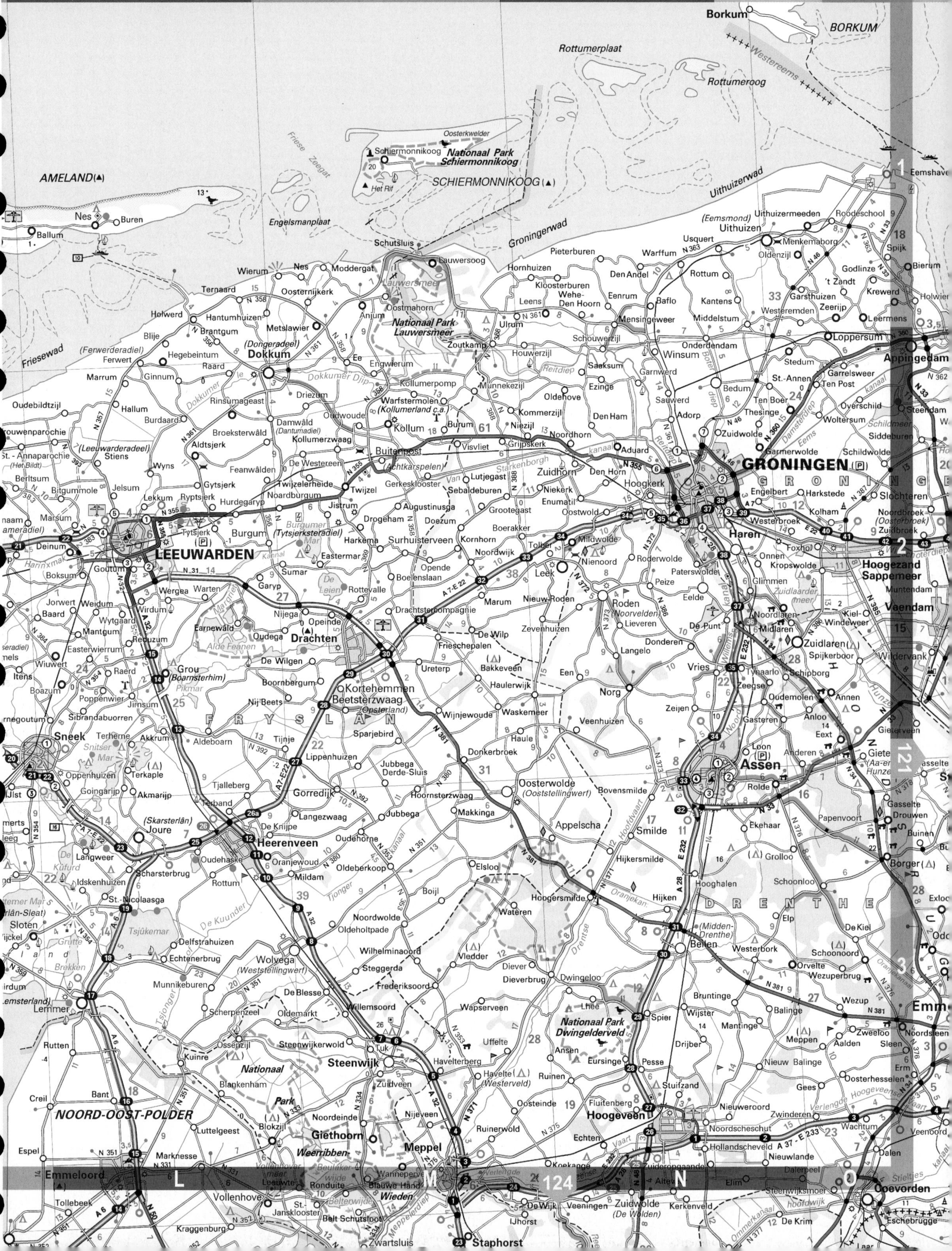
Borkum
BORKUM
Rottumerplaat
Westereems
Rottumeroog
Oosterkwelder
Schiermonnikoog
Nationaal Park Schiermonnikoog
SCHIERMONNIKOOG (▲)
Het Rif
Friese Zeegat
AMELAND (▲)
Nes
Buren
Ballum
Engelsmanplaat
Uithuizerwad
Eemshaven
Groningerwad
Schutsluis
Lauwersoog
Lauwersmeer
Nationaal Park Lauwersmeer
Wierum
Moddergat
Ternaard
Oosternijkerk
Holwerd
Hantumhuizen
Brantgum
Metslawier
Anjum
Oostmahorn
Blije
Friesewad
(Ferwerderadiel)
Ferwert
Hegebeintum
(Dongeradeel)
Dokkum
Ee
Engwierum
Zoutkamp
Marrum
Ginnum
Raard
Dokkumer Djip
Kollumerpomp
Driezum
Oudebildtzijl
Hallum
Rinsumageast
Warfstermolen
(Kollumerland c.a.)
Burdaard
Damwâld
(Dantumadiel)
Oudwoude
Kollum
Burum
Broeksterwâld
Kollumerzwaag
Aldtsjerk
Stiens
(Leeuwarderadeel)
St.-Annaparochie
(Het Bildt)
Berltsum
Bitgummole
Wyns
Feanwâlden
De Westereen
Buitenpost
(Achtkarspelen)
Twijzelerheide
Twijzel
Gytsjerk
Jelsum
Lekkum
Ryptsjerk
Hurdegaryp
Noardburgum
Jistrum
Marsum
Deinum
LEEUWARDEN
Tytsjerk
Burgum
(Tytsjerksteradiel)
Burgumer Mar
Drogeham
Harkema
Goutum
Boksum
Wergea
Warten
Garyp
Sumar
Eastermar
Surhuisterveen
Jorwert
Weidum
Baard
Wirdum
Wytgaard
Mantgum
Reduzum
Earnewâld
Alde Feanen
Oudega
Drachten
Nijega
Opeinde
Rottevalle
De Leien
Easterwierrum
Wiuwert
Raerd
Grou
(Boarnsterhim)
Pikmar
De Wilgen
Boornbergum
Kortehemmen
Beetsterzwaag
(Opsterland)
Nij Beets
Itens
Boazum
Poppenwier
Jirnsum
Sibrandabuorren
FRYSLAN
Sneek
Terherne
Akkrum
Aldeboarn
Tijnje
Snitser Mar
Oppenhuizen
Terkaple
Goingarijp
Akmarijp
Tjalleberg
Lippenhuizen
Sparjebird
Jubbega Derde-Sluis
Gorredijk
IJlst
Terband
Langezwaag
Jubbega
Hoornsterzwaag
(Skarsterlân)
Joure
De Knijpe
Heerenveen
Oudehorne
Langweer
Oudehaske
Oranjewoud
Mildam
Oldeberkoop
Scharsterbrug
Idskenhuizen
Rottum
St.-Nicolaasga
Tjonger
Sloten
De Kuunder
Tsjûkemar
Delfstrahuizen
Echtenerbrug
Gaasterland
Wolvega
(Weststellingwerf)
Noordwolde
Oldeholtpade
Wilhelminaoord
Steggerda
Frederiksoord
Munnikeburen
De Blesse
Willemsoord
Scherpenzeel
Oldemarkt
Lemmer
Rutten
Ossenzijl
Steenwijkerwold
Steenwijk
Tuk
Kuinre
Nationaal Park Weerribben
Blankenham
Zuidveen
Bant
Creil
NOORD-OOST-POLDER
Luttelgeest
Blokzijl
Noordeinde
Giethoorn
Nijeveen
Meppel
Espel
Marknesse
Emmeloord
Wanneperveen
Leeuwte
Ronduite
Blauwe Hand
Wieden
Vollenhove
Tollebeek
St.-Jansklooster
Belt Schutsloot
Kraggenburg
Zwartsluis
Staphorst
Havelterberg
Havelte
(Westerveld)
Uffelte
Wapserveen
Diever
Dieverbrug
Dwingeloo
Lhee
Nationaal Park Dwingelderveld
Ansen
Eursinge
Ruinen
Oosteinde
Ruinerwold
Fluitenberg
Hoogeveen
Echten
Koekange
De Wijk
IJhorst
Veeningen
Zuidwolde
(De Wolden)
Kerkenveld
Pesse
Stuifzand
Spier
Wijster
Drijber
Beilen
(Midden-Drenthe)
Hooghalen
Hijken
Hoogersmilde
Wateren
Vledder
Elsloo
Makkinga
Oosterwolde
(Ooststellingwerf)
Appelscha
Bovensmilde
Smilde
Hijkersmilde
Donkerbroek
Haule
Waskemeer
Wijnjewoude
Haulerwijk
Bakkeveen
Ureterp
Frieschepalen
De Wilp
Drachtstercompagnie
Marum
Boelenslaan
Opende
Noordwijk
Kornhorn
Tolbert
Leek
Nienoord
Nieuw-Roden
Roden
(Noordenveld)
Lieveren
Zevenhuizen
Langelo
Een
Norg
Veenhuizen
Zeijen
Donderen
Vries
Peize
Roderwolde
Eelde
Paterswolde
De Punt
Zuidlaren
Midlaren
Noordlaren
Tynaarlo
Zeegse
Oudemolen
Gasteren
Anloo
Annen
Eext
Loon
Assen
Rolde
Anderen
Gieten
Gieterveen
Grolloo
Schoonloo
Ekehaar
Papenvoort
Gasselte
Drouwen
Borger
Elp
DRENTHE
Westerbork
Orvelte
Schoonoord
Wezuperbrug
De Kiel
Balinge
Bruntinge
Mantinge
Meppen
Aalden
Zweeloo
Sleen
Wezup
Nieuw Balinge
Oosterhesselen
Gees
Zwinderen
Nieuweroord
Noordscheschut
Hollandscheveld
Nieuwlande
Dalerpeel
Elim
Steenwijksmoer
Alteveer
Zuideropgaande
Coevorden
De Krim
Eschebrugge
Wachtum
Dalen
Veenoord
Erm
Emmen
Noordsleen
Doezum
Augustinusga
Grootegast
Boerakker
Lutjegast
Sebaldeburen
Gerkesklooster
Visvliet
Grijpskerk
Niekerk
Oldekerk
Enumatil
Oostwold
Mildwolde
Zuidhorn
Den Horn
Aduard
Niezijl
Noordhorn
Kommerzijl
Munnekezijl
Oldehove
Den Ham
Ezinge
Saaksum
Houwerzijl
Reitdiep
Ulrum
Leens
Kloosterburen
Wehe-Den Hoorn
Hornhuizen
Pieterburen
Eenrum
Den Andel
Mensingeweer
Schouwerzijl
Warffum
Usquert
Baflo
Rottum
Kantens
Middelstum
Winsum
Onderdendam
Garnwerd
Sauwerd
Adorp
Bedum
Stedum
Zuidwolde
Hoogkerk
GRONINGEN
Haren
Onnen
Glimmen
Engelbert
Harkstede
Kolham
Westerbroek
Foxhol
Hoogezand Sappemeer
Kropswolde
Zuidlaardermeer
Muntendam
Veendam
Kiel-Windeweer
Wildervank
Slochteren
Noordbroek
(Oosterbroek)
Zuidbroek
Schildwolde
Siddeburen
Woltersum
Ten Boer
Thesinge
Garmerwolde
Ten Post
Garrelsweer
St.-Annen
Overschild
Steendam
Appingedam
Loppersum
Westeremden
Garsthuizen
Zeerijp
Leermens
Krewerd
't Zandt
Godlinze
Bierum
Spijk
Holwierde
Oldenzijl
Menkemaborg
(Eemsmond)
Uithuizen
Uithuizermeeden
Roodeschool
Damsterdiep
Schildmeer
Eems
Hunze
Noord-Willemskanaal
Oranjekanaal
Drentse Hoofdvaart
Verlengde Hoogeveense Vaart
Stieltjes kanaal
Meppelerdiep
Ommerkanaal
Lauwersmeer
Starkenborgh kanaal
Van Harinxmakanaal
Prinses Margrietkanaal
Friesewad

121
L M N 124

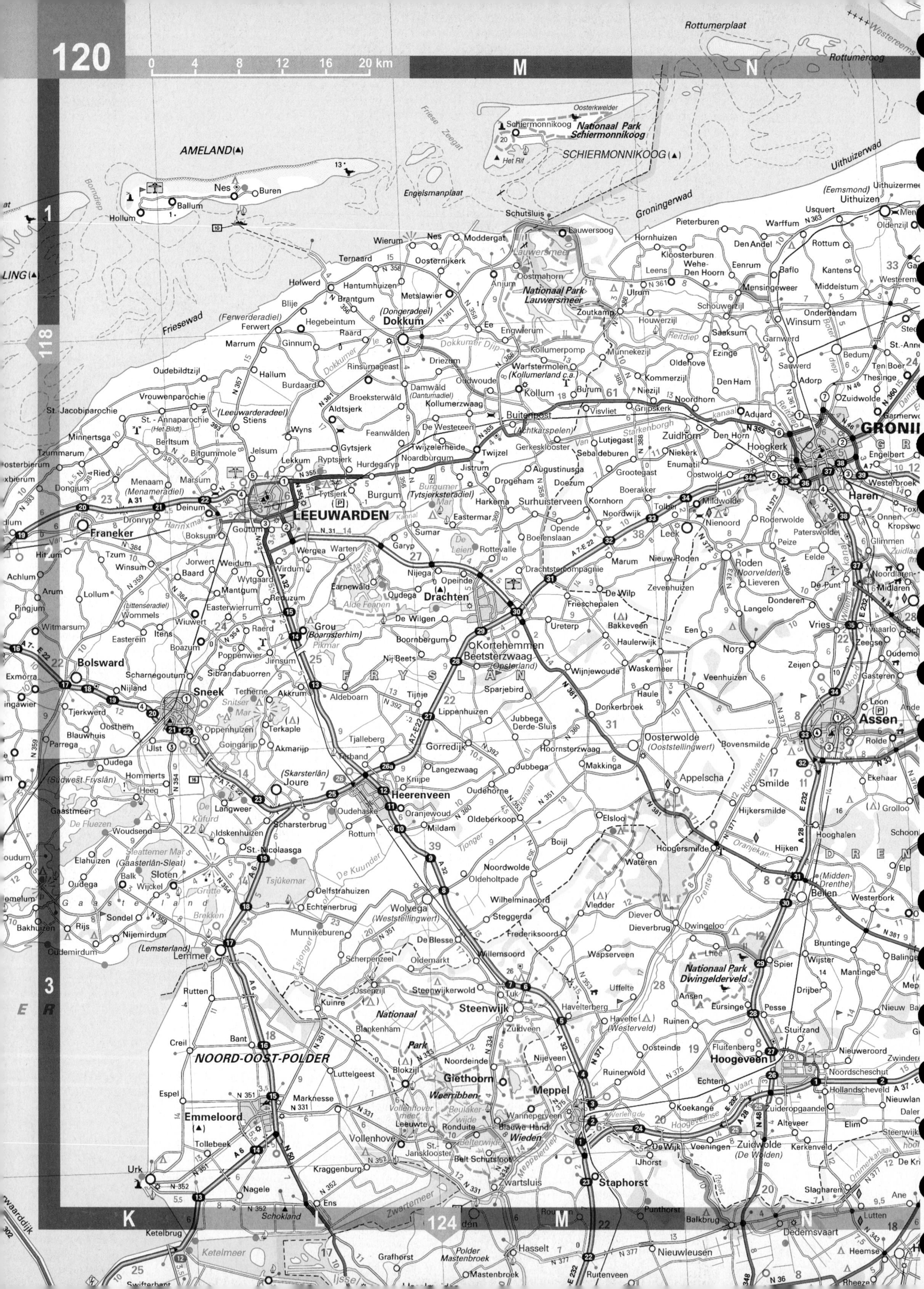
0 4 8 12 16 20 km
M
N
K
L
M
N
1
2
3
118
124
Rottumerplaat
Rottumeroog
AMELAND (▲)
SCHIERMONNIKOOG (▲)
Nationaal Park Schiermonnikoog
Schiermonnikoog
Oosterkwelder
Het Rif
Engelsmanplaat
Groningerwad
Uithuizerwad
Friesewad
Friese Zeegat
Nes
Buren
Ballum
Hollum
Schutsluis
Lauwersoog
Lauwersmeer
Nationaal Park Lauwersmeer
Wierum
Moddergat
Ternaard
Holwerd
Hantumhuizen
Oosternijkerk
Metslawier
Anjum
Oostmahorn
Dokkum
(Dongeradeel)
(Ferwerderadiel)
Ferwert
Hegebeintum
Blije
Marrum
Ginnum
Raard
Engwierum
Ee
Zoutkamp
Ulrum
Oudebildtzijl
Hallum
Burdaard
Rinsumageast
Driezum
Kollumerpomp
Warfstermolen
(Kollumerland c.a.)
Kollum
Vrouwenparochie
St. Jacobiparochie
St. - Annaparochie
(Het Bildt)
(Leeuwarderadeel)
Stiens
Berltsum
Minnertsga
Tzummarum
Bitgummole
Jelsum
Wyns
Aldtsjerk
Damwâld
(Dantumadiel)
Broeksterwâld
Kollumerzwaag
Feanwâlden
De Westereen
Buitenpost
(Achtkarspelen)
Twijzelerheide
Twijzel
Gytsjerk
Ryptsjerk
Hurdegaryp
Noardburgum
Lekkum
Ried
Menaam
(Menameradiel)
Marsum
Dongjum
Franeker
Dronryp
Deinum
LEEUWARDEN
Goutum
Boksum
Tytsjerk
(Tytsjerksteradiel)
Burgum
Jistrum
Drogeham
Harkema
Surhuisterveen
Augustinusga
Gerkesklooster
Lutjegast
Sebaldeburen
Grootegast
Doezum
Kornhorn
Boerakker
Noordwijk
Tolbert
Leek
Mildwolde
Nienoord
Opende
Boelenslaan
Eastermar
Sumar
Garyp
Wergea
Warten
Wirdum
Nijega
Opeinde
Rottevalle
Drachten
Drachtstercompagnie
Marum
Nieuw-Roden
Roden
(Noorvelden)
Lieveren
Eelde
Peize
Paterswolde
Onnen
Haren
Glimmen
De Punt
Midlaren
Zuidlaren
Tzum
Winsum
Hitzum
Achlum
Arum
Lollum
Jorwert
Weidum
Baard
Wytgaard
Mantgum
Reduzum
Earnewâld
Oudega
Alde Feanen
Zevenhuizen
De Wilp
Frieschepalen
Bakkeveen
Ureterp
Langelo
Donderen
Norg
Vries
Tynaarlo
Zeegse
Pingjum
(Littenseradiel)
Wommels
Easterwierrum
Wiuwert
Witmarsum
Easterein
Itens
Raerd
Grou
(Boarnsterhim)
Pikmar
De Wilgen
Boornbergum
Kortehemmen
Beetsterzwaag
(Opsterland)
Haulerwijk
Waskemeer
Een
Zeijen
Gasteren
Bolsward
Exmorra
Boazum
Poppenwier
Sibrandaburen
Jirnsum
Scharnegoutum
Nij Beets
FRYSLAN
Wijnjewoude
Veenhuizen
Haule
Donkerbroek
Sneek
Nijland
Tjerkwerd
Oosthem
Blauwhuis
Parrega
Terherne
Akkrum
Snitser Mar
Aldeboarn
Tijnje
Lippenhuizen
Sparjebird
Jubbega
Derde-Sluis
Oosterwolde
(Ooststellingwerf)
Bovensmilde
Assen
Loon
Rolde
Oppenhuizen
Terkaple
IJlst
Goingarijp
Akmarijp
Tjalleberg
Terband
Gorredijk
Hoornsterzwaag
Makkinga
Appelscha
Smilde
Ekehaar
Oudega
Hommerts
(Sudwest Fryslân)
Heeg
Joure
(Skarsterlân)
De Knijpe
Heerenveen
Langezwaag
Jubbega
Oudehorne
Hijkersmilde
Grolloo
Gaastmeer
De Fluezen
Langweer
De Kûfurd
Oudehaske
Oranjewoud
Mildam
Oldeberkoop
Elsloo
Schoonloo
Woudsend
Scharsterbrug
Idskenhuizen
Rottum
Boijl
Hooghalen
Elahuizen
(Gaasterlân-Sleat)
Slotermeer
St.-Nicolaasga
Tjonger
Hoogersmilde
Hijken
Balk
Sloten
Wijckel
Oudega
Tsjûkemar
De Kuunder
Noordwolde
Oldeholtpade
Wateren
Oranjekanaal
Elp
DRENTHE
Gaasterland
Grutte Brekken
Delfstrahuizen
Echtenerbrug
Wolvega
(Weststellingwerf)
Wilhelminaoord
Vledder
(Midden-Drenthe)
Beilen
Westerbork
Rijs
Sondel
Bakhuizen
Nijemirdum
Oudemirdum
(Lemsterland)
Lemmer
Munnikeburen
De Blesse
Steggerda
Frederiksoord
Diever
Dieverbrug
Dwingeloo
Bruntinge
Wijster
Mantinge
Scherpenzeel
Oldemarkt
Willemsoord
Wapserveen
Lhee
Nationaal Park Dwingelderveld
Spier
Drijber
Rutten
Ossenzijl
Kuinre
Steenwijkerwold
Tuk
Steenwijk
Uffelte
Havelterberg
Ansen
Eursinge
Pesse
Nationaal Park
Blankenham
Zuidveen
Havelte
(Westerveld)
Ruinen
Stuifzand
Creil
Bant
NOORD-OOST-POLDER
Luttelgeest
Blokzijl
Noordeinde
Giethoorn
Nijeveen
Oosteinde
Ruinerwold
Fluitenberg
Hoogeveen
Nieuweroord
Noordscheschut
Hollandscheveld
Espel
Marknesse
Emmeloord
Weerribben
Vollenhover meer
Beulaker wijde
Wanneperveen
Blauwe Hand
Meppel
Echten
Koekange
Zuideropgaande
Alteveer
Elim
Tollebeek
Leeuwte
Ronduite
Wieden
Belterwijde
Vollenhove
St.-Jansklooster
Belt Schutsloot
De Wijk
Veeningen
Zuidwolde
(De Wolden)
IJhorst
Kerkenveld
Kraggenburg
Zwartsluis
Staphorst
Urk
Nagele
Ens
Zwartemeer
Schokland
Slagharen
Ketelbrug
Ketelmeer
Punthorst
Balkbrug
Dedemsvaart
Lutten
Hasselt
Polder Mastenbroek
Nieuwleusen
Grafhorst
Mastenbroek
Heemse
Ruitenveen
Swifterbant
Rheeze
Ommen
Hoogeveense Vaart
Pieterburen
Hornhuizen
Kloosterburen
Wehe-Den Hoorn
Leens
Den Andel
Warffum
Usquert
Uithuizen
(Eemsmond)
Uithuizermeeden
Oldenzijl
Rottum
Kantens
Baflo
Eenrum
Mensingeweer
Middelstum
Schouwerzijl
Houwerzijl
Winsum
Onderdendam
Saaksum
Reitdiep
Ezinge
Garnwerd
Bedum
Munnekezijl
Oldehove
Sauwerd
Kommerzijl
Den Ham
Adorp
Thesinge
Ten Boer
Niezijl
Noordhorn
Zuidwolde
Visvliet
Grijpskerk
Aduard
Zuidhorn
Den Horn
Hoogkerk
Starkenborgh kanaal
GRONINGEN
Engelbert
Niekerk
Enumatil
Oostwold
Westerbroek
Dokkumer Djip
De Leijen
A7-E22
A 7-E 22
A 32
A 28
A 6
E 232
N 355
N 361
N 381
N 351
N 331

O
P
Q
R
Ostfriesland
Aurich
Emden
Leer
Weener
Papenburg
Westerstede
Wiesmoor
Friedeburg
Zetel
Neuenburg
Friesoythe
Delfzijl
Appingedam
Hoogezand Sappemeer
Veendam
Winschoten
Stadskanaal
Musselkanaal
Ter Apel
Emmen
Coevorden
Klazienaveen
Emmer-Compascuum
Meppen
Haselünne
Löningen
Sögel
Werlte
Lathen
Haren
Rhede
Aschendorf
Westoverledingen
Rhauderfehn
Saterland
Barßel
Apen
Hesel
Moormerland
Großefehn
Ihlow
Hinte
Borger
Odoorn
Eems
Dollard
Ems
Küstenkanal
Dortmund-Ems-Kanal
Bourtanger Moor
Niedersachsen
Hümmling
Ammerland
A 31
A 28 - E 22
A 7 - E 22
A 37 - E 233
E 233
125

0 4 8 12 16 20 km
G
H
118
I
F
G
H
127
3
4
5
6
N O O R
D
Maartensvlotbrug
Schagen
Petten
St.-Maarten
Burgervlotbrug
Dirkshorn
Hondsbosse Zeewering
Warmenhuizen
Camperduin
Groet
Schoorl
Koedijk
Bergen
Bergen aan Zee
Egmond aan Zee
Egmond a/d Hoef
Heiloo
Alkm
Egmond-Binnen
Limmen
Akersloot
Castricum aan Zee
West-Graftdijk
Alkmaardermeer
Castricum
Uitgeest
Newcastle
Heemskerk
Krommenie
Wijk aan Zee
Beverwijk
Assendelft
Zaandi
Velsen
Velsertunnel
Westzaan
IJmuiden
Driehuis
Nationaal Park Zuid-Kennemerland
Santpoort
Spaarndam
Bloemendaal
Overveen
HAARLEM
Bloemendaal aan Zee
Haarlemmerliede
Zwanenb
(▲) Zandvoort
Aerdenhout
Heemstede
Vijfhuizen
Badhoevedorp
Cruquius
Vogelenzang
Bennebroek
Hoofddorp
SCHIPHOL
De Zilk
Hillegom
Haarlemmermeer
Keukenhof
Nieuw-Vennep
polder
Noordwijkerhout
Lisse
Rijsenhout
Westeinder Plassen
(▲ △) Noordwijk aan Zee
Abbenes
Sassenheim
Kudelst
Noordwijk-Binnen
Voorhout
Leimuiden
Oude-Wetering
Kaag
Kagerplassen
Aarkan
(▲) Katwijk aan Zee
Warmond
Langeraar
Rijnsburg
LEIDEN
Braassemermeer
Katwijk a/d Rijn
Oegstgeest
Roelofarendsveen
(Kaag en Braassem)
Valkenburg
Hoogmade
Woubrugge
Ter Aar
(▲) Wassenaar
Leiderdorp
Koudekerk
Nieuwkoop
Alphen a/d Rijn
(▲) SCHEVENINGEN
De Kieviet
Voorschoten
Zoeterwoude
Rijndijk
Hazerswoude
-Dorp
Zwammerdam
Bodegraven
(P) DEN HAAG
('S-GRAVENHAGE)
ZUID
Stompwijk
Leidschendam
Benthuizen
Boskoop
HOLLAND
Kijkduin
Voorburg
Zoetermeer (▲)
Reeuwijk
Dorp
Waddinxveen
Loosduinen
Rijswijk
Nootdorp
Moerkapelle
Monster
Poeldijk
Pijnacker
Gouda
Harwich
Wateringen
DELFT
Bleiswijk
'S-Gravenzande
Zevenhuizen
Hoek van Holland
Honselersdijk
Berkel en Rodenrijs
Bergschenhoek
Moordrecht
Gouderak
Kingston-upon-Hull
Naaldwijk
De Lier
Schipluiden
Hillegersberg
Nieuwerkerk
(Zuidplas)
Maasvlakte 2 (in aanleg)
Nieuwe Waterweg
Maasdijk
Westerlee
Europoort(▲)
Maasland
Vlaardingen
Overschie
ROTTERDAM
Krimpenerwaard
Berkenwoude
Bergambacht
Maasvlakte
Maassluis
Capelle
Ouderkerk
Oostvoorne
Rozenburg
Schiedam
Krimpen a/d IJ.
Krimpen a/d L.
Lekkerkerk
Brielse Meer
Brielle (△)
Pernis
Nieuwe Maas
Ridderkerk
Lekkerland
Kinderdijk
Alblasserdam
Rockanje
(Westvoorne)
Zwartewaal
VOORNE
Heenvliet
Hoogvliet
Rhoon
Barendrecht
Rijsoord
Hendrik-Ido-Ambacht
Papendrecht
Geervliet
Poortugaal
Haringvlietdam (▲)
Nieuwenhoorn
Spijkenisse
Oude Maas
Heerjansdam
Oudenhoorn
PUTTEN
Hekelingen
Heinenoord
Zwijndrecht
Hellevoetsluis
Goedereede
Zuidland
Puttershoek
Ouddorp
Stellendam
Nieuw-Beijerland
Oud-Beijerland
Mijnsheerenland
Dubbeldam
Goudswaard
Piershil
Westmaas
Maasdam
DORDRECHT
(Korendijk)
's-Gravendeel
HARING
A 4
A 9
A 12
A 13
A 15
A 16
A 20
A 22
A 44
E 19
E 25
E 30
N 9
N 200
N 203
N 205
N 206
N 207
N 208
N 211
N 213
N 215
N 218
N 220
N 222
N 223
N 57
N 15
N 44
N 470

NOORD-OOST-POLDER
Medemblik
Enkhuizen
Emmeloord
Urk
Hoorn
MARKERMEER
Markerwaarddijk
Edam
Volendam
Purmerend
Marken
Monnickendam
Zaanstad
Lelystad
OOSTELIJK-FLEVOLAND
FLEVOLAND
ZUIDELIJK-FLEVOLAND
Dronten
Kampen
IJsselmuiden
Ketelmeer
Swifterbant
Almere
Almere-Stad
Almere-Haven
Almere-Buiten
Almere-Hout
AMSTERDAM
Amstelveen
Diemen
Muiden
Weesp
Naarden
Huizen
Bussum
HILVERSUM
Laren
Blaricum
Spakenburg
Bunschoten
Harderwijk
Zeewolde
Elburg
Nunspeet
Epe
Ermelo
Putten
Nijkerk
APELDOORN
Het Loo
Baarn
Soest
Soestdijk
Amersfoort
Barneveld
Hoevelaken
Voorthuizen
Lunteren
Ede
Kröller-Müller Museum
Nationaal Park De Hoge Veluwe
Breukelen
Maarssen
Bilthoven
De Bilt
Zeist
UTRECHT
Woerden
Nieuwegein
Houten
IJsselstein
Vianen
Doorn
Driebergen-Rijsenburg
Nationaal Park Utrechtse Heuvelrug
Veenendaal
Wageningen
Rhenen
Oosterbeek
Culemborg
Leerdam
Geldermalsen
Tiel
Gorinchem
Zaltbommel
Druten
Wijchen
NIJMEGEN
Oss
Werkendam
Woudrichem
Schoonhoven
Oudewater
Mijdrecht
Loosdrecht
Vinkeveen
Uithoorn
Aalsmeer
Heerhugowaard
Langedijk
Obdam
Opmeer
IJmeer
Gooimeer
Eemmeer
Nuldernas
Veluwemeer
Drontermeer
Zwartemeer
Vollenhove
Genemuiden
Wezep
Oldebroek
Vaassen
Arnhem

0 4 8 12 16 20 km
119
123
129
NOORD-OOST-POLDER
Emmeloord
Urk
Lelystad
OOSTELIJK-FLEVOLAND
FLEVOLAND
Dronten
Swifterbant
Biddinghuizen
Walibi World
Aviodrome
Kampen
IJsselmuiden
Genemuiden
Zwartsluis
Giethoorn
Meppel
Staphorst
Hasselt
Nieuwleusen
Hoogeveen
Dedemsvaart
Ommen
ZWOLLE
Hattem
Heino
Raalte
Nijverdal
Rijssen
Holten
Elburg
Oldebroek
Harderwijk
Nunspeet
Epe
Heerde
Wijhe
Olst
Ermelo
Putten
Nijkerk
Spakenburg
Bunschoten
Amersfoort
Barneveld
APELDOORN
Het Loo
Deventer
Gorssel
Zutphen
Lochem
Voorst
Eerbeek
Dieren
Brummen
Lunteren
Ede
Veenendaal
Wageningen
Rhenen
Renkum
Oosterbeek
ARNHEM
Velp
Rheden
Doesburg
Zevenaar
Doetinchem
Ulft
Emmerich
Huissen
Elst
Bemmel
NIJMEGEN
Wijchen
Druten
Tiel
Groesbeek
Kleve
Kalkar
Rees
Isselburg
Hamminkeln
Oss
Kröller-Müller Museum
Nationaal Park De Hoge Veluwe
Nationaal Park De Veluwezoom
Nationaal Park Utrechtse Heuvelrug
IJSSEL
VELUWE
GELDERLAND
OVERIJSSEL
TWENTE
GRAAFSCHAP
BETUWE
WAAL
RHEIN
Ketelmeer
Zwartemeer
Veluwemeer
A 1-E 30
A 12-E 35
A 28-E 232
A 50
A 325
A 18
A 3-E 35

O
P
Q
R
121
Meppen
Haselünne
Herzlake
Aselage
Versen
Zwartemeer
Klazienaveen
Erica
Nieuw-Amsterdam
Veenoord
Wachtum
Dalen
Coevorden
Schoonebeek
Nieuw-Schoonebeek
Eschebrügge
Rühlerfeld
Rühle
Twist
Heseper Torfwerk
Geeste
Bawinkel
Berge
Bippen
Laar
Gramsbergen
Emlichheim
Bathorn
Wietmarscher Twist
Dalum
Lengerich
Hoogstede
Georgsdorf
Hardenberg
Ratzel
Wilsum
Lingen
Wietmarschen
Ramsel
Fürstenau
Schwagstorf
Freren
Lohne
Neuenhaus
Uelsen
Kloosterhaar
Egge
Sibculo
Langeveen
Getelo
Lage
Elbergen
Schale
Beesten
Vasse
Lattrop
Nordhorn
Lünne
Hopsten
Recke
Geesteren
Ootmarsum
Tubbergen
Tilligte
Leschede
Vriezenveen
Mariaparochie
Fleringen
Reutum
Watermolen
Denekamp
Drievorden
Albergen
Rossum
Beuningen
Mettingen
Almelo
Weerselo
Schüttorf
Salzbergen
Dickenberg
Oldenzaal
Saasveld
Zenderen
De Lutte
Springbiel
Hörstel
Ibbenbüren
Deurningen
Borne
Bad Bentheim
Rheine
Bornerbroek
Riesenbeck
Twickel
Losser
Hengelo
ENSCHEDE
Delden
Neuenkirchen
Tecklenburg
Bilk
Overdinkel
Glane
Gronau
Ochtrup
Wettringen
Bentelo
Beckum
Boekelo
Glanerbrug
Emsdetten
Saerbeck
Lengerich
Hengevelde
Usselo
Epe
Burgsteinfurt
Ladbergen
Haaksbergen
Metelen
Nienborg
Steinfurt
Borghorst
Greven
Neede
Buurse
Alstätte
Graes
Heek
Schöppingen
Brock
Eibergen
Rekken
Oldenkott
Lünten
Horstmar
Nordwalde
Ostbevern
Ottenstein
Ahaus
Laer
Altenberge
Zwillbrock
Westbevern
Groenlo
Vreden
Legden
Rosendahl-Osterwick
Darfeld
Holtwick
Telgte
Stadtlohn
Havixbeck
Billerbeck
MÜNSTER
Vragender
Winterswijk
Gescher
Coesfeld
Nottuln
Oeding
Nordvelen
Hiltrup
Wolbeck
Bredevoort
Kotten
Weseke
Velen
Lette
Appelhülsen
Barlo
Senden
Rinkerode
Buldern
Vardingholt
Borken
Dülmen
Bocholt
Rhede
Heiden
Groß Reken
Ottmarsbocholt
Drensteinfurt
Leblich
Reken
Bahnhof
Lavesum
Ascheberg
Klein Reken
Lüdinghausen
Seppenrade
Dingden
Raesfeld
Lembeck
Haltern
Nordkirchen
Herbern
Erle
Bockum-Hövel
Brünen
Wulfen
Flaesheim
Olfen
Selm
Dortmund-Ems-Kanal
Ems-Vechte-Kanal
Vechte
Dinkel
Berkel
Ems
Kanal

0 4 8 12 16 20 km
C
D
E
6
7
8
9
B
130
M E R D U N
Kingston-upon-Hull
Rosyth
Ramsgate
Domburg
Westkapelle
Meliskerke
Zoutelande
Wielingen
Nieuwvliet-Bad
Cadzand Bad
KNOKKE-HEIST
Albertstrand
Duinbergen
Het Zwin
Het Zoute
Cadzand
Retranchement
ZEEBRUGGE
Blankenberge
Heist
Oostburg
St. Anna-ter-Muiden
Sluis
Westkapelle
Lissewege
Wenduine
De Haan
Ter Doest
Nieuwmunster
Dudzele
Oostkerke
Lapscheure
Aardenburg
Middelburg
Eede
Zuienkerke
Damme
Bredene-aan-Zee
Vlissegem
Klemskerke
OOSTENDE
(OSTENDE)
Bredene
Houtave
(BRUGES)
BRUGGE
Moerkerke
St.-Kruis
Maldegem
Mariakerke
St. Pieters
St. Andries
Stalhille
Assebroek
Sijsele
Adegem
Middelkerke-Bad
Zandvoorde
Snaaskerke
Varsenare
Oudenburg
St.-Michiels
Oedelem
Westende-Bad
Middelkerke
Leffinge
Roksem
Jabbeke
Snellegem
Moerbrugge
Nieuwpoort-Bad
Westende
Slijpe
Westkerke
Zevenkerken
Beernem
Knesselare
Oostduinkerke-Bad
Ten Putte
Gistel
Eernegem
Zedelgem
Loppem
Oostkamp
Koksijde-Bad
St.-Idesbald
Oostduinkerke
Nieuwpoort
Zevekote
St.-Joris
Ursel
De Panne
Koksijde
Ramskapelle
St.-Pieters-Kapelle
Moere
Aartrijke
Waardamme
Hertsberge
Bellem
Leke
Koekelare
Ichtegem
Veldegem
Ruddervoorde
Maria-Aalter
Bray-Dunes
Plopsaland
Adinkerke
Pervijze
Beerst
Aalter
DUNKERQUE
Malo les-Bains
Veurne
(Furnes)
Torhout
Wingene
Ghyvelde
Lampernisse
W E S T - V L A A N D E R E N
Ruiselede
De Moeren
Kaaskerke
Esen
Vladslo
Handzame
Kortemark
Schuiferskapelle
Téteghem
Wulveringem
Oudekapelle
Diksmuide
(Dixmude)
Werken
Lichtervelde
Zwevezele
Egem
Kanegem
Coudekerque-Branche
Houtem
Zarren
Koolskamp
Pittem
Aarsele
Izenberge
Alveringem
Woumen
Gits
Tielt
Leisele
Hoogstade
Klerken
Houthulst
Hooglede
Ardooie
Wontergem
Petegem
Bergues
Hondschoote
Lo
Staden
Ginste
Dentergem
GrMillebrugghe
Gijverinkhove
Pollinkhove
Jonkershove
Beveren
Roulers
Roeselare
Meulebeke
Reninge
Merkem
Oostnieuwkerke
Oeselgem
Rexpoede
Oostvleteren
(Vleteren)
Westrozebeke
Kachtem
Ingelmunster
Oostrozebeke
Wakken
Zulte
Oost-Cappel
Roesbrugge
Westvleteren
Poelkapelle
Rumbeke
Oekene
Wielsbeke
Looberghe
Krombeke
Langemark
Izegem
St.-Eloois-Vijve
Esquelbecq
Herzeele
Proven
Woesten
Boezinge
Passendale
Moorslede
Ooigem
Waregem
Elverdinge
Zonnebeke
Rollegem
Lendelede
Beveren

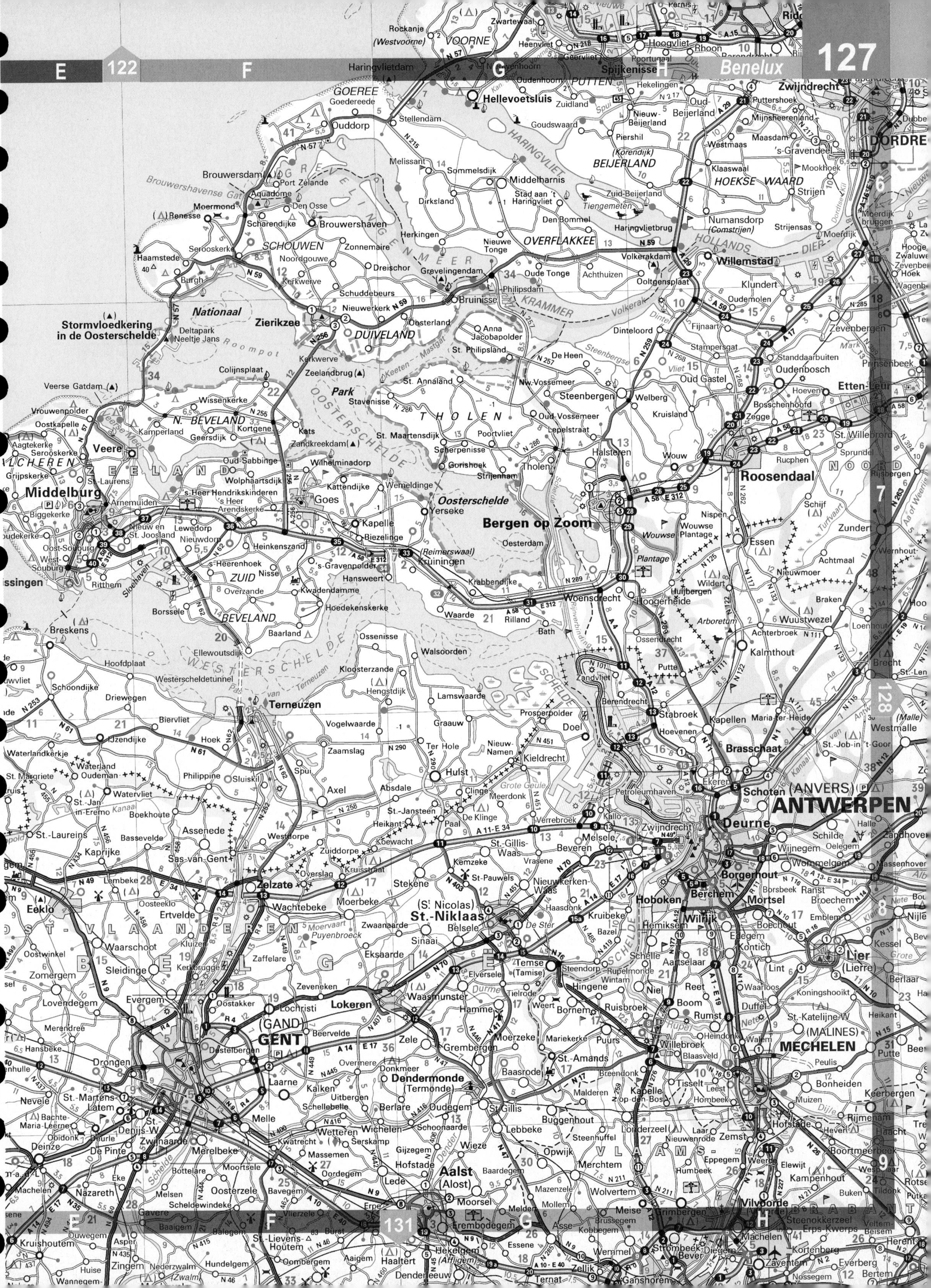
E
122
F
G
H
6
7
8
9
128
131
GOEREE
Ouddorp
Hellevoetsluis
Spijkenisse
Zwijndrecht
DORDRECHT
BEIJERLAND
HOEKSE WAARD
Middelharnis
OVERFLAKKEE
Willemstad
Brouwershaven
SCHOUWEN
Zierikzee
DUIVELAND
Bruinisse
Stormvloedkering in de Oosterschelde
Nationaal
Park
Oosterschelde
THOLEN
Tholen
Steenbergen
Oudenbosch
Etten-Leur
Roosendaal
N. BEVELAND
Veere
Goes
Middelburg
Vlissingen
Yerseke
Bergen op Zoom
ZUID
BEVELAND
Breskens
WESTERSCHELDE
Terneuzen
Hulst
Woensdrecht
Kalmthout
Essen
Brasschaat
Schoten
(ANVERS)
ANTWERPEN
Deurne
Borgerhout
Berchem
Hoboken
Wilrijk
Mortsel
Zelzate
Eeklo
(St. Nicolas)
St.-Niklaas
Lier
(Lierre)
(MALINES)
MECHELEN
Lokeren
(GAND)
GENT
Dendermonde
(Termonde)
Aalst
(Alost)
Vilvoorde
Zaventem
OOST-VLAANDEREN
BELGIË
NOORD

0 4 8 12 16 20 km
123
127
132
DORDRECHT
Werkendam
Sliedrecht
Nationaal Park De Biesbosch
Geertruidenberg
Raamsdonksveer
Oosterhout
BREDA
Etten-Leur
Prinsenbeek
Zevenbergen
Waalwijk
Kaatsheuvel
Dongen
Rijen
TILBURG
Goirle
Oisterwijk
Boxtel
Vught
'S-HERTOGENBOSCH
Rosmalen
Oss
Uden
Veghel
Schijndel
St.-Oedenrode
Best
EINDHOVEN
Veldhoven
Helmond
Geldrop
Valkenswaard
Waalre
Zaltbommel
Heusden
Drunen
Nationaal Park De Loonse en Drunense Duinen
NOORD-BRABANT
Baarle-Nassau
Baarle-Hertog
Hoogstraten
Merksplas
Turnhout
Oud-Turnhout
Arendonk
Retie
Dessel
Mol
Geel
Kasterlee
Herentals
Lommel
Neerpelt
Overpelt
Achel
Hamont
Weert
Bree
Peer
Leopoldsburg
Beringen
Heusden-Zolder
Houthalen-Helchteren
Genk
Hasselt
Diest
Aarschot
Scherpenheuvel
Lier (Lierre)
LEUVEN (LOUVAIN)
WERPEN
ANTWERPEN
KEMPEN
LIMBURG
Maasmechelen
Maaseik
Bilzen
Lanaken
Zonhoven
Westerlo
Olen
Hechtel
Balen
Eersel
Bergeijk
Reusel
Hilvarenbeek
Gilze
Brecht
Westmalle
Zoersel
Zandhoven
Nijlen
Heist-op-den-Berg
Tremelo
Haacht
Rotselaar
Holsbeek
Tienen
Tongerlo
Budel
Maarheeze
Heeze
Someren
Asten
Kinrooi
Dilsen
Stokkem
Zutendaal
Diepenbeek
Herk-de-Stad
Halen
Lummen
Meerhout
Laakdal
Tessenderlo
Ham
Koersel
Opglabbeek
Meeuwen
Nuenen
Son
Breugel
Mierlo
Boxmeer
Grave
Wijchen
Heesch
Ravenstein
Lith
Kerkdriel
Tiel
Meteren
Ophemert
Gorinchem
Heukelum
Asperen

124
133
L
M
N
O
Emmerich
Isselburg
Kleve
Rees
Nijmegen
Groesbeek
Kalkar
Hamminkeln
Wesel
Dorsten
Schermbeck
Goch
Xanten
Hünxe
Gennep
Boxmeer
Cuijk
Dinslaken
Venray
Kevelaer
Alpen
Rheinberg
Geldern
Kamp-Lintfort
Bottrop
Oberhausen
Moers
Mülheim
Duisburg
Straelen
Kempen
Krefeld
Venlo
Tegelen
Nettetal
Viersen
Willich
Meerbusch
Düsseldorf
Ratingen
Roermond
Mönchengladbach
Neuss
Rheydt
Wegberg
Erkelenz
Grevenbroich
Dormagen
Hilden
Heinsberg
Sittard
Geleen
Brunssum
Heerlen
Valkenburg
Kerkrade
Geilenkirchen
Jülich
Bergheim
Köln
Kerpen
Frechen
Hürth
Brühl
Aldenhoven
Alsdorf
Baesweiler
Landgraaf
LIMBURG
RHEIN
Maas-Schwalm-Nette
Grenspark

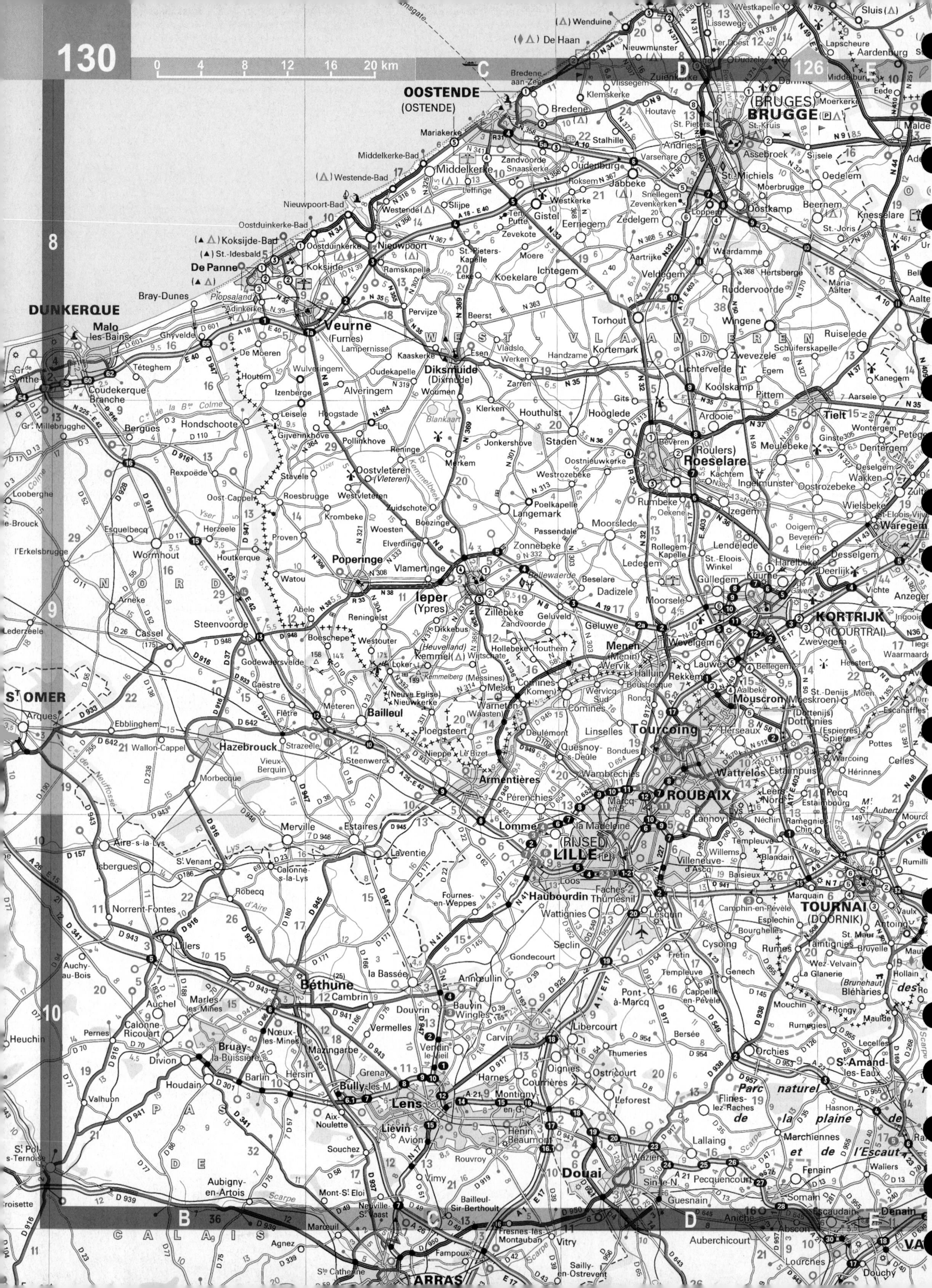

0 4 8 12 16 20 km
C
D
126
E
8
9
10
B
OOSTENDE
(OSTENDE)
BRUGGE
(BRUGES)
DUNKERQUE
De Panne
Koksijde-Bad
St.-Idesbald
Koksijde
Oostduinkerke-Bad
Nieuwpoort-Bad
Nieuwpoort
Westende-Bad
Middelkerke-Bad
Middelkerke
Mariakerke
Bredene
De Haan
Wenduine
Blankenberge
Zeebrugge
Lissewege
Westkapelle
Sluis
Aardenburg
Jabbeke
Oudenburg
Gistel
Zedelgem
Oostkamp
Beernem
Knesselare
Torhout
Veurne
(Furnes)
Diksmuide
(Dixmude)
Bray-Dunes
Malo les-Bains
Grande Synthe
Coudekerque Branche
Bergues
Hondschoote
W E S T - V L A A N D E R E N
Lichtervelde
Kortemark
Houthulst
Staden
Roeselare
(Roulers)
Izegem
Ingelmunster
Tielt
Wingene
Ruiselede
Aalter
Waregem
Harelbeke
Kortrijk
(Courtrai)
Poperinge
Ieper
(Ypres)
Langemark
Zonnebeke
Menen
(Menin)
Wervik
Wevelgem
Mouscron
(Moeskroen)
Comines
(Komen)
Heuvelland
Kemmel
Mesen
(Messines)
Ploegsteert
Bailleul
Cassel
Steenvoorde
Wormhout
Hazebrouck
St. Omer
Arques
Armentières
Tourcoing
Roubaix
Wattrelos
Lille
(Rijsel)
Lomme
Villeneuve-d'Ascq
Hauboudin
Lesquin
Seclin
Tournai
(Doornik)
Orchies
St. Amand-les-Eaux
Parc naturel de la plaine et de l'Escaut
Denain
Douai
Lens
Liévin
Béthune
Bruay-la-Buissière
Lillers
Aire-s-la-Lys
Isbergues
Merville
Estaires
Laventie
La Bassée
Carvin
Hénin-Beaumont
Vimy
Arras
St. Pol-s-Ternoise
N O R D
P A S - D E - C A L A I S

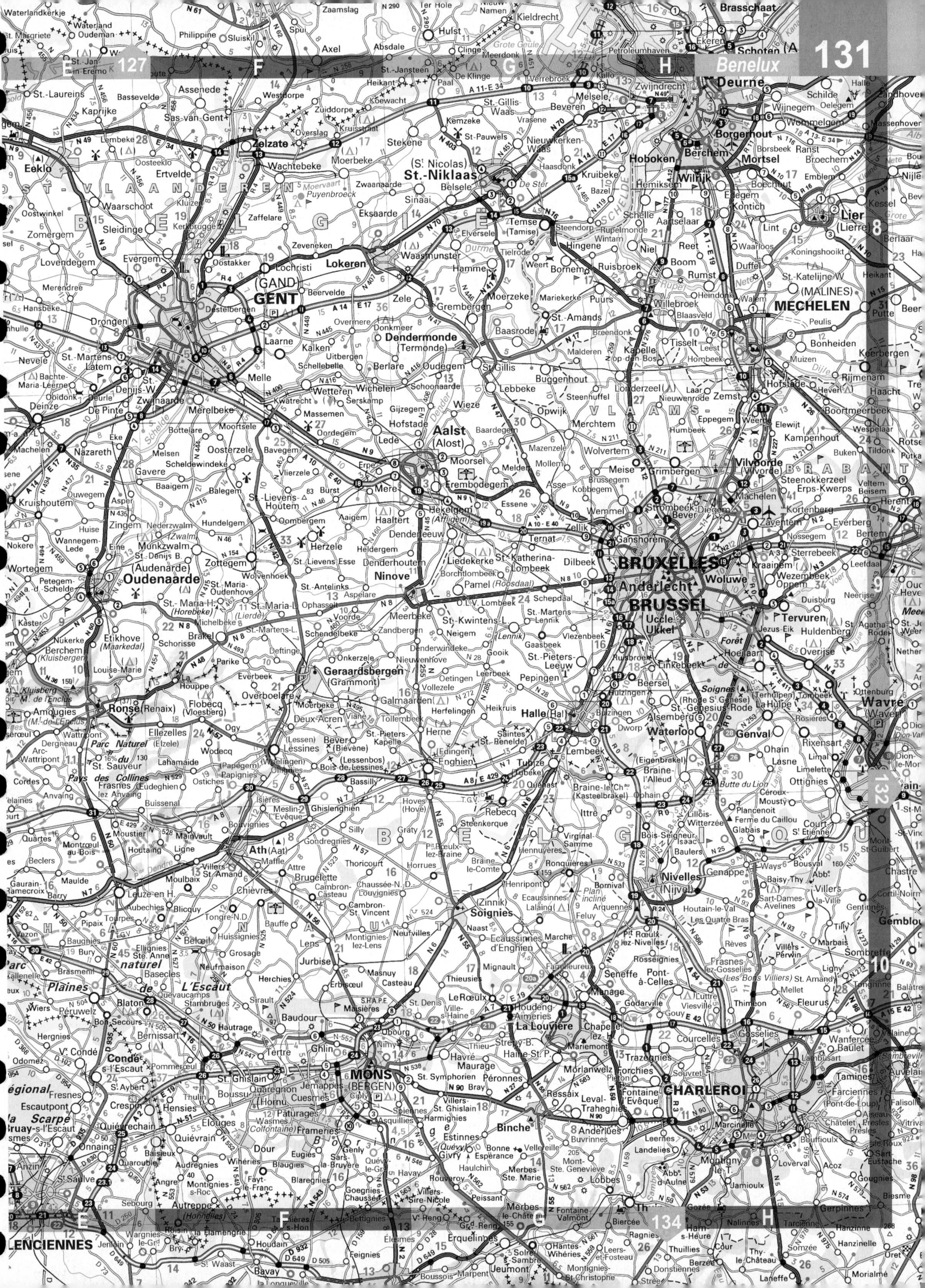
127
E
F
G
H
GENT
(GAND)
Oudenaarde
Aalst
(Alost)
Dendermonde
(Termonde)
St.-Niklaas
(St. Nicolas)
Lokeren
MECHELEN
(MALINES)
Lier
(Lierre)
Deurne
Borgerhout
Hoboken
Berchem
Mortsel
Wilrijk
Vilvoorde
(Vilvorde)
BRUXELLES
BRUSSEL
Anderlecht
Uccle
Ukkel
Woluwe
Tervuren
Ninove
Geraardsbergen
(Grammont)
Halle (Hal)
Waterloo
Wavre
Nivelles
(Nijvel)
Soignies
(Zinnik)
La Louvière
Binche
MONS
(BERGEN)
CHARLEROI
Ath (Aat)
Ronse (Renaix)
Lessines
Enghien
Eeklo
Zelzate
Temse
Beveren
Zaventem
Genval
Gosselies
Fleurus
Gembloux
Tubize
Braine-l'Alleud
Leuze-en-H.
Péruwelz
Quiévrain
Zottegem
Hulst
Axel
Brasschaat
Schoten
BRABANT
VLAAMS-
OOST-VLAANDEREN
BELGIË
BELGIQUE
HAINAUT
Parc Naturel du Pays des Collines
Parc naturel Plaines de L'Escaut
Forêt de Soignes
ENCIENNES
8
9
10
132
134

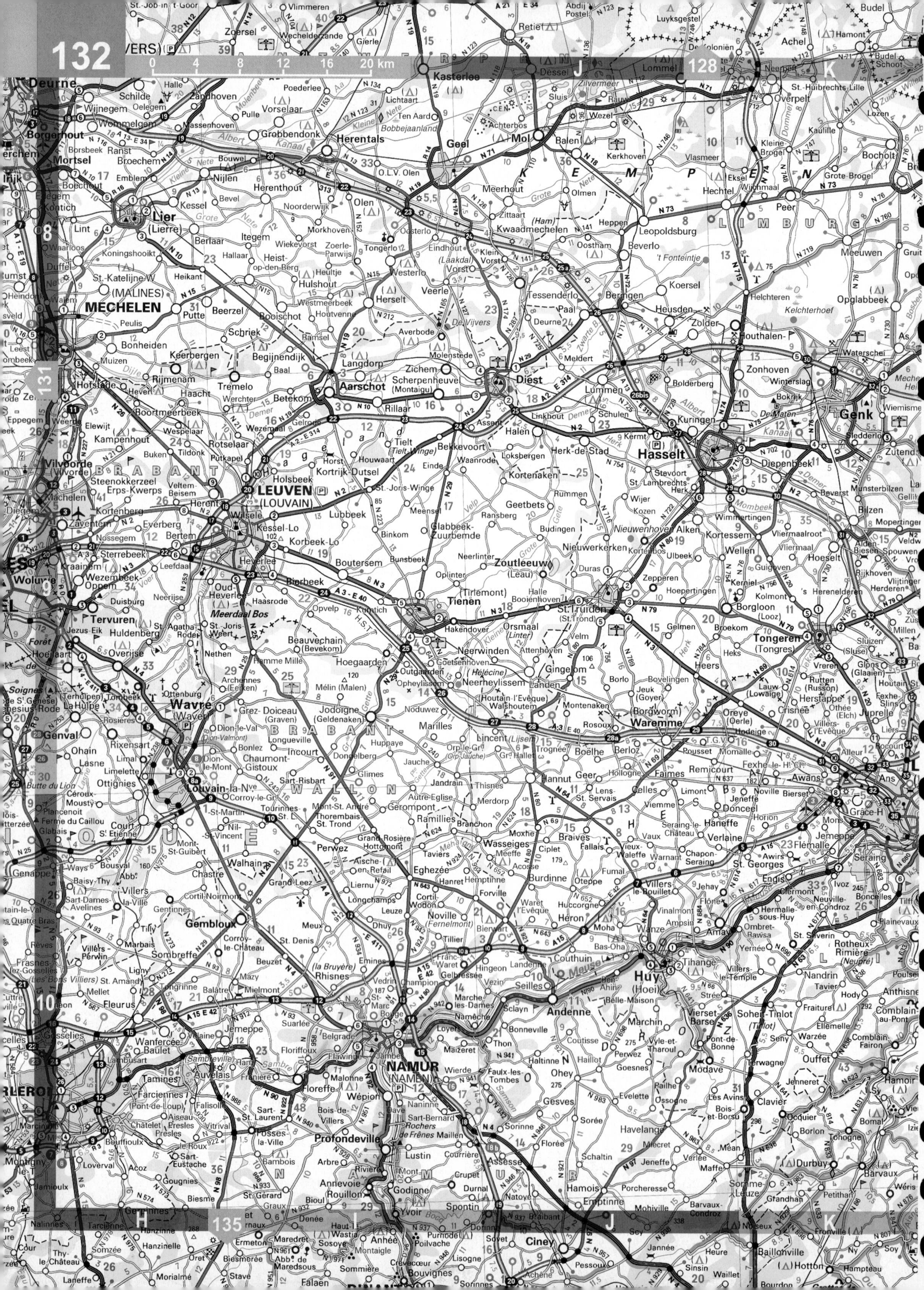
0 4 8 12 16 20 km
128
131
135
Deurne
Mortsel
Lier (Lierre)
MECHELEN (MALINES)
Herentals
Geel
Mol
Kasterlee
Dessel
Lommel
Neerpelt
Achel
Leopoldsburg
Beringen
Heusden
Zolder
Houthalen
Genk
Hasselt
Diest
Aarschot
Scherpenheuvel (Montaigu)
Vilvoorde (Vilvorde)
Zaventem
LEUVEN (LOUVAIN)
Tienen (Tirlemont)
Zoutleeuw (Leau)
St.-Truiden (St.-Trond)
Borgloon (Looz)
Tongeren (Tongres)
Bilzen
Tervuren
Wavre (Waver)
Jodoigne (Geldenaken)
Waremme (Borgworm)
Hannut
Louvain-la-Neuve
Gembloux
Eghezée
Huy (Hoei)
Andenne
NAMUR (NAMEN)
Fleurus
Gosselies
Profondeville
Ciney
Durbuy
Seraing
Genval
KEMPEN
LIMBURG
BRABANT
BRABANT WALLON
NAMUR

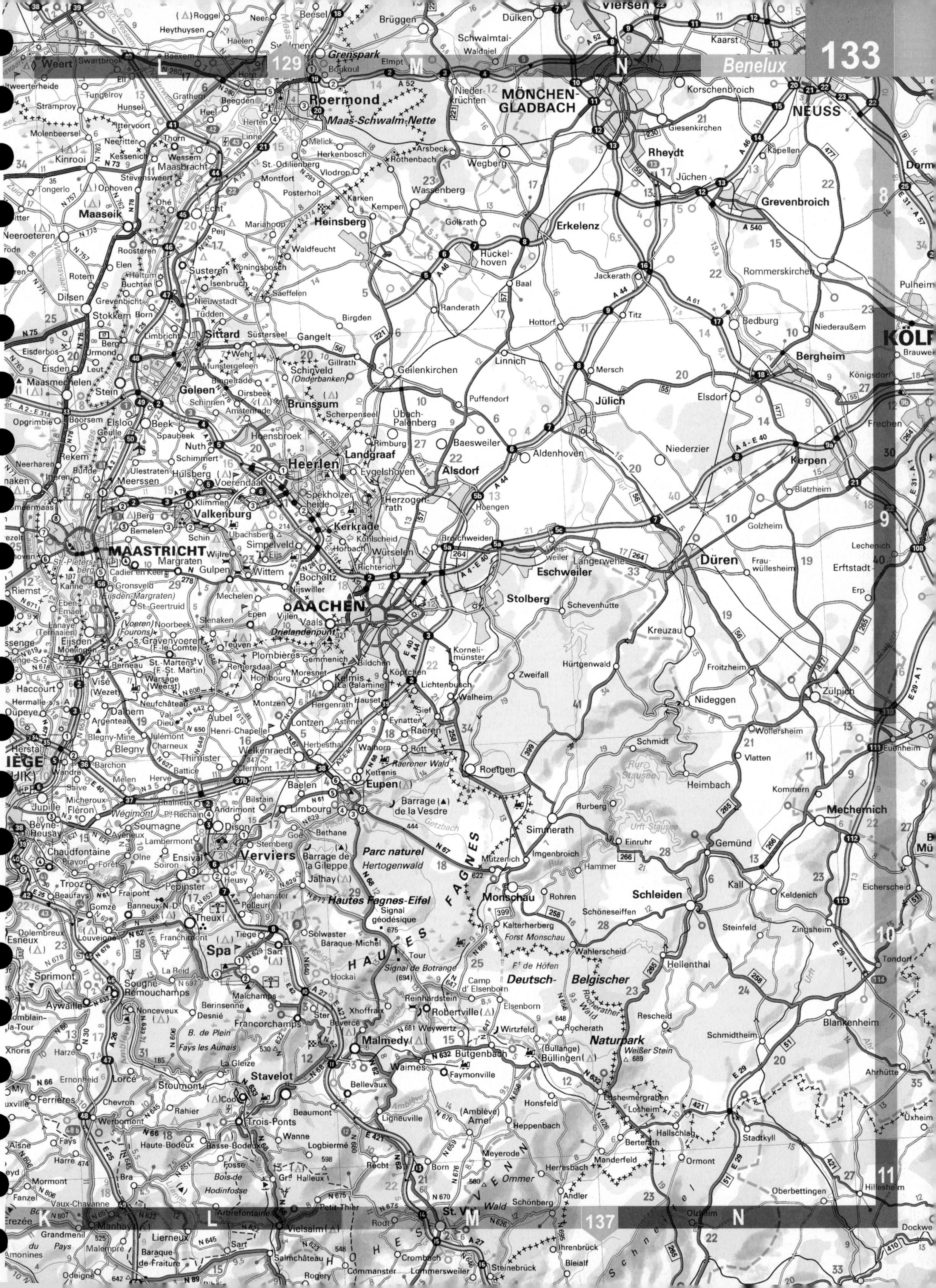
MÖNCHEN-GLADBACH
NEUSS
Rheydt
Grevenbroich
Erkelenz
Roermond
Maas-Schwalm-Nette
Grenspark
Heinsberg
Weert
Maaseik
Sittard
Geleen
Brunssum
Heerlen
Landgraaf
Kerkrade
MAASTRICHT
Valkenburg
AACHEN
Drielandenpunt
Alsdorf
Eschweiler
Stolberg
Düren
Jülich
Bergheim
Kerpen
Zülpich
Mechernich
Schleiden
Monschau
Simmerath
Roetgen
Eupen
Verviers
Spa
Malmedy
Stavelot
Vielsalm
St. Vith
Parc naturel Hertogenwald
Hautes Fagnes-Eifel
HAUTES FAGNES
Deutsch-Belgischer Naturpark
VENN
Heimbach
Gemünd
Blankenheim
Hellenthal
Bütgenbach
Büllingen
Aywaille
Sprimont
Theux
Dison
Herstal
Visé
Kelmis La Calamine
Geilenkirchen
Übach-Palenberg
Baesweiler
Hückelhoven
Wegberg
Wassenberg
Viersen
Dülken
Kaarst
Korschenbroich
Jüchen
Bedburg
Elsdorf
Frechen
Erftstadt
Nideggen
Kreuzau
Langerwehe
Würselen
Vaals
Gulpen
Eijsden
Stein
Beek
Meerssen
Maasmechelen
Dilsen
Stokkem
Kinrooi
Echt
Susteren
Tondorf
Hillesheim
Stadtkyll
Losheim
Amel
Trois-Ponts
Lierneux
Manhay
129
137
K L M N
8 9 10 11

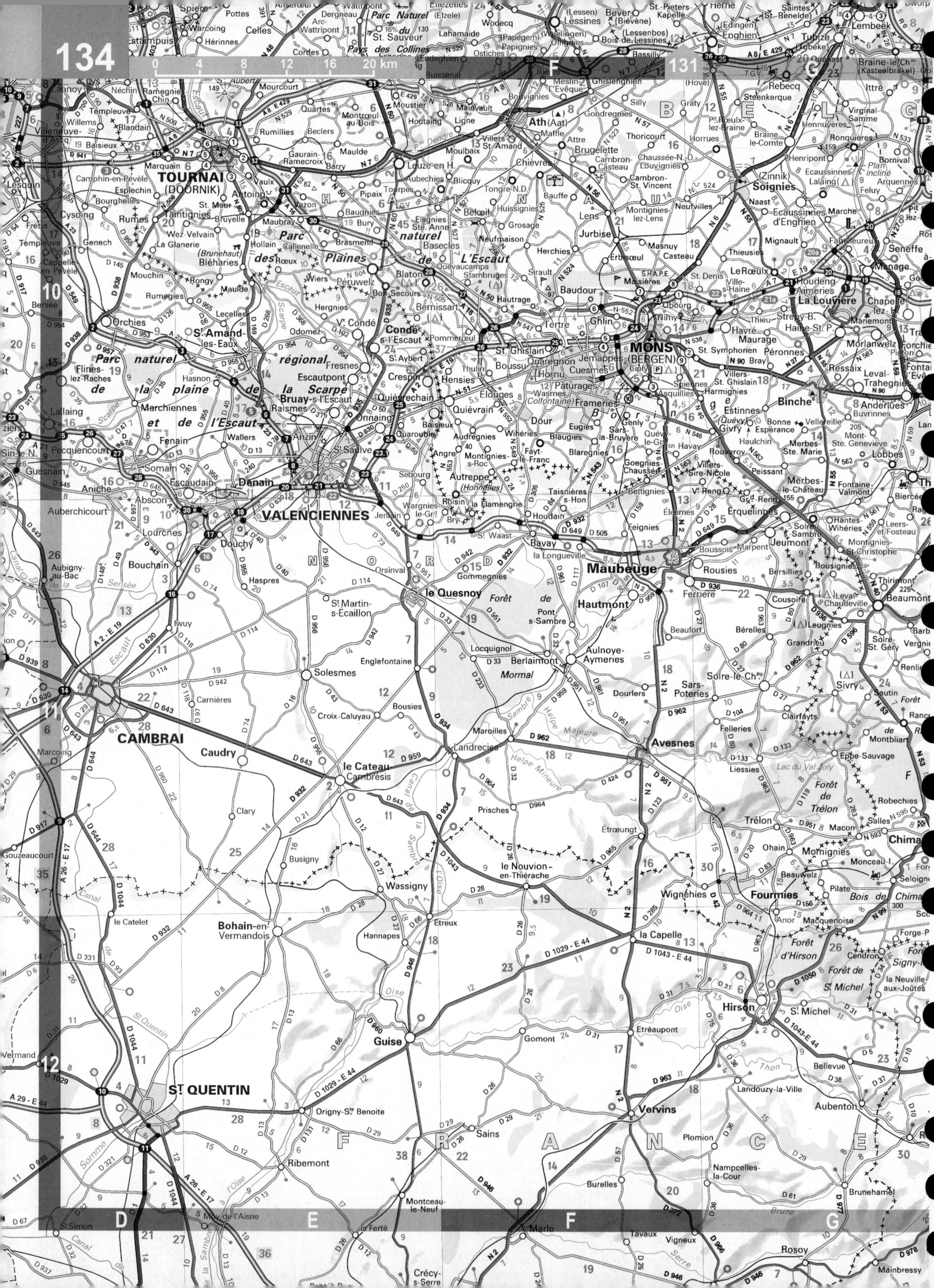
131
0 4 8 12 16 20 km
B E L G I Q U E
F R A N C E
TOURNAI (DOORNIK)
Ath (Aat)
Lessines
Enghien
Soignies
Leuze-en-H.
Péruwelz
Beloeil
Lens
Jurbise
MONS (BERGEN)
La Louvière
Binche
Orchies
St Amand-les-Eaux
Parc naturel régional de la Scarpe et de l'Escaut
Parc naturel des Plaines de l'Escaut
Condé-s-l'Escaut
Quiévrain
Dour
Frameries
VALENCIENNES
Denain
Anzin
Bavay
Maubeuge
Hautmont
Jeumont
Beaumont
Erquelinnes
le Quesnoy
Forêt de Mormal
Landrecies
Avesnes
CAMBRAI
Caudry
le Cateau-Cambrésis
Solesmes
Douchy
Bouchain
Marchiennes
Somain
Fourmies
Trélon
Hirson
la Capelle
le Nouvion-en-Thiérache
Wassigny
Guise
Bohain-en-Vermandois
ST QUENTIN
Vervins
Marle
Ribemont
Chimay
Sivry
Fleurus
Sains
Crécy-s-Serre
Moy-de-l'Aisne
Etreux
Origny-Ste Benoite
Aubenton
Rozoy
Plomion
le Catelet
Clary
Busigny

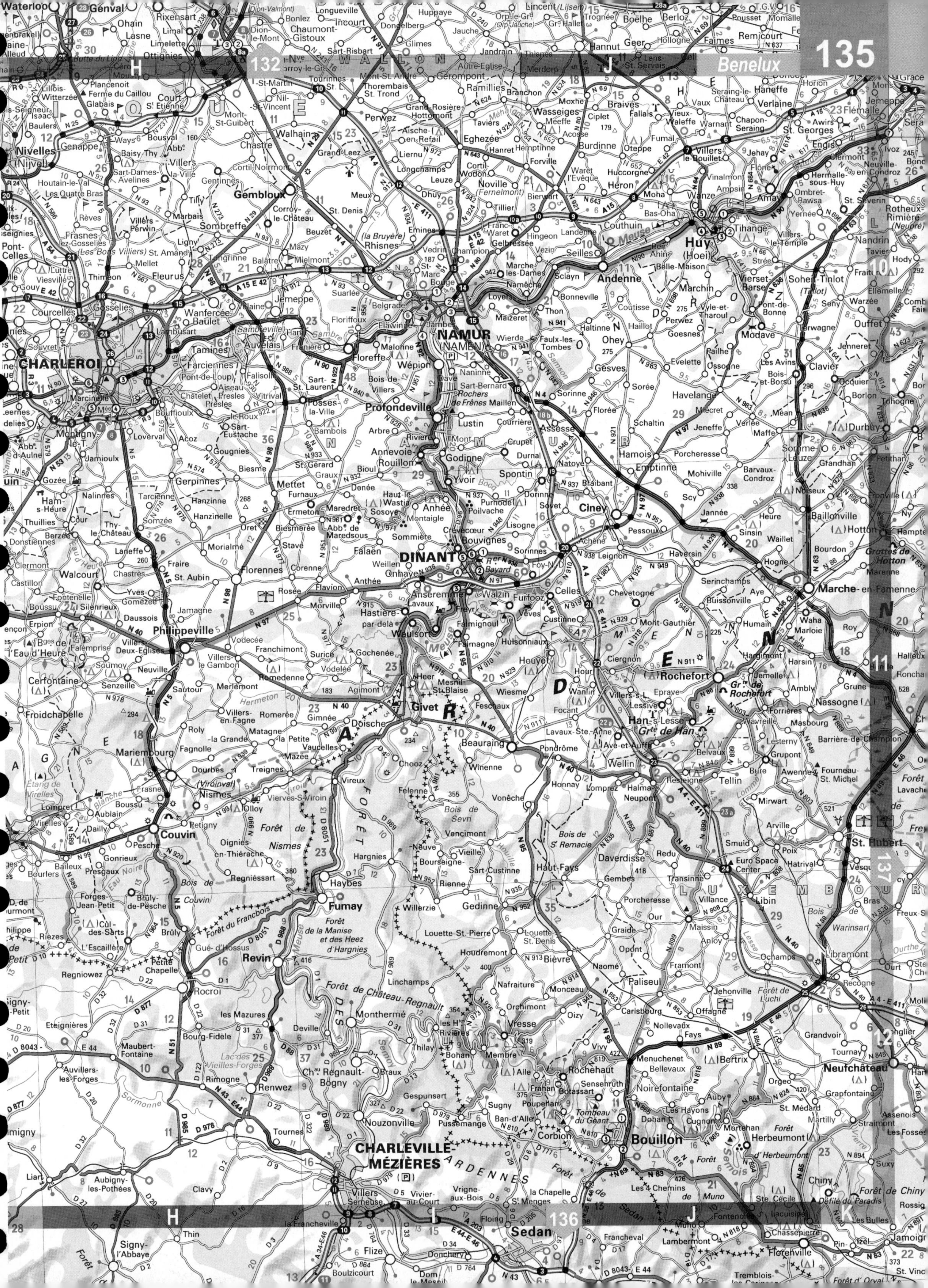
132
136
137
H
J
K
WALLON
ARDENNES
Waterloo
Genval
Nivelles (Nijvel)
Genappe
Gembloux
Hannut
Huy (Hoei)
Amay
Andenne
NAMUR (NAMEN)
CHARLEROI
Gosselies
Fleurus
Sombreffe
Perwez
Eghezée
Wasseiges
Floreffe
Wépion
Profondeville
Ciney
DINANT
Philippeville
Walcourt
Florennes
Mettet
Marche-en-Famenne
Rochefort
Han-s-Lesse
Givet
Beauraing
Mariembourg
Couvin
Nismes
Fumay
Haybes
Revin
Rocroi
Monthermé
Gedinne
Bouillon
Libramont
St. Hubert
Neufchâteau
Bertrix
Herbeumont
Chiny
Florenville
CHARLEVILLE-MÉZIÈRES
Sedan
Nouzonville
Renwez
Signy-l'Abbaye
Durbuy
Modave
Ohey
Havelange
Ouffet
Hotton
Wellin
Tellin
Forêt de Nismes
Bois de Sevri
Forêt du Franchois
Forêt de Château-Regnault
Meuse
Semois
Lesse

0 4 8 12 16 20 km
135
Dinant
Philippeville
Ciney
Marche-en-Famenne
Rochefort
Han-s-Lesse
Givet
Beauraing
Couvin
Fumay
Revin
Rocroi
Monthermé
Charleville-Mézières
Sedan
Bouillon
Libramont
St. Hubert
Neufchâteau
Florenville
Chiny
Carignan
Mouzon
Montmédy
Stenay
Rethel
Vouziers
Le Chesne
Buzancy
Attigny
Signy-l'Abbaye
Poix-Terron
Mariembourg
Walcourt
Florennes
Gedinne
Bièvre
Paliseul
Wellin
Tellin
Libin
Vresse
Rochehaut
Herbeumont
Orval
Avioth
Forêt de Nismes
Forêt des Ardennes
Forêt de Sedan
Forêt de Chiny
Forêt d'Herbeumont
Forêt de Belval
Forêt de Signy
Meuse
Semois
Lesse
A R D E N N E S
A R D E N N E
L U X E M B O U R G
M E U S E
H I J K
11 12 13

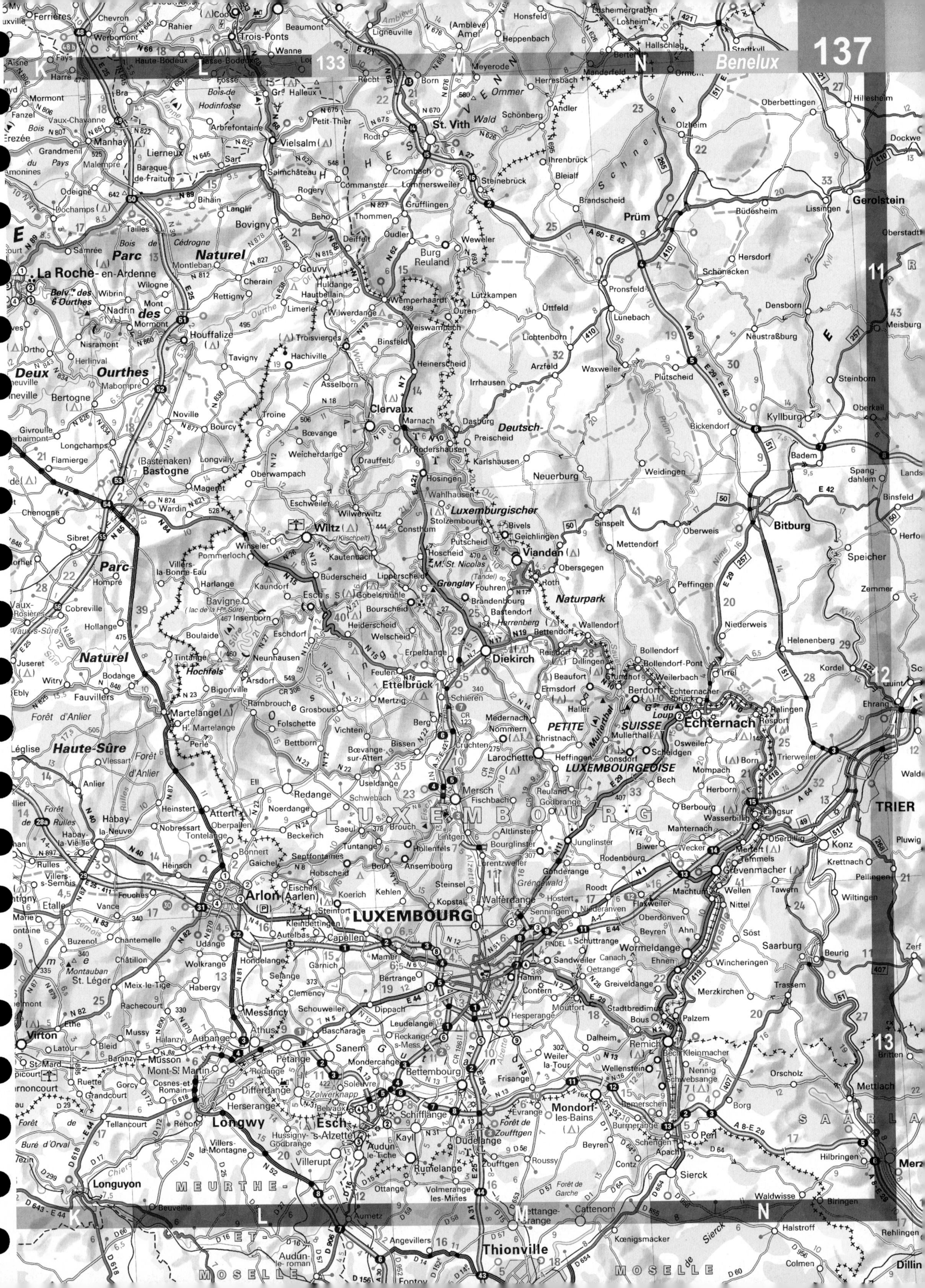

133
K
L
M
N
Trois-Ponts
Vielsalm
St. Vith
Prüm
Gerolstein
La Roche-en-Ardenne
Houffalize
Clervaux
Bastogne
Wiltz
Vianden
Diekirch
Ettelbrück
Echternach
Bitburg
Trier
Mersch
Larochette
Arlon (Aarlen)
LUXEMBOURG
Longwy
Esch-s-Alzette
Dudelange
Mondorf-les-Bains
Remich
Grevenmacher
Wormeldange
Saarburg
Konz
Virton
Longuyon
Thionville
Sierck
Merzig
Schengen
Perl
Differdange
Bettembourg
Parc Naturel des Deux Ourthes
Parc Naturel Haute-Sûre
PETITE SUISSE LUXEMBOURGEOISE
LUXEMBOURG
Naturpark
Deutsch-Luxemburgischer
MEURTHE-ET-MOSELLE
MOSELLE
SAARLAND
Schneifel
Hohes Venn

Straßenverkehrsordnung
Wegcode / Motoring regulations / Réglements routiers
Regolamenti stradali / Código de circulación

	CH
	50
	80
	120

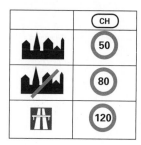

Geschwindigkeitsbegrenzung in km/h
Snelheidsbeperkingen (in km/uur)
Maximum Speed Limit: in kilometres per hour
Limitations de vitesse en kilomètres/heure
Limite di velocità in chilometri/ora
Limitación de velocidad en km/hora

Maximal zulässiger Blutalkoholgehalt / Maximaal toegelaten alcoholconcentratie in het bloed / Maximum blood alcohol level
Taux maximum d'alcool toléré dans le sang / Tasso massimo di alcol ammesso nel sangue / Indice máximo de alcohol permitido en sangre
CH 0.5 g/l

Mindestalter für Autofahrer: 18 Jahre / Minimum leeftijd van de bestuurder: 18 jaar / Minimum driving age: 18 years
Age minimum du conducteur : 18 ans / Età minima del conducente: 18 anni / Edad minima del conductor: 18 años
CH

Anlegen von Sicherheitsgurten vorn und hinten vorgeschrieben
Gebruik van veiligheidsgordels vooraan en achteraan verplicht
Seat belts must be worn by driver and all passengers in front and rear seats
Port de la ceinture de sécurité à l'avant et à l'arrière obligatoire
Cintura di sicurezza sedili anteriori e posteriori obbligatoria
Cinturón de seguridad obligatorio en asientes delanteros y trasesos
CH

Helmpflicht für Motorradfahrer und -beifahrer
Gebruik van valhelm verplicht voor bestuurders en passagiers van motorfietsen
Helmets compulsory for motorcycle riders and passengers
Port du casque pour les motocyclistes et les passagers obligatoire
Casco obbligatorio per motociclisti e loro passeggeri
Casco de conductor y pasajero obligatorio en motocicletes
CH

Spikereifen erlaubt / Spijkerbanden toegestaan / Studded tyres allowed
Pneus cloutés autorisés / Gomme da neve autorizzate / Neumáticos claveteados autorizados
CH 24/10 - 30/04

Warndreieck vorgeschrieben / Gevarendriehoek verplicht
Warning Triangle compulsory / Triangle de présignalisation obligatoire
Triangolo di presegnalazione obbligatorio / Triangulo de preseñalización obligatorio
CH

Verbandskasten empfohlen / Verbandtrommel aanbevolen
First aid kit recommended / Trousse de premiers secours conseillée
Valigetta pronto soccorso consigliata / Botiguin recomendado
CH

Feuerlöscher empfohlen / Brandblusser aanbevolen
Fire extinguisher recommended / Extincteur conseillé
Estintore consigliato / Extinctor recomendado
CH

Sicherheitsweste empfohlen / Reflecterend vest aanbevolen
Reflective jacket recommended / Gilet de sécurité conseillé
Giubbotto di sicurezza consigliato / Chaleco reflectante aconsejado
CH

Benötigte Dokumente: Zulassungs- oder Mietwagenpapiere, Haftpflicht-versicherungsnachweis, Nationalitätskennzeichen.
Vereiste documenten: inschrijvingsbewijs of huurcontract van het voertuig, verzekering voor burgerlijke aansprakelijkheid, officiële nummerplaat.
Documents required. Vehicle registration document or rental agreement. Third party Insurance certificate. National vehicle identification plate.
Documents nécessaires : certificat d'immatriculation du véhicule ou de location, assurance responsabilité civile, plaque nationale.
Documenti necessari: certificato d'immatricolazione del veicolo o di noleggio, assicurazione responsabilità civile, targa nazionale.
Documentos necesarios: certificado de matriculación del vehiculo o certificado de alquiler, seguro de responsabilidad civil, placa indicativa del país

1: 400 000

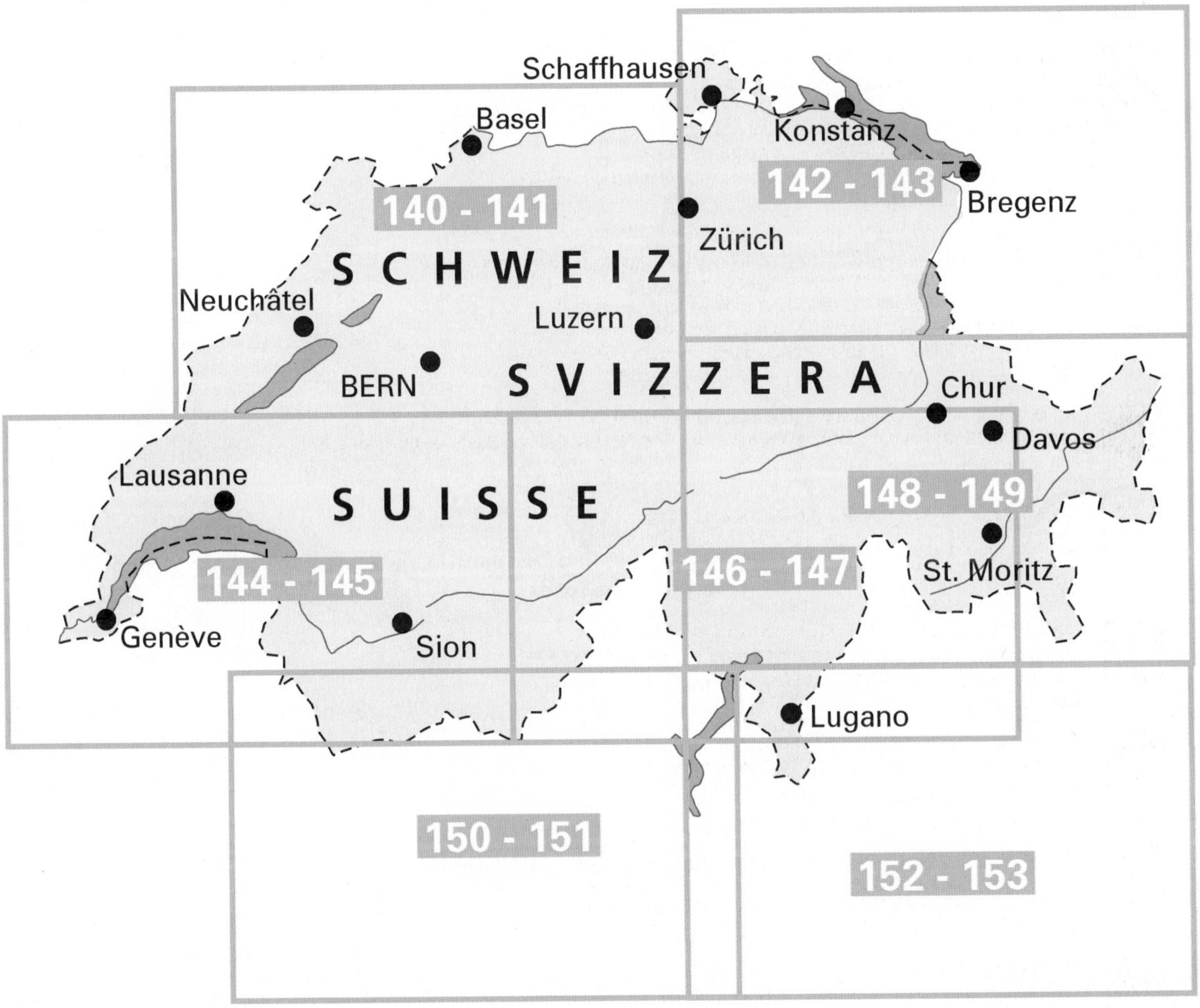
Schaffhausen
Basel
Konstanz
Bregenz
Zürich
140 - 141
142 - 143
SCHWEIZ
Neuchâtel
Luzern
BERN
SVIZZERA
Chur
Davos
Lausanne
SUISSE
148 - 149
144 - 145
146 - 147
St. Moritz
Genève
Sion
Lugano
150 - 151
152 - 153

0 4 8 12 16 20 km
E
F
G
D
145
Lure
Giromagny
Rougemont-le-Château
Guewenheim
Aspach-le-Bas
Burnhaupt
MULHOUSE
Riedisheim
Pomoy
Frahier-et-Chatebier
Valdoie
BELFORT
Lyoffans
Noroy-le-Bourg
Athesans
Danjoutin
Chèvremont
Fontaine
Dannemarie
Traubach
Frœningen
Illfurth
Steinbrunn-le-Bas
Tagsdorf
Altkirch
Hirsingue
Villersexel
Esprels
Saulnot
Héricourt
Châtenois-les-Forges
Bretagne
Grandvillars
Vellechevreux-et-Courbenans
Fallon
Arcey
Montbéliard
Sochaux
Audincourt
Etupes
Bart
Bavans
Uzelle
Médière
l'Isle-s-le-Doubs
Colombier-Fontaine
Voujeaucourt
Valentigney
Mandeure
Seloncourt
Beaucourt
Hérimoncourt
Mathay
Faverois
Delle
Courcelles
Boncourt
Réchésy
Pfetterhouse
Seppois-le-Haut
Mœrnach
Feldbach
Ferrette
Werentzhouse
Lugnez
Bonfol
Beurnevésin
Courtemaîche
Bure
Vendlincourt
Courtavon
Winkel
Rædersdorf
Burg-im-Leimental
Glaserberg
Kiffis
Roggenburg
Lucelle
Alle
Miécourt
Charmoille
Porrentruy
Courgenay
Cornol
Fontenais
Abbévillers
Fahy
Blamont
Clerval
Dambelin
Pont de Roide
Baume-les-Dames
Chevenez
JURA
Montancy
Montvoie
St Ursanne
les Rangiers
Mettemberg
Soyhières
Delémont
Develier
Courroux
Vicques
Courtételle
Courrendlin
Courfaivre
Bassecourt
Glovelier
Noirefontaine
Villars-lès-Blamont
Damvant
Glère
la Motte
Vaufrey
Soulce-Cernay
Brémoncourt
Epauvillers
Pont-les-Moulins
Vellevans
Belvoir
St Hippolyte
Indevillers
Soubey
St Brais
Undervelier
Gorges du Pichoux
Châtillon
Roches
Moutier
Crémines
Trévillers
Belleherbe
Orsans
Gonsans
Maîche
Goumois
Montfaucon
Lajoux
Bellelay
Moron
Damprichard
Charmauvillers
Saignelégier
le Noirmont
les Genevez
Reconvilier
Malleray
Bévilard
Court
Graitery
Pierrefontaine-les-Varans
Charquemont
Tramelan
Tavannes
Montoz
Vercel-Villedieu-le-Camp
les Fontenelles
la Cheminée
les Bois
les Breuleux
Franches Montagnes
Montagne du Droit
Corgémont
Sonceboz
Péry-Reuchenette
Pierre Pertuis
Grenchen
Bettlach
Lengnau
Pieterlen
Valdahon
le Russey
Fournet-Blancheroche
Biaufond
Courtelary
St Imier
Sonvilier
Taubenlochschlucht
Orvin
Magglingen/Macolin
Avoudrey
Orchamps-Vennes
Grand'Combe des Bois
la Ferrière
Renan
Chasseral
Mont Sujet
BIEL/BIENNE
Nidau
Bözingen
Orpund
Brügg
Studen
Büren
Gossliwil
Nods
DOUBS
le Barboux
la Chaux-de-Fonds
Vallon de St Imier
le Pâquier
Lamboing
Prêles
Ipsach
Aare
les Fins
les Planchettes
les Brenets
Vue des Alpes
Lignières
Twann
Mörigen
Schnottwil
Buetigen
Scheunenberg
Lyss
Morteau
Villers-le-Lac
Gilley
le Locle
Col des Roches
Tête de Ran
Cernier
Dombresson
la Neuveville
St. Petersinsel
Täuffelen
Bühl
Kappelen
Grossaffoltern
Wengi
la Sagne
les Hauts Geneveys
Fontaines
Savagnier
Enges
le Landeron
Bieler See
la Chaux
les Sarrazins
le Cerneux-Péquignot
Boudevilliers
Chaumont
Cressier
Erlach
Lüscherz
Walperswil
Aarberg
Seedorf
Schüpfen
la Chaux-du-Milieu
Coffrane
St Blaise
Vinelz
Siselen
Montbenoît
les Gras
NEUCHÂTEL
Valangin
Hauterive
Gampelen
Brüttelen
Ins
Kallnach
Radelfingen
Münchenbuchsee
les Ponts de Martel
la Tourne
Montmollin
Peseux
Marin
Treiten
Fräschels
Frieswil
Meikirch
Kirchlindach
la Brévine
l'Ecrenaz
Rochefort
Auvernier
Müntschemier
Kerzers
Gurbrü
Murzelen
Larmont
Brot-Dessous
Colombier
la Sauge
Mt Vully
Sugiez
Oltigen
Wohlen
Val de Travers
Travers
Boudry
Cortaillod
Cudrefin
Lugnorre
Môtier
Murten
Frauenkappelen
Mühleberg
Gümmenen
Bümpliz
Pontarlier
les Bayards
Couvet
Creux du Van
Bevaix
NEUCHÂTEL
Chabrey
Vallamand
Murten See
Gempenach
Salvenach
Niederwangen
Köniz
Meudon
Verrières-de-Joux
les Verrières
Fleurier
Môtiers
Portalban
Salavaux
Faoug
Courgevaux
Liebistorf
Laupen
Flamatt
Liebewil
Thörishaus
Mijoux
Buttes
Provence
St Aubin-Sauges
Chevroux
Villars-le-Grd
Villarepos
Gurmels
Bösingen
Niederscherli
la Côte-aux-Fées
Mt Aubert
Vaumarcus
Grandcour
Avenches
Domdidier
Courtion
Bundtels
Wünnewil
Ueberstorf
Zimmerwald
Oberbalm
Niedermuhlern
Chasseron
Villars-Burquin
Concise
Estavayer-le-Lac
Dompierre
Courtepin
Schiffenensee
les Fourgs
Bullet
Fontaines
les Rasses
Onnens
Bussy
Corcelles
Léchelles
Misery
Düdingen
Mülital
l'Auberson
Ste Croix
Champagne
LAC DE
Chables
Cheyres
Cousset
Pensier
Heitenried
Bütschelegg
les Hôpitaux-Neufs
Mt de Baulmes
Vugelles-la-Mothe
Vuitebœuf
Grandson
Yvonand
Montet
Aumont
Montagny
Grolley
Belfaux
Tafers
Mariahilf
Rüeggisberg
Baulmes
Yverdon-les-Bains
Fétigny
Payerne
Noréaz
FRIBOURG
Schwarzenburg
Riggisberg
Jougne
le Suchet
Mathod
Rovray
Ménières
Mannens
Avry
Alterswil
Rohrbach
Graben
Rances
Pomy
Champtauroz
Granges
Trey
St Ursen
Rüschegg
la Ferrière
Ballaigues
Lignerolle
Molondin
Donneloye
Combremont-le-Gd
Neyruz
Matran
Marly
Tentlingen
Montcherand
Orbe
Ependes
Prahins
Marnand
Châtonnaye
Hauterive
Posieux
Arconciel
Giffers
Rechthalten
Guggisberg
Riffenmatt
Vallorbe
Essertines
Orzens
Denezy
Henniez
Chénens
Cottens
Schwarzenbühl

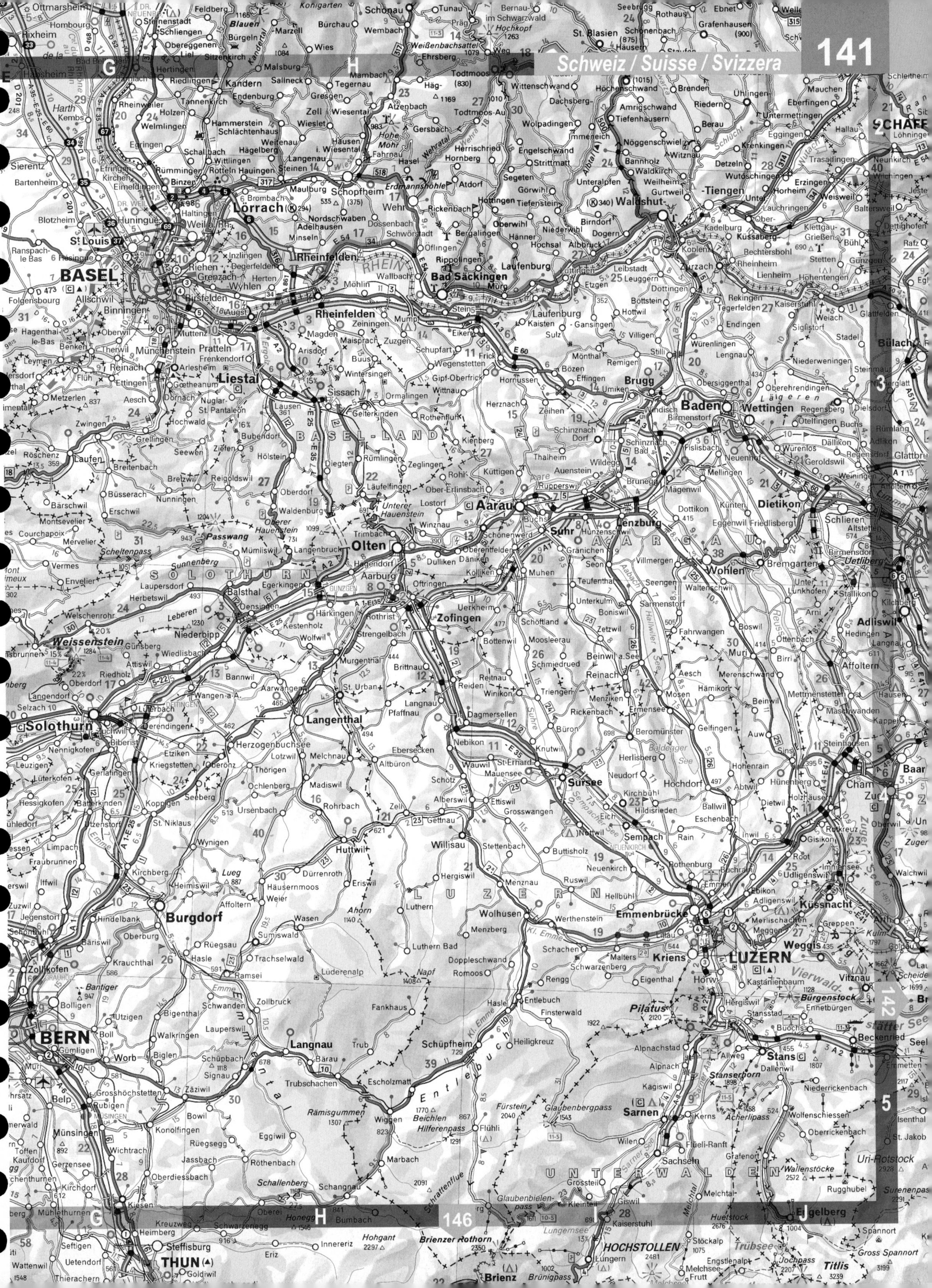
G
H
J
2
3
4
5
142
146
BASEL
Lörrach
Rheinfelden
Bad Säckingen
Laufenburg
Waldshut-Tiengen
Liestal
Brugg
Baden
Wettingen
Aarau
Olten
Lenzburg
Wohlen
Zofingen
Solothurn
Langenthal
Sursee
Burgdorf
BERN
Langnau
Emmenbrücke
Kriens
LUZERN
Küssnacht
Weggis
Stans
Sarnen
Pilatus
THUN
Steffisburg
Brienz
Dietikon
Schlieren
Adliswil
Bülach
Zug
Cham
Willisau
Huttwil
Wolhusen
Schüpfheim
Engelberg
Titlis
BASEL-LAND
SOLOTHURN
AARGAU
LUZERN
UNTERWALDEN
Weissenstein
Passwang
Napf
Brienzer Rothorn
Glaubenbergpass
Vierwaldstätter See
Sempacher See
Hallwiler See
Baldegger See
Zuger See

0 4 8 12 16 20 km
K
L
M
J
141
148
2
3
4
Tuttlingen
Meßkirch
Pfullendorf
Ostrach
Stockach
Engen
Singen
Radolfzell
Überlingen
Salem
Markdorf
Meersburg
KONSTANZ
Kreuzlingen
Friedrichshafen
Immenstaad
Langenargen
SCHAFFHAUSEN
Stein a. R.
Diessenhofen
Frauenfeld
WINTERTHUR
Bülach
Kloten
ZÜRICH
Uster
Wetzikon
Rapperswil
Wädenswil
Horgen
Thalwil
Küsnacht
Adliswil
Baar
Zug
Einsiedeln
Schwyz
Brunnen
Wil
Weinfelden
Amriswil
Romanshorn
Arbon
Rorschach
ST. GALLEN
Gossau
Herisau
Appenzell
Altstätten
Säntis
Buchs
Vaduz
Sargans
Bad Ragaz
Glarus
Näfels
Walenstadt
Walensee
Zürichsee
Obersee
BODENSEE
Untersee
Zellersee
Gnadensee
Überlinger See
Mainau
T H U R G A U
Z Ü R I C H
S C H W Y Z
G L A R U S
S T. G A L L E N
A P P E N Z E L L
Z U G
Churfirsten
Alpstein
Hegau
Schienerberg
Rheinfall
Schwäbische Dichterstraße
Grüne Straße

Memmingen
Ottobeuren
Kaufbeuren
Marktoberdorf
Bad Waldsee
Bad Wurzach
Leutkirch
Weingarten
Ravensburg
Kißlegg
Kempten
Wangen i. Allgäu
Isny
Tettnang
Lindenberg
Immenstadt
Sonthofen
Nesselwang
Füssen
Pfronten
Lindau
BREGENZ
Pfänder
Oberstaufen
Dornbirn
Lustenau
Hohenems
Oberstdorf
Feldkirch
Bludenz
Lech
Zürs
Valluga
ST. ANTON a. Arlberg
Arlbergtunnel
Arlbergpaß
Landeck
Schruns
Ischgl
Gaschurn
VORARLBERG
Oberschwäbische Barockstraße
Deutsche Alpenstraße
Allgäuer Alpen
Bregenzer Wald
Lechtaler Alpen
Walsertal
Klostertal
Montafon
Stanzertal
Verwall Gruppe
Rätikon
Samnaungruppe
Hornbachtal
Tannheimer Gruppe
Hochvogel
Hoher Ifen
Hochtannbergpaß
Flexenpaß
Braunarlspitze
Rote Wand
Parseierspitze
Wetterspitze
Hoher Riffler
Kuchenspitze
LIECHTENSTEIN

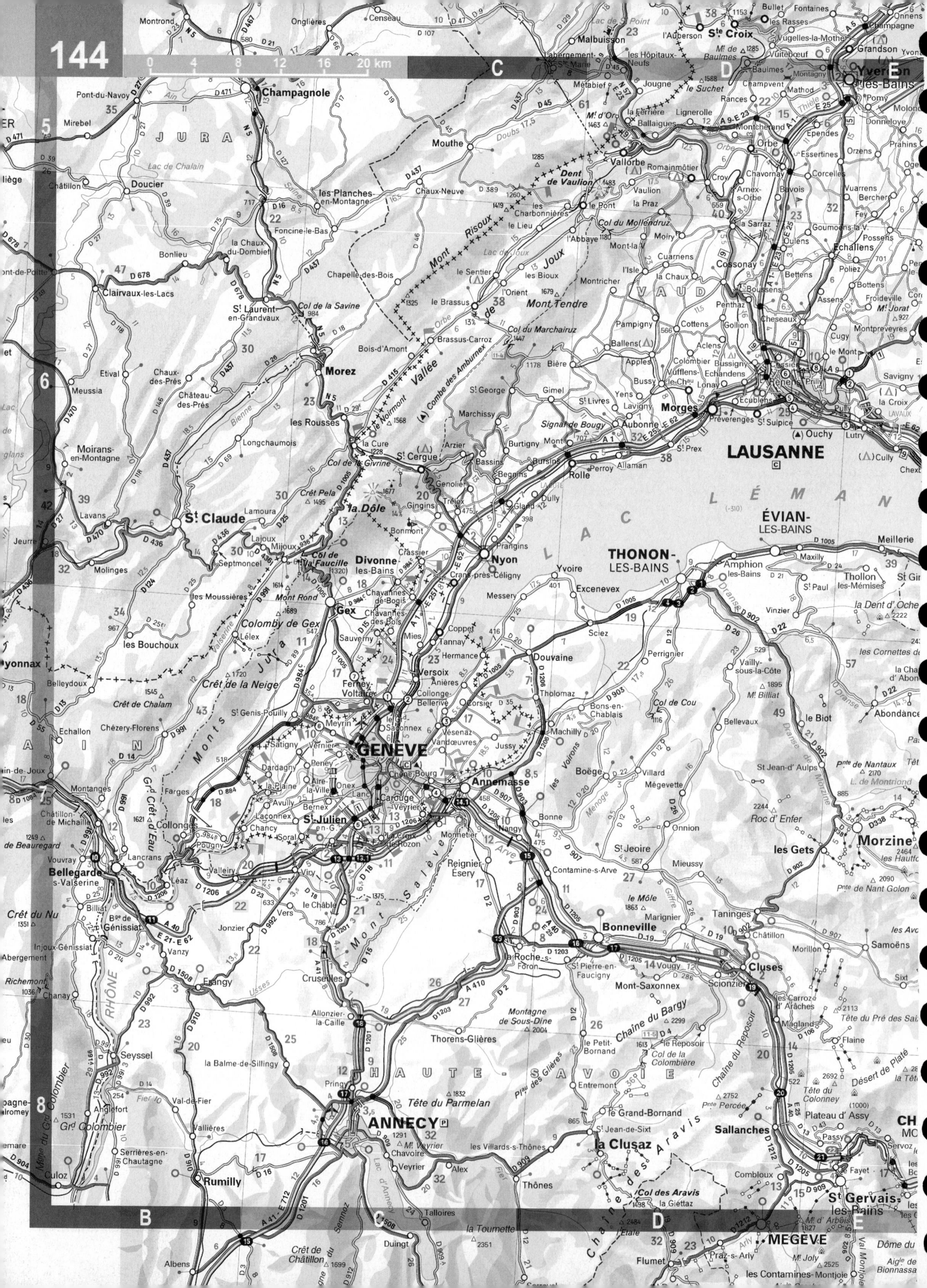
0 4 8 12 16 20 km
B
C
D
E
5
6
7
8
J U R A
V A U D
LAC LÉMAN
H A U T E - S A V O I E
A I N
Champagnole
Mouthe
Vallorbe
Orbe
Yverdon-les-Bains
Grandson
Ste Croix
St Laurent-en-Grandvaux
Clairvaux-les-Lacs
Morez
Les Rousses
St Claude
Moirans-en-Montagne
Nyon
Rolle
Morges
LAUSANNE
Cossonay
Échallens
Gex
Divonne-les-Bains
GENÈVE
Annemasse
St Julien-en-G.
THONON-LES-BAINS
ÉVIAN-LES-BAINS
Bellegarde-s-Valserine
Bonneville
Cluses
Morzine
les Gets
Sallanches
Seyssel
Rumilly
ANNECY
Thônes
la Clusaz
St Gervais-les-Bains
MEGÈVE
Mont Risoux
Vallée de Joux
Mont Tendre
Col du Marchairuz
la Dôle
Col de la Faucille
Crêt de la Neige
Monts Jura
Mont Salève
Chaîne du Bargy
Chaîne des Aravis
Tête du Parmelan
Col des Aravis
Lac d'Annecy
Col de la Colombière
Grd Colombier
RHÔNE
Arve

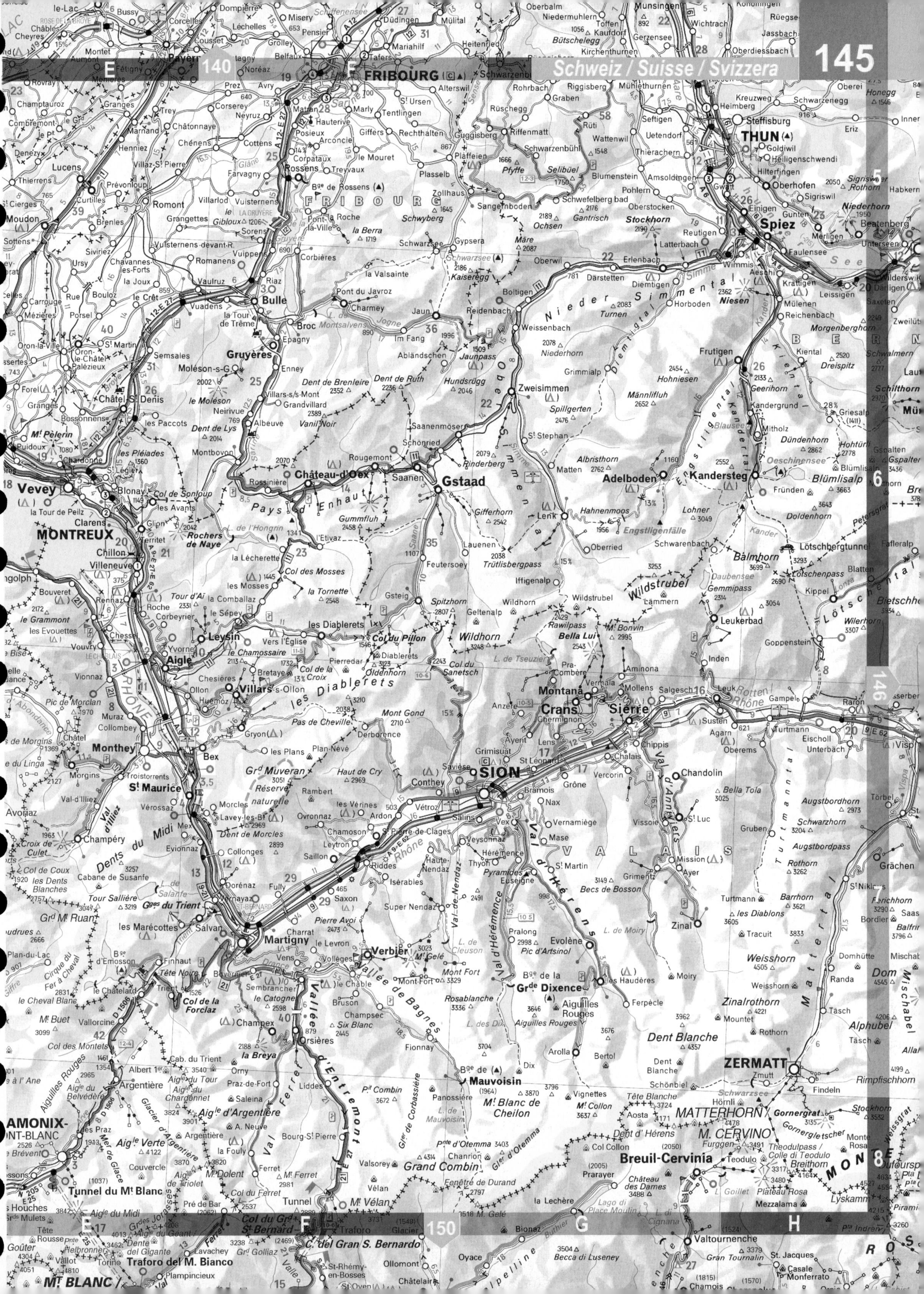
140
FRIBOURG
Payerne
Düdingen
Schwarzenburg
Thun
Steffisburg
Oberhofen
Spiez
Niesen
Frutigen
Kandersteg
Adelboden
Lenk
Zweisimmen
Boltigen
Nieder Simmental
Gstaad
Saanen
Château-d'Oex
Pays d'Enhaut
Rougemont
Bulle
Gruyères
Broc
Charmey
Jaun
Jaunpass
Romont
Moudon
Lucens
Rossens
Châtel-St-Denis
Vevey
MONTREUX
Clarens
Chillon
Villeneuve
Rochers de Naye
Col des Mosses
Col du Pillon
Les Diablerets
Leysin
Aigle
Villars-s-Ollon
Bex
Monthey
St Maurice
Champéry
Dents du Midi
Martigny
Verbier
Col de la Forclaz
Champex
Orsières
Grd St Bernard
C. del Gran S. Bernardo
Val Ferret
Vallée de Bagnes
Mauvoisin
Grand Combin
Gde Dixence
Evolène
Les Haudères
Arolla
Dent Blanche
ZERMATT
MATTERHORN
M. CERVINO
Breuil-Cervinia
Valtournenche
Gornergrat
Weisshorn
Zinalrothorn
Zinal
Grimentz
Val d'Anniviers
St Luc
Chandolin
Sierre
Crans
Montana
SION
Val d'Hérens
Leukerbad
Leuk
Lötschbergtunnel
Wildstrubel
Wildhorn
Rawilpass
Col du Sanetsch
Gemmipass
Balmhorn
Blümlisalp
Mattertal
Täsch
St Niklaus
Grächen
Visp
Turtmanntal
VALAIS
BERN
FRIBOURG
Rhône
CHAMONIX-MONT-BLANC
Argentière
Tunnel du Mt Blanc
Traforo del M. Bianco
Mt BLANC
Lac Léman
150
146

UNTERWALDEN
URI
TICINO
Altdorf
Engelberg
Titlis
Sustenpass
Meiringen
Brienz
Interlaken
Grindelwald
Wengen
Lauterbrunnen
Mürren
Eiger
Mönch
Jungfrau
Finsteraarhorn
Aletschhorn
Grosser Aletschgletscher
Grimselpass
Furkapass
Gletsch
Andermatt
Oberalppass
St. Gotthardpass/ Passo del S. Gottardo
Airolo
Nufenenpass
Goms
Brig
Visp
Simplonpass
Simplontunnel
Saas-Fee
Domodossola
Val Vigezzo
Locarno
Ascona
Parco Nazionale della Val Grande
Verbania
Stresa
Luino
Omegna
Macugnaga
Dufourspitze / Pta Dufour
Valle Maggia
Valle Leventina
141
145
151

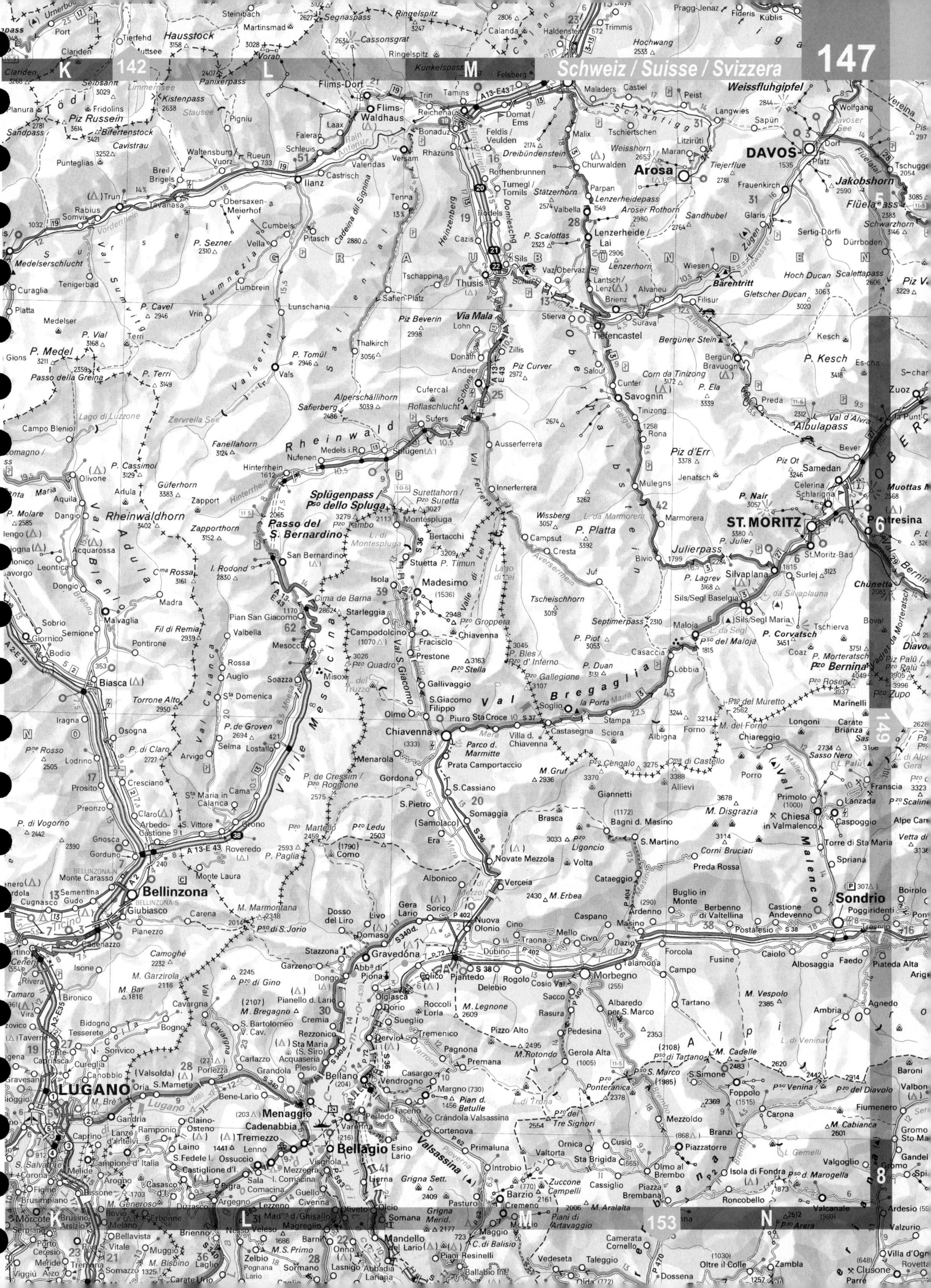
K
142
L
M
N
149
153
Flims-Dorf
Flims-Waldhaus
Ilanz
Thusis
Via Mala
Arosa
DAVOS
Lenzerheide / Lai
Tiefencastel
Savognin
Rheinwald
Splügen
Splügenpass / Pso dello Spluga
Passo del S. Bernardino
San Bernardino
Madesimo
Chiavenna
Val Bregaglia
Maloja
Silvaplana
ST. MORITZ
Julierpass
Albulapass
Samedan
Pontresina
Pzo Bernina
Sondrio
Morbegno
Bellinzona
Biasca
Val Blenio
Rheinwaldhorn
Valle Mesolcina
Gravedona
Menaggio
Bellagio
LUGANO
Valsassina

0 4 8 12 16 20 km
K
L
142
M
J
152
5
6
7
145
Schwyz
Brunnen
Glarus
Altdorf
Klausenpass
Linthal
Braunwald
Schwanden
Bad Ragaz
Flims-Dorf
Flims-Waldhaus
Ilanz
Disentis/Mustér
Oberalppass
Andermatt
St. Gotthardpass/
Passo del S. Gottardo
Airolo
Lukmanierpass
Thusis
Via Mala
Rheinwaldhorn
Splügenpass /
Pso dello Spluga
Passo del
S. Bernardino
Madesimo
Chiavenna
Biasca
Bellinzona
Locarno
Ascona
Valle Leventina
Valle Maggia
Valle Mesolcina
Val Blenio
Rheinwald
Tödi
Piz Russein
Oberalpstock
Hausstock
P. Sardona
Tamins
Reichenau
Domat / Ems
Vals
Faido
Giornico
Roveredo
Gravedona
Sorico
Novate Mezzola
Cannobio
Brissago
Magadino
Tenero
Minusio
Gordola
Amsteg
Erstfeld
Göschenen
Hospental
Realp
Sedrun
Trun
Sils
Zillis
Splügen
Hinterrhein
San Bernardino
Mesocco
Soazza
Grono
Piuro
Villa di Chiavenna
Campodolcino
Isola

M
N
O
P
143
153
Schruns
Klosters
Davos
Arosa
St. Moritz
Pontresina
Samedan
Zernez
Scuol
Ischgl
Galtür
Gaschurn
Nauders
Mals
Glurns
Bormio
Livigno
Poschiavo
Tirano
Sondrio
Edolo
Aprica
Chiesa in Valmalenco
Silvaplana
Maloja
Zuoz
Bever
Susch
Lavin
Guarda
Ardez
Tarasp
Vulpera
Müstair
Sta Maria
Trafoi
Solda / Sulden
Ponte di Legno
Passo del Tonale
Passo del Bernina
Flüelapass
Albulapass
Julierpass
Ofenpass / Pass dal Fuorn
Reschenpaß / Passo di Resia
Pso dello Stelvio / Stilfserjoch
Nationalpark
UNTER-ENGADIN
OBER-ENGADIN
Silvrettagruppe
Samnaungruppe
Verwallgruppe
Piz Buin
P. Linard
Piz Bernina
Ortles / Ortler
M. Adamello
Valtellina
Val Müstair
Val Poschiavo
Valle di Livigno
Piz Sesvenna
Hohesrad
Weissfluhgipfel
Muottas Muragl
Diavolezza
Alp Grüm
Cima Bianca

0 4 8 12 16 20 km
145
CHAMONIX-MONT-BLANC
St Gervais-les-Bains
MEGÈVE
Martigny
Verbier
Evolène
Zinal
Arolla
Dent Blanche
MATTERHORN
M. CERVINO
Breuil-Cervinia
Valtournenche
Chamois
Grand Combin
Mauvoisin
Mt Blanc de Cheilon
Col de la Forclaz
Champex
Orsières
Liddes
Bourg-St-Pierre
Val d'Entremont
Val Ferret
Tunnel du Mt Blanc
Aigle du Midi
Mt BLANC / M. BIANCO
Traforo del M. Bianco
Col du Gd St Bernard
C. del Gran S. Bernardo
Courmayeur
Pré-St. Didier
La Thuile
Col du Pt St Bernard / Colle del Piccolo S. Bernardo
Bourg-St. Maurice
AOSTA/AOSTE
Valpelline
Châtillon
St. Vincent
Nus
Fenis
D' AOSTA
Pila
Cogne
Valsavarenche
Val di Rhêmes
Val Grisenche
Parco Nazionale del Gran Paradiso
Gran Paradiso
Ceresole Reale
Noasca
Locana
Cuorgnè
Tignes
Val d'Isère
Col de l'Iseran
SAVOIE
VANOISE
Parc National de la Vanoise
FRANCE
Lanslebourg-Mont-Cenis
Col du Mont Cenis
Massif du Mt Cenis
Bessans
Bonneval-s-Arc
Rocciamelone
Lanzo Torinese
Ciriè
Caselle To.
Susa
Valle di Susa
Tunnel du Fréjus
Traforo d. Frejus
Val di Viù
Val di Ala
Val Grande
E
F
G
H

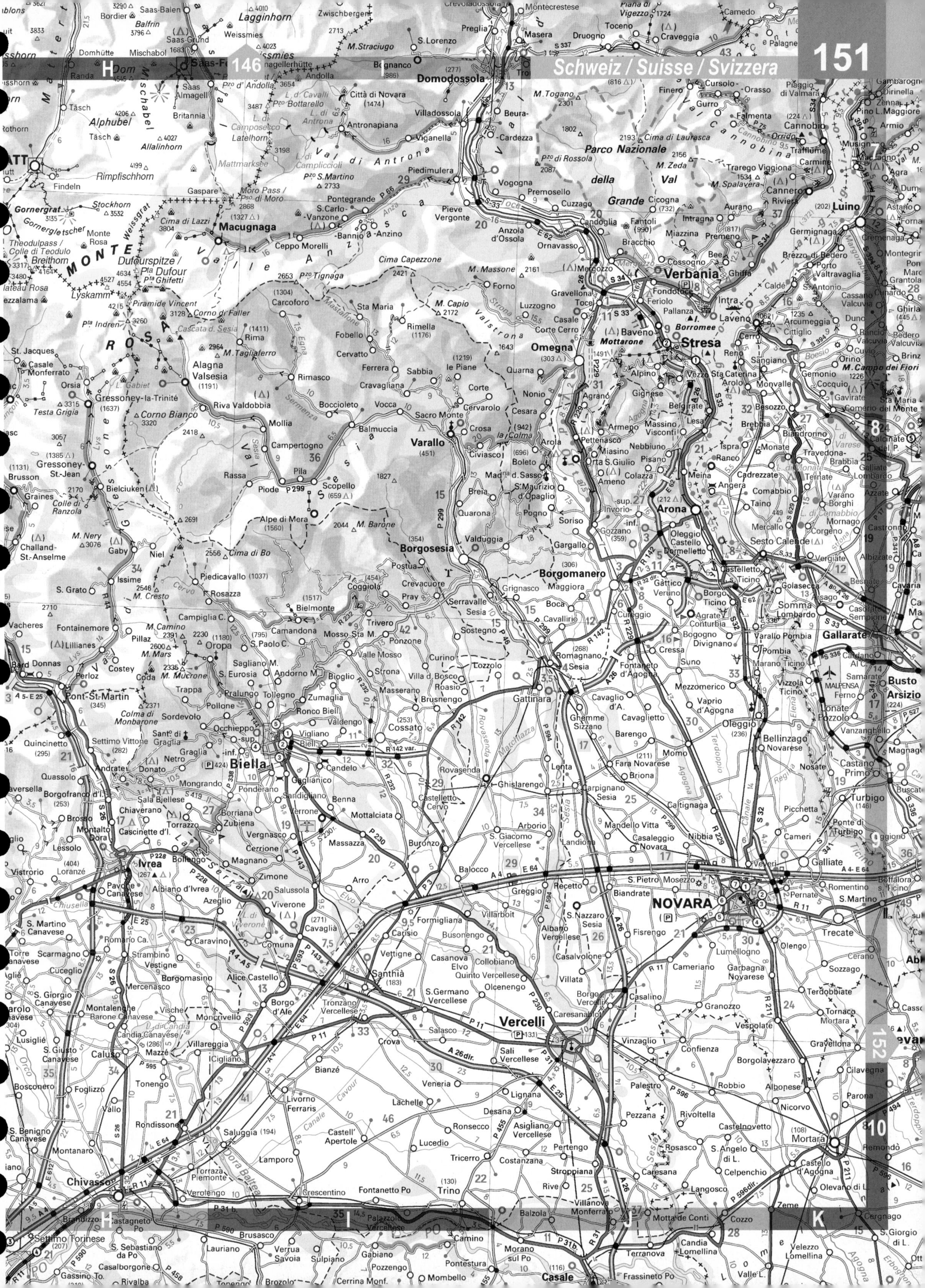
146
Domodossola
Lagginhorn
Weissmies
Saas-Grund
Alphubel
Mischabel
Monte Rosa
Macugnaga
Parco Nazionale della Val Grande
Verbania
Stresa
Omegna
Luino
Cannobio
Varallo
Borgosesia
Borgomanero
Arona
Gallarate
Busto Arsizio
Biella
Ivrea
Gattinara
Novara
Vercelli
Santhià
Chivasso
Trino
Mortara
Casale
Malpensa
Pont-St-Martin
Gressoney-la-Trinité
Alagna Valsesia
H
I
J
K
152

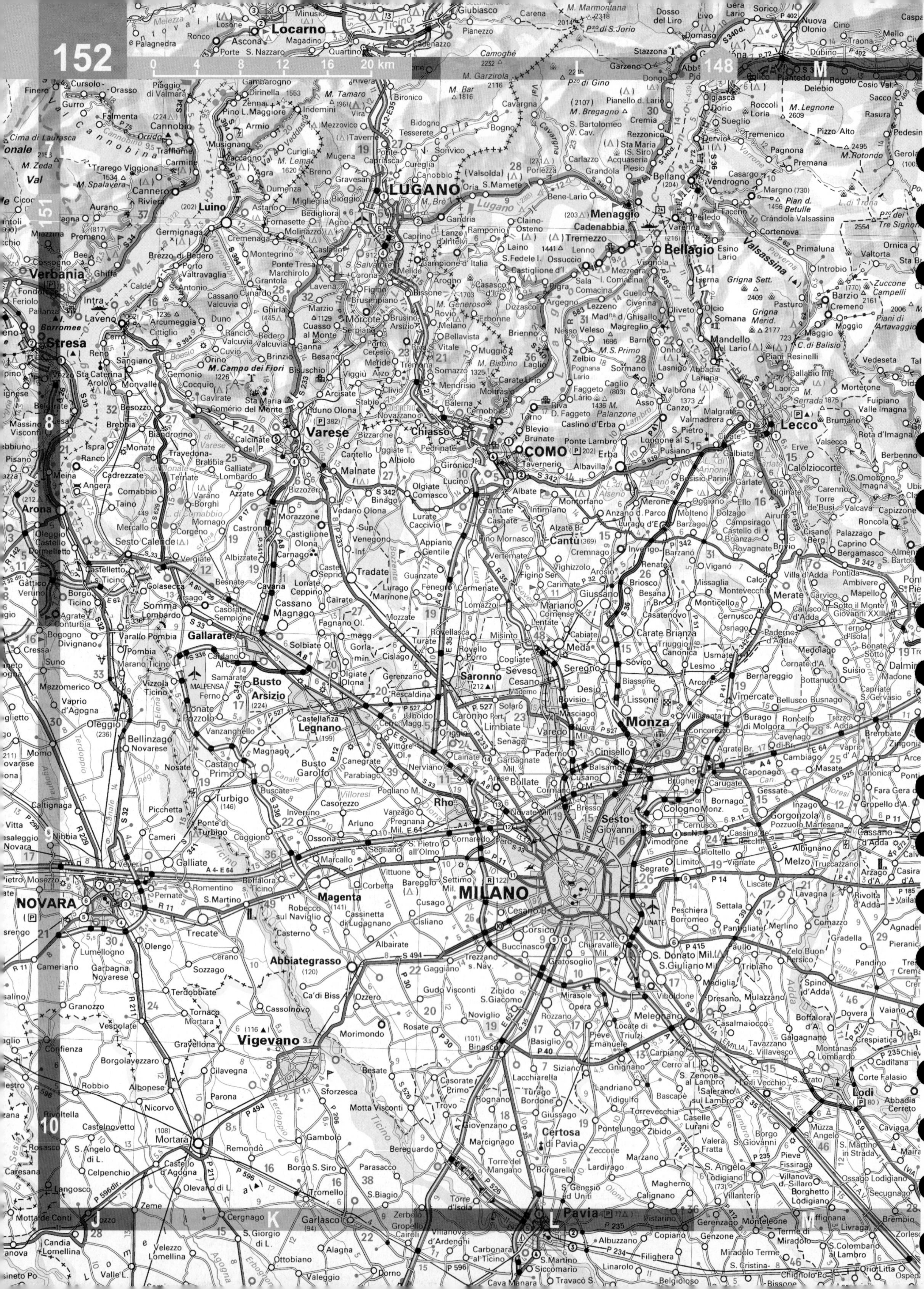
0 4 8 12 16 20 km
148
151
J
K
L
M
Locarno
Ascona
Lugano
Varese
Como
Lecco
Menaggio
Bellagio
Cadenabbia
Tremezzo
Luino
Verbania
Stresa
Laveno
Intra
Cannobio
Cannero Riviera
Arona
Sesto Calende
Gallarate
Busto Arsizio
Malpensa
Legnano
Saronno
Tradate
Chiasso
Mendrisio
Campione d'Italia
Cantù
Erba
Monza
Meda
Seregno
Desio
Lissone
Merate
Vimercate
Rho
Magenta
Milano
Sesto S. Giovanni
Cologno Monz.
Cinisello
Gorgonzola
Cassano d'Adda
Melzo
Linate
S. Donato Mil.
S. Giuliano Mil.
Melegnano
Lodi
Abbiategrasso
Vigevano
Mortara
Novara
Trecate
Certosa di Pavia
Pavia
Binasco
Garlasco
Oleggio
Somma Lombardo
Sesto Calende
Castano Primo
Turbigo
Corsico
Buccinasco
Lainate
Bollate
Paderno
Garbagnate Mil.
Limbiate
Caronno
Varedo
Agrate Br.
Carate Brianza
Giussano
Mariano Comense
Brivio
Calolziocorte
Valmadrera
Mandello del Lario
Varenna
Bellano
Dongo
Gravedona
Porlezza
Barzio
Introbio
L. Maggiore
L. di Lugano
L. di Como
L. di Varese
L. di Comabbio
M. Generoso
M. Campo dei Fiori
Grigna Sett.
Valsassina
Ticino
Adda
A 4 - E 64
A8
A9
A7
A1
S 33
S 36
S 342
S 494
S 494
S 9
S 11
S 596
P 235
P 527

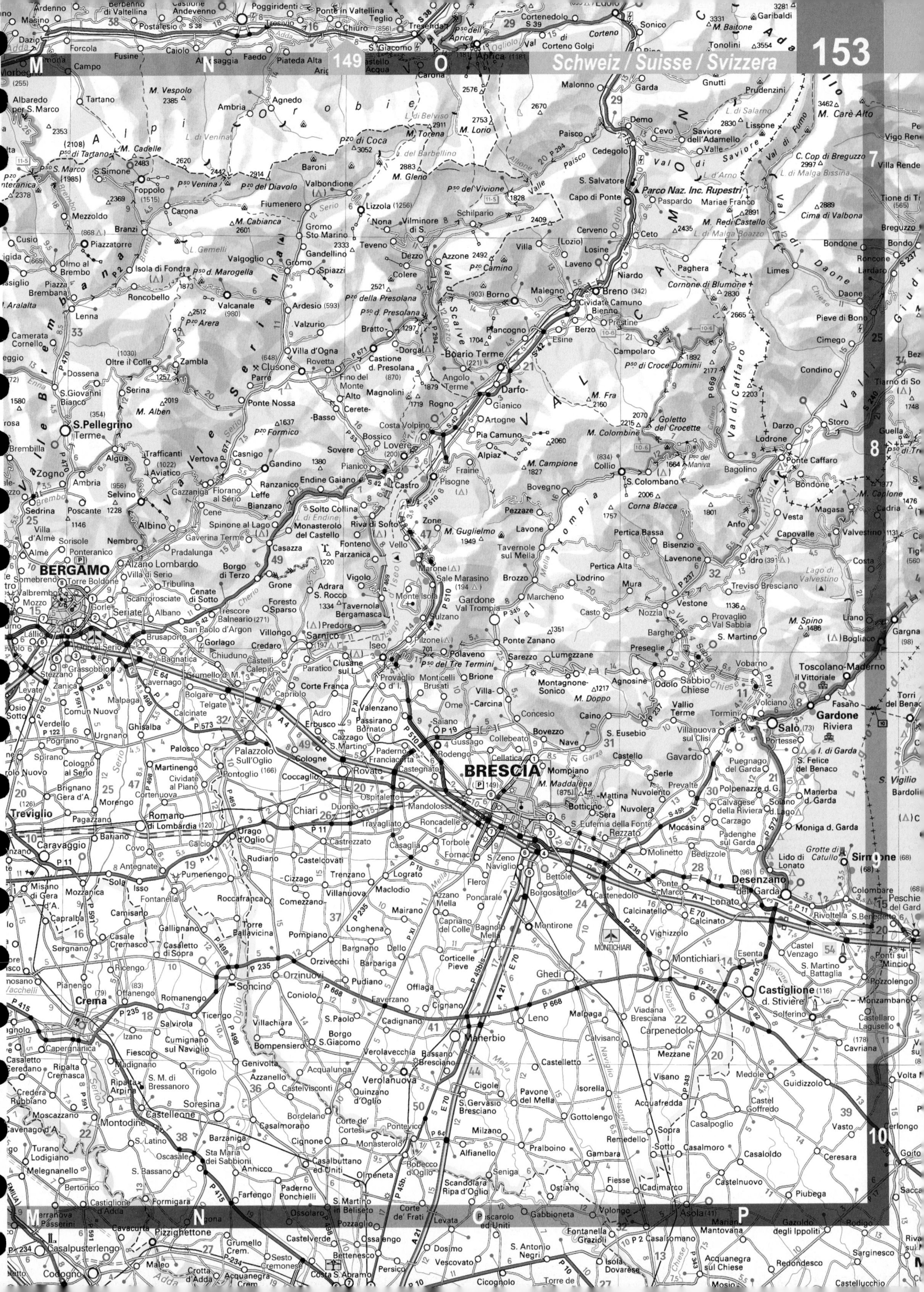
Schweiz / Suisse / Svizzera
149
M
N
O
P
BERGAMO
BRESCIA
Crema
Treviglio
Caravaggio
Chiari
Rovato
Iseo
Sarnico
Lovere
Darfo-Boario Terme
Breno
Clusone
S.Pellegrino Terme
Zogno
Albino
Seriate
Palazzolo Sull'Oglio
Romano di Lombardia
Orzinuovi
Soncino
Manerbio
Leno
Ghedi
Montichiari
Castiglione d. Stiviere
Desenzano del Garda
Sirmione
Salò
Gardone Riviera
Toscolano-Maderno
Gardone Val Trompia
Lumezzane
Vestone
Idro
Bagolino
Aprica
Edolo
Foppolo
Castelleone
Soresina
Pizzighettone
Codogno
Casalpusterlengo
Verolanuova
Asola
Calvisano
Carpenedolo
Lonato
Peschiera del Garda
Rezzato
Gussago
Cologne
Sale Marasino
Marone
Pisogne
Montecchio
Adro
Erbusco
Capo di Ponte
Parco Naz. Inc. Rupestri
Cedegolo
Cevo
Lago d'Idro
Lago di Valvestino
Val Camonica
Valle Brembana
Valle Seriana
Val Trompia
Alpi Orobie
Passo del Tonale
P.so del Vivione
P.so di Croce Domini
M. Guglielmo
Lago d'Iseo
Monte Isola
Franciacorta
Montichiari
Oglio
Mella
Chiese
Serio
Adda
Brembo
A4
E 64
E 70
A21
P 510
S 42
S 38
S 39
P 11
P 235
P 236
P 237
P 668

Straßenverkehrsordnung
Wegcode / Motoring regulations / Réglements routiers
Regolamenti stradali / Código de circulación

	A
	50
	100
	130

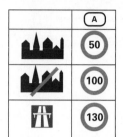

Geschwindigkeitsbegrenzung in km/h
Snelheidsbeperkingen (in km/uur)
Maximum Speed Limit: in kilometres per hour
Limitations de vitesse en kilomètres/heure
Limite di velocità in chilometri/ora
Limitación de velocidad en km/hora

Maximal zulässiger Blutalkoholgehalt / Maximaal toegelaten alcoholconcentratie in het bloed
Maximum blood alcohol level / Taux maximum d'alcool toléré dans le sang
Tasso massimo di alcol ammesso nel sangue / Indice máximo de alcohol permitido en sangre

A 0.5 g/l

Mindestalter für Autofahrer: 18 Jahre / Minimum leeftijd van de bestuurder: 18 jaar
Minimum driving age: 18 years / Age minimum du conducteur : 18 ans
Età minima del conducente: 18 anni / Edad minima del conductor: 18 años

A

Anlegen von Sicherheitsgurten vorn und hinten vorgeschrieben
Gebruik van veiligheidsgordels vooraan en achteraan verplicht
Seat belts must be worn by driver and all passengers in front and rear seats
Port de la ceinture de sécurité à l'avant et à l'arrière obligatoire
Cintura di sicurezza sedili anteriori e posteriori obbligatoria
Cinturón de seguridad obligatorio en asientes delanteros y trasesos

A

Helmpflicht für Motorradfahrer und -beifahrer
Gebruik van valhelm verplicht voor bestuurders en passagiers van motorfietsen
Helmets compulsory for motorcycle riders and passengers
Port du casque pour les motocyclistes et les passagers obligatoire
Casco obbligatorio per motociclisti e loro passeggeri
Casco de conductor y pasajero obligatorio en motocicletes

A

Spikereifen erlaubt / Spijkerbanden toegestaan / Studded tyres allowed
Pneus cloutés autorisés / Gomme da neve autorizzate / Neumáticos claveteados autorizados

A 01/10 - 01/05

Warndreieck vorgeschrieben / Gevarendriehoek verplicht
Warning Triangle compulsory / Triangle de présignalisation obligatoire
Triangolo di presegnalazione obbligatorio / Triangulo de preseñalización obligatorio

A

Verbandskasten vorgeschrieben / Verbandtrommel verplicht
First aid kit compulsory / Trousse de premiers secours obligatoire
Valigetta pronto soccorso obbligatoria / Botiguin obligatorio

A

Sicherheitsweste vorgeschrieben / Reflecterend vest verplicht
Reflective jacket compulsory / Gilet de sécurité obligatoire
Giubbotto di sicurezza obbligatorio / Chaleco reflectante obligatorio

A

Feuerlöscher empfohlen / Brandblusser aanbevolen
Fire extinguisher recommended / Extincteur conseillé
Estintore consigliato / Extinctor recomendado

A

Benötigte Dokumente: Zulassungs- oder Mietwagenpapiere, Haftpflicht-versicherungsnachweis, Nationalitätskennzeichen.
Vereiste documenten: inschrijvingsbewijs of huurcontract van het voertuig, verzekering voor burgerlijke aansprakelijkheid, officiële nummerplaat.
Documents required. Vehicle registration document or rental agreement. Third party Insurance certificate. National vehicle identification plate.
Documents nécessaires : certificat d'immatriculation du véhicule ou de location, assurance responsabilité civile, plaque nationale.
Documenti necessari: certificato d'immatricolazione del veicolo o di noleggio, assicurazione responsabilità civile, targa nazionale.
Documentos necesarios: certificado de matriculación del vehiculo o certificado de alquiler, seguro de responsabilidad civil, placa indicativa del país

1: 400 000

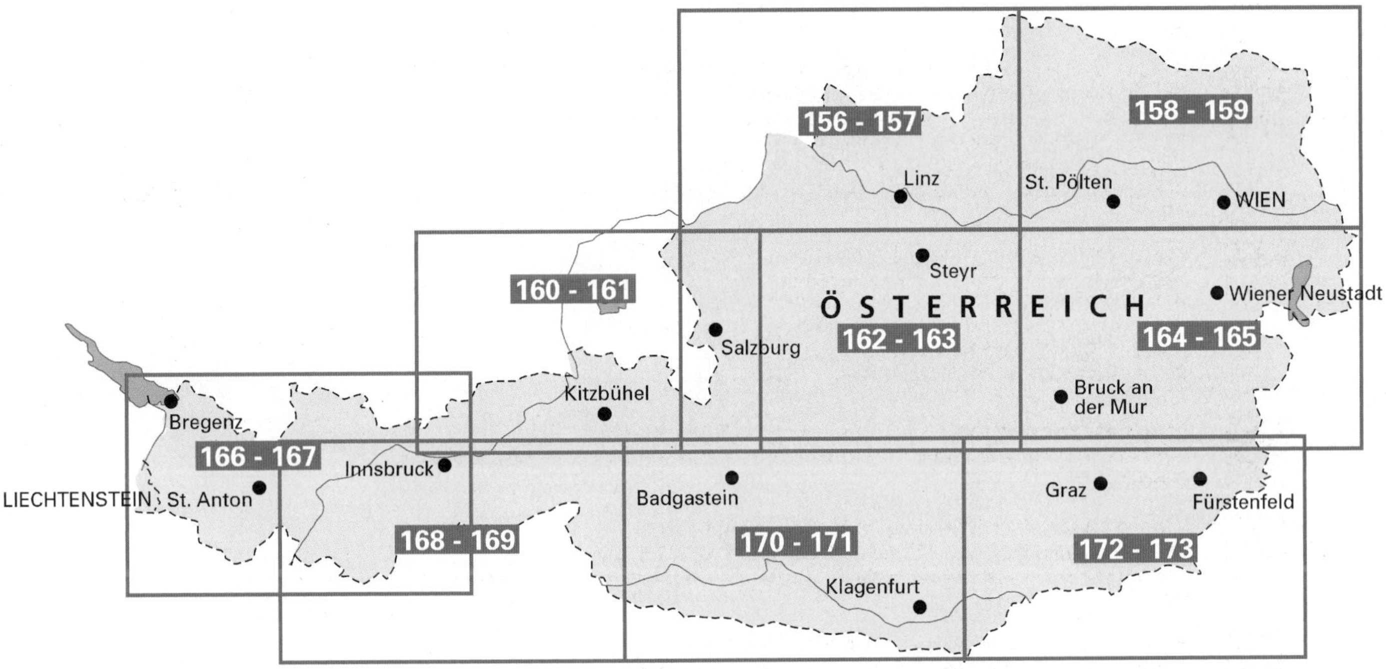
156 - 157
158 - 159
Linz
St. Pölten
WIEN
160 - 161
Steyr
Wiener Neustadt
ÖSTERREICH
Salzburg
162 - 163
164 - 165
Kitzbühel
Bruck an der Mur
Bregenz
166 - 167
Innsbruck
LIECHTENSTEIN
St. Anton
Badgastein
Graz
Fürstenfeld
168 - 169
170 - 171
172 - 173
Klagenfurt

0 4 8 12 16 20 km
M
N
K
L
162
Großer Arber
Bodenmais
Zwiesel
Regen
Viechtach
Deggendorf
Plattling
Hengersberg
Osterhofen
Vilshofen
Passau
Schärding
Pocking
Bad Füssing
Pfarrkirchen
Simbach
Braunau
Ried i. Innkreis
Grafenau
Freyung
Waldkirchen
Hauzenberg
Vimperk
Prachatice
Kvilda
Modrava
Lusen
Nationalpark Bayerischer Wald
Bayerischer Wald
Naturpark
Dreisesselberg
Plechý
Obernzell
Engelhartszell
Grieskirchen
Bad Schallerbach
Bad Griesbach i. Rottal
Ortenburg
Tittling
Spiegelau
Schönberg
Neukirchen vorm Wald
Fürstenzell
Obernberg
Altheim
Aigen i. Mühlkr.
Ulrichsberg
Lenora
Volary
Železná Ruda
Kašperské Hory
Stachy
Zdíkovec
Čkyně

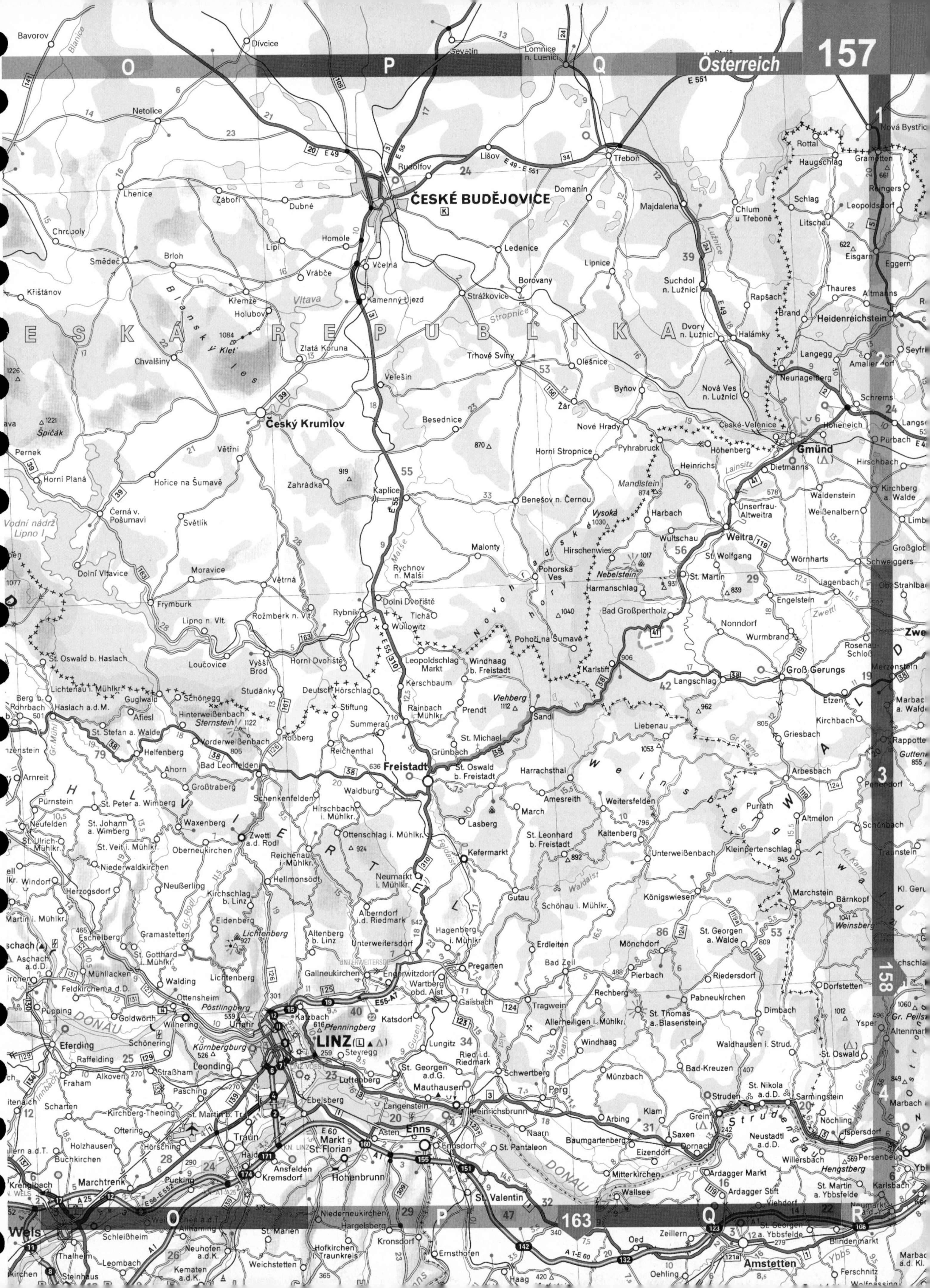
O
P
Q
R
ČESKÉ BUDĚJOVICE
Č E S K Á R E P U B L I K A
Bavorov
Dívčice
Netolice
Lhenice
Záboří
Dubné
Chroboly
Smědeč
Brloh
Lipí
Homole
Vrábče
Včelná
Křišťánov
Křemže
Holubov
Vltava
Kamenný Újezd
Blanský les
Kleť
Zlatá Koruna
Chvalšiny
Český Krumlov
Špičák
Pernek
Horní Planá
Hořice na Šumavě
Větřní
Černá v. Pošumavi
Vodní nádrž Lipno I
Světlík
Dolní Vltavice
Moravice
Frymburk
Lipno n. Vlt.
Rožmberk n. Vlt.
Větrná
St. Oswald b. Haslach
Loučovice
Vyšší Brod
Horní Dvořiště
Lichtenau i. Mühlkr.
Guglwald
Schönegg
Berg b. Rohrbach
Haslach a.d.M.
Afiesl
Hinterweißenbach
Sternstein
St. Stefan a. Walde
Vorderweißenbach
Helfenberg
Bad Leonfelden
Ahorn
Großtraberg
Arnreit
Pürnstein
St. Peter a. Wimberg
Neufelden
St. Johann a. Wimberg
Waxenberg
St. Ulrich i. Mühlkr.
St. Veit i. Mühlkr.
Zwettl a.d. Rodl
Oberneukirchen
Niederwaldkirchen
Windorf
Herzogsdorf
Neußerling
Kirchschlag b. Linz
Eidenberg
Lichtenberg
Eschelberg
Gramastetten
St. Gotthard i. Mühlkr.
Aschach a.d.D.
Mühllacken
Walding
Feldkirchen a.d.D.
Ottensheim
Pupping
Goldwörth
Wilhering
Pöstlingberg
Urfahr
Eferding
DONAU
Schönering
Kürnbergburg
Raffelding
Alkoven
Straßham
Leonding
Fraham
Pasching
Scharten
Kirchberg-Thening
St. Martin b. Tr.
Oftering
Traun
Holzhausen
Hörsching
Buchkirchen
Haid
Ansfelden
Kremsdorf
Marchtrenk
Pucking
Krenglbach
Wels
Schleißheim
Thalheim
Leombach
Steinhaus
Neuhofen a.d.K.
Kematen a.d.K.
Allhaming
Weißkirchen a.d.T.
LINZ
Katzbach
Pfenningberg
Steyregg
Ebelsberg
Luftenberg
St. Georgen a.d.G.
Langenstein
Mauthausen
Asten
Enns
Markt St. Florian
Hohenbrunn
Ennsdorf
St. Pantaleon
Niederneukirchen
Hargelsberg
St. Marien
Kronstorf
Hofkirchen i. Traunkreis
Weichstetten
Ernsthofen
St. Valentin
Haag
Rudolfov
Lišov
Třeboň
Domanín
Ledenice
Borovany
Strážkovice
Stropnice
Trhové Sviny
Olešnice
Velešin
Besednice
Kaplice
Zahrádka
Malonty
Rychnov n. Malší
Dolní Dvořiště
Tichá
Rybník
Wullowitz
Leopoldschlag Markt
Kerschbaum
Windhaag b. Freistadt
Deutsch Hörschlag
Stiftung
Rainbach i. Mühlkr.
Prendt
Summerau
Roßberg
Reichenthal
Freistadt
St. Oswald b. Freistadt
Grünbach
St. Michael
Sandl
Viehberg
Waldburg
Schenkenfelden
Hirschbach i. Mühlkr.
Ottenschlag i. Mühlkr.
Reichenau i. Mühlkr.
Hellmonsödt
Neumarkt i. Mühlkr.
Kefermarkt
Lasberg
Alberndorf i.d. Riedmark
Altenberg b. Linz
Hagenberg i. Mühlkr.
Unterweitersdorf
Gallneukirchen
Engerwitzdorf
Wartberg obd. Aist
Pregarten
Gaisbach
Katsdorf
Lungitz
Ried i.d. Riedmark
Schwertberg
Perg
Heinrichsbrunn
Naarn
Arbing
Baumgartenberg
Eizendorf
Mitterkirchen
Wallsee
Majdalena
Lipnice
Suchdol n. Lužnicí
Dvory n. Lužnicí
Halámky
Nová Ves n. Lužnicí
Byňov
Žár
Nové Hrady
Horní Stropnice
Pyhrabruck
Benešov n. Černou
Vysoká
Mandlstein
Harbach
Wultschau
Hirschenwies
Nebelstein
Pohorská Ves
Harmanschlag
Pohoří na Šumavě
Karlstift
Bad Großpertholz
Novohradské hory
Chlum u Třeboně
Rottal
Haugschlag
Gramastetten
Reingers
Schlag
Litschau
Eisgarn
Rapšach
Brand
Heidenreichstein
Langegg
Neunagelberg
Schrems
České Velenice
Hoheneich
Gmünd
Höhenberg
Heinrichs
Dietmanns
Lainsitz
Unserfrau-Altweitra
Weitra
St. Wolfgang
St. Martin
Engelstein
Nonndorf
Wurmbrand
Groß Gerungs
Langschlag
Liebenau
Harrachsthal
Weinsberger Wald
Amesreith
Weitersfelden
March
Kaltenberg
St. Leonhard b. Freistadt
Unterweißenbach
Gutau
Waldaist
Schönau i. Mühlkr.
Königswiesen
Erdleiten
Bad Zell
Mönchdorf
Pierbach
Tragwein
Rechberg
Allerheiligen i. Mühlkr.
St. Thomas a. Blasenstein
Windhaag
Münzbach
Klam
Saxen
Grein
Dornach
Bad-Kreuzen
Waldhausen i. Strud.
Struden
Strudengau
St. Nikola a.d.D.
Sarmingstein
Neustadtl a.d.D.
Ardagger Markt
Ardagger Stift
Zeillern
Oed
Oehling
Amstetten
St. Georgen a. Ybbsfelde
Blindenmarkt
Viehdorf
Neumarkt a.d. Y.
St. Martin a. Ybbsfelde
Karlsbach
Hengstberg
Willersbach
Persenbeug
Ispersdorf
Nöchling
Marbach
Dimbach
Pabneukirchen
Riedersdorf
St. Georgen a. Walde
Dorfstetten
Ysper
Altenmarkt
St. Oswald
Bärnkopf
Weinsberg
Marchstein
Kleinpertenschlag
Altmelon
Purrath
Arbesbach
Griesbach
Kirchbach
Rappottenstein
Etzen
Rosenau Schloß
Merzenstein
Jagenbach
Zwettl
Wörnharts
Schweiggers
Großglobnitz
Waldenstein
Weißenalbern
Kirchberg a. Walde
Hirschbach
Pürbach
Langschwarza
Amaliendorf
Seyfrieds
Altmanns
Thaures
Eggern
Leopoldsdorf
Nová Bystřice
Lomnice n. Lužnicí
Sevětín
E 49
E 55
E 551
E 60
A 1
A 7
A 25
E 56 - E 552

0 4 8 12 16 20 km
S
T
U
R
S
T
U
157
164
Dačice
Moravské Budějovice
Tavíkovice
Rozkoš
Jemnice
Nová Bystřice
Slavonice
Staré Město pod Landštejnem
Radotice
Dešov
Jevišovice
Pavlice
Mikulovice
Gramastetten
Reingers
Leopoldsdorf
Fratres
Písečné
Rappolz
Vysočany
Bítov
Vranovská přehr. nádrž
Olbramkostel
Prosiměřice
Kautzen
Waldkirchen a.d.T.
Uherčice
Šumná
Únanov
Eisgarn
Ruders
Dobersberg
Vratěnín
Vranov
Eggern
Gastern
Weikertschlag
Suchohrdly
Göpfritzschlag
Karlstein
Großau
Drosendorf Stadt
Šafov
Lukov
Znojmo
Thaures
Altmanns
Rohrbach
Thaya
Schlader
Speisendorf
Raabs a.d.T.
Eibenstein
Riegersburg
Hardegg
Heidenreichstein
Pfaffenschlag b. Waldhofen a.d.T.
Zissersdorf
Langau
Heufurth
Merkersdorf
Seyfrieds
Hollenbach
Aigen
Pleißing
Niederfladnitz
Mitterretzbach
Šatov
Strachotice
Allendorf
Waidhofen a.d.T.
Geras
Oberhöflein
Japons
Schrems
Heinreichs
Dietmanns
Gr.-Siegharts
Weitersfeld
Retz
Unterretzbach
Hatě
Eschenau
Harth
Köhlberg
Obernalb
Kleinhöflein
Kleinhaugsdorf
Hoheneich
Langschwarza
Vitis
Windigsteig
Blumau a.d. Wild
Ludweis
Wappoltenreith
Hötzelsdorf
Sallapulka
Obermarkersdorf
Pürbach
Schwarzenau
Scheideldorf
Kirchberg a.d. Wild
Irnfritz
Pernegg
Theras
Jetzelsdorf
Hadres
Gmünd
Hirschbach
Großhaselbach
Göpfritz a.d.Wild
Messern
Walkenstein
Pulkau
Schrattenthal
Pernersdorf
Haugsdorf
Kirchberg a. Walde
Echsenbach
Mödring
Rodingersdorf
Missingdorf
Zellerndorf
Watzelsdorf
Buchberg
Limbach
Allentsteig
Brunn a.d. Wild
St. Bernhard
Sigmundsherberg
Röschitz
Platt
Horn
Großburgstall
Kleinmeiseldorf
Eggenburg
Guntersdorf
Immendorf
Großglobnitz
Schweiggers
Greillenstein
Röhrenbach
Fuglau
Altenburg
Maria Dreieichen
Roseldorf
Großnondorf
Neupölla
Steinegg
Rosenburg
Mold
Grafenberg
Wartberg
Grund
Wullersdorf
Jagenbach
Ob. Strahlbach
Gerotten
Buchberg
Reinprechtspölla
Mittergrabern
Franzen
Burgschleinitz
Zwettl-Stift
Ottenstein Stausee
Wegscheidt
St. Leonhard a. Hornerwald
Harmannsdorf
Limberg
Schöngrabern
Aspersdorf
Zwettl
Rudmanns
Dobra Stausee
Idolsberg
Gars a.Kamp
Sitzendorf
Weyerb
Rosenau-Schloß
Krumau
Tautendorf
Maissau
Frauendorf
Hollabrunn
Merzenstein
Friedersbach
Rastenfeld
Ravelsbach
Gettsdorf
Oberfellabrunn
Ob. Waltenreith
Plank
Eggendorf
Manhartsberg
Großmeiseldorf
Ziersdorf
Etzen
Marbach a. Walde
Großweißenbach
Rastenberg
Mühlbach a. Manhartsberg
Pfaffstetten
Glaubendorf
Kirchbach
Großgöttfritz
Marbach i. Felde
Jaidhof
Stiefern
Schiltern
Radlbrunn
Breitenwaida
Großstelzendorf
Roiten
Gföhler Wald
Schönberg
Hohenwarth
Göllersdorf
Waldhausen
Rappottenstein
Allentsgschwendt
Gföhl
Zöbing
Großriedenthal
Oberrußbach
Guttenberg
Grafenschlag
Loiwein
Langenlois
Straß i. Straßertal
Gösing
Ruppersthal
Großweikersdorf
Lichtenau
Grainbrunn
Gr. Reinprechts
Untermeisling
Obermeisling
Droß
Lengenfeld
Hadersdorf a. Kamp
Pehendorf
Sallingberg
Kremstal
Engelmannsbrunn
Kirchberg a. Wagram
Niederrußbach
Lugendorf
Albrechtsberg a.d.G. Krems
Els
Weinzierl a. Walde
Senftenberg
Imbach
Rehberg
Stratzing
Gedersdorf
Etsdorf a. Kamp
Fels
Königsbrunn a. Wagram
Hippersdorf
Stetteldorf
Sierndorf
Spielberg
Purk
Sandl
Krems a.d.D.
Rohrendorf
Haitzendorf
Grafenegg
Grafenwörth
Neustift i. Felde
Gaisruck
Zissersdorf
Schönbach
Traunstein
Gr. Heinrichschlag
Stein
Krems Mitte
Seebarn a. wagram
Kollersdorf
Absdorf
Hausleiten
Ottenschlag
Kottes
Weißenkirchen i.d.W.
Rossatz
Dürnstein
Mautern a.d.D.
Hollenburg
Theiß
Altenwörth
Bierbaum a. Kleebigl
Kl. Gerungs
Kl. Pertholz
Kirchschlag
St. Michael
Unterbergen
Furth b. Göttweig
Wagram ob der T.
Traismauer Nord
Donau
Neuaigen
Bärnkopf
Weinsberg
Martinsberg
Elsenreith
Mühldorf
Spitz
Mitterarnsdorf
Paudorf
Traismauer
Zwentendorf
Gemeinlebarn
Langenlebarn
Gut
Trandorf
Mühlberg
Jauerling
Nußdorf a.d.T.
Tulln
Gutenbrunn
Raxendorf
Schwallenbach
Dunkelsteinerwald
Ammering
Traismauer Süd
Reidling
Trasdorf
Rust
Königstetten
Ulrichschlag
Maria Langegg
Oberwölbling
Walpersdorf
Tullner Feld
Langenrohr
Tulbing
Dorfstetten
Laimbach
Pöggstall
Gansbach
Statzendorf
Michelhausen
Wurnsdorf
Maria Laach
Aggstein
Herzogenburg Nord
Gutenbrunn
Atzenbrugg
Judenau
Gr. Peilstein
Weiten
Aggsbach Markt
Aggsbach Dorf
Obritzberg
St. Andrä a.d.T.
Weißenkirchen a.d.P.
Mitterndorf
Ysper
Wachau
Herzogenburg
Altenmarkt i. Yspertal
Weyersdorf
Karlstetten
Kapelln
Ried a. Riederberg
St. Oswald
Münichreith
Pöbring
Grimsing
Emmersdorf a.d.D.
Würmla
Sieghartskirchen
Troppberg
Herzogenburg Süd
Wasserburg
Perschling
Asperhofen
Schönbühel a.d.D.
Hain
Murstetten
Rappoltenkirchen
Artstetten
Leiben
Neidling
Viehofen
Pottenbrunn
Kogl
Ebersdorf
St. Pölten Nord
Maria Taferl
Marbach a.d.D.
Weitenegg
Kleinpöchlarn
Melk
Mauer
Hafnerbach
St. Pölten
Ratzersdorf a.d.T.
Böheimkirchen
Neulengbach
Maria Anzbach
Pressbaum
Tullnerbach
Nöchling
Ispersdorf
Pöchlarn
Ornding
Loosdorf
Prinzersdorf
Ollersbach
Rekawinkel
Krummnußbaum
Matzleinsdorf
Gerersdorf
Markersdorf a.d.P.
Stattersdorf
Kirchstetten
Eichgraben
St. Christophen
Wolfsgraben
Persenbeug
Säusenstein
Anzendorf
Schallaburg
Haindorf
St. Pölten
Kasten b. Böheimkirchen
Altlengbach
Kn. Steinhäusl
Hengstberg
Ybbs a.d.D.
Erlauf
Zelking
Hiesberg
Schollach
Harland
Furth
Hochstraß
Breitenfurt
St. Martin Ybbsfelde
Karlsbach
Hürm
St. Margarethen a.d. Sierning
Obergrafendorf
Pyhra
Neustift-Innermanzing
Neumarkt a.d.Y.
Kemmelbach
Petzenkirchen
St. Leonhard a. Forst
St. Georgen a. Steinfelde
Wald
Stössing
Brand-Laaben
Blindenmarkt
Wieselburg
Ruprechtshofen
Bischofstetten
Kirnberg
Wilhelmsburg
Klausenleopoldsdorf
Mank
Hofstetten-Grünan
Michelbach
Schöpflgitter
Schöpfl
Ybbs
Marbach a.d. Kl. E.
Ockert
Kilb
Schwarzenbach a.d.G.
St. Corona
Alland
Ferschnitz
Zarnsdorf
Kettenreith
Rotheau
Stocker H.
Klammhöhe
Wienerwald
Waldviertel
Weinviertel
Schwechat
Pielach
Perschling
Traisen
Kamp
Dyje
Thaya
Krems
Weiten
Gr. Tulln
Schmida

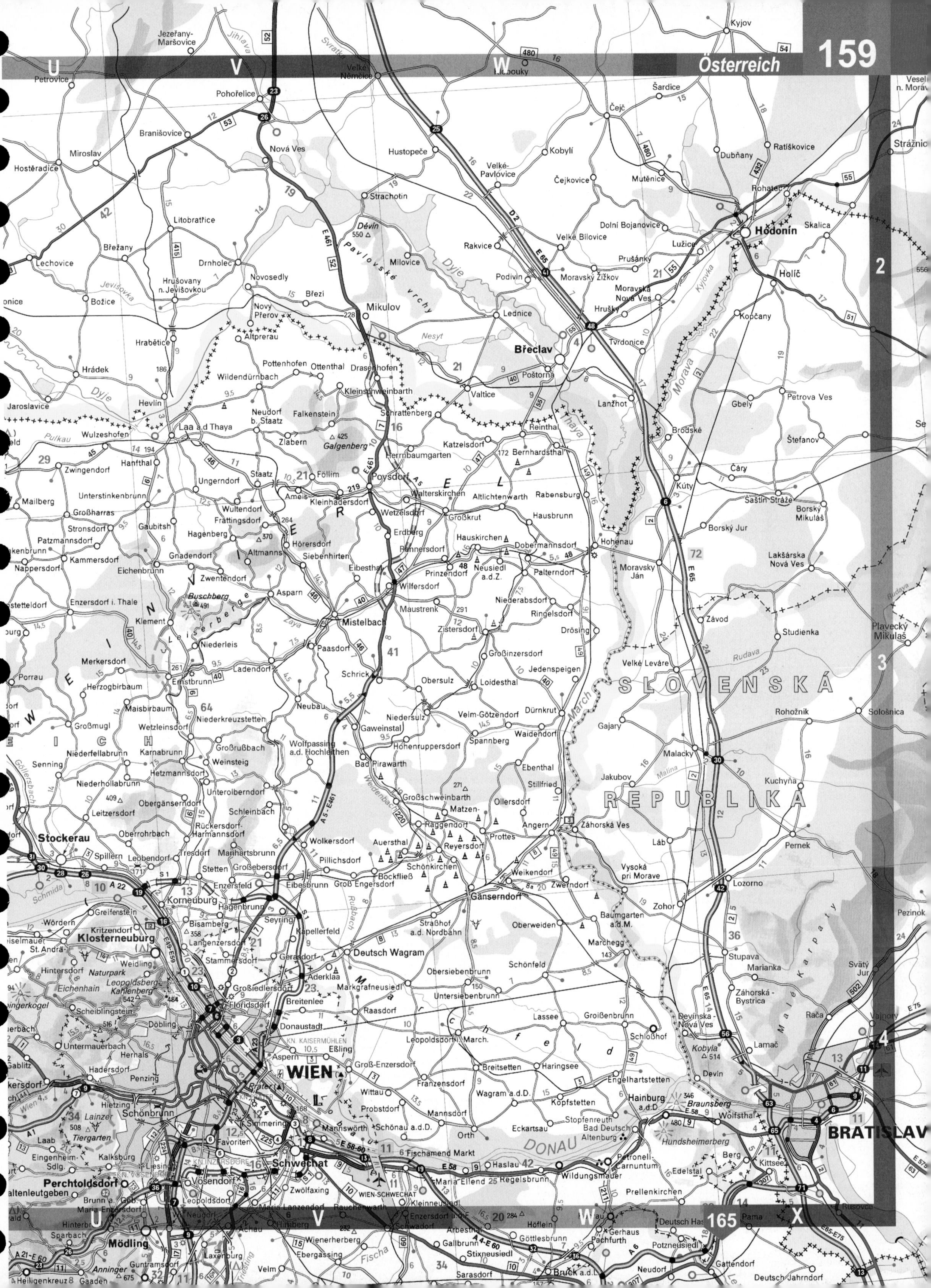
U
V
W
X
Kyjov
Jezeřany-Maršovice
Petrovice
Pohořelice
Velké Němčice
Klobouky
Šardice
Veselí n. Moravou
Branišovice
Nová Ves
Hustopeče
Kobylí
Čejč
Strážnice
Miroslav
Hostěradice
Velké-Pavlovice
Čejkovice
Dubňany
Ratíškovice
Mutěnice
Strachotin
Rohatec
Litobratřice
Děvín
Pavlovské vrchy
Dolní Bojanovice
Hodonín
Skalica
Březany
Lechovice
Rakvice
Velké Bílovice
Lužice
Milovice
Prušánky
Drnholec
Hrušovany n. Jevišovkou
Novosedly
Podivín
Moravský Žižkov
Holíč
Jevišovka
Božice
Březí
Moravská Nová Ves
Hrušky
Mikulov
Nový Přerov
Lednice
Kopčany
Altprerau
Hrabětice
Nesyt
Tvrdonice
Břeclav
Hrádek
Pottenhofen
Ottenthal
Drasenhofen
Poštorna
Jaroslavice
Dyje
Wildendürnbach
Kleinschweinbarth
Valtice
Lanžhot
Gbely
Petrova Ves
Hevlín
Neudorf b. Staatz
Falkenstein
Schrattenberg
Morava
Laa a.d. Thaya
Pulkau
Wulzeshofen
Zlabern
Galgenberg
Reinthal
Thaya
Katzelsdorf
Brodské
Štefanov
Herrnbaumgarten
Bernhardsthal
Zwingendorf
Hanfthal
Staatz
Föllim
Poysdorf
Čáry
Ungerndorf
Mailberg
Unterstinkenbrunn
Ameis
Kleinhadersdorf
Walterskirchen
Altlichtenwarth
Rabensburg
Kúty
Šaštín Stráže
Großharras
Wultendorf
Wetzelsdorf
Großkrut
Hausbrunn
Borský Mikuláš
Stronsdorf
Gaubitsch
Frättingsdorf
Erdberg
Borský Jur
Patzmannsdorf
Hagenberg
Hörersdorf
Hauskirchen
Dobermannsdorf
Hohenau
Kammersdorf
Gnadendorf
Altmanns
Siebenhirten
Rannersdorf
Eibesthal
Prinzendorf
Neusiedl a.d.Z.
Palterndorf
Moravský Ján
Lakšárska Nová Ves
Nappersdorf
Eichenbrunn
Zwentendorf
Wilfersdorf
Buschberg
Asparn
Niederabsdorf
Ringelsdorf
Enzersdorf i. Thale
Mistelbach
Maustrenk
Klement
Leiser Berge
Zaya
Zistersdorf
Drösing
Závod
Plavecký Mikuláš
Studienka
Niederleis
Paasdorf
Großinzersdorf
Merkersdorf
Ladendorf
Jedenspeigen
Velké Leváre
Rudava
Porrau
Ernstbrunn
Schrick
Obersulz
Loidesthal
Herzogbirbaum
SLOVENSKÁ
Maisbirbaum
Neubau
Niedersulz
Velm-Götzendorf
Dürnkrut
Rohožník
Sološnica
Niederkreuzstetten
Gaweinstal
Gajary
Großmugl
Wetzleinsdorf
Spannberg
Waidendorf
Großrußbach
Wolfpassing a.d. Hochleithen
Hohenruppersdorf
Malacky
Niederfellabrunn
Karnabrunn
Weinsteig
Bad Pirawarth
Ebenthal
Senning
Hetzmannsdorf
Stillfried
Jakubov
Kuchyňa
Niederhollabrunn
Unterolberndorf
Großschweinbarth
Malina
Obergänserndorf
Ollersdorf
REPUBLIKA
Leitzersdorf
Schleinbach
Matzen
Angern
Záhorská Ves
Rückersdorf-Harmannsdorf
Raggendorf
Stockerau
Oberrohrbach
Wolkersdorf
Auersthal
Reyersdorf
Prottes
Láb
Pernek
Spillern
Leobendorf
Tresdorf
Manhartsbrunn
Pillichsdorf
Schönkirchen
Vysoká pri Morave
Stetten
Großebersdorf
Bockfließ
Weikendorf
Lozorno
Schmida
Enzersfeld
Eibesbrunn
Groß Engersdorf
Gänserndorf
Zwerndorf
Korneuburg
Hagenbrunn
Zohor
Pezinok
Greifenstein
Seyring
Rußbach
Straßhof a.d. Nordbahn
Oberweiden
Baumgarten a.d.M.
Wördern
Kritzendorf
Bisamberg
Kapellerfeld
Klosterneuburg
Langenzersdorf
Gerasdorf
Deutsch Wagram
Marchegg
Stupava
Svätý Jur
St. Andrä
Stammersdorf
Schönfeld
Marianka
Hintersdorf
Naturpark
Weidling
Aderklaa
Obersiebenbrunn
Eichenhain
Leopoldsberg
Kahlenberg
Großjedlersdorf
Markgrafneusiedl
Záhorská-Bystrica
Floridsdorf
Breitenlee
Untersiebenbrunn
Scheiblingstein
Rača
Döbling
Donaustadt
Raasdorf
Lassee
Groißenbrunn
Devínska Nová Ves
Untermauerbach
Hernals
Asparn
Leopoldsdorf i. March.
Schloßhof
Lamač
Gablitz
Hadersdorf
Penzing
Kobyla
WIEN
Eßling
Groß-Enzersdorf
Breitsetten
Haringsee
Marchfeld
Devín
Prater
Franzensdorf
Engelhartstetten
Hietzing
Wittau
Probstdorf
Wagram a.d.D.
Kopfstetten
Hainburg a.d.D.
Braunsberg
Schönbrunn
Lainzer Tiergarten
Wolfsthal
Simmering
Mannswörth
Schönau a.d.D.
Mannsdorf
Stopfenreuth
Laab
Favoriten
Orth
Eckartsau
Bad Deutsch Altenburg
Hundsheimerberg
BRATISLAVA
Eingenheim-Sdlg.
Kalksburg
DONAU
Liesing
Schwechat
Fischamend Markt
Petronell-Carnuntum
Berg
Kittsee
Perchtoldsdorf
Vösendorf
Haslau
Regelsbrunn
Wildungsmauer
Edelstal
Kaltenleutgeben
Zwölfaxing
Maria Ellend
Prellenkirchen
Rusovce
Brunn a. Geb.
Leopoldsdorf
Rauchenwarth
Kleinneusiedl
Maria Enzersdorf
Himberg
Enzersdorf a.d.F.
Höflein
Deutsch Haslau
Pama
Hinterbrühl
Achau
Wienerherberg
Schwadorf
Arbesthal
Göttlesbrunn
Gerhaus
Sparbach
Mödling
Ebergassing
Gallbrunn
Stixneusiedl
Pachfurth
Potzneusiedl
Laxenburg
Fischa
Anninger
Guntramsdorf
Velm
Sarasdorf
Bruck a.d.L.
Neudorf
Gattendorf
Heiligenkreuz
Gaaden
Deutsch Jahrndorf
165

0 4 8 12 16 20 km
MÜNCHEN
Dachau
Olching
Gröbenzell
Fürstenfeld-bruck
Puchheim
Germering
Gräfelfing
Planegg
Gilching
Weßling
Gauting
Pullach
Unterhaching
Grünwald
Starnberg
Herrsching
Andechs
Percha
Berg
Feldafing
Tutzing
Wolfratshausen
Geretsried
Icking
Egling
Holzkirchen
Sauerlach
Oberhaching
Taufkirchen
Ottobrunn
Neubiberg
Haar
Vaterstetten
Markt Schwaben
Ismaning
Garching
Unterföhring
Aschheim
Kirchheim
Feldkirchen
Parsdorf
Anzing
Poing
Ebersberg
Ebersberger Forst
Grafing
Zorneding
Kirchseeon
Glonn
Aying
Hofoldinger Forst
Bruckmühl
Bad Aibling
Kolbermoor
Rosenheim
Wasserburg
Haag i. Oberbayern
Isen
St. Wolfgang
Rott a. Inn
Raubling
Brannenburg
Bad Feilnbach
Miesbach
Hausham
Schliersee
Tegernsee
Bad Wiessee
Rottach-Egern
Gmund
Bad Tölz
Lenggries
Penzberg
Bichl
Benediktbeuern
Kochel a. See
Murnau
Herzogstand
Walchensee
Jochberg
Benediktenwand
Wallgau
Krün
Mittenwald
Scharnitz
Seefeld
Reither Spitze
Zirl
INNSBRUCK
Hall i. Tirol
Wattens
Schwaz
Jenbach
Achensee
Achenkirch
Achenpaß
Sylvenstein-Stausee
Mangfallgebirge
Wendelstein
Bayrischzell
Spitzingsee
Rotwand
Kufstein
Kiefersfelden
Oberaudorf
Wörgl
Kirchbichl
Söll
Hopfgarten
Rattenberg
Brixlegg
Alpbach
Fügen
Karwendel
Birkkarspitze
Hinterriß
Rofangebirge
Guffertspitze
Sonnwendjoch
Wildschönau
Kitzbüheler Alpen
Gerlospaß
Deutsche Alpenstraße
Deutsche Ferienstraße Alpen-Ostsee
E 45
E 52
E 533
E 54
E 60
A 8
A 95
A 99
A 94
A 92
A 96
A 12

169

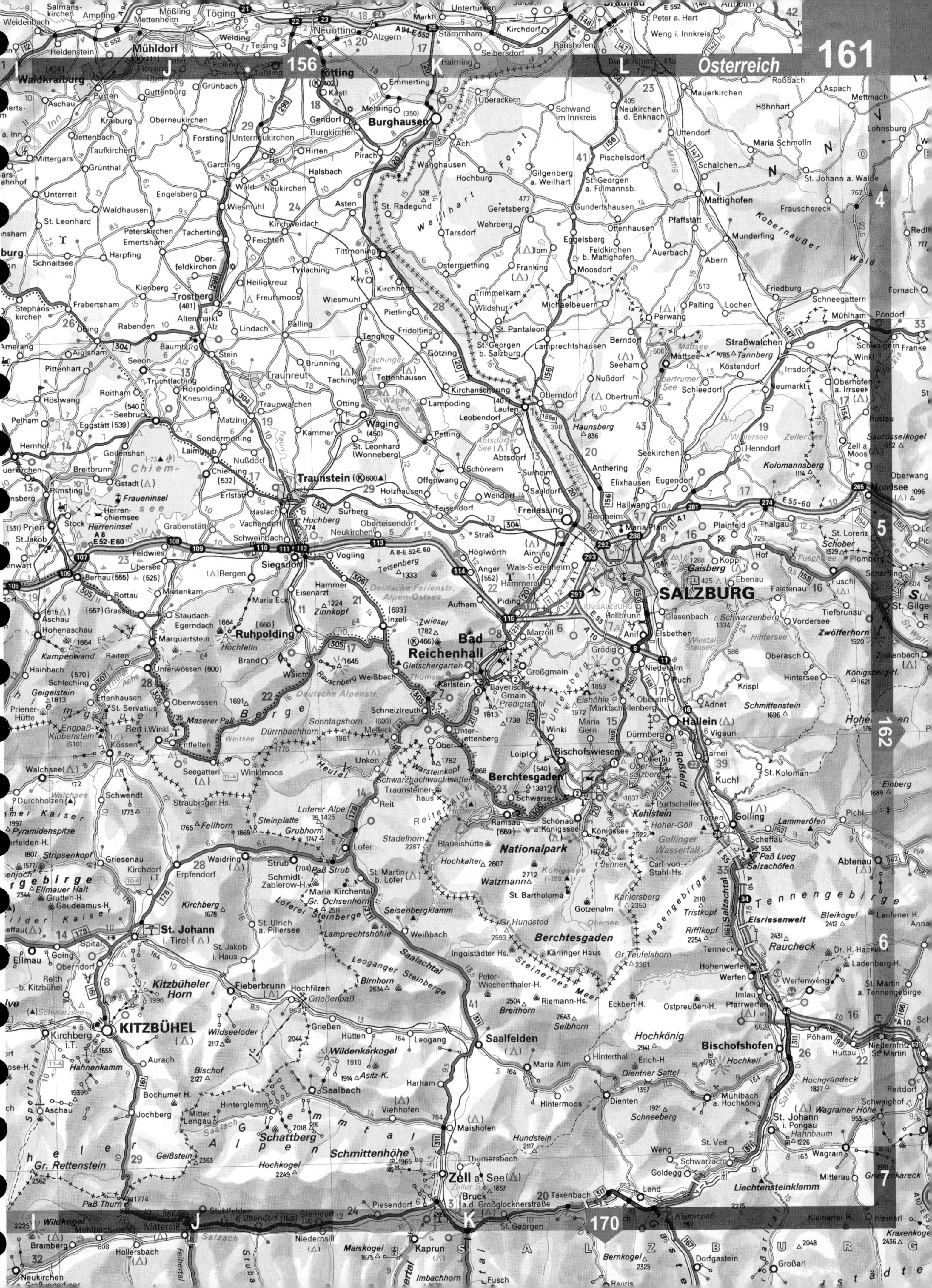
156
Österreich
Mühldorf
Waldkraiburg
Töging
Neuötting
Altötting
Burghausen
Braunau
Trostberg
Traunreut
Waging
Tittmoning
Traunstein
Chiemsee
Frauenisel
Herrenchiemsee
Prien
Siegsdorf
Ruhpolding
Bad Reichenhall
Freilassing
Laufen
Oberndorf
Mattighofen
Mattsee
Straßwalchen
Seekirchen
Mondsee
SALZBURG
Hallein
Berchtesgaden
Bischofswiesen
Nationalpark
Watzmann
Königssee
Golling
Abtenau
Reit i. Winkl
Kössen
Lofer
St. Johann i. Tirol
Kitzbüheler Horn
KITZBÜHEL
Fieberbrunn
Saalfelden
Saalbach
Zell a. See
Bischofshofen
St. Johann i. Pongau
Kaprun
Mittersill
Hochkönig
Tennengebirge
Steinernes Meer
Berchtesgaden
Kitzbühel
Gr. Rettenstein
Schmittenhöhe
Schattberg
Paß Thurn
Paß Lueg
Eisriesenwelt
Liechtensteinklamm
Werfen
Radstadt
162
170

156
161
170
SALZBURG
Braunau
Ried i. Innkreis
Mattighofen
Straßwalchen
Mattsee
Seekirchen
Neumarkt
Vöcklabruck
Attnang-Puchheim
Lambach
Gmunden
Schwanenstadt
Vöcklamarkt
Frankenmarkt
Mondsee
St. Gilgen
St. Wolfgang
Bad Ischl
Bad Goisern
Hallstatt
Bad Aussee
Grundlsee
Altaussee
Ebensee
Traunkirchen
Altmünster
Attersee
Unterach
Freilassing
Laufen
Oberndorf
Bad Reichenhall
Berchtesgaden
Bischofswiesen
Hallein
Golling
Kuchl
Abtenau
Werfen
Bischofshofen
St. Johann i. Pongau
Wagrain
Radstadt
Altenmarkt
Flachau
Schladming
Ramsau a. Dachstein
Filzmoos
Saalfelden
Zell am See
Maishofen
Dienten
Mühlbach a. Hochkönig
Taxenbach
Dorfgastein
Großarl
Obertauern
Kobernaußer Wald
Hausruck
Höllengebirge
Salzkammergut
Totes Gebirge
Tennengebirge
Dachsteingruppe
Nationalpark Berchtesgaden
Steinernes Meer
Hochkönig
Schafberg
Gaisberg
Untersberg
Watzmann
Hoher Dachstein
Krippenstein
Hunerkogel
Hochwurzen
Planai
Eisriesenwelt
Liechtensteinklamm
Radstädter Tauernpaß
Traunsee
Attersee (Kammersee)
Mondsee
Wolfgangsee
Fuschlsee
Wallersee
Königssee
Hallstätter See
Gosausee
Salzach
Enns
Traun
Lammer
Paß Lueg
Paß Gschütt
E 55
E 60
E 651
A 1
A 10

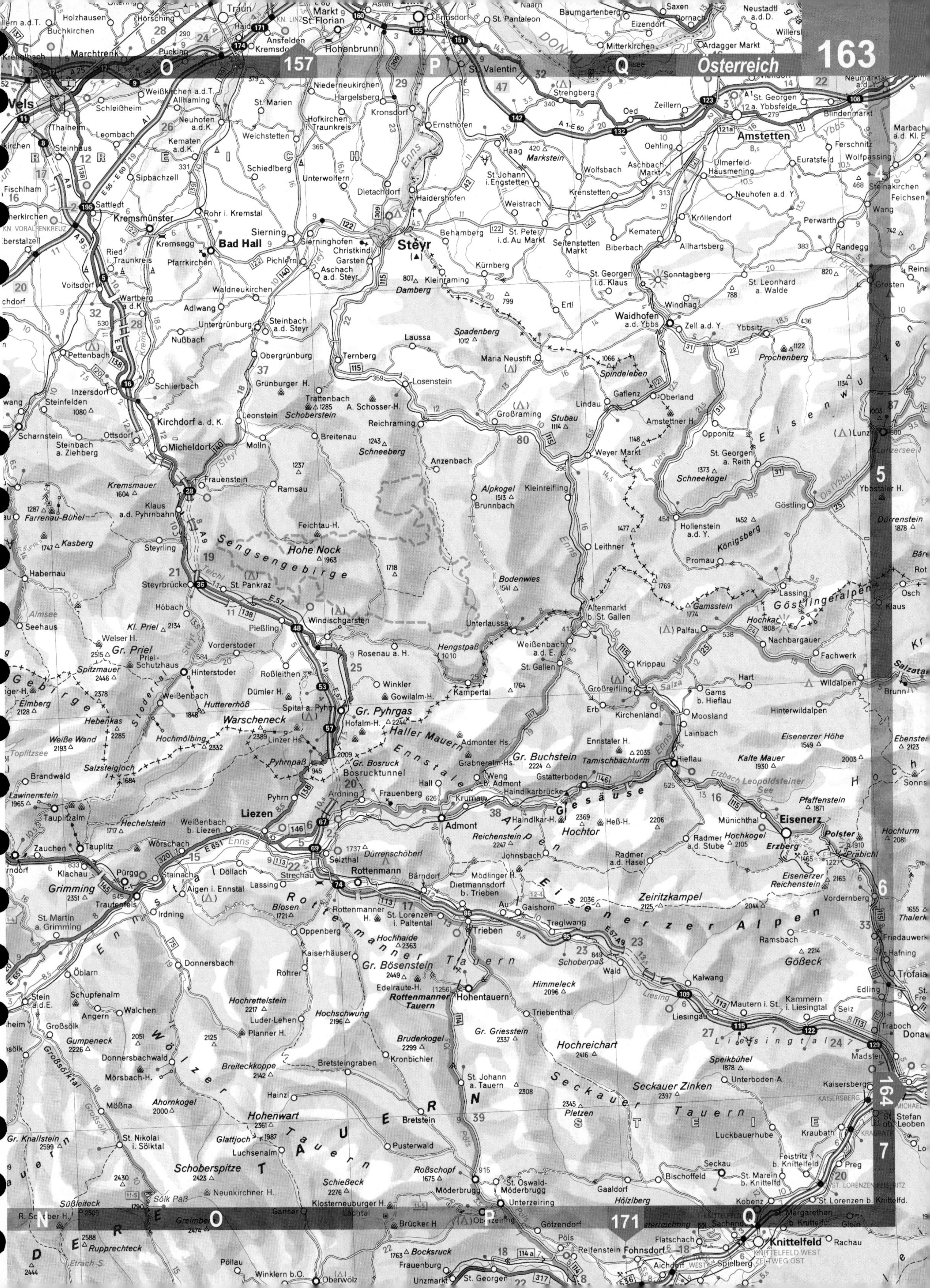
N
O
157
P
Q
Wels
Traun
St. Florian
Enns
Marchtrenk
St. Valentin
Strengberg
Amstetten
Kremsmünster
Bad Hall
Steyr
Sierning
Garsten
Waidhofen a.d. Ybbs
Ybbsitz
Kirchdorf a. d. K.
Micheldorf
Losenstein
Reichraming
Großraming
Weyer Markt
Gaflenz
Opponitz
Lunz
Göstling
Sengsengebirge
Hohe Nock
Windischgarsten
Spital a. Pyhrn
Gr. Pyhrgas
Haller Mauern
Warscheneck
Pyhrnpaß
Bosrucktunnel
Liezen
Admont
Gesäuse
Hochtor
Gr. Buchstein
Hieflau
Eisenerz
Erzberg
Präbichl
Rottenmann
Selzthal
Trieben
Eisenerzer Alpen
Rottenmanner Tauern
Hohentauern
Gr. Bösenstein
Wölzer Tauern
Seckauer Tauern
Seckauer Zinken
Kalwang
Mautern i. St.
Liesingtal
Leoben
Knittelfeld
Judenburg
Fohnsdorf
Pöls
Oberzeiring
Gröbming
Grimming
Stainach
Trautenfels
Irdning
Donnersbach
Tauplitz
Bad Mitterndorf
Kl. Priel
Gr. Priel
Hinterstoder
Vorderstoder
Göstlingeralpen
Hochkar
Palfau
Wildalpen
Gams b. Hieflau
Großreifling
St. Gallen
Altenmarkt b. St. Gallen
Ennstaler Alpen
Dürrenstein
164
171
7
6
5
4

0 4 8 12 16 20 km
158
163
172
R
S
T
U
4
5
6
7
Wilhelmsburg
Lilienfeld
Hainfeld
Traisen
St. Veit a.d.G.
Rainfeld
Kaumberg
Scheibbs
Purgstall
Wieselburg
Mank
Kilb
Gresten
Neustift
Lunz
Lackenhof
Gr. Ötscher
Ötscher-Tormäuer
Naturpark
Gaming
Puchenstuben
Annaberg
Tirolerkogel
Traisenberg
Türnitz
Türnitzer Höger
Hohenberg
St. Aegyd
Mitterbach a. Erlaufsee
Mariazell
Bürgeralpe
Gr. Sulzberg
Gußwerk
Terz
Lahn Sattel
Göller
Gippel
Schwarzau i. Gebirge
Rohr i. Gebirge
Rohrer Sattel
Gutenstein
Pernitz
Berndorf
Reisalpe
Kleinzell
Hohe Wand
Puchberg a. Schneeberg
Schneeberg
Höllental
Raxalpe
Schneealpe
Neunkirchen
Ternitz
Gloggnitz
Reichenau
Semmering-Kurort
Semmering-P.
Spital a. Semmering
Mürzzuschlag
Stuhleck
Neuberg a.d.M.
Mürzsteg
Veitschalpe
Hochschwab
Aflenzer Staritzen
Aflenzer Seeberg
Seewiesen
Aflenz Kurort
Thörl
Turnau
Veitsch
Kindberg
Krieglach
Langenwang
Mürzhofen
Kapfenberg
Bruck a.d. Mur
Leoben
Niklasdorf
Donawitz
Trofaiach
Eisenerzer Alpen
Hochschwab
Fischbacher Alpen
Wechsel
Joglland
Hochwechsel
Mönichkirchen
Wechselpaß
Vorau
Birkfeld
Koglhof
Anger
Weiz
Pöllau
Hartberg
Kaindorf
Gleinalmtunnel
Gleinalpe
Fensteralpe
Speikkogel
Gleinalmsattel
Frohnleiten
Pernegg a.d. M.
Mixnitz
Röthelstein
Peggau
Deutsch Feistritz
Schöckl
St. Radegund
Semriach
Passail
Fladnitz a.d. Teichalm
Hochlantsch
Rennfeld
St. Michael
St. Stefan ob. Leoben
Kraubath
Salzatal
Wildalpen
Weichselboden
Prescenyklause
Zeller Staritzen
Kräuterin
Salza
Mürz
Ybbs
Erlauf
Pielach
Traisen
Schwarza
Piesting
Triesting
Feistritz
Mur

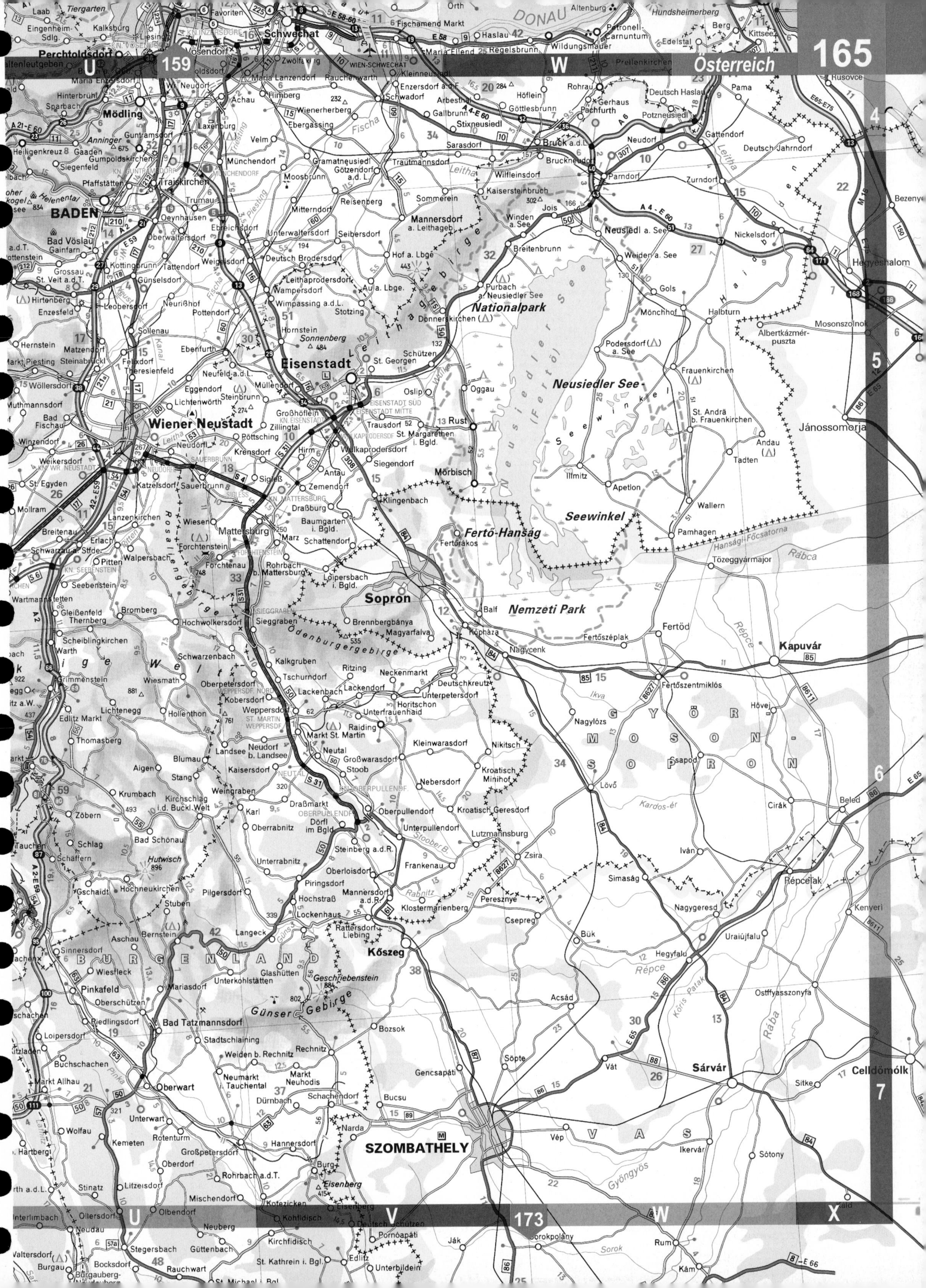

U
V
W
X
159
173
DONAU
Schwechat
Perchtoldsdorf
Vösendorf
Mödling
BADEN
Traiskirchen
Bruck a.d.L.
Parndorf
Neusiedl a. See
Hegyeshalom
Leithagebirge
Nationalpark
Eisenstadt
Wiener Neustadt
Mattersburg
Neusiedler See
(Fertő)
Seewinkel
Fertő-Hanság
Nemzeti Park
Sopron
Ödenburgergebirge
Rosaliengebirge
Kapuvár
Fertőd
Fertőszentmiklós
GYŐR-MOSON-SOPRON
Lövő
Kőszeg
Günser Gebirge
Geschriebenstein
BURGENLAND
Oberpullendorf
Oberwart
Pinkafeld
Bad Tatzmannsdorf
SZOMBATHELY
Sárvár
Celldömölk
VAS
Rába
Répce
Jánossomorja
Mosonszolnok
Albertkázmérpuszta
Hansági-Főcsatorna
Rábca
Bucklige Welt
Hutwisch
Rust
Mörbisch
Podersdorf a. See
Illmitz
Apetlon
Pamhagen
Gols
Halbturn
Frauenkirchen
Deutsch Jahrndorf
Nickelsdorf
Kittsee
Petronell-Carnuntum
Hainburg
Fischamend Markt
Himberg
Ebreichsdorf
Pottendorf
Neunkirchen
Nagycenk
Bük
Csepreg
Vép
Ikervár
Sótony
Répcelak
Beled
Csapod
Iván
Simaság
Zsira
Lutzmannsburg
Deutschkreutz
Neckenmarkt
Horitschon
Raiding
Markt St. Martin
Landsee
Kirchschlag i.d. Buckl. Welt
Bernstein
Stadtschlaining
Rechnitz
Güssing
Ják
Ják
Sorokpolány
Rum
Kám

0 4 8 12 16 20 km
Lindau
BREGENZ
Pfänder
Arbon
Rorschach
Lustenau
Dornbirn
Hohenems
Altstätten
Appenzell
Feldkirch
Vaduz
LIECHTENSTEIN
Buchs
Sargans
Bad Ragaz
CHUR
Arosa
DAVOS
Klosters
Bludenz
Schruns
Lech
Zürs
ST. ANTON
a. Arlberg
Arlbergtunnel
Oberstdorf
Immenstadt
Sonthofen
Oberstaufen
Lindenberg
Hindelang
Ischgl
Galtür
Gaschurn
Scuol
Zernez
Bregenzerwald
VORARLBERG
Walsertal
Rätikon
Montafon
Verwallgruppe
Silvrettagruppe
Prättigau
UNTER-ENGADIN
Allgäuer Alpen
Lechtaler Alpen
Samnaungruppe
Paznauntal
Klostertal
Stanzertal
Braunarlspitze
Rote Wand
Valluga
Hohesrad
Weissfluhgipfel
Flüelapass
Hochtannbergpaß
Arlbergpaß
Flexenpaß
Riedbergpaß
Nebelhorn
Hoher Ifen
Piz Buin
Fluchthorn
Zuger Hochlicht
Reschenpaß / Passo di Resia
Ofenpass
A B C D
6 8

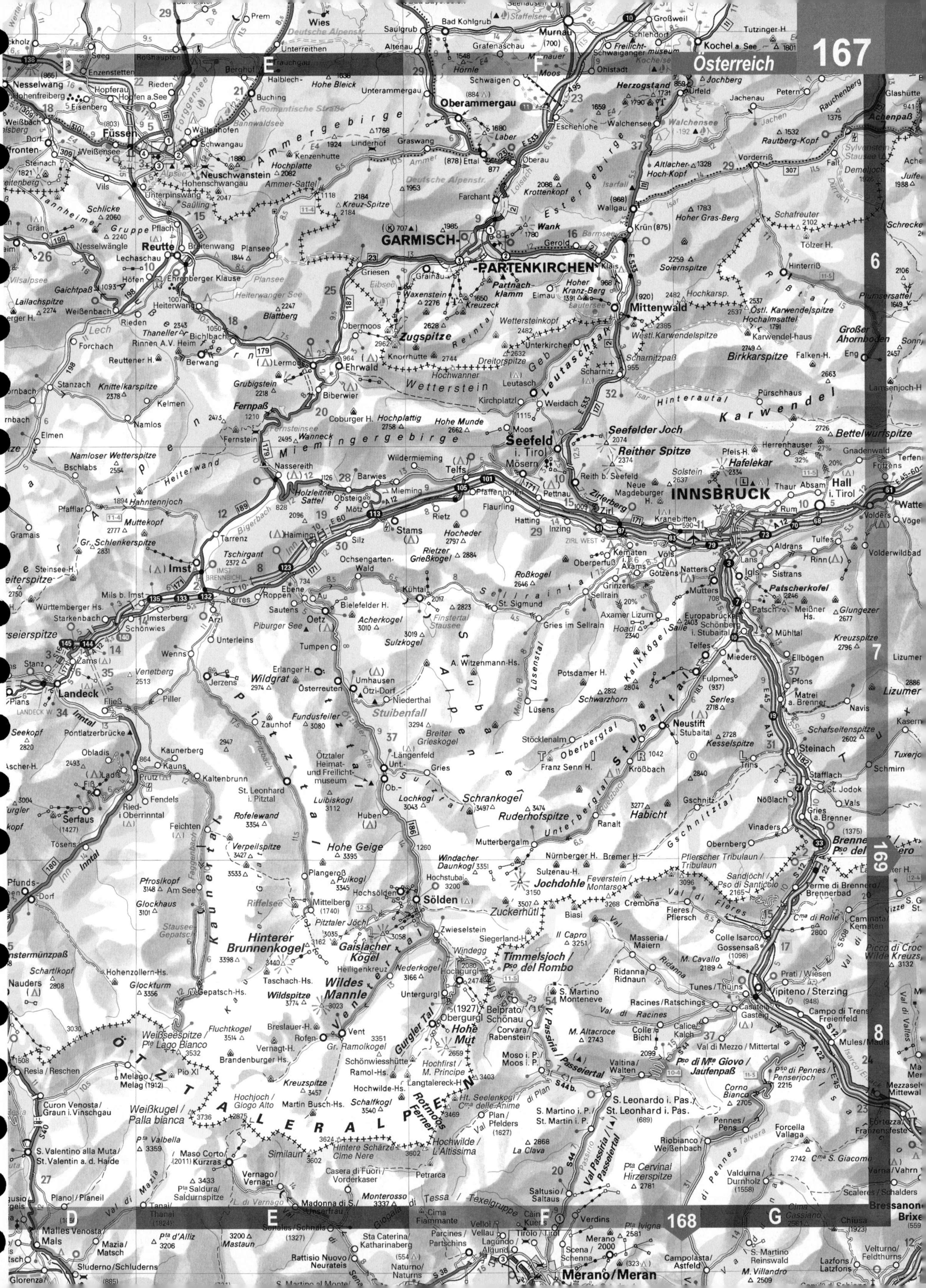
Füssen
Neuschwanstein
Hohenschwangau
Reutte
Ammergebirge
Oberammergau
Murnau
Kochel a. See
GARMISCH-PARTENKIRCHEN
Zugspitze
Wetterstein
Mittenwald
Karwendel
Seefeld i. Tirol
INNSBRUCK
Hall i. Tirol
Telfs
Imst
Landeck
Oetz
Sölden
Ötztaler Alpen
Stubaier Alpen
Stubaital
Neustift i. Stubaital
Fulpmes
Igls
Steinach
Brenner
Vipiteno / Sterzing
Timmelsjoch / Pso del Rombo
Obergurgl
Vent
Wildspitze
Weißkugel / Palla bianca
Nauders
Resia / Reschen
Malles Venosta / Mals
S. Leonardo i. Pas. / St. Leonhard i. Pas.
Merano / Meran
168
169

0 4 8 12 16 20 km
167
166
E
F
G
D
7
8
9
Zugspitze
Ehrwald
Fernpaß
Biberwier
Lermoos
Berwang
Reuttener H.
Forchach
Hochvogel
Prinz-Luitpold-Hs
Stanzach
Namlos
Hinterhornbach
Elmen
Urbeleskarspitze
Gr. Krottenkopf
Hermann V. Barth-H.
Elbigenalp
Hohes Licht
Holzgau
Bach
Gramais
Namloser Wetterspitze
Bschlabs
Heiterwand
Hahntennjoch
Muttekopf
Pfafflar
Gr. Schlenkerspitze
Madau
Steinsee-H.
Leiterspitze
Memminger H.
Württemberger Hs.
Wetterspitze
Kaisers
Kaiserjoch-H.
Parseierspitze
Ansbacher H.
Pettneu
Schnann
Flirsch
Grins
Stanz
Zams
Landeck
St. Anton a. Arlberg
Hoher Riffler
Strengen
Trisannabrücke
Pians
Edmund-Graf H.
Seekopf
Pontlatzerbrücke
Fließ
Piller
Venetberg
Madaunspitze
Kappl
Ascher-H.
See
Obladis
Ladis
Fiß
Serfaus
Furgler
Hexenkopf
Samnaungruppe
Ischgl
Vesulspitze
Tösens
Inntal
Pfunds-Stuben
Dorf
Spiß
Samnaun
Vesilspitze / Piz Rotz
P. Mundin
Vinadi
Finstermünzpaß
Heidelberger H.
Muttler
Nauders
Martina
Schartlkopf
Tschlin
Strada
Vnà
Ramosch
Sent
Scuol
Reschenpaß / Passo di Resia
Resia / Reschen
P. Lat
Roia / Rojen
P. S-chalambert
Curon Venosta / Graun i. Vinschgau
ENGADIN
Vulpera
P. Lischana
Tarasp
S. Valentino alla Muta / St. Valentin a. d. Haide
S-charl
Piz Sesvenna
Burgusio / Burgeis
Abb. di M. Maria
Slingia / Shlinig
Malles Venosta / Mals
Clusio / Schleis
Laudes / Laatsch
Planol / Planeil
Mazia / Matsch
Sluderno / Schluderns
Glorenza / Glurns
Ofenpass / Pass dal Fuorn
Piz Starlex
Tubre / Taufers i. Münstertal
Müstair
Tschierv
Fuldera
Valchava
Sta Maria
P. Chavalatsch
Prato allo Stelvio / Prad a. Stilfserjoch
Spondigna / Spondinig
Tanas / Tannas
Silandro / Schlanders
Cengles / Tschengls
Corzes / Kortsch
Lasa / Laas
Coldrano / Goldrain
Castelbello / Kastelbell
Laces / Latsch
Tarres / Tarsch
Tarnello / Tarnell
Morter
Stelvio / Stilfs
Gomagoi
Furkel Sp. / P^zo di Forcola
Pass Umbrail
Trafoi
Solda di Fuori / Ausser Sulden
Serristori
Parco Nazionale
Val Venosta / Vinschgau
P^ta di Lasa
Martello / Martell
Ganda di M. / Gand
Bagni di Salto / Bad Salt
L'Orecchia di Lepre
Sta Maria alla Fonderia
C^ma Vertana
P^so dello Stelvio / Stilfserjoch
Ortles / Ortler
Solda / Sulden
Città di Milano
Gran Zebrù / Königsspitze
ORTLES / ORTLER
M. Cevedale
Zufallspitze
Cima Venezia
Corsi
C^ma Sternai
Dorigoni
Gioveretto
Bagni di Bormio
Cresta di Reit
Bormio
S. Antonio
M. Confinale
Pizzini-Frattola
Sta Lucia
Valfurva
Sta Caterina
i Forni
Cima Bianca
M. Sobretta
Branca
M. Vioz
Larcher
Lago del Careser
Coler
Bagni di Rabbi
Rabbi
Stelvio
Bresimo
Livo
Rumo
Castelfondo
Proves / Proveis
Sta Gertrude / St. Gertraud
M. degli Olmi
S. Nicolò / St. Nikolaus
Ultimo / Ulten
Sta Valburga / St. Walburg
Val d'Ultimo
Guardia Alta
S. Pancrazio / St. Pankraz
Foiana / Vollan
Tesimo / Tisens
Lana
S. Vigilio / St. Vigil
Rio di Lagundo / Aschbach
Plaus
Naturno / Naturns
Tablà / Tabland
Adige / Etsch
Ratisio Nuovo / Neurateis
St. Martino al Monte / St. Martin am Vorberg
Madonna di S. / Unserfrau
Senales / Schnals
Vernago / Vernagt
Sta Caterina / Katharinaberg
Monterosso
Casera di Fuori / Vorderkaser
Giogaia di Tessa / Texelgruppe
Cima Fiammante
Parcines / Partschins
Velloi / Vellau
Lagundo / Algund
Tirolo / Tirol
Merano / Meran
Marlengo / Marling
Scena / Schenna
Merano 2000
Avelengo / Hafing
Postal / Burgstall
Verano / Vöran
Meltina / Mölten
Gargazzone / Gargazon
Salonetto / Schlaneid
Vilpiano / Vilpian
Terlano / Terlan
Nalles / Nals
Caprile / Gfrill
M. Luco
P^so delle Palade / Gampenjoch
Andriano / Andrian
Senale / U.L. Frau i. Walde
S. Felice / St. Felix
M. Macaion / Gantkofel
Perdonig
Missiano / Missian
Appiano / Eppan
Cornaiano / Girlan
BOLZANO / BOZEN
S. Genesio At. / Jenesien
Valle Sarentina
Campolasta / Astfeld
Verdins
P^ta Ivigna
Caines / Kuens
Saltusio / Saltaus
P^ta Cervinal / Hirzerspitze
Riobianco / Weißenbach
S. Leonardo i. Pas. / St. Leonhard i. Pas.
S. Martino i. P. / St. Martin i. P.
Val Passiria / Passeiertal
La Clava
Plan / Pfelders
Moso i. P. / Moos i. P.
Valtina / Walten
P^so di Monte Giovo / Jaufen
M. Altacroce
Corvara / Rabenstein
Belprato / Schönau
Colle / Bichl
S. Martino / Monteneve
Racines / Ratschings
Val di Racines
Ridanna / Ridnaun
Masseria / Maiern
Timmelsjoch / P^so del Rombo
Siegerland-H.
Il Capro
Cremona
Fleres / Pflersch
Zuckerhütl
Jochdohle
Feverstein / Montarso
Biasi
Sölden
Hochsölden
Zwieselstein
Windegg
Hochgurgl
Obergurgl
Hohe Mut
Gurgler Tal
Untergurgl
Nederkogel
Heiligenkreuz
Vent
Venter Tal
Rofen
Gr. Ramolkogel
Schönwiesshütte
Ramol-Hs.
Hochfirst / M. Principe
Langtalereck-H.
Ht. Seelenkogl / C^ma delle Anime
Rotmoos Ferner
Hochwilde / L'Altissima
Hochwilde-Hs.
Schalfkogl
Martin Busch-Hs.
Kreuzspitze
Hintere Schwärze / Cime Nere
Similaun
Hochjoch / Giogo Alto
ÖTZTALER ALPEN
Weißkugel / Palla bianca
Melago / Melag
Pio XI
Weißseespitze / P^te Lago Bianco
Maso Corto / Kurzras
P^ta Saldura / Saldurnspitze
P^ta Valbella
Tanai / Thanai
P^ta d'Alliz
Mastaun
Val di Mazia
Brandenburger Hs.
Vernagt-H.
Breslauer-H.
Fluchtkogel
Wildspitze
Wildes Mannle
Taschach-Hs.
Hinterer Brunnenkogel
Gaislacher Kogel
Pitztaler Jöchl
Mittelberg
Riffelsee
Plangeroß
Puikogl
Hohe Geige
Verpeilspitze
Rofelewand
Glockturm
Gepatsch-Hs.
Hohenzollern-Hs.
Stausee Gepatsch
Kaunertal
Glockhaus
Pfroslkopf
Am See
Feichten
Kaltenbrunn
Fendels
Ried i. Oberinntal
Prutz
Kauns
Kaunerberg
St. Leonhard i. Pitztal
Pitztal
Zaunhof
Fundusfeiler
Jerzens
Wildgrat
Wenns
Arzl
Unterleins
Imsterberg
Schönwies
Starkenbach
Mils b. Imst
Karres
Roppen
Imst
Tarrenz
Tschirgant
Haiming
Nassereith
Fernstein
Wanneck
Mieminger Gebirge
Holzleitner Sattel
Obsteig
Barwies
Mieming
Wildermieming
Telfs
Mötz
Silz
Stams
Rietz
Hochplattig
Coburger H.
Hohe Munde
Seefeld i. Tirol
Mösern
Pfaffenhofen
Flaurling
Hatting
Inzing
Zirl
Reith b. Seefeld
Seefelder Joch
Reither Spitze
Leutasch
Scharnitz
Scharnitzpaß
Wetterstein
Hochwanner
Dreitorspitze
Unterkirchen
Knorrhütte
Solstein
Neue Magdeburger H.
INNSBRUCK
Kranebitten
Zirlerberg
Pettnau
Kematen
Völs
Axams
Götzens
Natters
Oberperfuß
Grinzens
Sellrain
Sellraintal
Axamer Lizum
Hoadl
Saile
Kalkkögel
Gries im Sellrain
St. Sigmund
Kühtai
Finstertal Stausee
Bielefelder H.
Acherkogel
Sulzkogel
Rietzer Grießkogel
Hocheder
Ochsengarten-Wald
Sautens
Oetz
Au
Ebene
Piburger See
Tumpen
Erlanger H.
Österreuten
Umhausen
Ötzi-Dorf
Niederthai
Stuibenfall
Ötztal
Ötztaler Ache
Breiter Grieskogel
A. Witzenmann-Hs.
Lüsenstal
Lüsens
Potsdamer H.
Schwarzhorn
Stubaier Alpen
Längenfeld
Ötztaler Heimat- und Freilichtmuseum
Gries
Sulztal
Lubiskogl
Lochkogl
Huben
Schrankogel
Ruderhofspitze
Stöcklenalm
Oberbergtal
Franz Senn H.
Neustift i. Stubaital
Stubaital
Krößbach
Habicht
Unterbergtal
Ranalt
Mutterbergalm
Nürnberger H.
Bremer H.
Sulzenau-H.
Windacher Daunkogl
Hochstubai
Tribulaun
Telfes
Gschnitz
Tunes
Calice / Kalch

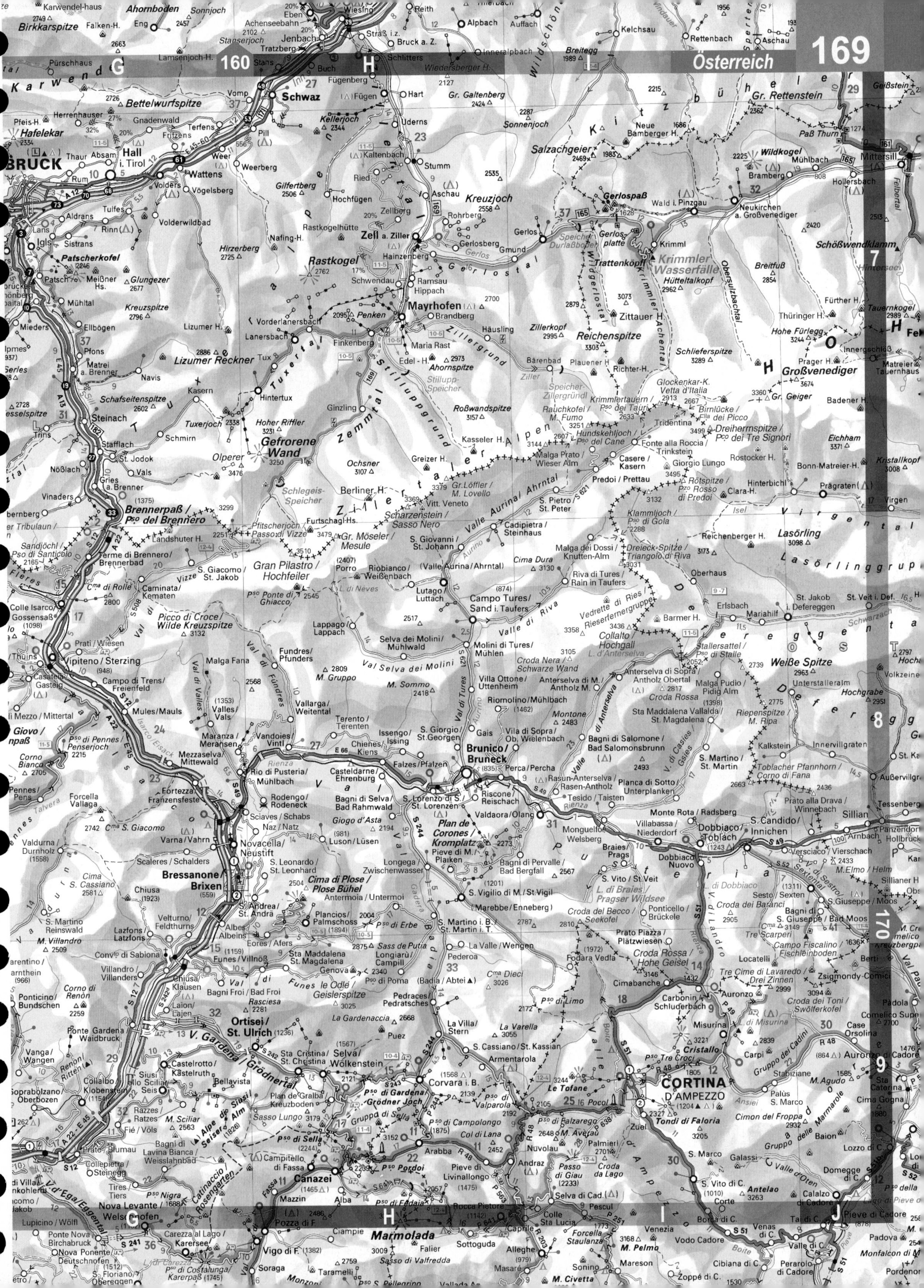
160
170
G
H
I
J
Karwendel
Bettelwurfspitze
Hafelekar
BRUCK
Hall i. Tirol
Absam
Thaur
Rum
Wattens
Volders
Schwaz
Vomp
Jenbach
Achenseebahn
Stanserjoch
Fügen
Kellerjoch
Uderns
Kaltenbach
Stumm
Weerberg
Pill
Terfens
Gnadenwald
Fritzens
Weer
Hochfügen
Gilfertberg
Zellberg
Aschau
Kreuzjoch
Rohrberg
Zell a. Ziller
Gerlos
Gerlosplatte
Gerlospaß
Krimml
Krimmler Wasserfälle
Gmund
Gerlosberg
Hainzenberg
Rastkogel
Schwendau
Ramsau
Hippach
Mayrhofen
Brandberg
Penken
Vorderlanersbach
Lanersbach
Finkenberg
Tuxertal
Tux
Hintertux
Lizumer Reckner
Lizumer H.
Navis
Matrei a. Brenner
Pfons
Steinach
Trins
Kasern
Schmirn
Tuxerjoch
Stafflach
St. Jodok
Vals
Gries a. Brenner
Nößlach
Vinaders
Brennerpaß / Pso del Brennero
Olperer
Gefrorene Wand
Hoher Riffler
Ginzling
Zemmtal
Stilluppgrund
Zillergrund
Maria Rast
Ahornspitze
Edel - H.
Bärenbad
Häusling
Zillerkopf
Reichenspitze
Zittauer H.
Plauener H.
Richter-H.
Roßwandspitze
Kasseler H.
Greizer H.
Ochsner
Berliner H.
Schlegeis-Speicher
Zillertaler Alpen
Hochfeiler
Gran Pilastro
Mösele
Gr. Möseler
Furtschagl-Hs.
Pfitscherjoch / Passo di Vizze
Landshuter H.
Scharzenstein / Sasso Nero
Gr. Löffler / M. Lovello
Vitt. Veneto
Krimmlertauern / Pso dei Tauri
Rauchkofel / M. Fumo
Hundskehljoch
Malga Prato / Wieser Alm
Glockenkar-K. Vetta d'Italia
Birnlücke / Fla dei Picco
Dreiherrnspitze / Pco dei Tre Signori
Tridentina
Fonte alla Roccia / Trinkstein
Casere / Kasern
Giorgio Lungo
Predoi / Prettau
Rötspitze / Pzo Rosso di Predoi
Klammljoch / Pso di Gola
S. Pietro / St. Peter
Valle Aurina / Ahrntal
Cadipietra / Steinhaus
S. Giovanni / St. Johann
Malga dei Dossi / Knutten-Alm
Dreieck-Spitze / Triangolo di Riva
Cima Dura
Riva di Tures / Rain in Taufers
Lutago / Luttach
Campo Tures / Sand i. Taufers
Riobianco / Weißenbach
Porro
Ponte di Ghiaccio
Vedrette di Ries / Rieserfernergruppe
Barmer H.
Collalto / Hochgall
Lappago / Lappach
Selva dei Molini / Mühlwald
Fundres / Pfunders
Molini di Tures / Mühlen
Croda Nera / Schwarze Wand
Anterselva di M. / Antholz M.
Anterselva di Sopra / Antholz Obertal
Stallersattel / Pso di Stalle
Weiße Spitze
Val di Tures
Villa Ottone / Uttenheim
Riomolino / Mühlbach
Gais
Vila di Sopra / Ob. Wielenbach
Bagni di Salomone / Bad Salomonsbrunn
Sta Maddalena Vallalda / St. Magdalena
S. Martino / St. Martin
Riepenspitze / M. Ripa
Defereggen
St. Jakob i. Defereggen
Erlsbach
Mariahilf
St. Veit i. Def.
Oberhaus
Lasörling
Lasörlinggruppe
Virgental
Virgen
Prägraten
Hinterbichl
Clara-H.
Reichenberger H.
Großvenediger
Gr. Geiger
Prager H.
Innergschlöß
Matreier Tauernhaus
Badener H.
Eichham
Bonn-Matreier-H.
Kristallkopf
Rostocker H.
Schlieferspitze
Hohe Fürlegg
Thüringer H.
Fürther H.
Tauernkogel
Hütteltalkopf
Breitfuß
Schößwendklamm
Hollersbach
Mittersill
Mühlbach
Bramberg
Wildkogel
Neukirchen a. Großvenediger
Wald i. Pinzgau
Paß Thurn
Gr. Rettenstein
Kitzbüheler Alpen
Salzachgeier
Neue Bamberger H.
Breitegg
Sonnenjoch
Gr. Galtenberg
Alpbach
Auffach
Wildschönau
Kelchsau
Rettenbach
Aschau
Brixlegg
Reith
Bruck a. Z.
Straß i.z.
Schlitters
Inneralpbach
Wiedersberger H.
Tratzberg
Stans
Buch
Eben
Wiesing
Sonnjoch
Ahornboden
Eng
Karwendel-haus
Birkkarspitze
Falken-H.
Lamsenjoch-H.
Pürschhaus
Herrenhauser
Pfeis-H.
Lans
Igls
Sistrans
Aldrans
Tulfes
Rinn
Volderwildbad
Vögelsberg
Patscherkofel
Patsch
Meißner Hs.
Glungezer
Mühltal
Ellbögen
Mieders
Kreuzspitze
Hirzerberg
Nafing-H.
Rastkogelhütte
Schafseitenspitze
Sandjöchl / Pso di Santicolo
Terme di Brennero / Brennerbad
Fleres
S. Giacomo / St. Jakob
Vizze
Caminata / Kematen
Cma di Rolle
Colle Isarco / Gossensaß
Picco di Croce / Wilde Kreuzspitze
Prati / Wiesen
Vipiteno / Sterzing
Casateia / Gasteig
Campo di Trens / Freienfeld
Malga Fana
Val di Valles
Valles / Vals
Mules / Mauls
Val di Fundres
M. Gruppo
M. Sommo
Val Selva dei Molini
Vallarga / Weitental
Terento / Terenten
Issengo / Issing
S. Giorgio / St. Georgen
Brunico / Bruneck
Perca / Percha
Rasun-Anterselva / Rasen-Antholz
Planca di Sotto / Unterplanken
Tesido / Taisten
Monte Rota / Radsberg
Villabassa / Niederdorf
Dobbiaco / Toblach
S. Candido / Innichen
Sillian
Arnbach
Tessenberg
Außervillgraten
Innervillgraten
Kalkstein
Tobiacher Pfannhorn / Corno di Fana
Prato alla Drava / Winnebach
Maranza / Meransen
Vandoies / Vintl
Chienes / Kiens
Falzes / Pfalzen
Mezzaselva / Mittewald
Rio di Pusteria / Mühlbach
Casteldarne / Ehrenburg
Rodengo / Rodeneck
Bagni di Selva / Bad Rahmwald
S. Lorenzo di S. / St. Lorenzen
Riscone / Reischach
Valdaora / Olang
Monguelfo / Welsberg
Braies / Prags
Fortezza / Franzensfeste
Sciaves / Schabs
Naz / Natz
Giogo d'Asta
Luson / Lüsen
Plan de Corones / Kronplatz
Pieve di M. / Plaiken
Bagni di Pervalle / Bad Bergfall
S. Vito / St. Veit
L. di Braies / Pragser Wildsee
Dobbiaco Nuovo
Varna / Vahrn
Novacella / Neustift
Bressanone / Brixen
Scaleres / Schalders
S. Leonardo / St. Leonhard
Longega / Zwischenwasser
Cima di Plose / Plose Bühel
Antermoia / Untermoi
S. Vigilio di M. / St. Vigil
Marebbe / Enneberg
Croda del Becco / Seekofel
Ponticello / Brückele
Croda dei Baranci
Versciaco / Vierschach
Sesto / Sexten
Bagni di S. Giuseppe / Bad Moos
Tre Scarperi
Campo Fiscalino / Fischleinboden
Chiusa
S. Andrea / St. Andrä
Plancios / Palmschoss
Pso di Erbe
S. Martino i. B. / St. Martin i. T.
Prato Piazza / Plätzwiesen
Croda Rossa / Hohe Geisel
Velturno / Feldthurns
Albes / Albeins
Eores / Afers
Sass de Putia
Sta Maddalena / St. Magdalena
Longiarù / Campill
La Valle / Wengen
Pederoa
Cma Dieci
Fodara Vedla
Cimabanche
Tre Cime di Lavaredo / Drei Zinnen
Locatelli
Zsigmondy-Comici
Lazfons / Latzfons
Conv. di Sabiona
Funes / Villnöß
Genova
Val di Funes
le Odle / Geislerspitze
Pso di Poma
Badia / Abtei
Pso di Limo
Carbonin / Schluderbach
Auronzo
Misurina
L. di Misurina
Cristallo
Croda dei Toni / Zwölferkofel
Villandro / Villanders
Chiusa / Klausen
Bagni Froi / Bad Froi
Rasciesa
Pedraces / Pedratsches
La Gardenaccia
Puez
La Villa / Stern
La Varella
S. Cassiano / St. Kassian
Armentarola
Ponte Gardena / Waldbruck
Laion / Lajen
Ortisei / St. Ulrich
V. Gardena / Grödnertal
Sta Cristina / St. Christina
Selva / Wolkenstein
Corvara i. B.
Pso di Gardena / Grödner Joch
Pso di Valparola
Le Tofane
Pocol
CORTINA D'AMPEZZO
Tondi di Faloria
Cimon del Froppa
Gruppo dei Cadini
Auronzo di Cadore
M. Agudo
Palùs S. Marco
Gruppo delle Marmarole
Siusi / Seis
Castelrotto / Kastelruth
Alpe di Siusi / Seiser Alm
M. Sciliar
Bellavista
Fié / Völs
Ratzes
Plan de Gralba / Kreuzboden
Sasso Lungo
Gruppo di Sella
Pso di Sella
Pso di Campolongo
Col di Lana
Pso di Falzarego
M. Averau
Nuvolau
Passo di Giau
Croda da Lago
Zuel
Ampezzo
Prato / Blumau
Bagni di Lavina Bianca / Weisslahnbad
Campitello di Fassa
Canazei
Pso Pordoi
Arabba
Pieve di Livinallongo
Andraz
Selva di Cad.
S. Vito di C.
Antelao
Calalzo di Cadore
Pieve di Cadore
Tiers
Pso Nigra
Catinaccio / Rosengarten
Nova Levante / Welschnofen
Carezza al Lago / Karersee
Pozza di F.
Alba
Mazzin
Pso di Fedaia
Marmolada
Rocca Pietore
Colle Sta Lucia
Caprile
Forcella Staulanza
M. Pelmo
Venezia
Vodo Cadore
Borca di C.
Venas di C.
Valle di C.
Vigo di F.
Pso di Costalunga / Karerpaß
Soraga
Falier
Sottoguda
Sasso di Valfredda
Alleghe
M. Civetta
Mareson
Cibiana di C.
Zoppè di C.
Perarolo di Cadore
Padova
Monfalcon di M.
Pordenon

0 4 8 12 16 20 km
K
L
161
M
169
J
Saalbach
Hinterglemm
Viehhofen
Harham
Asitz-K.
Dientner Sattel
Dienten
Hintermoos
Mühlbach a. Hochkönig
Hochgründeck
Radstadt
Reitdorf
Altenmarkt
Schwaighof
Wagrainer Höhe
St. Johann i. Pongau
Hahnbaum
Flachau
Wagrain
Lackenkogel
St. Veit
Schwarzach
Weng
Goldegg
Liechtensteinklamm
Mitterau
Grießenkareck
Schmittenhöhe
Thumersbach
Zell a. See
Zeller S.
Bruck a.d. Großglocknerstraße
Taxenbach
Lend
Embach
Klammpaß
St. Georgen
Hundstein
Hochkogel
Geißstein
Stuhlfelden
Uttendorf
Steindorf
Piesendorf
Mittersill
Niedernsill
Salzach
Hollersbach
Maiskogel
Kaprun
Kapruner Tal
Fuscher Tal
Fusch a.d. Großglocknerstr.
Imbachhorn
Salzburger H.
Gleiwitzer H.
Kesselfall-Alpenhaus
Krefelder H.
Limbergsperre
Bärenschlucht
Bad Fusch
Stausee Wasserfallboden
Hoher Tenn
Kitzsteinhorn
Schrottkopf
Schößwendklamm
Hintersee
Felbertal
Stubachtal
Enzingerboden
Mooserboden
Mooserspere
Drossensperre
Schwarzkopf
Ferleiten
Gr. Wiesbachhorn
Stausee Mooserboden
Gr. Bärenkopf
Tauernkogel
Felbertauerntunnel
Rudolfs-H.
Weißsee
Sonnblick
Kalser Tauern
Matreier Tauernhaus
Innergschlöß
Venediger
Oberwalder H.
Pasterze
Trauneralm
Edelweißspitze
Fuscher Törl
Großglockner-Hochalpenstraße
Wasserfallwinkel
Franz Josephs-Höhe
Großglockner
Kalser Tauernhaus
Muntanitz
Badener H.
Tauerntal
Hocharn
Schareck
Kasereck
Kolm Saigurn
Hoher Sonnblick
Schöneck
Heiligenblut
Salm-H.
Glorer-H.
Sudetendeutsche-H.
Eichham
Kristallkopf
Blauspitze
Prägraten
Virgen
Matrei i. Osttirol
Großdorf
Kals
Nationalpark Hohe Tauern
Böses Weibl
Putschall
Döllach (Grosskirchheim)
Lesach-H.
Elberfelder H.
Roter Knopf
Rotenkogel
Lesach
Schobergruppe
Hochschober
A. Noßberger-H.
Petzeck
Wangenitzsee H.
Sagritz
Möll
Huben
Peischlach
Kalsertal
Lienzer H.
Seichenkopf
Mörtschach
Hopfgarten i. Def.
St. Veit i. Def.
Dölach
Oberleibnig
St. Johann i. Walde
Schleinitz
Zellin-K.
Hochalmspitze
Volkzeiner H.
Schlaiten
Alkus
Ainet
Steinermandl
Zettersfeld
Winklern
Rotsteinberg
Gaimberg
Iselsbergpaß
Hochgrabe
Oberlienz
Unternußdorf
Iselsberg
Ederplan
Böses Weibele
Hochstein
Lienz
Dölsach
Leisach
Tristach
Gölbner
Amlach
St. Katarina
Bannberg
Aßling
Außervillgraten
Lavant
Lengberg
Nikolsdorf
Dolomiten H.
Spitzkofel
Gr. Sandspitze
Unterried
Anras
Mittewald a. d. D.
Drau
Sillian
Tessenberg
Abfaltersbach
Karlsbader H.
Lienzer Dolomiten
Oberdrauburg
Flaschberg
Eggenkofel
Panzendorf
Straßen
Arnbach
Hollbruck
Kartitscher Sattel
Kartitsch
Obertilliach
Untertilliach
Gailberg Sattel
Schatzbühel
St. Lorenzen i. Lesachtal
Liesing
Maria Luggau
Birnbaum
St. Jakob i. Lesachtal
Sillianer H.
Obstansersee H.
Pfannspitze
Großer-Kinigat / M. Cavallino
Karnischer Alpen
Lesachtal
Gail
Zwölferspitz
Kötschach
Laas
Mauthen
Würmlach
Steinkarspitz / M. Antola
Hochweißstein-Hs.
Hohe Warte / M. Coglians
E. Pichl-H.
Plöckenpaß / Pso di M. Croce Carnico
Polinik
Crode dei Longerin
M. Peralba
Hochalpljoch / Pso dell'Oregone
Calvi
Pierabec
Forni Avoltri
Collina
Marinelli
Timau
Valle Visdende
S. Nicolò di C.
Cimasappada
M. Crostis
Rigolato
Degano
Cleulis
Sappada
Campolongo
Sto Stefano di Cadore
Danta
Pso del Zovo
Pso di M. Croce di Comelico / Kreuzbergpass
Comelico Superiore
Padola
Val Padola
Berti
Auronzo di Cadore
Sta Caterina
Cima Gogna
Piave
M. Terza Grande
M. Creta Forata
Prato Carnico
Pesariis
Tualis
Cercivento
Ravascletto
Zovello
Sutrio
M. Brentoni
De Gasperi
Val Pesarina
Comeglians
Forcella Lavardet
Casera Losa
Liariis
Ovaro
Mione
Vigo di Cadore
Lozzo di C.
Lorenzago di C.
M. Tudaio di Razzo
Sella di Razzo
Sauris di Sopra
Col Gentile
M. Arvenis
Piano d'Arta
S. Pietro di Carnia
Arta Terme
Zuglio
Trischiamps
Canale di S. Pietro
Chiarso
Ponte del Buso
La Maina
Lago di Sauris
Vinaio
Plugna
Domegge di C.
Pso della Mauria
Lago di Pieve di C.
Pieve di Cadore
Giaf
Forni di Sopra
Pso del Pura
Ampezzo
Raveo
Villa Santina
Tolmezzo
M. Cridola
Andrazza
Padova
Monfalcon di Montanaia
Tagliamento
Forni di Sotto
Mediis
Enemonzo
Socchieve
Preone
Villa
Chiaicis
Verzegnis
Cavazzo
Pordenone
Flaiban-Pacherini
M. Amariana
Amaro
Carnia
Illegio
Moggio Udinese
Ponte
Resiutta
Canale
Chiusaforte
Saletto
Canale di Raccolana
S. Giorgio
Sella Nevea
Stolvizza
Gilberti
Valle
Resia
Dogna
Zuc del Boor
Grauzaria
M. Sernio
Paularo
Dierico
Lambrugno
Ligosullo
Treppo Carnico
Paluzza
M. Tersadia
Canale d'Incaroio
M. Paularo
Hoher Trieb / Cuestalta
Pso Cason di Lanza
Trogkofel / Creta di Alp
Naßfeld-Paß / Pso di Pramollo
M. Cavallo
Gartnerkofel
M. Poludnig
Nordio-Deffar
Foresta
Pontebba
Sella di Cereschiatis
Aupa
Laglesie-S. Leopoldo
Malborghetto
Fella
Bagni di Lusnizza
Valbruna
Bernardinis
di Tarvisio
Jôf di Montasio
Eggeralm
Treßdorfer-A.
Rattendorf
Möderndorf
Tröpolach
Egg
Paßriach
Hermagor
Waidegg
Jenig
Stranig
Gailtal
Vellach
Radnig
Spitzegel
Kirchbach
Reisach
Gundersheim
Dellach
Oberes Gailtal
Gailtaler Alpen
Reißkofel
Gitschtal
Weißbriach
St. Lorenzen i. Gitschtal
Weißenbach
Compton-H.
Torkofel
Drautal
Waisach
Techendorf
Neusach
Weißensee
Mößlacher
Greifenburg
Berg
Dellach i. Drautal
Irschen
Zwickenberg
Emberger A.
Scharnik
Gajach
Fellbach
Latschur
Steinfeld
Kleblach
Lind i. Drautal
Hochkreuz
Ziethenkopf
Kreuzeck
Feldner H.
Rangersdorf
Tresdorf
Stall
Obergottesfeld
Rosenheim
Sachsenburg
Baldramsdorf
Spittal a.d. Drau
Teurnia
Ausgrabungen
Möllbrücke
Lendorf
Pusarnitz
Mühldorf
Kolbnitz
Salzkofel
Altersberg
KN. SPITTAL MILLSTÄTTERSEE
Kärnten
Polinik
Napplach
Penk
Obervellach
Flattach
Außerfragant
Stallhofen
Mühldorfer See
Riedbock
Reißeck-H.
Reißeck
Lassach
Innerfragant
Fraganter H.
Sadnig
Rote Wand
Mallnitz
Säuleck
A.v. Schmid-Hs.
Gießener H.
Gößkarspeicher
Koschach
Hochalmspitze
Molltaler Gletscher
Geiselkogel
Mindener H.
Hannover Hs.
Osnabrücker H.
Ankogel
Kattowitzer H.
Hafner
Kölnbreinsperre
Speicher Sameralm
Maltatal
Schareck
Sportgastein
Hagener H.
Kreuzkogel
Niedersachsen-Hs.
Böckstein
Tauerntunnel
Zitterauer Tisch
Graukogel
Stubnerkogel
Bad Gastein
Keeskogel
Rotgülden
Rotgüldensee
Schloßalm
Schiheim
Türchlwand
Bucheben
Mannlkopf
Wörth
Rauris
Bernkogel
Gasteiner Tal
Bad Hofgastein
Gamskarkogel
Harbach
Dorfgastein
Hüttschlag
Maurach
Königalm
Weißeck
Nebelkareck
Stickler-H.
Draugstein
Großarl
Großarltal
Kleinarler H.
Kleinarl
Mosermandl
Radstädter Tauern
F. Fischer-H
Wald
Tauerntunnel
Kraxenkogel
Steinfeldspitze
Südwiener H.
Pleißling
Zauchensee
Enns
Hohe Tauern
Salzburg
Tirol
Osttirol
Deferegger Alpen
Villgratental
Defereggental
Hochschober
Lasörlinggruppe

Niedere Tauern
Schladminger Tauern
Hochgolling
Radstädter Tauernpaß
Seekareck
Gamsleitenbahnen
Mauterndorf
Tamsweg
St. Michael i. Lungau
Katschberg
Katschbergtunnel
Rennweg
Gmünd
Murau
Stadl a.d. Mur
Predlitz
Turracher Höhe
Gr. Königstuhl
Gr. Rosennock
Bad Kleinkirchheim
Radenthein
Millstatt
Seeboden
Spittal
Feld a. See
Afritz
Gerlitzen
Feldkirchen i. Kärnten
Villach
Villacher Alpe
Dobratsch
Velden
Pörtschach
Krumpendorf
Maria Wörth
Klagenfurt
St. Veit a.d. Glan
Friesach
Gurk
Gurktal
Gurktaler Alpen
Flattnitzer Höhe
Metnitz
Neumarkt i. Stmk
Scheifling
Oberwölz
Judenburg
Zirbitzkogel
Seetaler Alpen
Magdalensberg
Maria Saal
Ferlach
Karawanken
Karawankentunnel
Loibltunnel
Kl. Loibl-P.
Hochstuhl / Stol
Jesenice
Bled
Kranjska Gora
Wurzen-P. / Korensko Sedlo
Tarvisio
Camporosso in Valcanale
Fusine Laghi
Triglav
Arnoldstein
Faaker See
Ossiacher See
Wörther See
Millstätter See
Schoberspitze
Sölk Paß
Preber
Lessach
Krakauebene
Mittagskogel
Koschuta
Kamnisko

0 4 8 12 16 20 km
164
171
7
8
9
P
Q
R
S
Seckauer Zinken
Kaisersberg
St. Michael
Röthelstein
Mixnitz
Tyrnau
Heilbrunn
Seckau
Feistritz b. Knittelfeld
Preg
Lobming
Fensteralpe
Gleinalmtunnel
Frohnleiten
Schrems
Hochtrötsch
Passail
Katerloch
Arzberg
Bischoffeld
Gaaldorf
Hölzlberg
St. Marein b. Knittelfeld
St. Lorenzen b. Knittelfd.
Kobenz
St. Margarethen b. Knittelfd.
Glein
Speikkogel
Gleinalmsattel
Markt-Übelbach
Neuhof
Lurgrotte
Peggau
Semriach
Schöckl
Mortantsch
Weiz
St. Oswald-Möderbrugg
Unterzeiring
Götzendorf
Pöls
Österreichring
Sachendorf
Knittelfeld
Rachau
Reifenstein
Fohnsdorf
Flatschach
Aichdorf
Spielberg
Großstübing
Deutsch Feistritz
Kleinstübing
Stubenberg-Hs.
St. Radegund
Kumberg
Rinegg
Sattelwirt
Geistthal
Österreichisches Freilichtmuseum
Hörgasgraben
Friesach
Stattegg
Eggersdorf
St. Peter ob Judenburg
Rothenthurm
Judenburg
Zeltweg
Fisching
Großfeistritz
Großlobming
Steinplan
Sattel-Hs.
Kleinlobming
Kainach b. Voitsberg
Graden
St. Pankrazen
Rein
Gratwein
Gratkorn
Judendorf-Straßengel
Mariatrost
Weißkirchen
Kleinfeistritz
Reifling
Schmelz
Winterleitenhütte
St. Wolfgang
Kathal
Gaberl
Salla
Stubalpe
Afling
Södingberg
Stiwoll
St. Oswald b. Plankenwarth
Gösting
Hönigthal
Laßnitzhöhe
Linderalm
Wölkerkogel
Piber
Köflach
Bärnbach
Voitsberg
St. Bartholomä
Eggenberg
GRAZ
Zirbitzkogel
Waldheimhütte
Obdach
St. Georgen i. Obdachegg
Ameringkogel
Hirschegger Sattel
Maria Lankowitz
Stallhofen
Mantscha
Hitzendorf
Straßgang
Raaba
Vasoldsberg
Obdacher Sattel
St. Anna
Edelschrott
Hirschegg-Rein
St. Martin a. Wöllmißberg
Krottendorf
Geisfeld
Berndorf
Maiersdorf
Seiersberg
Feldkirchen
Grambach
Thondorf
Breitenhilm
St. Peter i. Lavanttal
Reichenfels
Pressneralpe
Hirzmann-Stausee
Packer Stausee
Ligist
Steinberg b.L.
Mooskirchen
Söding
Tobelbad
Lieboch
Abtissendorf
Hausmannstätten
Fernitz
Kalsdorf
St. Martin a. Silberberg
St. Johann a. Pressen
Lavanttal
Pack
Modriach
Fluttendorf
Unterpremstätten
Heiligenkreuz
Hohenwart
Kliening
Bad St. Leonhard
Packsattel (Vier Tore)
Preitenegg
Fallegg
Gundersdorf
Lannach
Dobl
Wundschuh
Werndorf
Hüttenberg
Knappenberg
Klippitztörl
Lavanttalbrücke
Waldenstein
Hebalm
Reinischkogel
Langegg
St. Stefan ob Stainz
Zwaring
Allerheiligen
Gräbern-Prebl
Twimberg
Theißenegg
Bärofen
Rosenkogel
St. Josef
Stainz
Weitendorf
Kainach
Stocking
Wildon
Lölling-Graben
Preims
Guttaring
Bad Weißenbach
St. Margarethen i. Lavantt.
Forst
St. Oswald i. Freiland
Bad Gams
Rassach
Mettersdorf
Preding
Lebring-St. Margarethen
Lebring
Althofen
Wieting
Frantschach-St. Gertraud
Handalpe
Freiland
Wohlsdorf
Silberegg
Ladingerspitze
Wolfsberger H.
Wolfsberg
Weinebene
Trahütten
Frauental
Groß St. Florian
Wettmannstätten
St. Nikolai i. Sausal
Tillmitsch
Gralla
Kappel
Klein St. Paul
St. Michael
Glashütten
Deutschlandsberg
Neudorf i. Sausal
Kaindorf
St. Oswald
Sausal
St. Andrä i.S.
Kitzeck
Leibnitz
Passering
Eberstein
St. Marein
Hipfel-H.
St. Stefan i. Lavantt.
Schwarze Sulm
Seggauberg
Leitring
Wölfnitz
Pölling
Koralpen-Hs.
Gr. Speikkogel
Schwanberger Brendl-H.
St. Martin i. Sulmtal
Fresing
Heimschuh
Eitweg
St. Andrä
Jakling
Schwanberg
Gleinstätten
St. Walburgen
Greutschach
Pustritz
Kreuzbach
Pölfing-Brunn
Kleinklein
Großklein
Ehrenhausen
Gamlitz
Brückl
Diex
Maria Rojach
St. Katharina
Wies
Gündorf
Kreuzberg
Klein St. Veit
St. Georgen
Pitschgau
St. Johann i. Saggautal
Berghausen
Griffen
St. Oswald ob Eibiswald
Mittertrixen
Haimburg
St. Paul i. Lavantt.
St. Vinzenz
Eibiswald
Oberhaag
Arnfels
St. Filippen
St. Michael ob d. Gurk
Lind
Soboth-Ort
Leutschach
Langegg
St. Margarethen ob Töllerberg
Völkermarkt
Ruden
Ettendorf
Koglereck
St. Lorenzen
Radlpaß Radelj
St. Magdalena
Drau
Völkermarkter Stausee
Neuhaus
Lavamünd
Kobansko
Poßruck
Muta
Radlje ob Dravi
Brezno
Ožbalt
Tainach
St. Kanzian a. Klopeiner See
Kühnsdorf
Jauntal
Aich
Libeliče
Vič
Vuzenica
Drava
Dravograd
Selnica ob Dravi
Eberndorf
Klopeiner See
Turnersee
Bleiburg
Möchling
St. Veit i. Jauntal
Gösselsdorf
St. Michael
St. Stefan
Unter-Loibach
Ober-
Holmec
Lovrenc na Poh.
Gallizien
Rückersdorf
Globasnitz
Feistritz
Poljana
Ravne na Koroškem
Ribnica na Poh.
Ruše
Abtei
Sittersdorf
Rechberg
Topitza
Mežica
Kotlje
Velika Kopa
Žigertov vrh
Hochobir
Kordeschkogel
Slovenj Gradec
Pohorje
Eisenkappler H.
Obermosgan
Peca
Plešivec
Črni vrh
Eisenkappel
Topla
Podgorje
Črna na K.
Mislinja
Rogla
Veliki vrh
SLOVENIJA
Meža
Mislinja
Oplotnica
Veliko Tinje
Bad Vellach
Logarska dolina
Zavodnje
Solčava
Komen
Raduha
Topolšica
Basališče
Vitanje
Oplotnica
Slovenska Bistrica
Seeberg / Jerzerski vrh
Jezersko
Šoštanj
Stranice
Grintavec
Ojstrica
Savinjske Alpe
Žekovec
Velenje
Dobrna
Slovenske Konjice
Luče
Ljubno
Mozirje
Črnova

Österreich
165
S
T
U
V
7
8
9
SZOMBATHELY
MAGYARORSZÁG
HRVATSKA
Koglhof
Pöllauberg
Ringkogel
Pöllau
Hartberg
Lungitz
St. Johann i.d. Haide
Markt Allhau
Oberwart
Neumarkt i. Tauchental
Markt Neuhodis
Gencsapáti
Dürnbach
Schachendorf
Bucsu
Rabenwald
Baierdorf
Schildbach
Unterwart
Rotenturm
Wolfau
Kemeten
Hannersdorf
Anger
Schönegg b. Pöllau
Oberfeistritz
Floing
Stubenberg a. See
Rohr. b. Hartberg
Großpetersdorf
Oberdorf
Rohrbach a.d.T.
Burg
Eisenberg
Kulm
Puch
Herberstein
Unterbuch
Kaindorf
Wörth a.d.L.
Stinatz
Litzelsdorf
Mischendorf
Kotezicken
St. Johann b. Herberstein
Ebersdorf
Unterlimbach
Ollersdorf
Olbendorf
Kohfidisch
Deutsch Schützen
Pornóapáti
Kaibing
Etzersdorf
Sebersdorf
Neudau
Neuberg
Kirchfidisch
Ják
Sorokpolány
Unterfladnitz
Pischelsdorf
Bad Waltersdorf
Stegersbach
Güttenbach
Edlitz
Preßguts
Großsteinbach
Burgau
Bocksdorf
Burgauberg-Neudauberg
Rauchwart
St. Kathrein i. Bgl.
Unterbildein
Ruprecht a.d. Raab
Großpesendorf
Leitersdorf
Großhartmannsdorf
Rohr
St. Michael i. Bgl.
Eberau
Egyházasrádóc
Rohrbrunn
Deutsch Ehrensdorf
Szentpéterfa
Rábahídvég
Hainersdorf
Bad Blumau
Eisenhüttl
Gaas
Gleisdorf
Unter-großau
Sinabelkirchen
Ilz
Bierbaum
Tobaj
Deutsch Kaltenbrunn
Riegersdorf
Ludersdorf-Wilfersdorf
Großwilfersdorf
Kukmirn
Gerersdorf
Urbersdorf
Moschendorf
Höfstätten a. d. R.
Altenmarkt
Güssing
Strem
Körmend
Hartmannsdorf
Walkersdorf
Fürstenfeld
Rudersdorf
Neustift b. Güssing
Heiligenbrunn
Nestelbach b. Graz
St. Margarethen a.d.R.
Sochau
Dobersdorf
Großmürbisch
Luising
Übersbach
Eltendorf
Krumegg
St. Marein b. Graz
Riegersburg
Loipersdorf
Königsdorf
Heiligenkreuz
Stein
Lafnitz
Rábafüzes
Gasztony
Nádasd
Hegyhátsál
Studenzen
Empersdorf
Petersdorf II
Fladnitz
Edelsbach
Hatzendorf
Mogersdorf
Szentgotthárd
Rába
Oberdorf a. Hochegg
Kirchberg a.d.R.
Gniebing
Lödersdorf
Hohenbrugg
Jennersdorf
Csörötnek
Feldbach
Leitersdorf
Fehring
Schiefer
Neumarkt a.d.R.
Lichendorf
Paldau
St. Martin a.d.R.
Kirchbach i. Stmk.
Glatzau
St. Stefan i. Rosental
Orfalu
Szalafő
Viszák
b. Wildon
Bad Gleichenberg
Kapfenstein
Minihof-Liebau
Felsőszölnök
Zala
Trautmannsdorf
Gnas
Bairisch Kölldorf
Neuhaus
Tauka
Dolenci
Zalalövő
Georgen a.d.S.
Martinje
Srebrnibreg
Hodoš / Hodos
Őriszentpéter
Seibuttendorf
Jagerberg
Merkendorf
Bonisdorf
Gornji Petrovci
Ungerdorf
Krusdorf
Stradnerkogel
Kalch
Kuzma
Stanjovci
Bajánsenye
Ragnitz
St. Nikolai ob Draßling
St. Anna a. Aigen
Dietersdorf a. Gnasb.
Becsvölgye
Straden
Mačkovci
Leitersdorf
Mettersdorf a.S.
St. Peter a. Ottersb.
Wieden
Tieschen
Kálócfa
Wittmannsdorf
Klöch
Pertoča
Kerka
Szilvágy
Gabersdorf
Landscha a.d.M.
Prosenjakovci
Velemér
Deutsch Goritz
St. Veit a. Vogau
Weinburg
Cseszteg
Unterpurkla
Hainsdorf-Brunnsee
Halbenrain
Cankova
Zalabaksa
Nova
Straß i. Stmk.
Gosdorf
Zelting
Kobiljski potok
Spielfeld
Lichendorf b. Mureck
Mureck
Bad Radkersburg
Apače
Martjanci
Moravske Toplice
Gederovci
Trate
Sicheldorf
Gornja Radgona
Murska Sobota
Dobrovnik / Dobronak
Šentilj / v Slov. gor.
Selnica
Lendava
Lenti
Rédics
Radenci
Beltinci
Slovenske gorice
Páka
Zgornja Kungota
Ščavnica
Dolga Vas / Hosszúfalu
Pesnica
Spodnji Ivanjci
Črenšovci
Lendava / Lendva
Lenart v Slov. gor.
Videm
Križevci pri L.
Lispeszentadorján
Tornyiszentmiklós
MARIBOR
Moravci v Slov. gor.
Ljutomer
Razkrižje
Mursko Središče
Strukovec
Mariborsko Pohorje
Spodnje Hoče
Miklavž
Drava
Podturen
MURA
Pleškovec
Domašinec
Radizel
Fram
Rače
Dornava
Belica
Ptuj
Moškanjci
Središče ob Dravi
Ormož
Čakovec
Mala Subotica
Kidričevo
Nedelišće
Pragersko
Polskava
Vratno
Prelog
DRAVA
Majšperk
Dravinja
Sračinec
Varaždin
Ludbreg
Poljčane
Greda

Straßenverkehrsordnung
Wegcode / Motoring regulations / Réglements routiers
Regolamenti stradali / Código de circulación

	CZ
	50
	90
	130

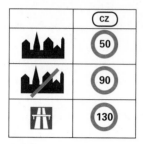

Geschwindigkeitsbegrenzung in km/h
Snelheidsbeperkingen (in km/uur)
Maximum Speed Limit: in kilometres per hour
Limitations de vitesse en kilomètres/heure
Limite di velocità in chilometri/ora
Limitación de velocidad en km/hora

Alkoholverbot / Alcohol verboden / Zero blood alcohol level
Alcool interdit / Alcol vietato / Alcohol prohibido
CZ

Mindestalter für Autofahrer: 18 Jahre / Minimum leeftijd van de bestuurder: 18 jaar
Minimum driving age: 18 years / Age minimum du conducteur : 18 ans
Età minima del conducente: 18 anni / Edad minima del conductor: 18 años
CZ

Anlegen von Sicherheitsgurten vorn und hinten vorgeschrieben
Gebruik van veiligheidsgordels vooraan en achteraan verplicht
Seat belts must be worn by driver and all passengers in front and rear seats
Port de la ceinture de sécurité à l'avant et à l'arrière obligatoire
Cintura di sicurezza sedili anteriori e posteriori obbligatoria
Cinturón de seguridad obligatorio en asientes delanteros y trasesos
CZ

Helmpflicht für Motorradfahrer und -beifahrer
Gebruik van valhelm verplicht voor bestuurders en passagiers van motorfietsen
Helmets compulsory for motorcycle riders and passengers
Port du casque pour les motocyclistes et les passagers obligatoire
Casco obbligatorio per motociclisti e loro passeggeri
Casco de conductor y pasajero obligatorio en motocicletes
CZ

Abblendlicht bei Tag und Nacht vorgeschrieben / Gebruik van dimlichten dag en nacht verplicht
Dipped headlights required at all times / Allumage des codes jour et nuit obligatoire
Obbligo di accendere gli anabbaglianti giorno e notte / Alumbrado de emergencia de dia y de noche obligatorio
CZ

Spikereifen verboten / Spijkerbanden verboden
Studded tyres forbidden / Pneus cloutés interdits
Gomme da neve vietate / Neumáticos claveteados prohibidos
CZ

Warndreieck vorgeschrieben / Gevarendriehoek verplicht / Warning Triangle compulsory
Triangle de présignalisation obligatoire / Triangolo di presegnalazione obbligatorio / Triangulo de preseñalización obligatorio
CZ

Verbandskasten vorgeschrieben / Verbandtrommel verplicht / First aid kit compulsory
Trousse de premiers secours obligatoire / Valigetta pronto soccorso obbligatoria / Botiguin obligatorio
CZ

Ersatzlampen für Scheinwerfer vorgeschrieben / Set reservelampjes verplicht / Spare bulb set compulsory
Jeu d'ampoules de rechange obligatoire / Assortimento di lampadine di ricambio obbligatorio / Juego de luces de recambio obligatorias
CZ

Sicherheitsweste vorgeschrieben / Reflecterend vest verplicht / Reflective jacket compulsory / Gilet de sécurité obligatoire
Giubbotto di sicurezza obbligatorio / Chaleco reflectante obligatorio
CZ

Feuerlöscher empfohlen / Brandblusser aanbevolen / Fire extinguisher recommended
Extincteur conseillé / Estintore consigliato / Extinctor recomendado
CZ

Benötigte Dokumente: Zulassungs- oder Mietwagenpapiere, Haftpflicht-versicherungsnachweis, Nationalitätskennzeichen.
Vereiste documenten: inschrijvingsbewijs of huurcontract van het voertuig, verzekering voor burgerlijke aansprakelijkheid, officiële nummerplaat.
Documents required. Vehicle registration document or rental agreement. Third party Insurance certificate. National vehicle identification plate.
Documents nécessaires : certificat d'immatriculation du véhicule ou de location, assurance responsabilité civile, plaque nationale.
Documenti necessari: certificato d'immatricolazione del veicolo o di noleggio, assicurazione responsabilità civile, targa nazionale.
Documentos necesarios: certificado de matriculación del vehiculo o certificado de alquiler, seguro de responsabilidad civil, placa indicativa del país

1: 600 000

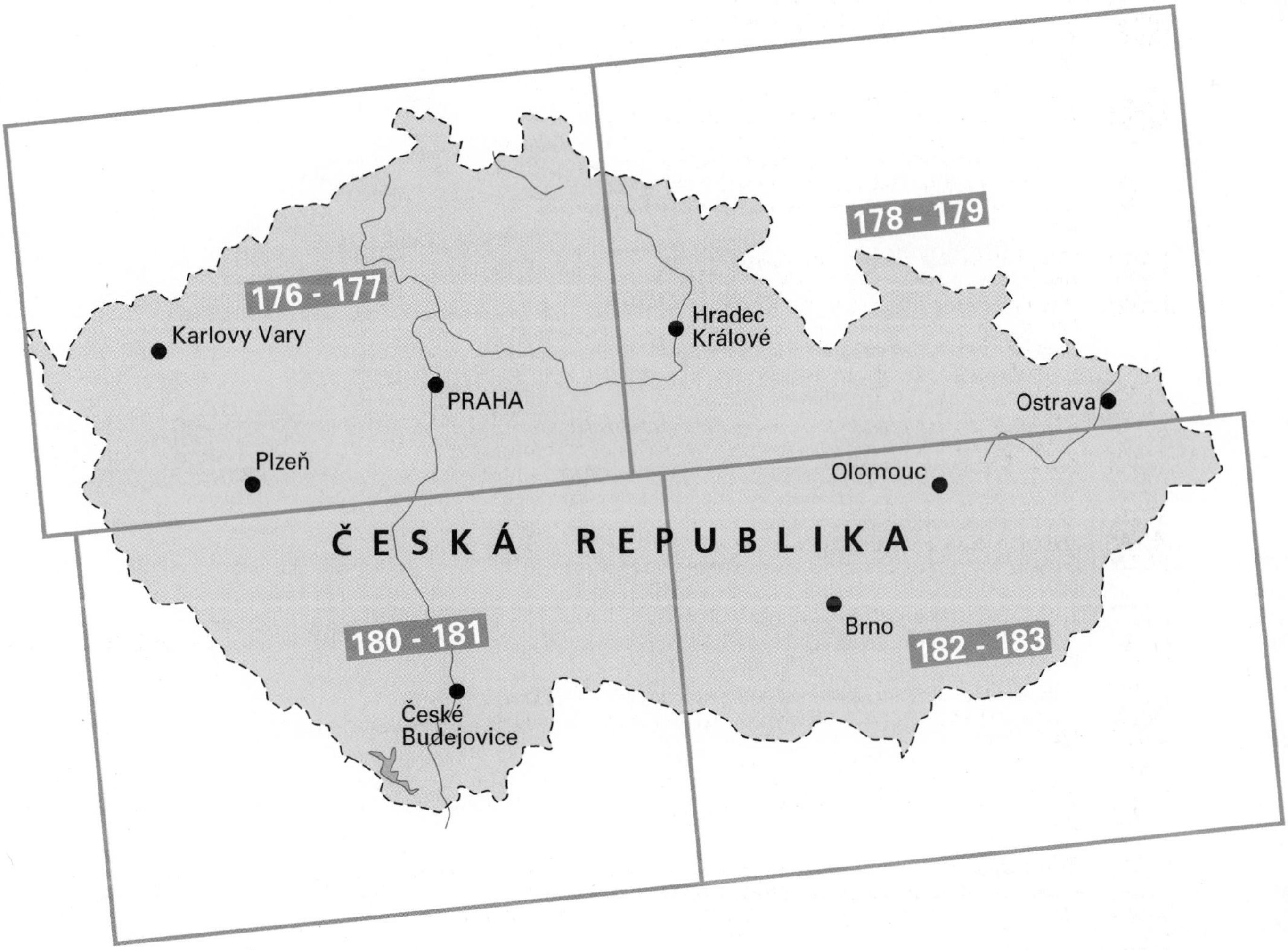
176 - 177
178 - 179
180 - 181
182 - 183
Karlovy Vary
Hradec Králové
PRAHA
Ostrava
Plzeň
Olomouc
ČESKÁ REPUBLIKA
Brno
České Budejovice

0 6 12 18 24 30 km
Chemnitz
Zwickau
Plauen
Gera
Altenburg
Glauchau
Meerane
Crimmitschau
Werdau
Reichenbach
Freiberg
Meißen
Döbeln
Flöha
Zschopau
Marienberg
Annaberg-Buchholz
Schneeberg
Aue
Schwarzenberg
Stollberg
Oelsnitz
Klingenthal
Chomutov
Most
Kadaň
Karlovy Vary
Sokolov
Cheb
Františkovy Lázně
Mariánské Lázně
Tachov
Plzeň
Selb
Marktredwitz
Weiden i.d.Opf.
Krušné hory
Doupovské hory
Slavkovský les
Karlovarský kraj
Plzeňský kraj
Ústecký kraj
Sachsen
Erzgebirge
Klínovec
Fichtelberg
Žatec
Rakovník
Kralovice
Stříbro
Bor
Toužim
Ostrov
Jáchymov
Oberwiesenthal
Freital
Hainichen
Mittweida
Frankenberg
Limbach-Oberfrohna
Hohenstein-Ernstthal
Auerbach
Falkenstein
Greiz
Aš

DRESDEN
Bautzen
Löbau
Pirna
Königstein
Sächsische Schweiz
Děčín
Ústí nad Labem
Teplice
Litoměřice
Česká Lípa
Liberec
Jablonec nad Nisou
Zittau
Turnov
Mladá Boleslav
Mělník
Kladno
Slaný
PRAHA
Staré Město
Beroun
Karlštejn
Kolín
Kutná Hora
Benešov
Příbram
Jičín
Nymburk
Poděbrady
Jizerské hory
Český ráj
LIBERECKÝ KRAJ
STŘEDOČESKÝ KRAJ
E
F
G
H
1
2
3
4
178
181

0 6 12 18 24 30 km
LEGNICA
Jelenia Góra
Szklarska Poręba
Karpacz
Karkonosze
Krkonoše
Sněžka
Špindlerův Mlýn
Wałbrzych
Świdnica
Strzegom
Jawor
Złotoryja
Kamienna Góra
Kowary
Trutnov
Náchod
Kudowa-Zdrój
Duszniki-Zdrój
Kłodzko
Nowa Ruda
Dzierżoniów
Bielawa
Ząbkowice Śląskie
Bystrzyca Kłodzka
Hradec Králové
Pardubice
Chrudim
Jičín
Ústí n. Orlicí
Litomyšl
Lanškroun
Šumperk
Zábřeh
Moravská Třebová
Svitavy
Vysoké Mýto
Rychnov n. Kněžnou
Gory Stołowe
Góry Sowie
KRÁLOVÉHRADECKÝ KRAJ
PARDUBICKÝ KRAJ
OLOMOUCKÝ
182
177

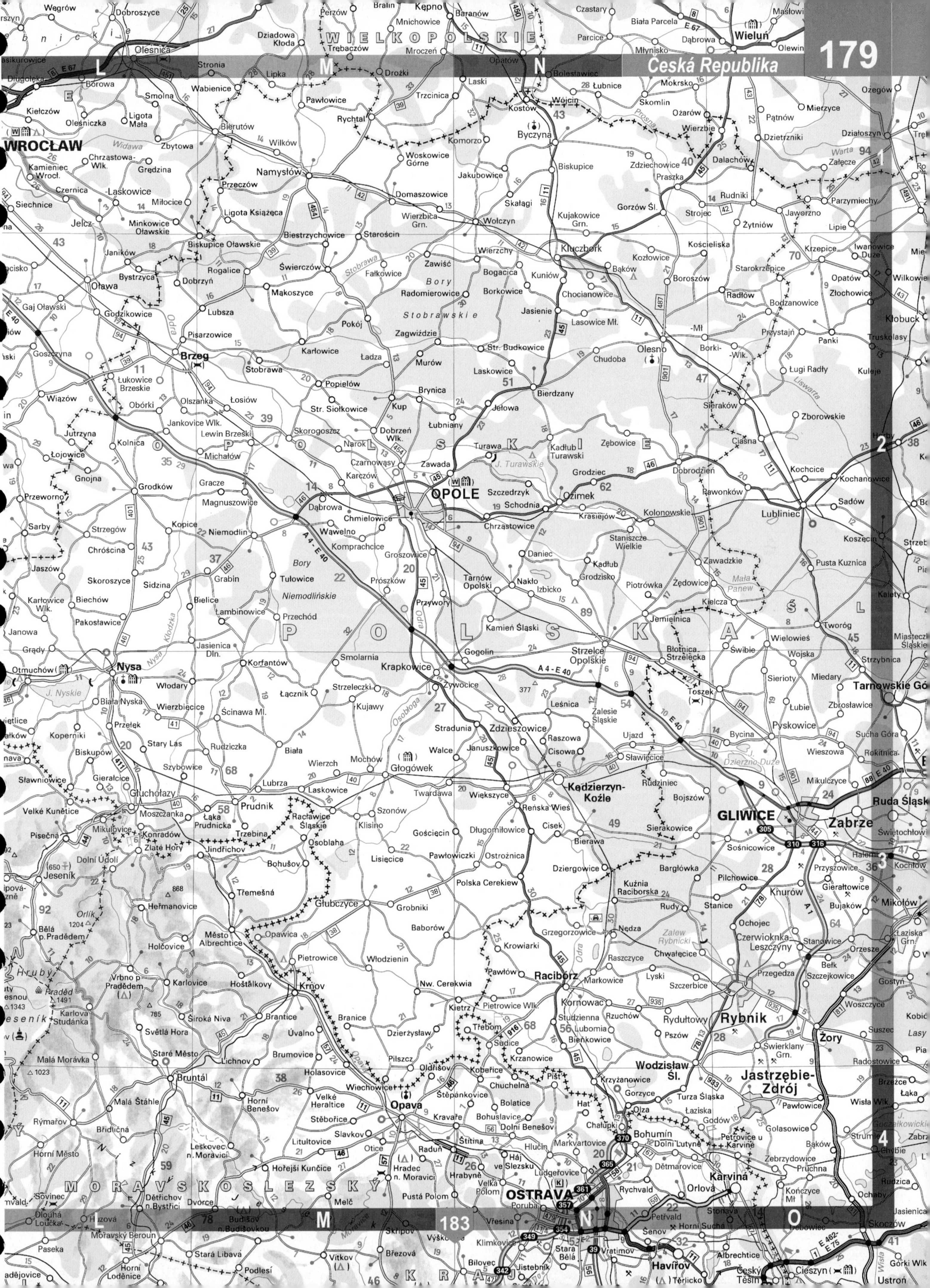
WROCŁAW
Oleśnica
Oława
Brzeg
Namysłów
Kluczbork
Byczyna
Wieluń
Olesno
Opole
Nysa
Prudnik
Głuchołazy
Krapkowice
Strzelce Opolskie
Kędzierzyn-Koźle
Lubliniec
Tarnowskie Góry
Gliwice
Zabrze
Ruda Śląska
Racibórz
Rybnik
Żory
Wodzisław Śl.
Jastrzębie-Zdrój
Opava
Krnov
Jeseník
Bruntál
Ostrava
Bohumín
Karviná
Havířov
Český Těšín
Cieszyn
WIELKOPOLSKIE
OPOLSKIE
ŚLĄSKIE
MORAVSKOSLEZSKÝ
Bory Stobrawskie
Bory Niemodlińskie
183

176
0 6 12 18 24 30 km
Plzeň
Rokycany
Příbram
Přeštice
Klatovy
Domažlice
Horšovský Týn
Stod
Nepomuk
Strakonice
Sušice
Kašperské Hory
Železná Ruda
Vimperk
Volary
Prachatice
Horní Vltavice
Blatná
Horažďovice
Kdyně
Nýrsko
Waidhaus
Vohenstrauß
Tännesberg
Oberviechtach
Waldmünchen
Furth i. Wald
Cham
Roding
Bodenmais
Zwiesel
Regen
Deggendorf
Straubing
Bogen
Plattling
Osterhofen
Vilshofen
Passau
Grafenau
Freyung
Waldkirchen
Hauzenberg
Dingolfing
Landau a. d. Isar
Eggenfelden
Pfarrkirchen
Bad Griesbach i. Rottal
Pocking
Bad Füssing
Schärding
Engelhartszell
Neuhaus
Obernzell
Untergriesbach
Wegscheid
Schwarzenberg a. Böhmerwald
Aigen i. Mühlkr.
Rohrbach i. Ob.
Haslach
Großer Arber
Großer Rachel
Lusen
Dreisesselberg
Plechý
Boubín
Černá hora
Ostrý
Čerchov
Šumava
Bayerischer Wald
Oberpfälzer Wald
Donau
Inn
DEUTSCHLAND
Plzeňský kraj
Jihočeský kraj
Oberösterreich

F
G
H
177
182
I
Benešov
Konopiště
Vlašim
Votice
Sedlčany
Milevsko
Tábor
Kozí Hrádek
Sezimovo Ústí
Planá nad Lužnicí
Pelhřimov
Jihlava
Havlíčkův Brod
Humpolec
Písek
Protivín
Týn nad Vltavou
Soběslav
Veselí nad Lužnicí
Jindřichův Hradec
Telč
Dačice
Slavonice
Třeboň
České Budějovice
Hluboká n. Vltavou
Český Krumlov
Kaplice
Nové Hrady
České Velenice
Gmünd
Weitra
Zwettl
Freistadt
Horní Dvořiště
Rožmberk n. Vltavou
Lipno n. Vltavou
Vyšší Brod
Heidenreichstein
Waidhofen a. d. T.
Horn
Krems a.d.D.
Dürnstein
Langenlois
Schwarzenau
Gföhl
Kamenice nad Lipou
Počátky
Nová Včelnice
Černovice
Pacov
Mladá Vožice
Chotoviny
Bechyně
Lomnice n. Lužnicí
Kardašova Řečice
Suchdol nad Lužnicí
Lišov
Zliv
Netolice
Blanský les
Nebelstein
Novohradské hory
Weinsberger Wald
Gföhlerwald
Kremstal
NIEDERÖSTERREICH
JIHOČESKÝ KRAJ
KRAJ VYSOČINA

0 6 12 18 24 30 km
178
181
J K L
I J K L
4
5
6
7
KRAJ VYSOČINA
JIHOMORAVSKÝ KRAJ
OLOMOUCKÝ KRAJ
ÖSTERREICH
Žďárské vrchy
Moravský Kras
Dolnomoravský úval
Leiserberge
Chrast
Luže
Libecina
Litomyšl
Česká Třebová
Lanškroun
Svébohov
Postřelmov
Harbišín
Oskava
Horní Město
Miřetice
Skuteč
Morašice
Žichlínek
Tatenice
Zábřeh
Leština
Libina
Opatov
Třebařov
Dub
Šumvald
Sovinec
Trhová Kamenice
Horní Bradlo
Proseč
Čistá
Rychnov
Kunčina
Maletín
Dlouhá Loučka
Libice n. Doubravou
Hlinsko
Krouna
Lubná
Javorník
Moravská Třebová
Staré Město
Mohelnice
Úsov
Troubelice
Paseka
Vysočina
Lezník
Svitavy
Uničov
Chotěboř
Ždírec n. Doubravou
Borová
Polička
Pomezí
Hradec n. Svitavou
Městečko Trnávka
Loštice
Moravičany
Mladějovice
Šternberk
Chlum
Svratka
Křižová
Herálec
Telecí
Radiměř
Bílá Lhota
Pňovice
Dolní Krupá
Devět skal
Sněžné
Borovnice
Jedlová
Rohozná
Křenov
Chornice
Bouzov
Litovel
Štěpánov
Česká Bělá
Havlíčkova Borová
Škrdlovice
Jimramov
Bělá nad Svitavou
Luká
Cholina
Náklo
Horka n. Moravou
Bohuňovice
Vepřová
Světnov
Fryšava
Bystré
Brněnec
Jevíčko
Hvozd
Havlíčkův Brod
Polnička
Žďár n. Sázavou
Svojanov
Chlum
Jaroměřice
Náměšť na Hané
Senice na Hané
Olomouc
Přibyslav
Nové Město na Moravě
Dalečín
Rovečné
Velké Opatovice
Konice
Těšetice
Drahanovice
Šlapanov
Sázava
Vír
Křetín
Letovice
Brodek u Konice
Slatinice
Nížkov
Nové Veselí
Hlinné
Olešnice
Rozseč n. Kunštátem
Šebetov
Horní Štěpánov
Přemyslovice
Kostelec na Hané
Lutín
Olšany u Prostějova
Grygov
Bystřice n. Pernštejnem
Štěpánov n. Svratkou
Svitávka
Benešov
Lipová
Ptení
Smržice
Polná
Bohdalov
Ostrov n. Oslavou
Bobrová
Zvole
Dolní Rožínka
Kunštát
Boskovice
Vícov
Plumlov
Mostkovice
Vrbátky
Brodek u Přerova
Dobronín
Radostín nad Oslavou
Pernštejn
Nedvědice
Bedřichov
Protivanov
Prostějov
Dub n. Moravou
Stáj
Moravec
Strážek
Doubravník
Lysice
Němčice
Sloup
Drahany
Bedihošť
Jihlava
Bory
Olší
Černá Hora
Rájec-Jestřebí
Určice
Tovačov
Luka n. Jihlavou
Měřín
Víden
Křižanov
Žďárec
Lomnice
Ostrov u Macochy
Macocha
Myslejovice
Otaslavice
Výšovice
Kamenice
Velké Meziříčí
Osová Bítýška
Dolní Loučky
Tišnov
Blansko
Lipovec
Stříbrná
Studnice
Klenovice na Hané
Kojetín
Kouty
Svatoslav
Lipůvka
Jedovnice
Podomí
Rychtářov
Podivice
Brodek u Prostějova
Němčice nad Hanou
Brtnice
Deblín
Adamov
Nezamyslice
Pustiměř
Čechtín
Tasov
Velká Bíteš
Kuřim
Lelekovice
Křtiny
Račice-Pistovice
Vyškov
Ivanovice na Hané
Zborovice
Kněžice
Budišov
Veverská Bítýška
Bílovice nad Svitavou
Ochoz u Brna
Drnovice
Luleč
Kroměříž
Okříšky
Trnava
Domašov
Červený vrch
Pačlavice
Opatov
Třebíč
Jinošov
Zbraslav
Říčany
BRNO
Mokrá-Horákov
Habrovany
Morkovice-Slížany
Předín
Vladislav
Žebětín
Bystrc
Líšeň
Bohdalice
Zdounky
Stařeč
Vodní n. Dalešice
Náměšť n. Oslavou
Zastávka
Pozořice
Rousínov
Hvězdlice
Rokytnice n. Rokytnou
Kralice n. Oslavou
Rosice
Letonice
Litenčice
Kasárna
Lipník
Třebenice
Zbýšov
Střelice
Šlapanice
Slavkov u Brna
Nesovice
Říše
Želetava
Kramolín
Oslavany
Neslovice
Modřice
Tuřany
Mohyla míru
Bučovice
Šebkovice
Myslibořice
Dalešice
Mohelno
Ivančice
Ořechov
Křenovice
Střílky
Budeč
Hrotovice
Jihlava
Syrovice
Rajhrad
Sokolnice
Újezd u Brna
Otnice
Nížkovice
Koryčany
Jaroměřice n. Rokytnou
Rouchovany
Polánka
Mělčany
Litohoř
Moravské Budějovice
Tavíkovice
Moravský Krumlov
Dolní Kounice
Blučina
Moutnice
Ždánice
Lovčice
Boršice u Buchlovic
Tulešice
Jezeřany-Maršovice
Hrušovany u Brna
Židlochovice
Dambořice
Osvětimany
Nové Syrovice
Hostim
Rozkoš
Vémyslice
Žarošice
Bohuslavice
Nedakonice
Ježov
Polešovice
Dešov
Blížkovice
Jevišovice
Petrovice
Olbramovice
Velké Němčice
Šitbořice
Kyjov
Žeravice
Domanín
Radotice
Višňové
Pohořelice
Klobouky
Krumvíř
Svatobořice-Mistřín
Vracov
Pavlice
Vranovská Ves
Mikulovice
Vranovice
Šardice
Bzenec
Vysočany
Bítov
Hluboké Mašůvky
Hostěradice
Branišovice
Nová Ves
Hustopeče
Kobylí
Čejč
Hovorany
Milotice
Vacenovice
Cornštejn
Šumná
Miroslav
Vlasatice
Pasohlávky
Bořetice
Podhradí nad Dyjí
Vranov nad Dyjí
Únanov
Prosiměřice
V. n. Nové Mlýny
Strachotín
Čejkovice
Ratíškovice
Šafov
Lukov
Suchohrdly
Litobratřice
Šakvice
Velké Pavlovice
Mutěnice
Dubňany
Rohatec
Strážnice
Riegersburg
Hardegg
Znojmo
Lechovice
Břežany
Drnholec
Dolní Dunajovice
Děvčí Hrady
Pavlovské vrchy
Zaječí
Dolní Bojanovice
Sudoměřice
Langau
Hodonice
Božice
Sirotčí Hrádek
Milovice
Rakvice
Velké Bílovice
Hodonín
Skalica
Geras
Niederfladnitz
Šatov
Hrušovany n. Jevišovkou
Podivín
Prušánky
Lužice
Mikulov
Hrušky
Holíč
Weitersfeld
Mitterretzbach
Strachotice
Nový Přerov
Březí
Lednice
Moravská Nová Ves
Kopčany
Hatě
Hrádek
Wildendürnbach
Ottenthal
Břeclav
Tvrdonice
Radošovce
Retz
Kleinhaugsdorf
Jaroslavice
Hevlín
Drasenhofen
Valtice
Sallapulka
Laa a. d. Thaya
Pulkau
Jetzelsdorf
Hadres
Neudorf b. Staatz
Schrattenberg
Reinthal
Lanžhot
Petrova Ves
Mödring
Horn
Rodingersdorf
Watzelsdorf
Zwingendorf
Staatz
Poysdorf
Gbely
Dojč
Senica
Eggenburg
Roseldorf
Guntersdorf
Stronsdorf
Unterstinkenbrunn
Bernhardsthal
Altlichtenwarth
Brodské
Štefanov
Harmannsdorf
Nappersdorf
Wullersdorf
Eichenbrunn
Hörersdorf
Großkrut
Kúty
Stráže
Šaštín-Stráže
Limberg
Schöngrabern
Kleinstetteldorf
Enzersdorf i. Thale
Hohenau
Borský Mikuláš
Gars a. Kamp
Maissau
Sitzendorf
Asparn
Wilfersdorf
Prinzendorf
Borský Svätý Jur
Hollabrunn
Buschberg
Mistelbach
Dobermannsdorf
Moravský Ján
Lakšárska Nová Ves
Mühlbach a. Manhartsberg
Oberfellabrunn
Merkersdorf
Porrau
Schönberg
Ziersdorf
Ladendorf
Zistersdorf
Závod
Hohenwarth
Göllersdorf
Ernstbrunn
Schrick
Studienka
Plavecký Mikuláš
Straß i. Straßertal
Großriedenthal
Großweikersdorf
Großmugl
Niederkreuzstetten
Niedersulz
Dürnkrut
Veľké Leváre
Hadersdorf a. Kamp
Kirchberg a. Wagram
Niederrußbach
Niederfellabrunn
Karnabrunn
Gaweinstal
Fels
Hetzmannsdorf
Spannberg
Gajary
Rohožník
Sološnica
Krems a.d.D.
Sierndorf
Leitzersdorf
Bad Pirawarth
Grafenwörth
Kollersdorf
Absdorf
Rückersdorf-Harmannsdorf
Malacky
Jakubov
Vysoká
Gaisruck
Zissersdorf
Stockerau
Leobendorf
Manhartsbrunn
Kuchyňa
Neuaigen
Traismauer
Wolkersdorf
Prottes
Angern
Záhorská
Plavecký Štvrtok
Častá
Svratka
Svitava
Jihlava
Dyje
Thaya
Morava
Pulkau
Zaya
Rudava
Schmida

179
OSTRAVA
Bohumín
Karviná
Havířov
Frýdek-Místek
Třinec
Český Těšín
Cieszyn
BIELSKO-BIAŁA
Skoczów
Ustroń
Wisła
Szczyrk
Hradec n. Moravicí
Hlučín
Bílovec
Studénka
Fulnek
Odry
Vítkov
Budišov n. Budišovkou
Moravský Beroun
Město Libavá
Hrubá Voda
Velká Bystřice
Suchdol n. Odrou
Kopřivnice
Příbor
Nový Jičín
Štramberk
Frenštát p. Radhoštěm
Frýdlant n. Ostravicí
Lysá hora
Jablunkov
Hranice
Lipník n. Bečvou
Teplice n. Bečvou
Přerov
Valašské Meziříčí
Rožnov p. Radhoštěm
Horní Bečva
Beskydy
Moravskoslezské Beskydy
Vsetín
Bystřice p. Hostýnem
Holešov
Hostýnské vrchy
Vsetínské vrchy
Karolinka
Velké Karlovice
Veľký Javorník
Zlín
Otrokovice
Kroměříž
Napajedla
Vizovice
Zlínský kraj
Luhačovice
Uherské Hradiště
Uherský Brod
Bojkovice
Valašské Klobouky
Horní Lideč
Lysá p. Makytou
Púchov
Považská Bystrica
Čadca
Žilina
Kysucké Nové Mesto
Bytča
Rajec
Rajecké Teplice
Martin
Terchová
Vrútky
Malá Fatra
Veľká Fatra
Javorníky
Ilava
Dubnica n. Váhom
Nová Dubnica
Trenčín
Trenčianske Teplice
Strážov
Strážovské vrchy
Bielé Karpaty
Veľká Javorina
Nové Mesto n. Váhom
Myjava
Stará Turá
Čachtice
Piešťany
Vrbové
Hlohovec
Topoľčany
Bánovce n. Bebravou
Partizánske
Prievidza
Bojnice
Handlová
Nováky
Kremnica
Žiar n. Hronom
Žarnovica
Nová Baňa
Banská Štiavnica
Zlaté Moravce
Malé Karpaty
Považský Inovec
Tribeč
Vtáčnik
Kysihýbel
Veselí n. Moravou
Strážnice
Chropyně
Hulín
Fryšták
Slušovice
Brumov-Bylnice
Turzovka
Kolárovice
Bojnice
Nitrianske Pravno
Turčianske Teplice
Kľak
Magura

Statdpläne

Straßen

Autobahn - Schnellstraße
Hauptverkehrsstraße
Pasteur — Einkaufsstraße - Einbahnstraße
Gesperrte Straße, mit Verkehrsbeschänkungen
Fußgängerzone
Parkplatz - Parkhaus, Tiefgarage
Park-and-Ride-Plätze
B F — Bewegliche Brücke - Autofähre

Sehenswürdigkeiten

Sehenswertes Gebäude
Sehenswerter Sakralbau

Sonstige Zeichen

Informationsstelle - Krankenhaus
Bahnhof und Bahnlinie
Flughafen - Autobusbahnhof
U-Bahnstation, unterirdischer S-Bahnhof
Öffentliches Gebäude, durch einen Buchstaben gekennzeichnet :
H R J — Rathaus - Gerichtsgebäude
L — Sitz der Landesregierung
P — Provinzregierung - Kantonale Verwaltung
M T — Museum - Theater
U — Universität, Hochschule
POL — Polizei (in größeren Städten Polizeipräsidium)
G — Gendarmerie
Hauptpostamt
ADAC — Automobilclub

Plattegronden

Wegen

Autosnelweg - Weg met gescheiden rijbanen
Hoofdverkeersweg
Pasteur — Winkelstraat - Eenrichtingsverkeer
Onbegaanbare straat, beperkt toegankelijk
Voetgangersgebied
Parkeerplaats
Parkeer en Reis
B F — Beweegbare brug - Auto-veerpont

Bezienswaardigheden

Interessant gebouw
Interessant kerkelijk gebouw

Overige tekens

Informatie voor toeristen - Ziekenhuis
Station spoorweg
Luchthaven - Busstation
Metrostation
Openbaar gebouw, aangegeven met een letter :
H R J — Stadhuis - Gerechtshof
L — Provinciehuis
P — Provinciehuis - Prefectuur
M T — Museum - Schouwburg
U — Universiteit, hogeschool
POL — Politie (in grote steden, hoofdbureau)
G — Marechaussee/rijkswacht
Hoofdkantoor
ADAC — Automobielclub

Town plans

Roads

Motorway - Dual carriageway
Major thoroughfare
Pasteur — Shopping street - One-way street
Unsuitable for traffic, street subject to restrictions
Pedestrian street
Car Park -Covered parking
Park and Ride
B F — Lever bridge - Car ferry

Sights

Place of interest
Interesting place of worship

Various signs

Tourist Information Centre - Hospital
Station and railway
Airport - Coach station
Underground station, S-Bahn station underground
Public buildings located by letter :
H R J — Town Hall - Law Courts
L — Provincial Government Office
P — Provincial Government Office - Offices of cantonal authorities
M T — Museum - Theatre
U — University, College
POL — Police (in large towns police headquarters)
G — Gendarmerie
Post office
ADAC — Automobile Club

Les plans

Voirie

Autoroute - Routes à chaussées séparées
Grande voie de circulation
Pasteur — Rue commerçante - Sens unique
Rue réglementée ou impraticable
Rue piétonne
Parking - Parking couvert
Parking Relais
B F — Pont mobile - Bac pour autos

Curiosités

Bâtiment intéressant
Édifice religieux intéressant

Signes divers

Information touristique - Hôpital
Gare et voie ferrée
Aéroport - Gare routière
Station de métro
Bâtiment public repéré par une lettre :
H R J — Hôtel de ville - Palais de justice
L — Conseil provincial
P — Gouvernement provincial - Prefecture
M T — Musée - Théâtre
U — Université, grande école
POL — Police (commissariat central)
G — Gendarmerie
Bureau de poste
ADAC — Automobile Club

Le piante

Viabilità

Autostrada - Strada a carreggiate separate
Grande via di circolazione
Pasteur — Via commerciale - Senso unico
Via impraticabile, a circolazione regolamentata
Via pedonale
Parcheggio - Parcheggio coperto
Parcheggio Ristoro
B F — Ponte mobile - Traghetto per auto

Curiosità

Edificio interessante
Costruzione religiosa interessante

Simboli vari

Ufficio informazioni turistiche - Ospedale
Stazione e ferrovia
Aeroporto - Stazione di autobus
Stazione della Metropolitana, stazione sotterranea
Edificio pubblico indicato con lettera :
H R J — Municipio - Palazzo di Giustizia
L — Sede del Governo della Provincia
P — Sede del Governo della Provincia - Prefettura
M T — Museo - Teatro
U — Università
POL — Polizia (Questura, nelle grandi città)
G — Carabinieri
Ufficio postale
ADAC — Automobile Club

Planos

Vías de circulación

Autopista - Autovía
Vía importante de circulacíon
Pasteur — Calle comercial - Sentido único
Calle impracticable, de uso restringido
Calle peatonal
Aparcamiento - Aparcamiento cubierto
Aparcamientos «P+R»
B F — Puente móvil - Barcaza para coches

Curiosidades

Edificio interesante
Edificio religioso interesante

Signos diversos

Oficina de información de Turismo - Hospital
Estación y linea férrea
Aeropuerto - Estación de autobuses
Boca de metro
Edificio público localizado con letra :
H R J — Ayuntamiento - Palacio de Justicia
L — Gobierno provincial
P — Gobierno provincial - Gobierno cantonal
M T — Museo - Teatro
U — Universidad, Escuela Superior
POL — Policía (en las grandes ciudades : Jefatura)
G — Policía Nacional
Oficina de correos
ADAC — Automóvil Club

A B C D E F G H I J K L M N O P Q R S T U V W X Y Z

Page number / Numéro de page / Seitenzahl
Paginanummer / Numero di pagina / Número de página

Place / Localité / Ort
Plaatsen / Località / Localidad
→ Ahlefeld ....8 C 13 ←
Grid coordinates / Coordonnées de carroyage
Koordinatenangabe / Verwijstekens ruitsysteem
Coordinate riferite alla quadrettatura
Coordenadas en los mapas

A

Aa 46 K 3
Aabach Stausee 50 L 10
Aach (Bach) 102 W 11
Aach (Kreis Freudenstadt) 93 U 9
Aach (Kreis Kempten) 111 X 13
Aach
(Kreis Trier-Saarburg) 80 Q 3
Aach (Hegau) 101 W 10
Aach-Linz 102 W 11
Aachen 58 N 2
Aachquelle 101 W 10
Aalbach 85 Q 13
Aalen 95 T 14
Aar 73 O 8
Aarbergen 73 P 8
Aasbüttel 8 D 12
Aasen 101 W 9
Abbehausen 18 F 9
Abbehauser Hörne 18 F 9
Abbendorf (Kreis Prignitz) 32 H 19
Abbendorf
(Kreis Rotenburg) 29 G 12
Abbendorf (Kreis Westliche
Altmark) 31 H 16
Abbenfleth 19 E 12
Abbenrode
(Kreis Wernigerode) 41 K 15
Abbenrode
(Kreis Wolfenbüttel) 41 J 16
Abbensen
(Kreis Hannover) 30 I 12
Abbensen (Kreis Peine) 40 I 14
Abbenseth 18 F 11
Abberode 53 L 17
Abbesbüttel 41 I 15
Abenberg 87 S 16
Abenden 58 N 3
Abenheim 83 Q 8
Abens 97 U 19
Abensberg 97 T 19
Abentheuer 81 R 5
Abersfeld 76 P 15
Ablach 102 V 11
Ablaß 55 M 22
Absberg 96 S 16
Abstatt 94 S 11
Abterode 52 M 13
Abtsberg 65 M 16
Abtsbessingen 52 M 16
Abtschlag 99 T 23
Abtsdorf 106 W 22
Abtsdorfer See 106 W 22
Abtsgmünd 95 T 13
Abtshagen 13 D 23
Abtsroda 75 O 13
Abtsteinach 84 R 10
Abtswind 86 Q 15
Abtweiler 81 Q 6
Abwinkl 113 W 19
Accum 17 F 8
Achberg 110 X 13
Achdorf 101 W 9
Achenbach 61 N 7
Achenmühle 105 W 20
Acher 92 U 8
Achering 105 U 19
Achern 92 U 8
Achim (Kreis Verden) 29 G 11
Achim
(Kreis Wolfenbüttel) 41 J 15
Achmer 37 I 7
Achsheim 104 U 16
Achslach 91 T 22
Achstetten 103 V 13
Achtel 87 R 18
Achterberg 30 H 13
Achternmeer 27 G 8
Achterwasser 15 D 25
Achterwehr 9 D 13
Achtrup 4 B 11
Achtum 40 J 14
Ackendorf 42 J 18
Ackenhausen 40 K 14
Adamshoffnung 23 F 21
Addrup 27 H 8
Adelberg 94 T 12
Adelebsen 51 L 13
Adelhausen
(Kreis Hildburghausen) 76 O 16
Adelhausen (Kreis Lörrach) 108 X 7
Adelheide 29 G 9
Adelheidsdorf 30 I 14
Adelmannsfelden 95 T 14
Adelschlag 96 T 17
Adelsdorf 87 Q 16
Adelsheim 85 R 12
Adelshofen (Kreis Ansbach) 86 R 14
Adelshofen
(Rhein-Neckar-Kreis) 84 S 10
Adelsried 104 U 16
Adelwitz 55 L 23
Adelzhausen 104 U 17
Adenau 71 O 4
Adenbüttel 40 I 17
Adendorf 20 G 15
Adensen 40 J 13
Adenstedt
(Kreis Hildesheim) 40 J 13
Adenstedt (Kreis Peine) 40 J 14
Adersbach 84 S 10
Adersheim 40 J 15
Adersleben 41 K 17
Aderstedt (Kreis Bernburg) 54 K 19
Aderstedt
(Kreis Halberstadt) 41 J 16
Adertshausen 88 S 19
Adlhausen 97 T 20
Adlholz 88 R 19
Adlkofen 97 U 20
Adlum 40 J 14
Admannshagen 11 D 20
Adolzfurt 85 S 12
Adolzhausen 85 R 13
Adorf (Kreis Emsland) 26 I 5
Adorf (Kreis
Waldeck-Frankenberg) 50 L 10
Adorf (Vogtlandkreis) 79 P 20
Adorf (Erzgebirge) 67 N 22
Adrazhofen 103 W 14
Aebtissinwisch 7 E 11
Aegidienberg 60 O 5
Aengenesch 46 L 3
Äpfingen 102 V 13
Aerzen 39 J 11
Affalter 67 O 22
Affalterbach 94 T 11
Affaltern 96 U 16
Affecking 97 T 19
Affeln 49 M 7
Afferde 39 J 12
Affing 104 U 16
Affinghausen 29 H 10
Affoldern 63 M 11
Affolterbach 84 R 10
Aftersteg 100 W 7
Aga 66 N 20
Agathenburg 19 F 12
Agawang 104 U 16
Agenbach 93 T 9
Agger 59 N 6
Agger-Stausee 61 M 6
Aglasterhausen 84 R 10
Agterhorn 26 I 4
Aham 98 U 21
Ahaus 36 J 5
Ahausen (Bodenseekreis) 110 W 11
Ahausen (Kreis Rotenburg) 29 G 11
Ahden 50 L 9
Ahe 58 N 3
Ahlbeck (Kreis
Ostvorpommern) 15 E 26
Ahlbeck (Kreis
Uecker-Randow) 25 E 26
Ahlde 36 I 5
Ahlden 30 H 12
Ahlefeld 8 C 13
Ahlem 40 I 12
Ahlen (Kreis Biberach) 102 V 12
Ahlen (Kreis Emsland) 26 H 5
Ahlen (Kreis Warendorf) 49 K 7
Ahlen-Falkenberg 18 E 10
Ahlenmoor 18 E 10
Ahlerstedt 19 F 12
Ahlhorn 27 H 8
Ahlintel 37 J 6
Ahlsburg 51 K 13
Ahlsdorf (Kreis Elbe-Elster) 55 K 23
Ahlsdorf (Kreis
Mansfelder Land) 53 L 18
Ahlshausen 52 K 13
Ahlstadt 77 O 16
Ahlten 40 I 13
Ahlum (Altmarkkreis
Salzwedel) 31 H 17
Ahlum (Kreis Wolfenbüttel) 41 J 15
Ahmsen 27 H 6
Ahnatal 51 L 12
Ahndorf 31 G 16
Ahneby 5 B 13
Ahnsbeck 30 I 14
Ahnsen 40 I 15
Aholfing 90 T 21
Aholming 98 T 22
Ahorn (Kreis Coburg) 77 P 16
Ahorn
(Main-Tauber-Kreis) 85 R 12
Ahornberg 78 P 19
Ahorntal 87 Q 18
Ahr 71 O 4
Ahrbergen 40 J 13
Ahrbrück 60 O 4
Ahrem 59 N 4
Ahrensberg 24 G 23
Ahrensbök 9 D 15
Ahrensburg 20 E 14
Ahrensdorf
(b. Ludwigsfelde) 44 J 23
Ahrensdorf (b. Oldenburg) 27 G 7
Ahrensdorf (b. Trebbin) 44 J 23
Ahrensdorf
(Kreis Oder-Spree) 45 J 26
Ahrensfelde 34 I 24
Ahrenshagen 11 D 21
Ahrenshöft 4 C 11
Ahrenshoop 11 C 21
Ahrensmoor 19 F 12
Ahrenswohlde 19 F 12
Ahrenviöl 5 C 11
Ahrenviölfeld 5 C 11
Ahrhütte 70 O 4
Ahrweiler 60 O 5
Aich (Kreis Ansbach) 87 S 16
Aich (Kreis Esslingen) 94 U 11
Aich (Kreis Freising) 105 U 19
Aich (Kreis Landshut) 106 U 21
Aicha 99 T 23
Aicha v. Wald 98 T 23
Aichach 104 U 17
Aichelau 102 V 12
Aichelberg (Kreis Calw) 93 T 9
Aichelberg
(Kreis Göppingen) 94 U 12
Aichhalden (Kreis Calw) 93 U 9
Aichhalden
(Kreis Rottweil) 101 V 9
Aichschieß 94 T 12
Aichstetten 103 W 14
Aichtal 94 U 11
Aidenbach 98 U 23
Aidhausen 76 P 15
Aidlingen 93 T 10
Aigen 107 V 23
Aiglsbach 97 T 19
Aiglsham 106 W 21
Ailertchen 61 O 7
Ailingen 110 W 12
Ailringen 85 R 13
Ainbrach 98 T 22
Aindling 96 U 16
Ainhofen 104 U 18
Ainring 106 W 22
Aisch 86 R 15
Aising 105 W 20
Aislingen 95 U 15
Aistaig 101 V 9
Aiterach 98 T 21
Aiterhofen 98 T 21
Aitrach 103 W 14
Aitrang 103 W 15
Aitzendorf 67 M 22
Aixheim 101 V 10
Aken 54 K 20
Alach 65 N 16
Aland 32 H 19
Alb (Fluß b. Feldberg) 100 W 8
Alb (Fluß b. Karlsruhe) 93 T 9
Albaching 105 V 20
Albachten 37 K 6
Albaum 61 M 8
Albaxen 51 K 12
Albbruck 108 X 8
Albeck 95 U 14
Albernau 67 O 21
Albersdorf
(Kreis Dithmarschen) 7 D 11
Albersdorf
(Saale-Holzland-Kreis) 66 N 19
Albershausen 94 T 12
Albersloh 37 K 7
Albersroda 54 M 19
Alberstedt 53 L 18
Albersweiler 83 S 8
Albertinenhof 21 F 17
Albertsdorf 10 C 17
Albertshausen 76 P 13
Albertshofen 86 Q 14
Alberzell 104 U 18
Albig 83 Q 8
Albisheim 83 R 8
Albrechts 64 O 15
Albrechtshain 55 M 21
Albringhausen 29 H 10
Albshausen 62 N 10
Albstadt
(Kreis Aschaffenburg) 75 P 11
Albstadt
(Zollernalbkreis) 101 V 11
Albstausee 108 W 8
Albstedt 18 G 10
Albtal 108 W 8
Albuch 95 T 13
Alburg 98 T 21
Alchen 61 N 7
Aldekerk 46 L 3
Aldenhoven 58 N 2
Aldenrade 47 L 4
Aldersbach 98 U 23
Aldingen 101 V 10
Aldingen am Neckar 94 T 11
Aldorf 28 H 9
Alendorf 70 O 3
Alerheim 95 T 15
Alertshausen 62 M 9
Alesheim 96 S 16
Aletshausen 103 V 15
Alexisbad 53 L 17
Alf 71 P 5
Alfdorf 94 T 13
Alfeld
(Kreis Hildesheim) 40 K 13
Alfeld (Kreis
Nürnberger Land) 87 R 18
Alfen 50 L 10
Alferde 40 J 13
Alfershausen 96 S 17
Alfhausen 37 I 7
Alflen 71 P 5
Alfsee 37 I 7
Alfstedt (Kreis Cuxhaven) 18 F 10
Alfstedt (Kreis Rotenburg) 18 F 11
Alfter 59 N 5
Algenrodt 81 Q 5
Algenstedt 32 I 18
Algermissen 40 J 13
Algersdorf 87 R 18
Alhausen 51 K 11
Alheim 63 M 12
Aligse 40 I 13
Alitzheim 76 Q 14
Aljarn 31 G 15
Alken 71 P 6
Alkersleben 65 N 17
Alkersum 4 B 9
Alladorf 77 Q 18
Allagen 50 L 8
Allenbach (Kreis Birkenfeld) 81 Q 5
Allenbach (Kreis
Siegen-Wittgenstein) 61 N 8
Allenbostel 31 G 15
Allendorf (b. Greifenstein) 62 O 8
Allendorf (b. Haiger) 61 N 8
Allendorf (Kreis
Hersfeld-Rotenburg) 63 N 12
Allendorf (Kreis
Limburg-Weilburg) 61 O 8
Allendorf (Kreis
Saalfeld-Rodolstadt) 65 O 17
Allendorf
(Schwalm-Eder-Kreis) 63 N 11
Allendorf (Eder) 62 M 10
Allendorf (Lumda) 62 N 10
Allendorf (Sauerland) 49 M 7
Allensbach 110 W 11
Aller 41 J 17
Allerheiligen 92 U 8
Allerheiligen Wasserfälle 92 U 8
Allerhoop 30 I 13
Alleringhausen 50 M 10
Allerkanal 41 I 17
Allermöhe 20 F 14
Allersberg 87 S 17
Allersburg 88 S 19
Allersdorf 91 S 22
Allersehl 31 H 15
Allershausen 105 U 18
Allersheim 85 R 13
Allerstorf 11 D 21
Alleshausen 102 V 12
Alletsried 89 S 21
Allfeld 85 S 11
Allgäuer Alpen 111 Y 14
Alling (Kreis München) 104 V 17
Alling (Kreis Regensburg) 90 T 19
Allmannsdorf 110 W 11
Allmannsweier 100 U 7
Allmannsweiler 102 V 12
Allmendingen 102 V 13
Allmenhausen 52 M 16
Allmersbach i. Tal 94 T 12
Allmuthshausen 63 N 12
Allrath 58 M 3
Allrode 53 K 16
Allstedt 53 L 18
Alme 50 L 9
Almena 39 J 11
Almersbach 61 N 6
Almerswind 77 O 17
Almke 41 I 16
Almstedt 40 J 13
Alpen 46 L 3
Alpenrod 61 O 7
Alpersbach 100 W 8
Alperstedt 65 M 17
Alpirsbach 101 U 9
Alpsee (b. Füssen) 112 X 16
Alpsee (b. Immenstadt) 111 X 14
Alsbach 73 O 6
Alsbach-Hähnlein 84 Q 9
Alsberg 75 P 12
Alsdorf (Kreis Aachen) 58 N 2
Alsdorf (Kreis Altenkirchen) 61 N 7
Alse 18 F 9
Alsenborn 83 R 7
Alsenbrück-Langmeil 83 R 7
Alsenz 83 Q 7
Alsfeld 63 N 11
Alsheim 84 Q 9
Alsleben 76 P 15
Alsleben (Saale) 54 K 19
Alsmoos 96 U 17
Alst (Kreis Steinfurt) 36 J 5
Alst (Kreis Warendorf) 37 K 7
Alstätte 36 J 4
Alstedde 37 J 7
Alster 20 E 14
Alswede 38 I 9
Alsweiler 81 R 5
Alt Barenaue 37 I 8
Alt Bennebek 8 C 12
Alt Bork 43 J 22
Alt Brenz 22 F 19
Alt Bukow 10 E 18
Alt Duvenstedt 8 C 12
Alt Gaarz 23 F 21
Alt Garge 21 G 16
Alt Golm 45 J 26
Alt-Käbelich 24 F 24
Alt Kätwin 11 E 20
Alt Kaliß 32 G 17
Alt Krenzlin 21 G 17
Alt Madlitz 45 I 26
Alt Meteln 21 E 18
Alt Mölln 21 F 15
Alt Pannekow 14 E 22
Alt-Plestlin 14 E 23
Alt Reddewitz 13 D 25
Alt Rehse 24 F 23
Alt Ruppin 33 H 22
Alt Sammit 23 F 20
Alt Schadow 44 J 25
Alt Schönau 24 F 22
Alt Schwerin 23 F 21
Alt Stahnsdorf 44 J 25
Alt Sührkow 23 E 21
Alt Tellin 24 E 23
Alt-Teterin 24 E 24
Alt Tucheband 35 I 27
Alt Wallmoden 40 J 14
Alt Zauche 45 K 26
Alt Zeschdorf 45 I 27
Altastenberg 50 M 9
Altbach 94 T 12
Altbensdorf 43 I 21
Altbülk 9 C 14
Altburg 93 T 10
Altburlage 27 G 6
Altdahn 83 S 7
Altdöbern 56 L 26
Altdorf (Kreis Böblingen) 93 U 10
Altdorf (Kreis Eichstätt) 96 T 17
Altdorf (Kreis Landshut) 97 U 20
Altdorf (Kreis
Südliche Weinstraße) 83 S 8
Altdorf (Ortenaukreis) 100 V 7
Altdorf b. Nürnberg 87 R 18
Altdorfer Wald 102 W 12
Altdürnbuch 97 T 19
Alte Elde 32 G 18
Alte Jäglitz 33 H 21
Alte Oder 35 I 26
Alte Piccardie 26 I 5
Alte Salzstraße 21 F 15
Alte Sorge 7 C 12
Alteburg 73 Q 6
Altefähr 13 D 23
Alteglofsheim 97 T 20
Alten-Buseck 62 O 10
Altena 49 M 7
Altenahr 60 O 4
Altenau (Bach) 50 L 10
Altenau
(Kreis Elbe-Elster) 55 L 23
Altenau (Kreis Garmisch-
Partenkirchen) 112 X 17
Altenau Bergstadt 52 K 15
Altenbach
(Muldentalkreis) 55 L 22
Altenbach
(Rhein-Neckar-Kreis) 84 R 10
Altenbanz 77 P 16
Altenbeken 50 K 10
Altenberg (Kreis
Dillingen a. d. Donau) 95 U 14
Altenberg (Rheinisch-
Bergischer Kreis) 59 M 5
Altenberg (Weißeritzkreis) 68 N 25
Altenberga 65 N 18
Altenberge (Kreis Emsland) 26 H 5
Altenberge
(Kreis Steinfurt) 37 J 6
Altenbergen 51 K 11
Altenbögge 49 L 7
Altenboitzen 30 H 12
Altenbrak 53 K 16
Altenbruch 18 E 10

A B C D E F G H I J K L M N O P Q R S T U V W X Y Z

Altenbuch *(Kreis Dingolfing-Landau)* 98 T 22
Altenbuch *(Kreis Miltenberg)* 85 Q 12
Altenbüren 50 L 9
Altenburg *(Kreis Altenburger Land)* 66 N 21
Altenburg *(Kreis Bernburg)* 54 K 19
Altenburg *(Kreis Waldshut)* 109 X 9
Altenburg *(Vogelsbergkreis)* 63 N 11
Altencelle 30 I 14
Altendambach 64 O 16
Altendiez 73 O 7
Altendorf *(Kreis Bamberg)* 87 Q 17
Altendorf *(Kreis Gifhorn)* 31 I 16
Altendorf *(Kreis Kassel)* 51 M 11
Altendorf *(Kreis Neustadt a. d. Waldnaab)* 88 Q 19
Altendorf *(Kreis Schwandorf)* 89 R 20
Altendorf *(Rhein-Sieg-Kreis)* 60 O 5
Altenerding 105 V 19
Altenesch 29 G 9
Altenessen *(Essen)* 47 L 5
Altenfeld 50 M 9
Altenfeld *(Ilm-Kreis)* 65 O 16
Altenfurt 87 R 17
Altengamme 20 F 14
Altengesees 65 O 18
Altengeseke 50 L 8
Altenglan 81 R 6
Altengottern 64 M 15
Altengroden 17 F 8
Altengronau 75 P 12
Altenhagen *(Kreis Bad Doberan)* 11 D 19
Altenhagen *(Kreis Bielefeld)* 38 J 9
Altenhagen *(Kreis Demmin)* 24 E 23
Altenhagen *(Kreis Hameln-Pyrmont)* 39 J 12
Altenhagen *(Kreis Nordvorpommern)* 12 D 22
Altenhain 55 M 22
Altenhain 63 O 11
Altenhaßlau 75 P 11
Altenhasungen 51 L 11
Altenhausen 41 J 17
Altenheerse 50 L 11
Altenheim 92 U 7
Altenhellefeld 49 M 8
Altenhof 61 N 7
Altenhof *(Kreis Barnim)* 34 H 25
Altenhof *(Kreis Müritz)* 23 F 21
Altenhof *(Kreis Rendsburg-Eckernförde)* 5 C 13
Altenhohenau 105 V 20
Altenholz 9 C 14
Altenhundem 61 M 8
Altenilpe 50 M 8
Altenkattbek 8 D 13
Altenkirchen 13 C 24
Altenkirchen *(b. Herborn)* 62 N 9
Altenkirchen *(b. Weilburg)* 74 O 9
Altenkirchen *(Kreis Kusel)* 81 R 5
Altenkirchen i. Westerwald 61 N 6
Altenkleusheim 61 M 7
Altenklitsche 42 I 20
Altenkreith 89 S 21
Altenkrempe 9 D 16
Altenkunstadt 77 P 17
Altenlotheim 62 M 10
Altenlünne 37 I 6
Altenmarhorst 29 H 9
Altenmarkt *(Kreis Deggendorf)* 99 T 23
Altenmarkt *(Kreis Passau)* 98 U 24
Altenmarkt a. d. Alz 106 V 21
Altenmedingen 31 G 15
Altenmellrich 50 L 8
Altenmünster *(Kreis Augsburg)* 103 U 15
Altenmünster *(Kreis Schweinfurt)* 76 P 15
Altenoythe 27 G 7
Altenparkstein 88 Q 20
Altenplathow 42 I 20
Altenpleen 12 C 22
Altenplos 77 Q 18
Altenrath 59 N 5
Altenroda 53 M 18
Altenrüthen 50 L 9
Altensalzkoth 30 H 14
Altensalzwedel 31 H 17
Altenschlirf 63 O 12
Altenschneeberg 89 R 21
Altenschönbach 86 Q 15
Altenschwand 89 S 20
Altenseelbach 61 N 8
Altenstadt 74 P 10
Altenstadt *(b. Vohenstrauß)* 89 R 20
Altenstadt *(Kreis Neu-Ulm)* 103 V 14
Altenstadt *(Kreis Weilheim-Schongau)* 104 W 16
Altenstadt a. d. Waldnaab 89 Q 20
Altenstädt 51 M 11
Altensteig 93 U 9
Altenthann 90 S 20
Altentreptow 24 E 23
Altenveldorf 88 S 19
Altenvers 62 N 9
Altenwahlingen 30 H 12
Altenwalde 18 E 9
Altenweddingen 42 K 18
Altenwillershagen 11 D 21
Altenzaun 32 H 20
Alter Schee 48 M 5
Alterkülz 71 P 6
Alterlangen 87 R 16
Alterode 53 K 18
Altershausen 76 P 15
Altertheim 85 Q 13
Altes Lager 43 J 22
Altes Land 19 F 12
Altfeld 85 Q 12
Altforweiler 82 S 4
Altfraunhofen 105 U 20
Altfriedland 35 I 26
Altfunnixsiel 17 F 7
Altgalendorf 10 D 16
Altgandersheim 40 K 14
Altgarmssiel 17 F 7
Altglashütte 89 Q 21
Altglashütten 100 W 8
Altglobsow 34 G 23
Altharen 26 H 5
Altharlingersiel 17 E 7
Altharmhorst 9 D 16
Althausen 76 P 15
Althegnenberg 104 V 17
Altheim *(Alb-Donau-Kreis)* 102 V 13
Altheim *(Bodenseekreis)* 102 W 11
Altheim *(Kreis Biberach a. d. Riß)* 102 V 12
Altheim *(Kreis Darmstadt-Dieburg)* 74 Q 10
Altheim *(Kreis Freudenstadt)* 93 U 9
Altheim *(Kreis Landshut)* 97 U 20
Altheim *(Neckar-Odenwald-Kreis)* 85 R 12
Altheim *(Saar-Pfalz-Kreis)* 82 S 5
Altheim (Alb) 95 U 14
Altheim ob Weihung 103 V 13
Althemmoor 19 E 11
Althengstett 93 T 10
Althütte *(Kreis Freyung-Grafenau)* 91 T 23
Althütte *(Rems-Murr-Kreis)* 94 T 12
Althüttendorf 34 H 25
Altingen 93 U 10
Altjührden 17 F 8
Altkalen 24 E 22
Altkirchen 66 N 21
Altkirchen 105 W 18
Altkünkendorf 35 G 25
Altlacher Hoch Kopf 112 X 18
Altlandsberg 34 I 25
Altlay 72 Q 5
Altleiningen 83 R 8
Altlewin 35 H 26
Altlüdersdorf 34 G 23
Altlünen 47 L 6
Altluneberg 18 F 10
Altlußheim 84 S 9
Altmannsgrün 79 O 20
Altmannshausen 86 R 15
Altmannstein 97 T 18
Altmark 31 H 17
Altmersleben 32 H 18
Altmittweida 67 N 22
Altmörbitz 67 N 21
Altmoorhausen 28 G 9
Altmorschen 63 M 12
Altmühl 96 S 15
Altmühlendorf 8 D 13
Altmühlsee 96 S 16
Altmühltal 97 T 19
Altmühltal (Naturpark) 96 T 17
Altoberndorf 101 V 9
Altötting 106 V 22
Altomünster 104 U 17
Altona *(Hamburg)* 19 F 13
Altranft 35 H 26
Altranstädt 54 M 20
Altreetz 35 H 26
Altreichenau 99 T 25
Altrich 72 Q 4
Altrip 84 R 9
Altrosenthal 35 I 26
Altsadt 81 S 5
Altscheid 70 P 3
Altschönau 99 T 24
Altschweier 92 T 8
Altshausen 102 W 12
Altsimonswald 100 V 8
Altstädten 111 X 14
Altsteußlingen 102 V 12
Alttann 102 W 13
Altthymen 24 G 23
Altusried 103 W 14
Altwarmbüchen 40 I 13
Altwarp 25 E 26
Altweilnau 74 P 9
Altwied 61 O 6
Altwigshagen 25 E 25
Altwindeck 92 T 8
Altwistedt 18 F 10
Altwriezen 35 H 26
Altzirkendorf 88 Q 19
Alverdissen 39 J 11
Alvern *(Kreis Celle)* 30 I 14
Alvern *(Kreis Soltau-Fallingbostel)* 30 G 14
Alverskirchen 37 K 7
Alveslohe 19 E 13
Alvesrode 39 J 12
Alvesse 40 I 14
Alz 106 W 21
Alzenau 74 P 11
Alzenbach 59 N 6
Alzey 83 Q 8
Alzgern 106 V 22
Ambach 104 W 18
Amberg 88 R 19
Amberg *(Kreis Unterallgäu)* 104 V 16
Ambergen 28 H 9
Amdorf 17 G 6
Amecke 49 M 7
Ameisenberg 89 R 21
Amelgatzen 39 J 12
Amelinghausen 30 G 14
Amelith 51 K 12
Ameln 58 N 3
Amelsbüren 37 K 6
Amelunxen 51 K 12
Amerang 106 W 20
Amerbach 96 T 16
Amerbusch 28 H 9
Amerdingen 95 T 15
Amern 58 M 2
Amesdorf 53 K 18
Ammelbruch 95 S 15
Ammeldingen 70 P 2
Ammeloe 36 J 4
Ammelsdorf 68 N 24
Ammelshain 55 M 21
Ammendorf 54 L 19
Ammensen 40 K 13
Ammer 112 X 17
Ammer-Sattel 112 X 16
Ammerbuch 93 U 10
Ammerfeld 96 T 16
Ammergebirge 112 X 16
Ammerland 104 W 18
Ammern 52 M 15
Ammerndorf 87 R 16
Ammersbek 20 E 14
Ammersee 104 V 17
Ammersricht 88 R 19
Ammersum 17 G 6
Ammerthal 88 R 19
Ammertsweiler 94 S 12
Amönau 62 N 10
Amöneburg 62 N 10
Amorbach 85 R 11
Ampen 49 L 8
Amper *(b. Moosburg)* 104 U 18
Ampermoching 105 V 18
Amperpettenbach 105 V 18
Ampferbach 86 Q 16
Ampfing 106 V 21
Ampfurth 41 J 17
Ampleben 41 J 16
Amrichshausen 85 S 13
Amrigschwand 108 W 8

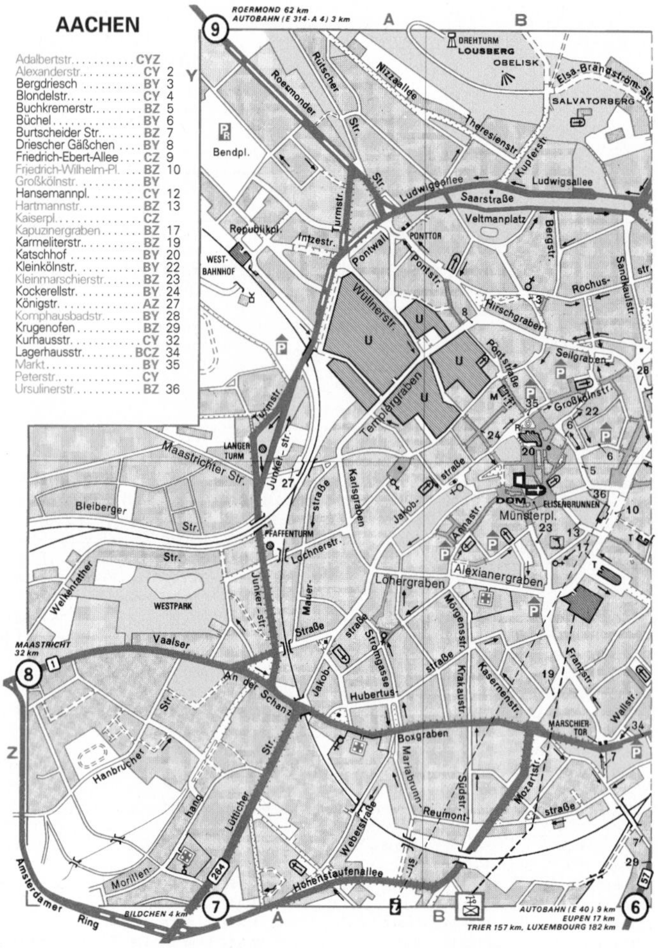

Amrum *(Insel)* 4 C 8
Amsdorf 54 L 19
Amsham 98 U 23
Amshausen 38 J 9
Amstetten 95 U 13
Amtsberg 67 N 22
Amtzell 110 W 13
Andechs 104 W 17
Andenhausen 64 O 14
Anderbeck 41 K 16
Anderlingen 19 F 11
Andermannsdorf 97 T 20
Andernach 71 O 6
Anderten *(Kreis Nienburg)* 29 H 11
Anderten *(Stadtkreis Hannover)* 40 I 13
Andervenne 37 I 6
Andisleben 65 M 16
Andorf 86 R 15
Andorf *(Kreis Osnabrück)* 27 I 7
Andorf *(Kreis Westliche Altmark)* 31 H 16
Andreasberg 50 M 9
Andrup 27 I 6
Anemolter 39 I 11
Angel 37 K 7
Angelbachtal 84 S 10
Angelburg 62 N 9
Angelmodde 37 K 7
Angeln 5 B 13
Angenrod 63 N 11
Anger 106 W 22
Angering 106 V 20
Angermünde 35 G 26
Angermund 48 M 4
Angern 42 I 19
Angersbach 63 O 12
Angerskirchen 105 V 20
Angfeld 88 R 19
Anhausen 61 O 6
Anholt 46 K 3
Ankelohe 18 F 10
Ankershagen 24 F 22
Anklam 25 E 25
Ankum 27 I 7
Annaberg-Buchholz 67 O 23
Annaburg 55 K 23
Annahütte 56 L 25
Annarode 53 L 18
Annathal 99 T 24
Annerod 62 O 10
Annweiler 83 S 7
Anrath 58 M 3
Anreppen 50 K 9
Anröchte 50 L 8
Ansbach 86 S 15
Anschlag 49 M 6
Ansprung 67 O 23
Anstedt 29 H 10
Antdorf 112 W 17
Anten 27 I 7
Antfeld 50 L 9
Antonsthal 79 O 22
Antrift 63 N 11
Antrifttal 63 N 11
Antweiler 71 O 4
Anwalting 104 U 16
Anzefahr 62 N 10
Anzenkirchen 106 U 23
Anzhausen 61 N 8
Anzing 105 V 19
Apeldorn 27 H 6
Apelern 39 J 12
Apelnstedt 41 J 15
Apelstedt 29 H 10
Apen 17 G 7
Apenburg 32 H 17
Apensen 19 F 12
Apfelbach 85 R 13
Apfeldorf 104 W 16
Apfelstädt 65 N 16
Apfelstetten 102 U 12
Apfeltrach 103 V 15
Apfeltrang 103 W 15
Apflau 110 X 12
Aplerbeck *(Dortmund)* 47 L 6
Apolda 65 M 18
Appel *(Kreis Harburg)* 19 F 13
Appel *(Kreis Rotenburg)* 19 G 12
Appeldorn 46 K 3
Appelhülsen 36 K 6
Appeln 18 F 10
Appen 19 F 13
Appendorf 77 Q 16
Appenfeld 63 N 12
Appenfelden 86 Q 15
Appenheim 73 Q 8
Appenrod 62 N 11
Appenrode 52 L 16
Appenweier 92 U 7
Arberg 95 S 15
Arbersee 91 S 23
Arbing 106 V 22
Archsum 4 B 9
Ardorf 17 F 7
Aremberg 71 O 4
Arenborn 51 L 12
Arendsee 32 H 18
Arendsee *(Kreis Uckermark)* 25 G 24
Arensch 18 E 9
Arensdorf *(Kreis Köthen)* 54 K 20
Arensdorf *(Kreis Oder-Spree)* 45 I 26
Arenshausen 52 L 13
Aresing *(Kreis Altötting)* 106 V 21
Aresing *(Kreis Neuburg-Schrobenhausen)* 96 U 17
Arfeld 62 M 9
Argen 110 X 13
Argenbühl 111 W 13
Argenschwang 73 Q 7
Argenthal 73 Q 6
Arget 105 W 18
Arheilgen 74 Q 9
Arholzen 51 K 12
Arkebek 7 D 11
Arkeburg 28 H 9
Arkona *(Kap)* 13 B 24
Arlau 5 C 11
Arle 17 F 6
Arlesberg 95 T 14
Arlesried 103 V 15
Arlewatt 4 C 11
Arloff 60 O 4
Armsen 29 H 12
Armsfeld 62 M 11
Armsheim 83 Q 8
Armstorf 18 F 11
Arnach 103 W 13
Arnbach 104 U 18
Arnbruck 91 S 23
Arndorf 97 T 22
Arneburg 32 H 20
Arnegg 103 U 13
Arnim 32 I 19
Arnis 5 C 13

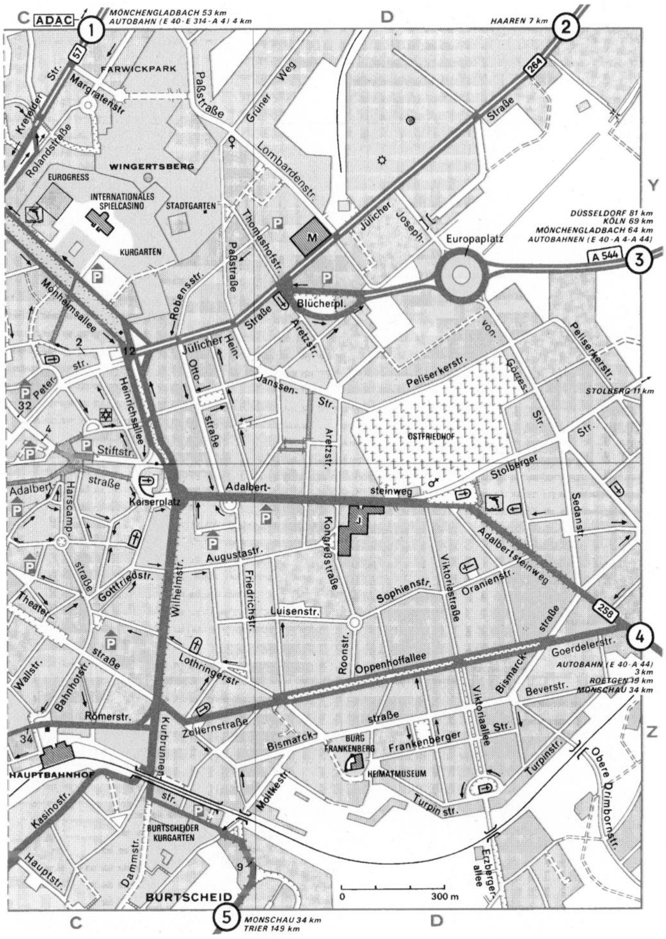

Arnoldsgrün 79 O 20
Arnoldshain 74 P 9
Arnoldsweiler 58 N 3
Arnsberg 76 O 13
Arnsberg *(Dorf)* 96 T 18
Arnsberg *(Stadt)* 49 L 8
Arnsberger Wald 49 L 8
Arnsberger Wald (Naturpark) 50 L 8
Arnsburg 74 O 10
Arnschwang 89 S 22
Arnsdorf *(Kreis Mittweida)* 67 M 23
Arnsdorf *(Kreis Oberspreewald-Lausitz)* 56 L 25
Arnsdorf *(Kreis Wittenberg)* 55 K 22
Arnsdorf b. Dresden 68 M 25
Arnsdorf-Hilbersdorf 69 M 28
Arnsfeld 67 O 23
Arnsgereuth 65 O 17
Arnsgrün *(Elstertalkreis)* 79 P 20
Arnsgrün *(Kreis Greiz)* 66 O 20
Arnshain 63 N 11
Arnsnesta 55 K 23
Arnstadt 65 N 16
Arnstedt 53 K 18
Arnstein 73 P 7
Arnstein *(Kreis Lichtenfels)* 77 P 17
Arnstein *(Kreis Main-Spessart)* 76 Q 13
Arnstorf 98 U 22
Arnum 40 J 13
Arpke 40 I 14
Arpsdorf 8 D 13
Arrach 91 S 22
Arras 67 M 22
Arsbeck 58 M 2
Artelshofen 87 R 18
Artern 53 L 17
Arth 97 U 20
Artlenburg 21 F 15
Arzbach 73 O 7
Arzbach 113 W 18
Arzberg 55 L 23
Arzberg 79 P 20
Arzdorf 60 O 5
Arzfeld 70 P 2
Asbach *(Kreis Hersfeld-Rotenburg)* 63 N 12
Asbach *(Kreis Neuwied)* 61 O 6
Asbach *(Kreis Passau)* 107 U 23
Asbach *(Kreis Regen)* 91 S 23
Asbach *(Kreis Schmalkalden-Meiningen)* 64 N 15
Asbach *(Neckar-Odenwald-Kreis)* 84 R 11
Asbach-Bäumenheim 96 T 16
Asbeck *(Kreis Borken)* 36 J 5
Asbeck *(Märkischer Kreis)* 49 L 7
Asch *(Kreis Langsberg a. Lech)* 104 W 16
Asch *(Kreis Ulm)* 102 U 13
Asch-Berg 8 C 13
Ascha 91 T 21
Aschach 76 P 14
Aschaffenburg 75 Q 11
Aschara 64 M 16
Aschau 5 C 13
Aschau a. Inn 106 V 21
Aschau i. Chiemgau 114 W 20
Aschbach 86 Q 15
Aschbacherhof 83 R 7
Aschbuch 97 T 18
Ascheberg 9 D 15
Ascheberg 49 K 6
Ascheffel 8 C 13
Aschen 28 I 9
Aschenau 98 T 22
Aschendorf 37 J 8
Aschendorf (Ems) 26 G 5
Aschenhausen 64 O 14
Aschenstedt 28 H 9
Aschersleben 53 K 18
Aschfeld 75 P 13
Aschhausen 85 R 12
Aschheim-Dornach *(München)* 105 V 19
Aschhorn 19 E 12
Ascholding 105 W 18
Aschwarden 18 G 9
Aselage 27 H 7
Aseleben 54 L 19
Asendorf 39 J 11
Asendorf *(Kreis Diepholz)* 29 H 11
Asendorf *(Kreis Harburg)* 19 G 13
Asenham 106 U 23
Ashausen 20 F 14
Asmushausen 63 M 13
Aspach 64 N 15
Aspach 94 T 12
Aspe 19 G 11
Aspenstedt 41 K 16
Asperden 46 K 2
Asperg 94 T 11
Aspisheim 73 Q 7
Assamstadt 85 R 13
Asse 41 J 15
Assel 19 E 12
Asselheim 83 R 8
Asseln *(Kreis Paderborn)* 50 L 10
Asseln (Dortmund-) 49 L 6
Asselstein 83 S 7
Assenheim 74 P 10
Assinghausen 50 M 9
Aßlar 62 O 9
Aßling 105 W 20
Aßmannshardt 102 V 13
Assmannshausen 73 Q 7
Aßweiler 82 S 5
Ast *(Kreis Cham)* 89 R 21
Ast *(Kreis Landshut)* 97 U 20
Astederfeld 17 F 7
Asten 106 V 22
Asterode 63 N 12
Astfeld 40 K 15
Astheim 74 Q 9
Astrup *(Kreis Oldenburg)* 27 G 8
Astrup *(Kreis Vechta)* 28 H 8
Atdorf 108 X 7
Ateritz 55 K 21
Athenstedt 41 K 16
Attaching 105 U 19
Attahöhle 61 M 7
Attel 105 V 20
Atteln 50 L 10
Attendorn 61 M 7
Attenhausen 73 P 7
Attenhausen *(Kreis Landshut)* 97 U 20
Attenhausen *(Kreis Memmingen)* 103 W 15
Attenhofen 97 U 19
Attenkirchen 97 U 19
Attenweiler 102 V 13
Atter 37 J 7
Atterwasch 45 K 27
Atting 98 T 21
Atzelgift 61 N 7
Atzenbach 108 W 7
Atzendorf 42 K 18
Atzenhain 62 O 10
Atzenhausen 51 L 13
Atzmannsberg 88 Q 19
Au 61 N 6
Au 97 U 19
Au a. Inn 106 V 20
Au a. Rhein 93 T 8
Au b. Bad Aibling 113 W 19
Aua 63 N 12
Aub *(Kreis Rhön-Grabfeld)* 76 P 15
Aub *(Kreis Würzburg)* 86 R 14
Aubing 104 V 18
Aubstadt 76 P 15
Audenhain 55 L 22
Auderath 71 P 5
Audigast 66 M 20
Aue 67 O 22
Aue *(Fluß b. Bad Zwischenahn)* 17 G 7
Aue *(Fluß b. Celle)* 40 I 14
Aue *(Fluß b. Harsefeld)* 19 F 12
Aue *(Kreis Ammerland)* 27 G 8
Aue *(Kreis Cuxhaven)* 18 E 11
Aue *(Kreis Siegen-Wittgenstein)* 62 M 8
Aue *(Werra-Meißner-Kreis)* 64 M 14
Auel 70 P 3
Auen 27 H 7
Auendorf 94 U 13
Auenhausen 51 L 11
Auenheim 92 U 7
Auenstein 94 S 11
Auenwald 94 T 12
Auer 68 M 24
Auerbach 67 N 22
Auerbach *(Kreis Augsburg)* 104 U 16
Auerbach *(Kreis Bergstraße)* 84 Q 9
Auerbach *(Kreis Deggendorf)* 98 T 23
Auerbach *(Neckar-Odenwald-Kreis)* 85 R 11
Auerbach (Vogtland) 79 O 21
Auerbach i. d. Oberpfalz 88 Q 18
Auerberg 113 W 16
Auernheim *(Kreis Heidenheim)* 95 T 14
Auernheim *(Kreis Weißenburg-Gunzenhsn)* 96 T 16
Auernhofen 86 R 14
Auerose 25 E 25
Auersberg 79 O 21
Auersbergsreut 99 T 25
Auerstedt 65 M 18
Auerswalde 67 N 22
Auetal 39 J 11
Auf dem Acker 52 K 15
Auf der Höhe 59 M 5
Aufenau 75 P 11
Aufham *(Kreis Berchtesgadener Land)* 114 W 22
Aufham *(Kreis Pfaffenhofen a. d. Ilm)* 105 U 8
Aufhausen *(Kreis Dingolfing-Landau)* 98 U 22
Aufhausen *(Kreis Donau-Ries)* 95 T 14
Aufhausen *(Kreis Erding)* 105 V 19
Aufhausen *(Kreis Göppingen)* 94 U 13
Aufhausen *(Kreis Regensburg)* 97 T 20
Aufhausen *(Ostalbkreis)* 95 T 15
Aufhofen 102 V 13
Aufkirch 104 W 16
Aufkirchen *(Kreis Fürstenfeldbruck)* 104 V 17
Aufkirchen *(Kreis Starnberg)* 104 W 18
Aufseß 77 Q 17
Auggen 100 W 6
Augraben *(Bach z. Biese)* 32 H 18
Augraben *(Bach z. Tollense)* 24 E 22
Augsberg 88 R 19
Augsburg 104 U 16
Augsburg-Westliche Wälder (Naturpark) 103 U 15
Augsfeld 76 P 15
Augustdorf 38 K 10
Augustendorf 18 F 11
Augustenfeld 27 H 7
Augustenhof 10 D 17
Augustfehn 17 G 7
Augustusburg 67 N 23
Auhagen 39 I 11
Auhausen 95 S 15
Auheim 74 P 10
Auingen 102 U 12
Aukrug 8 D 13
Aukrug (Naturpark) 8 D 13
Auleben 53 L 16
Aulendorf 36 J 6
Aulendorf 102 W 12
Aulfingen 101 W 9
Auligk 66 M 20
Aulosen 32 H 18
Auma 66 N 19
Aumenau 73 O 8
Aumühle *(Kreis Herzogtum Lauenburg)* 20 F 14
Aumühle *(Kreis Oldenburg)* 28 H 9
Aunkirchen 99 U 23
Aura 76 P 14
Aura i. Sinngrund 75 P 12
Aurach *(Fluß)* 86 R 15
Aurach *(Kreis Ansbach)* 86 S 15
Aurach *(Kreis Miesbach)* 113 W 19
Aurachtal 87 R 16
Aurau 87 S 17
Aurich 17 F 6
Aurich-Oldendorf 17 F 6
Aurith 45 J 28
Ausacker 5 B 12
Ausbach 63 N 13
Ausleben 41 J 17
Ausnang 103 W 14
Außernbrünst 99 T 24
Außernzell 99 T 23
Autenhausen 76 P 16
Autenried 103 U 14
Authausen 55 L 22
Auw a. d. Kyll 72 Q 3
Auw b. Prüm 70 P 3
Auwel 46 L 2
Avendorf *(Kreis Harburg)* 20 F 15
Avendorf a. Fehmarn 10 C 17
Aventoft 4 B 10
Avenwedde 38 K 9
Averhoy 30 I 12
Averlak 7 E 11
Axien 55 K 22
Axstedt 18 F 10
Aying 105 W 19
Ayl 80 R 3
Aystetten 104 U 16

B

Baabe 13 C 25
Baal *(Kreis Heinsberg)* 58 M 2
Baal *(Kreis Kleve)* 46 L 2
Baalberge 54 K 19
Baar 71 O 5
Baasdorf 54 K 19
Babben 56 K 25

AUGSBURG

Annastr. Y
Bahnhofstr. YZ
Bgm.-Fischer-Str. Y 5
Dominikanergasse Z 8
Frauentorstr. Y 12
Fuggerstr. Y 13
Grottenau Y 16
Haunstetter Str. Z 18
Hoher Weg Y
Karlstr. Y
Karolinenstr. Y 22
Lechhauser Str. Y 23
Leonhardsberg Y 24
Margaretenstr. Z 25
Maximilianstr. Z
Mittlerer Graben Y 27
Perlachberg Y 32
Predigerberg Z 33
Rathauspl. Y 34
Unterer Graben Y 39
Vorderer Lech Z 43
Wintergasse Y 44

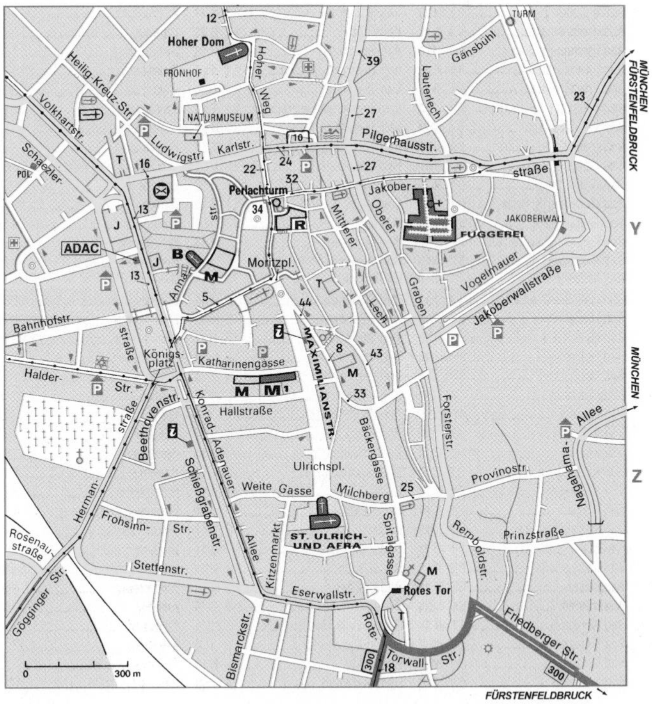

A B C D E F G H I J K L M N O P Q R S T U V W X Y Z

Babelsberg 43 I 23
Baben 32 H 19
Babenhausen 74 Q 10
Babenhausen 103 V 14
Babensham 105 V 20
Babitz 33 G 21
Babke 24 F 22
Babst 22 E 19
Babstadt 84 S 11
Baccum 37 I 6
Bach a. d. Donau 90 S 20
Bacharach 73 P 7
Bachem 80 R 4
Bachern 104 V 17
Bachfeld 77 O 16
Bachhagel 95 U 14
Bachheim 101 W 9
Bachl 97 T 19
Bachra 65 M 18
Backemoor 27 G 6
Backensholz 5 C 11
Backnang 94 T 12
Bad Abbach 90 T 20
Bad Aibling 105 W 20
Bad Alexandersbad 78 P 20
Bad Antogast 93 U 8
Bad Arolsen 50 L 11
Bad Bayersoien 112 W 17
Bad Bellingen 108 W 6
Bad Bentheim 36 J 5
Bad Bergzabern 92 S 8
Bad Berka 65 N 17
Bad Berleburg 62 M 9
Bad Berneck 78 P 19
Bad Bertrich 71 P 5
Bad Bevensen 31 G 15
Bad Bibra 53 M 18
Bad Birnbach 106 U 23
Bad Blankenburg 65 N 17
Bad Bocklet 76 P 14
Bad Brambach 79 P 20
Bad Bramstedt 8 E 13
Bad Breisig 60 O 5
Bad Brückenau 75 P 13
Bad Buchau 102 V 12
Bad Camberg 74 P 8
Bad Cannstatt 94 T 11
Bad Colberg 77 P 16
Bad Ditzenbach 94 U 13
Bad Doberan 11 D 19
Bad Driburg 50 K 11
Bad Düben 55 L 21
Bad Dürkheim 83 R 8
Bad Dürrenberg 54 M 20
Bad Dürrheim 101 V 9
Bad Eilsen 39 J 11
Bad Elster 79 P 20
Bad Ems 73 O 7
Bad Endbach 62 N 9
Bad Endorf 106 W 20
Bad Essen 38 J 9
Bad Feilnbach 113 W 20
Bad Frankenhausen 53 L 17
Bad Fredeburg 50 M 8
Bad Freienwalde 35 H 26
Bad Friedrichshall 85 S 11
Bad Füssing 107 U 23
Bad Gandersheim 52 K 14
Bad Godesberg *(Bonn)* 59 N 5
Bad Gögging 97 T 19
Bad Gottleuba 68 N 25
Bad Griesbach i. Rottal 107 U 23
Bad Grönenbach 103 W 14
Bad Grund 52 K 14
Bad Harzburg 52 K 15
Bad Heilbrunn 112 W 18
Bad Helmstedt 41 J 17
Bad Herrenalb 93 T 9
Bad Hersfeld 63 N 13
Bad Höhenstadt 99 U 23
Bad Hönningen 60 O 5
Bad Homburg 74 P 9
Bad Honnef 60 O 5
Bad Iburg 37 J 8
Bad Imnau 101 U 10
Bad Karlshafen 51 L 12
Bad Kissingen 76 P 14
Bad Kleinen 22 E 18
Bad Klosterlausnitz 66 N 19
Bad König 84 Q 11
Bad Königshofen 76 P 15
Bad Kösen 66 M 19
Bad Köstritz 66 N 20
Bad Kohlgrub 112 W 17
Bad Kreuznach 73 Q 7
Bad Krozingen 100 W 7
Bad Laasphe 62 N 9
Bad Laer 37 J 8
Bad Langenbrücken 84 S 9
Bad Langensalza 64 M 15
Bad Lauchstädt 54 L 19
Bad Lausick 67 M 21
Bad Lauterberg 52 L 15
Bad Liebenstein 64 N 15
Bad Liebenwerda 56 L 24
Bad Liebenzell 93 T 10
Bad Lippspringe 50 K 10
Bad Marienberg 61 O 7
Bad Meinberg 39 K 10
Bad Mergentheim 85 R 13
Bad Mingolsheim 84 S 9
Bad Münder am Deister 39 J 12
Bad Münster a. Stein 73 Q 7
Bad Münstereifel 60 O 4
Bad Muskau 57 L 28
Bad Nauheim 74 O 10
Bad Nenndorf 39 I 12
Bad Neuenahr 60 O 5
Bad Neustadt 76 P 14
Bad Niedernau 101 U 10
Bad Oberdorf 111 X 15
Bad Oeynhausen 39 J 10
Bad Oldesloe 20 E 15
Bad Orb 75 P 12
Bad Peterstal 100 U 8
Bad Pyrmont 39 K 11
Bad Rappenau 84 S 11
Bad Rehburg 39 I 11
Bad Reichenhall 114 W 22
Bad Rippoldsau 101 U 8
Bad Rodach 76 O 16
Bad Rotenfels 93 T 8
Bad Rothenfelde 37 J 8
Bad Saarow 45 J 26
Bad Sachsa 52 L 15
Bad Säckingen 108 X 7
Bad Salzdetfurth 40 J 14
Bad Salzhausen 74 O 10
Bad Salzig 71 P 6
Bad Salzschlirf 63 O 12
Bad Salzuflen 39 J 10
Bad Salzungen 64 N 14
Bad Sassendorf 49 L 8
Bad Saulgau 102 V 12
Bad Schandau 68 N 26
Bad Schmiedeberg 55 K 22
Bad Schönborn 84 S 9
Bad Schussenried 102 V 12
Bad Schwalbach 73 P 8
Bad Schwartau 9 E 16
Bad Segeberg 9 E 14
Bad Sobernheim 81 Q 6
Bad Soden 75 P 12
Bad Soden am Taunus 74 P 9
Bad Sooden-Allendorf 52 M 13
Bad St. Peter
(St. Peter-Ording) 7 D 9
Bad Steben 78 O 18
Bad Suderode 53 K 17
Bad Sülze 12 D 21
Bad Sulza 65 M 18
Bad Sulzburg 100 W 7
Bad Teinach 93 T 10
Bad Teinach-Zavelstein 93 T 10
Bad Tennstedt 65 M 16
Bad Tölz 113 W 18
Bad Überkingen 94 U 13
Bad Urach 94 U 12
Bad Vilbel *(Frankfurt)* 74 P 10
Bad Waldliesborn 50 K 9
Bad Waldsee 102 W 13
Bad Westernkotten 50 L 9
Bad Wiessee 113 W 19
Bad Wildungen 63 M 11
Bad Wilsnack 32 H 19
Bad Wimpfen 85 S 11
Bad Windsheim 86 R 15
Bad Wörishofen 103 V 15
Bad Wurzach 103 W 13
Bad Zwischenahn 27 G 8
Badbergen 27 I 7
Baddeckenstedt 40 J 14
Badeborn 53 K 17
Badel 32 H 17
Badeleben 41 J 17
Badem 70 P 3
Bademühlen 19 G 11
Baden 29 G 11
Baden-Baden 93 T 8
Baden-Neuweier 92 T 8
Baden-Oos *(Baden-Baden)* 93 T 8
Baden-Sandweier 92 T 8
Badendorf 21 E 15
Badener Höhe 93 T 8
Badenhausen 52 K 14
Badenstedt
(Kreis Rotenburg) 19 G 11
Badenweiler 100 W 7
Badersleben 41 K 16
Badewitz 42 J 20
Badingen *(Kreis Oberhavel)* 34 H 23
Badingen *(Kreis Stendal)* 32 I 18
Badow 21 F 17
Badra 53 L 16
Badrina 54 L 21
Bächingen 95 U 14
Bächlein 77 P 17
Bächlingen 85 S 13
Baek 32 G 19
Bäk 21 E 16
Bälau 21 F 15
Bärenbach 81 Q 6
Bärenbrück 57 K 27
Bärenfels 68 N 25
Bärenhöhle 102 U 11
Bärenklau 45 K 27
Bärensee 103 W 15
Bärenstein
(Kreis Annaberg) 79 O 23
Bärenstein *(Weißeritzkreis)* 68 N 25
Bärental 100 W 8
Bärenthal 101 V 10
Bärenwalde 67 O 21
Baerl 46 L 4
Bärnau 89 Q 21
Bärnsdorf 68 M 25
Bärnzell 91 T 23
Bärwalde *(Kreis
Meißen-Dresden)* 68 M 25
Bärwalde
(Westlausitzkreis) 57 L 27
Bärweiler 81 Q 6
Baesweiler 58 N 2
Bätholt 27 G 7
Bagband 17 F 6
Bagemuhl 25 F 26
Bagenz 57 L 27
Bahlburg 20 G 14
Bahlingen 100 V 7
Bahnhof *(Stühlingen)* 109 W 9
Bahnhof-Boizenburg 21 F 16
Bahnhof Jerxheim 41 J 16
Bahnhof Rehfelde 44 I 25
Bahnhof-Reken 47 K 5
Bahnhof Wintermoor 30 G 13
Bahnitz 43 I 21
Bahnsdorf
(Kreis Elbe-Elster) 55 L 23
Bahnsdorf *(Kreis Oberspreewald-
Lausitz)* 56 L 26
Bahnsen 31 H 15
Bahra 76 O 14
Bahratal 68 N 25
Bahrdorf 41 I 17
Bahrenborstel 29 I 10
Bahrendorf 42 K 18
Bahretal 68 N 25
Bahro 45 J 27
Baienfurt 102 W 12
Baier 64 N 14
Baierbach
(Kreis Landshut) 105 U 20
Baierbach
(Kreis Rosenheim) 105 W 20
Baierbrunn 105 V 18
Baiern 105 W 19
Baiernrain 105 W 18
Baiersbronn 93 U 9
Baiersdorf 87 R 17
Baiertal 84 S 10
Baierz 103 W 13
Baindlkirch 104 V 17
Baindt 102 W 12
Bairawies 105 W 18
Baisingen 93 U 10
Baisweil 103 W 15
Baitz 43 J 22
Bakede 39 J 12
Bakenberg 13 B 23
Bakum 27 H 8
Balbersdorf 89 S 22
Baldeneysee *(Essen)* 47 L 5
Balderhaar 26 I 4
Baldern 95 T 14
Balderschwang 111 X 14
Baldersheim 86 R 14
Baldingen 101 W 9
Balduinstein 73 O 7
Balesfeld 70 P 3
Balge 29 H 11
Balgstädt 54 M 19

BAYREUTH

Am Mühltürlein Y 3
Bahnhofstr. Y 4
Balthasar-Neumann-Str. Z 5
Bürgerreuther Str. Y 7
Erlanger Str. Y 8
Friedrich-von-Schiller-Str. Y 10
Josephspl. Y 14
Kanalstr. Y 15
Kanzleistr. YZ 17
Karl-Marx-Str. Y 18
Ludwigstr. Z 20
Luitpoldpl. Y 22
Markgrafenallee Y 24
Maximilianstr. Y
Muncker Str. Y 26
Nürnberger Str. Z 28
Opernstr. Y 30
Richard-Wagner-Str. YZ 32
Schulstr. Y 33
Sophienstr. Y 35
Wieland-Wagner-Str. Z 36
Wilhelminenstr. Z 38
Wittelsbacherring Z 39
Wölfelstr. Y 40

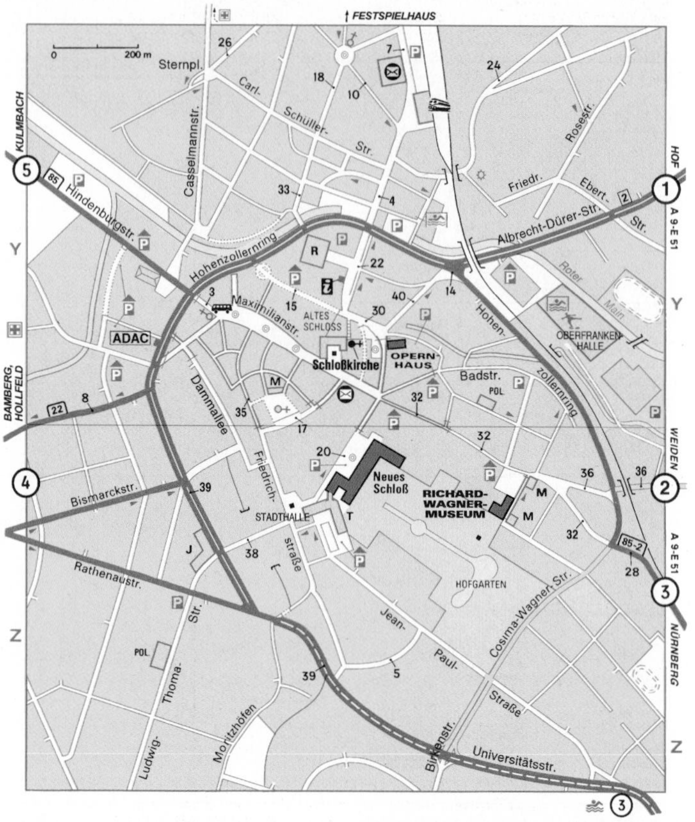

Balhorn 51 M 11
Balingen 101 V 10
Balje 19 E 11
Balksee 18 E 11
Balkum 37 I 7
Ballenberg 85 R 12
Ballendorf 67 M 22
Ballendorf 95 U 14
Ballenstedt 53 K 17
Ballersbach 62 N 9
Ballerstedt 32 H 19
Ballhausen 65 M 16
Ballin 24 F 24
Ballingshausen 76 P 14
Ballmertshofen 95 T 15
Ballrechten-Dottingen 100 W 7
Ballstädt 64 M 16
Ballstedt 65 M 17
Ballwitz 24 F 23
Balow 22 G 19
Balsbach 85 R 11
Balteratsried 111 W 15
Balterswil 109 X 9
Baltersweiler 81 R 5
Baltmannsweiler 94 T 12
Baltringen 103 V 13
Baltrum 17 E 6
Baltrum *(Insel)* 17 E 6
Balve 49 M 7
Balzhausen 103 V 15
Balzheim 103 V 14
Balzhofen 92 T 8
Bamberg 77 Q 16
Bamenohl 61 M 7
Bamlach 108 W 6
Bamme 33 I 21
Bammental 84 R 10
Bandau 31 H 17
Bandelin 14 E 24
Bandelow 25 F 25
Bandelstorf 11 D 20
Bandenitz 21 F 17
Bandow 11 E 20
Banfe 62 N 9
Bankewitz 31 G 16
Bankholzen 109 W 10
Bann 81 R 6
Bannemin 15 D 25
Bannesdorf 10 C 17
Bannetze 30 H 13
Bannewitz 68 N 25
Bannholz 108 W 8
Bannwaldsee 112 X 16
Bansin 15 E 26
Bansleben 41 J 16
Bansow 23 E 21
Banteln 40 J 13
Bantikow 33 H 21
Banz 77 P 17
Banzin 21 F 16
Banzkow 22 F 18
Barbarossahöhle 53 L 17
Barbecke 40 J 14
Barbelroth 92 S 8
Barbing 90 S 20
Barbis 52 L 15
Barby 42 K 19
Barchel 18 F 11
Barchfeld 64 N 14
Barchfeld a. d. Ilm 65 N 17
Bardel 36 J 5
Bardenbach 81 R 4
Bardenberg 58 N 2
Bardenfleth 18 G 9
Bardenitz 43 J 22
Barderup 5 B 12
Bardewisch 29 G 9
Bardowick 20 G 15
Bardüttingdorf 38 J 9
Barenburg 29 I 10
Barendorf 31 G 15
Barenthin 33 H 20
Barfelde 40 J 13
Barförde 21 F 15
Bargau 95 T 13
Bargdorf 31 G 15
Bargen 101 W 10
Bargen
(Kreis Dithmarschen) 7 D 11
Bargen *(Kreis
Schleswig-Flensburg)* 7 D 11
Bargen (Helmstadt-) 84 S 11
Bargensdorf 24 F 23
Bargenstedt 7 D 11
Bargeshagen 11 D 19
Bargfeld *(Kreis Celle)* 31 H 15
Bargfeld *(Kreis Rendsburg-
Eckernförde)* 8 D 13
Bargfeld *(Kreis Uelzen)* 31 H 15
Bargfeld-Stegen 20 E 14
Barghorst 9 D 15
Bargischow 25 E 25
Bargkamp 18 E 11
Bargstall 8 D 12
Bargstedt *(Kreis Rendsburg-
Eckernförde)* 8 D 13
Bargstedt *(Kreis Stade)* 19 F 12
Bargteheide 20 E 14
Bargum 4 B 10
Barhöft 13 C 23
Bark 20 E 14
Barkau 9 D 15
Barkelsby 5 C 13
Barkenberg 47 K 5
Barkenholm 7 D 11
Barkhausen
(Kreis Osnabrück) 38 J 9
Barkhausen a. d. Porta 39 J 10
Barkhorst 20 E 15
Barkow 23 F 20
Barleben 42 J 18
Barlo 36 K 3
Barlohe 8 D 12
Barlt 7 D 11
Barmbek *(Hamburg)* 20 F 14
Barme 29 H 11
Barmen 58 N 3
Barmen (Wuppertal-) 48 M 5
Barmke 41 J 16
Barmsee 112 X 17
Barmstedt 19 E 13
Barnebeck 31 H 16
Barneberg 41 J 17
Barnekow 22 E 18
Barnewitz 33 I 21
Barnim 34 H 25
Barnin 22 F 19
Barniner See 22 F 19
Barnstädt 54 L 18
Barnstedt *(Kreis Lüneburg)* 31 G 15
Barnstedt *(Kreis Verden)* 29 H 11

Barnstorf *(Kreis Diepholz)* .. 28 H 9
Barnstorf
(Kreis Wolfenbüttel) .... 41 J 16
Barnstorf
(Stadtkreis Wolfsburg) .... 41 I 16
Barnten .... 40 J 13
Barntrup .... 39 K 11
Barockgarten Großsedlitz
(Pirna) .... 68 N 25
Barrien .... 29 H 10
Barrl .... 30 G 13
Barsbek .... 9 C 14
Barsbüttel .... 20 F 14
Barsdorf .... 34 G 23
Barsikow .... 33 H 21
Barsinghausen .... 39 J 12
Barskamp .... 21 G 16
Barßel .... 27 G 7
Barstede .... 17 F 6
Bartelsdorf .... 30 G 12
Bartelshagen I .... 11 D 21
Bartelshagen II .... 11 D 21
Bartenshagen-Parkentin ..... 11 D 19
Bartensleben .... 41 J 17
Barterode .... 51 L 13
Barth .... 12 C 22
Barthe .... 12 D 22
Barthelmesaurach .... 87 S 16
Barther Bodden .... 12 C 22
Bartholomä .... 95 T 13
Bartmannshagen .... 13 D 23
Bartolfelde .... 52 L 15
Bartow .... 24 E 24
Bartschendorf .... 33 H 21
Barum *(Kreis Lüneburg)* ..... 20 F 15
Barum *(Kreis Uelzen)* .... 31 G 15
Barum (Salzgitter-) .... 40 J 15
Baruth *(Kreis Bautzen)* .... 69 M 27
Baruth / Mark .... 44 J 24
Barver .... 29 I 9
Barwedel .... 41 I 16
Barweiler .... 71 O 4
Barz .... 23 E 21
Basbeck .... 19 E 11
Basdahl .... 18 F 10
Basdorf *(Kreis Barnim)* .... 34 H 24
Basdorf *(Kreis*
Ostprignitz-Ruppin) .... 33 G 22
Basedow
(Kreis Demmin) .... 23 E 22
Basedow *(Kreis Herzogtum*
Lauenburg) .... 21 F 15
Basel .... 50 K 8
Basepohl .... 24 E 22
Basse .... 39 I 12
Bassen .... 29 G 11
Bassendorf .... 14 D 22
Bassenheim .... 71 O 6
Baßlitz .... 68 M 24
Bassum .... 29 H 10
Bastei .... 68 N 26
Bastheim .... 76 O 14
Basthorst .... 21 F 15
Bastorf .... 10 D 19
Batenhorst .... 50 K 8
Batensen .... 31 H 16
Battaune .... 55 L 22
Batten .... 64 O 14
Battenberg .... 62 M 9
Battenfeld .... 62 M 9
Battenhausen .... 62 M 11
Batzenhofen .... 104 U 16
Batzhausen .... 87 S 18
Batzlow .... 35 I 26
Bauda .... 56 M 24
Baudenbach .... 86 R 15
Bauerbach .... 62 N 10
Bauerbach
(Kreis Karlsruhe) .... 93 S 10
Bauerbach *(Kreis Schmalkalden-*
Meiningen) .... 76 O 15
Bauerbach *(Kreis*
Weilheim-Schongau) .... 104 W 17
Bauland .... 85 R 12
Bauler .... 71 P 4
Baumbach *(Kreis*
Hersfeld-Rotenburg) .... 63 M 13
Baumbach (Ransbach-) .... 73 O 7
Baumberg .... 59 M 4
Baumberge .... 36 K 6
Baumburg .... 106 V 21
Baumerlenbach .... 85 S 12
Baumersroda .... 54 M 19
Baumgarten .... 98 U 22
Baumgarten
(Kreis Güstrow) .... 23 E 19
Baumgarten
(Kreis Oberhavel) .... 34 H 23
Baumgarten
(Kreis Uckermark) .... 25 F 25
Baumholder .... 81 R 6
Baunach .... 77 Q 16
Baunatal .... 51 M 12
Bauschheim .... 74 Q 9
Bauschlott .... 93 T 10
Bausendorf .... 71 P 4
Bausenhagen .... 49 L 7
Baustert .... 70 Q 3
Baustetten .... 103 V 13
Bautzen .... 69 M 27
Bautzen (Talsperre) .... 69 M 27
Baven .... 30 H 14
Bavendorf .... 31 G 15
Bavendorf .... 110 W 12
Bawinkel .... 27 I 6
Bayerbach
(Kreis Rottal-Inn) .... 107 U 23
Bayerbach b. Ergoldsbach 98 T 20
Bayerdilling .... 96 U 16
Bayerisch Eisenstein .... 91 S 23
Bayerisch Gmain .... 114 W 22
Bayerische Rhön
(Naturpark) .... 76 O 14
Bayerischer Spessart
(Naturpark) .... 75 Q 11
Bayerischer Wald .... 91 S 20
Bayerischer Wald
(Naturpark) .... 90 T 22
Bayersried .... 103 W 15
Bayerwald .... 113 X 19
Bayralm .... 113 X 19
Bayreuth .... 77 Q 18
Bayreuth *(Flughafen)* .... 77 Q 18
Bayrischzell .... 113 W 20
Beauregard .... 35 H 26
Bebelsheim .... 82 S 5
Bebenhausen .... 94 U 11
Bebensee .... 20 E 14
Beber .... 39 J 12
Beberbeck .... 51 L 12
Beberstedt .... 52 M 15
Bebertal .... 41 J 18
Bebra .... 63 N 13
Becheln .... 73 P 7
Bechen .... 59 M 5
Bechenheim .... 83 Q 8
Becherbach .... 83 R 7
Becherbach b. Kirn .... 81 Q 6
Bechhofen .... 95 S 15
Bechhofen .... 81 R 6
Bechtersbohl .... 109 X 9
Bechtheim
(Kreis Alzey-Worms) .... 84 Q 8
Bechtheim *(Rheingau-*
Taunus-Kreis) .... 73 P 8
Bechtolsheim .... 83 Q 8
Bechtsrieth .... 89 R 20
Beckdorf .... 19 F 12
Beckedorf *(Kreis Celle)* ...... 30 H 14
Beckedorf
(Kreis Schaumburg) .... 39 I 11
Beckeln .... 29 H 9

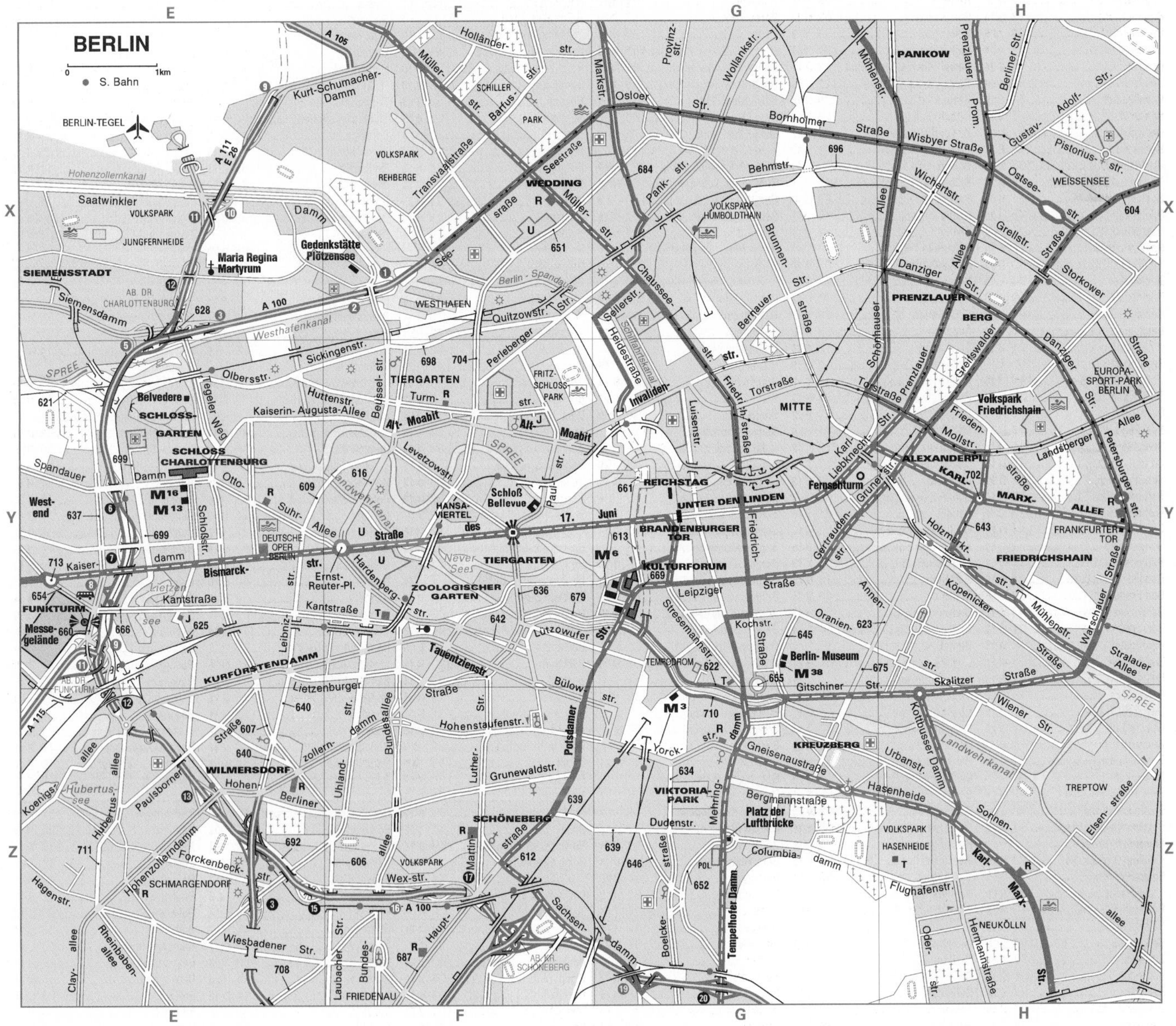

Bergmannstr.	GZ	
Berliner Allee	HX	604
Blissestr.	FZ	606
Brandenburgische Str.	EZ	607
Cauerstr.	EY	609
Dominicusstr.	FZ	612
Entlastungsstr.	GY	613
Franklinstr.	FY	616
Friedrichstr.	GY	
Fürstenbrunner Weg	EY	621
Hallesches Ufer	GY	622
Hauptstr. (SCHÖNEBERG)	FZ	
Heinrich-Heine-Str.	HY	623
Holtzendorffstr.	EY	625
Jacob-Kaiser-Pl.	EX	628
Karl-Marx-Str.	HZ	
Katzbachstr.	GZ	634
Klingelhöferstr.	FX	636
Königin-Elisabeth-Str.	EY	637
Kolonnenstr.	FZ	639
Konstanzer Str.	EZ	640
Kurfürstendamm	EYZ	
Kurfürstenstr.	FY	642
Lichtenberger Str.	HY	643
Lindenstr. (KREUZBERG)	GY	645
Loewenhardtdamm	GZ	646
Luxemburger Str.	FX	651
Manfred-von-Richthofen-Str.	GZ	652
Masurenallee	EY	654
Mehringpl.	GY	655
Messedamm	EY	660
Moltkestr.	GY	661
Müllerstr.	FX	
Neue Kantstr.	EY	666
Potsdamer Pl.	GY	669
Prinzenstr.	GY	675
Reichpietschufer	FY	679
Reinickendorfer Str.	GX	684
Rheinstr.	FZ	687
Rudolstädter Str.	EZ	692
Schivelbeiner Str.	GX	696
Siemensstr.	FY	698
Sophie-Charlotten-Str.	EY	699
Strausberger Pl.	HY	702
Stromstr.	FY	704
Südwestkorso	EZ	708
Tauentzienstr.	FY	
Tempelhofer Damm	GZ	
Tempelhofer Ufer	GZ	710
Teplitzer Str.	EZ	711
Theodor-Heuss-Pl.	EY	713

A B C D E F G H I J K L M N O P Q R S T U V W X Y Z

Beckendorf-Neindorf 41 J 17
Beckingen 80 R 4
Becklingen 30 H 13
Beckstedt 28 H 9
Beckstein 85 R 13
Beckum (Kreis Warendorf) 49 K 8
Beckum (Märkischer Kreis) 49 L 7
Beckumer Berge 49 K 8
Beckwitz 55 L 22
Bedburg (Erftkreis) 58 N 3
Bedburg-Hau 46 K 2
Beddelhausen 62 M 9
Bedekaspel 16 F 5
Bederkesa 18 F 10
Bederkesaer See 18 F 10
Bedernau 103 V 15
Bedesbach 81 R 6
Bedheim 76 O 15
Beeck (Kreis Heinsberg) 58 M 2
Beedenbostel 30 I 14
Beedenkirchen 84 Q 10
Beelen 37 K 8
Beelitz 43 J 22
Beendorf 41 J 17
Beenz (b. Lychen) 24 G 24
Beenz (b. Prenzlau) 25 G 25
Beerfelde 45 I 26
Beerfelden 84 R 10
Beerfurth 84 Q 10
Beerlage 36 J 6
Beerwalde 68 N 24
Beesdau 56 K 25
Beesenlaublingen 54 K 19
Beesenstedt 54 L 19
Beeskow 45 J 26
Beesten 37 I 6
Beestland 14 E 22
Beetenbrück 30 H 12
Beetz 34 H 23
Beetzendorf 31 H 17
Beetzsee 43 I 21
Beffendorf 101 V 9
Befreiungshalle 97 T 19
Bega 39 J 11
Beggerow 24 E 23
Behl 9 D 15
Behla 101 W 9
Behlendorf (Kreis Herzogtum Lauenburg) 21 E 16
Behlendorf (Kreis Oder-Spree) 45 I 26
Behler See 9 D 15
Behningen 30 G 13
Behnkendorf 13 D 23
Behnsdorf 41 J 17
Behren 31 H 15
Behren Lübchin 14 D 21
Behrendorf 32 H 19
Behrendorf 5 C 11
Behrenhoff 14 D 24
Behrensdorf 9 C 15
Behrensen 39 J 12
Behringen 64 M 15
Behringen 30 G 13
Behringersdorf (Nürnberg) 87 R 17
Behringersmühle 87 Q 18
Behrungen 76 O 15
Beichlingen 53 M 17
Beidendorf 22 E 18
Beidenfleth 19 E 12
Beienrode 41 I 16
Beierfeld 67 O 22
Beiersdorf (Kreis Elbe-Elster) 55 L 23
Beiersdorf (Kreis Löbau-Zittau) 69 M 27
Beiersdorf (Kreis Märkisch-Oderland) 34 H 25
Beiersdorf (Kreis Riesa-Großenhain) 68 M 24
Beiersdorf (Kreis Zwickauer Land) 66 N 21
Beiersdorf (Muldentalkreis) 55 M 22
Beierstedt 41 J 16
Beifang 47 K 6
Beikheim 77 P 17
Beilngries 96 S 18
Beilrode 55 L 23
Beilstein 94 S 11
Beilstein (Kreis Cochem-Zell) 71 P 5
Beilstein (Lahn-Dill-Kreis) 61 O 8
Beimbach 86 S 13
Beimerstetten 95 U 13
Beinum 40 J 15
Beiseförth 63 M 12
Bekhausen 17 G 8
Bekond 72 Q 4
Belau 9 D 14
Belauer See 9 D 14
Belchen 100 W 7
Beldorf 8 D 12
Belecke 50 L 9
Belgern (Torgau) 55 L 23
Belgershain 55 M 21
Belicke 43 I 20
Belkau 32 I 19
Bell 71 O 5
Bell (Hunsrück) 71 P 6
Bellahn 31 G 16
Bellamont 103 V 13
Belle 39 K 11
Belleben 53 K 18
Bellen 30 G 12
Bellenberg 103 V 14
Bellersen 51 K 11
Bellersheim 74 O 10
Bellheim 83 S 8
Bellin (Kreis Güstrow) 23 E 20
Bellin (Kreis Plön) 9 D 15
Bellin (Kreis Uecker-Randow) 25 E 26
Belling 25 F 25
Bellingen 42 I 19
Bellings 75 P 12
Bellnhausen 62 N 10
Belm 37 J 8
Belmicke 61 M 7
Below (Kreis Müritz) 23 G 21
Below (Kreis Parchim) 23 F 19
Belrieth 76 O 15
Belsch 21 G 17
Belsdorf (Bördekreis) 41 J 17
Belsdorf (Ohrekreis) 41 I 17
Belsen 30 H 13
Belsen 101 U 11
Beltershain 62 O 10
Beltheim 71 P 6
Belum 18 E 10
Belvedere (Schloß) (Weimar) 65 N 18
Belzig 43 J 21
Bempflingen 94 U 11
Bendeleben 53 L 17
Bendelin 33 H 20
Bendestorf 19 F 13
Bendfeld 9 C 15
Bendhof 21 E 17
Bendingbostel 29 H 12
Bendorf 8 D 12
Bendorf 71 O 6
Benediktbeuern 112 W 18
Benediktenwand 112 X 18
Benefeld 30 H 12
Benfe 62 N 8
Bengel 71 P 5
Benhausen 50 K 10
Benk (Kreis Bayreuth) 77 P 18
Benk (Kreis Hof) 78 P 19
Benkeloh 30 G 12
Benken 43 J 21
Benkendorf 32 H 17
Benndorf (Kreis Delitzsch) 54 L 21
Benndorf (Kreis Leipziger Land) 67 M 21
Benndorf (Kreis Mansfelder Land) 53 L 18
Benneckenstein 52 K 16
Bennemühlen 30 I 13
Bennewitz 55 L 22
Benniehausen 52 L 14
Bennigsen 40 J 13
Bennin 21 F 16
Benningen 103 W 14
Benningen a. Neckar 94 T 11
Benninghausen 50 L 8
Bennstedt 54 L 19
Bennungen 53 L 17
Benolpe 61 M 8
Benrath 48 M 4
Bensberg 59 N 5
Bensdorf 43 I 21
Bensen 39 J 11
Bensersiel 17 E 6
Benshausen 64 O 15
Bensheim 84 Q 9
Benstorf 40 J 12
Benstrup 27 H 7
Benteler 50 K 8
Bentfeld 50 K 9
Benthen 23 F 20
Benthullen 27 G 8
Bentierode 52 K 14
Bentorf 39 J 10
Bentstreek 17 F 7
Bentwisch (Kreis Bad Doberan) 11 D 20
Bentwisch (Kreis Prignitz) 32 G 19
Bentzin 14 E 23
Benz (Kreis Nordwestmecklenburg) 22 E 18
Benz (Kreis Ostholstein) 9 D 15
Benz (Kreis Ostvorpommern) 15 E 26
Benzenzimmern 95 T 15
Benzin 23 F 20
Benzingen 102 V 11
Benzingerode 53 K 16
Beppen 29 H 11
Beratzhausen 90 S 19
Berau 108 W 8
Berbersdorf 67 M 23
Berbisdorf 68 M 25
Berbling 105 W 19
Berching 96 S 18
Berchtesgaden 114 X 22
Berdel 37 K 7
Berdum 17 F 7
Bere 53 L 16
Berel 40 J 14
Berenbostel 40 I 12
Berenbrock 41 I 17
Berensch-Arensch 18 E 9
Berfa 63 N 12
Berg (Alb-Donau-Kreis) 102 V 13
Berg (Kreis Ahrweiler) 60 O 4
Berg (Kreis Donau-Ries) 96 T 16
Berg (Kreis Düren) 58 N 3
Berg (Kreis Euskirchen) 60 O 3
Berg (Kreis Hof) 78 O 19
Berg (Kreis Ravensburg) 102 W 12
Berg (Kreis Starnberg) 104 W 18
Berg (Pfalz) 93 T 8
Berg b. Neumarkt 87 R 18
Berg i. Gau 96 U 17
Berga (Kreis Elbe-Elster) 56 K 24
Berga (Kreis Sangerhausen) 53 L 17
Berga (Elster) 66 N 20
Bergalingen 108 X 7
Bergatreute 102 W 13
Bergbaumuseum (Sangerhausen) 53 L 17
Bergbronn 95 S 14
Berge 27 I 7
Berge 50 L 9
Berge (Altmarkkreis Salzwedel) 42 I 18
Berge (Kreis Havelland) 33 I 22
Berge (Kreis Prignitz) 23 G 19
Bergede 49 L 8
Bergedorf 28 G 9
Bergedorf (Hamburg-) 20 F 14
Bergen (Bördekreis) 42 J 18
Bergen (Elstertalkreis) 79 O 20
Bergen (Göltzschtalkreis) 79 O 20
Bergen (Kreis Birkenfeld) 81 Q 6
Bergen (Kreis Celle) 30 H 13
Bergen (Kreis Dahme-Spreewald) 56 K 25
Bergen (Kreis Freising) 97 U 19
Bergen (Kreis Merzig-Wadern) 80 R 4
Bergen (Kreis Neuburg-Schrobenhausen) 96 T 17
Bergen (Kreis Traunstein) 106 W 21
Bergen (Kreis Weißenburg-Gunzenhausen) 96 S 17
Bergen (Kreis Wesel) 46 K 3
Bergen (Dumme) 31 H 16
Bergen (Rügen) 13 C 24
Bergenhusen 7 C 11
Bergerdamm 33 I 22
Bergerhof 61 N 7
Bergfeine 27 I 8
Bergfeld 41 I 16
Bergfelde 34 H 23
Bergfelden 101 U 10
Bergfreiheit 63 M 11
Berggießhübel 68 N 25
Bergham (Kreis Rosenheim) 105 V 20
Bergham (Kreis Schwandorf) 89 S 20
Berghaselbach 97 U 19
Berghaupten 100 U 7
Berghausen 93 S 9
Berghausen (Hochsauerlandkreis) 50 M 8
Berghausen (Kreis Siegen-Wittgenstein) 62 M 9
Berghausen (Oberbergischer Kreis) 59 M 6
Berghausen (Rhein-Lahn-Kreis) 73 P 8
Bergheide 56 L 25
Bergheim (Erftkreis) 58 N 3
Bergheim (Hochsauerlandkreis) 49 L 7
Bergheim (Kreis Augsburg) 104 V 16
Bergheim (Kreis Höxter) 50 K 11
Bergheim (Kreis Neuburg-Schrobenhausen) 96 T 17
Bergheim (Kreis Waldeck-Frankenberg) 63 M 11
Bergheim (Wetteraukreis) 74 O 11
Berghof 112 X 16
Bergholz (Kreis Potsdam-Mittelmark) 43 J 21
Bergholz (Kreis Uecker-Randow) 25 F 26
Bergholz-Rehbrücke 43 I 23
Berghülen 102 U 13
Bergisch Born 48 M 5
Bergisch Gladbach 59 N 5
Bergisch Neukirchen 59 M 5
Bergisches Land (Naturpark) 59 N 6
Bergkamen 49 L 6
Bergkirchen 39 J 10
Bergkirchen 104 V 18
Berglen 94 T 12
Berglern 105 U 19
Berglicht 72 Q 4
Bergneustadt 61 M 6
Bergrade Dorf 22 F 19
Bergrheinfeld 76 P 14
Bergsdorf 34 H 23
Bergstedt 20 E 14
Bergstein 58 N 3
Bergstetten 90 S 19
Bergstraße 84 R 10
Bergstraße-Odenwald (Naturpark) 84 R 10
Bergtheim 76 Q 14
Bergweiler 72 Q 4
Bergwitz 55 K 21
Bergzow 42 I 20
Beringhausen 50 L 10
Beringstedt 8 D 12
Berk 70 O 3
Berka 53 L 16
Berka a. d. Werra 64 N 14
Berka v. d. Hainich 64 M 15
Berkach 76 O 15
Berkatal 51 M 13
Berkau (Altmarkkreis Salzwedel) 32 I 18
Berkau (Kreis Wittenberg) 43 K 21
Berkel 36 J 4
Berkenbrück (Kreis Oder-Spree) 45 I 26
Berkenbrück (Kreis Teltow-Fläming) 44 J 23
Berkenthin 21 E 15
Berkheim 103 V 14
Berkhof 30 I 13
Berkholz 25 G 24
Berkholz-Meyenburg 35 G 26
Berklingen 41 J 16
Berkum 60 O 5
Berlar 50 M 9
Berlebeck 39 K 10
Berlepsch 51 L 13
Berlichingen 85 S 12
Berlin 44 I 23
Berlin (Kreis Segeberg) 9 D 15
Berlin-Schönefeld (Flughafen) 44 I 24
Berlin-Tegel (Flughafen) 34 I 23
Berlin-Tempelhof (Flughafen) 44 I 24
Berlinchen 33 G 21
Berlingerode 52 L 14
Berlitt 33 H 20
Berlstedt 65 M 17
Bermaringen 102 U 13
Bermatingen 110 W 12
Bermbach (Kreis Schmalkalden-Meiningen) 64 N 15
Bermbach (Wartburgkreis) 64 N 13
Bermbeck 38 J 9
Bermel 71 P 5
Bermesbach 93 T 9
Bermoll 62 O 9
Bermsgrün 67 O 22
Bernau 34 H 24
Bernau a. Chiemsee 106 W 21
Bernau i. Schwarzwald 100 W 8
Bernbach 75 P 11
Bernbach (Kreis Calw) 93 T 9
Bernbach (Kreis Ostallgäu) 104 W 16
Bernbeuren 112 W 16
Bernburg 54 K 19
Berndorf 50 M 10
Berne 28 G 9
Berneburg 63 M 13
Berneck 93 U 9
Berngau 87 S 18
Bernhardswald 90 S 20
Bernhausen 94 T 11
Bernheck 87 R 18
Bernitt 23 E 19
Bernkastel 72 Q 5
Bernloch 102 U 12
Bernried (Kreis Cham) 89 S 21
Bernried (Kreis Deggendorf) 91 T 22
Bernried a. Starnberger See 104 W 17
Bernrieth (b. Großenschwand) 89 R 20
Bernrieth (b. Neuenhammer) 89 Q 21
Bernsbach 67 O 22
Bernsdorf (Kreis Chemnitzer Land) 67 N 21
Bernsdorf (Westlausitzkreis) 56 L 26
Bernsfeld 62 N 10
Bernsfelden 85 R 13
Bernsgrün 66 O 20
Bernshausen 63 O 12
Bernstadt 69 M 28
Bernstadt 95 U 14
Bernstein (Kreis Tirschenreuth) 88 Q 20
Bernstein (Kreis Wunsiedel i. F.) 78 P 20
Bernstein a. Wald 77 P 18
Bernsteininsel 11 C 21
Bernstorf 21 E 17
Bernte 36 I 5
Bernterode (b. Heiligenstadt) 52 M 14
Bernterode (b. Worbis) 52 L 15
Berolzheim (Kreis Neustadt a. d. A.-Bad W.) 86 R 15
Berolzheim (Main-Tauber-Kreis) 85 R 12
Berrendorf 58 N 3
Berschweiler 81 R 5
Bersede 26 H 5
Bersenbrück 27 I 7
Bersrod 62 O 10
Berßel 41 K 16
Berstadt 74 O 10
Berste 56 K 25
Berthelsdorf (Kreis Löbau-Zittau) 69 M 28
Berthelsdorf (Kreis Sächsische Schweiz) 69 M 26
Berthelsdorf (Erzgebirge) 68 N 24
Bertikow 25 G 25
Bertingen 42 I 19
Bertkow 32 H 19
Bertoldsheim 96 T 17
Bertoldshofen 111 W 15
Bertsdorf-Hörnitz 69 N 28
Berum 16 F 5
Berumbur 17 F 5
Berumerfehn 17 F 6
Berus 82 S 4
Berwangen 84 S 10
Berwartstein 92 S 7
Berwicke 49 L 8
Berzdorf 59 N 4
Berzhahn 61 O 7
Besandten 32 G 17
Besch 80 R 3
Bescheid 81 Q 4
Beschendorf 10 D 16
Beschotenweg 26 G 5
Beselich 73 O 8
Besenfeld 93 U 9
Besenthal 21 F 16
Beseritz 24 E 24
Besigheim 94 T 11
Besitz 21 F 16
Besse 51 M 12
Bessenbach 75 Q 11
Besseringen 80 R 3
Besten 47 L 4
Bestenheid 85 Q 12
Bestensee 44 J 24
Bestwig 50 L 9
Betheln 40 J 13
Bethen 27 H 8
Bethenhausen 66 N 20
Bettbrunn 97 T 18
Bettendorf 73 P 7
Bettenfeld 70 P 4
Bettenhausen 64 O 14
Bettenhausen 101 U 9
Bettingen (Kreis Bitburg-Prüm) 80 Q 3
Bettingen (Main-Tauber-Kreis) 85 Q 12
Bettingerode 41 K 15
Bettinghausen 50 L 8
Bettmar (Kreis Hildesheim) 40 J 14
Bettmar (Kreis Peine) 40 J 14
Bettmaringen 109 W 9
Bettringen 95 T 13
Bettrum 40 J 14
Betzdorf 61 N 7
Betzendorf 31 G 14
Betzenrod 75 O 11
Betzenstein 87 Q 18
Betzenweiler 102 V 12
Betzhorn 31 I 15
Betziesdorf 62 N 10
Betzigau 111 W 15
Betzin 33 H 22
Betzweiler-Wälde 101 U 9
Beucha 55 M 21
Beuchen 85 R 11
Beuchte 41 K 15
Beuel (Bonn) 59 N 5
Beuerbach 73 P 8
Beuerbach 104 V 16
Beuerberg 104 W 18
Beuern 62 O 10
Beuna 54 M 19
Beuren 52 L 14
Beuren (Kreis Cochem-Zell) 71 P 5
Beuren (Kreis Esslingen) 94 U 12
Beuren (Kreis Ravensburg) 111 W 14
Beuren (Kreis Trier-Saarburg) 80 R 3
Beuren (Hochwald) 81 Q 4
Beuren a. d. Aach 101 W 10
Beuren a. Ried 101 W 10
Beurig 80 R 3
Beuron 101 V 10
Beuster 32 H 19
Beutel 34 G 24
Beutelsbach 99 U 23
Beutha 67 O 22
Bevenrode 41 I 15
Bevensen 30 I 12
Bever 37 J 7
Bever (Niedersachsen) 19 F 11
Bever-Stausee 49 M 6
Beverbrok 27 G 8
Beverbruch 27 H 8
Bevergern 37 J 6
Bevern (Kreis Cloppenburg) 27 H 8
Bevern (Kreis Holzminden) 51 K 12
Bevern (Kreis Pinneberg) 19 E 13
Bevern (Kreis Rotenburg) 19 F 11
Beverstedt 18 F 10
Beverstrang 37 J 7
Beverungen 51 L 12
Bexbach 81 R 5
Bexhövede 18 F 10
Bexten 36 I 6
Beyenburg 48 M 5
Beyendorf 42 J 18
Beyerberg 95 S 15
Beyern 55 L 23
Beyernaumburg 53 L 18
Beyharting 105 W 19
Bias 42 K 20
Biber 103 U 14
Biberach 85 S 11
Biberach an der Riß 102 V 13
Biberach i. Kinzigtal 100 U 8
Biberbach (Kreis Augsburg) 96 U 16
Biberbach (Kreis Cham) 89 R 21
Biberbach (Kreis Dachau) 105 U 18
Biberberg 103 U 14
Bibergau 86 Q 14
Biberkopf 111 Y 14

Bibersfeld 94 S 13
Bibert 87 R 16
Bibertal 103 U 14
Biblis 84 Q 9
Bibra 76 O 15
Biburg (Kreis Augsburg) 104 U 16
Biburg (Kreis Kelheim) 97 T 19
Bichl 112 W 18
Bickelsteiner Heide 31 I 16
Bicken 62 N 9
Bickenbach (Kreis Darmstadt-Dieburg) 84 Q 9
Bickenbach (Rhein-Hunsrück-Kreis) 71 P 6
Bickendorf (Kreis Bitburg-Prüm) 70 P 3
Bickenriede 52 M 15
Bickensohl 100 V 6
Bidingen 104 W 16
Biebelnheim 83 Q 8
Biebelried 86 Q 14
Bieber 75 P 11
Bieberbach 87 Q 17
Bieberehren 86 R 14
Biebergemünd 75 P 11
Biebern 73 Q 6
Biebersdorf 44 K 25
Bieberstein (Kreis Freiberg) 67 M 24
Bieberstein (Kreis Fulda) 63 O 13
Biebertal 62 O 9
Biebesheim 84 Q 9
Biebrich 73 P 8
Biedebach 63 N 12
Biedenkopf 62 N 9
Biederbach (Kreis Ansbach) 86 S 16
Biederbach (Kreis Emmendingen) 100 V 8
Biederitz 42 J 19
Biedesheim 83 R 8
Biegen 45 J 27
Biehain 57 M 28
Biehla 56 L 24
Biehlen 56 L 25
Bielatal 68 N 26
Bielefeld 38 J 9
Bielen 53 L 16
Bielenberg 19 E 12
Bielstein 59 N 6
Biemenhorst 46 K 3
Biendorf (Kreis Bad Doberan) 10 D 19
Biendorf (Kreis Bernburg) 54 K 19
Biene 26 I 5
Bienen 46 K 3
Bienenbüttel 31 G 15
Biengen 100 W 7
Bienitz 54 L 20
Bienrode 41 J 15
Bienstädt 65 M 16
Bienwald 92 S 8
Bienwaldmühle 92 S 8
Bier-und-Burgenstraße 65 O 18
Bierbergen 40 J 14
Bierde (Kreis Minden-Lübbecke) 39 I 11
Bierde (Kreis Soltau-Fallingbostel) 30 H 12
Bierdorf 104 W 17
Biere 42 K 18
Bieringen (Hohenlohekreis) 85 R 12
Bieringen (Kreis Tübingen) 101 U 10
Bierlingen 101 U 10
Biersdorf 70 P 3
Bierstadt 74 P 8
Bierstedt 31 H 17
Bierth 59 N 6
Biese 32 H 18
Biesen 33 G 21
Biesenbrow 35 G 26
Biesenhard 96 T 17
Biesenrode 53 L 18
Biesenthal 34 H 24
Biesfeld 59 M 5
Biesingen 101 W 9
Biessenhofen 103 W 15
Bieste 37 I 8
Bieswang 96 T 17
Bietigheim 94 T 11
Bietigheim 93 T 8
Bietikow 25 G 25
Bietingen 109 W 10
Biewer 72 Q 3
Bigge 50 L 9
Biggesee 61 M 7
Bildchen 58 N 2
Bildechingen 93 U 10
Bilk 36 J 5
Billafingen (Bodenseekreis) 102 W 11
Billafingen (Kreis Biberach an der Riß) 102 V 11
Billbrook (Hamburg) 20 F 14
Bille 20 F 14
Billenhausen 103 V 15
Billerbeck 31 H 16
Billerbeck (Kreis Coesfeld) 36 K 5
Billerbeck (Kreis Lippe) 39 K 11
Billig 60 O 4
Billigheim (Neckar-Odenwald-Kreis) 85 R 11
Billigheim-Ingenheim 83 S 8
Billingsbach 85 S 13
Billingshausen 52 L 14
Billingshausen 75 Q 13
Billmerich 49 L 7
Billroda 65 M 18
Bilm 40 I 13
Bilsen 19 E 13
Bilshausen 52 L 14
Bilstein 61 M 8
Bilzingsleben 53 M 17
Bimbach 63 O 12
Bimmen 46 K 2
Bimöhlen 9 E 13
Bimolten 36 I 5
Binabiburg 106 U 21
Binau 84 R 11
Binde 32 H 18
Bindersleben 65 N 16
Bindfelde 32 I 19
Bindlach-Obergräfenthal 77 Q 18
Bindow 44 J 25
Bindsachsen 75 O 11
Bingen 73 Q 7
Bingen 102 V 11
Bingenheim 74 O 10
Binger Wald 73 Q 7
Binghöhle 87 Q 17
Bingum 17 G 6
Binnen 29 I 11
Binningen 71 P 5
Binningen 101 W 10
Binsdorf 101 V 10
Binsfeld 72 Q 4
Binswangen 95 U 15
Binz 13 C 24
Binzen 108 X 6
Binzenbach 60 O 4
Binzwangen 102 V 12
Bippen 27 I 7
Birgden 58 M 2
Birgel (Kreis Daun) 70 P 3
Birgel (Kreis Düren) 58 N 3
Birgelen 58 M 2
Birgland 88 R 18
Birgte 37 J 6
Biringen 80 R 3
Birkach (Kreis Bamberg) 87 Q 16
Birkach (Kreis Ebersberg) 105 V 20
Birkach (Kreis Haßberge) 76 P 15
Birkefehl 62 M 8
Birkelbach 62 M 8
Birken-Honigsessen 61 N 7
Birkenau 84 R 10
Birkenbringhausen 62 M 10
Birkendorf 109 W 8
Birkenfeld 81 R 5
Birkenfeld (Enzkreis) 93 T 9
Birkenfeld (Kreis Main-Spessart) 75 Q 13
Birkenfeld (Kreis Neustadt a. d. A.-Bad W.) 86 R 15
Birkenfelde 52 L 14
Birkenhainchen 45 J 26
Birkenhard 102 V 13
Birkenheide 83 R 8
Birkenhördt 92 S 7
Birkenhügel 78 O 19
Birkenkopf 94 T 11
Birkenlach 87 S 17
Birkenmoor 5 C 14
Birkenwerder 34 H 23
Birkesdorf 58 N 3
Birkholz (Kreis Barnim) 34 I 24
Birkholz (Kreis Stendal) 42 I 19
Birklingen 86 Q 15
Birkmannsweiler 94 T 12
Birkungen 52 L 15
Birkwitz-Pratzschwitz 68 N 25
Birnau 110 W 11
Birnbach 97 T 20
Birnbach 59 N 6
Birnbaum (Kreis Kronach) 77 O 18
Birnbaum (Kreis Neustadt a. d. A.-Bad W.) 86 R 16
Birndorf 108 X 8
Birresborn 70 P 3
Birstein 75 O 11
Birten 46 L 3
Birx 64 O 14
Bischberg 77 Q 16
Bischbrunn 75 Q 12
Bischdorf (Kreis Löbau-Zittau) 69 M 28
Bischdorf (Kreis Oberspreewald-Lausitz) 56 K 25
Bischhagen 52 L 14
Bischhausen (Kreis Göttingen) 52 L 14
Bischhausen (Schwalm-Eder-Kreis) 63 M 11
Bischhausen (Werra-Meißner-Kreis) 64 M 13
Bischheim-Häslich 68 M 26
Bischleben 65 N 16
Bischoffen 62 N 9
Bischofferode (Kreis Eichsfeld) 52 L 15
Bischofferode (Schwalm-Eder-Kreis) 63 M 13
Bischoffingen 100 V 6
Bischofrod 64 O 15
Bischofroda 64 M 15
Bischofrode 53 L 18
Bischofsdorf 13 C 23
Bischofsgrün 78 P 19
Bischofsheim (Kreis Groß-Gerau) 74 Q 9
Bischofsheim (Main-Kinzig-Kreis) 74 P 10
Bischofsheim an der Rhön (Kreis Rhön-Grabfeld) 76 O 14
Bischofsmais 91 T 23
Bischofsreut 99 T 25
Bischofswerda 68 M 26
Bischofswiesen 114 X 22
Bischweier 93 T 8
Bischwind 76 P 16
Bishausen 52 L 13
Bisingen 101 V 10
Biskirchen 62 O 8
Bislich 46 K 3
Bismark (Kreis Uecker-Randow) 25 F 26
Bismark (Altmark) 32 I 18
Bisperode 39 J 12
Bispingen 30 G 13
Bissee 9 D 14
Bissel 27 H 8
Bissendorf (Kreis Hannover) 40 I 13
Bissendorf (Kreis Osnabrück) 37 J 8
Bissingen 95 T 15
Bissingen an der Teck 94 U 12
Bissingen ob Lontal (Kreis Heidenheim) 95 U 14
Bissingheim 47 L 4
Bisten 82 S 4
Bistensee 8 C 13
Bistoft 5 B 12
Bitburg 70 Q 3
Bitburg (Stausee) 70 P 3
Bittelbronn 85 R 11
Bittelbrunn 101 W 10
Bittelschieß 102 W 11
Bittenbrunn 96 T 17
Bittenfeld 94 T 11
Bitterfeld 54 L 20
Bittkau 42 I 19
Bitz (Kreis Eichstätt) 97 T 18
Bitz (Zollernalbkreis) 102 V 11
Bitzen 61 N 7
Bitzfeld 85 S 12
Blaibach 89 S 22
Blaibacher See 91 S 22
Blaichach 111 X 14
Blandikow 33 G 21
Blankenau (Kreis Fulda) 63 O 12
Blankenau (Kreis Höxter) 51 K 12
Blankenbach 75 P 11
Blankenberg (Kreis Ostprignitz-Ruppin) 33 H 21
Blankenberg (Kreis Parchim) 22 E 19
Blankenberg (Saale-Orla-Kreis) 78 O 19

BONN

Am Alten Friedhof BZ 2
Am Hof CZ
Am Neutor CZ 3
Belderberg CY 7
Bertha-von-Suttner-Pl. CY 9
Bottlerpl. BZ 10
Brüdergasse CY 12
Budapester Str. BYZ 14
Fritz-Schroeder-Ufer CY 15
Gerhard-von-Are-Str. BZ 16
Kasernenstr. BY 20
Markt CZ 23
Martinspl. CZ 24
Mülheimer Pl. BZ 27
Münsterpl. BZ 28
Münsterstr. BZ 29
Oxfordstr. BY 31
Poppelsdorfer Allee BZ 32
Poststr. BZ 34
Rathausgasse CZ 36
Remigiuspl. CZ 38
Remigiusstr. CZ 40
Sternstr. BCZ 43
Sterntorbrücke BY 45
Thomas-Mann-Str. BYZ 46
Welschnonnenstr. CY 48
Wenzelgasse CY 49
Wilhelmstr. BY 50

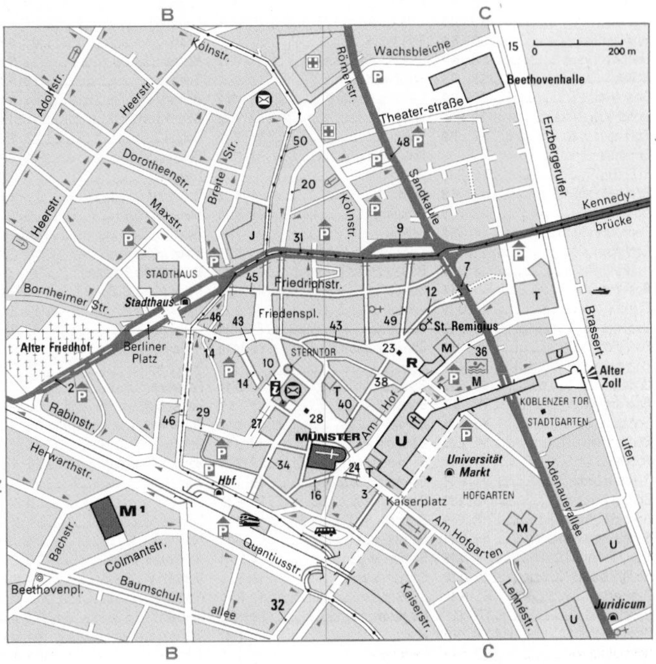

B
C
Y
Z
Kölnstr.
Wachsbleiche
Beethovenhalle
200 m
Theater-straße
Sandkaule
Erzbergerufer
Kennedy-brücke
Dorotheenstr.
Maxstr.
Heerstr.
Adolfstr.
STADTHAUS
Stadthaus
Friedrichstr.
Bornheimer Str.
Friedenspl.
St. Remigius
Alter Friedhof
Berliner Platz
STERNTOR
Alter Zoll
Rabinstr.
MÜNSTER
KOBLENZER TOR
STADTGARTEN
Universität
Markt
Herwarthstr.
Hbf.
Kaiserplatz
HOFGARTEN
Am Hofgarten
Adenauerallee
M1
Bachstr.
Colmantstr.
Quantiusstr.
Baumschul-allee
Beethovenpl.
Kaiserstr.
Lennéstr.
Juridicum
Brassertufer

Blankenburg (Kreis Uckermark) 25 G 25
Blankenburg (Unstrut-Hainich-Kreis) 64 M 16
Blankenburg (Harz) 53 K 16
Blankenese 19 F 13
Blankenfelde 44 J 24
Blankenförde 24 F 22
Blankenhagen 11 D 21
Blankenhagen 38 K 9
Blankenhain (Kreis Weimarer Land) 65 N 18
Blankenhain (Kreis Zwickauer Land) 66 N 20
Blankenheim (Kreis Euskirchen) 70 O 3
Blankenheim (Kreis Hersfeld-Rotenburg) 63 N 13
Blankenheim (Kreis Sangerhausen) 53 L 18
Blankenloch 93 S 9
Blankenrath 71 P 5
Blankenrode 50 L 10
Blankensee (Kreis Mecklenburg-Strelitz) 24 F 23
Blankensee (Kreis Teltow-Fläming) 44 J 23
Blankensee (Kreis Uecker-Randow) 25 F 26
Blankensee (Lübeck-) 21 E 16
Blankenstein 68 M 24
Blankenstein 78 O 19
Blasbach 62 O 9
Blasheim 38 J 9
Blatzheim 58 N 3
Blaubeuren 102 U 13
Blaueishütte 114 X 22
Blauen 100 W 7
Blauer Berg 31 H 15
Blaufelden 86 S 13
Blauhand 17 F 8
Blauort (Insel) 7 D 10
Blaustein 103 U 13
Bleche 61 M 7
Blechhammer 89 S 20
Bleckede 21 G 16
Bleckenstedt 40 J 15
Bleckhausen 70 P 4
Bleckmar 30 H 13
Blecksteinhaus 113 X 19
Bleddin 55 K 22
Bleibach 100 V 8
Bleibuir 60 O 3
Bleichenbach 74 P 11
Bleicherode 52 L 15
Bleichheim 100 V 7
Bleichstetten 102 U 12
Bleidenstadt 73 P 8
Bleiloch Stausee 78 O 19
Bleiwäsche 50 L 10
Blekendorf 9 D 15
Blender 29 H 11
Blenhorst 29 H 11
Blersum 17 F 7
Blesendorf 33 G 21
Blesewitz 24 E 24
Blexen 18 F 9
Blickwedel 31 H 15
Blickweiler 82 S 5
Bliedersdorf 19 F 12
Blies 81 R 5
Bliesdalheim 82 S 5
Bliesdorf (Kreis Märkisch-Oderland) 35 H 26
Bliesdorf (Kreis Ostholstein) 10 D 16
Bliesen 81 R 5
Bliesendorf 43 I 22
Bliesheim 59 N 4
Blieskastel 82 S 5
Bliesmengen-Bolchen 82 S 5
Bliesransbach 82 S 5
Bliestorf 21 E 15
Blievenstorf 22 F 18
Blindheim 95 U 15
Blindow 25 F 25
Blintendorf 78 O 19
Blitzenreute 102 W 12
Blochingen 102 V 12
Blochwitz 56 L 25
Blönried 102 W 12
Blönsdorf 43 K 22
Bloh 27 G 8
Bloischdorf 57 L 27
Blomberg 17 F 6
Blomberg 39 K 11
Blomesche Wildnis 19 E 12
Blonhofen 104 W 16
Blosenberg 78 O 19
Blossenau 96 T 16
Blossersberg 91 S 22
Blossin 44 J 25
Bloßwitz 55 M 23
Blosterlang 111 X 14
Blowatz 10 E 18
Blücher 21 F 16
Blüthen 32 G 19
Blumberg 101 W 9
Blumberg (Kreis Barnim) 34 I 24
Blumberg (Kreis Torgau-Oschatz) 55 L 23
Blumberg (Kreis Uckermark) 25 G 26
Blumegg 101 W 9
Blumenau 67 N 23
Blumenberg 42 J 18
Blumenhagen (Kreis Peine) 40 I 14
Blumenhagen (Kreis Uecker Randow) 25 F 25
Blumenholz 24 F 23
Blumenow 34 G 23
Blumenrod 77 P 17
Blumenthal 70 O 3
Blumenthal (Kreis Jerichower Land) 42 J 19
Blumenthal (Kreis Ostprignitz-Ruppin) 33 G 21
Blumenthal (Kreis Rendsburg-Eckernförde) 9 D 13
Blumenthal (Kreis Uecker-Randow) 25 E 25
Blumenthal (Bremen-) 29 G 9
Blunk 9 D 14
Bluno 56 L 26
Bobbau 54 K 20
Bobbin (Kreis Güstrow) 14 E 22
Bobbin (Kreis Rügen) 13 C 24
Bobengrün 78 O 18
Bobenhausen (Vogelsbergkreis) 63 O 11
Bobenhausen (Wetteraukreis) 74 O 11
Bobenheim 84 R 9
Bobenneukirchen 78 O 20
Bobenthal 92 S 7
Boberow 32 G 18
Bobingen 104 V 16
Bobitz 21 E 18
Boblitz 56 K 25
Bobstadt (Kreis Bergstraße) 84 R 9
Bobstadt (Main-Tauber-Kreis) 85 R 13
Bobzin 21 F 17
Bochin 32 G 18
Bochingen 101 V 9
Bocholt 36 K 3
Bochow (Kreis Potsdam-Mittelmark) 43 I 22
Bochow (Kreis Teltow-Fläming) 43 K 23
Bochum 47 L 5

Bock 13 C 23
Bockau 67 O 22
Bockelnhagen 52 L 15
Bockelskamp 30 I 14
Bockelwitz 55 M 22
Bockenau 73 Q 7
Bockendorf 67 N 23
Bockenem 40 J 14
Bockenheim a. d. Weinstraße 83 R 8
Bocker Kanal 50 K 9
Bockert 58 M 3
Bocket 58 M 1
Bockholte 27 H 7
Bockhorn 105 V 19
Bockhorn *(Kreis Friesland)* 17 F 8
Bockhorn *(Kreis Soltau-Fallingbostel)* 30 H 13
Bockhornerfeld 17 F 8
Bockhorst 37 J 8
Bockhorst *(Kreis Emsland)* 27 G 6
Bockhorst *(Kreis Steinburg)* 8 D 12
Bocklemünd 59 N 4
Bocksberg 96 U 16
Bocksee 24 F 22
Bockstedt 28 H 9
Bockswiese *(Hahnenklee)* 52 K 15
Bockum 46 L 3
Bockum-Hövel 49 K 7
Bockwitz 55 L 23
Boddin *(Kreis Güstrow)* 11 E 21
Boddin *(Kreis Ludwigslust)* 21 F 17
Boddin-Langnow 33 G 20
Bode *(Bach z. Saale)* 53 K 17
Bode *(Bach z. Wipper)* 52 L 15
Bodelsberg 111 W 15
Bodelshausen 101 U 10
Bodelwitz 65 N 18
Boden 73 O 7
Bodenbach 71 P 4
Bodenburg 40 J 14
Bodendorf 41 J 17
Bodendorf 60 O 5
Bodenfelde 51 L 12
Bodenheim 74 Q 8
Bodenkirchen 106 U 21
Bodenmais 91 S 23
Bodenrod 74 O 9
Bodenrode 52 L 14
Bodensee 52 L 14
Bodensee 110 X 12
Bodenstedt 40 J 15
Bodenteich 31 H 16
Bodenwerder 39 K 12
Bodenwöhr 89 S 20
Bodersweier 92 U 7
Bodetal 53 K 16
Bodman 101 W 11
Bodman-Ludwigshafen 101 W 11
Bodnegg 110 W 13
Bodolz 110 X 12
Bodstedt 11 C 21
Bodstedter Bodden 11 C 21
Böbing 112 W 16
Böbingen an der Rems 95 T 13
Böblingen 93 T 11
Böbrach 91 S 23
Böbs 9 E 15
Böchingen 83 S 8
Böcke 43 J 21
Böckenberg 34 G 25
Böddeken 50 L 10
Böddensell 41 I 17
Böddenstedt 31 H 15
Bödefeld 50 M 9
Bödexen 51 K 12
Bödigheim 85 R 11
Böel 5 C 13
Böen 27 H 7
Böglum 4 B 10
Böhen 103 W 14
Böhl-Iggelheim 84 R 8
Böhl-Süderhöft 7 D 9
Böhlen *(b. Leisnig)* 55 M 22
Böhlen *(Ilmkreis)* 65 O 17
Böhlen *(Kreis Leipziger Land)* 54 M 21
Böhlen *(Muldentalkreis)* 67 M 22
Böhlendorf 14 D 22
Böhlitz 55 L 22
Böhlitz-Ehrenberg 54 L 20
Böhme 30 H 12
Böhmenkirch 95 T 13
Böhmer Wald 89 Q 21
Böhmerwold 16 G 5
Böhmfeld 96 T 18
Böhmischbruck 89 R 21
Böhmzwiesel 99 T 24
Böhne 33 I 20
Böhne 51 M 11
Böhnhusen 9 D 14
Böhrde 29 I 10
Böhrigen 67 M 23
Böhringen *(Kreis Konstanz)* 109 W 10
Böhringen *(Kreis Reutlingen)* 94 U 12
Böhringen *(Kreis Rottweil)* 101 V 9
Boek 24 F 22
Böken 21 E 17
Bökendorf 51 K 11
Bökenförde 50 L 9
Böklund 8 C 12
Bölkendorf 35 H 26
Bölkow *(Kreis Bad Doberan)* 11 D 19
Bölkow *(Kreis Güstrow)* 23 E 20
Bölsdorf 42 I 19
Bölzke 33 G 20
Bömenzien 32 H 18
Bömighausen 50 M 10
Boen 26 G 5
Bönebüttel 9 D 14
Bönen 49 L 7
Bönitz 55 L 23
Bönnien 40 J 14
Bönnigheim 94 S 11
Bönninghardt *(Dorf)* 46 L 3
Bönningstedt 19 E 13
Bönstadt 74 P 10
Börfink 81 Q 5
Börger 27 H 6
Börgerende-Rethwisch 11 D 19
Börgermoor 27 G 6
Börln 55 L 22
Börm 8 C 12
Börmerkoog 8 C 12
Börnecke 53 K 17
Börnersdorf 68 N 25
Börnichen 67 N 23
Börnicke *(Kreis Barnim)* 34 I 24
Börnicke *(Kreis Havelland)* 33 H 22
Börninghausen 38 J 9
Börnsdorf *(Kreis Plön)* 9 D 15
Börnsen 20 F 14
Börrstadt 83 R 7
Börry 39 J 12
Börsborn 81 R 6
Börßum 41 J 15
Börstel *(Kreis Emsland)* 27 I 7
Börtewitz 55 M 22
Börtlingen 94 T 12
Börwang 111 W 15
Börzow 21 E 17
Bösdorf *(Kreis Plön)* 9 D 15
Bösdorf *(Ohrekreis)* 41 I 17
Bösel *(Kreis Cloppenburg)* 27 G 7
Bösel *(Kreis Lüchow-Dannenberg)* 31 H 17
Bösenbechhofen 87 Q 16
Bösenbrunn 78 O 20
Bösenburg 54 L 18
Böseneck 78 P 19
Bösensell 37 K 6
Bösingen *(Kreis Freudenstadt)* 93 U 9
Bösingen *(Kreis Rottweil)* 101 V 9
Bösingfeld 39 J 11
Bösleben-Wüllersleben 65 N 17
Bösperde 49 L 7
Bössow 10 E 17
Bötersen 29 G 11
Bötersheim 19 G 13
Böttigheim 85 Q 12
Böttingen *(Kreis Reutlingen)* 102 U 12
Böttingen *(Kreis Tuttlingen)* 101 V 10
Bötzingen 100 V 7
Bötzow 34 I 23
Bövingen 59 N 6
Böxlund 4 B 11
Boffzen 51 K 12
Bofsheim 85 R 12
Bogel 73 P 7
Bogen 98 T 22
Bogenberg 98 T 22
Bohlenbergerfeld 17 F 7
Bohlingen 109 W 10
Bohlsen 31 H 15
Bohmstedt 4 C 11
Bohmte 38 I 8
Bohnert 5 C 13
Bohnhorst 39 I 10
Bohsdorf 57 L 27
Boich 58 N 3
Boiensdorf 10 D 18
Boisheim 58 M 2
Boissow 21 F 16
Boitin 23 E 19
Boitze 31 G 16
Boitzen 19 F 12
Boitzenburg 25 G 24
Boitzenhagen 31 I 16
Boize 21 F 16
Boizenburg 21 F 16
Bojendorf 10 C 17
Bojendorf 77 P 17
Bokel *(b. Halle)* 50 K 9
Bokel *(b. Rietberg)* 38 J 8
Bokel *(Kreis Cuxhaven)* 18 F 10
Bokel *(Kreis Emsland)* 27 G 6
Bokel *(Kreis Gifhorn)* 31 H 15
Bokel *(Kreis Pinneberg)* 19 E 13
Bokel *(Kreis Rendsburg-Eckernförde)* 8 D 13
Bokelholm 8 D 13
Bokelhop 8 D 12
Bokeloh *(Kreis Emsland)* 26 H 6
Bokeloh *(Kreis Hannover)* 39 I 12
Bokensdorf 41 I 16
Bokholt-Hanredder 19 E 13
Bokhorst 9 D 14
Boklund 8 C 12
Boksee 9 D 14
Bolanden 83 R 8
Boldebuck 23 E 20
Boldekow 24 E 24
Boldevitz 13 C 24
Bolheim 95 U 14
Boll *(Kreis Göppingen)* 94 U 12
Boll *(Kreis Sigmaringen)* 101 W 11
Boll *(Kreis Waldshut)* 101 W 9
Bollen 29 G 10
Bollendorf 80 Q 3
Bollensdorf 56 K 24
Bollensen *(Kreis Northeim)* 51 L 13
Bollensen *(Kreis Uelzen)* 31 H 15
Bolleroda 64 M 15
Bollersdorf 35 I 26
Bollersen 30 H 13
Bollingen 103 U 13
Bollingstedt 5 C 12
Bollschweil 100 W 7
Bollstadt 95 T 15
Bollstedt 64 M 15
Bolschwitz 56 K 26
Bolsehle 29 I 11
Bolstern 102 W 12
Boltenhagen 10 E 17
Boltersen 21 G 15
Bolzum 40 J 13
Bombach 100 V 7
Bomlitz *(Lönsgrab)* 30 H 12
Bommelsen 30 H 13
Bommern 47 L 6
Boms 102 W 12
Bomsdorf 45 J 27
Bonames 74 P 10
Bonbaden 74 O 9
Bonbruck 106 U 21
Bondelum 5 C 11
Bondenau 5 B 12
Bondorf 93 U 10
Bonenburg 50 L 11
Bonese 31 H 16
Bongard 71 P 4
Bongsiel 4 B 10
Bonlanden 94 U 11
Bonn 59 N 5
Bonndorf *(Bodenseekreis)* 102 W 11
Bonndorf *(Kreis Waldshut)* 101 W 9
Bonneberg 39 J 10
Bonstetten 104 U 16
Bonstorf 30 H 14
Bonsweiher 84 R 10
Bontkirchen 50 L 9
Bonzel 61 M 8
Boock 25 F 26
Bookhof 27 H 6
Booknis 5 C 14
Boos 71 P 5
Boos 103 V 14
Boossen 45 I 27
Boostedt 9 D 14
Bopfingen 95 T 15

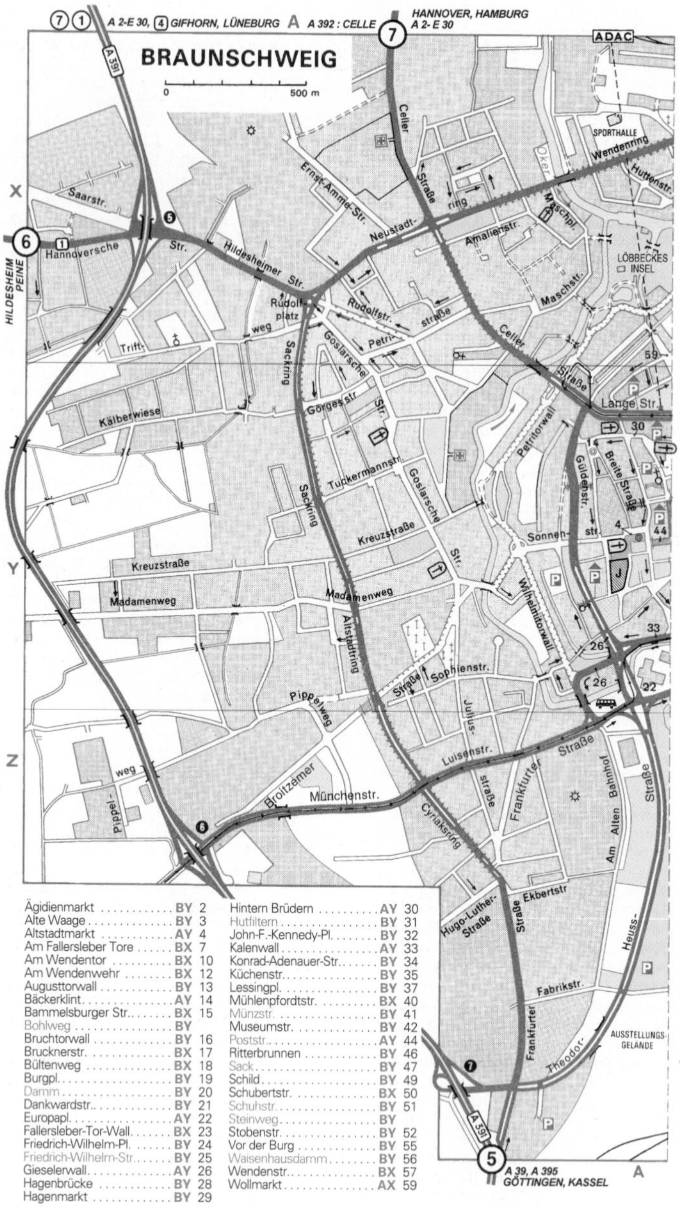

BRAUNSCHWEIG
500 m
ADAC
A 2-E 30, GIFHORN, LÜNEBURG
A 392 : CELLE
HANNOVER, HAMBURG A 2-E 30
A 39, A 395 GÖTTINGEN, KASSEL
HILDESHEIM PEINE
Ägidienmarkt BY 2
Alte Waage BY 3
Altstadtmarkt AY 4
Am Fallersleber Tore BX 7
Am Wendentor BX 10
Am Wendenwehr BX 12
Augusttorwall BY 13
Bäckerklint AY 14
Bammelsburger Str. BX 15
Bohlweg BY
Bruchtorwall BY 16
Brucknerstr. BX 17
Bültenweg BX 18
Burgpl. BY 19
Damm BY 20
Dankwardstr. BY 21
Europapl. AY 22
Fallersleber-Tor-Wall BX 23
Friedrich-Wilhelm-Pl. BY 24
Friedrich-Wilhelm-Str. BY 25
Gieselerwall AY 26
Hagenbrücke BY 28
Hagenmarkt BY 29
Hintern Brüdern AY 30
Hutfiltern BY 31
John-F.-Kennedy-Pl. BY 32
Kalenwall AY 33
Konrad-Adenauer-Str. BY 34
Küchenstr. BY 35
Lessingpl. BY 37
Mühlenpfordtstr. BX 40
Münzstr. BY 41
Museumstr. BY 42
Poststr. AY 44
Ritterbrunnen BY 46
Sack BY 47
Schild BY 49
Schubertstr. BX 50
Schuhstr. BY 51
Steinweg BY
Stobenstr. BY 52
Vor der Burg BY 55
Waisenhausdamm BY 56
Wendenstr. BX 57
Wollmarkt AX 59

Boppard 71 P 6
Borbeck 27 G 8
Borbeck *(Essen)* 47 L 4
Borbein 49 K 7
Borchen 50 K 10
Bordelum 4 C 10
Bordenau 39 I 12
Bordesholm 9 D 14
Boren 5 C 13
Borg *(Kreis Merzig-Wadern)* 80 R 3
Borg *(Kreis Münster)* 37 K 6
Borgau 65 M 18
Borgdorf-Seedorf 8 D 13
Borgeln 49 L 8
Borgentreich 51 L 11
Borgerende 11 D 19
Borgfeld *(Kreis Bremen)* 29 G 10
Borgholz 51 L 11
Borgholzhausen 38 J 8
Borghorst 36 J 6
Borgloh 37 J 8
Borgsdorf 34 H 23
Borgstedt 8 C 13
Borgwallsee 14 D 22
Borgwedel 5 C 12
Boritz 68 M 24
Bork 33 G 21
Bork 47 K 6
Borken 36 K 4
Borken *(Kreis Elbe-Elster)* 55 K 23
Borken *(Kreis Uecker-Randow)* 25 F 26
Borken (Hessen) *(Kreis Hessen)* 63 M 11
Borkenberge *(Dorf)* 47 K 5
Borker See 33 G 21
Borkheide 43 J 22
Borkum 16 F 3
Borkum (Insel) *(Kreis Leer)* 16 F 4
Borkwalde 43 J 22
Borlinghausen 50 L 11
Born 42 I 18
Born am Darß *(Kreis Nordvorpommern)* 11 C 21
Borna *(Kreis Leipziger Land)* 67 M 21
Borna *(Kreis Torgau-Oschatz)* 55 M 23
Borna-Gersdorf 68 N 25
Bornberg 19 F 11
Borne *(Kreis Aschersleben-Staßfurt)* 42 K 18
Borne *(Kreis Potsdam-Mittelmark)* 43 J 21
Bornhagen 52 L 13
Bornhausen 40 K 14
Bornheim *(Rhein-Sieg-Kreis)* 59 N 4
Bornhöved 9 D 14
Bornholt 8 D 12
Bornich 73 P 7
Bornim 43 I 23
Bornitz 66 M 20
Bornow 45 J 26
Bornsdorf *(Kreis Dahme-Spreewald)* 56 K 25
Bornsen *(Kreis Uelzen)* 31 G 15
Bornsen *(Kreis Westliche Altmark)* 31 H 16
Bornstedt *(Kreis Mansfelder Land)* 53 L 18
Bornstedt *(Ohrekreis)* 41 J 18
Bornstein 9 C 13
Borntin 24 E 24
Borntosten 50 L 10
Bornum *(Kreis Anhalt-Zerbst)* 41 J 15
Bornum am Elm *(Kreis Elmstedt)* 41 J 16
Bornum am Harz 40 K 14
Borod 61 O 7
Borr 59 N 4
Borrentin 24 E 22
Borsch 64 N 13
Borsdorf 55 L 21
Borsdorf 74 O 10
Borsfleth 19 E 12
Borßum 16 F 5
Borstel *(Kreis Diepholz)* 29 H 10
Borstel *(Kreis Hannover)* 29 I 12
Borstel *(Kreis Harburg)* 19 F 14
Borstel *(Kreis Segeberg)* 8 E 13
Borstel *(Kreis Stade)* 20 F 13
Borstel *(Kreis Stendal)* 32 I 19
Borstel *(Kreis Stormarn)* 20 E 14
Borstel *(Kreis Verden)* 29 G 11
Borstel-Hohenraden *(Kreis Pinneberg)* 19 E 13
Borstel in der Kuhle *(Kreis Soltau-Fallingbostel)* 30 G 14
Borstendorf 67 N 23
Borstorf 21 F 15
Borsum *(Kreis Emsland)* 26 G 5
Borsum *(Kreis Hildesheim)* 40 J 14

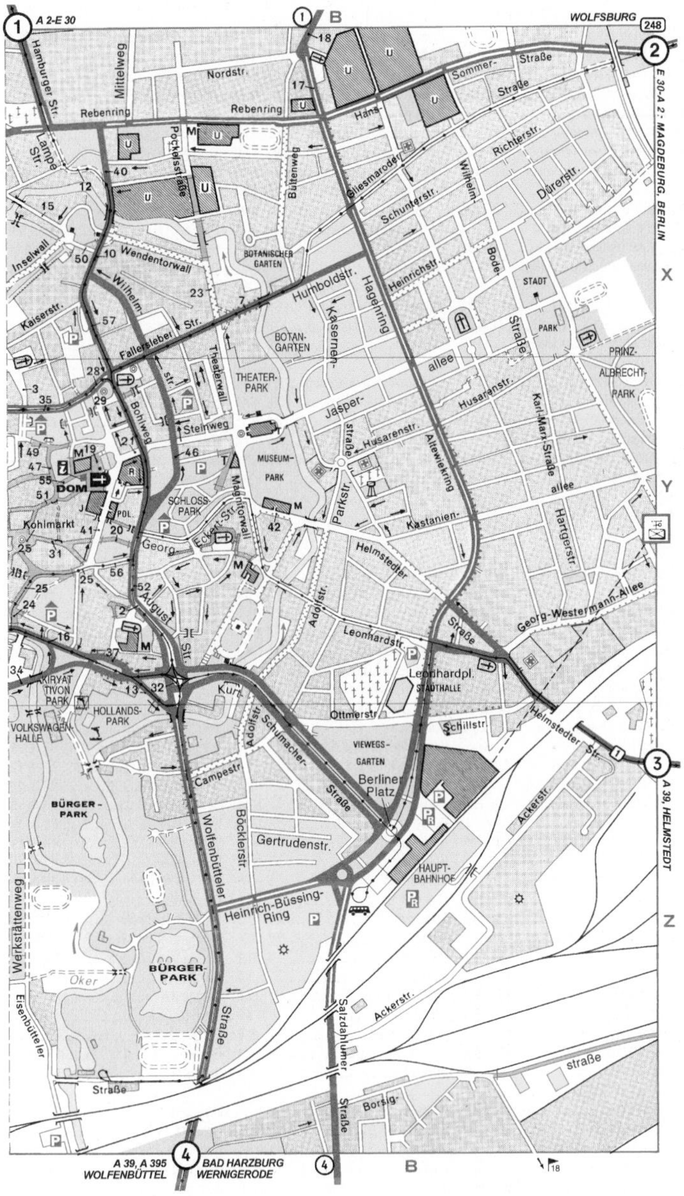
A 2-E 30
WOLFSBURG
E 30-A 2: MAGDEBURG, BERLIN
A 39, HELMSTEDT
A 39, A 395
WOLFENBÜTTEL
BAD HARZBURG
WERNIGERODE
DOM
BÜRGER-PARK
HAUPT-BAHNHOF
Berliner Platz
Rebenring
Wolfenbütteler Straße
Heinrich-Büssing-Ring
Helmstedter Str.
Oker

Bortfeld 40 J 15
Borth 46 L 3
Borthen 68 N 25
Borwede 29 H 9
Borxleben 53 L 17
Bosau 9 D 15
Bosbüll 4 B 10
Boscheln 58 N 2
Bosen 81 R 5
Bosenbach 81 R 6
Boßdorf 43 K 22
Bosseborn 51 K 11
Bostalsee 81 R 5
Bostelwiebeck 31 G 15
Botelsdorf 21 E 17
Bothel 30 G 12
Bothenheilingen 64 M 15
Bothkamper See 9 D 14
Bothmer 30 H 12
Botnang 94 T 11
Bottenbach 83 S 6
Bottendorf 53 M 18
Bottendorf 62 M 10
Bottenhorn 62 N 9
Bottmersdorf 42 J 18
Bottorf 27 H 7
Bottrop 47 L 4
Bourtanger Moor 26 H 5
Bous 82 S 4
Bovenau 8 D 13
Bovenden 52 L 13
Bovenmoor 18 E 10
Boxberg 57 L 27
Boxberg 71 P 4
Boxberg 85 R 12
Boxbrunn 87 R 16
Boxbrunn i. Odenwald 84 R 11
Boxdorf 68 M 25
Boxdorf 87 R 17
Boxtal 85 Q 12
Braach 63 M 13
Braak (Kreis Ostholstein) 9 D 15
Braak (Kreis Stormarn) 20 F 14
Braam-Ostwennemar 49 K 7
Brachbach 61 N 7
Brachelen 58 M 2
Brachenfeld 9 D 14
Brachstedt 54 L 20
Bracht
(Hochsauerlandkreis) 61 M 8
Bracht (Kreis
Marburg-Biedenkopf) 62 N 10
Bracht (Kreis Viersen) 58 M 2
Brachthausen 61 M 8
Brachttal 75 P 11
Brachwitz 54 L 19
Brackede 21 F 16
Brackel 20 G 14
Brackel 47 L 6
Brackenheim 94 S 11
Brackstedt 41 I 16
Brackwede 38 K 9
Braderup (Sylt)
(Kreis Nordfriesland) 4 B 10
Brädikow 33 H 21
Bräsen 43 K 21
Bräunisheim 95 U 13
Bräunlingen 101 W 9
Bräunrode 53 L 18
Bräunsdorf-
Langhennersdorf 67 N 23
Brahlstorf 21 F 16
Brahmenau 66 N 20
Brahmsee 8 D 13
Braidbach 76 O 14
Brake (Kreis Diepholz) 29 H 10
Brake (Kreis Lippe) 39 J 10
Brake (Bielefeld-)
(Kreis Bielefeld) 38 J 9
Brake (Unterweser)
(Kreis Wesermarsch) 18 F 9
Brakel 51 K 11
Brakelsiek 39 K 11
Bralitz 35 H 26
Brambauer 47 L 6
Bramberg (Dorf)
(Kreis Haßberge) 76 P 15
Brambostel 30 H 14
Bramel 18 F 10
Bramfeld (Hamburg) 20 F 14
Bramgauroute 37 I 7
Bramhar 26 I 6
Brammer 8 D 13
Bramsche (Kreis Emsland) 36 I 6
Bramsche
(Kreis Osnabrück) 37 I 7
Bramstedt
(Kreis Cuxhaven) 18 F 10
Bramstedt
(Kreis Nordfriesland) 4 B 11
Bramwald 51 L 12
Brand (Kreis Fulda) 64 O 13
Brand
(Kreis Tirschenreuth) 78 Q 19
Brand (Kreis Traunstein) 114 W 21
Brand
(Kreis Wunsiedel i. F.) 78 P 20
Brand (Aachen-) 58 N 2
Brand-Erbisdorf 67 N 23
Brandau 84 Q 10
Brande-Hörnerkirchen 19 E 13
Branden-Kopf 92 U 8
Brandenberg (Kreis Düren) 58 N 3
Brandenberg b. Todtnau 100 W 7
Brandenburg 43 I 21
Brandenburg-Plaue 43 I 21
Branderoda 54 M 19
Brandis (Kreis Elbe-Elster) 55 K 23
Brandis (Muldentalkreis) 55 L 21
Brandlecht 36 I 5
Brandoberndorf 74 O 9
Brandscheid 70 P 2
Brandshagen 13 D 23
Branitz 57 K 27
Brannenburg 113 W 20
Branten 49 M 6
Braschwitz 54 L 20
Brassert 47 L 5
Brattendorf 77 O 16
Braubach 71 P 6
Brauel 19 G 11
Brauerschwend 63 N 11
Brauersdorf
(Kreis Kronach) 77 O 17
Brauersdorf (Kreis
Siegen-Wittgenstein) 61 N 8
Brauna 56 M 26
Braunau 63 M 11
Brauneberg 72 Q 4
Brauneck 113 W 18
Braunenweiler 102 V 12
Braunfels 62 O 9
Braunlage 52 K 15
Braunsbach 85 S 13
Braunsbedra 54 M 19
Braunsberg 33 G 22
Braunschweig 41 J 15
Braunschwende 53 L 17
Braunsdorf (Kreis Greiz) 66 N 19
Braunsdorf
(Kreis Oder-Spree) 44 I 25
Braunsdorf (Weißeritzkreis) 68 M 24
Braunsen 50 L 11
Braunshausen 62 M 10
Braunshorn 71 P 6
Braunsrath 58 M 2
Braunsroda 65 M 18
Braunstein 62 N 10
Brauweiler 59 N 4
Brebach 82 S 5
Brebel 5 C 13
Breberen 58 M 1
Brechen 73 O 8
Brechte 36 J 5
Brechten 47 L 6
Brechtorf 41 I 16
Breckenheim 74 P 9
Breckerfeld 49 M 6
Breddenberg 27 H 6
Breddin 33 H 20
Breddorf 18 G 11
Bredehorn 17 F 7
Bredelar 50 L 10
Bredelem 40 K 15
Bredenbeck
(kreis Hannover) 40 J 12
Bredenbek (Kreis Plön) 9 D 15
Bredenbek (Kreis
Rendsburg-Eckernförde) 8 D 13
Bredenborn 51 K 11
Bredenbruch 49 L 7
Bredeney (Essen) 47 L 4
Bredenfelde
(Kreis Demmin) 24 F 22
Bredenfelde (Kreis
Mecklenburg-Strelitz) 24 F 24
Bredereiche 34 G 23
Bredow 33 I 22
Bredstedt 4 C 10
Breege 13 C 24
Breese 32 G 19
Breesen (Kreis Demmin) 24 F 23
Breesen (Kreis Güstrow) 23 E 21
Breesen (Kreis
Nordvorpommern) 14 D 22
Breesen (Kreis
Nordwestmecklenburg) 21 E 17
Breetze 21 G 16
Breetzer Bodden 13 C 23
Breg 101 W 9
Bregenstedt 41 J 17
Brehme 52 L 15
Brehna 54 L 20
Breidenbach 62 N 9
Breidenstein 62 N 9
Breiholz 8 D 12
Breinermoor 27 G 6
Breinig 58 N 2
Breisach 100 V 6
Breischen 37 I 6
Breitachklamm 111 X 14
Breitau 64 M 14
Breitbrunn
(Kreis Haßberge) 76 P 16
Breitbrunn
(Kreis Starnberg) 104 V 17
Breitbrunn am Chiemsee 106 W 21
Breitenau (Kreis Ansbach) 86 S 14
Breitenau (Kreis Coburg) 77 P 16
Breitenau
(Kreis Elbe-Elster) 56 K 25
Breitenau (Kreis Freiberg) 67 N 23
Breitenau
(Weißeritzkreis) 68 N 25
Breitenau
(Westerwaldkreis) 61 O 7
Breitenbach
(Burgenlandkreis) 66 M 20
Breitenbach (Kreis
Hersfeld-Rotenburg) 63 N 13
Breitenbach (Kreis Kassel) 51 M 11
Breitenbach (Kreis Kusel) 81 R 5
Breitenbach
(Kreis Sangerhausen) 53 L 17
Breitenbach a. Herzberg (Kreis
Hersfeld-Rotenburg) 63 N 12
Breitenbach b. Schleusingen (Kreis
Hildburghausen) 64 O 16
Breitenbach-Stausee (Kreis
Siegen-Wittgenstein) 61 N 8
Breitenbenden 60 O 4
Breitenberg
(Kreis Göttingen) 52 L 14
Breitenberg
(Kreis Ostallgäu) 111 X 15
Breitenberg (Kreis Passau) 99 T 25
Breitenborn
(Leipziger Land) 67 M 22
Breitenborn
(Main-Kinzig-Kreis) 75 P 11
Breitenbronn 103 V 15
Breitenbruch 49 L 8
Breitenbrunn (Kreis Neumarkt i. d.
Oberpfalz) 103 V 15
Breitenbrunn
(Kreis Unterallgäu) 97 S 18
Breitenbrunn
(Odenwaldkreis) 84 Q 11
Breitenbrunn (Erzgeb.)
(Westerzgebirgskreis) 79 O 22
Breitenbuch 84 R 11
Breitenburg 19 E 12
Breitenburger Moor 19 E 12
Breitenfeld (Altmarkkreis
Salzwedel) 32 I 17
Breitenfeld (Elstertalkreis) 79 O 20
Breitenfelde 21 F 15
Breitenfürst 94 T 12
Breitenfurt 96 T 17
Breitengüßbach 77 Q 16
Breitenhagen
(Kreis Schönebeck) 42 K 19
Breitenhagen
(Märkischer Kreis) 49 M 7
Breitenheerda 65 N 17
Breitenhees 31 H 15
Breitenholz 93 U 10
Breitenlesau 77 Q 17
Breitenlohe 86 Q 15
Breitenrode 41 I 16
Breitensee 76 O 15
Breitenstein 53 L 16
Breitenthal 72 Q 6
Breitenthal 103 V 14
Breitenwisch 19 F 11
Breitenworbis 52 L 15
Breiter Luzin 24 F 24
Breitfurt 82 S 5
Breithardt 73 P 8
Breitingen 95 U 13
Breitling 11 D 20
Breitnau 100 W 8
Breitscheid
(Kreis Mettmann) 47 L 4
Breitscheid (Kreis Neuwied) 61 O 6
Breitscheid
(Lahn-Dill-Kreis) 61 N 8
Breitungen 53 L 17
Breitungen (Werra) 64 N 14
Brekendorf 8 C 12
Breklum 4 C 10
Brelingen 40 I 13
Breloh 30 G 14
Bremberg 73 P 7
Bremelau 102 U 12
Bremen (Kreis Bremen) 29 G 10
Bremen (Kreis Soest) 49 L 7
Bremen (Thüringen) 64 N 14
Bremen-Neustadt
(Flughafen) 29 G 10
Bremerhagen 13 D 23
Bremerhaven 18 F 9
Bremervörde 19 F 11
Bremgarten 100 W 6
Bremke
(Hochsauerlandkreis) 49 M 8
Bremke (Kreis Göttingen) 52 L 14
Bremm 71 P 5
Bremsdorf 45 J 27
Bremthal 74 P 9
Brend (Bach) 76 O 14
Brend
(Kreis Emmendingen) 100 V 8
Brenden 108 W 8
Brenk 71 O 5
Brenken 50 L 9
Brenkenhagen 10 D 16
Brenkhausen 51 K 12
Brennberg 90 S 21
Brennersgrün 77 O 18
Brennes 91 S 23
Brensbach 84 Q 10
Brenschelbach 82 S 6
Brenz (Kreis Heidenheim) 95 U 14
Bresahn 21 F 16
Bresch 32 G 19
Bresegard b. Eldena
(Kreis Ludwigslust) 22 G 18
Bresegard b. Picher
(Kreis Ludwigslust) 21 F 17
Breselenz 31 G 17
Bresewitz (Kreis
Mecklenburg-Strelitz) 24 E 24
Bresewitz (Kreis
Nordvorpommern) 12 C 22
Bresinchen 45 J 28
Breslack 45 J 28
Brest 19 F 12
Bretleben 53 L 17
Bretnig 68 M 26
Bretsch 32 H 18
Brettach (Bach) 85 S 12
Bretten 93 S 10
Brettenfeld 86 S 14
Brettental 100 V 7
Brettheim 86 S 14
Brettin 42 I 20
Brettorf 28 H 9
Bretwisch 14 D 23
Bretzenheim
(Kreis Bad Kreuznach) 73 Q 7
Bretzfeld 85 S 12
Bretzingen 85 R 12
Breuberg 84 Q 11
Breuna 51 L 11
Breungeshain 75 O 11
Breunigweiler 83 R 7
Breunings 75 P 12
Breunsdorf 66 M 21
Brevörde 39 K 12
Brey 71 P 6
Breyell 58 M 2
Brickeln 7 D 11
Briedel 71 P 5
Brielow 43 I 21
Briescht 45 J 26
Brieselang 34 I 23
Briesen (Kreis
Dahme-Spreewald) 44 J 25
Briesen (Kreis Havelland) 33 H 21
Briesen (Kreis Oder-Spree) 45 I 26
Briesen
(Kreis Spree-Neiße) 56 K 26
Briesener Berge 43 J 21
Briesensee 45 K 26
Brieske 56 L 25
Brieskow-Finkenheerd 45 J 27
Briesnig 57 K 27
Briest (Kreis
Potsdam-Mittelmark) 43 I 21
Briest (Kreis Stendal) 42 I 20
Briest (Kreis Uckermark) 35 G 26
Brietlingen 20 F 15
Brietz 31 H 17
Brietzig 25 F 25
Brietzke 42 J 20
Brigach 101 V 9
Brigachtal 101 V 9
Briggow 24 F 22

Brillit 18 F 10
Brilon 50 L 9
Brilon-Wald 50 L 9
Bringhausen 62 M 10
Brink (Kreis Grafschaft Bentheim) 36 I 4
Brink (Märkischer Kreis) 49 M 7
Brinkum (Kreis Diepholz) 29 G 10
Brinkum (Kreis Leer) 17 G 6
Brinnis 54 L 21
Bristow 23 E 21
Britten 80 R 4
Brittheim 101 V 10
Britz (Kreis Barnim) 34 H 25
Britzingen 100 W 7
Brobergen 19 F 11
Brochdorf 30 G 13
Brochenzell 110 W 12
Brochterbeck 37 J 7
Brochthausen 52 L 15
Brock 37 J 7
Brockau (Vogtlandkreis) 66 O 20
Brockdorf 27 I 8
Brockel (Kreis Rotenburg) 30 G 12
Brocken 52 K 15
Brockhagen 38 K 9
Brockhausen (Kreis Emsland) 26 I 6
Brockhausen (Kreis Osnabrück) 38 I 9
Brockhöfe 30 G 14
Brockscheid 71 P 4
Brockum 38 I 9
Brockzetel 17 F 6
Brodenbach 71 P 6
Brodersby (Kreis Rendsburg-Eckernförde) 5 C 13
Brodersby (Kreis Schleswig-Flensburg) 5 C 13
Brodersdorf (Kreis Plön) 9 C 14
Broderstorf (Kreis Bad Doberan) 11 D 20
Brodowin 35 H 25
Brodswinden 86 S 15
Brodten 10 E 16
Bröbberow 11 E 20
Bröckau (Burgenlandkreis) 66 M 20
Bröckel (Kreis Celle) 40 I 14
Bröckelbeck 18 E 11
Brögbern 26 I 6
Brökeln 39 K 12
Broekhuysen 46 L 2
Bröl 59 N 5
Broeleck 59 N 6
Bröllin 25 F 26
Bröthen (Kreis Herzogtum Lauenburg) 21 F 16
Bröthen (Kreis Hoyerswerda) 56 L 26
Broggingen 100 V 7
Brohl 71 P 5
Brohl Lützing 60 O 5
Brohm 24 F 24
Broich (Kreis Düren) 58 N 3
Broich (Mülheim-) 47 L 4
Broichweiden 58 N 2
Broistedt 40 J 14
Brokdorf 19 E 11
Brokeloh 39 I 11
Brokenlande 9 D 13
Brokstedt 8 E 13
Brombach (Hochtaunuskreis) 74 P 9
Brombach (Kreis Lörrach) 108 X 7
Brombach (Kreis Rottal-Inn) 106 U 23
Brombach (Rhein-Neckar-Kreis) 84 R 10
Brombachsee 96 S 16
Brombachtal 84 Q 10
Brome 31 I 16
Bromskirchen 62 M 9
Bronkow 56 K 25
Bronn 87 Q 18
Bronnbach 85 Q 12
Bronnweiler 102 U 11
Bronnzell 75 O 13
Broock 23 F 20
Brosen 39 J 10
Brotdorf 80 R 4
Brotterode 64 N 15
Brual 26 G 5
Bruch (Kreis Bernkastel-Wittlich) 72 Q 4
Bruch (Oberbergischer Kreis) 49 M 6
Brucher-Stausee 59 M 6
Bruchertseifen 61 N 7
Bruchhausen (Kreis Diepholz) 29 H 11
Bruchhausen (Kreis Höxter) 51 K 11
Bruchhausen (Kreis Karlsruhe) 93 T 9
Bruchhausen (Rhein-Sieg-Kreis) 59 N 6
Bruchhausen b. Arnsberg (Hochsauerlandkreis) 49 L 8
Bruchhausen b. Olsberg (Hochsauerlandkreis) 50 M 9
Bruchköbel 74 P 10
Bruchmühlbach-Miesau 81 R 6
Bruchmühlen 38 J 9
Bruchsal 93 S 9
Bruchstedt 65 M 16
Bruchtorf 31 G 15
Bruchweiler 72 Q 5
Bruck (Kreis Ebersberg) 105 V 19
Bruck (Kreis Hof) 78 O 19
Bruck (Kreis Miesbach) 105 W 19
Bruck (Kreis Neuburg-Schrobenhausen) 96 T 17
Bruck i. d. Oberpfalz (Kreis Schwandorf) 89 S 20
Bruckberg (Kreis Ansbach) 86 R 16
Bruckberg (Kreis Landshut) 97 U 19
Bruckdorf 54 L 20
Bruckhausen (Kreis Wesel) 47 L 4
Bruckhausen (Duisburg-) (Kreis Duisburg) 47 L 4
Bruckmühl 105 W 19
Brudersdorf 14 E 22
Brüchermühle 61 N 6
Brück (Kreis Ahrweiler) 60 O 4
Brück (Kreis Kitzingen) 86 Q 14
Brück (Kreis Potsdam-Mittelmark) 43 J 22
Brück (Dreis-) (Kreis Daun) 70 P 4
Brücken (Kreis Birkenfeld) 81 R 5
Brücken (Kreis Sangerhusen) 53 L 17
Brücken (Pfalz) (Kreis Kusel) 81 R 6
Brücklein 77 P 18
Brüel 22 E 19
Brügge 49 M 6
Brügge (Kreis Prignitz) 23 G 20
Brügge (Kreis Rendsburg-Eckernförde) 9 D 14
Brüggen (Kreis Hildesheim) 40 J 13
Brüggen (Kreis Viersen) 58 M 2
Brüggen (Erft) 59 N 4
Brühl (Erftkreis) 59 N 4
Brühl (Rhein-Neckar-Kreis) 84 R 9
Brüllingsen 50 L 8
Brümmerhof 19 G 11
Brün 61 N 7
Bründel 54 K 18
Bründersen 51 M 11
Brünen 46 K 4
Brüninghausen 49 M 7
Brüninghorstedt 39 I 10
Brünkendorf 11 D 21
Brünlos 67 N 22
Brünn (Kreis Haßberge) 76 P 16
Brünn (Kreis Hildburghausen) 77 O 16
Brünnau 76 Q 15
Brünning 106 W 21
Brünnstadt 76 Q 14
Brünnstein 113 X 20
Brünst (Kreis Ansbach Land) 86 R 15
Brüntorf 39 J 10
Brüntrup 39 K 10
Brünzow 13 D 24
Brüsewitz 21 E 17
Brüssow 25 F 26
Brüttendorf 19 G 11
Brüxken 46 L 2
Brumby 42 K 19
Brunau 32 H 18
Brungershausen 62 N 9
Brunkensen 40 K 13
Brunn (Kreis Mecklenburg-Strelitz) 24 E 24
Brunn (Kreis Neustadt a. d. A.-Bad W.) 86 R 16
Brunn (Kreis Ostprignitz-Ruppin) 33 H 21
Brunn (Kreis Regensburg) 90 S 19
Brunne 33 H 22
Brunnen (Kreis Neuburg-Schrobenhausen) 96 U 17
Brunnenthal 78 O 19
Brunnthal 105 V 19
Brunow (Kreis Ludwigslust) 22 G 19
Brunow (Kreis Märkisch-Oderland) 35 H 25
Brunsbek 20 F 14
Brunsbüttel 19 E 11
Brunsen 51 K 13
Brunskappel 50 M 9
Brunslar 63 M 12
Brunsmark 21 F 16
Brunst (Kreis Ansbach Land) 86 S 15
Brunstorf 20 F 15
Bruschied 72 Q 6
Brusendorf 44 J 24
Bruttig-Fankel 71 P 5
Brux 8 D 13
Bubach (Kreis Dingolfing-Landau) 98 U 21
Bubach (Rhein-Hunsrück-Kreis) 71 P 6
Bubach a. d. Naab 88 S 20
Bubach-Calmesweiler 81 R 4
Bubenbach 101 W 8
Bubenheim 96 T 16
Bubenorbis 94 S 12
Bubenreuth 87 R 17
Buberow 34 H 23
Bubesheim 103 U 14
Bubsheim 101 V 10
Buch (Kreis Erlangen-Höchstadt) 87 Q 16
Buch (Kreis Haßberge) 76 P 15
Buch (Kreis Kelheim) 97 T 19
Buch (Kreis Neu-Ulm) 103 V 14
Buch (Kreis Nürnberg) 87 R 17
Buch (Kreis Stendal) 42 I 19
Buch (Rhein-Hunsrück-Kreis) 71 P 6
Buch (Berlin-) 34 I 24
Buch a. Ahorn 85 R 12
Buch a. Ammersee 104 V 17
Buch a. Buchrain 105 V 19
Buch a. Erlbach 105 U 20
Buch a. Forst 77 P 17
Buch a. Wald 86 R 15
Bucha (Burgenlandkreis) 53 M 18
Bucha (Kreis Saalfeld-Rudolstadt) 65 O 18
Bucha (Kreis Torgau-Oschatz) 55 L 23
Bucha (Saale-Holzland-Kreis) 65 N 18
Bucha (Saale-Orla-Kreis) 66 O 19
Buchau (Kreis Bayreuth) 87 Q 18
Buchau (Kreis Kulmbach) 77 P 17
Buchbach (Kreis Kronach) 77 O 17
Buchbach (Kreis Mühldorf a. Inn) 105 V 20
Buchdorf 96 T 16
Buchen (Neckar-Odenwald-Kreis) 85 R 11
Buchenau (Kreis Fulda) 63 N 13
Buchenau (Kreis Marburg-Biedenkopf) 62 N 9
Buchenau (Kreis Regen) 91 S 23
Buchenbach (Hohenlohekreis) 85 S 13
Buchenbach (Kreis Breisgau-Hochschwarzwald) 100 W 8
Buchenberg (Kreis Oberallgäu) 111 W 14
Buchenberg (Kreis Waldeck-Frankenberg) 62 M 10
Buchenberg (Schwarzwald-Baar-Kreis) 101 V 9
Buchenhain (Kreis Uckermark) 24 G 24
Buchenhorst 75 O 12
Buchenwald 65 M 17
Buchhain 56 L 24
Buchhausen 97 T 20
Buchheim (Kreis Breisgau-Hochschwarzwald) 100 V 7
Buchheim (Kreis Tuttlingen) 101 V 10
Buchheim (Muldentalkreis) 67 M 21
Buchheim (Saale-Holzland-Kreis) 66 M 19
Buchhofen 98 T 22
Buchholz (Kreis Bad Doberan) 11 D 20
Buchholz (Kreis Dithmarschen) 7 E 11
Buchholz (Kreis Emmendingen) 100 V 7
Buchholz (Kreis Herzogtum Lauenburg) 21 E 16
Buchholz (Kreis Märkisch-Oderland) 34 I 25
Buchholz (Kreis Minden-Lübbecke) 39 I 11
Buchholz (Kreis Müritz) 23 G 21
Buchholz (Kreis Neuwied) 59 N 6
Buchholz (Kreis Nordhausen) 53 L 16
Buchholz (Kreis Nordvorpommern) 12 D 22
Buchholz (Kreis Oberhavel) 34 G 23
Buchholz (Kreis Oder-Spree) 45 I 26
Buchholz (Kreis Prignitz) 33 G 20
Buchholz (Kreis Stendal) 42 I 19
Buchholz (Niederschlesischer Oberlausitzkr.) 69 M 28
Buchholz (Rhein-Hunsrück-Kreis) 71 P 6
Buchholz (Stadtkreis Hannover) 40 I 13
Buchholz (Aller) 30 H 13
Buchholz (Duisburg-) 47 L 4
Buchholz b. Ottersberg 29 G 11
Buchholz b. Treuenbrietzen 43 J 22
Buchholz b. Visselhövede 30 G 12
Buchholz i. d. Nordheide 19 F 13
Buchhorst 41 I 17
Buching 112 X 16
Buchloe 104 V 16
Buchow-Karpzow 43 I 22
Buchschlag (Frankfurt) 74 P 10
Buchschwabach 87 R 16
Buchwäldchen 56 K 26
Buckau (Kreis Elbe-Elster) 55 L 23
Buckau (Kreis Potsdam-Mittelmark) 43 J 20
Buckenhof 87 R 17
Buckow (Kreis Havelland) 33 I 20
Buckow (Kreis Oder-Spree) 45 J 26
Buckow (Kreis Teltow-Fläming) 44 K 24
Buckow (Märkische Schweiz) 35 I 26
Budberg 46 L 3
Buddenbaum 37 K 7
Buddenhagen 15 D 25
Budenheim 73 P 8
Büchel 71 P 5
Büchelberg (Kreis Germersheim) 92 S 8
Büchelberg (Kreis Rhön-Grabfeld) 76 P 15
Bücheloh 65 N 16
Büchen (Kreis Herzogtum Lauenburg) 21 F 15
Büchenau (Kreis Karlsruhe Land) 93 S 9
Büchenbach (Kreis Roth) 87 S 17
Büchenberg (Kreis Fulda) 75 O 13
Büchenbeuren 72 Q 5
Büchenbronn 93 T 9
Büchereck 100 V 8
Büches 74 P 11
Büchlberg 99 T 24
Büchold 76 P 13
Bückau 31 G 17
Bückeberge 39 J 11
Bückeburg 39 J 11
Bückelte 27 I 6
Bücken 29 H 11
Bücknitz 43 J 20
Bückwitz 33 H 21
Büddenstedt 41 J 17
Büdelsdorf 8 D 13
Büden 42 J 19
Büderich (Kreis Neuss) 48 M 4
Büderich (Kreis Soest) 49 L 7
Büderich (Kreis Wesel) 46 L 3
Büdesheim (Kreis Bitburg-Prüm) 70 P 3
Büdesheim (Main-Kinzig-Kreis) 74 P 10
Büdingen (Kreis Merzig-Wadern) 80 R 3
Büdingen (Wetteraukreis) 75 P 11
Büdinger Wald 75 P 11
Büdlich 81 Q 4
Büemke 50 M 8
Bühl (Kreis Günzburg) 103 U 14
Bühl (Kreis Tübingen) 93 U 10
Bühl (Kreis Waldshut) 109 X 9
Bühl (Ortenaukreis) 92 U 7
Bühl (Baden) 92 T 8
Bühl am Alpsee 111 X 14
Bühl i. Ries 95 T 15
Bühlau 68 M 26
Bühle 51 M 11
Bühler 95 T 13
Bühlerhöhe 93 T 8
Bühlertal 92 T 8
Bühlertann 95 S 13
Bühlerzell 95 S 13
Bühne (Kreis Halberstadt) 41 K 15
Bühne (Kreis Höxter) 51 L 11
Bühnsdorf 20 E 15
Bühren (Kreis Cloppenburg) 27 H 8
Bühren (Kreis Göttingen) 51 L 13
Bühren (Kreis Nienburg) 29 I 11
Bülkau 18 E 10
Bülow (Kreis Nordwestmecklenburg) 21 E 17
Bülow (Kreis Parchim) 22 F 19
Bülstedt 29 G 11
Bülstringen 41 J 18
Bültum 40 J 14
Bülzig 43 K 22
Bünde 38 J 9
Bündheim 41 K 15
Bünsdorf 8 C 13
Bünzen 8 D 13
Buer 38 J 9
Buer (Gelsenkirchen-) 47 L 5
Bürchau 100 W 7
Bürden 77 O 16
Büren (Kreis Borken) 36 K 5
Büren (Kreis Hannover) 30 I 12
Büren (Kreis Paderborn) 50 L 9
Büren (Kreis Steinfurt) 37 J 7
Bürgel (Saale-Holzland-Kreis) 66 N 19
Bürgeln (Kreis Lörrach) 108 W 7
Bürgeln (Kreis Marburg-Biedenkopf) 62 N 10
Bürgersee 94 U 12
Bürglein 87 R 16
Bürgstadt 85 Q 11
Bürresheim 71 O 5
Bürstadt 84 R 9
Bürvenich 58 O 3
Büsbach 58 N 2
Büschdorf 80 R 3
Büscheich 70 P 4
Büschergrund 61 N 7
Büscherheide 38 J 9
Büschfeld 81 R 4
Büschow 22 E 18
Büsdorf 58 N 4
Büsingen 109 W 10
Büßfeld 62 N 11
Büßleben 65 N 17
Büßlingen 101 W 10
Büste 32 H 18
Büsum 7 D 10
Büsumer Deichhausen 7 D 10
Bütlingen 20 F 15
Bütow 23 F 21
Büttel (Kreis Cuxhaven) 18 F 9
Büttel (Kreis Steinburg) 19 E 11
Büttelborn 74 Q 9
Büttgen 48 M 3
Bütthard 85 R 13
Büttstedt 52 M 14
Bützer 43 I 20
Bützfleth 19 F 12
Bützflethermoor 19 F 12
Bützow 23 E 19
Bufleben 64 N 16
Buflings 111 X 14
Bug 77 Q 16
Bugewitz 25 E 25
Buggenhagen 15 E 25
Buggenried 108 W 8
Buggingen 100 W 6
Bugk 44 J 25
Buhla 52 L 15
Buhlen 63 M 11
Buhlenberg 81 R 5
Buhlendorf 42 J 20
Buir 58 N 3
Bujendorf 9 D 16
Buke 50 K 10
Buko 43 K 21
Buldern 36 K 6
Bullau 84 R 11
Bullay 71 P 5
Bullendorf 21 F 15
Bullenhausen 20 F 14
Bulleritz 56 M 26
Bunde 26 G 5
Bundenbach 72 Q 6
Bundenthal 92 S 7
Bunderhee 16 G 5
Bunderneuland 26 G 5
Bundesgaarder See 4 B 10
Bundorf 76 P 15
Bungsberg 9 D 16
Bunkenburg 31 I 14
Bunsoh 7 D 11
Buntenbock 52 K 15
Burbach 61 N 8
Burg 7 E 11
Burg (Kreis Spree-Neiße) 56 K 26
Burg (Lahn-Dill-Kreis) 62 N 8
Burg (Solingen) 59 M 5
Burg (Westlausitzkreis) 57 L 27
Burg (Mosel) 71 P 5
Burg auf Fehmarn 10 C 17
Burg b. Magdeburg 42 J 19
Burg-Gemünden 62 N 11
Burg Hohenstein 73 P 8
Burg Kauper 45 K 26
Burg Stargard 24 F 23
Burgaltendorf 47 L 5
Burgambach 86 Q 15
Burgau 103 U 15
Burgberg 95 U 14
Burgberg i. Allgäu 111 X 14
Burgbernheim 86 R 14
Burgbrohl 71 O 5
Burgdorf 40 I 14
Burgebrach 86 Q 16
Burgen 71 P 6
Burgenstraße 84 R 10
Burgfarrnbach 87 R 16
Burgfelden 101 V 10
Burggen 112 W 16
Burggriesbach 96 S 18
Burggrub 77 P 17
Burghammer 57 L 27
Burghaslach 86 Q 15
Burghasungen 51 M 11
Burghaun 63 N 13
Burghausen (Kreis Altötting) 106 V 22
Burghausen (Kreis Ansbach) 86 R 15
Burghausen (Stadtkreis Leipzig) 54 L 20
Burgheim 96 T 17
Burgheßler 66 M 18
Burgholz 62 N 10
Burgholzhausen 74 P 10
Burgjoß 75 P 12
Burgkemnitz 54 K 21
Burgkirchen 106 V 22
Burgkunstadt 77 P 17
Burglahr 61 O 6
Burglauer 76 P 14
Burglengenfeld 88 S 20
Burglesum 29 G 10
Burgliebenau 54 L 20
Burgoberbach 86 S 15
Burgpreppach 76 P 15
Burgrieden 103 V 13
Burgsalach 96 S 17
Burgscheidungen 54 M 18
Burgschwalbach 73 P 8
Burgsdorf 54 L 18
Burgsinn 75 P 12
Burgsolms 62 O 9
Burgstaaken 10 C 17
Burgstädt 67 N 22
Burgstall 42 I 19
Burgstein 78 O 19
Burgsteinfurt 36 J 6
Burgstemmen 40 J 13
Burgstetten 94 T 12
Burgthann 87 R 17
Burgtonna 64 M 16
Burguffeln 51 L 12
Burgwald (Gemeinde) 62 N 10
Burgwalde 52 L 14
Burgwallbach 76 O 14
Burgwedel 40 I 13
Burgweiler 102 W 12
Burgwindheim 86 Q 15
Burhafe 17 F 7
Burhave 18 F 9
Burk (Kreis Ansbach) 95 S 15
Burk (Kreis Forchheim) 87 Q 17
Burkardroth 76 P 13
Burkartshain 55 M 22
Burkau 68 M 26
Burkersdorf (Kreis Freiberg) 68 N 24
Burkersdorf (Kreis Kronach) 77 P 17
Burkersroda 66 M 18

Burkhardsfelden ... 62 O 10
Burkhardswalde ... 68 N 25
Burkhardswalde-Munzig ... 68 M 24
Burkhardtroda ... 64 N 14
Burkhardtsdorf ... 67 N 22
Burkhardtsgrün ... 67 O 21
Burkheim ... 100 V 6
Burladingen ... 102 V 11
Burlafingen ... 103 U 14
Burlage ... 38 I 9
Buro ... 43 K 21
Burow *(Kreis Demmin)* ... 24 E 23
Burow *(Kreis Parchim)* ... 23 F 20
Burrweiler ... 83 S 8
Burscheid ... 59 M 5
Bursfelde ... 51 L 12
Burtenbach ... 103 U 15
Burtscheid ... 58 N 2
Burweg ... 19 F 11
Burxdorf ... 55 L 23
Busbach ... 77 Q 18
Busch ... 32 H 19
Buschbell ... 59 N 4
Buschhausen ... 47 K 4
Buschhof ... 24 G 22
Buschhoven ... 59 N 4
Buschkamp ... 38 K 9
Buschow ... 33 I 21
Buschvitz ... 13 C 24
Busdorf ... 5 C 12
Busenbach ... 93 T 9
Busenberg ... 83 S 7
Busendorf ... 43 J 22
Busenwurth ... 7 D 11
Buskow ... 33 H 22
Bussau ... 31 H 16
Bussen ... 102 V 12
Butjadingen ... 18 F 8
Buttelstedt ... 65 M 18
Buttenhausen ... 102 U 12
Buttenheim ... 87 Q 17
Buttenwiesen ... 96 U 16
Buttforde ... 17 F 7
Buttlar ... 64 N 13
Buttstädt ... 65 M 18
Butzbach ... 74 O 10
Butzen ... 45 K 26
Butzow ... 43 I 21
Butzweiler ... 72 Q 3
Buweiler ... 81 R 4
Buxheim *(Kreis Eichstätt)* ... 96 T 17
Buxheim
(Kreis Unterallgäu) ... 103 W 14
Buxtehude ... 19 F 13
Byhleguhre ... 45 K 26
Byhlen ... 45 K 26
Byhusen ... 19 F 11

C

Caaschwitz ... 66 N 19
Cadenberge ... 18 E 11
Cadolzburg ... 87 R 16
Cäciliengroden ... 17 F 8
Cämmerswalde ... 68 N 24
Cahnsdorf ... 56 K 25
Cainsdorf ... 67 N 21
Calau ... 56 K 25
Calbe ... 42 K 19
Calbecht ... 40 J 15
Calberlah ... 41 I 15
Calbitz ... 55 M 23
Calden ... 51 L 12
Caldern ... 62 N 9
Calenberg ... 51 L 11
Calhorn ... 27 H 8
Callbach ... 83 Q 7
Calle ... 50 L 8
Callenberg ... 67 N 21
Calmbach ... 93 T 9
Calveslage ... 28 H 8
Calvörde ... 41 I 17
Calw ... 93 T 10
Cambs ... 22 E 18
Cambser See ... 22 E 18
Camburg ... 66 M 19
Camin ... 21 F 16
Cammer ... 43 J 21
Cammin
(Kreis Bad Doberan) ... 11 E 21
Cammin *(Kreis*
Mecklenburg-Strelitz) ... 24 F 23
Campemoor ... 37 I 8
Campen ... 16 F 5
Canhusen ... 16 F 5
Cannewitz ... 55 M 22
Canow ... 33 G 22
Canstein ... 50 L 10
Cantnitz ... 24 F 24
Capelle ... 49 K 6
Capellenhagen ... 40 K 12
Cappel ... 18 E 9
Cappel *(Kreis Lippe)* ... 39 K 11
Cappel *(Kreis*
Marburg-Biedenkopf) ... 62 N 10
Cappel b. Lippstadt ... 50 K 8
Cappel-Neufeld ... 18 E 9
Cappeln ... 27 H 8
Cappenberg ... 47 L 6
Caputh ... 43 I 22
Carlow ... 21 E 16
Carlsberg ... 83 R 8
Carlsdorf ... 51 L 12
Carlsfeld ... 79 O 21
Carlsruhe ... 11 D 21
Carmzow ... 25 F 26
Carolinensiel ... 17 E 7
Carpin ... 24 F 23
Carthausen ... 49 M 6
Carum ... 27 H 8
Carwitz ... 24 G 24
Carwitzer See ... 24 G 24
Casekow ... 25 G 26
Casel ... 56 K 26
Caselow ... 25 F 26
Castell ... 86 Q 15
Castrop-Rauxel ... 47 L 5
Catenhorn ... 37 J 6
Cattenstedt ... 53 K 16
Catterfeld ... 64 N 15
Cavertitz ... 55 L 23
Cecilienhof *(Potsdam)* ... 43 I 23
Cecilienkoog ... 4 C 10
Celle ... 30 I 14
Cham ... 89 S 21
Chambach ... 89 S 22
Chamerau ... 89 S 22
Chammünster ... 89 S 22
Charlottendorf Ost ... 27 G 8
Charlottendorf West ... 27 G 8
Charlottenfelde ... 44 K 23
Charlottenhöhle ... 95 U 14
Charlottenthal ... 23 E 20
Chemnitz *(Kreis*
Mecklenburg-Strelitz) ... 24 F 23
Chemnitz
(Stadtkreis Chemnitz) ... 67 N 22
Chemnitz-Kleinolbersdorf .. 67 N 23
Chiemgauer Berge ... 114 W 20
Chieming ... 106 W 21
Chiemsee ... 106 W 21
Chorin ... 35 H 25
Chorin (Kloster) ... 35 H 25
Chorweiler *(Köln)* ... 59 M 4
Chossewitz ... 45 J 27
Christazhofen ... 111 W 13
Christdorf ... 33 G 21
Christertshofen ... 103 V 14
Christes ... 64 O 15
Christgarten ... 95 T 15
Christiansholm ... 8 D 12
Christianskoog ... 7 D 10
Christinendorf ... 44 J 23
Christinenhof ... 24 F 22
Christinental ... 8 D 12
Chüden ... 32 H 17
Chursbachtal ... 67 N 22
Cismar ... 10 D 16
Clarholz ... 37 K 8
Clarsbach ... 87 R 16
Clauen ... 40 J 14
Clausen ... 83 S 7
Clausnitz ... 68 N 24
Claußnitz ... 67 N 22
Clausstraße ... 53 L 17
Clausthal-Zellerfeld ... 52 K 15
Cleeberg ... 74 O 9
Cleebronn ... 94 S 11
Clemenswerth *(Sögel)* ... 27 H 6
Clenze ... 31 H 16
Cleverns ... 17 F 7
Clingen ... 53 M 16
Cloef ... 80 R 3
Cloppenburg ... 27 H 8
Clusorth ... 26 I 6
Cobbel ... 42 I 19
Cobbelsdorf ... 43 K 21
Cobbenrode ... 49 M 8
Coburg ... 77 P 16
Cochem ... 71 P 5
Cochstedt ... 53 K 18
Cölbe ... 62 N 10
Cölpin ... 24 F 24
Coerde ... 37 K 6
Cörmigk ... 54 K 19
Coesfeld ... 36 K 5
Cöthen ... 35 H 25
Colbitz ... 42 J 18
Colbitz-Letzlinger
Heide ... 42 I 18
Coldewey ... 18 G 9
Colditz ... 67 M 22
Collenberg ... 85 Q 11
Collinghorst ... 27 G 6
Collm ... 55 M 23
Collmberg ... 67 M 23
Colmberg ... 86 R 15
Colmnitz ... 68 N 24
Colnrade ... 28 H 9
Commerau ... 57 L 26
Commerau b. Klix ... 57 M 27

CHEMNITZ

Agricolastr. ... DV
Altchemnitzer Str. ... EV 3
Andrépl. ... DU
Annaberger Str. ... EV
Annenstr. ... EV
Augsburger Str. ... FU
August-Bebel-Str. ... FT
Bahnhofstr. ... EFU
Barbarossastr. ... DUV
Bergstr. ... DT
Bernhardstr. ... FV
Bernsdorfer Str. ... FV
Beyerstr. ... DT 6
Blankenauer Str. ... FT 9
Brückenstr. ... EU
Brühl ... ET
Carolastr. ... EFU 12
Charlottenstr. ... FV 13
Deubners Weg ... EV 15
Dresdner Str. ... FTU
Elisenstr. ... EFT
Enzmannstr. ... DV
Festpl. ... DU
Fürstenstr. ... FU
Georgstr. ... EFT
Gerhart-Hauptmann-Pl. ... DV
Goethestr. ... DV
Goethe-Pl. ... DV
Gustav-Freytag-Str. ... EV
Hainstr. ... FTU
Hans-Sachs-Str. ... FV
Hartmannstr. ... DEU
Hechlerstr. ... DT
Henriettenstr. ... DU
Innere Klosterstr. ... EU 22
Kanzlerstr. ... DU
Karl-Liebknecht-Str. ... EFT
Kaßbergauffahrt. ... EU 27
Kaßbergstr. ... DU
Küchwaldring ... DT
Leipziger Str. ... DT
Limbacher Str. ... DU
Lohrstr. ... EU
Luisenpl. ... DT
Luisenstr. ... DT
Lutherstr. ... FV
Markt ... EU
Markusstr. ... FU
Martinstr. ... FU
Moritzstr. ... EUV
Mühlenstr. ... ET
Müllerstr. ... EFT
Neefestr. ... DV
Neumarkt ... EU 28
Nordstr. ... ET
Palmstr. ... FT
Paul-Jäkel-Str. ... DT
Peterstr. ... FT
Promenadenstr. ... ET
Rathausstr. ... EU 29
Reichenhainer Str. ... EFV 30
Reichsstr. ... DUV
Reitbahnstr. ... EV
Rembrandtstr. ... FV
Ritterstr. ... EFV
Rosenhof ... EU
Salzstr. ... DET
Schillerpl. ... ET
Schloßteichstr. ... DET
Sonnenstr. ... FU
Stollberger Str. ... DEV
Straße der Nationen ... EU
Theaterpl. ... EU 33
Theaterstr. ... ETU
Theodor-Körner-Pl. ... FU
Waisenstr. ... EFU 37
Weststr. ... DU
Winklerstr. ... DT
Zieschestr. ... FUV
Zietenstr. ... FU
Zöllnerpl. ... ET
Zschopauer Str. ... EFV
Zum Luisenpl. ... DT 49
Zwickauer Str. ... DEV

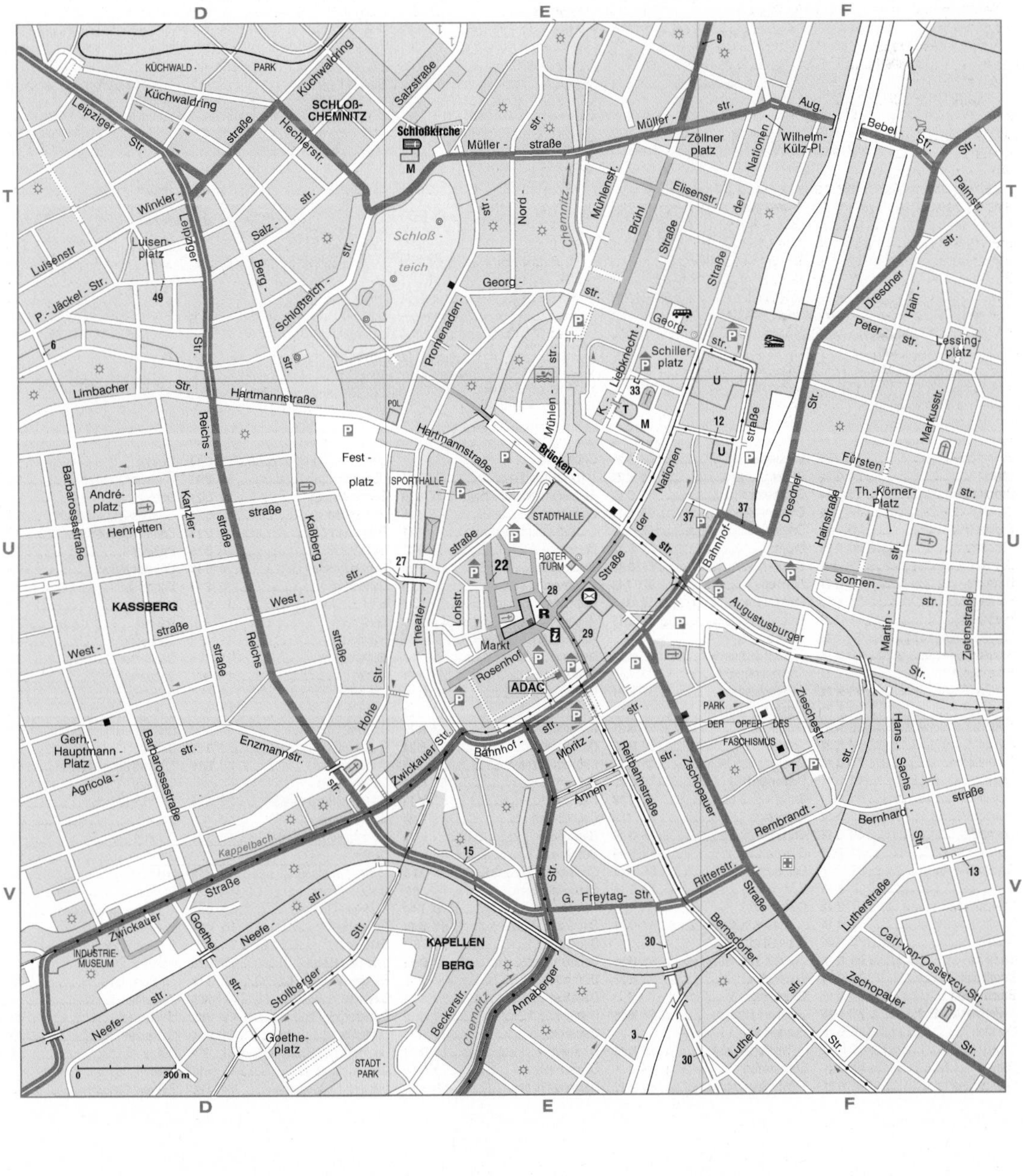

D
E
F
T
U
V
KÜCHWALD - PARK
Küchwaldring
SCHLOß-CHEMNITZ
Schloßkirche
Leipziger Str.
Müller - straße
Zöllner platz
Wilhelm-Külz-Pl.
Bebel - Str.
Palmstr.
Luisen-platz
Schloß - teich
Georg - str.
Promenaden-
Schiller-platz
Limbacher Str.
Hartmannstraße
Fest - platz
SPORTHALLE
STADTHALLE
André-platz
Henrietten
KASSBERG
ROTER TURM
Markt
Rosenhof
ADAC
Dresdner
Fürsten
Th.-Körner-Platz
Sonnen
Augustusburger
Gerh.-Hauptmann-Platz
Enzmannstr.
Zwickauer Str.
PARK DER OPFER DES FASCHISMUS
Reitbahnstraße
Zschopauer
Rembrandt -
Bernhard -
Ritterstr.
G. Freytag- Str.
INDUSTRIE-MUSEUM
KAPELLEN BERG
Goethe-platz
STADT-PARK
Annaberger
Bernsdorfer
Lutherstraße
Carl-von-Ossietzcy-Str.
Zschopauer Str.
0 300 m

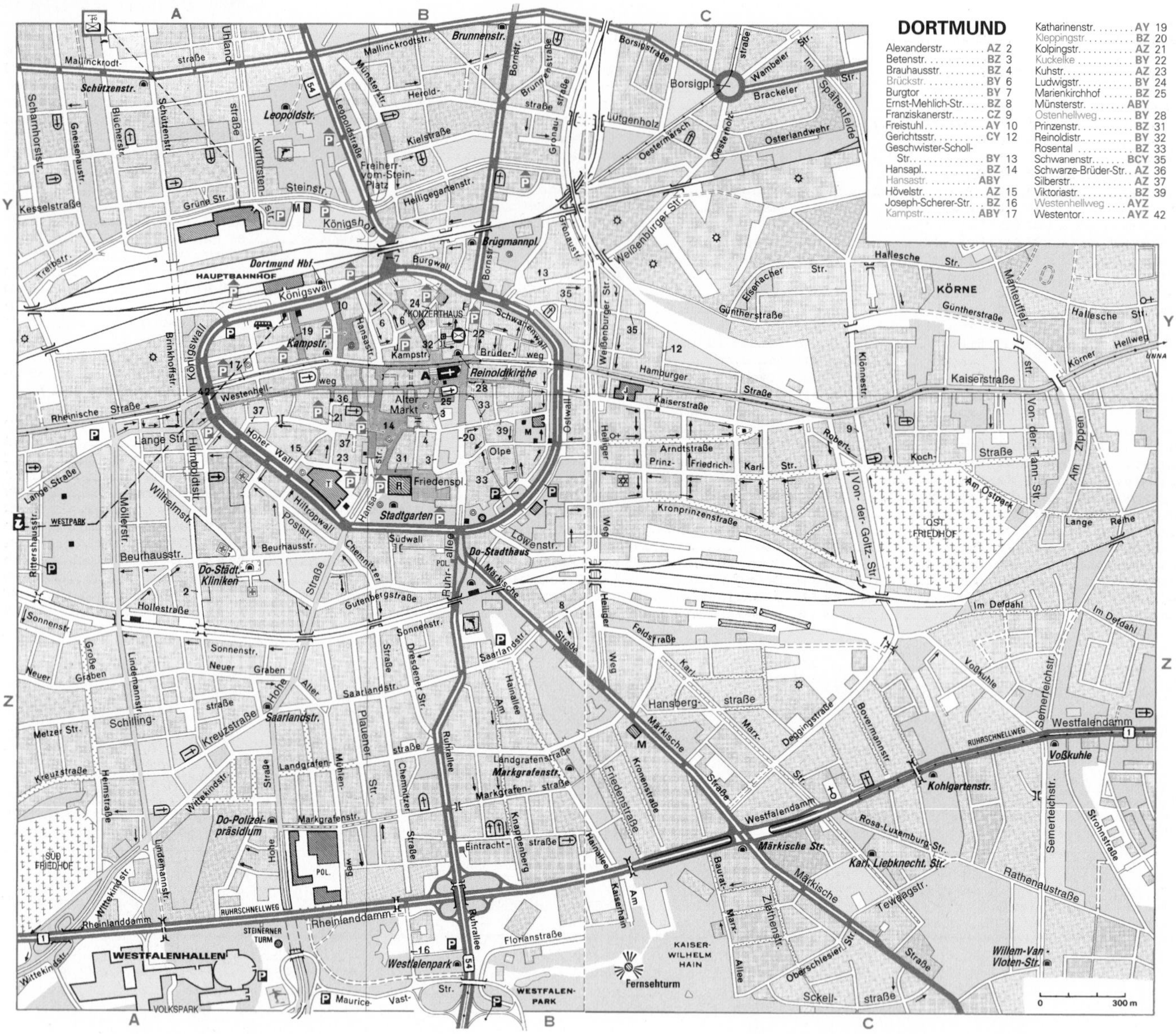
DORTMUND
Alexanderstr. AZ 2
Betenstr. BZ 3
Brauhausstr. BZ 4
Brückstr. BY 6
Burgtor BY 7
Ernst-Mehlich-Str. BZ 8
Franziskanerstr. CZ 9
Freistuhl AY 10
Gerichtsstr. CY 12
Geschwister-Scholl-Str. BY 13
Hansapl. BZ 14
Hansastr. ABY
Hövelstr. AZ 15
Joseph-Scherer-Str. BZ 16
Kampstr. ABY 17
Katharinenstr. AY 19
Kleppingstr. BZ 20
Kolpingstr. AZ 21
Kuckelke BY 22
Kuhstr. AZ 23
Ludwigstr. BY 24
Marienkirchhof BZ 25
Münsterstr. ABY
Ostenhellweg BY 28
Prinzenstr. BZ 31
Reinoldistr. BY 32
Rosental BZ 33
Schwanenstr. BCY 35
Schwarze-Brüder-Str. AZ 36
Silberstr. AZ 37
Viktoriastr. BZ 39
Westenhellweg AYZ
Westentor AYZ 42
HAUPTBAHNHOF
Dortmund Hbf
KÖRNE
WESTFALENHALLEN
Westfalenpark
Fernsehturm
KAISER-WILHELM HAIN
OST FRIEDHOF
SÜD FRIEDHOF
Reinoldikirche
Stadtgarten
0 300 m

Conneforde 17 G 8
Conow 24 G 24
Conradsdorf 68 N 24
Contwig 82 S 6
Coppenbrügge 39 J 12
Coppengrave 40 K 13
Cornau 28 H 9
Cornberg 63 M 13
Corvey 51 K 12
Coschen 45 J 28
Cosel-Zeisholz 56 L 25
Cossebaude 68 M 24
Cossengrün 66 O 20
Coswig 68 M 24
Coswig (Anhalt) 43 K 21
Cotta 68 N 25
Cottbus 57 K 26
Cottenbach 77 Q 18
Cracau 42 J 19
Crailsheim 95 S 14
Crainfeld 75 O 12
Cramme 40 J 15
Cramon 21 E 17
Cramonshagen 21 E 17
Cranz 19 F 13
Cranzahl 67 O 22
Craula 64 M 15
Craupe 56 K 25
Crawinkel 65 N 16
Creglingen 86 R 14
Cremlingen 41 J 15
Cremzow 25 F 26
Creußen 88 Q 18
Creuzburg 64 M 14
Criewen 35 G 26
Crimmitschau 66 N 21
Crinitsberg 67 O 21
Crinitz 56 K 25
Crispendorf 66 O 19
Crispenhofen 85 S 12
Critzum 17 G 6
Crivitz 22 F 18
Crock 77 O 16
Cröchern 42 I 18
Cronenberg 48 M 5
Cronheim 96 S 15
Crossen *(Kreis Mittweida)* 67 M 22
Crossen *(Kreis Zwickauer Land)* 67 N 21
Crossen a. d. Elster 66 N 19
Crosta 57 M 27
Crostau 69 M 27
Crostwitz 69 M 26
Crottendorf 79 O 22
Croya 41 I 16
Crumstadt 84 Q 9
Crussow 35 G 26
Culmitz 78 P 19
Cumbach 65 N 18
Cumlosen 32 G 18
Cunersdorf *(Kreis Annaberg)* 67 O 23
Cunersdorf *(Kreis Zwickauer Land)* 67 O 21
Cunewalde 69 M 27
Cunnersdorf *(Kreis Mittweida)* 67 N 23
Cunnersdorf *(Weißeritzkreis)* 68 N 25
Cunnersdorf *(Westlausitzkreis)* 56 M 26
Cunnersdorf (Freitelsdorf-) 68 M 25
Cunnersdorf b. Königstein 68 N 26
Cunnewitz 57 M 26
Curau 9 E 15
Cursdorf 65 O 17
Curslack 20 F 14
Cuxhaven 18 E 10
Czorneboh 69 M 27

D

Daaden 61 N 7
Dabel 23 F 19
Dabelow 24 G 23
Dabendorf 44 J 24
Dabergotz 33 H 22
Daberkow 24 E 23
Dabringhausen 59 M 5
Dabrun 55 K 22
Dachau 104 V 18
Dachelhofen 88 S 20
Dachrieden 52 M 15
Dachsbach 86 R 16
Dachsberg 108 W 8
Dachsenhausen 73 P 7
Dachtel 93 T 10
Dachwig 65 M 16
Dackscheid 70 P 3
Dadow 32 G 18
Dächingen 102 V 12
Dägeling 19 E 12
Dähre 31 H 16
Dämmerwald 47 K 4
Dänholm 13 D 23
Dänisch Nienhof 9 C 14
Dänischenhagen 9 C 14
Dänischer Wohld 9 C 13
Dänkritz 66 N 21
Dänschenburg 11 D 21
Dänschendorf 10 C 17
Dätgen 9 D 13
Dagebüll 4 B 10
Dagebüll-Hafen 4 B 10
Dahenfeld 85 S 11
Dahl 50 K 10
Dahl (Hagen-) 49 M 6
Dahlbruch 61 N 8
Dahle 49 M 7
Dahlem *(Kreis Euskirchen)* 70 O 3
Dahlem *(Kreis Lüneburg)* 31 G 16
Dahlemer See 18 E 10
Dahlen *(Kreis Mecklenburg-Strelitz)* 24 E 24
Dahlen *(Kreis Potsdam-Mittelmark)* 43 J 21
Dahlen *(Kreis Stendal)* 42 I 19
Dahlen *(Kreis Torgau-Oschatz)* 55 L 23
Dahlenberg 55 L 22
Dahlenburg 31 G 16
Dahlener Heide 55 L 23
Dahlenwarsleben 42 J 18
Dahlerau 48 M 5
Dahlerbrück 49 M 6
Dahlewitz 44 J 24
Dahlheim 73 P 7
Dahlum 41 J 16
Dahlwitz-Hoppegarten 44 I 24
Dahme *(Kreis Ostholstein)* 10 D 17
Dahme *(Kreis Teltow-Fläming)* 44 K 24
Dahme-Umflut-Kanal 44 J 25
Dahmen 23 F 21
Dahmer Kanal 23 E 22
Dahmsdorf 45 J 25
Dahn 83 S 7
Dahnen 70 P 2
Dahnsdorf 43 J 21
Dahrendorf 31 H 16
Dahrenwurth 7 C 11
Dainrode 62 M 10
Daiting 96 T 16
Dalberg-Wendelstorf 21 E 17
Dalchau *(Kreis Anhalt-Zerbst)* 42 J 19
Dalchau *(Kreis Stendal)* 32 H 20
Daldorf 9 D 14
Daldrup 47 K 6
Daleiden 70 P 2
Dalhausen 51 L 11
Dalheim *(Kreis Mainz-Bingen)* 74 Q 8
Dalheim *(Kreis Paderborn)* 50 L 10
Dalheim (-Rödgen) 58 M 2
Dalherda 75 O 13
Dalkendorf 23 E 21
Dalkingen 95 T 14
Dallau 85 R 11
Dalldorf *(Kreis Gifhorn)* 40 I 15
Dalldorf *(Kreis Herzogtum Lauenburg)* 21 F 15
Dalldorf *(Kreis Uelzen)* 31 H 16
Dalle 30 H 14
Dallgow 43 I 23
Dallmin 32 G 19
Dalum *(Kreis Emsland)* 26 I 5
Dalum *(Kreis Osnabrück)* 27 I 7
Dalvers 27 I 7
Dalwigksthal 62 M 10
Dalwitz 11 E 21
Dambeck *(Altmarkkreis Salzwedel)* 31 H 17
Dambeck *(Kreis Ludwigslust)* 22 G 19
Dambeck *(Kreis Lüchow-Dannenberg)* 31 G 17
Dambeck *(Kreis Müritz)* 23 F 21
Dambeck *(Kreis Ostvorpommern)* 14 E 24
Dambroich 59 N 5
Damelack 33 H 20
Damelang-Freienthal 43 J 22
Damendorf 8 C 13
Damerow 25 F 25
Damerower See 23 F 20
Damflos 81 Q 4
Damgarten 11 D 21
Damlos 10 D 16
Damm *(Kreis Bad Doberan)* 11 D 20
Damm *(Kreis Parchim)* 22 F 19

Damm *(Kreis Wesel)* 47 K 4
Dammbach 75 Q 11
Damme *(Kreis Havelland)* 33 I 21
Damme *(Kreis Uckermark)* 25 G 26
Damme *(Kreis Vechta)* 37 I 8
Dammendorf 45 J 27
Dammerberge 27 I 8
Dammersbach 63 O 13
Dammersfeld-Kuppe 75 O 13
Dammhausen 19 F 12
Damnatz 31 G 17
Damp 5 C 13
Damp 2000 5 C 14
Damsdorf *(Kreis Dahme-Spreewald)* 44 K 24
Damsdorf *(Kreis Potsdam-Mittelmark)* 43 I 22
Damsdorf *(Kreis Segeberg)* 9 D 14
Damshagen 10 E 17
Damshausen 62 N 9
Danewitz 34 H 25
Dangast 17 F 8
Dankelsheim 40 K 14
Dankenfeld 76 Q 16
Dankerath 71 O 4
Dankerode 53 L 17
Dankersen 39 J 10
Danketsweiler 102 W 12
Dankmarshausen 64 N 14
Dankoltsweiler 95 S 14
Danna 43 K 22
Dannau 9 D 15
Danndorf 41 I 16
Dannefeld 41 I 17
Dannenberg *(Kreis Märkisch-Oderland)* 35 H 25
Dannenberg *(Kreis Osterholz)* 29 G 11
Dannenberg (Elbe) 31 G 17
Dannenbüttel 41 I 15
Dannenfels 83 R 7
Dannenwalde *(Kreis Oberhavel)* 34 G 23
Dannenwalde *(Kreis Prignitz)* 33 G 20
Dannewerk 5 C 12
Dannheim 65 N 16
Dannigkow 42 J 19
Dannstadt 84 R 8
Dansenberg 83 R 7
Danstedt 41 K 16
Dapfen 102 U 12
Darchau 21 G 16
Dardesheim 41 K 16
Daren 27 H 8
Darfeld 36 J 5
Dargelin 14 D 24
Dargelütz 23 F 19
Dargen 15 E 26
Dargersdorf 34 G 24
Dargitz 25 F 25
Dargow 21 F 16
Dargun 24 E 22
Darlaten 39 I 10
Darlingerode 52 K 16
Darmsheim 93 T 10
Darmstadt 74 Q 9
Darrigsdorf 31 H 16
Darritz-Wahlendorf 33 H 22
Darscheid 71 P 4
Darß *(Dorf)* 23 F 20
Darßer Ort 11 C 21
Darup 36 K 5
Dasburg 70 P 2
Daseburg 51 L 11
Dasing 104 U 17
Daskow 11 D 21
Daspe 39 K 12
Dassel 51 K 13
Dasselsbruch 30 I 14
Dassendorf 20 F 15
Dassensen 51 K 13
Dassow 21 E 16
Dassower See 21 E 16
Daßwang 97 S 18
Datteln 47 L 6
Datteln-Hamm-Kanal 47 L 6
Dattenberg 60 O 5
Dattenfeld 59 N 6
Datterode 64 M 14
Datze 24 F 24
Daubach 73 Q 6
Daubitz 57 L 28
Dauborn 73 P 8
Daubringen 62 O 10
Dauchingen 101 V 9
Dauelsen 29 H 11
Dauer 25 F 25
Dauernheim 74 O 10
Daugendorf 102 V 12
Daugzin 15 E 25
Daumitsch 66 N 19
Daun 71 P 4
Dausenau 73 P 7
Dautenheim 83 Q 8
Dautmergen 101 V 10
Dautphe 62 N 9
Dautphetal 62 N 9
Dautzschen 55 L 23
Davensberg 49 K 6
Daverden 29 H 11
Davert 47 K 6
Daxstein 99 T 23
Daxweiler 73 Q 7
Dazendorf 10 C 16
Deberndorf 87 R 16
Deblinghausen 29 I 10
Debstedt 18 F 9
Dechow 21 E 16
Dechsendorf 87 R 16
Dechtow 33 H 22
Deckbergen 39 J 11
Deckenbach 62 N 10
Deckenpfronn 93 U 10
Dedeleben 41 J 16
Dedelow 25 F 25
Dedelstorf 31 H 15
Dedenbach 60 O 5
Dedenborn 70 O 3
Dedenhausen 40 I 14
Dedensen 39 I 12
Dederstedt 54 L 19
Dedesdorf 18 F 9
Dedinghausen 50 K 9
Deensen 51 K 12
Deepen 30 G 12
Deersheim 41 K 16
Deesdorf 41 K 17
Deesen 61 O 7
Deetz 42 J 20
Deetz (Havel) 43 I 22
Deezbüll 4 B 10
Deffingen 103 U 14
Degenfeld 95 T 13
Degerfelden 108 X 7
Degernbach 91 T 22
Degerndorf 104 W 18
Degerndorf a. Inn 113 W 20
Degersheim 96 S 16
Deggenau 98 T 22
Deggendorf 98 T 22
Deggenhausen 102 W 12
Deggenhausertal 110 W 12
Deggingen 94 U 13
Dehlingen 95 T 15
Dehmkerbrock 39 J 11
Dehrn 73 O 8
Deichhausen 29 G 9
Deidesheim 83 R 8
Deifeld 50 M 9
Deilingen 101 V 10
Deilinghofen 49 L 7
Deimern 30 G 13
Deindorf 89 R 20
Deining *(Kreis Bad Tölz-Wolfratshausen)* 105 W 18
Deining *(Kreis Neumarkt i. d. Oberpfalz)* 87 S 18
Deiningen 95 T 15
Deinschwang 87 R 18
Deinsen 40 J 13
Deinste 19 F 12
Deinstedt 19 F 11
Deiringsen 49 L 8
Deisel 51 L 12
Deisenhausen 103 V 14
Deisenhofen 95 U 15
Deißlingen 101 V 9
Deister 39 J 12
Deitersen 51 K 13
Deizisau 94 T 12
Delbrück 50 K 9
Delecke 49 L 8
Delfshausen 18 G 8
Delhoven 59 M 4
Delingsdorf 20 E 14
Delitz a. Berge 54 L 19
Delitzsch 54 L 21
Dellbrück 59 N 5
Delliehausen 51 K 13
Delligsen 40 K 13
Dellmensingen 103 V 13
Dellstedt 8 D 12
Dellstedter Moor 8 D 12
Dellwig 49 L 7
Delme 29 H 9
Delmenhorst 29 G 9
Delve 7 D 11
Demen 22 F 19
Demerath 71 P 4
Demern 21 E 16

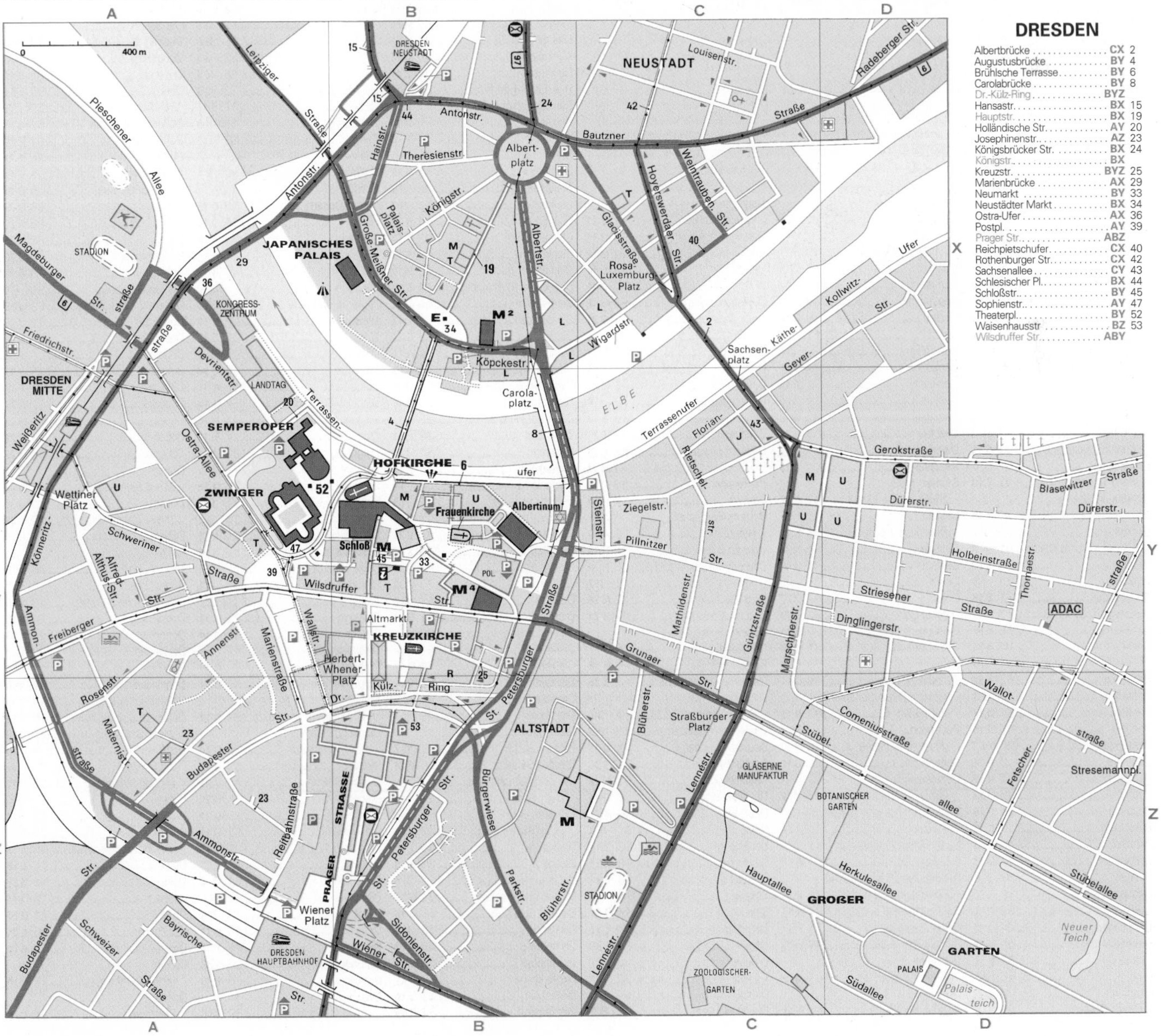

DRESDEN

Albertbrücke ... CX 2
Augustusbrücke ... BY 4
Brühlsche Terrasse ... BY 6
Carolabrücke ... BY 8
Dr.-Külz-Ring ... BYZ
Hansastr. ... BX 15
Hauptstr. ... BX 19
Holländische Str. ... AY 20
Josephinenstr. ... AZ 23
Königsbrücker Str. ... BX 24
Königstr. ... BX
Kreuzstr. ... BYZ 25
Marienbrücke ... AX 29
Neumarkt ... BY 33
Neustädter Markt ... BX 34
Ostra-Ufer ... AX 36
Postpl. ... AY 39
Prager Str. ... ABZ
Reichpietschufer ... CX 40
Rothenburger Str. ... CX 42
Sachsenallee ... CY 43
Schlesischer Pl. ... BX 44
Schloßstr. ... BY 45
Sophienstr. ... AY 47
Theaterpl. ... BY 52
Waisenhausstr ... BZ 53
Wilsdruffer Str. ... ABY

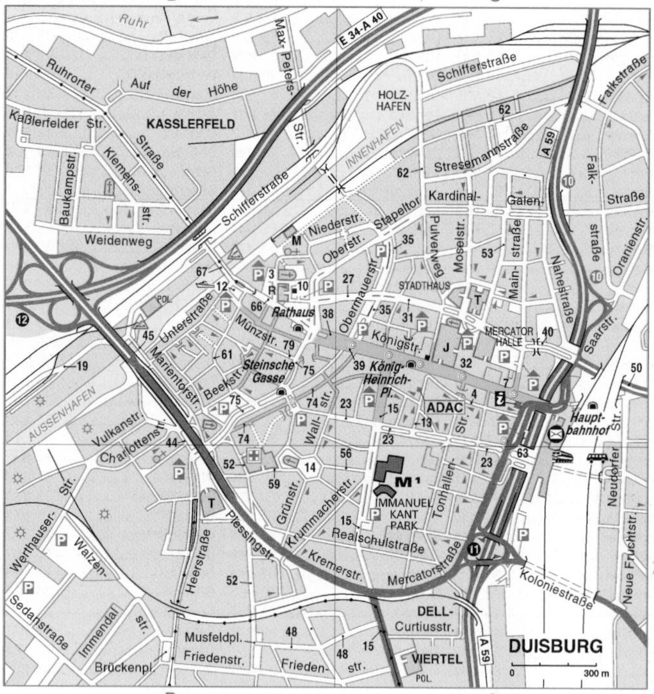

B
C
Y
Z
Ruhr
E 34-A 40
Ruhrorter
Auf der Höhe
Max-Peters-Str.
Schifferstraße
Falkstraße
HOLZ-HAFEN
Kaßlerfelder Str.
KASSLERFELD
Klemensstr.
Straße
Baukampstr.
INNENHAFEN
Stresemannstraße
A 59
Falk-
Straße
Weidenweg
Niederstr.
Oberstr.
Stapeltor
Pulverweg
Moselstr.
Mainstr.
Nahestraße
Kardinal-Galen-
Oranienstr.
STADTHAUS
Rathaus
Unterstraße
Münzstr.
Königstr.
MERCATOR HALLE
Saarstr.
Steinsche Gasse
König-Heinrich-Pl.
AUSSENHAFEN
Vulkanstr.
Charlottenstr.
Wallstr.
ADAC
Hauptbahnhof
Beekstr.
Marientorstr.
Grünstr.
Krummacherstr.
IMMANUEL KANT PARK
Tonhallenstr.
Neudorfer Str.
Wanheimer Str.
Walzen-
Plessingstr.
Realschulstraße
Kremerstr.
Mercatorstraße
Koloniestraße
Neue Fruchtstr.
Heerstraße
Sedanstraße
Immendal
DELL-VIERTEL
Curtiusstr.
Musfeldpl.
Friedenstr.
Frieden-str.
Brückenpl.
DUISBURG
0
300 m
POL.

Alter Markt BY 3
Am Buchenbaum CY 4
Averdunkpl. CY 7
Beekstr. BY
Burgpl. BY 10
Calaispl. BY 12
Claubergstr. CY 13
Dellpl. BZ 14
Düsseldorfer Str. CYZ 15
Essenberger Str. BY 19
Friedrich-Wilhelm-Str. CYZ 23
Gutenbergstr. CY 27
Köhnenstr. CY 31
Königstr. CY
König-Heinrich-Pl. CY 32
Kuhlenwall CY 35
Kuhstr. BCY 38
Kuhtor CY 39
Landfermannstr. CY 40
Marientor BYZ 44
Marientorbrücke BY 45
Menzelstr. BCZ 48
Mülheimer Str. CY 50
Münzstr. BY
Musfeldstr. BZ 52
Neckarstr. CY 53
Neue Marktstr. CZ 56
Papendelle BZ 59
Peterstal BY 61
Philosophenweg CY 62
Portsmouthpl. CZ 63
Schwanenstr. BY 66
Schwanentorbrücke BY 67
Sonnenwall BY 74
Steinsche Gasse BY 75
Universitätsstr. BY 79

Demerthin 33 H 20
Demitz-Thumitz 69 M 26
Demker 42 I 19
Demling 97 T 18
Demmin 14 E 23
Demmingen 95 T 15
Demnitz 45 I 26
Demsin 43 I 20
Demzin 24 E 22
Denkendorf *(Kreis Eichstätt)* 96 T 18
Denkendorf *(Kreis Esslingen)* 94 T 11
Denkershausen 52 K 14
Denkingen *(Kreis Sigmaringen)* 102 W 11
Denkingen *(Kreis Tuttlingen)* 101 V 10
Denklingen *(Kreis Landsberg a. Lech)* 104 W 16
Denklingen *(Oberbergischer Kreis)* 61 N 6
Denkte 41 J 15
Dennach 93 T 9
Dennenlohe 95 S 15
Dennewitz 43 K 23
Dennheritz 66 N 21
Dennin 24 E 24
Dennweiler-Frohnbach 81 R 6
Densberg 63 N 11
Densborn 70 P 3
Densow 34 G 24
Dentlein 95 S 15
Denzlingen 100 V 7
Depenau 9 D 14
Dequede 32 H 19
Derben 42 I 19
Derching 104 U 16
Derenburg 53 K 16
Derental 51 K 12
Dergenthin 32 G 19
Derkum 59 N 4
Dermbach *(Kreis Altenkirchen Westerw)* 61 N 7
Dermbach *(Wartburglreis)* 64 N 14
Dermsdorf 65 M 17
Dernau 60 O 5
Dernbach *(Kreis Neuwied)* 61 O 6
Dernbach *(Kreis Südliche Weinstraße)* 83 S 8
Dernbach *(Westerwaldkreis)* 73 O 7
Derne 47 L 6
Derneburg 40 J 14
Dernekamp 47 K 5
Dersau 9 D 15
Derschen 61 N 7
Derschlag 61 M 6
Dersekow 14 D 23
Dersenow 21 F 16
Dersum 26 H 5
Dertingen 85 Q 12
Deschka 57 M 29
Desenberg 51 L 11
Despetal 40 J 13
Dessau *(Kreis Weilheim-Schongau)* 112 W 16
Dessau *(Stadtkreis Dessau)* 54 K 20
Dessow 33 H 21
Destedt 41 J 16
Destel 38 I 9
Detern 17 G 7
Detershagen 42 J 19
Dethlingen 30 H 14
Detmerode 41 I 16
Detmold 39 K 10
Dettelbach 86 Q 14
Dettendorf *(Kreis Neustadt a. d. A.-Bad W.)* 86 R 16
Dettendorf *(Kreis Rosenheim)* 105 W 19
Dettenhausen 94 U 11
Dettenheim *(Kreis Karlsruhe)* 84 S 9
Dettenheim *(Kreis Weißenburg-Gunzenhausen)* 96 T 16
Dettenhofen *(Kreis Landsberg a. Lech)* 104 W 17
Dettenhofen *(Kreis Neuburg-Schrobenhausen)* 96 U 17
Dettenschwang 104 W 17
Detter 75 P 13
Dettighofen 109 X 9
Dettingen *(Kreis Freudenstadt)* 101 U 9
Dettingen *(Kreis Konstanz)* 110 W 11
Dettingen *(Kreis Tübingen)* 101 U 10
Dettingen a. Albuch 95 U 14
Dettingen a. d. Erms 94 U 12
Dettingen a. d. Iller 103 V 14
Dettingen a. Main 74 P 11
Dettingen u. Teck 94 U 12
Dettmannsdorf 11 D 21
Dettum 41 J 15
Detwang 86 R 14
Detzeln 109 W 8
Deuben 66 M 20
Deudesfeld 70 P 4
Deuerling 90 S 19
Deufringen 93 T 10
Deuna 52 L 15
Deute 63 M 12
Deutenheim 86 R 15
Deutsch 32 H 18
Deutsch-Belgischer Naturpark 70 O 3
Deutsch Evern 31 G 15
Deutsch-Luxemburgischer Naturpark 70 P 2
Deutsch Ossig 69 M 28
Deutsch Paulsdorf 69 M 28
Deutsch-Polnischer National-park 35 G 27
Deutschbaselitz 56 M 26
Deutsche Alpenstraße 113 X 18
Deutsche Schuhstraße 92 S 7
Deutsche Wildstraße 70 P 3
Deutscheinsiedel 68 O 24
Deutschenbora 68 M 24
Deutschhof 33 H 22
Deutschneudorf 68 O 24
Deutzen 66 M 21
Deuz 61 N 8
Dewangen 95 T 14
Dewichow 15 E 25
Dewitz 24 F 24
Dexheim 74 Q 8
Deyelsdorf 14 D 22
Dezenacker 96 T 17
Dhaun 73 Q 6
Dhron (Neumagen-) 72 Q 4
Dhünn 59 M 5
Dhünn Stausee 59 M 5
Diahren 31 H 17
Dibbersen *(Kreis Harburg)* 19 F 13
Dibbersen *(Kreis Verden)* 29 H 10
Dichtelbach 73 P 7
Dickel 28 I 9
Dickenberg 37 J 7
Dickenschied 72 Q 6
Dickschied 73 P 7
Didderse 40 I 17
Diebach *(Kreis Ansbach)* 86 S 14
Diebach *(Kreis Bad Kissingen)* 75 P 13
Diebis 88 R 19
Dieblich 71 P 6
Dieburg 74 Q 10
Diebzig 54 K 19
Diedelkopf 81 R 6
Diedelsheim 93 S 10
Diedenbergen 74 P 9
Diedenshausen 62 M 9
Diedersdorf *(Kreis Märkisch-Oderland)* 45 I 26
Diedersdorf *(Kreis Teltow-Fläming)* 44 I 24
Diedesfeld 83 S 8
Diedorf *(Kreis Augsburg Land)* 104 U 16
Diedorf *(Unstrut-Hainich-Kreis)* 64 M 14
Diedorf *(Wartburgkreis)* 64 O 14
Diedrichshagen 14 D 24
Diehlo 45 J 27
Diehsa 69 M 28
Diekhof 23 E 21
Diekholzen 40 J 13
Diekhusen 7 E 11
Diekhusen-Fahrstedt 7 E 11
Dieksanderkoog 7 E 10
Diekse 9 D 15
Dieksmannshausen 18 F 8
Diele 26 G 5
Dielheim 84 S 10
Dielingen 38 I 9
Dielkirchen 83 R 7
Dielmissen 39 K 12
Diemantstein 95 T 15
Diemarden 52 L 13
Diemel 50 M 10
Diemelsee *(Gemeinde)* 50 L 10
Diemelstadt 50 L 10
Diemerode 63 M 13
Diemitz 33 G 22
Dienhausen 104 W 16
Dienheim 74 Q 9
Diensdorf-Radlow 45 J 26
Dienstädt 65 N 18
Dienstedt-Hettstedt 65 N 17
Diensthop 29 H 11
Diepenau 38 I 10
Diepersdorf 87 R 17
Diepholz 28 I 9
Diepholzer Moor 28 I 8
Diepoldshofen 103 W 13
Diepoltskirchen 98 U 22
Diepolz 111 X 14
Diera 68 M 24
Dierberg 33 G 22
Dierdorf 61 O 6
Dierhagen 11 D 21
Dieringhausen 59 N 6
Dierkow 11 D 20
Dierkshausen 19 G 13
Diersbüttel 30 G 14
Diersburg 100 U 7
Diersfordt 46 K 3
Diersheim 92 T 8
Dies 73 O 7
Diesbar-Seußlitz 68 M 24
Diesdorf *(Altmarkkreis Salzwedel)* 31 H 16
Diesdorf *(Kreis Magdeburg)* 42 J 18
Dieskau 54 L 20
Diespeck 86 R 15
Dießen 101 U 9
Dießen a. Ammersee 104 W 17
Dießfurt 88 Q 19
Diestedde 49 K 8
Diestelow 23 F 20
Dietelhofen 102 V 12
Dietelskirchen 98 U 21
Dietenheim 103 V 14
Dietenhofen 86 R 16
Dietenwengen 103 V 13
Dieterode 52 M 14
Dietersburg 98 U 22
Dietersdorf *(Kreis Coburg)* 77 P 16
Dietersdorf *(Kreis Potsdam-Mittelmark)* 43 J 22
Dietersdorf *(Kreis Sangerhausen)* 53 L 17
Dietersdorf *(Kreis Schwandorf)* 89 R 21
Dietershausen 75 O 13
Dietersheim *(Kreis Freising)* 105 V 19
Dietersheim *(Kreis Neustadt a. d. A.-Bad W.)* 86 R 15
Dietershofen 103 V 14
Dieterskirch 102 V 12
Dieterskirchen 89 R 21
Dietersweiler 101 U 9
Dietfurt a. d. Altmühl 97 S 18
Dietfurt i. Mittelfranken 96 T 16
Dietges 63 O 13
Diethensdorf 67 N 22
Dietingen 101 V 9
Dietkirchen 87 S 18
Dietldorf 88 S 19
Dietlingen 93 T 9
Dietmanns 103 W 13
Dietmannsried 103 W 14
Dietramszell 105 W 18
Dietrichingen 82 S 6
Dietrichsdorf 55 K 22
Dietrichsfeld 17 F 6
Dietzenbach 74 P 10
Dietzhausen 64 O 15
Dietzhölztal 62 N 8
Diez 73 O 8
Differten 82 S 4
Dilkrath 58 M 2
Dill 72 Q 6
Dillberg 87 S 18
Dillenburg 62 N 8
Dillich 63 N 11
Dillingen (Saar) 80 R 4
Dillingen a. d. Donau 95 U 15
Dillstädt 64 O 15
Dilsberg 84 R 10
Dimbach *(Hohenlohekreis)* 85 S 12
Dimbach *(Kreis Kitzingen)* 86 Q 14
Dimhausen 29 H 10
Dinau 90 S 19
Dingden 46 K 3
Dingelbe 40 J 14
Dingelsdorf 110 W 11
Dingelstädt 52 M 14
Dingelstedt 41 K 16
Dingen 7 E 11
Dingolfing 98 U 21
Dingolshausen 76 Q 15
Dingsleben 76 O 15
Dingstede 28 G 9
Dinkel 36 J 5
Dinkelburg 51 L 11
Dinkelsbühl 95 S 14
Dinkelscherben 103 U 15
Dinkelshausen 96 U 17
Dinker 49 L 7
Dinklage 27 I 8
Dinklar 40 J 14
Dinslaken 47 L 4
Dipbach 76 Q 14
Dippach *(Kreis Fulda)* 64 O 14
Dippach *(Wartburgkreis)* 64 N 14
Dippach a. Main *(Kreis Haßberge)* 76 Q 16
Dipperz 63 O 13
Dippmannsdorf 43 J 21
Dippoldiswalde 68 N 25
Dipshorn 29 G 11
Dirlammen 63 O 11
Dirlewang 103 V 15
Dirlos 75 O 13
Dirmerzheim 59 N 4
Dirmingen 81 R 5
Dirmstein 83 R 8
Dirnaich 106 U 21
Dischingen 95 T 15
Disibodenberg 83 Q 7
Dissau 9 E 15
Dissen *(Kreis Osnabrück)* 37 J 8
Dissen *(Kreis Spree-Neiße)* 57 K 26
Dissenchen 57 K 27
Disternich 58 N 4
Ditfurt 53 K 17
Dithmarschen 7 D 11
Dittelbrunn 76 P 14
Dittelsdorf 69 N 28
Dittelsheim 83 Q 8
Dittenheim 96 S 16
Dittersbach 68 N 24
Dittersbach a. d. Eigen 69 M 28
Dittersdorf *(Mittlerer Erzgebirgskreis)* 67 N 22
Dittersdorf *(Saale-Orla-Kreis)* 66 O 19
Dittersdorf *(Weißeritzkreis)* 68 N 25
Ditterswind 76 P 15
Dittigheim 85 R 13
Dittishausen 101 W 9
Dittlofrod 63 N 13
Dittmannsdorf *(Kreis Freiberg)* 68 M 24
Dittmannsdorf *(Mittlerer Erzgebirgskreis)* 67 N 23
Dittrichshütte 65 O 17
Dittwar 85 R 12
Ditzingen 94 T 11
Ditzum 16 G 5
Ditzumerverlaat 16 G 5
Divitz 12 D 22
Dixförda 55 K 23
Dobareuth 78 O 19
Dobbeln 41 J 16
Dobbertin 23 F 20
Dobberzin 35 G 26
Dobbin 23 F 20
Dobbrikow 43 J 23
Dobbrun 32 H 19
Dobel 93 T 9
Doberburg 45 J 26
Doberlug-Kirchhain 56 L 24
Doberschau 69 M 27
Doberschütz 55 L 22
Dobersdorf 9 D 14
Dobersdorfer See 9 D 14
Dobia 66 O 20
Dobitschen 66 N 20
Dobra 68 M 25
Dobritz 42 J 20
Dobrock 18 E 11
Dockweiler 70 P 4
Dodenau 62 M 9
Dodendorf 42 J 18
Dodenhausen 62 M 11
Dodow 21 F 16
Döbberin 45 I 27
Döbbersen 21 F 17
Döbbrick 57 K 27
Döbeln 67 M 23
Döben 55 M 22
Döberitz 43 I 21
Döbern *(Kreis Spree-Neiße)* 57 L 27
Döbern *(Kreis Torgau-Oschatz)* 55 L 22
Döbernitz 54 L 21
Döbra *(Kreis Hof)* 78 P 18
Döbra *(Kreis Sächsische Schweiz)* 68 N 25
Döbra-Berg 78 P 18
Döbrichau 55 L 23
Döckingen 96 T 16
Döcklitz 53 L 18
Döggingen 101 W 9
Döhlau 78 P 19
Döhle 30 G 14
Döhlen 27 H 8
Döhnsdorf 9 D 16
Döhren *(Kreis Minden-Lübbecke)* 39 I 11
Döhren *(Ohrekreis)* 41 I 17
Döhren *(Stadtkreis Hannover)* 40 I 13
Dölau 54 L 19
Dölitz 14 E 22
Döllbach 75 O 13
Döllen 33 H 20
Döllingen 56 L 24
Döllnitz *(Bach)* 55 M 23
Döllnitz *(Kreis Kulmbach)* 77 P 18
Döllnitz *(Saalkreis)* 54 L 20

Döllstädt ..... 65 M 16
Döllwang ..... 87 S 18
Dölme ..... 39 K 12
Dölzig ..... 54 L 20
Dömitz ..... 32 G 17
Dömnitz
(Bach) ..... 32 G 20
Dönberg ..... 48 M 5
Dönges ..... 64 N 14
Dönitz ..... 31 I 17
Döpshofen ..... 104 V 16
Dörenhagen ..... 50 K 10
Dörenthe ..... 37 J 7
Dörentrup ..... 39 J 11
Dörfles-Esbach ..... 77 P 16
Dörflis ..... 76 P 15
Dörgelin ..... 24 E 22
Dörgenhausen ..... 57 L 26
Döringstadt ..... 77 P 16
Dörlinbach ..... 100 V 7
Dörna ..... 52 M 15
Dörnberg ..... 51 L 12
Dörndorf ..... 97 T 18
Dörnfeld ..... 65 N 17
Dörnhagen ..... 51 M 12
Dörnigheim ..... 74 P 10
Dörnitz ..... 42 J 20
Dörnten ..... 40 K 15
Dörnthal ..... 68 N 24
Dörpe ..... 39 J 12
Dörpel ..... 29 H 9
Dörpen ..... 26 H 5
Dörpling ..... 7 D 11
Dörpstedt ..... 5 C 12
Dörpum ..... 4 C 10
Dörrebach ..... 73 Q 7
Dörrenbach ..... 92 S 7
Dörrenzimmern ..... 85 R 13
Dörrieloh ..... 29 I 10
Dörrigsen ..... 51 K 13
Dörrmenz ..... 85 S 13
Dörrmoschel ..... 83 R 7
Dörscheid ..... 73 P 7
Dörsdorf ..... 81 R 4
Dörverden ..... 29 H 11
Dörzbach ..... 85 R 13
Döschwitz ..... 66 M 20
Döse ..... 18 E 10
Dößel ..... 54 L 19
Dössel ..... 51 L 11
Dötlingen ..... 28 H 9
Döttesfeld ..... 61 O 6
Döttingen ..... 71 O 5
Döttingen ..... 85 S 13
Dogern ..... 108 X 8
Dohm-Lammersdorf ..... 70 P 3
Dohna ..... 68 N 25
Dohndorf ..... 54 K 19
Dohnsen
(Kreis Celle) ..... 30 H 14
Dohnsen
(Kreis Holzminden) ..... 39 J 12
Dohren
(Kreis Emsland) ..... 27 I 6
Dohren
(Kreis Harburg) ..... 19 G 13
Dohrenbach ..... 51 M 13
Dohrgaul ..... 59 M 6
Dolberg ..... 49 K 7
Dolgelin ..... 45 I 27
Dolgen
(Kreis Hannover) ..... 40 J 14
Dolgen (Kreis
Mecklenburg-Strelitz) ..... 24 F 24
Dolgow ..... 31 H 17
Dollart ..... 16 G 5
Dollbergen ..... 40 I 14
Dolle ..... 42 I 18
Dollenbach ..... 101 U 8
Dollenchen ..... 56 L 25
Dollendorf ..... 70 O 4
Dollern ..... 19 F 12
Dollerup ..... 5 B 13
Dollgow ..... 34 G 23
Dollnstein ..... 96 T 17
Dolsenhain ..... 67 M 21
Dom-Esch ..... 59 N 4
Dombach ..... 74 P 8
Dombühl ..... 86 S 14
Domersleben ..... 42 J 18
Dommershausen ..... 71 P 6
Dommitzsch ..... 55 L 22
Domnitz ..... 54 L 19
Domsdorf ..... 56 L 24
Domsühl ..... 22 F 19
Donau ..... 101 W 10
Donaualtheim ..... 95 U 15
Donaueschingen ..... 101 W 9
Donaumünster ..... 96 T 16
Donauquelle ..... 100 V 8
Donauried ..... 95 U 15
Donaustauf ..... 90 S 20
Donaustetten ..... 103 V 13
Donauwörth ..... 96 T 16
Dondörflein ..... 87 R 16
Donndorf
(Kreis Bayreuth) ..... 77 Q 18
Donndorf
(Kyffhäuserkreis) ..... 53 M 18
Donnern ..... 18 F 10
Donnersberg ..... 83 R 7
Donnersdorf ..... 76 Q 15
Donnstetten ..... 94 U 12
Donop ..... 39 K 10
Donrath ..... 59 N 5
Donsbach ..... 62 N 8
Donsbrüggen ..... 46 K 2
Donsieders ..... 83 S 6
Donstorf ..... 29 H 9
Donzdorf ..... 94 T 13
Dora
(Gedenkstätte) ..... 52 L 16
Dorf ..... 81 R 4
Dorf-Güll ..... 74 O 10
Dorf i. Warndt ..... 82 S 4
Dorf Mecklenburg (Kreis
Nordwestmecklenburg) ... 22 E 18
Dorf Saarow ..... 45 J 26
Dorf Zechlin ..... 33 G 22
Dorfbach ..... 99 U 23
Dorfchemnitz ..... 67 O 22
Dorfchemnitz b. Sayda ..... 68 N 24
Dorfen (Kreis Bad Tölz-
Wolfratshausen) ..... 104 W 18
Dorfen
(Kreis Erding) ..... 105 V 20
Dorfgütingen ..... 86 S 14
Dorfhain ..... 68 N 24
Dorfitter ..... 50 M 10
Dorfkemmathen ..... 95 S 15
Dorfmark ..... 30 H 13
Dorfmerkingen ..... 95 T 14
Dorfprozelten ..... 85 Q 12
Dorheim ..... 74 O 10
Dorlar
(Hochsauerlandkreis) ..... 50 M 8
Dorlar
(Lahn-Dill-Kreis) ..... 62 O 9
Dorm ..... 41 J 16
Dormagen ..... 59 M 4
Dormettingen ..... 101 V 10
Dormitz ..... 87 R 17
Dorn ..... 99 T 24
Dorn-Dürkheim ..... 83 Q 8
Dornau ..... 75 Q 11
Dornberg ..... 85 R 12
Dornbock ..... 54 K 19
Dornburg
(Kreis Anhalt-Zerbst) ..... 42 J 19
Dornburg (Kreis
Limburg-Weilburg) ..... 61 O 8
Dornburg
(Saale) ..... 66 M 18
Dornbusch ..... 19 E 12
Dorndiel ..... 74 Q 11
Dorndorf ..... 64 N 14
Dorndorf-Steudnitz ..... 66 M 19
Dornhan ..... 101 U 9
Dornheim
(Ilmkreis) ..... 65 N 17
Dornheim
(Kreis Groß-Gerau) ..... 74 Q 9
Dornheim (Kreis Kitzingen) 86 R 14
Dornreichenbach ..... 55 L 22
Dornsode ..... 18 F 11
Dornstadt
(Alb-Donau-Kreis) ..... 103 U 13
Dornstadt
(Kreis Donau-Ries) ..... 95 S 15
Dornstedt ..... 54 L 19
Dornstetten ..... 93 U 9
Dornswalde ..... 44 J 24
Dornum ..... 17 F 6
Dornumergrode ..... 17 E 6
Dornumersiel ..... 17 E 6
Dornwang ..... 98 U 21
Dorschhausen ..... 103 V 15
Dorsel ..... 70 O 4
Dorst ..... 42 I 18
Dorstadt ..... 41 J 15
Dorste ..... 52 K 14
Dorsten ..... 47 L 4
Dortelweil ..... 74 P 10
Dortmund ..... 47 L 6
Dortmund-Ems-Kanal ..... 36 I 5
Dortmund-Ems-Kanal ..... 37 I 6
Dortmund-Wickede
(Flughafen) ..... 49 L 6
Dorum ..... 18 E 9
Dorumer Neufeld ..... 18 E 9
Dorweiler ..... 71 P 6
Dosdorf ..... 65 N 16
Dose ..... 17 F 7
Dosse ..... 33 G 21
Dossenbach ..... 108 X 7
Dossenheim ..... 84 R 10
Dossow ..... 33 G 21
Dothen ..... 66 M 19
Dottenheim ..... 86 R 15
Dotternhausen ..... 101 V 10
Dottingen ..... 102 U 12
Dottingen
(Ballrechten-) ..... 100 W 7
Dotzheim ..... 73 P 8
Dotzlar ..... 62 M 9
Doveren ..... 58 M 2
Drabenderhöhe ..... 59 N 6
Drachenberg ..... 41 J 16
Drachenfels
(Pfälzer Wald) ..... 83 R 8
Drachhausen ..... 45 K 26
Drachselsried ..... 91 S 23
Drackenstedt ..... 41 J 18
Drackenstein ..... 94 U 13
Drage
(Kreis Harburg) ..... 20 F 14
Drage
(Kreis Nordfriesland) ..... 7 C 11
Drage (Kreis Steinfurt) ..... 8 D 12
Dragun ..... 21 E 17
Drahendorf ..... 45 J 26
Drahnsdorf ..... 44 K 24
Drakenburg ..... 29 H 11
Drangstedt ..... 18 F 10
Dranse ..... 33 G 21
Dransfeld ..... 51 L 13
Dranske ..... 13 C 23
Draschwitz ..... 66 M 20
Dreba ..... 66 N 19
Drebach ..... 67 N 23
Drebber ..... 28 I 9
Drebkau ..... 56 L 26
Drechow ..... 12 D 22
Dreeke ..... 28 H 9
Dreenkrögen ..... 22 F 18
Drees ..... 71 O 4
Dreesch ..... 25 G 25
Dreeßel ..... 30 H 12
Dreetz
(Kreis Güstrow) ..... 23 E 19
Dreetz (Kreis
Ostprignitz-Ruppin) ..... 33 H 21
Dreggers ..... 20 E 15
Drehle ..... 27 I 8
Drehna ..... 56 K 25
Drehnow ..... 45 K 27
Drehsa ..... 69 M 27
Drei ..... 5 B 12
Drei Annen Hohne ..... 52 K 16
Dreiborn ..... 70 O 3
Dreieck ..... 18 E 10
Dreieich ..... 74 P 10
Dreieichenhain ..... 74 P 10
Dreierwalde ..... 37 I 6
Dreifaltigkeitsberg ..... 101 V 10
Dreifelden ..... 61 O 7
Dreifelder Weiher ..... 61 O 7
Dreihausen ..... 62 N 10
Dreiheide ..... 55 L 22
Dreilägerbach-Stausee ..... 58 O 2
Dreileben ..... 41 J 18
Dreilingen ..... 31 H 15
Dreilützow ..... 21 F 17
Dreis ..... 72 Q 4
Dreis-Brück ..... 70 P 4
Dreis-Tiefenbach ..... 61 N 8
Dreisbach ..... 61 O 7
Dreisen ..... 83 R 8
Dreisesselberg ..... 99 T 25
Dreiskau-Muckern ..... 54 M 21
Dreislar ..... 62 M 10
Dreißigacker ..... 64 O 15
Dreistegen ..... 100 V 8
Dreistelzberg ..... 75 P 13
Dreitorspitze ..... 112 X 17
Dreitzsch ..... 66 N 19
Drelsdorf ..... 4 C 11
Dremmen ..... 58 M 2
Drenke ..... 51 K 11
Drensteinfurt ..... 49 K 7
Drentwede ..... 29 H 9
Dreschvitz ..... 13 C 23
Dresden ..... 68 M 25
Dresden-Klotzsche
(Flughafen) ..... 68 M 25
Dressendorf ..... 78 Q 18
Drestedt ..... 19 G 13
Drethen ..... 31 G 16
Dretzen ..... 43 J 20
Drevenack ..... 47 L 4
Drewelow ..... 24 E 24
Drewen ..... 33 H 21
Drewer ..... 50 L 9
Drewitz (Kreis
Jerichower Land) ..... 42 J 20
Drewitz (Kreis Potsdam) ..... 44 I 23
Drewitz
(Kreis Spree-Neiße) ..... 45 K 27
Drewitzer See ..... 23 F 21
Dreye ..... 29 G 10
Drieberg ..... 21 E 17
Driedorf ..... 61 O 8
Driesch ..... 71 P 5
Drieschnitz-Kahsel ..... 57 K 27
Driever ..... 17 G 6
Drievorden ..... 36 I 5
Driftsethe ..... 18 F 9
Dringenberg ..... 50 K 11
Drochow ..... 56 L 25
Drochtersen ..... 19 E 12
Dröbel ..... 54 K 19
Dröbischau ..... 65 O 17

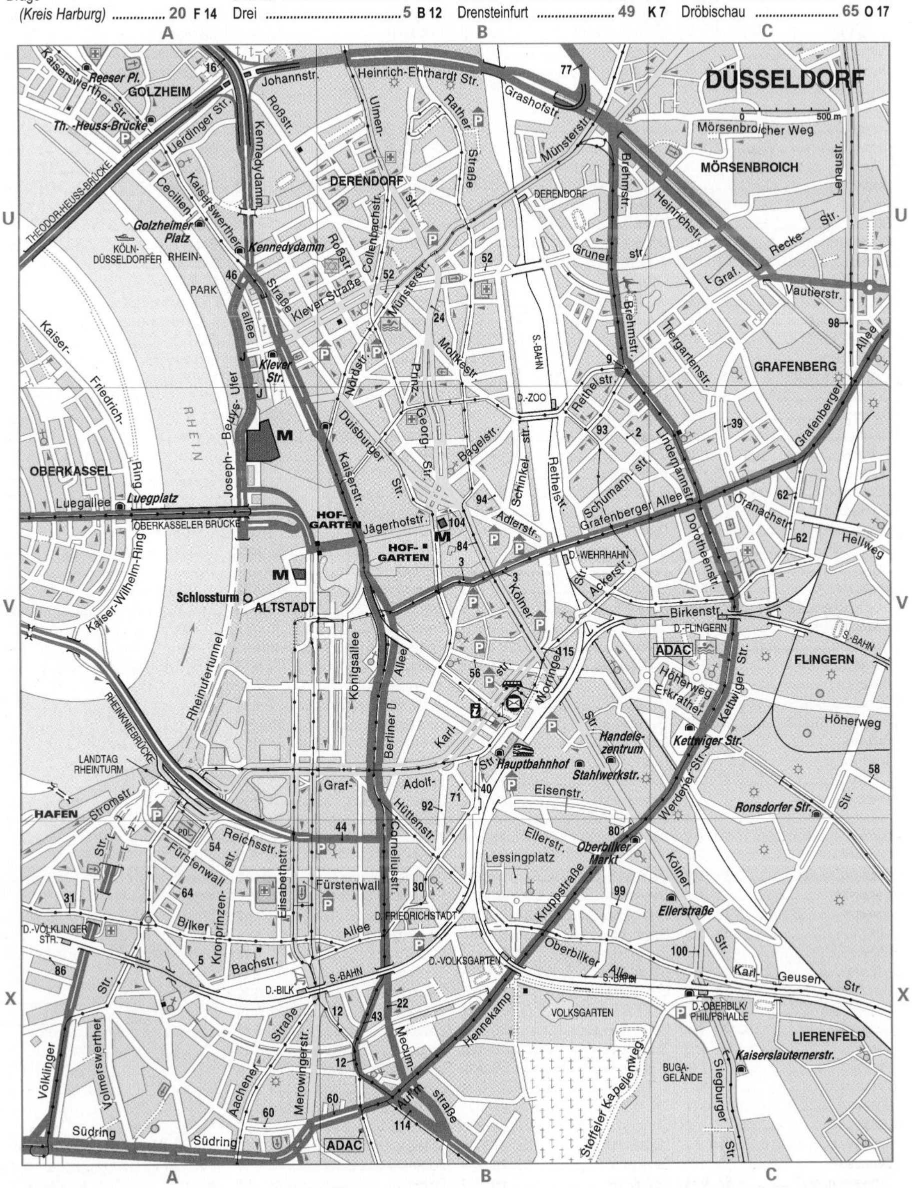

Achenbachstr. . . . BV 2	Erasmusstr. . . . . BX 22	Heresbachstr. . . . BX 43	Klosterstr. . . . . . BV 56	Pempelforter Str. BV 84	Sonnenstr. . . . . . BX 99
Benzenbergstr. . . AX 5	Eulerstr. . . . . BU 24	Herzogstr. . . . . . BX 44	Lorettostr. . . . . . AX 64	Plockstr. . . . . . . AX 86	Stoffeler Str. . . . CX 100
Brehmpl. . . . . . . BU 9	Fürstenpl. . . . . . BX 30	Homberger Str. . AU 46	Mintropstr. . . . . BV 71	Scheurenstr. . . . BV 92	Witzelstr. . . . . . . BX 114
Brunnenstr. . . . . BX 12	Gladbacher Str. . . AX 31	Jülicher Str. . . . . BU 52	Nördl.Zubringer . BU 77	Schillerpl. . . . . . BV 93	Worringer Pl. . . . . BV 115
Danziger Str. . . . AU 16	Harkortstr. . . . . . BV 40	Jürgenspl. . . . . . AX 54	Oberbilker Markt BX 80	Schirmestr. . . . . BV 94	

Dröda 78 O 20
Drögen 34 G 23
Drögennindorf 30 G 14
Drölitz 33 E 21
Drönnewitz (*Kreis Demmin*) 14 E 22
Drönnewitz (*Kreis Ludwigslust*) 21 F 17
Drösede 32 H 18
Drößig 56 L 25
Drößling 104 V 17
Drogen 66 N 20
Drognitz 65 O 18
Drohndorf 53 K 18
Drolshagen 61 M 7
Dromersheim 73 Q 7
Drope 27 I 6
Drosa 54 K 19
Drosedow (*Kreis Demmin*) 14 E 23
Drosedow (*Kreis Mecklenburg-Strelitz*) 24 G 22
Drosedower Wald 14 E 23
Drosendorf a. d. Aufseß 77 Q 17
Drosendorf a. Eggerbach 87 Q 17
Droßdorf 66 M 20
Drove 58 N 3
Droyßig 66 M 20
Druchhorn 27 I 7
Drübeck 52 K 16
Drüber 52 K 13
Drügendorf 87 Q 17
Drüsensee 21 F 16
Druffel 50 K 9
Druisheim 96 U 16
Druxberge 41 J 17
Dubbelau See 38 I 7
Duben 44 K 25
Dubrau 57 K 27
Dubro 55 K 23
Ducherow 25 E 25
Duchtlingen 101 W 10
Duckow 24 E 22
Duddenhausen 29 H 11
Dudeldorf 72 Q 3
Dudenbostel 30 I 12
Dudendorf 11 D 21
Dudenhofen (*Kreis Ludwigshafen Land*) 84 S 9
Dudenhofen (*Kreis Offenbach*) 74 P 10
Dudensen 30 I 12
Duderstadt 52 L 14
Dudweiler 82 S 5
Düben 43 K 21
Dübener Heide 55 K 21
Dübrichen 56 K 24
Düchelsdorf 21 E 15
Dückerswisch 7 D 11
Düdelsheim 74 P 11
Düdenbüttel 19 F 12
Düderode 52 K 14
Düdinghausen 29 I 10
Düdinghausen 50 M 10
Düffelward 46 K 2
Dühren 84 S 10
Dülken 58 M 2
Dülmen 47 K 5
Dülseberg 31 H 16
Dümmer 21 F 17
Dümmer (*See*) 37 I 8
Dümmer (Naturpark) 38 I 8
Dümmerlohausen 38 I 8
Dümmersee 21 F 17
Dümmlinghausen 61 M 6
Dümpelfeld 71 O 4
Dümpten 47 L 4
Dün 52 L 15
Düne (*Insel*) 6 D 7
Dünebroek 26 G 5
Düngenheim 71 P 5
Düngstrup 28 H 9
Dünne 38 J 9
Dünsbach 85 S 13
Dünsberg 62 O 9
Dünsche 32 G 17
Dünschede 61 M 7
Dünsen 29 H 9
Dünstekoven 59 N 4
Dünwald 52 M 15
Dünzelbach 104 V 17
Dünzlau 96 T 17
Dünzling 97 T 20
Düpow 32 G 19
Düppenweiler 80 R 4
Dürbheim 101 V 10
Düren 58 N 3
Düring 18 F 9
Dürmentingen 102 V 12
Dürn 97 S 18
Dürnast 88 R 19
Dürnast (Taldorf) 110 W 12
Dürnau 102 V 12
Dürnbach 113 W 19
Dürnbucher Forst 97 T 19
Dürnersdorf 89 R 20
Dürnhaindlfing 97 U 19
Dürnsricht 88 R 20
Dürrenhofe 44 J 25
Dürrenmettstetten 101 U 9
Dürrenuhlsdorf 67 N 21
Dürrenwaid 77 O 18
Dürrenwaldstetten 102 V 12
Dürrenzimmern 95 T 15
Dürrfeld 76 Q 15
Dürrhennersdorf 69 M 27
Dürrlauingen 103 U 15
Dürrn 93 T 10
Dürrnbachhorn 114 W 21
Dürrnhaar 105 W 19
Dürröhrsdorf-Dittersbach 68 M 25
Dürrwangen 95 S 15
Dürrweitzschen (*Kreis Döbeln*) 67 M 23
Dürrweitzschen (*Muldentalkreis*) 55 M 22
Dürscheid 59 M 5
Dürwiß 58 N 2
Düsedau 32 H 19
Düshorn 30 H 12
Düsseldorf 48 M 4
Düsseldorf-Lohausen (*Flughafen*) 48 M 4
Düßnitz 55 K 22
Düste 28 H 9
Düthe 26 H 5
Dütschow 22 F 19
Dützen 39 J 10
Düversbruch 38 I 9
Düvier 14 D 23
Duggendorf 90 S 19
Duhnen 18 E 9
Duingen 40 J 13
Duisburg 47 L 4
Duisenburg 27 I 6
Dumme 31 H 16
Dummeldorf 98 U 22
Dummerstorf 11 D 20
Dundenheim 92 U 7
Dungelbeck 40 J 14
Dunningen 101 V 9
Dunstelkingen 95 T 15
Dunsum 4 B 9
Dunum 17 F 6
Duppach 70 P 3
Durach 111 W 15
Durbach 92 U 8
Durchhausen 101 V 10
Durlach 93 T 9
Durlangen 94 T 13
Durmersheim 93 T 8
Dußlingen 102 U 11
Dutendorf 86 Q 15
Dutenhofen 62 O 9
Duttenbrunn 75 Q 13
Dutzow 21 E 16
Duvensee 21 E 15
Duvenstedt 20 E 14
Dwergte 27 H 7
Dwerkaten 20 E 15
Dyck 48 M 3
Dykhausen 17 F 7

E

Ebbegebirge (*Märkischer Kreis*) 61 M 7
Ebbingen 30 H 12
Ebbinghausen 50 L 10
Ebeleben 52 M 16
Ebelsbach 76 Q 16
Ebendörfel 69 M 27
Ebendorf 42 J 18
Ebene 89 R 21
Ebenhards 76 O 16
Ebenhausen (*Kreis Bad Kissingen*) 76 P 14
Ebenhausen (*Kreis Pfaffenhofen a. d. Ilm*) 96 T 18
Ebenheim 64 N 15
Ebenhofen 103 W 15
Ebenried 87 S 17
Ebensfeld 77 P 16
Ebenweiler 102 W 12
Eberbach 84 R 10
Eberbach (*Kloster*) 73 P 8
Eberdingen 93 T 10
Eberfing 112 W 17
Eberfingen 109 W 9
Ebergötzen 52 L 14
Eberhardsreuth 99 T 24
Eberhardzell 102 V 13
Eberhausen 51 L 13
Eberholzen 40 J 13
Ebermannsdorf 88 R 19
Ebermannstadt 87 Q 17
Ebermergen 96 T 16
Ebern 77 P 16
Ebernburg a. Stein 73 Q 7
Ebernhahn 73 O 7
Ebersbach 103 W 15
Ebersbach (*Kreis Döbeln*) 67 M 23
Ebersbach (*Kreis Löbau-Zittau*) 69 M 27
Ebersbach (*Kreis Ravensburg*) 102 W 12
Ebersbach (*Kreis Riesa-Großenhain*) 68 M 25
Ebersbach (*Muldentalkreis*) 67 M 22
Ebersbach a. d. Fils 94 T 12
Ebersbach-Musbach 102 W 12
Ebersberg 105 V 19
Ebersberger Forst 105 V 19
Ebersbrunn (*Kreis Kitzingen*) 86 Q 15
Ebersbrunn (*Kreis Zwickauer Land*) 66 O 21
Ebersburg 75 O 13
Eberschütz 51 L 12
Ebersdorf (*Kreis Coburg*) 77 P 17
Ebersdorf (*Kreis Kronach*) 77 O 18
Ebersdorf (*Kreis Löbau-Zittau*) 69 M 28
Ebersdorf (*Kreis Rotenburg Wümme*) 18 F 11
Ebersdorf (*Saale-Orla-Kreis*) 78 O 19
Ebersdorf b. Coburg 77 P 17
Ebersgrün 66 O 20
Ebershausen 103 V 14
Ebersheim 73 Q 8
Eberspoint 106 U 20
Eberstadt (*Kreis Gießen*) 74 O 10
Eberstadt (*Kreis Heilbronn Land*) 85 S 11
Eberstadt (*Neckar-Odenwald-Kreis*) 85 R 12
Eberstadt (Darmstadt-) 84 Q 9
Eberstal 85 R 12
Eberstein 93 T 9
Ebersteinburg 93 T 8
Eberswalde 34 H 25
Ebersweier 92 U 7
Ebertshausen (*Kreis Schmalkalden-Meiningen*) 64 O 15
Ebertshausen (*Kreis Schweinfurt*) 76 P 15
Ebertsheim 83 R 8
Ebertswiese 64 N 15
Ebhausen 93 U 10
Ebingen 101 V 11
Ebmath 78 P 20
Ebnat 95 T 14
Ebnath 78 Q 19
Ebnet (*Kreis Freiburg i. B.*) 100 W 7
Ebnet (*Kreis Waldshut*) 101 W 8
Ebni-See 94 T 12
Eboldshausen 52 K 14
Ebrach 76 Q 15
Ebratshofen 111 X 14
Ebsdorf 62 N 10
Ebsdorfergrund 62 N 10
Ebstorf 31 G 15
Echbeck 102 W 11
Echelsbacher Brücke 112 W 16
Echem 21 F 15
Eching (*Kreis Freising*) 105 V 18
Eching (*Kreis Landshut*) 97 U 20
Eching a. Ammersee 104 V 17
Echte 52 K 14
Echteler 26 I 4
Echterdingen 94 T 11
Echternacherbrück 80 Q 3
Echtershausen 70 P 3
Echthausen 49 L 7
Echtz 58 N 3
Echzell 74 O 10
Eckardts 64 N 14
Eckardtshausen 64 N 14
Eckardtsheim 38 K 9
Eckardtsleben 64 M 16
Eckarts 75 P 13
Eckartsberga 65 M 18
Eckartshausen (*Kreis Haßberge*) 76 P 16
Eckartshausen (*Kreis Schwäbisch-Hall*) 95 S 13
Eckartshausen (*Wetteraukreis*) 74 P 11
Eckartsweier 92 U 7
Eckbach 83 R 8
Eckel 19 F 13
Eckelshausen 62 N 9
Eckelsheim 83 Q 7
Eckenhagen 61 N 7
Eckenhaid 87 R 17
Eckental 87 R 17
Ecker 52 K 15
Eckernförde 5 C 13
Eckernförder Bucht 5 C 14
Eckersdorf 77 Q 18
Eckersmühlen 87 S 17
Eckerstausee 52 K 15
Eckertal 41 K 15
Eckerzell 90 S 21
Eckfeld 71 P 4
Ecklak 7 E 11
Ecklingerode 52 L 14
Eckmannsdorf 43 K 22
Eckmannshausen 61 N 8
Eckolstädt 66 M 18
Eckstedt 65 M 17
Eckwarden 18 F 8
Eckwarder 18 F 8
Eckwarderhörne 18 F 8
Eckweisbach 64 O 13
Eddelak 7 E 11
Eddelstorf 31 G 15
Edderitz 54 K 19
Eddesse 40 I 14
Edelbeuren 103 V 14
Edelsberg (*Kreis Limburg-Weilburg*) 74 O 8
Edelsfeld 88 R 19
Edelshausen 96 U 17
Edemissen (*Kreis Northeim*) 51 K 13
Edemissen (*Kreis Peine*) 40 I 14
Edenbachen 103 V 14
Edendorf 8 E 12
Edenkoben 83 S 8
Edenstetten 98 T 22
Eder 61 N 8
Ederbringhausen 62 M 10
Ederen 58 N 2
Ederheim 95 T 15
Edermünde 51 M 12
Edersee 62 M 10
Edersleben 53 L 17
Edertal 63 M 11
Edesheim (*Kreis Northeim*) 52 K 13
Edesheim (*Kreis Südliche Weinstraße*) 83 S 8
Edewecht 27 G 7
Edewechterdamm 27 G 7
Ediger-Eller 71 P 5
Edingen 62 O 8
Edingen-Neckarhausen 84 R 9
Edlau 54 K 19
Edling b. Rosenheim 105 W 20
Edling b. Wasserburg 105 V 20
Edmund-Probst-Haus 111 X 15
Eesch 7 D 11
Effeld 58 M 2
Effelder (*Kreis Eichsfeld*) 52 M 14
Effelder (*Kreis Sonneberg*) 77 O 17
Effeln 50 L 9
Effelsberg 60 O 4
Effelter 77 O 18
Effeltrich 87 R 17
Efringen-Kirchen 108 X 6
Efze 63 M 12
Egeln 42 K 18
Egelsbach 74 Q 9
Egenhausen (*Kreis Freudenstadt*) 93 U 9
Egenhausen (*Kreis Neustadt a. d. A.-Bad W.*) 86 R 15
Egenhausen (*Kreis Schweinfurt*) 76 P 14
Egenhofen 104 V 17
Eger (*Fluß b. Nördlingen*) 95 T 15
Eger (*Fluß b. Selb*) 79 P 20
Egesheim 101 V 10
Egestorf 30 G 14
Egestorf a. Deister 39 J 12
Egg 98 T 22
Egg a. d. Günz 103 V 14
Egge (*Kreis Grafschaft-Bentheim*) 36 I 4
Egge (*Kreis Hameln-Pyrmont*) 39 J 11
Eggebek 5 C 12
Eggegebirge 50 K 10
Eggegebirge und Südlicher Teutoburger Wald (Naturpark) 50 K 10
Eggelingen 17 F 7
Eggelogerfeld 17 G 7
Eggenbach 77 P 16
Eggenfelden 106 U 22
Eggenrot 95 T 14
Eggenstedt 41 J 17
Eggenstein-Leopoldshafen 93 S 9
Eggenthal 103 W 15
Eggeringhausen 50 L 10
Eggermühlen 27 I 7
Eggerode 36 J 5
Eggersberg 97 T 18
Eggersdorf 42 K 19
Eggersdorf b. Müncheberg 45 I 26
Eggersdorf b. Strausberg 34 I 25
Eggesin 25 E 26
Eggestedt 18 G 9
Eggingen (*Kreis Ulm*) 103 U 13
Eggingen (*Kreis Waldshut*) 109 W 9
Egglfing 107 V 23
Egglham 98 U 23
Egglkofen 106 U 21
Eggmannsried 102 W 13
Eggmühl 97 T 20
Eggolsheim 87 Q 17
Eggstätt 106 W 21
Eggstedt 7 D 11
Eggstetten 106 V 22
Eging 99 T 23
Eglfing 112 W 17
Egling 105 W 18
Egling a. d. Paar 104 V 16
Eglingen (*Kreis Heidenheim*) 95 T 15

ERFURT

Anger B
Bahnhofstr. B
Dalbergsweg A 13
Domstr. A 15
Fischmarkt A
Löberstr. B 22
Mainzerhofstr. A 24
Marktstr. A
Meienbergstr. B 27
Moritzwallstr. A 28
Regierungsstr. A 34
Schlösserstr. AB 36
Schlüterstr. A 37
Walkmühlstr. A 40
Wenigemarkt B 42
Willy-Brandt-Pl. B 43

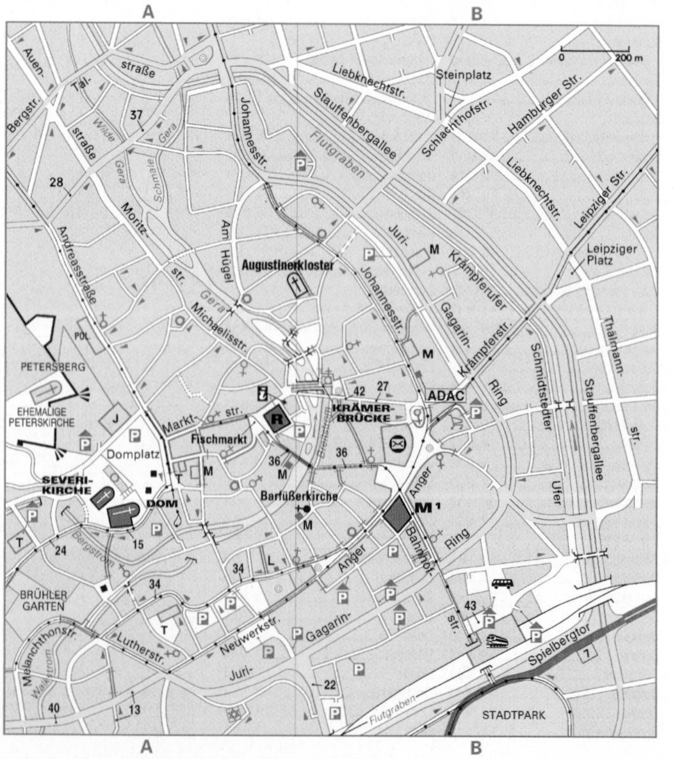

A
B
Steinplatz
Liebknechtstr.
Stauffenbergallee
Hamburger Str.
Schlachthofstr.
Leipziger Str.
Leipziger Platz
Flutgraben
Johannesstr.
Augustinerkloster
Juri-Gagarin-Ring
Krämpferufer
Schmidtstedter Ufer
Stauffenbergallee
Thälmannstr.
Andreasstraße
Moritzstr.
Michaelisstr.
Am Hügel
Gera
Petersberg
Ehemalige Peterskirche
Domplatz
Fischmarkt
Marktstr.
Krämerbrücke
ADAC
Severikirche
Dom
Barfüßerkirche
Anger
Bahnhofstr.
Brühler Garten
Lutherstr.
Neuwerkstr.
Melanchthonstr.
Spielbergtor
Stadtpark
0 200 m

Eglingen (Kreis Reutlingen) 102 U 12
Egloffstein 87 Q 17
Eglofs 111 X 13
Egmating 105 V 19
Egringen 108 W 6
Egsdorf 44 J 24
Egstedt 65 N 17
Egweil 96 T 17
Ehebach 86 R 15
Ehekirchen 96 U 17
Ehenfeld 88 R 19
Ehestetten 102 V 12
Ehingen (Donau-Kreis) 102 V 13
Ehingen (Kreis Ansbach Land) 95 S 15
Ehingen (Kreis Augsburg Land) 96 U 16
Ehingen (Mühlhausen-) 101 W 10
Ehingen a. Ries 95 T 15
Ehle 42 J 19
Ehlen 51 M 11
Ehlenz 70 P 3
Ehlersdorf 8 C 13
Ehlershausen 40 I 14
Ehlhalten 74 P 9
Ehlscheid 61 O 6
Ehmen 41 I 16
Ehndorf 8 D 13
Ehningen 93 U 10
Ehra-Lessien 31 I 16
Ehrang 72 Q 4
Ehren 27 H 7
Ehrenberg (Kreis Altenburger Land) 66 N 21
Ehrenberg (Kreis Sächsische Schweiz) 68 N 26
Ehrenberg (Rhön) 76 O 14
Ehrenburg (Kreis Diepholz) 29 H 10
Ehrenburg (Kreis Mayen-Koblenz) 71 P 6
Ehrenfeld 59 N 4
Ehrenfriedersdorf 67 O 22
Ehrenhain 67 N 21
Ehrenkirchen 100 W 7
Ehrenstein 65 N 17
Ehrenstetten 100 W 7
Ehrenzipfel 79 O 22
Ehrhorn 30 G 13
Ehringen 51 L 11
Ehringhausen 50 L 9
Ehringshausen (Lahn-Dill-Kreis) 63 N 11
Ehringshausen (Vogelsbergkreis) 62 O 9
Ehrsberg 108 W 7
Ehrstädt 84 S 10
Ehrsten 51 L 12
Eibach (Kreis Erding) 105 V 20
Eibach (Kreis Nürnberg) 87 R 17
Eibau 69 N 28
Eibelshausen 62 N 9
Eibelstadt 86 Q 14
Eibenstock 79 O 21
Eibenstock Stausee 79 O 21
Eibsee 112 X 16
Eich (Kreis Alzey-Worms) 84 Q 9
Eich (Kreis Mayen-Koblenz) 71 O 6
Eicha 76 O 15
Eichede 20 E 15
Eichelberg (Kreis Karlsruhe) 84 S 10
Eichelberg (Kreis Neustadt a. d. A.-Bad W.) 86 R 15
Eichelhardt 61 N 7
Eichelsachsen 75 O 11
Eichelsdorf (Kreis Haßberge) 76 P 15
Eichelsdorf (Wetteraukreis) 74 O 11
Eichen (Kreuztal-) 61 N 7
Eichen (Nidderau-) 74 P 10
Eichenau 104 V 17
Eichenbarleben 42 J 18
Eichenberg 51 L 13
Eichenbühl 85 Q 11
Eichendorf 98 U 22
Eichenfelde 33 G 21
Eichenhüll 77 Q 17
Eichenlaubstraße 81 R 4
Eichenried 105 V 19
Eichenzell 75 O 13
Eicherloh 105 V 19
Eicherscheid (Kreis Aachen) 70 O 2
Eicherscheid (Kreis Euskirchen) 60 O 4
Eichfeld 86 Q 14
Eichhagen 61 M 7
Eichhof 59 M 5
Eichhofsberg 18 E 11
Eichholz 21 E 16
Eichholz-Drößig 56 L 24
Eichhorst (Kreis Barnim) 34 H 24
Eichhorst (Kreis Mecklenburg-Strelitz) 24 F 24
Eichigt 79 O 20
Eichlinghofen 47 L 6
Eichow 56 K 26
Eichsfeld 52 L 14
Eichstädt 34 H 23
Eichstätt 96 T 17
Eichstedt 32 H 19
Eichstegen 102 W 12
Eichstetten 100 V 7
Eichtersheim 84 S 10
Eichwalde 44 I 24
Eichwerder 35 H 26
Eickelberg 22 E 19
Eickelborn 50 L 8
Eickeloh 30 H 12
Eickendorf (Kreis Schönebeck) 42 K 19
Eickendorf (Ohrekreis) 41 I 17
Eickenrode 40 I 14
Eickhorst 39 J 10
Eicklingen 40 I 14
Eicks 60 O 3
Eickstedt 25 G 26
Eidengesäß 75 P 11
Eider 9 D 14
Eider-Sperrwerk 7 D 10
Eiderstedt 7 C 10
Eidinghausen 39 J 10
Eidumtief 4 B 8
Eiersheim 85 R 12
Eifa (Kreis Waldeck-Frankenberg) 62 N 9
Eifa (Vogelsbergkreis) 63 N 12
Eifel 70 P 4
Eifelpark 80 Q 3
Eigeltingen 101 W 10
Eigenrieden 52 M 14
Eigenrode 52 M 15
Eikamp 59 M 5
Eikeloh 50 L 9
Eilenburg 55 L 21
Eilendorf 58 N 2
Eilensen 51 K 13
Eilenstedt 41 K 17
Eilsdorf 41 K 16
Eilsdorf (Kreis Segeberg) 9 E 15
Eilshausen 38 J 9
Eilsleben 41 J 17
Eilsum 16 F 5
Eilte 30 H 12
Eilversen 51 K 11
Eilvese 39 I 12
Eimbeckhausen 39 J 12
Eime 40 J 13
Eimeldingen 108 X 6
Eimelrod 50 M 10
Eimen 51 K 13
Eimersleben 41 J 17
Eimke 31 H 14
Eimsbüttel 19 F 13
Einartshausen 74 O 11
Einbach 100 V 8
Einbeck 51 K 13
Eine 53 L 18
Einecke 49 L 8
Einemhof 20 G 14
Einen (Kreis Vechta) 28 H 9
Einen (Kreis Warendorf) 37 K 7
Einfeld 9 D 13
Einhaus 21 E 16
Einhausen 84 Q 9
Eining 97 T 19
Einöd 82 S 5
Einödriegel 91 T 23
Einödsbach 111 Y 14
Einöllen 81 R 6
Einruhr 70 O 3
Einsal 49 M 6
Einsbach 104 V 17
Einsiedel 67 N 22
Einsiedlerhof 81 R 7
Einsingen 103 U 13
Einste 29 H 11
Einswarden 18 F 9
Eintürnen 102 W 13
Einum 40 J 14
Einwinkel 32 H 18
Eiringhausen 49 M 7
Eisbergen 39 J 11
Eisborn 49 L 7
Eischleben 65 N 16
Eischott 41 I 16
Eisdorf 52 K 14
Eiselfing 105 V 20
Eisemroth 62 N 9
Eisen 81 R 5
Eisenach (Kreis Bitburg-Prüm) 80 Q 3
Eisenach (Kreis Eisenach) 64 N 14
Eisenärzt 106 W 21
Eisenbach 101 W 8
Eisenbach (Hessen) 63 O 12
Eisenbach (Selters-) 74 O 8
Eisenberg (Kreis Hersfeld-Rotenburg) 63 N 12
Eisenberg (Kreis Ostallgäu) 111 X 15
Eisenberg (Saale-Holzland-Kreis) 66 N 19
Eisenberg (Pfalz) 83 R 8
Eisenbernreut 99 T 24
Eisenbühl 78 O 19
Eisenharz 111 W 13
Eisenheim 76 Q 14
Eisenhüttenstadt 45 J 27
Eisenschmitt 70 P 4
Eiserfeld (Kreis Siegen-Wittgenstein) 61 N 7
Eisern 61 N 8
Eisfeld 77 O 16
Eisingen (Enzkreis) 93 T 10
Eisingen (Kreis Würzburg) 85 Q 13
Eisleben Lutherstadt 53 L 18
Eislingen 94 T 13
Eismannsberg 87 R 18
Eissel 29 H 11
Eissen 51 L 11
Eisten 27 H 6
Eitelborn 73 O 7
Eitensheim 96 T 17
Eiterbach 84 R 10
Eiterfeld 63 N 13
Eiterhagen 63 M 12
Eitlbrunn 90 S 20
Eitorf 59 N 6
Eitra 63 N 13
Eitting (Kreis Erding) 105 U 19
Eitting (Kreis Straubing-Bogen) 98 T 21
Eitze 29 H 11
Eitzen I 31 G 15
Eitzendorf 29 H 11
Eitzum 40 J 13
Eiweiler 81 R 4
Eixen 12 D 22
Eixendorfer See 89 R 21
Ekel 8 D 12
Ekelmoor 19 G 12
Ekenis 5 C 13
Ekern 27 G 7
Elbbach 61 O 7
Elbbrücken (Hamburg) 20 F 14
Elbe (Fluß) 19 F 13
Elbe (Fluß) 51 M 11
Elbe (Gemeinde) 40 J 14
Elbe-Havel-Kanal 42 J 19
Elbe-Lübeck-Kanal 21 F 15
Elbe-Seitenkanal 31 I 15
Elben 61 N 7
Elbenau 42 J 19
Elbenberg 51 M 11
Elberfeld 48 M 5
Elbergen (Kreis Cloppenburg) 27 H 7
Elbergen (Kreis Emsland) 36 I 5
Elbersberg 87 Q 18
Elbersroth 86 S 15
Elbetal (Naturpark) 32 G 17
Elbingerode 52 L 14
Elbingerode (Harz) 53 K 16
Elbrinxen 39 K 11
Elbsandstein Gebirge 68 N 26
Elbtal 61 O 8
Elbtunnel 19 F 13
Elbufer-Drawehn (Naturpark) 31 G 16
Elbuferstraße 31 G 16
Elchesheim-Illingen 93 T 8
Elchingen 103 U 14
Elchingen auf dem Härtsfeld 95 T 14
Eldagsen 40 J 12
Elde 22 F 18
Eldena (Kreis Ludwigslust) 32 G 18
Eldena (Stadtkreis Greifswald) 14 D 24
Eldenburg 32 G 18
Eldingen 31 H 15
Elend 52 K 16
Elfershausen 76 P 13
Elgersburg 65 N 16
Elgersweier 100 U 7
Eliasbrunn 77 O 18
Elisabeth-Sophien-Koog 4 C 10
Elisabethfehn 27 G 7
Elisabethfehn Kanal 27 G 7
Elisabethfehn Süd 27 G 7
Elisabethfehn West 27 G 7
Elisabethszell 91 S 22
Elkenroth 61 N 7
Elkerhausen 74 O 8
Elkeringhausen 50 M 9
Elkhausen 61 N 7
Elkofen 105 V 19
Ellar 61 O 8
Ellefeld 79 O 21
Ellen 58 N 3
Ellenbach 84 Q 10
Ellenberg (Kreis Schleswig-Flensburg) 5 C 13
Ellenberg (Kreis Westliche Altmark) 31 H 16
Ellenberg (Ostalbkreis) 95 S 14
Ellenbogen 64 O 14
Ellenbrunn 96 T 17
Ellenfeld 89 Q 21
Ellensen 51 K 13
Ellenserdammersiel 17 F 8
Ellenstedt 28 H 9
Ellenz-Poltersdorf 71 P 5
Eller (Mosel) 71 P 5
Ellerau 19 E 13
Ellerbach 91 T 23
Ellerbek 19 F 13
Ellerbrock 27 H 7
Ellerdorf 8 D 13
Ellerhoop 19 E 13
Elleringhausen 50 L 9
Elleringhausen (Twistetal-) 50 M 11
Ellern (Hunsrück) 73 Q 6
Ellerndorf 31 H 14
Ellershausen 51 L 13
Ellertshäuser See 76 P 15
Ellewick 36 J 4
Ellgau 96 U 16
Ellhöft 4 B 10
Ellhofen (Kreis Heilbronn) 94 S 11
Ellhofen (Kreis Lindau) 111 X 13
Ellierode 51 L 13
Ellingen (Kreis Uckermark) 25 F 25
Ellingen (Kreis Weißenburg-Gunzenhausen) 96 S 16
Ellingshausen 63 N 12
Ellingstedt 5 C 12
Ellmannsweiler 103 V 13
Ellmendingen 93 T 9
Ellrich 52 L 15
Ellrichshausen 86 S 14
Ellringen 31 G 16
Ellund 5 B 11
Ellwangen (Kreis Biberach) 103 W 13
Ellwangen (Ostalbkreis) 95 T 14
Ellwanger Berge 95 S 13
Ellweiler 81 R 5
Ellzee 103 U 14
Elm (Dorf) 19 F 11
Elm (Wald) 41 J 16
Elm b. Schlüchtern 75 O 12
Elm-Hochstraße 41 J 16
Elm-Lappwald (Naturpark) 41 J 16
Elmarshausen 51 L 11
Elmau 112 X 17
Elmendorf 17 G 8

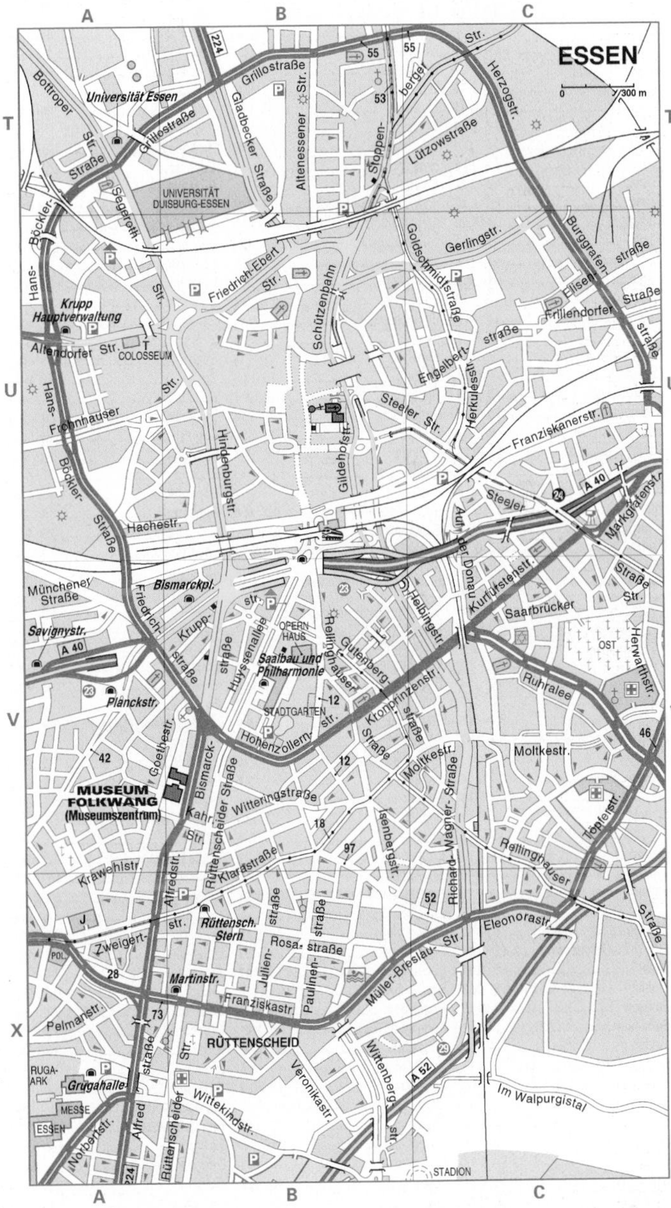

ESSEN

Brunnenstr. BV 12
Friederikenstr. BV 18
Haumannpl. AX 28
Holsterhauser Str. AV 42
Huttropstr. CV 46
Huyssenallee BV
Karolinenstr. CX 52
Karolingerstr. BT 53
Katzenbruchstr. BCT 55
Martinstr. AX 73
Rüttenscheider Str. ABX
Vöcklinghauser Str. BV 97

Elmenhorst (Kreis Bad Doberan) 11 D 20
Elmenhorst (Kreis Herzogtum Lauenburg) 21 F 15
Elmenhorst (Kreis Nordvorpommern) 13 D 23
Elmenhorst (Kreis Nordwestmecklenburg) 10 E 17
Elmenhorst (Kreis Stormarn) 20 E 14
Elmlohe 18 F 10
Elmpt 58 M 2
Elmshorn 19 E 12
Elmstein 83 R 7
Elnhausen 62 N 10
Elnrode 63 N 11
Elpe 50 M 9
Elpenrod 62 N 11
Elpersbüttel 7 D 11
Elpersdorf 86 S 15
Elpersheim 85 R 13
Elsa 77 O 16
Elsdorf (Erftkreis) 58 N 3
Elsdorf (Kreis Mittweida) 67 N 22
Elsdorf (Kreis Rendsburg-Eckernförde) 8 D 12
Elsdorf (Kreis Rotenburg Wümme) 19 G 12
Elsdorf-Westermühlen 8 D 12
Else 38 J 8
Elsen 50 K 10
Elsendorf (Kreis Bamberg) 86 Q 15
Elsendorf (Kreis Kelheim) 97 T 19
Elsenfeld 75 Q 11
Elsenz 84 S 10
Elsfleth 18 G 9
Elsheim 73 Q 8
Elsholz 43 J 22
Elsnig 55 L 22
Elsnigk 54 K 20
Elsoff 62 M 9
Elsoff (Westerwald) 61 O 8
Elspe 61 M 8
Elstal 43 I 22
Elsten 27 H 8
Elster 55 K 22
Elster Gebirge 79 P 20
Elsterberg 66 O 20
Elstertrebnitz 66 M 20
Elsterwerda 56 L 24
Elstorf 19 F 13
Elstra 68 M 26
Elte 37 J 6
Elten 46 K 2
Elterlein 67 O 22
Eltern 27 H 6
Elters 63 O 13
Eltersdorf 87 R 16
Eltingshausen 76 P 14
Eltmann 76 Q 16
Eltmannshausen 64 M 13
Eltville 73 P 8
Eltz 71 P 6
Eltze 40 I 14
Elverdissen 38 J 9
Elversberg 81 S 5
Elxleben (Ilmkreis) 65 N 17
Elxleben (Kreis Sömmerda) 65 M 16
Elz 73 O 8
Elzach (Kreis Emmendingen) 100 V 8
Elzbach (Fluß b. Monreal) 71 P 5
Elzbach (Fluß b. Mosbach) 85 R 11
Elze (Kreis Hannover) 30 I 13
Elze (Kreis Hildesheim) 40 J 13
Elztal 85 R 11
Embken 58 N 3
Embsen 31 G 15
Embühren 8 D 12
Emden (Kreis Emden) 16 F 5
Emden (Ohrekreis) 41 J 17
Emen 26 H 5
Emerkingen 102 V 12
Emern 31 H 16
Emersacker 96 U 16
Emersleben 41 K 17
Emertsham 106 V 21
Emhof 88 S 19
Emkendorf (Kreis Plön) 9 C 15
Emkendorf (Kreis Rendsburg-Eckernförde) 8 D 13
Emleben 64 N 16
Emlichheim 26 I 4
Emmeln 26 H 5
Emmelsbüll-Horsbüll 4 B 10
Emmelshausen 71 P 6
Emmen 31 H 15
Emmendingen 100 V 7
Emmendorf 31 G 15
Emmer 39 J 12
Emmerich 46 K 2
Emmerichenhain 61 O 8
Emmering (Kreis Ebersberg) 105 W 20
Emmering (Kreis Fürstenfeldbruck) 104 V 17
Emmerke 40 J 13
Emmersdorf 98 U 23
Emmershausen 74 O 9
Emmerstausee 39 K 11
Emmerstedt 41 J 16
Emmerting 106 V 22
Emmerzhausen 61 N 8
Emmingen 93 U 10
Emmingen-Liptingen 101 W 10
Empede 39 I 12
Empel 46 K 3
Empfertshausen 64 O 14
Empfingen 101 U 10
Ems (Fluß) 36 I 5
Ems (Fluß) 50 K 9
Ems-Jade-Kanal 16 F 5
Ems-Vechte-Kanal 36 I 5
Emsbüren 36 I 5
Emscher 47 L 4
Emsdetten 37 J 6
Emsdorf 62 N 10
Emseloh 53 L 18
Emsing 96 S 17
Emskirchen 86 R 16
Emsland 26 H 5
Emstal (Kreis Kassel Land) 51 M 11
Emstal (Kreis Potsdam-Mittelmark) 43 J 22
Emstek 27 H 8
Emstekerfeld 27 H 8
Emstunnel 17 G 6
Emtinghausen 29 H 10
Emtmannsberg 78 Q 18
Endeholz 31 H 14
Endel 28 H 8
Endenburg 108 W 7
Enderndorf 96 S 16
Endersbach 94 T 12
Endingen 100 V 7
Endlhausen 105 W 18
Endorf (Hochsauerlandkreis) 49 M 8
Endorf (Kreis Aschersleben-Staßfurt) 53 K 18
Endsee 86 R 14
Engar 51 L 11
Engden 36 I 5
Engdener Wüste 36 I 5
Enge-Sande 4 B 10
Engehausen 30 H 13
Engelade 52 K 14
Engelau 9 D 15
Engelbach 62 N 9
Engelbostel 40 I 12
Engelbrechtsmünster 97 T 18
Engelgau 60 O 4
Engelmannsreuth 88 Q 18
Engeln 29 H 10
Engeln 71 O 5
Engelrod 63 O 11
Engelsberg (Kreis Altötting) 106 V 21
Engelsberg (Kreis Neumarkt i. d. Oberpfalz) 88 S 18
Engelsbrand 93 T 9
Engelschoff 19 F 12
Engelschwand 108 W 8
Engelsdorf 89 S 21
Engelsdorf (Leipzig) 54 L 21
Engelshütt 91 S 23
Engelskirchen 59 N 6
Engelstadt 73 Q 8
Engelswies 102 V 11
Engelthal 87 R 18
Engen 101 W 10
Engensen 40 I 13
Enger 38 J 9
Engeratsgundhof 111 X 15
Engerda 65 N 18
Engers 71 O 6
Engersen 32 I 18
Engertsham 99 U 24
Engetried 103 W 15
Engishausen 103 V 14
Engleshof 89 R 20
Engpaß Klobenstein 114 W 21
Engstingen 102 U 11
Engstlatt 101 V 10
Engter 37 I 8
Enheim 86 R 14
Eningen u. Achalm 94 U 11
Enkenbach 83 R 7
Enkenbach-Alsenborn 83 R 7
Enkering 96 T 18
Enkhausen 50 M 8
Enkirch 72 Q 5
Ennabeuren 102 U 12
Ennepe-Stausee 49 M 6
Ennepetal 49 M 6
Ennest 61 M 7
Enniger 49 K 7
Ennigerloh 49 K 8
Ennigloh 38 J 9
Ensdorf (Kreis Amberg-Sulzbach) 88 R 19
Ensdorf (Kreis Saarlouis) 80 S 4
Ense 49 L 7
Ensfeld 96 T 17
Entenbühl 89 Q 21
Entfelten 114 W 21
Entringen 93 U 10
Entrup (Kreis Höxter) 51 K 11
Entrup (Kreis Lippe) 39 J 10
Enz (Fluß) 80 Q 2
Enz (Fluß) 93 T 9
Enzberg 93 T 10
Enzen (Kreis Euskirchen) 58 O 4
Enzen (Kreis Schaumburg) 39 J 11
Enzenstetten 111 X 15
Enzklösterle 93 T 9
Enzlar 86 Q 15
Enzweihingen 93 T 10
Epe 36 J 5
Epenwöhrden 7 D 11
Epfach 104 W 16
Epfenbach 84 R 10
Epfendorf 101 V 9
Epfenhausen 104 V 16
Epgert 61 O 6
Eppe 50 M 10
Eppelborn 81 R 4
Eppelheim 84 R 9
Eppelsheim 83 Q 8
Eppenbrunn 92 S 6
Eppendorf 67 N 23
Eppenreuth 89 Q 20
Eppenrod 73 O 7
Eppenschlag 99 T 23
Eppertshausen 74 Q 10
Eppingen 93 S 10
Eppishausen 103 V 15
Eppstein 74 P 9
Equarhofen 86 R 14
Equord 40 J 14
Erasbach 96 S 18
Erbach 103 V 13
Erbach (Kreis Mainz-Bingen) 73 P 7
Erbach (Bad Camberg-) 73 P 8
Erbach i. Odenwald 84 R 10
Erbendorf 88 Q 20
Erbenhausen 64 O 14
Erbenheim 74 P 8
Erbes-Büdesheim 83 Q 8
Erbeskopf 81 Q 5
Erbsen 51 L 13
Erbshausen 76 Q 14
Erbstadt 74 P 10
Erbstetten 102 V 12
Erbstorf 21 G 15
Erbuch 84 R 11
Erda 62 N 9
Erdeborn 53 L 18
Erder 39 J 10
Erding 105 V 19
Erdingen 61 N 7
Erdinger Moos 105 V 19
Erdmannhausen 94 T 11
Erdmannrode 63 N 13
Erdmannsdorf 67 N 23
Erdmannsdorf (Lippersdorf-) 66 N 19
Erdmannshain 55 M 21
Erdmannshöhle 108 X 7
Erdorf 70 P 3
Erdweg 104 V 17
Eremitage 77 Q 18
Eresing 104 V 17
Eresried 104 V 17
Erfa 85 R 12
Erfde 7 D 11
Erfelden 74 Q 9
Erfenbach 83 R 7
Erft 60 O 4
Erftstadt 59 N 4
Erfurt 65 N 17
Erfurt-Bindersleben (Flughafen) 65 N 16
Erfweiler 83 S 7
Erfweiler-Ehlingen 82 S 5
Ergenzingen 93 U 10
Ergersheim 86 R 14
Ergertshausen 105 W 18
Erggertshofen 97 S 18
Ergolding 97 U 20
Ergolding-Piflas 97 U 20
Ergoldsbach 97 T 20
Ergste 47 L 6
Erharting 106 V 21
Erichshagen 29 H 11
Ering 107 V 23
Eringerfeld 50 L 9
Eriskirch 110 X 12
Erkelenz 58 M 2
Erkeln 51 K 11
Erkenbrechtsweiler 94 U 12
Erkensruhr 70 O 3
Erkerode 41 J 16
Erkersreuth 78 P 20
Erkheim 103 V 15
Erkner 44 I 25
Erkrath 48 M 4
Erksdorf 62 N 11
Erkshausen 63 M 13
Erla 79 O 22
Erlabrunn (Kreis Aue-Schwarzenberg) 79 O 22
Erlabrunn (Kreis Würzburg Land) 75 Q 13
Erlach 86 Q 14
Erlach a. Main 75 Q 12
Erlangen 87 R 17
Erlau (Fluß) 99 U 24
Erlau (Kreis Hildburghausen) 64 O 16
Erlau (Kreis Mittweida) 67 M 22
Erlau (Kreis Passau) 99 U 24
Erlauzwiesel 99 T 24
Erlbach (Elstertalkreis) 79 P 21
Erlbach (Kreis Altötting) 106 V 22
Erlbach (Muldentalkreis) 67 M 22
Erlbach-Kirchberg 67 N 22
Erle 47 K 4
Erlenbach (Fluß z. Rhein) 92 S 8
Erlenbach (Kreis Heilbronn) 85 S 11
Erlenbach (Neckar-Odenwald-Kreis) 85 R 12
Erlenbach (Odenwaldkreis) 84 R 11
Erlenbach a. Main 85 Q 11
Erlenbach b. Dahn 92 S 7
Erlenbach b. Marktheidenfeld 85 Q 12
Erlenbrunn 83 S 6
Erlenkopf 83 S 7
Erlenmoos 103 V 13
Erlensee 74 P 10
Erligheim 94 S 11
Erlinghausen 50 L 10
Erlstätt 106 W 21
Erlte 28 H 8
Ermen 47 K 6
Ermenrod 63 O 11
Ermershausen 76 P 15
Ermingen 103 U 13
Ermke 27 H 7
Ermlitz 54 L 20
Ermreuth 87 R 17
Ermschwerd 51 L 13
Ermsleben 53 K 18
Ermstedt 65 N 16
Erndtebrück 62 N 8
Ernsgaden 97 T 18
Ernst (Kreis Cochem-Zell) 71 P 5
Ernst-Thälmann-Siedlung 25 F 26
Ernsthausen (Kreis Marburg-Biedenkopf) 62 N 10
Ernsthausen (Kreis Waldeck-Frankenberg) 62 N 10
Ernsthofen 84 Q 10
Erstroda 64 N 15
Ernsttal 85 R 11
Ernstthal 77 O 17
Erolzheim 103 V 14
Erp 58 N 4
Erpel 60 O 5
Erpensen 31 H 16
Erpentrup 50 K 11
Erpfingen 102 U 11
Erpfting 104 V 16
Ersen 51 L 11
Ershausen 52 M 14
Ersingen (Alb-Donau-Kreis) 102 V 13
Ersingen (Enzkreis) 93 T 9
Ersrode 63 N 12
Ertingen 102 V 12
Erwitte 50 L 9
Erwitzen 51 K 11
Erxleben (Kreis Stendal) 32 H 19
Erxleben (Ohrekreis) 41 J 17
Erzberg 86 S 14
Erzgebirge 67 O 21
Erzgrube 93 U 9
Erzhausen (Kreis Darmstadt-Dieburg) 74 Q 9
Erzhausen (Kreis Northeim) 40 K 13
Erzingen (Kreis Waldshut) 109 X 9
Erzingen (Zollernalbkreis) 101 V 10
Esbeck (Kreis Helmstedt) 41 J 16
Esbeck (Kreis Hildesheim) 40 J 13
Esch (Erftkreis) 58 N 3
Esch (Kreis Daun) 70 O 3
Esch (Kreis Köln) 59 M 4
Esch (Grafschaft-) 60 O 5
Esch (Waldems-) 74 P 8
Eschach 95 T 13
Eschau 85 Q 11
Eschbach (Hochtaunuskreis) 74 O 9
Eschbach (Rhein-Lahn-Kreis) 73 P 7
Eschbach b. Kirchzarten 100 V 7
Eschbach i. Schwarzwald 100 W 6
Eschborn (Main-Taunus-Kreis) 74 P 9
Eschbronn 101 V 9
Eschdorf 68 M 25
Esche 26 I 4
Escheberg 51 L 11
Eschebrügge 26 I 4
Escheburg 20 F 14
Eschede 30 H 14
Eschefeld 67 M 21
Eschelbach 84 S 10
Eschelbronn 84 S 10
Eschen 77 Q 18
Eschenau (Kreis Erlangen-Höchstadt) 87 R 17
Eschenau (Kreis Heilbronn) 94 S 12
Eschenbach (Kreis Göppingen) 94 U 13
Eschenbach (Kreis Nürnberger Land) 87 R 18
Eschenbach (Kreis Siegen-Wittgenstein) 61 N 8
Eschenbach i. d. Oberpfalz 88 Q 19
Eschenberg 91 T 23
Eschenbergen 64 M 16
Eschenbruch 39 K 11
Eschenburg 62 N 9
Eschenfelden 87 R 18
Eschenlohe 112 X 17
Eschenrod 75 O 11
Eschenrode 41 J 17
Eschenstruth 51 M 12
Eschental 85 S 13
Escherndorf 76 Q 14
Escherode 51 M 12
Eschershausen (Kreis Holzminden) 40 K 12
Eschershausen (Kreis Northeim) 51 K 12
Eschfeld 70 P 2
Eschhofen 73 O 8
Eschkopf 83 S 7
Eschlbach (Kreis Erding) 105 V 20
Eschlbach (Kreis Straubing-Bogen) 98 T 21
Eschlkam 89 S 22
Eschollbrücken 84 Q 9
Eschwege 64 M 14
Eschweiler (Kreis Aachen) 58 N 2
Eschweiler (Kreis Euskirchen) 60 O 4
Eschweiler ü. Feld 58 N 3
Esebeck 51 L 13
Eselsfürth 83 R 7
Esenhausen 102 W 12
Esens 17 F 6
Esenshamm 18 F 9
Esking 36 J 6
Esklum 17 G 6
Eslarn 89 R 21
Eslohe 49 M 8
Espasingen 101 W 11
Espel 37 I 7
Espelkamp 38 I 9
Espeln 50 K 9
Espenau 51 L 12
Espenhain 66 M 21
Espenschied 73 P 7
Esperde 39 J 12
Esperke 30 I 12
Esperstedt (Kreis Merseburg-Querfurt) 54 L 19
Esperstedt (Kyffhäuserkreis) 53 L 17
Eßbach 66 O 19
Esse 51 L 12
Essel 30 H 12
Esselbach 75 Q 12
Essen (Kreis Cloppenburg) 27 H 7
Essen (Kreis Essen) 47 L 5
Essenbach 97 U 20
Essenrode 41 I 15
Essentho 50 L 10
Esseratsweiler 110 X 13
Essern 39 I 10
Eßfeld 86 Q 13
Essig 59 O 4
Essing 90 T 19
Essingen (Kreis Südliche Weinstraße) 83 S 8
Essingen (Ostalbkreis) 95 T 14
Essinghausen 40 J 14
Eßleben 76 Q 14
Esslingen 94 T 11
Eßlingen (Kreis Bitburg-Prüm) 80 Q 3
Eßlingen (Kreis Tuttlingen) 101 W 10
Eßweiler 81 R 6
Este 19 G 13
Estedt 32 I 18
Estenfeld 86 Q 14
Estergebirge 112 X 17
Estern 36 K 4
Esterwegen 27 H 6
Esthal 83 R 7
Esting 104 V 17
Estorf (Kreis Nienburg) 29 I 11
Estorf (Kreis Stade) 19 F 11
Etelsen 29 H 11
Etgersleben 42 K 18
Etingen 41 I 17
Etsdorf 88 R 20
Ettal 112 X 17
Etteln 50 L 10
Ettenbeuren 103 U 15
Ettenbüttel 40 I 15
Ettenhausen 64 N 14
Ettenhausen (Kreis Schwäbisch-Hall) 85 R 13
Ettenhausen (Kreis Traunstein) 114 W 21
Ettenheim 100 V 7
Ettenheimmünster 100 V 7
Ettenstatt 96 S 17
Etterschlag 104 V 17
Etterwinden 64 N 14
Etterzhausen 90 S 19
Etting (Kreis Donau-Ries) 96 U 17
Etting (Kreis Ingolstadt) 96 T 18
Etting (Kreis Weilheim-Schongau) 112 W 17
Ettlenschieß 95 U 13
Ettling 98 T 22
Ettlingen 93 T 9

Ettlingenweier 93 T 9
Ettringen (Kreis Mayen-Koblenz) 71 O 5
Ettringen (Kreis Unterallgäu) 103 V 15
Etz 19 F 13
Etzdorf (Kreis Mittweida) 67 M 23
Etzdorf (Stadtkreis Halle) 54 L 19
Etzel 17 F 7
Etzelwang 87 R 18
Etzenborn 52 L 14
Etzenricht 88 R 20
Etzgersrieth 89 R 21
Etzin 43 I 22
Etzleben 53 M 17
Etzoldshain 67 M 21
Etzweiler 58 N 3
Euba 67 N 23
Eubigheim 85 R 12
Eudenbach 59 N 6
Eudorf 63 N 11
Euenheim 58 O 4
Euerbach 76 P 14
Euerdorf 76 P 14
Euerfeld 86 Q 14
Euerhausen 85 R 13
Euernbach 96 U 18
Eugenbach 97 U 20
Eula 67 M 21
Eulatal 67 M 21
Eulbacher Park 84 Q 11
Euper 43 K 22
Eurasburg (Kreis Aichach-Friedberg) 104 U 17
Eurasburg (Kreis Bad Tölz-Wolfratshausen) 104 W 18
Euren 80 Q 3
Europa-Park 100 V 7
Euskirchen 59 O 4
Eußenhausen 76 O 14
Eußenheim 75 Q 13
Eußerthal 83 S 7
Eutendorf 94 S 13
Eutenhausen 103 W 15
Eutin 9 D 15
Eutingen 93 T 10
Eutingen i. Gäu 93 U 10
Eutrich 57 M 26
Eutzsch 55 K 21
Eveking 49 M 7
Evendorf 30 G 14
Evenhausen 106 V 20
Everingen 41 I 17
Everinghausen 29 G 11
Everloh 39 I 12
Evern 40 J 14
Everode 40 K 13
Eversberg 50 L 9
Eversen 51 K 11
Eversen (Kreis Celle) 30 H 14
Eversen (Kreis Rotenburg) 29 G 11
Eversmeer 17 F 6
Everswinkel 37 K 7
Evesen 39 J 10
Evessen 41 J 16
Eving (Dortmund) 47 L 6
Evinghoven 58 M 4
Evingsen 49 M 7
Ewattingen 101 W 9
Ewersbach 62 N 8
Ewiges Meer 17 F 6
Exdorf 76 O 15
Exing 98 U 22
Exten 39 J 11
Exter 39 J 10
Externsteine 39 K 10
Extertal 39 J 11
Eyach (Fluß b. Balingen) 101 U 10
Eyach (Fluß z. Enz) 93 T 9
Eyba 65 O 18
Eybach 95 U 13
Eydelstedt 29 H 9
Eyendorf 30 G 14
Eyershausen (Kreis Rhön-Grabfeld) 76 P 15
Eysölden 96 S 17
Eystrup 29 H 11

F

Fabrikschleichach 76 Q 15
Fachsenfeld 95 T 14
Fährdorf 10 E 18
Fährinsel 13 C 23
Faha 80 R 3
Fahle Heide 40 I 15
Fahlenbach 97 U 18
Fahlenscheid 61 M 7
Fahnersche Höhe 65 M 16
Fahr 76 Q 14
Fahrbinde 22 F 18
Fahrdorf 5 C 12
Fahrenbach 85 R 11
Fahrenberg 89 Q 21
Fahrendorf (Kreis Rotenburg) 18 F 11
Fahrendorf (Kreis Westliche Altmark) 31 H 16
Fahrenhorst 29 H 10
Fahrenkrug 9 E 14
Fahrenwalde 25 F 26
Fahrenzhausen 105 U 18
Fahretoft 4 B 10
Fahrland 43 I 23
Fahrnau 108 X 7
Fahrstedt 7 E 11
Faistenoy 111 X 14
Falken 64 M 14
Falken-Gesäß 84 R 10
Falkenau 67 N 23
Falkenberg (Dorf) 27 H 7
Falkenberg (Kreis Elbe-Elster) 55 L 23
Falkenberg (Kreis Östliche Altmark) 32 H 19
Falkenberg (Kreis Rottal-Inn) 106 U 22
Falkenberg (Kreis Soltau-Fallingbostel) 30 H 13
Falkenberg (Kreis Tirschenreuth) 79 Q 20
Falkenberg (Kreis Torgau-Oschatz) 55 L 22
Falkenberg (Mark) 35 H 25
Falkenberg b. Beeskow 45 J 26
Falkenberg b. Fürstenwalde 45 I 26
Falkenburg 28 G 9
Falkendorf 87 R 16
Falkenfels 90 S 21
Falkenhagen (Kreis Göttingen) 52 L 14
Falkenhagen (Kreis Havelland) 34 I 23
Falkenhagen (Kreis Lippe) 39 K 11
Falkenhagen (Kreis Märkisch-Oderland) 45 I 26
Falkenhagen (Kreis Prignitz) 33 G 20
Falkenhagen (Kreis Uckermark) 25 F 25
Falkenhain (Kreis Altenburger Land) 66 M 20
Falkenhain (Kreis Dahme-Spreewald) 44 K 24
Falkenhain (Muldentalkreis) 55 L 22
Falkenhain (Weißeritzkreis) 68 N 25
Falkenrehde 43 I 22
Falkensee 34 I 23
Falkenstein (Donnersbergkreis) 83 R 7
Falkenstein (Hochtaunuskreis) 74 P 9
Falkenstein (Kreis Cham) 90 S 21
Falkenstein (Kreis Quedlinburg) 53 K 17
Falkenstein (Kreis Schweinfurt) 76 Q 15
Falkenstein (Vogtland) 79 O 21
Falkenthal 34 H 23
Falkenwalde 25 G 26
Fall 113 X 18
Fallersleben 41 I 16
Fallingbostel 30 H 13
Falsbrunn 76 Q 15
Falshöft 5 B 13
Fambach 64 N 15
Farchant 112 X 17
Fargau 9 D 15
Fargau-Pratjau 9 D 15
Farge 29 G 9
Farmbeck 39 J 11
Farnewinkel 7 D 11
Farnroda 64 N 15
Farnstädt 53 L 18
Farschweiler 80 Q 4
Farsleben 42 J 18
Farve 9 D 16
Farven 19 F 11
Farwick 27 I 7
Fasanerie (Schloß) 75 O 13
Faßberg 30 H 14
Fassensdorf 9 D 15
Faßmannsreuth 78 P 20
Fatschenbrunn 76 Q 15
Fauerbach b. Nidda 74 O 11
Fauerbach v. d. Höhe 74 O 9
Faulbach 85 Q 12
Faulenberg 86 S 14
Faulenfürst 100 W 8
Faulenrost 24 F 22
Faulück 5 C 13
Faulungen 64 M 14
Fautenbach 92 U 8
Favorite 93 T 8
Fechenbach 85 Q 12
Fechheim 77 P 17
Fechingen 82 S 5
Fedderingen 7 D 11
Fedderwarden 17 F 8
Fedderwardergroden 17 F 8
Fedderwardersiel 18 F 9
Federow 24 F 22
Federsee 102 V 12
Feengrotten (Saalfeld) 65 O 18
Fehl-Ritzhausen 61 O 8
Fehmarn-Belt 10 C 17
Fehmarnsund 10 C 17
Fehmarnsund-brücke 10 C 17
Fehndorf 26 H 5
Fehrbellin 33 H 22
Fehrenbach 77 O 16
Fehrenbötel 9 E 14
Fehrow 45 K 26
Feichten 106 V 21
Feilbingert 83 Q 7
Feilitzsch 78 O 19
Felbecke 62 M 8
Felchow 35 G 26
Felda 64 N 14
Feldafing 104 W 17
Feldatal 63 O 11
Feldberg (Kreis Breisgau-Hochschwarzwald) 100 W 8
Feldberg (Kreis Mecklenburg-Strelitz) 24 F 24
Feldberg (Stadt) 100 W 6
Feldberg (Schwarzwald) 100 W 8
Feldberger Seenlandschaft (Naturpark) 24 F 24
Felde (Kreis Ammerland) 17 G 7
Felde (Kreis Rendsburg-Eckernförde) 9 D 13
Felde (Kreis Verden) 29 H 10
Feldgeding 104 V 18
Feldhausen 47 L 4
Feldhausen 102 V 11
Feldkirch 100 W 6
Feldkirchen (Kreis München Land) 105 V 19
Feldkirchen (Kreis Straubing-Bogen) 98 T 21
Feldkirchen (Rhein) 71 O 6
Feldkirchen-Westerham 105 W 19
Feldkrücken 63 O 11
Feldmark 46 K 3
Feldmoching 105 V 18
Feldrennach 93 T 9
Feldsee 100 W 8
Feldstetten 94 U 12
Feldwies 106 W 21
Felgeleben 42 J 19
Felgentreu 43 J 23
Fell 80 Q 4
Fellbach 94 T 11
Fellen 75 P 12
Fellerdilln 61 N 8
Fellheim 103 V 14
Fellingshausen 62 O 9
Felm 9 C 14
Felsberg (Kreis Saarlouis) 80 S 4
Felsberg (Schwalm-Eder-Kreis) 63 M 12
Felsen 27 H 6
Felsengärten 94 S 11
Fensterbach 88 R 20
Ferch 43 J 22
Ferchesar 33 I 21
Ferchland 42 I 20
Ferdinandshof 25 F 25
Ferdinandshorst 25 F 24
Fergitz 34 G 25
Fermerswalde 55 L 23
Ferna 52 L 14
Ferndorf 61 N 8
Fernwald 62 O 10
Ferschweiler 80 Q 3
Fessenheim 95 T 15
Feucht 87 R 17
Feuchtwangen 86 S 14
Feudenheim 84 R 9
Feudingen 62 N 8
Feuerbach 86 Q 14
Feuerschützenbostel 30 H 14
Feusdorf 70 O 3
Fichtelberg 79 O 22
Fichtelberg (Stadt) 78 Q 19
Fichtelgebirge 78 P 19
Fichtelgebirge (Naturpark) 78 P 19
Fichtelgebirgestraße 78 P 19
Fichtelnaab 78 Q 20
Fichtelsee 78 P 19
Fichtenau 95 S 14
Fichtenberg 94 T 13
Fichtenberg-Altenau 55 L 23
Fichtenwalde 43 J 22
Fickmühlen 18 F 10
Fiebing 17 F 7
Fiefbergen 9 C 15
Fiegenstall 96 S 17
Fiel 7 D 11
Fiener Bruch 43 J 20
Fienstedt 54 L 19
Fiestel 38 I 9
Filderstadt 94 T 11
Filke 76 O 14
Fils 94 T 13
Filsum 17 G 6
Fincken 23 F 21
Findorf 18 F 10
Finkenbach 84 R 10
Finkenkrug 34 I 23
Finkenthal 14 E 22
Finkenwerder (Hamburg) 19 F 13
Finkhaus 4 C 11
Finne 65 M 18
Finnentrop 61 M 7
Finning 104 V 17
Finningen 95 U 15
Finow 34 H 25
Finow (Bach) 34 H 24
Finowfurt 34 H 25
Finsing 105 V 19
Finsterau 99 T 24
Finsterbergen 64 N 15
Finsterlohr 86 R 14
Finsterwalde 56 L 25
Fintel 30 G 13
Finthen 73 Q 8
Fischach 103 V 15
Fischbach (Bodenseekreis) 110 W 12
Fischbach (Kreis Biberach a. d. Riß) 102 V 13
Fischbach (Kreis Birkenfeld) 81 Q 6
Fischbach (Kreis Coburg) 77 O 17
Fischbach (Kreis Haßberge) 76 P 16
Fischbach (Kreis Kaiserslautern) 83 R 7
Fischbach (Kreis Kronach) 77 P 18
Fischbach (Kreis Meißen-Dresden) 68 M 26
Fischbach (Kreis Nürnberger Land) 87 R 17
Fischbach (Kreis Rosenheim) 113 W 20
Fischbach (Kreis Saarbrücken) 81 S 5
Fischbach (Kreis Schwandorf) 89 S 20
Fischbach (Main-Taunus-Kreis) 74 P 9
Fischbach (Rheingau-Taunus-Kreis) 73 P 8
Fischbach (Schwarzwald-Baar-Kreis) 101 V 9
Fischbach b. Dahn 92 S 7
Fischbachau 113 W 19
Fischbachtal 84 Q 10
Fischbeck (Kreis Hamburg) 19 F 13
Fischbeck (Kreis Hameln-Pyrmont) 39 J 11
Fischbeck (Kreis Stendal) 42 I 20
Fischbek (Kreis Stormarn) 20 E 14
Fischborn 75 O 11
Fischelbach 62 N 9
Fischeln 58 M 3
Fischen a. Ammersee 104 W 17
Fischen i. Allgäu 111 X 14
Fischerbach 100 V 8
Fischerhäuser 105 V 19
Fischerhude 29 G 11
Fischingen 101 U 10
Fischland 11 C 21
Fischwasser 56 L 24
Fissau 9 D 15
Fitzbek 8 E 13
Flachslanden 86 R 15
Flachsmeer 27 G 6
Flachstöckheim 40 J 15
Fladderlohausen 27 I 8
Fladungen 76 O 14
Flaesheim 47 K 5
Flamersheim 60 O 4
Flammersfeld 61 O 6
Flarchheim 64 M 15
Flatow 33 H 22
Flechtdorf 50 M 10
Flechtingen 41 J 17
Flechtinger Höhenzug 41 I 17
Flechtorf 41 I 16
Flechum 27 H 6
Fleck 113 X 18
Fleckeby 5 C 13
Flecken Zechlin 33 G 22
Fleckenberg 62 M 8
Fleckl 78 P 19
Fleesensee 23 F 21
Fleethof 25 F 25
Fleetmark 32 H 18
Flegessen 39 J 12
Flehde 7 D 11
Flehingen 93 S 10
Flein 94 S 11
Fleinheim 95 T 14
Fleisbach 62 O 8
Fleischwangen 102 W 12
Flemendorf 12 D 22
Flemsdorf 35 G 26
Flensburg 5 B 12
Flensburger Förde 5 B 13
Flensungen 62 O 11
Flerzheim 60 O 4
Flessau 32 H 19
Flessenow 22 E 18
Flettmar 40 I 14
Flieden 75 O 12
Fliegenberg 20 F 14
Flierich 49 L 7
Fließ 45 I 26
Fließem 70 P 3
Fliesteden 59 N 4
Flieth 34 G 25
Flinsbach 84 S 10
Flinsberg 52 M 14
Flintbek 9 D 14
Flinten 31 H 16
Flintsbach 113 W 20
Flögeln 18 F 10
Flögelner See 18 E 10
Flöha 67 N 23
Flörsbach 75 P 12
Flörsbachtal 75 P 12
Flörsheim am Main 74 P 9
Flörsheim-Dalsheim 83 R 8
Flößberg 67 M 21
Flötgraben 32 H 18
Flöthe 40 J 15
Flözlingen 101 V 9
Floh 64 N 15
Floisdorf 60 O 3
Flomborn 83 Q 8
Flonheim 83 Q 8
Florstadt 74 P 10
Floß 89 Q 20
Flossenbürg 89 Q 21
Flossing 106 V 21
Flottbek (Hamburg) 19 F 13
Flotzheim 96 T 16
Flüren 46 K 3
Fluorn-Winzeln 101 V 9
Fockbek 8 D 12
Fockendorf 66 M 21
Fockenstein 113 W 18
Föching 105 W 19
Föhr 4 B 9
Föhrden-Barl 8 E 13
Föhren 72 Q 4
Föhrste 40 K 13
Fölsen 51 L 11
Fölziehausen 40 K 12
Förbau 78 P 19
Förderstedt 42 K 18
Föritz 77 O 17
Förlingen 38 I 9
Förmitzspeicher 78 P 19
Förrenbach 87 R 18
Förste 52 K 14
Förstenreuth 78 P 19
Förstgen 57 M 28
Förtha 64 N 14
Förtschendorf 77 O 18
Fohrde 43 I 21
Fohren-Linden 81 R 5
Fohrenbühl 101 V 8
Folbern 56 M 24
Folmhusen 27 G 6
Forbach 93 T 9
Forchheim (Kreis Eichstätt) 97 T 19
Forchheim (Kreis Emmendingen) 100 V 7
Forchheim (Kreis Karlsruhe) 93 T 8
Forchheim (Mittlerer Erzgebirgkreis) 67 N 23
Forchheim (Oberfranken) 87 Q 17
Forchtenberg 85 S 12
Forggensee 112 X 16
Forheim 95 T 15
Foritz-Blaukirchen 16 F 5
Fornsbach 94 T 12
Forsbach 59 N 5
Forst (Kreis Holzminden) 39 K 12
Forst (Kreis Karlsruhe) 84 S 9
Forst (Kreis Neumarkt i. d. Oberpfalz) 87 S 18
Forst (Kreis Schweinfurt) 76 P 14
Forst (Kreis Spree-Neiße) 57 K 27
Forstenrieder Park 104 V 18
Forstern 105 V 19
Forsthart 98 U 23
Forsting (Kreis Altötting) 106 V 21
Forsting (Kreis Rosenheim) 105 V 20
Forstinning 105 V 19
Forstlahm 77 P 18
Forstmühle 90 S 20
Fort Fun 50 M 9
Forth 87 R 17
Frabertsham 106 V 21
Fränkisch-Crumbach 84 Q 10
Fränkische Rezat 86 R 15
Fränkische Saale 76 O 14
Fränkische Schweiz 87 Q 17
Fränkische Schweiz Veldensteiner Forst (Naturpark) 87 Q 17
Framersheim 83 Q 8
Frammersbach 75 P 12
Franken (Kreis Ahrweiler) 60 O 5
Franken (Kreis Wunsiedel i. Fichtelgebirge) 78 P 19
Frankena 56 L 24
Frankenalb 96 T 17
Frankenau (Kreis Mittweida) 67 N 22
Frankenau (Kreis Waldeck-Frankenberg) 62 M 10
Frankenbach (Kreis Gießen) 62 N 9
Frankenbach (Kreis Heilbronn) 85 S 11
Frankenberg (Kreis Bayreuth Land) 88 Q 19
Frankenberg (Kreis Mittweida) 67 N 23
Frankenberg (Kreis Waldeck-Frankenberg) 62 M 10
Frankenburg 29 G 10
Frankendorf 33 G 22
Frankeneck 83 R 8
Frankenfeld 30 H 12
Frankenfelde (Kreis Märkisch-Oderland) 35 H 26
Frankenfelde (Kreis Teltow-Fläming) 44 J 23
Frankenförde 43 J 23
Frankenhain (Ilm-Kreis) 65 N 16
Frankenhain (Kreis Leipziger Land) 67 M 21
Frankenhardt 95 S 14

Frankenheim ... 54 L 20
Frankenheim (Rhön) ... 64 O 14
Frankenhöhe ... 86 S 14
Frankenhöhe (Naturpark) .. 86 R 15
Frankenhofen (*Alb-Donau-Kreis*) ... 102 V 12
Frankenhofen (*Kreis Ansbach*) ... 95 S 15
Frankenhofen (*Kreis Ostallgäu*) ... 104 W 16
Frankenholz ... 81 R 5
Frankenroda ... 64 M 14
Frankenstein (*Kreis Darmstadt-Dieburg*) ... 84 Q 10
Frankenstein (*Kreis Freiberg*) ... 67 N 23
Frankenstein (*Kreis Kaiserslautern Land*) ... 83 R 7
Frankenthal (*Kreis Bautzen*) ... 68 M 26
Frankenthal (*Kreis Frankenthal Pfalz*) ... 84 R 9
Frankenwald ... 77 O 18
Frankenwald (Naturpark) ... 77 O 18
Frankenwinheim ... 76 Q 14
Frankershausen ... 51 M 13
Frankfurt ... 86 Q 15
Frankfurt (Oder) ... 45 I 27
Frankfurt a. Main ... 74 P 10
Frankfurt-Rhein-Main (*Flughafen*) ... 74 P 9
Frankleben ... 54 M 19
Frankweiler ... 83 S 8
Franzburg ... 12 D 22
Franzenburg ... 18 E 10
Franzosenkopf ... 75 P 11
Frasdorf ... 106 W 20
Frasselt ... 46 K 2
Frauenau ... 91 T 23
Frauenaurach ... 87 R 16
Frauenberg (*Kreis Euskirchen*) ... 58 N 4
Frauenberg (*Kreis Freyung-Grafenau*) ... 99 T 25
Frauenbiburg ... 98 U 21
Frauendorf (*Kreis Lichtenfels*) ... 77 P 17
Frauendorf (*Kreis Oberspreewald-Lausitz*) .. 56 L 25
Frauenhagen ... 35 G 26
Frauenhain ... 56 L 24
Fraueninsel ... 106 W 21
Frauenmark ... 21 E 17
Frauenneuharting ... 105 V 20
Frauenprießnitz ... 66 M 19
Frauenroth ... 76 P 14
Frauensee ... 64 N 14
Frauenstein (*Kreis Freiberg*) ... 68 N 24
Frauenstein (*Kreis Wiesbaden*) ... 73 P 8
Frauenstein-Nassau ... 68 N 24
Frauenstetten ... 96 U 16
Frauental ... 86 R 14
Frauenwald ... 65 O 16
Frauenzell ... 90 S 21
Frauenzimmern ... 94 S 11
Fraunberg ... 105 U 19
Fraureuth ... 66 N 21
Fraurombach ... 63 N 12
Frauwüllesheim ... 58 N 3
Frebershausen ... 62 M 10
Frechen ... 59 N 4
Frechenrieden ... 103 W 15
Freckenfeld ... 92 S 8
Freckenhorst ... 37 K 7
Freckleben ... 53 K 18
Fredeburg ... 21 E 16
Fredelsloh ... 51 K 13
Freden ... 40 K 13
Fredenbeck ... 19 F 12
Fredersdorf (*Kreis Märkisch-Oderland*) ... 44 I 25
Fredersdorf (*Kreis Potsdam-Mittelmark*) ... 43 J 21
Fredersdorf (*Kreis Uckermark*) ... 35 G 26
Fredesdorf ... 20 E 14
Freest ... 13 D 25
Frehne ... 23 G 20
Frei Laubersheim ... 83 Q 7
Freiahorn ... 87 Q 18
Freiamt ... 100 V 7
Freiberg ... 68 N 24
Freiberg am Neckar ... 94 T 11
Freiberger Mulde ... 68 N 24
Freiburg ... 19 E 11
Freiburg i. Breisgau ... 100 V 7
Freidorf ... 44 J 25
Freienfels ... 74 O 8
Freienfels ... 77 Q 17
Freienhagen ... 50 M 11
Freienhagen (*Kreis Eichsfeld*) ... 52 L 14
Freienhagen (*Kreis Oberhavel*) ... 34 H 23
Freienhufen ... 56 L 25
Freienohl ... 49 L 8
Freienorla ... 65 N 18
Freienried ... 104 V 17
Freienseen ... 62 O 11
Freiensteinau ... 75 O 12
Freienthal ... 43 J 22
Freienwill ... 5 B 12
Freigericht ... 75 P 11
Freihalden ... 103 U 15
Freihaslach ... 86 Q 15
Freihausen ... 97 S 18
Freiheit ... 47 K 5
Freihof ... 100 V 7
Freihung ... 88 R 19
Freilassing ... 106 W 22
Freilingen (*Kreis Euskirchen*) ... 70 O 4
Freilingen (*Westerwaldkreis*) ... 61 O 7
Freimersheim ... 83 Q 8
Freinhausen ... 96 U 18
Freinsheim ... 83 R 8
Freiolsheim ... 93 T 9
Freirachdorf ... 61 O 7
Freiroda ... 54 L 20
Freisen ... 81 R 5
Freising ... 105 U 19
Freist ... 54 L 19
Freistatt ... 29 I 9
Freistett ... 92 T 7
Freital (*Dresden*) ... 68 N 24
Freitelsdorf-Cunnersdorf ... 68 M 25
Freiwalde ... 44 K 25
Frelenberg ... 58 N 2
Frellstedt ... 41 J 16
Frelsdorf ... 18 F 10
Fremdingen ... 95 T 15
Fremdiswalde ... 55 M 22
Fremersdorf ... 80 R 3
Frensdorf ... 87 Q 16
Freren ... 37 I 6
Freschluneberg ... 18 F 10
Fresdorf ... 43 J 23
Fresenburg ... 26 H 5
Frestedt ... 7 D 11
Fretter ... 49 M 8
Fretterode ... 52 M 14
Frettholt ... 36 J 5
Fretzdorf ... 33 G 21
Freudenbach ... 86 R 14
Freudenberg ... 34 H 25
Freudenberg (*Kreis Amberg-Sulzbach*) ... 88 R 19
Freudenberg (*Kreis Siegen-Wittgenstein*) ... 61 N 7
Freudenberg (*Main-Tauber-Kreis*) ... 85 Q 11
Freudenburg ... 80 R 3
Freudenstadt ... 93 U 9
Freudenstein ... 93 S 10
Freudental ... 94 S 11
Freundorf ... 98 U 23
Freusburg ... 61 N 7
Freutsmoos ... 106 V 21
Freyburg ... 54 M 19
Freyenstein ... 23 G 21
Freystadt ... 87 S 17
Freyung ... 99 T 24
Frickenhausen (*Kreis Esslingen*) ... 94 U 12
Frickenhausen (*Kreis Unterallgäu*) ... 103 V 14
Frickenhausen a. Main ... 86 Q 14
Frickenhofen ... 94 T 13
Frickhofen ... 61 O 8
Frickingen ... 102 W 11
Fridingen ... 101 V 10
Fridolfing ... 106 W 22

Alfred-Brehm-Pl. ... FV 2
Arnsburger Str. ... FV 4
Bärenstr. ... FV 6
Bremer Str. ... DV 12
Düsseldorfer Str. ... CX 14
Eckenheimer Landstr. ... EV 15
Flößerbrücke ... FX 17
Karlstr. ... CX 33
Neebstr. ... FV 42
Nibelungenallee ... EFV 43
Obermainanlage ... FX 44
Obermainbrücke ... FX 45
Pfingstweidstr. ... FV 47
Seehofstr. ... FX 55
Siemensstr. ... FX 56
Wasserweg ... FX 67
Windeckstr. ... FX 74

FREIBURG IM BREISGAU

Auf der Zinnen ... Y 2
Augustinerpl. ... Z 3
Bertoldstr. ... Y
Eisenbahnstr. ... Y 7
Eisenstr. ... Y 9
Europapl. ... Y 12
Fahnenbergpl. ... Y 13
Franziskanerstr. ... Y 14
Friedrichring ... Y 16
Gerberau ... Z
Grieffeneggring ... Z 19
Habsburgerstr. ... Y 20
Herrenstr. ... YZ 24
Holzmarkt ... Z 26
Kaiser-Joseph-Str. ... YZ
Münsterstr. ... Y 30
Oberlinden ... Z 31
Platz der Alten Synagoge ... Y 32
Rathausgasse ... Y 33
Salzstr. ... YZ 38
Schiffstr. ... Y 40
Schuster ... Z 43
Schwabentorpl. ... Z 45
Schwabentorrig ... Z 47
Schwarzwaldstr. ... Z 49
Turmstr. ... Y 54
Universitätsstr. ... Y 55
Unterlinden ... Y 57
Werthmannpl. ... Z 59

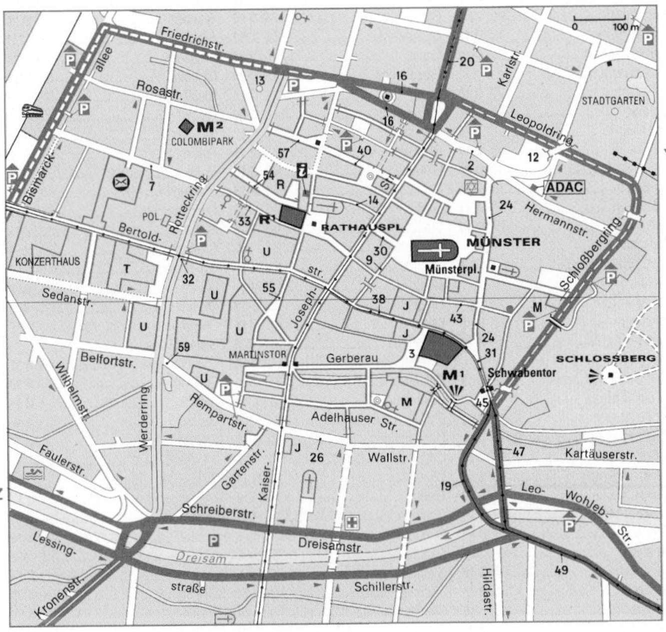

Frieda ... 64 M 14
Friedberg ... 74 O 10
Friedberg (*Kreis Aichach-Friedberg*) ... 104 U 16
Friedberg (*Kreis Sigmaringen*) ... 102 V 12
Friedberger Ach ... 96 U 16
Friedebach (*Kreis Freiberg*) 68 N 24
Friedebach (*Saale-Orla-Kreis*) ... 65 N 18
Friedeburg ... 54 L 19
Friedeburg ... 17 F 7
Friedelshausen ... 64 O 14
Friedelsheim ... 83 R 8
Friedenfelde ... 34 G 25
Friedenfels ... 78 Q 20
Friedensdorf ... 62 N 9
Friedenshorst ... 33 H 22
Friedenweiler ... 101 W 8
Friederikensiel ... 17 E 7
Friedersdorf (*Kreis Bitterfeld*) ... 54 L 21
Friedersdorf (*Kreis Dahme-Spreewald*) ... 44 J 25
Friedersdorf (*Kreis Elbe-Elster*) ... 56 L 24
Friedersdorf (*Kreis Löbau-Zittau*) ... 69 M 27
Friedersdorf (*Niederschlesischer Oberlausitzkr.*) ... 69 M 28
Friedersdorf (*Weißeritzkreis*) ... 68 N 24
Friedersdorf (*Westlausitzkreis*) ... 68 M 26
Friedersdorf b. Brenitz ... 56 K 24
Friedersreuth ... 88 Q 20
Friedewald (*Kreis Altenkirchen*) ... 61 N 7
Friedewald (*Kreis Hersfeld-Rotenburg*) ... 63 N 13
Friedewald (*Kreis Meißen-Dresden*) ... 68 M 24
Friedewalde ... 39 I 10
Friedingen (*Kreis Biberach a. d. Riß*) ... 102 V 12
Friedingen (*Kreis Konstanz*) ... 101 W 10
Friedländer Große Wiese .. 25 F 25
Friedland (*Kreis Göttingen*) ... 51 L 13
Friedland (*Kreis Mecklenburg-Strelitz*) ... 24 E 24
Friedland (*Kreis Oder-Spree*) ... 45 J 26
Friedlos ... 63 N 13
Friedmannsdorf ... 78 P 19
Friedrichroda ... 64 N 15
Friedrichsau ... 5 C 12
Friedrichsbrück ... 51 M 13
Friedrichsbrunn ... 53 K 17
Friedrichsdorf (*Hochtaunuskreis*) ... 74 P 9
Friedrichsdorf (*Kreis Gütersloh*) ... 38 K 9
Friedrichsfehn ... 27 G 8
Friedrichsfeld ... 5 C 12
Friedrichsfeld (*Mannheim-*) ... 84 R 9
Friedrichsfeld (*Niederrhein*) ... 46 L 3
Friedrichsgabe ... 19 E 13
Friedrichsgraben ... 8 D 12
Friedrichshafen ... 110 X 12
Friedrichshafen-Löwental (*Flughafen*) ... 110 X 12
Friedrichshagen ... 44 I 24
Friedrichshain ... 57 L 27
Friedrichshausen ... 62 M 10
Friedrichshöhe ... 53 L 16
Friedrichshof ... 96 T 18
Friedrichsholm ... 8 D 12
Friedrichskoog ... 7 D 10
Friedrichsmoor ... 22 F 18
Friedrichsort ... 9 C 14
Friedrichsrode ... 52 L 15
Friedrichsruh (*Aumühle*) ... 20 F 15
Friedrichsruhe ... 22 F 19
Friedrichsruhe ... 85 S 12
Friedrichstadt ... 7 C 11
Friedrichstal ... 93 S 9
Friedrichsthal ... 81 S 5
Friedrichsthal (*Kreis Nordhausen*) ... 52 L 15
Friedrichsthal (*Kreis Oberhavel*) ... 34 H 23
Friedrichsthal (*Kreis Uckermark*) ... 35 G 27
Friedrichsthaler Wasserstraße ... 35 G 26
Friedrichswald ... 39 J 11
Friedrichswalde ... 34 G 25
Friedrichswalde-Ottendorf . 68 N 25
Friedrichswerth ... 64 N 15
Frielendorf ... 63 N 11
Frielingen (*Kreis Hannover*) ... 39 I 12
Frielingen (*Kreis Hersfeld-Rotenburg*) ... 63 N 12
Frielingen (*Kreis Soltau-Fallingbostel*) ... 30 H 13
Frielingsdorf ... 59 M 6
Friemar ... 65 N 16
Friemen ... 63 M 13
Friesack ... 33 H 21
Friesau ... 78 O 18
Friesdorf ... 53 L 17
Friesen ... 77 P 18
Friesenhagen ... 61 N 7
Friesenhausen (*Kreis Fulda*) ... 75 O 13
Friesenhausen (*Kreis Haßberge*) ... 76 P 15
Friesenheim ... 100 U 7
Friesenhofen ... 111 W 14
Friesenried ... 103 W 15
Friesheim ... 59 N 4
Friesoythe ... 27 G 7
Frießnitz ... 66 N 19
Frille ... 39 I 10
Frimmersdorf ... 58 M 3
Friolzheim ... 93 T 10
Frischborn ... 63 O 12
Fristingen ... 95 U 15
Frittlingen ... 101 V 10
Fritzdorf ... 60 O 5
Fritzlar ... 63 M 11
Fröbersgrün ... 66 O 20
Frömern ... 49 L 7
Frömmstedt ... 53 M 17
Fröndenberg ... 49 L 7
Frörup ... 5 B 12
Frössen ... 78 O 19
Frohburg ... 67 M 21
Frohnau ... 67 O 22
Frohnau (*Berlin-*) ... 34 I 23
Frohndorf ... 65 M 17
Frohngau ... 60 O 4
Frohnhausen (*Kreis Höxter*) ... 51 L 11
Frohnhausen (*Kreis Waldeck-Frankenberg*) ... 62 N 9
Frohnhausen (*Lahn-Dill-Kreis*) ... 62 N 8
Frohnlach ... 77 P 17
Frohnsdorf ... 67 N 21
Frohnstetten ... 102 V 11
Froitzheim ... 58 N 3
Frommenhausen ... 101 U 10
Frommern ... 101 V 10
Fronau ... 89 S 21
Fronberg ... 88 R 20
Fronhausen ... 62 N 10
Fronhofen ... 102 W 12
Fronreute ... 102 W 12
Fronrot ... 95 S 13
Frontenhausen ... 98 U 21
Froschgrundsee ... 77 O 17
Frose ... 53 K 18
Frosthövel ... 49 K 7
Frotheim ... 38 I 10
Frücht ... 73 P 7
Fuchshain ... 55 M 21
Fuchshofen ... 71 O 4
Fuchsmühl ... 78 Q 20
Fuchsstadt (*Kreis Bad Kissingen*) ... 75 P 13
Fuchsstadt (*Kreis Schweinfurt*) ... 76 P 15
Fuchsstadt (*Kreis Würzburg*) ... 86 Q 13
Fuchstal ... 104 W 16
Füchtenfeld ... 26 I 5
Füchtorf ... 37 J 8
Fühlingen (*Köln*) ... 59 M 4
Fünfbronn ... 93 U 9
Fünfeichen ... 45 J 27
Fünfhausen ... 20 F 14
Fünfstetten ... 96 T 16
Füramoos ... 103 W 13
Fürfeld (*Kreis Heilbronn*) ... 84 S 11
Fürfeld (*Kreis Kreuznach*) ... 83 Q 7
Fürholzen ... 105 V 20
Fürnheim ... 95 S 15
Fürnried ... 87 R 18
Fürstenau ... 37 I 7
Fürstenau ... 84 Q 11
Fürstenau (*Dorf*) ... 51 K 11
Fürstenberg ... 34 G 23
Fürstenberg ... 101 W 9
Fürstenberg (*Kreis Paderborn*) ... 50 L 10
Fürstenberg (*Kreis Waldeck-Frankenberg*) ... 62 M 10
Fürstenberg (Weser) ... 51 K 12
Fürsteneck ... 99 T 24
Fürstenfeldbruck ... 104 V 17
Fürstenhagen ... 24 F 24
Fürstenhagen (*Kreis Northeim*) ... 51 L 12
Fürstenhagen (*Werra-Meißner-Kreis*) ... 51 M 13
Fürstenlager ... 84 Q 9
Fürstensee ... 24 G 23
Fürstenstein ... 99 T 23
Fürstenwalde ... 68 N 25
Fürstenwalde (Spree) ... 45 I 26
Fürstenwerder ... 24 F 24
Fürstenzell ... 99 U 23
Fürth (*Kreis Bergstraße*) ... 84 R 10
Fürth (*Kreis Neunkirchen*) ... 81 R 5
Fürth (*Nürnberg*) ... 87 R 16
Fürth a. Berg ... 77 P 17
Fürweiler ... 80 R 3
Fürwigge-Stausee ... 61 M 7
Füsing ... 5 C 12
Füssen ... 112 X 16
Füssenich ... 58 N 3
Fützen ... 101 W 9
Fuhlen ... 39 J 11
Fuhlendorf ... 8 E 13
Fuhlendorf (*Kreis Nordvorpommern*) ... 11 C 21
Fuhlenhagen ... 21 F 15
Fuhne ... 54 L 20
Fuhrbach ... 52 L 15
Fuhrberg ... 30 I 13
Fuhrn ... 89 R 20
Fuhse ... 40 I 14
Fulda ... 63 O 13
Fuldabrück ... 51 M 12
Fuldatal ... 51 L 12
Fulde ... 30 H 12
Fulgenstadt ... 102 V 12
Fulkum ... 17 F 6
Fullen ... 26 H 5
Fullener Moor ... 26 H 5
Funkenhagen ... 24 G 24
Funnix ... 17 F 7
Furth (*Kreis Landshut*) ... 97 U 20
Furth (*Kreis Straubing-Bogen*) ... 91 T 22
Furth i. Wald ... 89 S 22
Furtle-Paß ... 95 T 13
Furtwangen ... 100 V 8
Fußgönheim ... 83 R 8

G

Gaarz ... 10 D 16
Gabelbach ... 103 U 15
Gaberndorf ... 65 N 17
Gablenz ... 57 L 28
Gablingen ... 104 U 16
Gabsheim ... 73 Q 8
Gachenbach ... 96 U 17
Gadebusch ... 21 E 17
Gadeland ... 9 D 14
Gadenstedt ... 40 J 14
Gadernheim ... 84 Q 10
Gaderoth ... 59 N 6
Gaditz ... 55 K 22
Gadow (*Berlin*) ... 33 G 21
Gadsdorf ... 44 J 23
Gächingen ... 102 U 12
Gädebehn (*Kreis Demmin*) . 24 F 23
Gädebehn (*Kreis Parchim*) . 22 F 18
Gägelow ... 22 E 18
Gänheim ... 76 Q 14
Gärtenroth ... 77 P 18
Gärtringen ... 93 U 10
Gaesdonk ... 46 L 2
Gäufelden ... 93 U 10
Gagel ... 32 H 18
Gager ... 13 D 25
Gaggenau ... 93 T 8
Gaggstadt ... 86 S 14
Gahlen ... 47 L 4
Gahlenz ... 67 N 23
Gahma ... 77 O 18
Gahro ... 56 K 25
Gahry ... 57 K 27
Gaibach ... 76 Q 14
Gaienhofen ... 109 W 10
Gailbach ... 75 Q 11
Gaildorf ... 94 S 13
Gailenkirchen ... 94 S 13
Gailingen ... 109 W 10
Gaimersheim ... 96 T 18
Gaimühle ... 84 R 11
Gaisbeuren ... 102 W 13
Gaißa ... 99 U 23
Gaißach ... 113 W 18
Gaistal ... 93 T 9
Gaisthal ... 89 R 21
Galenbecker See ... 25 F 25
Galgenberg ... 40 J 13
Gallin (*Kreis Ludwigslust*) ... 21 F 16
Gallin (*Kreis Parchim*) ... 23 F 20
Gallinchen ... 57 K 27
Gallmersgarten ... 86 R 14
Gallschütz ... 55 M 23
Gallun ... 44 J 24
Gambach (*Kreis Main-Spessart*) ... 75 P 13
Gambach (*Wetteraukreis*) ... 74 O 10
Gamburg ... 85 Q 12
Gammelby ... 5 C 13
Gammellund ... 5 C 12
Gammelsbach ... 84 R 10
Gammelsdorf ... 97 U 19
Gammelshausen ... 94 U 12
Gammendorf ... 10 C 17
Gammersfeld ... 96 T 17
Gammertingen ... 102 V 11
Gammesfeld ... 86 S 14
Gamsen ... 41 I 15
Gamshurst ... 92 T 8
Gamstädt ... 65 N 16
Ganacker ... 98 T 22
Gandenitz ... 34 G 24
Ganderkesee ... 29 G 9
Gandesbergen ... 29 H 11
Gangelt ... 58 N 1
Gangkofen ... 106 U 21
Gangloff ... 83 R 7
Gangloffsömmern ... 65 M 16
Ganschendorf ... 24 E 23
Ganschow ... 23 E 20
Gansheim ... 96 T 16
Ganspe ... 29 G 9
Gantikow ... 33 H 21
Ganzer ... 33 H 21
Ganzkow ... 24 F 24
Ganzlin ... 23 F 20
Ganzow ... 21 E 17
Garbeck ... 49 M 7
Garbek ... 9 D 15
Garbenteich ... 62 O 10
Garbsen ... 39 I 12
Garching a. d. Alz ... 106 V 21
Garching b. München ... 105 V 18
Gardelegen ... 42 I 18
Gardessen ... 41 J 16
Garding ... 7 D 10
Garenerieholt ... 27 H 7
Garham ... 99 T 23
Garitz (*Kreis Anhalt-Zerbst*) ... 43 K 20
Garitz (*Kreis Bad Kissingen*) ... 76 P 14
Garlin ... 32 G 19
Garlipp ... 32 I 18
Garlitz (*Kreis Havelland*) ... 33 I 21
Garlitz (*Kreis Ludwigslust*) .. 21 G 17
Garlstedt ... 18 G 10
Garlstorf (*Kreis Harburg*) ... 20 G 14
Garlstorf (*Kreis Lüneburg*) ... 21 F 16
Garmisch-Partenkirchen .. 112 X 17
Garmissen-Garbolzum ... 40 J 14
Garnholterdamm ... 17 G 8
Garnsdorf ... 67 N 22
Garrel ... 27 H 8
Gars am Inn ... 105 V 20
Gars-Bahnhof ... 106 V 20
Garsdorf ... 88 R 19
Garsebach ... 68 M 24
Garsena ... 54 L 19
Garßen ... 30 I 14
Garstadt ... 76 Q 14
Garstedt (*Kreis Harburg*) ... 20 G 14
Garstedt (*Kreis Segeberg*) ... 19 E 13
Gartenberg ... 104 W 18
Gartenstadt ... 9 D 13
Gartow (*Kreis Lüchow-Dannenberg*) ... 32 G 18
Gartow (*Kreis Ostprignitz-Ruppin*) ... 33 H 21
Gartower Forst ... 32 H 18
Gartrop-Bühl ... 47 L 4
Gartz ... 25 G 27
Garvensdorf ... 10 E 19
Garwitz ... 22 F 19
Garz (*Kreis Ostprignitz-Ruppin*) ... 33 H 21
Garz (*Kreis Ostvorpommern*) ... 15 E 26
Garz (*Kreis Prignitz*) ... 32 G 20
Garz (*Rügen*) ... 13 D 24
Garze ... 21 G 16
Garzin ... 35 I 25
Gatersleben ... 53 K 17
Gatow (*Berlin*) ... 44 I 23
Gatow (*Kreis Uckermark*) ... 35 G 27
Gattendorf ... 78 P 19
Gattenhofen ... 86 R 14
Gatterstädt ... 53 L 18
Gau-Algesheim ... 73 Q 8
Gau-Bickelheim ... 73 Q 8
Gau-Bischofsheim ... 73 Q 8
Gau-Odernheim ... 83 Q 8
Gauangelloch ... 84 R 10
Gauaschach ... 75 P 13
Gaudernbach ... 73 O 8
Gauernitz ... 68 M 24
Gauersheim ... 83 R 8
Gauerstadt ... 77 P 16
Gaugrehweiler ... 83 Q 7
Gaukönigshofen ... 86 R 13
Gaunitz ... 55 L 23
Gauselfingen ... 102 V 11
Gaushorn ... 7 D 11
Gaußig ... 69 M 26
Gauting ... 104 V 18
Gebelzig ... 69 M 28
Gebenbach ... 88 R 19
Gebersdorf ... 44 K 24
Gebersdorf ... 97 T 20
Gebertshofen ... 87 R 18
Gebesee ... 65 M 16
Gebhardshagen ... 40 J 15
Gebhardshain ... 61 N 7
Gebrazhofen ... 111 W 13
Gebrontshausen ... 97 U 19
Gebsattel ... 86 R 14
Gebstedt ... 65 M 18
Gechingen ... 93 T 10
Geckenheim ... 86 R 14
Geddelsbach ... 94 S 12
Gedelitz ... 32 G 17

GARMISCH-PARTENKIRCHEN

Achenfeldstr. Z 2
Alleestr. Y 3
Am Eisstadion Z 5
Am Holzhof Y 6
Am Kurpark Y 7
Badgasse Z 9
Bahnhofstr. YZ 10
Chamonixstr. Y 11
Enzianstr. Y 13
Fürstenstr. Y 16
Hauptstr. YZ
Hindenburgstr. Y 18
Kramerstr. Y 19
Krottenkopfstr. Y 23
Ludwigstr. YZ
Marienpl. Z 26
Münchner Str. Y 30
Parkstr. Y 32
Partnachstr. Y 33
Promenadestr. Y 35
Rathauspl. Y 36
Richard-Strauß-Pl. Y 37
St.-Anton-Str. Y 43
St.-Joseph-Pl. Z 45
Schnitzschulstr. Y 39
Sonnenbergstr. Y 42
Von-Burg-Str. Y 46
Zugspitzstr. Z

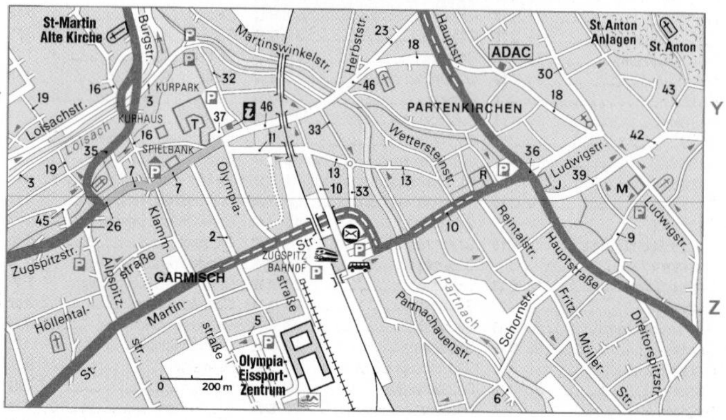

Gedenkstätte 30 H 13
Gedeonseck 71 P 6
Gedern 75 O 11
Geesdorf 86 Q 15
Geesow 25 G 27
Geeste 26 I 5
Geestemünde 18 F 9
Geestenseth 18 F 10
Geestgottberg 32 H 19
Geesthacht 20 F 15
Geestmoor 28 I 9
Gefäll 76 P 13
Gefell *(Kreis Sonneberg)* 77 P 17
Gefell *(Saale-Orla-Kreis)* 78 O 19
Gefrees 78 P 19
Gegensee 25 F 26
Gehaus 64 N 14
Gehlberg 65 N 16
Gehlenberg 27 H 7
Gehlsdorf 11 D 20
Gehlweiler 73 Q 6
Gehofen 53 M 17
Gehrde 27 I 8
Gehrden *(Kreis Hannover)* 39 J 12
Gehrden *(Kreis Höxter)* 51 L 11
Gehrden *(Kreis Stade)* 19 E 11
Gehren *(Ilm-Kreis)* 65 O 17
Gehren *(Kreis Dahme-Spreewald)* 56 K 24
Gehren *(Kreis Uecker-Randow)* 25 F 25
Gehrenberg 110 W 12
Gehrendorf 41 I 17
Gehrenrode 40 K 14
Gehringswalde 67 O 23
Gehrweiler 83 R 7
Geibenstetten 97 T 19
Geichlingen 80 Q 2
Geiersberg 75 Q 12
Geiersthal 91 S 22
Geierswalde 56 L 26
Geigant 89 S 22
Geigelstein 114 W 21
Geilenkirchen 58 N 2
Geilshausen 62 O 10
Geilsheim 95 S 15
Geinsheim *(Kreis Groß-Gerau)* 74 Q 9
Geinsheim *(Kreis Neustadt a. d. Weinstr.)* 83 S 8
Geisa 64 N 13
Geisberg 77 Q 17
Geisecke 49 L 6
Geiselbach 75 P 11
Geiselberg 81 S 7
Geiselbullach 104 V 18
Geiselhöring 98 T 21
Geiselwind 86 Q 15
Geisenfeld 97 T 18
Geisenhain 66 N 19
Geisenhausen *(Kreis Landshut)* 105 U 20
Geisenhausen *(Kreis Pfaffenhofen a. d. Ilm)* 97 U 18
Geisenheim 73 Q 7
Geisfeld 77 Q 17
Geising 68 N 25
Geisingberg 68 N 25
Geisingen *(Kreis Reutlingen)* 102 V 12
Geisingen *(Kreis Tuttlingen)* 101 W 9
Geisleden 52 L 14
Geisling 90 T 20
Geislingen *(Ostalbkreis)* 95 T 15
Geislingen *(Zollernalbkreis)* 101 V 10
Geislingen a. d. Steige 94 U 13
Geislingen a. Kocher 85 S 13
Geismar *(Göttingen)* 52 L 13
Geismar *(Kreis Eichsfeld)* 52 M 14
Geismar *(Kreis Waldeck-Frankenberg)* 62 M 10
Geismar *(Schwalm-Eder-Kreis)* 63 M 11
Geismar *(Wartburgkreis)* 63 N 13
Geiß-Nidda 74 O 10
Geißhöhe 75 Q 11
Geißlingen 86 R 14
Geisweid *(Siegen)* 61 N 7
Geitau 113 W 19
Geitelde 40 J 15
Geithain 67 M 22
Gelbach 73 O 7
Gelbensande 11 D 20
Gelchsheim 86 R 14
Geldern 46 L 2
Geldersheim 76 P 14
Gelenau (Erzgebirge) 67 N 22
Gelenau (Lückersdorf-) 68 M 26
Gellen 13 C 23
Gellendorf 37 J 6
Gellershagen 38 J 9
Gellershausen 76 P 16
Gellershausen 62 M 11
Gellmersdorf 35 H 26
Gelmer 37 J 7
Gelnhaar 75 O 11
Gelnhausen 75 P 11
Gelsdorf 60 O 5
Gelsenkirchen 47 L 5
Geltendorf 104 V 17
Gelting 5 B 13
Gelting 104 W 18
Geltinger Bucht 5 B 13
Geltolfing 98 T 21
Geltorf 5 C 12
Geltow 43 I 22
Gembeck 50 L 10
Gemeinfeld 76 P 15
Gemen 36 K 4
Gemmerich 73 P 7
Gemmingen 84 S 10
Gemmrigheim 94 S 11
Gempfing 96 T 16
Gemünd 70 Q 2
Gemünd (Eifel) 70 O 3
Gemünden *(Rhein-Hunsrück-Kreis)* 73 Q 6
Gemünden *(Westerwaldkreis)* 61 O 8
Gemünden (Felda) 62 N 11
Gemünden (Wohra) 62 N 10
Gemünden a. Main 75 P 13
Genderkingen 96 T 16
Gendorf 106 V 22
Gengenbach 100 U 8
Genkel-Stausee 61 M 6
Genkingen 102 U 11
Gennach 104 V 16
Genschmar 35 I 27
Genshagen 44 J 23
Gensingen 73 Q 7
Gensungen 63 M 12
Gentha 55 K 22
Genthin 42 I 20
Gentingen 80 Q 2
Genzkow 24 F 24
Georgenberg 89 Q 21
Georgensgmünd 87 S 17
Georgenthal 64 N 15
Georgsdorf 26 I 5
Georgsfeld 17 F 6
Georgsheil 17 F 5
Georgsmarienhütte 37 J 8
Gera 66 N 20
Geraberg 65 N 16
Gerabronn 85 S 13
Gerach 77 P 16
Geratskirchen 106 U 21
Gerbach 83 Q 7
Gerbershausen 52 L 13
Gerbisbach 55 K 22
Gerbitz 54 K 19
Gerblingerode 52 L 14
Gerbrunn 86 Q 13
Gerbstedt 53 L 18
Gerchsheim 85 Q 13
Gerdau 31 H 15
Gerdehaus 30 H 14
Gerderath 58 M 2
Gerdshagen *(Kreis Bad Doberan)* 11 E 19
Gerdshagen *(Kreis Güstrow)* 23 E 20
Gerdshagen *(Kreis Prignitz)* 23 G 20
Gereonsweiler 58 N 2
Geretsried 105 W 18
Gereuth 77 P 16
Gergweis 98 U 22
Gerhardsbrunn 81 R 6
Gerhardshofen 86 R 16
Gerhardtsgereuth 76 O 16
Gerhausen 102 U 13
Gerichshain 55 L 21
Gerichtstetten 85 R 12
Gering 71 P 5
Geringswalde 67 M 22
Gerlachsheim 85 R 13
Gerlebogk 54 K 19
Gerlfangen 80 R 3
Gerlingen 61 N 7
Gerlingen 94 T 11
Germannsdorf 99 U 25
Germaringen 103 W 16
Germendorf 34 H 23
Germering 104 V 18
Germerode 63 M 13
Germersheim 84 S 9
Germete 51 L 11
Germeter 58 N 3
Gernach 76 Q 14
Gernlinden 104 V 17
Gernrode *(Kreis Eichsfeld)* 52 L 15
Gernrode *(Kreis Quedlinburg)* 53 K 17
Gernsbach 93 T 8
Gernsheim 84 Q 9
Geroda 75 P 13
Gerold 112 X 17
Geroldsau 93 T 8
Geroldsgrün 77 O 18
Geroldshausen 85 Q 13
Geroldshausen i.d. Hallertau 97 U 18
Geroldstein 73 P 7
Gerolfing 96 T 18
Gerolfingen 95 S 15
Gerolsbach 96 U 18
Gerolstein 70 P 4
Gerolzahn 85 R 11
Gerolzhofen 76 Q 15
Gersbach *(Kreis Pirmasens)* 83 S 6
Gersbach *(Kreis Waldshut)* 108 W 7
Gersberg 87 R 18
Gersdorf 87 R 18
Gersdorf *(Kreis Bad Doberan)* 10 D 19
Gersdorf *(Kreis Chemnitzer Land)* 67 N 22
Gersdorf *(Niederschlesischer Oberlausitzkr.)* 69 M 28
Gersdorf (Krugge-) 35 H 25
Gersdorf b. Leisnig 67 M 22
Gersdorf-Möhrsdorf 68 M 26
Gersfeld 75 O 13
Gersheim 82 S 5
Gersprenz 84 Q 10
Gerstedt 31 H 17
Gersten 27 I 6
Gerstenberg 66 M 21
Gerstengrund 64 N 14
Gerstetten 95 U 14
Gersthofen 104 U 16
Gerstruben 111 X 14
Gerstungen 64 N 14
Gerswalde 34 G 25
Gertenbach 51 L 13
Gerthausen 64 O 14
Gerthe 47 L 5
Gerwisch 42 J 19
Gerzen 40 K 13
Gerzen 98 U 21
Geschendorf 9 E 15
Gescher 36 K 5
Geschwand 87 Q 17
Geschwend 100 W 7
Geschwenda 65 N 16
Gesees 77 Q 18
Geseke 50 L 9
Geslau 86 R 14
Gesmold 37 J 8
Gessertshausen 104 V 16
Gestorf 40 J 13
Gestratz 111 X 13
Gestringen 38 I 9
Gestungshausen 77 P 17
Getelo 36 I 4
Getmold 38 I 9
Gettorf 9 C 13
Geusa 54 L 19
Geusfeld 76 Q 15
Geußnitz 66 M 20
Geutenreuth 77 P 17
Gevelinghausen 50 L 9
Gevelsberg 48 M 6
Gevelsdorf 58 M 3
Gevenich *(Kreis Cochem-Zell)* 71 P 5
Gevenich *(Kreis Düren)* 58 N 2
Gevensleben 41 J 16
Geversdorf 18 E 11
Gewissenruh 51 L 12
Gey 58 N 3
Geyen 59 N 4
Geyer 67 O 22
Geyersdorf 67 O 23
Gfäll 90 S 21
Gichenbach 75 O 13
Giebelstadt 85 R 13
Giebing 105 U 18
Gieboldehausen 52 L 14
Giebringhausen 50 L 10
Gieckau *(Kreis Burgenlandkreis)* 66 M 19
Giekau 9 D 15
Gielde 41 J 15
Gielow 24 E 22
Gielsdorf 35 I 25
Giengen a. d. Brenz 95 U 14
Gierath 58 M 3
Giershagen 50 L 10
Giersleben 53 K 18
Gierstädt 65 M 16
Giesel 75 O 12
Gieselwerder 51 L 12
Giesen 40 J 13
Giesenhorst 33 H 21
Giesenkirchen 58 M 3
Giesensdorf 45 J 26
Gieseritz 31 H 17
Gießelrade 9 D 15
Gießen 62 O 10
Gießen 111 W 13
Gießmannsdorf 44 K 25
Gießübel 65 O 16
Gievenbeck 37 K 6
Gifhorn 41 I 15
Giflitz 63 M 11
Giggenhausen 105 U 18
Gilching 104 V 17
Gildehaus 36 J 5
Gilfershausen 63 N 13
Gillenfeld 71 P 4
Gillersheim 52 L 14
Gillrath 58 N 2
Gilmerdingen 30 G 13
Gilsbach 61 N 8
Gilserberg 62 N 11
Gilten 30 H 12
Gimborn 59 M 6
Gimbsheim 84 Q 9
Gimbte 37 J 6
Gimmeldingen 83 R 8
Gimmlitz 68 N 24
Gimritz 54 L 19
Gimte 51 L 12
Ginderich 46 L 3
Gindorf 70 P 3
Gingen 94 U 13
Gingst 13 C 23
Ginsheim 74 Q 9
Ginsweiler 81 R 6
Girbigsdorf 69 M 28
Girkhausen 62 M 9
Girod 73 O 7
Gischow 23 F 20
Gisingen 80 S 3
Gisseltshausen 97 T 20
Gissigheim 85 R 12
Gistenbeck 31 H 16
Gittelde 52 K 14
Gitter 40 J 15
Gittersdorf 63 N 12
Gladau 42 J 20
Gladbach 58 N 3
Gladbeck 47 L 5
Gladdenstedt 31 I 16
Gladebeck 51 L 13
Gladenbach 62 N 9
Gladigau 32 H 18
Glaisin 22 G 18
Glambeck 34 G 25
Glambeck 34 H 23
Glan 83 Q 7
Glan-Münchweiler 81 R 6
Glanbrücken 81 R 6
Glandorf 37 J 8
Glane 37 J 8
Glasau 9 D 15
Glasewitz 23 E 20
Glashofen 85 R 12
Glashütte 39 K 11
Glashütte *(Kreis Miesbach)* 113 X 18
Glashütte *(Kreis Segeberg)* 20 E 14
Glashütte *(Kreis Sigmaringen)* 102 W 11
Glashütte *(Kreis Uecker-Randow)* 25 F 26
Glashütte *(Weißeritzkreis)* 68 N 25
Glashütten 77 Q 18
Glashütten *(Hochtaunuskreis)* 74 P 9
Glashütten *(Wetteraukreis)* 75 O 11
Glasin 22 E 19
Glasow *(Kreis Demmin)* 14 E 22
Glasow *(Kreis Teltow-Fläming)* 44 I 24
Glasow *(Kreis Uecker-Randow)* 25 F 26
Glaßdorf 27 H 7
Glasstraße 78 Q 19
Glasten 67 M 22
Glatt 101 U 9
Glattbach 75 P 11
Glatten 101 U 9
Glau 44 J 23
Glaubitz 56 M 24
Glauburg 74 P 11
Glaucha 55 L 21
Glauchau 67 N 21
Glebitzsch 54 L 20
Glees 71 O 5
Gleesen 36 I 6
Glehn *(Kreis Euskirchen)* 60 O 3
Glehn *(Kreis Neuss)* 48 M 3
Gleichamberg 76 O 15
Gleichen 52 L 14
Gleichen 63 M 11
Gleidingen 40 J 13
Gleidorf 62 M 8
Gleierbrück 61 M 8
Gleina *(Burgenlandkreis)* 54 M 19
Gleina *(Kreis Altenburger Land)* 66 N 21
Gleiritsch 89 R 20
Gleisberg 67 M 23
Gleismuthhausen 76 P 16
Gleißenberg *(Kreis Cham)* 89 S 22
Gleißenberg *(Kreis Erlangen-Höchstadt)* 86 Q 15
Glems 94 U 11
Glentorf 41 J 16
Glesch 58 N 3
Gleschendorf 9 D 15
Glesien 54 L 20
Glesse 39 K 12
Glessen 59 N 4
Gletschergarten 114 W 22
Gleuel 59 N 4
Gleusdorf 77 P 16
Gleußen 77 P 16
Glewitz 14 D 22
Glienecke 43 J 21
Glienick 44 J 24
Glienicke 45 J 26
Glienicke (Nordbahn) 34 I 23
Glienig 44 K 24
Glienke 24 F 24
Glind 18 E 10
Glinde 42 J 19
Glinde *(Kreis Rotenburg)* 18 F 11
Glinde *(Kreis Stormarn)* 20 F 14
Glindenberg 42 J 19
Glindow 43 I 22
Glinstedt 18 F 11
Glissen *(b. Nienburg)* 29 I 11
Glissen *(b. Petershagen)* 39 I 10
Globig-Bleddin 55 K 22
Glösingen 49 L 8
Glöthe 42 K 19
Glött 95 U 15
Glöwen 33 H 20
Glonn *(Kreis Dachau)* 104 U 18
Glonn *(Kreis Ebersberg)* 105 W 19
Glossen 55 M 22
Glottertal 100 V 7
Glowe 13 C 24
Glücksburg 5 B 12
Glückstadt 19 E 12
Glüsing 7 D 11
Gmünd *(Kreis Neustadt a. d. Waldnaab)* 88 Q 19
Gmünd *(Kreis Regensburg)* 90 T 21
Gmund 113 W 19
Gnadau 42 K 19
Gnadensee 110 W 11
Gnandstein 67 M 21
Gnarrenburg 18 F 11
Gnaschwitz-Doberschau 69 M 27
Gneisenaustadt Schildau 55 L 22
Gnemern 11 E 19
Gneven 22 F 18
Gnevezow 24 E 22
Gnevkow 24 E 23
Gnevsdorf 23 F 20
Gnewikow 33 H 22
Gnissau 9 D 15

A B C D E F G H I J K L M N O P Q R S T U V W X Y Z

Gnitz 15 D 25
Gnötzheim 86 R 14
Gnoien 14 E 22
Gnotzheim 96 S 16
Gnutz 8 D 13
Goch 46 K 2
Gochsheim *(Kreis Karlsruhe)* 93 S 10
Gochsheim *(Kreis Schweinfurt)* 76 P 14
Gockenholz 30 I 14
Godau 9 D 15
Goddelau 74 Q 9
Goddelsheim 50 M 10
Goddin *(Kreis Demmin)* 24 F 23
Goddin *(Kreis Nordwestmecklenburg)* 21 E 17
Goddula 54 M 20
Godelheim 51 K 12
Godenau 40 J 13
Godendorf 24 G 23
Godensholt 27 G 7
Godenstedt 19 G 11
Godern 22 F 18
Godlsham 106 U 22
Göbel 42 J 20
Göbrichen 93 T 10
Göda 69 M 26
Göddeckenrode 41 J 15
Gödenroth 71 P 6
Gödens 17 F 7
Gödenstorf 30 G 14
Gödestorf 29 H 10
Gödnitz 42 K 19
Göffingen 102 V 12
Göggelsbuch 87 S 17
Göggingen 95 T 12
Göggingen *(Kreis Sigmaringen)* 102 V 11
Göggingen *(Stadtkreis Augsburg)* 104 U 16
Gögglingen 103 U 13
Göhl 10 D 16
Göhlen 22 G 18
Göhlen *(Kreis Oder-Spree)* 45 J 27
Göhlis 55 M 24
Göhlsdorf 43 I 22
Göhrde 31 G 16
Göhrde (Forst) 31 G 16
Göhren 96 T 17
Göhren *(Kreis Altenburger Land)* 66 N 21
Göhren *(Kreis Ludwigslust)* 32 G 18
Göhren *(Kreis Mecklenburg-Strelitz)* 24 F 24
Göhren *(Kreis Parchim)* 22 F 18
Göhren *(Kreis Rügen)* 13 C 25
Göhren-Döhlen 66 N 20
Göhren-Lebbin 23 F 21
Göhrendorf 54 L 18
Göldenitz *(Kreis Bad Doberan)* 11 D 20
Göldenitz *(Kreis Herzogtum Lauenburg)* 21 E 15
Gölenkamp 26 I 4
Göllheim 83 R 8
Göllin 22 E 19
Göllingen 53 L 17
Göllnitz 56 L 25
Gölsdorf *(Kreis Oder-Spree)* 45 I 26
Gölsdorf *(Kreis Teltow-Fläming)* 43 K 22
Gömnigk 43 J 22
Gömnitz 9 D 16
Gönnebek 9 D 14
Gönnern 62 N 9
Gönningen 102 U 11
Göppingen 94 T 12
Görgeshausen 73 O 7
Görike 33 H 20
Görisried 111 W 15
Göritz *(Kreis Anhalt-Zerbst)* 43 K 21
Göritz *(Kreis Uckermark)* 25 F 25
Göritzhain 67 N 22
Görke 24 E 24
Görlitz 69 M 28
Görlsdorf *(Kreis Märkisch-Oderland)* 35 I 26
Görlsdorf *(Kreis Uckermark)* 35 G 25
Görmar 52 M 15
Görmin 14 E 23
Görne 33 H 21
Görsbach 53 L 16
Görschlitz 55 L 21
Görsdorf *(b. Beeskow)* 45 J 26
Görsdorf *(b. Storkow)* 44 J 25
Görsdorf *(Kreis Teltow-Fläming)* 44 K 24
Görsroth 73 P 8
Görwihl 108 X 8
Görzhain 63 N 12
Görzig *(Kreis Köthen)* 54 L 19
Görzig *(Kreis Oder-Spree)* 45 J 26
Görzig *(Kreis Riesa-Großenhain)* 56 L 24
Görzke 43 J 21
Göschberg 87 S 18
Göschitz 66 O 19
Göschweiler 101 W 8
Gösmes 78 P 18
Gösselborn 65 N 17
Gössenheim 75 P 13
Gössersdorf 77 P 18
Gössitz 65 O 18
Gößlow 21 F 17
Gößnitz 66 N 21
Gößweinstein 87 Q 18
Göthen 29 I 10
Götschendorf 34 G 25
Göttelfingen 93 U 9
Göttengrün 78 O 19
Göttersdorf 98 U 22
Göttin 43 I 21
Götting 105 W 19
Göttingen 52 L 13
Göttingen 103 U 14
Göttingen *(Kreis Marburg-Biedenkopf)* 62 N 10
Göttingen *(Kreis Warendorf)* 50 L 8
Göttlin 33 I 20
Göttlkofen 98 U 20
Götz 43 I 22
Götzdorf 19 F 12
Götzendorf 88 R 20
Götzenhain 74 Q 10
Götzerberge 43 I 22
Götzing 106 W 22
Götzingen 85 R 12
Göxe 39 I 12
Gohfeld 39 J 10
Gohlefanz 31 H 16
Gohlis *(Kreis Riesa-Großenhain)* 55 L 23
Gohlis *(Leipzig)* 54 L 21
Gohlitz 43 I 22
Gohr 59 M 4
Gohrau 54 K 21
Gohrisch 68 N 26
Gokels 8 D 12
Golchen 24 E 23
Goldach 105 V 19
Goldbach *(Bodenseekreis)* 110 W 11
Goldbach *(Kreis Aschaffenburg)* 75 Q 11
Goldbach *(Kreis Bautzen)* 68 M 26
Goldbach *(Kreis Gotha)* 64 N 15
Goldbach *(Kreis Schwäbisch-Hall)* 95 S 14
Goldbeck *(Kreis Schaumburg)* 39 J 11
Goldbeck *(Kreis Stade)* 19 F 12
Goldbeck *(Kreis Stendal)* 32 H 19
Goldberg *(Kreis Nordwestmecklenburg)* 11 E 19
Goldberg *(Kreis Parchim)* 23 F 20
Goldberger See 23 F 20
Goldebek 4 B 11
Goldelund 4 B 11
Goldenbaum 24 G 23
Goldenbek 9 E 15
Goldenbow 22 F 19
Goldene Aue 53 L 16
Goldensee 21 E 16
Goldenstädt 22 F 18
Goldenstedt 28 H 9
Goldisthal 77 O 17
Goldkronach 78 P 19
Goldlauter 64 O 16
Goldmühl 78 P 19
Goldscheuer 92 U 7
Golkrath 58 M 2
Gollach 86 R 14
Gollachostheim 86 R 14
Gollensdorf 32 H 18
Gollenshausen 106 W 21
Gollhofen 86 R 14
Gollin 34 G 24
Gollmitz *(Kreis Oberspreewald-Lausitz)* 56 K 25
Gollmitz *(Kreis Uckermark)* 25 G 25
Gollmuthhausen 76 O 15
Gollwitz *(b. Brandenburg)* 43 I 21
Gollwitz *(b. Wusterwitz)* 43 I 20
Gollwitz *(Kreis Nordwestmecklenburg)* 10 D 18
Golm *(Kreis Mecklenburg-Strelitz)* 24 F 24
Golm *(Kreis Potsdam-Mittelmark)* 43 I 22
Golmbach 39 K 12
Golmberg 44 J 24
Golmsdorf 66 N 19
Golßen 44 K 24
Goltoft 5 C 13
Goltzscha 68 M 24
Golzheim 58 N 3
Golzow *(Kreis Barnim)* 34 H 25
Golzow *(Kreis Märkisch-Oderland)* 35 I 27
Golzow *(Kreis Potsdam-Mittelmark)* 43 J 21
Golzwarden 18 F 9
Gomadingen 102 U 12
Gomaringen 102 U 11
Gommern 42 J 19
Gommersheim 83 S 8
Gommla 66 N 20
Gompertshausen 76 P 15
Gompitz 68 M 24
Gondelsheim 93 S 9
Gondershausen 71 P 6
Gondorf 71 P 6
Gonna 53 L 17
Gonnesweiler 81 R 5
Gontershausen 62 N 10
Gonterskirchen 74 O 11
Gonzerath 72 Q 5
Goosefeld 8 C 13
Gorden 56 L 24
Gorenzen 53 L 18
Gorgast 35 I 27
Gorkow 25 F 26
Gorleben 32 G 18
Gorlosen 32 G 18
Gornau 67 N 23
Gornewitz 55 M 22
Gornhausen 72 Q 5
Gornsdorf 67 N 22
Gorschendorf 24 E 22
Gorsdorf-Hemsendorf 55 K 22
Gorsleben 53 M 17
Gorspen 39 I 11
Gortz 43 I 21
Gorxheimertal 84 R 10
Gosbach 94 U 13
Gosberg 87 Q 17
Gosda 56 K 25
Gosda I 57 K 27
Goseck 66 M 19
Gosen 44 I 25
Gosheim *(Kreis Donau-Ries)* 96 T 16
Gosheim *(Kreis Tuttlingen)* 101 V 10
Goslar 40 K 15
Gospenroda 64 N 14
Gossa 54 K 21
Gossel 65 N 16
Gossenberg 77 P 16
Gossenzugen 102 V 12
Gossersdorf 91 S 22
Gossersweiler-Stein 83 S 7
Goßfelden 62 N 10
Goßmannsdorf 76 P 15
Goßmannsdorf *(Ochsenfurt)* 86 Q 14
Goßmar *(Kreis Dahme-Spreewald)* 56 K 25
Goßmar *(Kreis Elbe-Elster)* 56 K 25
Gotha *(b. Erfurt)* 64 N 16
Gotha *(b. Leipzig)* 55 L 21
Gothel 28 H 9
Gothensee 15 E 26
Goting 4 B 9
Gottberg 33 H 21
Gottenheim 100 V 7
Gottesgabe 21 F 17
Gotteszell 91 T 22
Gottfrieding 98 U 21
Gotthun 23 F 21
Gottmadingen 109 W 10
Gottmannshofen 96 U 16
Gottorf 5 C 12
Gottow 44 J 23
Gottsbüren 51 L 12
Gottsdorf 99 U 25
Gotzenalm 114 X 22
Goxel 36 K 5
Goyatz-Guhlen 45 J 26
Graach a. d. Mosel 72 Q 5
Graal-Müritz 11 D 20
Grab 94 S 12
Grabau *(Kreis Lüchow-Dannenberg)* 31 G 17
Grabau *(Kreis Stormarn)* 20 E 14
Grabe 52 M 15
Graben 104 V 16
Graben-Neudorf 84 S 9
Grabenstätt 106 W 21
Grabenstetten 94 U 12
Grabko 45 K 27
Grabo 55 K 22
Grabow *(Bucht)* 12 C 22
Grabow *(Kreis Jerichower Land)* 42 J 19
Grabow *(Kreis Ludwigslust)* 22 G 18
Grabow *(Kreis Lüchow-Dannenberg)* 31 G 17
Grabow *(Kreis Rügen)* 13 D 24
Grabow b. Blumenthal 33 G 21
Grabow-Below 23 G 21
Grabow-Buckow 23 G 20
Grabowhöfe 23 F 21
Grabstede 17 F 7
Graditz 55 L 23
Gräben 43 J 21
Gräbendorf 44 J 25
Gräfelfing 104 V 18
Gräfenberg 87 R 17
Gräfenbuch 86 R 15
Gräfendorf 75 P 13
Gräfendorf *(Kreis Elbe-Elster)* 55 L 23
Gräfendorf *(Kreis Teltow-Fläming)* 44 K 23
Gräfendorf *(Kreis Torgau-Oschatz)* 55 L 22
Gräfenhäusling 77 P 17
Gräfenhain *(Kreis Gotha)* 64 N 16
Gräfenhain *(Westlausitzkreis)* 68 M 25
Gräfenhainichen 54 K 21
Gräfenhausen *(Enzkreis)* 93 T 9
Gräfenhausen *(Kreis Darmstadt-Dieburg)* 74 Q 9
Gräfenneuses 86 Q 15
Gräfenroda 65 N 16
Gräfenstein 83 S 7
Gräfensteinberg 96 S 16
Gräfenthal 77 O 17
Gräfentonna 64 M 16
Gräfenwarth 66 O 19
Gräfinau-Angstedt 65 N 17
Gräfrath 48 M 5
Gräningen 33 I 21
Gräpel 19 F 11
Graes 36 J 4
Grävenwiesbach 74 O 9
Grafel 19 F 11
Grafeld 27 I 7
Grafenaschau 112 X 17
Grafenau *(Kreis Böblingen)* 93 T 10
Grafenau *(Kreis Freyung-Grafenau)* 99 T 24
Grafenberg 96 S 17
Grafengehaig 77 P 18
Grafenhausen 101 W 8
Grafenhausen (Kappel-) 100 V 7
Grafenkirchen 89 S 21
Grafenreuth 89 Q 20
Grafenrheinfeld 76 P 14
Grafentraubach 97 T 20
Grafenwald 47 L 4
Grafenwiesen 89 S 22
Grafenwöhr 88 Q 19
Grafhorst 41 I 16
Grafing 105 V 19
Grafling 98 T 22
Grafrath 104 V 17
Grafschaft *(Hochsauerlandkreis)* 62 M 8
Grafschaft *(Kreis Ahrweiler)* 60 O 5
Grafschaft *(Kreis Friesland)* 17 F 7
Grafwegen 46 K 1
Grainau 112 X 17
Grainbach 113 W 20
Grainet 99 T 24
Graitschen 66 N 19
Grambek 21 F 16
Grambin 25 E 26
Grambow *(Kreis Nordwestmecklenburg)* 21 F 17
Grambow *(Kreis Parchim)* 23 F 20
Grambow *(Kreis Uecker-Randow)* 25 F 27
Gramkow 10 E 17
Grammdorf 9 D 16
Grammendorf 14 D 22
Grammentin 24 E 22
Grammow 11 D 21
Gramschatz 76 Q 13
Gramschatzer Wald 85 Q 13
Gramtitz 13 C 23
Gramzow *(Kreis Ostvorpommern)* 24 E 24
Gramzow *(Kreis Uckermark)* 25 G 26
Grande 20 F 15
Grandenborn 64 M 14
Granestausee 40 K 15
Granheim 102 V 12
Granitz 13 C 24
Grano 45 K 27
Granschütz 66 M 20
Gransebieth 14 D 22
Gransee 34 G 23
Granstedt 19 F 11
Granterath 58 M 2
Granzin *(Kreis Mecklenburg-Strelitz)* 24 F 22
Granzin *(Kreis Parchim)* 23 F 19
Granzin b. Boizenburg 21 F 16
Granzow 33 H 20
Grapzow 24 E 23
Grasberg 29 G 10
Grasbrunn 105 V 19
Grasdorf *(Kreis Grafschaft Bentheim)* 36 I 4
Grasdorf *(Kreis Hannover)* 40 J 13
Grasdorf *(Kreis Verden)* 29 G 11
Grasellenbach 84 R 10
Grasleben 41 J 17
Grassau 114 W 21
Grassau *(Kreis Elbe-Elster)* 55 K 23
Grassau *(Kreis Stendal)* 32 H 19
Grassel 41 I 15
Graßlfing 97 T 20
Graste 40 K 13
Graswang 112 X 17
Grattersdorf 99 T 23
Grattstadt 77 O 16
Grauel 8 D 13
Grauen *(Kreis Harburg)* 19 F 13
Grauen *(Kreis Soltau-Fallingbostel)* 30 G 13
Grauenhagen 24 F 24
Grauhof *(Goslar)* 40 K 15
Graulingen 31 H 15
Graupa 68 M 25
Graustein 57 L 27
Grauwallkanal 18 F 9
Grave 39 K 12
Gravenhorst 41 I 15
Grebbin 23 F 19
Grebenau 63 N 12
Grebendorf 52 M 14
Grebenhagen 63 N 12
Grebenhain 75 O 12
Grebenstein 51 L 12
Grebin 9 D 15
Grebs *(Kreis Ludwigslust)* 21 G 17
Grebs *(Kreis Potsdam-Mittelmark)* 43 J 21
Grebshorn 31 I 15
Greding 96 S 18
Greene 52 K 13
Greetsiel 16 F 5
Greffen 37 K 8
Greffern 92 T 8
Grefrath *(Kreis Neuss)* 46 L 3
Grefrath *(Kreis Viersen)* 48 M 3
Greifenberg 104 V 17
Greifendorf 67 M 23
Greifenhagen 53 L 18
Greifenhain *(Kreis Leipziger Land)* 67 M 21
Greifenhain *(Kreis Spree-Neiße)* 56 L 26
Greifenstein 62 O 8
Greiffenberg 35 G 25
Greifswald 13 D 24
Greifswalder Bodden 13 D 24
Greifswalder Oie 15 D 25
Greiling 113 W 18
Greilsberg 97 T 20
Greimerath *(Kreis Bernkastel-Wittlich)* 71 P 4
Greimerath *(Kreis Trier-Saarburg)* 80 R 4
Grein 84 R 10
Greiselbach 95 S 15
Greising 98 T 23
Greiz 66 O 20
Gremersdorf *(Kreis Nordvorpommern)* 12 D 22
Gremersdorf *(Kreis Ostholstein)* 10 C 16
Gremheim 95 U 15
Gremmelsbach 101 V 8
Gremmendorf 37 K 7
Gremsdorf 87 Q 16
Gremsmühlen 9 D 15
Grenderich 71 P 5
Grenz 25 F 26
Grenzach-Wyhlen 108 X 7
Greppin 54 L 20
Gresaubach 81 R 4
Gresenhorst 11 D 21
Gresgen 108 W 7
Gresse 21 F 16
Gressenich 58 N 2
Gressow 21 E 17
Greßthal 76 P 14
Grethem 30 H 12
Grethen 55 M 21
Gretlsmühle 97 U 20
Grettstadt 76 Q 14
Greußen 53 M 16
Greußenheim 85 Q 13
Greuth 86 Q 15
Greven 37 J 6
Greven *(Kreis Ludwiglust)* 21 F 16
Greven *(Kreis Parchim)* 23 F 19
Grevenbroich 58 M 3
Grevenbrück 61 M 8
Grevenhagen 50 K 10
Grevenkrug 9 D 14
Grevenstein 49 M 8
Grevesmühlen 21 E 17
Gribbohm 8 D 12
Gribow 14 E 24
Grieben *(Kreis Nordwestmecklenburg)* 21 E 17
Grieben *(Kreis Oberhavel)* 34 H 23
Grieben *(Kreis Rügen)* 13 C 23
Grieben *(Kreis Stendal)* 42 I 19
Griebenow 14 D 23
Griebo 43 K 21
Griedelbach 74 O 9
Griefstedt 53 M 17
Griesbach 93 U 8
Griesbach *(Kreis Dingolfing-Landau)* 98 U 21
Griesbach *(Kreis Tirschenreuth)* 79 Q 21
Griesbeckerzell 104 U 17
Griese Gegend 21 G 17
Griesen 112 X 16
Griesheim *(Frankfurt)* 74 P 9
Griesheim *(Kreis Darmstadt-Dieburg)* 74 Q 9
Griesingen 102 V 13
Grießem 39 J 11
Grießen 45 K 27
Griesstätt 105 W 20
Grieth 46 K 2
Griethausen 46 K 2
Grietherort 46 K 2
Grillenberg 53 L 17
Grillenburg 68 N 24
Grimburg 81 R 4
Grimersum 16 F 5
Grimma 55 M 22

Grimme
(Kreis Anhalt-Zerbst) ... 43 J 20
Grimme
(Kreis Uckermark) ... 25 F 26
Grimmelfingen ... 103 U 13
Grimmelshausen ... 76 O 15
Grimmelshofen ... 101 W 9
Grimmen ... 13 D 23
Grimnitzsee ... 34 H 25
Grinau ... 21 E 15
Grindau ... 30 I 12
Grinderwald ... 29 I 12
Grippel ... 32 G 17
Grischow
(b. Altentreptow) ... 24 E 24
Grischow
(b. Stavenhagen) ... 24 E 23
Grißheim ... 100 W 6
Gristede ... 17 G 8
Gristow ... 13 D 23
Grobau ... 78 O 19
Grobleben ... 42 I 19
Grochewitz ... 43 K 21
Grockstädt ... 53 M 18
Groden ... 18 E 10
Gröben
(Kreis Teltow-Fläming) ... 44 J 23
Gröben
(Kreis Weißenfels) ... 66 M 20
Gröbenzell ... 104 V 18
Gröbern (Kreis Bitterfeld) ... 54 K 21
Gröbern (Kreis
Meißen-Dresden) ... 68 M 24
Gröbers ... 54 L 20
Gröbitz ... 56 L 25
Gröblingen ... 37 K 7
Gröbzig ... 54 K 19
Gröde-Appelland (Insel) ... 4 C 10
Gröden ... 56 L 24
Gröditsch ... 45 J 26
Gröditz (Kreis Bautzen) ... 69 M 27
Gröditz (Kreis
Riesa-Großenhain) ... 56 L 24
Grömbach ... 93 U 9
Grömitz ... 10 D 16
Gröna ... 54 K 19
Grönebach ... 50 M 9
Grönheim ... 27 H 7
Gröningen ... 41 K 17
Gröningen ... 86 S 14
Grönloh ... 27 I 8
Grönwohld ... 20 F 15
Gröpelingen (Bremen) ... 29 G 10
Gröst ... 54 M 19
Grötsch ... 57 K 27
Grötschenreuth ... 78 Q 20
Grötzingen
(Alb-Donau-Kreis) ... 102 U 12
Grötzingen
(Kreis Esslingen) ... 94 U 11
Grötzingen
(Kreis Karlsruhe) ... 93 S 9
Grohnde ... 39 J 12
Groitzsch ... 66 M 20
Grombach ... 84 S 10
Gronau
(Kreis Bergstraße) ... 84 Q 10
Gronau
(Kreis Ludwigsburg) ... 94 S 12
Gronau (Leine) ... 40 J 13
Gronau (Westfalen) ... 36 J 5
Grone ... 51 L 13
Groothusen ... 16 F 5
Groschlattengrün ... 78 Q 20
Groschwitz ... 65 N 17
Groß Ammensleben ... 42 J 18
Groß Aspe ... 19 F 12
Groß Bademeusel ... 57 K 28
Groß Bäbelin ... 23 F 21
Groß Barnitz ... 21 E 15
Groß Bawinkel ... 27 I 6
Groß Behnitz ... 33 I 22
Groß Bengerstorf ... 21 F 16
Groß Berkel ... 39 J 11
Groß Berßen ... 27 H 6
Groß Beuchow ... 56 K 25
Groß-Bieberau ... 84 Q 10
Groß Biewende ... 41 J 15
Groß Bisdorf ... 14 D 23
Groß Boden ... 20 E 15
Groß Börnecke ... 42 K 18
Groß Bramstedt ... 29 H 10
Groß Breese ... 32 H 17
Groß-Briesen
(Kreis Oder-Spree) ... 45 J 27
Groß Briesen (Kreis
Potsdam-Mittelmark) ... 43 J 21
Groß Brunsrode ... 41 I 16
Groß Buchholz ... 32 G 19
Groß Buchwald ... 9 D 14
Groß Bülten ... 40 J 14
Groß Comburg ... 94 S 13
Groß Döbbern ... 57 L 26
Groß Döhren ... 40 K 15
Groß Dölln ... 34 H 24
Groß Dratow ... 24 F 22
Groß Drewitz ... 45 J 27
Groß Düben ... 57 L 27
Groß Düngen ... 40 J 14
Groß-Eichen ... 62 O 11
Groß Eilstorf ... 30 H 12
Groß-Ellershausen
(Göttingen) ... 51 L 13
Groß Ernsthof ... 15 D 25
Groß-Felda ... 63 O 11
Groß Flotow ... 24 F 22
Groß Förste ... 40 J 13
Groß-Fredenbeck ... 19 F 12
Groß Fredenwalde ... 34 G 25
Groß Fullen ... 26 H 5
Groß Garz ... 32 H 18
Groß Gastrose ... 45 K 27
Groß-Gerau ... 74 Q 9
Groß Germersleben ... 42 J 18
Groß Gievitz ... 24 F 22
Groß Gladebrügge ... 9 E 14
Groß Gleichberg ... 76 O 15
Groß Gleidingen ... 40 J 15
Groß Glienicke ... 44 I 23
Groß Godems ... 22 F 19
Groß Görnow ... 22 E 19
Groß Gottschow ... 32 G 19
Groß Grönau ... 21 E 16
Groß Haßlow ... 33 G 21
Groß Hehlen ... 30 I 14
Groß Heide ... 31 G 17
Groß Heins ... 30 H 12
Groß Hesebeck ... 31 G 15
Groß Hesepe ... 26 I 5
Groß Holum ... 17 E 7
Groß Hundstod ... 114 X 22
Groß Ilde ... 40 J 14
Groß Ilsede ... 40 J 14
Groß Ippener ... 29 H 9
Groß Ippensen ... 19 F 12
Groß Jamno ... 57 K 27
Groß Jehser ... 56 K 25
Groß Karben ... 74 P 10
Groß Kelle ... 23 F 21
Groß Kiesow ... 14 D 24
Groß Köhren ... 29 H 9
Groß Kölzig ... 57 L 27
Groß Köris ... 44 J 24
Groß Kordshagen ... 12 C 22
Groß Krams ... 21 F 17
Groß Krankow ... 21 E 18
Groß Krauscha ... 69 M 28
Groß Kreutz ... 43 I 22
Groß Kubitz ... 13 C 23
Groß Kummerfeld ... 9 D 14
Groß Laasch ... 22 F 18
Groß Labenz ... 22 E 19
Groß Lafferde ... 40 J 14
Groß Leine ... 45 K 26
Groß Lengden ... 52 L 14
Groß Leppin ... 32 H 20
Groß Lessen ... 29 I 10
Groß Leuthen ... 45 J 26
Groß Liedern ... 31 H 15
Groß Linde ... 32 G 19
Groß-Lindow ... 45 J 27
Groß Lobke ... 40 J 14
Groß Luckow ... 25 F 25
Groß Lüben ... 32 H 19
Groß Lüsewitz ... 11 D 21
Groß Luja ... 57 L 27
Groß Lukow ... 24 F 23
Groß Mackenstedt ... 29 G 10
Groß-Markow ... 23 E 22
Groß Marzehns ... 43 K 21
Groß Meckelsen ... 19 G 12
Groß Mehßow ... 56 K 25
Groß Methling ... 14 E 22
Groß Midlum ... 16 F 5
Groß Miltzow ... 24 F 24
Groß Mimmelage ... 27 I 7
Groß Mohrdorf ... 12 C 22
Groß Molzahn ... 21 E 16
Groß Muckrow ... 45 J 27
Groß Mühlingen ... 42 K 19
Groß Munzel ... 39 I 12
Groß-Naundorf ... 55 K 22
Groß Nemerow ... 24 F 23
Groß Neuendorf ... 35 H 27
Groß Nieköhr ... 11 E 21
Groß Niendorf
(Kreis Parchim) ... 23 F 19
Groß Niendorf
(Kreis Segeberg) ... 20 E 14
Groß Oesingen ... 31 I 15
Groß Offenseth-Aspern ... 19 E 13
Groß Oßnig ... 57 K 27
Groß Pankow
(Kreis Parchim) ... 23 F 19
Groß Pankow
(Kreis Prignitz) ... 32 G 20
Groß Petershagen ... 13 D 23
Groß Pinnow ... 35 G 26
Groß Plasten ... 24 F 22
Groß Polzin ... 15 E 24
Groß Potrems ... 11 E 20
Groß Quassow ... 24 G 23
Groß Quenstedt ... 41 K 17
Groß Raden ... 23 E 19
Groß-Radisch ... 57 M 28
Groß Reken ... 36 K 5
Groß Rheide ... 5 C 12
Groß Ridsenow ... 11 E 21
Groß Rietz ... 45 J 26
Groß Ringmar ... 29 H 10
Groß Rodensleben ... 42 J 18
Groß Rönnau ... 9 E 14
Groß Roge ... 23 E 21
Groß-Rohrheim ... 84 Q 9
Groß Rosenburg ... 42 K 19
Groß Rünz ... 21 E 16
Groß Särchen ... 57 L 26
Groß Salitz ... 21 E 17
Groß Santersleben ... 42 J 18
Groß Sarau ... 21 E 16
Groß Schacksdorf ... 57 K 27
Groß Schauen ... 44 J 25
Groß Schenkenberg ... 21 E 15
Groß Schierstedt ... 53 K 18
Groß Schmölen ... 32 G 17
Groß Schneen ... 52 L 13
Groß Schönebeck ... 34 H 24
Groß Schönfeld ... 24 F 23
Groß Schoritz ... 13 D 24
Groß Schulzendorf ... 44 J 24
Groß Schwansee ... 10 E 17
Groß Schwarzlosen ... 42 I 19
Groß Schwechten ... 32 H 19
Groß Schwiesow ... 23 E 20
Groß Siemz ... 21 E 16
Groß Sisbeck ... 41 I 16
Groß Stavern ... 27 H 6
Groß Steinum ... 41 J 16
Groß Sterneberg ... 19 F 12
Groß Stieten ... 22 E 18
Groß Strömkendorf ... 10 E 18
Groß Süstedt ... 31 H 15
Groß Teetzleben ... 24 F 23
Groß Tessin ... 23 E 20
Groß Thondorf ... 31 G 16
Groß Thurow ... 21 E 16
Groß Twülpstedt ... 41 I 16
Groß-Umstadt ... 74 Q 10
Groß Upahl ... 23 E 20
Groß Vahlberg ... 41 J 16
Groß Varchow ... 24 F 22
Groß Varlingen ... 29 I 11
Groß Viegeln ... 11 E 20
Groß Vielen ... 24 F 23
Groß Vollstedt ... 8 D 13
Groß Walmstorf ... 21 E 17
Groß Warnow ... 32 G 18
Groß Wasserburg ... 44 J 25
Groß Welle ... 32 G 20
Groß Welzin ... 21 F 17
Groß Werzin ... 32 G 20
Groß Wittensee ... 8 C 13
Groß Wittfeitzen ... 31 G 16
Groß Wokern ... 23 E 21
Groß Woltersdorf ... 33 G 20
Groß Wüstenfelde ... 23 E 21
Groß Zicker ... 13 D 25
Groß Ziescht ... 44 K 24
Groß Ziethen (Kreis Barnim) . 35 H 25
Groß-Ziethen
(Kreis Oberhavel) ... 34 H 23
Groß-Zimmern ... 74 Q 10
Großaitingen ... 104 V 16
Großalfalterbach ... 87 S 18
Großalmerode ... 51 M 13
Großalsleben ... 41 K 17
Großaltdorf ... 95 S 13
Großaspach ... 94 T 12
Großbadegast ... 54 K 20
Großbardau ... 55 M 22
Großbardorf ... 76 P 15
Großbartloff ... 52 M 14
Großbeeren ... 44 I 23
Großberndten ... 52 L 16
Großbettlingen ... 94 U 11
Großbeuthen ... 44 J 23
Großbirkach ... 86 Q 15
Großbissendorf ... 88 S 19
Großbockedra ... 66 N 19
Großbodungen ... 52 L 15
Großböhla ... 55 L 23
Großbothen ... 67 M 22
Großbottwar ... 94 T 11
Großbreitenbach ... 65 O 17
Großbrembach ... 65 M 17
Großbrüchter ... 52 M 15
Großbuch ... 55 M 21
Großbundenbach ... 82 S 6
Großburlo ... 36 K 4
Großburschla ... 64 M 14
Großdehsa ... 69 M 27
Großdeinbach ... 94 T 13
Großderschau ... 33 H 21
Großdingharting ... 105 W 18
Großdittmannsdorf ... 68 M 25
Großdobritz ... 68 M 24
Großdornberg ... 38 J 9
Großdrebnitz ... 68 M 26
Großdubrau ... 69 M 27
Große Aue ... 38 I 9
Große Blöße ... 51 K 12
Große Enz ... 93 T 9
Große Kirr ... 12 C 22
Große Laaber ... 97 T 20
Große Lauter ... 102 V 12
Große Ohe ... 99 T 23
Große Röder ... 56 M 25
Große Striegis ... 67 N 23
Große Vils ... 105 U 20
Großebersdorf ... 66 N 19
Großefehn ... 17 F 6
Großeibstadt ... 76 P 15
Großeicholzheim ... 85 R 11
Grosselfingen ... 101 V 10
Großen-Buseck ... 62 O 10
Großen-Linden ... 62 O 9
Großenaspe ... 9 E 13
Großenbach ... 63 N 13
Großenbaum ... 47 L 4
Großenbreden ... 51 K 11
Großenbrode ... 10 C 17
Großenbroderfähre ... 10 C 17
Großeneder ... 51 L 11
Großenehrich ... 53 M 16
Großenenglis ... 63 M 11
Großenging ... 27 H 7
Großengottern ... 64 M 15
Großengstingen ... 102 U 11
Großenhain ... 56 M 24
Großenhain ... 18 F 10
Großenhausen ... 75 P 11
Großenheidorn ... 39 I 12
Großenhül ... 77 Q 18
Großenkneten ... 28 H 8
Großenlüder ... 63 O 12
Großenlupnitz ... 64 N 15
Großenmarpe ... 39 K 11
Großenmeer ... 18 G 8
Großenmoor ... 63 N 12
Großenrade ... 7 D 11
Großenried ... 86 S 15
Großenritte ... 51 M 12
Großenrode ... 51 K 13
Großenschwand ... 89 R 20
Großensee ... 64 N 13
Großensee ... 20 F 15
Großensees ... 79 Q 20
Großenstein ... 66 N 20
Großensterz ... 79 Q 20
Großentaft ... 63 N 13
Großenwede ... 30 G 13
Großenwieden ... 39 J 11
Großenwiehe ... 5 B 11
Großenwörden ... 19 E 11
Großer Arber ... 91 S 23
Großer Auerberg ... 53 L 17
Großer Beerberg ... 64 O 16
Großer Binnensee ... 9 D 15
Großer Daumen ... 111 X 15
Großer Dreesch ... 22 F 18
Großer Eutiner See ... 9 D 15
Großer Eyberg ... 83 S 7
Großer Falkenstein ... 91 S 23
Großer Fallstein ... 41 J 16
Großer Farmdenkopf ... 77 O 17
Großer Feldberg ... 74 P 9
Großer Graben ... 41 J 16
Großer Hundskopf ... 101 U 8
Großer Inselsberg ... 64 N 15
Großer Jasmunder
Bodden ... 13 C 24
Großer Kalmberg ... 65 N 17
Großer Knechtsand ... 18 E 9
Großer Knollen ... 52 K 15
Großer Kornberg ... 78 P 20
Großer Labussee ... 24 G 22
Großer Landgraben ... 24 E 24
Großer Müggelsee ... 44 I 24
Großer Osser ... 91 S 23
Großer Plöner See ... 9 D 15
Großer Rachel ... 91 T 24
Großer Rammelsberg ... 79 O 21
Großer Regen ... 91 S 23
Großer Riedelstein ... 91 S 22
Großer Sand ... 26 I 5
Großer See ... 24 F 24
Großer Segeberger See ... 9 E 14
Großer Selchower See ... 44 J 25
Großer Steinberg ... 51 K 13
Großer Sternberger See ... 23 E 19
Großer Treppelsee ... 45 J 27
Großer Waldstein ... 78 P 19
Großer Wariner See ... 22 E 19
Großer Werder ... 12 C 22
Großerkmannsdorf ... 68 M 25
Großerlach ... 94 S 12
Großes Bruch ... 41 J 16
Großes Meer ... 16 F 5
Großes Moor
(Kreis Diepholz) ... 28 H 9
Großes Moor
(Kreis Gifhorn) ... 41 I 15
Großes Moor
(Kreis Hannover Land) ... 40 I 13
Großes Moor (Kreis
Nienburg Weser) ... 39 I 10
Großes Moor
(Kreis Vechta) ... 37 I 8
Großes Schulerloch ... 90 T 19
Großfahner ... 65 M 16
Großfischlingen ... 83 S 8
Großfurra ... 53 L 16
Großgarnstadt ... 77 P 17
Großgeschaidt ... 87 R 17
Großgeschwenda ... 65 O 18
Großglattbach ... 93 T 10
Großgörschen ... 54 M 20
Großgoltern ... 39 I 12
Großgrabe ... 56 L 26
Großgräfendorf ... 54 L 19
Großgrimma ... 66 M 20
Großgründlach ... 87 R 17
Großgundertshausen ... 97 U 19
Großhabersdorf ... 86 R 16
Großhansdorf ... 20 F 14
Großharbach ... 86 R 14
Großharrie ... 9 D 14
Großharthau ... 68 M 26
Großhartmannsdorf ... 67 N 23
Großhartpenning ... 105 W 19
Großheide ... 17 F 6
Großheirath ... 77 P 16
Großhelfendorf ... 105 W 19
Großhennersdorf ... 69 N 28
Großheringen ... 66 M 19
Großhesselohe ... 105 V 18
Großheubach ... 85 Q 11
Großhöbing ... 96 S 17
Großholzhausen ... 113 W 20
Großholzleute ... 111 W 14
Großinzemoos ... 104 V 18
Großjörl ... 5 C 11
Großkarolinenfeld ... 105 W 20
Großkayna ... 54 M 19
Großkitzighofen ... 104 V 16
Großklenau ... 79 Q 21
Großkmehlen ... 56 L 25
Großkochberg ... 65 N 18
Großköllnbach ... 98 T 21
Großkönigsförde ... 8 C 13
Großkötz ... 103 U 14
Großkonreuth ... 79 Q 21
Großkorbetha ... 54 M 20
Großkorga ... 55 K 23
Großkoschen ... 56 L 26
Großkrotzenburg ... 74 P 10
Großkuchen ... 95 T 14
Großkühnau ... 54 K 20
Großkugel ... 54 L 20
Großkundorf ... 66 N 20
Großlabenzer See ... 22 E 19
Großlangenfeld ... 70 P 2
Großlangheim ... 86 Q 14
Großlehna ... 54 M 20
Großleinungen ... 53 L 17
Großliebringen ... 65 N 17
Großlittgen ... 70 P 4
Großlöbichau ... 66 N 19
Großlohra ... 52 L 15
Großmachnow ... 44 J 24
Großmehring ... 97 T 18
Großmölsen ... 65 M 17
Großmonra ... 53 M 17
Großmoor ... 40 I 14
Großmutz ... 34 H 23
Großnaundorf ... 68 M 25
Großneuhausen ... 65 M 17
Großniedesheim ... 84 R 8
Großnöbach ... 105 U 18
Großnottersdorf ... 96 S 17
Großobringen ... 65 M 18
Großörner ... 53 L 18
Großolbersdorf ... 67 N 23
Großostheim ... 74 Q 11
Großpaschleben ... 54 K 19
Großpörthen ... 66 N 20
Großpösna ... 55 M 21
Großpostwitz ... 69 M 27
Großräschen ... 56 L 26
Großrettbach ... 65 N 16
Großrinderfeld ... 85 Q 13
Großringe ... 26 I 4
Großröhrsdorf ... 68 M 26
Großrössen ... 55 L 23
Großropperhausen ... 63 N 12
Großrosseln ... 82 S 4
Großrudestedt ... 65 M 17
Großrückerswalde ... 67 O 23
Großsachsen ... 84 R 10
Großsander ... 17 G 7
Großschafhausen ... 103 V 13
Großschirma ... 67 N 23
Großschlamin ... 10 D 16
Großschönau ... 69 N 27
Großschönbrunn ... 88 R 19
Großschwabhausen ... 65 N 18
Großschwarzenlohe ... 87 R 17
Großschweidnitz ... 69 M 27
Großsedlitz ... 68 N 25
Großseelheim ... 62 N 10
Großsolt ... 5 B 12
Großsorheim ... 95 T 15
Großstadelhofen ... 102 W 11
Großsteinberg ... 55 M 21
Großsteinhausen ... 82 S 6
Großstöbnitz ... 66 N 21
Großthannensteig ... 99 T 24
Großthiemig ... 56 L 25
Großtöpfer ... 52 M 14
Großtreben-Zwethau ... 55 L 22
Großvargula ... 65 M 16
Großvoigtsberg ... 67 N 23
Großwaabs ... 5 C 13
Großwalbur ... 77 P 16
Großwallstadt ... 75 Q 11
Großwaltersdorf ... 67 N 23
Großwechsungen ... 52 L 16
Großweil ... 112 W 17
Großweismannsdorf ... 87 R 16
Großweitzschen ... 67 M 23
Großwelsbach ... 64 M 15
Großwelzheim ... 74 P 11
Großwendern ... 78 P 20
Großwenkheim ... 76 P 14
Großwerther ... 52 L 16
Großwig ... 55 L 22
Großwitzeetze ... 32 H 17
Großwoltersdorf ... 34 G 23
Großwudicke ... 33 I 20
Großwulkow ... 42 I 20
Großzecher ... 21 F 16
Großzerlang ... 33 G 22
Großziethen (Berlin) ... 44 I 24
Großzöberitz ... 54 L 20
Großzöbern ... 78 O 20
Großzössen ... 66 M 21
Großzschepa ... 55 L 22
Grove ... 21 F 15
Grub
(Kreis Hildburghausen) ... 64 O 15
Grub (Kreis
Neustadt a. d. Walnaab) . 88 Q 19
Grub a. Forst ... 77 P 17
Grube (Kreis Ostholstein) ... 10 D 17
Grube (Kreis Prignitz) ... 32 G 20
Grubo ... 43 J 21
Grubschütz ... 69 M 27
Gruel ... 11 D 21
Grümpen ... 77 O 17
Grün ... 91 S 22
Grüna
(Kreis Chemnitzer Land) . 67 N 22

Grüna (Kreis Teltow-Fläming) 43 J 23
Grünau (Berlin) 44 I 24
Grünau (Stadtkreis Leipzig) 54 M 20
Grünbach (Göltzschtalkreis) 79 O 21
Grünbach (Kreis Erding) 105 V 20
Grünbach (Kreis Mühldorf a. Inn) 106 V 21
Grünberg 62 O 10
Grünberg (Kreis Altenburger Land) 66 N 21
Grünberg (Kreis Uckermark) 25 F 26
Gründau 75 P 11
Gründeich 17 F 6
Gründelhardt 95 S 13
Grüneberg 34 H 23
Grüneck 105 V 19
Grünefeld 34 H 22
Grünen Berg 95 T 14
Grünenbach 111 X 14
Grünenbaindt 103 U 15
Grünendeich 19 F 12
Grünenplan 40 K 13
Grünewald 56 L 26
Grünewalde 56 L 25
Grüngräbchen 56 L 25
Grünhagen 31 G 15
Grünhain 67 O 22
Grünhainichen 67 N 23
Grünheide 44 I 25
Grünhof (Kreis Herzogtum Lauenburg) 20 F 15
Grünhof (Kreis Uecker-Randow) 25 F 26
Grünholz (Kreis Rendsburg-Eckernförde) 5 C 13
Grünholz (Kreis Schleswig-Flensburg) 5 B 13
Grüningen 101 W 9
Grünkraut 110 W 12
Grünmettstetten 101 U 9
Grünow (b. Passow) 35 G 26
Grünow (b. Prenzlau) 25 G 25
Grünow (Kreis Mecklenburg-Strelitz) 24 F 23
Grünsfeld 85 R 13
Grünsfeldhausen 85 R 13
Grünstadt 83 R 8
Grüntal 34 H 25
Grüntegernbach 105 V 20
Grünten 112 X 14
Grüntensee 111 X 15
Grünthal 106 V 21
Grünwald 105 V 18
Grünz 25 G 26
Grüsselbach 63 N 13
Grüssow 23 F 21
Grütz 33 I 20
Gruhno 56 L 24
Gruibingen 94 U 12
Gruiten 48 M 5
Grumbach 81 R 6
Grumbach (Kreis Annaberg) 67 O 23
Grumbach (Saale-Orla-Kreis) 77 O 18
Grumbach (Weißeritzkreis) 68 M 24
Gruna 55 L 21
Grunbach 93 T 10
Grund 99 U 23
Grundfeld 77 P 17
Grundhof 5 B 12
Grundoldendorf 19 F 12
Grundsteinheim 50 L 10
Grunewald 34 G 24
Grunewald 46 K 2
Grunow (Kreis Märkisch-Oderland) 35 I 26
Grunow (Kreis Oder-Spree) 45 J 27
Gruol 101 U 10
Grupenhagen 39 J 11
Grußendorf 41 I 16
Gschaid 106 U 23
Gschwend 94 T 13
Gstadt 106 W 21
Guben 45 K 28
Guckheim 61 O 7
Gudelacksee 33 H 22
Gudendorf 7 D 11
Gudenhagen 50 L 9
Gudensberg 63 M 12
Guderhandviertel 19 F 12
Gudersleben 52 L 16
Gudow 21 F 16
Güby 5 C 13
Güglingen 93 S 11
Gühlen 33 H 22
Gühlen-Glienicke 33 G 22
Gülden 31 G 16
Güldengossa 54 M 21
Gülitz 32 G 19
Gülpe 33 H 20
Gülper See 33 H 20
Güls 71 O 6
Gültlingen 93 U 10
Gültstein 93 U 10
Gültz 24 E 23
Gülze 21 F 16
Gülzow (Kreis Demmin) 24 E 22
Gülzow (Kreis Güstrow) 23 E 20
Gülzow (Kreis Herzogtum Lauenburg) 21 F 15
Gündelbach 93 T 10
Gündelwangen 101 W 8
Günding 104 V 18
Gündlingen 100 V 6
Gündlkofen 97 U 20
Gündringen 93 U 10
Günne 49 L 8
Günserode 53 M 17
Günstedt 53 M 17
Günsterode 63 M 12
Günterberg 35 G 25
Günterode 52 L 14
Güntersberge 53 L 16
Güntersen 51 L 13
Güntersleben 75 Q 13
Güntherstal 100 W 7
Günthers 64 O 13
Günthersbühl 87 R 17
Günthersdorf 54 L 20
Günthersleben 64 N 16
Günz 12 C 22
Günzach 103 W 15
Günzburg 103 U 14
Günzenhausen 105 V 18
Günzerode 52 L 15
Günzgen 109 X 9
Günzkofen 97 U 20
Gürth 79 P 20
Gürzenich 58 N 3
Güsen 42 I 19
Güssefeld 32 H 18
Güsten 53 K 18
Güster 21 F 16
Güstow 25 G 25
Güstritz 31 H 17
Güstrow 23 E 20
Gütenbach 100 V 8
Güterbahnhof (Freiburg im Breisgau) 100 V 7
Güterberg 25 F 25
Güterfelde 44 I 23
Güterglück 42 K 19
Gütersloh 38 K 9
Güttersbach 84 R 10
Güttingen 109 W 10
Gützkow 14 E 24
Guhlsdorf 32 G 20
Guhrow 56 K 26
Guldental 73 Q 7
Gulow 32 G 19
Gummersbach 59 M 6
Gummlin 25 E 26
Gumpelstadt 64 N 14
Gumperda 65 N 18
Gumpersdorf 106 V 22
Gumtow 33 H 20
Gundelfingen (Kreis Breisgau-Hochschwarzwald) 100 V 7
Gundelfingen (Kreis Reutlingen) 102 V 12
Gundelfingen a.d. Donau 95 U 15
Gundelsby 5 B 13
Gundelsdorf 96 U 17
Gundelshausen 90 T 19
Gundelsheim (Kreis Bamberg) 77 Q 16
Gundelsheim (Kreis Heilbronn) 85 S 11
Gundelsheim (Kreis Weißenburg-Gunzenhausen) 96 T 16
Gunderath 71 P 4
Gundernhausen 74 Q 10
Gundersheim 83 Q 8
Gundersleben 52 M 16
Gundheim 83 Q 8
Gundhelm 75 O 12
Gundhöring 98 T 21
Gundlitz 78 P 18
Gundremmingen 95 U 15
Gungolding 96 T 18
Gunningen 101 V 10
Gunsleben 41 J 17
Guntersblum 84 Q 9
Gunzen 79 O 20
Gunzenau 75 O 12
Gunzendorf (Kreis Amberg-Sulzbach) 87 Q 18
Gunzendorf (Kreis Ansbach) 86 R 14
Gunzendorf (Kreis Bamberg) 87 Q 17
Gunzenhausen 96 S 16
Gunzenheim 96 T 16
Gunzesried 111 X 14
Gurtweil 108 X 8
Gusborn 32 G 17
Gusenburg 81 R 4
Gusow 35 I 27
Gussenstadt 95 U 13
Gussow 44 J 25
Gustavsburg 74 Q 8
Gustorf 58 M 3
Gustow 13 D 23
Gutach (Schwarzwaldbahn) 100 V 8
Gutach i. Breisgau 100 V 7
Guteborn 56 L 25
Gutenberg 94 U 12
Gutendorf 65 N 17
Guteneck 89 R 20
Gutenfürst 78 O 19
Gutengermendorf 34 H 23
Gutenstein 102 V 11
Gutenstetten 86 R 15
Gutenswegen 42 J 18
Gutenthal 81 Q 5
Gutenzell 103 V 13
Gutenzell-Hürbel 103 V 13
Guthmannshausen 65 M 18
Gutmadingen 101 W 9
Gutow 23 E 20
Guttau 57 M 27
Guttenberg (Burg) 85 S 11
Guttenberg (Kreis Kulmbach) 77 P 18
Guttenburg 106 V 21
Guttenthau 78 Q 19
Guxhagen 51 M 12
Gyhum 29 G 11
Gymnich 59 N 4

H

Haag (Kreis Bayreuth) 77 Q 18
Haag (Kreis Bernkastel-Wittlich) 72 Q 5
Haag (Kreis Kitzingen) 86 Q 15
Haag (Kreis Schwandorf) 89 R 21
Haag (Rhein-Neckar-Kreis) 84 R 10
Haag a. d. Amper 105 U 19
Haag i. Oberbayern 105 V 20
Haale 8 D 12
Haan 48 M 5
Haar 105 V 19
Haar (Kreis Emsland) 26 H 6
Haar (Kreis Lüneburg) 21 G 16
Haarbach 99 U 23
Haarbrück 51 L 12
Haarbrücken 77 P 17
Haard 76 P 14
Haard (Die) 47 K 5
Haardt 83 S 7
Haardtkopf 72 Q 5
Haaren 50 L 10
Haasow 57 K 27
Haaßel 19 F 11
Habach 112 W 17
Habbelrath 59 N 4
Habel (Insel) 5 B 13
Haberloh 29 G 11
Haberskirchen 98 U 21
Habichtsthal 75 P 12
Habichtswald 51 M 11
Habighorst 30 H 14
Habinghorst 47 L 5
Habischried 91 T 23
Habitzheim 74 Q 10
Habkirchen 82 S 5
Habsberg 100 W 8
Habscheid 70 P 2
Habsthal 102 W 11
Haby 8 C 13
Hachborn 62 N 10
Hache 29 H 10
Hachelbich 53 L 16
Hachen 49 L 7
Hachenburg 61 O 7
Hachmühlen 39 J 12
Hachtel 86 R 13
Hackenbroich 59 M 4
Hackenheim 73 Q 7
Hackenstedt 40 J 14
Hackpfüffel 53 L 17
Hadamar 73 O 8
Haddorf 36 J 5
Hadeln 18 E 10
Hadelner Kanal 18 E 10
Hademstorf 30 H 12
Hadenfeld 8 D 12
Hadersbach 98 T 21
Hadmersleben 41 K 17
Häder 103 U 15
Häfnerhaslach 93 S 10
Häg 108 W 7
Hägelberg 108 X 7
Häger (Kreis Bielefeld) 38 J 9
Häger (Kreis Münster West) 37 J 6
Hähnichen 57 L 28
Hähnlein 84 Q 9
Hämelerwald 40 I 14
Hämelhausen 29 H 11
Hämelschenburg 39 J 12
Hämelsee 29 H 11
Hämerten 32 I 19
Hämmern 77 O 17
Hänchen 57 K 26
Hänigsen 40 I 14
Hänner 108 X 8
Härdler 62 M 8
Härtsfeld 95 T 14
Häsen 34 H 23
Häusern 108 W 8
Häuslingen 29 H 12
Hafenlohr 75 Q 12
Hafenpreppach 76 P 16
Hafenreut 96 T 16
Haferungen 52 L 15
Haffen-Mehr 46 K 3
Haffkrug 9 D 16
Haftenkamp 26 I 4
Hagau 96 T 16
Hage 16 F 5
Hagebök 10 E 18
Hagelstadt 97 T 20
Hagen 47 L 6
Hagen (Hochsauerlandkreis) 49 M 7
Hagen (Kreis Gifhorn) 31 H 15
Hagen (Kreis Hameln-Pyrmont) 39 K 11
Hagen (Kreis Hannover) 29 I 12
Hagen (Kreis Paderborn) 50 K 9
Hagen (Kreis Segeberg) 8 E 13
Hagen (Kreis Stade) 19 F 12
Hagen (Kreis Verden) 29 H 11
Hagen a. Teutoburger Wald 37 J 7
Hagen i. Bremischen 18 F 9
Hagenah 19 F 11
Hagenau 86 S 14
Hagenauer Forst 96 U 17
Hagenbach 93 S 9
Hagenbüchach 86 R 16
Hagenburg 39 I 11
Hagendorf 89 R 21
Hagenheim 104 W 16
Hagenhill 97 T 19
Hagenort 37 J 6
Hagenow 21 F 17
Hagenow Heide 21 F 17
Hagenwerder 69 M 28
Hagermarsch 16 F 5
Hagnau 110 W 11
Hagstedt 27 H 8
Hahausen 40 K 14
Hahle 52 L 14
Hahlen 27 H 7
Hahlen 39 J 10
Hahn (Kreis Darmstadt-Dieburg) 84 Q 9
Hahn (Rhein-Hunsrück-Kreis) 72 Q 5
Hahn (Rheingau-Taunus-Kreis) 73 P 8
Hahn am See 61 O 7
Hahnbach 88 R 19
Hahndorf 40 K 15
Hahnenbach (Stadt) 72 Q 6
Hahnenhorn 40 I 15
Hahnenkamm 96 S 16
Hahnenkammsee 96 T 16
Hahnenklee 52 K 15
Hahnenmoor (Kreis Osnabrück) 27 H 7
Hahnerberg 48 M 5
Hahnheim 73 Q 8
Hahnstätten 73 P 8
Haibach (Kreis Aschaffenburg) 75 Q 11
Haibach (Kreis Straubing-Bogen) 91 S 22
Haibühl 91 S 23
Haida 56 L 24
Haidel 99 T 25
Haidemühl 56 L 26
Haidenaab 78 Q 19
Haidenburg 98 U 23
Haidenkofen 98 T 21
Haidgau 102 W 13
Haidlfing 98 T 22
Haidmühle 99 T 25
Haidt 78 O 19
Haig 77 P 17
Haiger 61 N 8
Haigerach 100 U 8
Haigerloch 101 U 10
Hailfingen 93 U 10
Hailing 98 T 21
Hailtingen 102 V 12
Haimar 40 J 14
Haimbach 63 O 12
Haimhausen 105 V 18
Haiming 106 V 22
Haimpertshofen 97 U 18
Hain 53 L 16
Hain-Gründau 75 P 11
Haina 76 O 15
Haina 62 M 10
Hainbach 114 W 20
Hainbach 83 S 8
Hainbach (Dorf) 63 N 11
Hainberg 40 J 14
Hainburg 74 P 10
Hainchen 66 M 19
Hainchen (Kreis Siegen-Wittgenstein) 61 N 8
Hainchen (Wetteraukreis) 74 P 10
Haindlfing 105 U 19
Hainewalde 69 N 28
Haingersdorf 98 U 22
Haingrund 84 Q 11
Hainhausen 74 P 10
Hainich 64 M 15
Hainichen (Kreis Leipziger Land) 67 N 23
Hainichen (Kreis Mittweida) 67 M 21
Hainleite 53 L 16
Hainmühlen 18 F 10
Hainrode 52 L 16
Hainrode (Hainleite) 53 L 17
Hainsacker 90 S 20
Hainsbach 98 T 21
Hainsfarth 95 T 15
Hainspitz 66 N 19
Hainstadt (Kreis Offenbach) 74 P 10
Hainstadt (Neckar-Odenwald-Kreis) 85 R 11
Hainstadt (Odenwaldkreis) 84 Q 11
Haintchen 74 O 8
Hainzell 63 O 12
Haisterkirch 102 W 13
Haiterbach 93 U 9
Hajen 39 J 12
Hakeborn 42 K 18
Hakel 53 K 17
Hakenberg 33 H 22
Hakenberg 50 L 10
Hakenstedt 41 J 17
Halbe 44 J 25
Halbemond 16 F 5
Halbendorf (Kreis Bautzen) 57 M 27
Halbendorf (Niederschlesischer Oberlausitzkr.) 57 L 27
Halberstadt 41 K 17
Halblech 112 X 16
Halchter 41 J 15
Haldem 38 I 9
Haldenhof 102 W 11
Haldensleben 42 J 18
Haldensleben II 42 J 18
Haldenwang 103 W 15
Haldern 46 K 3
Halen (Kreis Cloppenburg) 27 H 8
Halen (Kreis Osnabrück) 37 I 7
Halenbeck 23 G 20
Halfing 105 W 20
Halgehausen 62 M 10
Halingen 49 L 7
Hallbergmoos 105 V 19
Halle 54 L 19
Halle 38 J 9
Halle (Kreis Grafschaft-Bentheim) 36 I 4
Halle (Kreis Holzminden) 39 K 12
Halle-Neustadt 54 L 19
Hallenberg 62 M 9
Hallendorf 40 J 15
Hallerndorf 87 Q 16
Hallerstein 78 P 19
Hallertau 97 U 18
Hallgarten 83 Q 7
Halligen 4 C 9
Hallschlag 70 O 3
Hallstadt 77 Q 16
Hallwangen 93 U 9
Halsbach (Kreis Altötting) 106 V 22
Halsbach (Kreis Main-Spessart) 75 P 12
Halsbek 17 G 7
Halsbrücke 68 N 24
Halsdorf 62 N 10
Halsenbach 71 P 6
Halserspitz 113 X 19
Halstenbek 19 F 13
Haltern (Kreis Recklinghausen) 47 K 5
Haltern (Kreis Steinfurt) 36 J 5
Halterner Stausee 47 K 5
Haltingen 108 X 6
Halver 49 M 6
Halverde 37 I 7
Halvesbostel 19 F 12
Halvestorf 39 J 11
Halzhausen 95 U 13
Hamb 46 L 3
Hambach 58 N 3
Hambach 76 P 14
Hambacher Schloß 83 S 8
Hamberg 97 S 19
Hamberge 21 E 15
Hambergen 18 G 10
Hamborn 47 L 4
Hambrücken 84 S 9
Hambuch 71 P 5
Hambühren 30 I 13
Hamburg 19 F 14
Hamburg-Fuhlsbüttel (Flughafen) 19 F 13
Hamburger Hallig 4 C 10
Hamdorf (Kreis Rendsburg-Eckernförde) 8 D 12
Hamdorf (Kreis Segeberg) 9 E 14
Hameln 39 J 12
Hamelspringe 39 J 12
Hamelwörden 19 E 11
Hamelwördenermoor 19 E 11
Hamersen 19 G 12
Hamersleben 41 J 17
Hamfelde 20 F 15
Hamm
Hamm (Kreis Alzey-Worms) 84 Q 9
Hamm (Kreis Recklinghausen) 47 K 5
Hamm (Sieg) 61 N 7
Hamm (Westfalen) 49 K 7
Hammah 19 F 12
Hamme 47 G 10
Hammel 27 H 7
Hammelbach 84 R 10
Hammelburg 75 P 13
Hammelspring 34 G 24
Hammenstedt 52 K 14
Hammer 70 O 2
Hammer 106 W 22
Hammer (Kreis Herzogtum Lauenburg) 21 F 15
Hammer (Kreis Oberhavel) 34 H 24
Hammer a. d. Ücker 25 F 25
Hammer-unterwiesenthal 79 O 23
Hammerau 106 W 22

Hammerbrücke .... 79 O 21
Hammereisenbach-Bregenbach .... 101 W 8
Hammerfließ .... 44 J 24
Hammersbach .... 74 P 10
Hammerschmiede See .... 95 T 13
Hammerstein .... 81 Q 5
Hammerstein .... 108 W 6
Hamminkeln .... 46 K 3
Hammoor .... 20 E 14
Hamstrup .... 27 H 7
Hamwarde .... 20 F 15
Hamweddel .... 8 D 12
Hamwiede .... 30 H 12
Hanau .... 74 P 10
Handeloh .... 19 G 13
Handewitt .... 5 B 11
Handorf .... 37 K 7
Handorf *(Kreis Lüneburg)* .... 20 F 15
Handorf *(Kreis Peine)* .... 40 J 14
Handrup .... 27 I 6
Handzell .... 96 U 17
Haneberg .... 27 I 6
Hanerau-Hademarschen .... 8 D 12
Hangelar *(Bonn)* .... 59 N 5
Hangelsberg .... 44 I 25
Hanhofen .... 84 S 9
Hankensbüttel *(Isenhagen)* .... 31 H 15
Hankofen .... 98 T 21
Hann. Münden .... 51 L 12
Hannberg .... 87 R 16
Hannebach .... 71 O 5
Hannersgrün .... 88 R 20
Hannober .... 110 W 13
Hannover .... 40 I 13
Hannover-Langenhagen *(Flughafen)* .... 40 I 13
Hansapark .... 9 D 16
Hansell .... 37 J 6
Hansen .... 31 H 15
Hanshagen *(Kreis Nordwestmecklenburg)* .... 21 E 17
Hanshagen *(Kreis Ostvorpommern)* .... 14 D 24
Hanstedt *(Kreis Harburg)* .... 19 G 14
Hanstedt *(Kreis Rotenburg)* .... 18 G 11
Hanstedt *(Kreis Uelzen)* .... 31 G 15
Hanstedt II .... 31 H 15
Hanstorf .... 11 D 19
Hansühn .... 9 D 16
Hanswarft .... 4 C 9
Hanum .... 31 H 16
Happenweiler .... 110 W 12
Happing .... 105 W 20
Happurg .... 87 R 18
Harb .... 74 O 10
Harbach .... 61 N 7
Harbarnsen .... 40 K 13
Harber .... 30 H 13
Harbergen .... 29 H 11
Harbke .... 41 J 17
Harburg *(Hamburg)* .... 19 F 13
Harburg (Schwaben) .... 96 T 16
Hardebek .... 8 E 13
Hardegsen .... 51 L 13
Hardehausen .... 50 L 10
Hardenbeck .... 24 G 24
Hardenburg .... 83 R 8
Harderode .... 39 J 12
Hardert .... 61 O 6
Hardesby .... 5 B 12
Hardheim .... 85 R 12
Hardisleben .... 65 M 18
Hardt .... 101 V 9
Hardt *(Kreis Warendorf)* .... 49 K 7
Hardt (Mönchengladbach-) .... 58 M 3
Hardtberg *(Bonn)* .... 59 N 5
Hardthausen .... 85 S 12
Hardtwald .... 93 S 9
Haren .... 26 H 5
Harenberg .... 40 I 12
Hargesheim .... 73 Q 7
Harheim .... 74 P 10
Harkebrügge .... 27 G 7
Harkemissen .... 39 J 10
Harkensee .... 10 E 16
Harkerode .... 53 K 18
Harksheide .... 19 E 14
Harle .... 63 M 12
Harleshausen .... 51 L 12
Harlesiel .... 17 E 7
Harlingen .... 80 R 3
Harlingerode .... 41 K 15
Harmating .... 105 W 18
Harmelingen .... 30 G 13
Harmenhausen .... 29 G 9
Harmsdorf *(Kreis Herzogtum Lauenburg)* .... 21 E 16
Harmsdorf *(Kreis Ostholstein)* .... 9 D 16
Harmstorf *(Kreis Harburg)* .... 19 F 13
Harmstorf *(Kreis Lüneburg)* .... 31 G 16
Harmuthsachsen .... 63 M 13
Harnekop .... 35 H 26
Harpe .... 32 H 18
Harperscheid .... 70 O 3
Harpfing .... 106 V 21
Harpstedt .... 29 H 9
Harra .... 78 O 19
Harras .... 77 O 16
Harrbach .... 75 P 13
Harrendorf .... 18 F 10
Harrenstätte .... 27 H 6
Harriehausen .... 52 K 14
Harrienstädt .... 39 I 10
Harrierwurp .... 18 G 9
Harrislee .... 5 B 12
Harrlach .... 87 S 17
Harscheid .... 59 N 6
Harsdorf .... 77 P 18
Harsefeld .... 19 F 12
Harsewinkel .... 37 K 8
Harsleben .... 53 K 17
Harste .... 51 L 13
Harsum .... 40 J 13
Harsweg .... 16 F 5
Hart .... 101 U 10
Hart a. d. Alz .... 106 V 21
Hartefeld .... 46 L 3
Hartegasse .... 59 M 6
Hartenholm .... 20 E 14
Hartenrod .... 62 N 9
Hartenstein .... 67 O 22
Hartenstein .... 87 R 18
Harter Kopf .... 83 R 7
Hartershausen .... 63 O 12
Harth .... 50 L 9
Hartha *(Kreis Döbeln)* .... 67 M 22
Hartha *(Weißeritzkreis)* .... 68 N 24
Harthausen *(Kreis Ludwigshafen)* .... 84 S 9
Harthausen *(Kreis München)* .... 105 V 19
Harthausen *(Kreis Rottweil)* .... 101 V 9
Harthausen *(Main-Tauber-Kreis)* .... 85 R 13
Harthausen a. d. Scheer .... 102 V 11
Harthausen b. Feildhausen .... 102 V 11
Hartheim *(Kreis Breisgau-Hochschwarzwald)* .... 100 W 6
Hartheim *(Zollernalbkreis)* .... 101 V 10
Harthofen .... 105 V 19
Hartkirchen .... 107 U 24
Hartmannsbach .... 68 N 25
Hartmannsdorf *(Kreis Dahme-Spreewald)* .... 44 K 25
Hartmannsdorf *(Kreis Mittweida)* .... 67 N 22
Hartmannsdorf *(Kreis Oder-Spree)* .... 44 I 25
Hartmannsdorf *(Kreis Zwickauer Land)* .... 67 O 21
Hartmannsdorf *(Saale-Holzland-Kreis)* .... 66 N 19
Hartmannsdorf-Reichenau .... 68 N 24
Hartmannsgrün .... 66 O 20
Hartmannshain .... 75 O 11
Hartmannshof .... 87 R 18
Hartum .... 39 J 10
Harxheim .... 73 Q 8
Harz .... 53 K 15

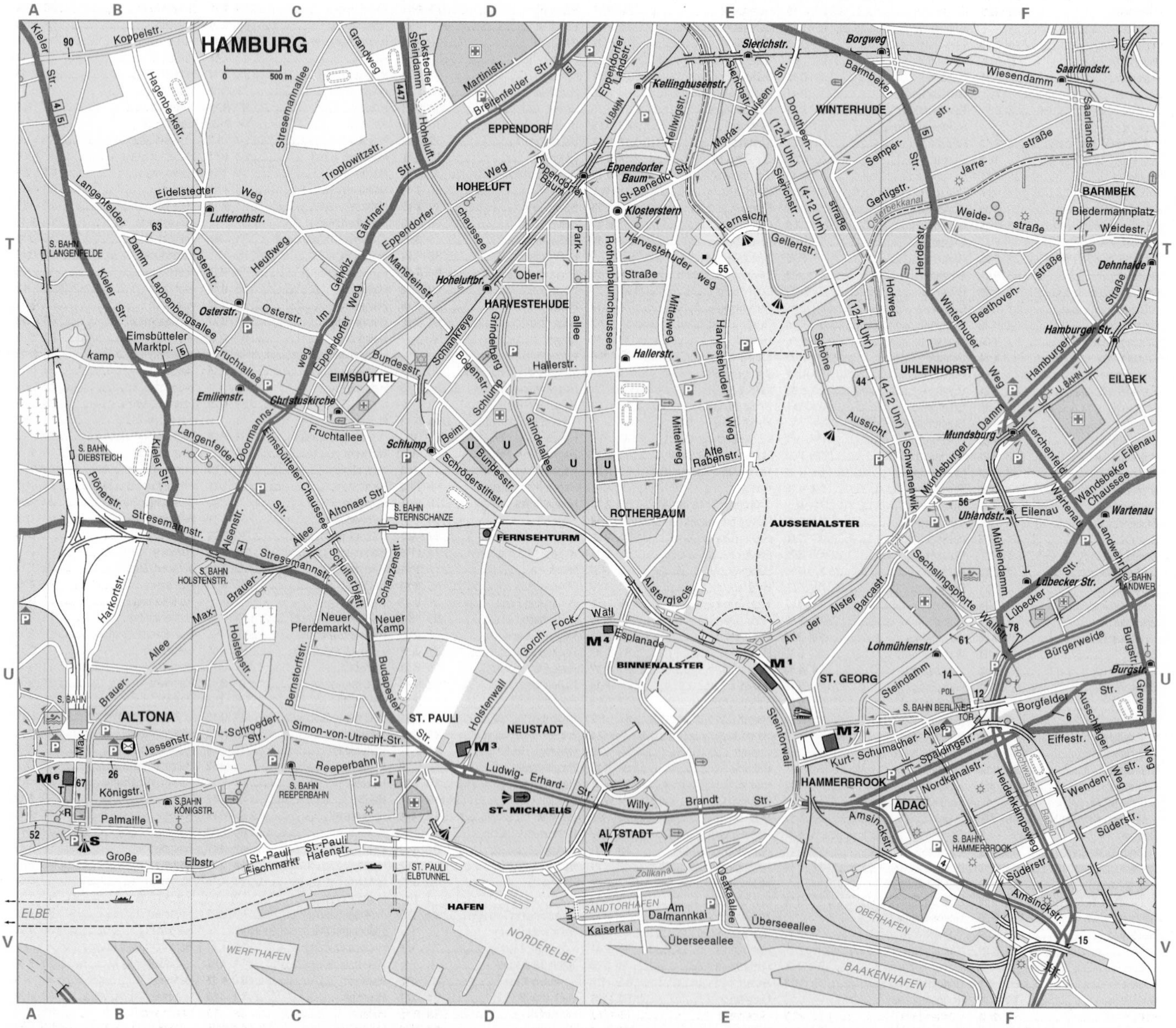

Anckelmannstr. .... FU 6
Beim Strohhause .... FU 12
Berliner Tor .... FU 14
Billhorner Brückenstr. .... FV 15
Ehrenbergstr. .... BU 26
Herbert-Weichmann-Str. .... ET 44
Klopstockstr. .... AU 52
Krugkoppel .... ET 55
Kuhmühle .... FU 56
Lübecker Tordamm .... FU 61
Müggenkampstr. .... BT 63
Platz der Republik .... BU 67
Sportplatzring .... BT 90
Steinhauerdamm .... FU 78

Harz-Hochstraße 52 K 15
Harzgerode 53 L 17
Hasberg 103 V 15
Hasbergen 37 J 7
Hasborn 71 P 4
Hasborn-Dautweiler 81 R 4
Hase 37 I 8
Hasede 40 J 13
Hasel 108 O 15
Haselaar 26 I 4
Haselau 19 F 12
Haselbach *(Kreis Neuburg-Schrobenhausen)* 96 U 17
Haselbach *(Kreis Passau)* 99 U 24
Haselbach *(Kreis Rhön-Grabfeld)* 76 O 14
Haselbach *(Kreis Schwandorf)* 88 R 20
Haselbach *(Kreis Sömmerda)* 66 M 21
Haselbach *(Kreis Sonneberg)* 77 O 17
Haselbach *(Kreis Straubing-Bogen)* 91 S 22
Haselberg 35 H 26
Haselbrunn 87 Q 18
Haseldorf 19 F 12
Haseloff-Grabow 43 J 22
Haselstein 63 N 13
Haselünne 27 H 6
Haselund 4 C 11
Hasenfeld 70 O 3
Hasenfelde 45 I 26
Hasenfleet 19 E 11
Hasenmoor 19 E 13
Hasenthal 77 O 17
Hasenweiler 102 W 12
Haslach *(b. Bad Waldsee)* 102 W 13
Haslach *(Kreis Ansbach)* 95 S 15
Haslach *(Kreis Biberach a. d. Riß)* 103 W 14
Haslach *(Kreis Freiburg im Breisgau)* 100 W 7
Haslach *(Kreis Traunstein)* 106 W 21
Haslach im Kinzigtal 100 V 8
Hasloch 85 Q 12
Hasloh 19 E 13
Haspe 49 L 6
Haßberge 76 P 15
Haßberge (Naturpark) 76 P 15
Haßbergen 29 H 11
Hassel *(Kreis Celle)* 30 H 13
Hassel *(Kreis Nienburg)* 29 H 11
Hassel *(Kreis Rotenburg)* 30 G 12
Hassel *(Kreis Stendal)* 32 I 19
Hassel *(Saarpfalz-Kreis)* 82 S 5
Hassel *(Gelsenkirchen-)* 47 L 5
Hasselbach *(Hochtaunuskreis)* 74 O 9
Hasselbach *(Rhein-Hunsrück-Kreis)* 71 P 6
Hasselberg 5 B 13
Hasselbrock 26 H 5
Hasselfelde 53 K 16
Hasselhorst 30 H 13
Hasselroth 75 P 11
Hasselt 46 K 2
Hassenbach 76 P 13
Hassenberg 77 P 17
Hassendorf *(Kreis Ostholstein)* 9 D 15
Hassendorf *(Kreis Rotenburg)* 29 G 11
Hasserode 52 K 16
Haßfurt 76 P 15
Haßlach 77 P 17
Haßlach b. Teuschnitz 77 O 18
Haßleben *(Kreis Sömmerda)* 65 M 16
Haßleben *(Kreis Uckermark)* 25 G 25
Haßlingen 38 I 9
Haßlinghausen 48 L 5
Haßloch 83 R 8
Haßmersheim 85 S 11
Haßmoor 8 D 13
Hassum 46 K 2
Haste 39 I 12
Hastedt 30 G 12
Hasten 48 M 5
Hastenbeck 39 J 12
Hastenrath 58 M 1
Hastenrath *(-Scherpenseel)* 58 N 2
Hatshausen 17 F 6
Hatten 28 G 9
Hattendorf *(Kreis Schaumburg)* 39 J 11
Hattendorf *(Vogelsbergkreis)* 63 N 11
Hattenheim 73 P 8
Hattenhof 75 O 13
Hattenhofen *(Kreis Fürstenfeldbruck)* 104 V 17
Hattenhofen *(Kreis Göppingen)* 94 T 12
Hattenrod 62 O 10
Hattenweiler 102 W 11
Hattersheim 74 P 9
Hattert 61 N 7
Hatterwüsting 28 G 8
Hattgenstein 81 Q 5
Hattingen *(Ennepe-Rhur-Kreis)* 47 L 5
Hattingen *(Kreis Tuttlingen)* 101 W 10
Hattorf 41 I 16
Hattorf a. Harz 52 L 14
Hattrop 49 L 8
Hattstedt 4 C 11
Hatzbach 62 N 11
Hatzenbühl 93 S 8
Hatzenreuth 79 P 21
Hatzfeld 62 N 9
Hatzte 19 G 12
Hatzum 16 G 6
Hau 46 K 2
Haubersbronn 94 T 12
Haueda 51 L 11
Hauenhorst 37 J 6
Hauenstein 83 S 7
Hauerz 103 W 13
Haufeld 65 N 17
Hauingen 108 X 7
Haundorf *(Kreis Erlangen-Höchstadt)* 87 R 16
Haundorf *(Kreis Weißenburg-Gunzenhausen)* 86 S 16
Haune 63 O 13
Hauneck 63 N 13
Haunersdorf 98 U 22
Haunetal 63 N 13
Haunsheim 95 U 15
Haunshofen 104 W 17
Haunstetten *(Kreis Augsburg Stadt)* 104 V 16
Haunstetten *(Kreis Eichstätt)* 96 S 18
Haunswies 104 U 17
Haunwang 105 U 20
Haupt 50 K 9
Hauptgraben 35 I 27
Hauptkanal 29 H 10
Hauptschwenda 63 N 12
Hauptstuhl 81 R 6
Hauröden 52 L 15
Haus i. Wald 99 T 24
Hausach 100 V 8
Hausbach 80 R 4
Hausberge 39 J 10
Hausbruch 19 F 13
Hausdorf 67 M 22
Hausdülmen 47 K 5
Hausen *(Kreis Amberg-Sulzbach)* 88 R 19
Hausen *(Kreis Bad Kissingen)* 76 P 14
Hausen *(Kreis Böblingen)* 93 T 10
Hausen *(Kreis Donau-Ries)* 95 T 15
Hausen *(Kreis Euskirchen)* 58 O 3
Hausen *(Kreis Forchheim)* 87 Q 17
Hausen *(Kreis Kelheim)* 97 T 20
Hausen *(Kreis Limburg-Weilburg)* 61 O 8
Hausen *(Kreis Miltenberg)* 75 Q 11
Hausen *(Kreis Reutlingen)* 102 V 11
Hausen *(Kreis Rhön-Grabfeld)* 76 O 14
Hausen *(Kreis Unterallgäu)* 103 V 15
Hausen *(Kreis Viersen)* 58 M 3
Hausen *(Schwalm-Eder-Kreis)* 63 N 12
Hausen *(Werra-Meißner-Kreis)* 51 M 13
Hausen (Wied) 61 O 6
Hausen a. Andelsbach 102 W 11
Hausen a. Bach 86 S 14
Hausen a. d. Möhlin 100 W 7
Hausen a. Tann 101 V 10
Hausen-Arnsbach 74 P 9
Hausen b. Würzburg 76 Q 14
Hausen i. Killertal 102 V 11
Hausen i. Tal 101 V 11
Hausen i. Wiesental 108 W 7
Hausen v. d. Höhe 73 P 8
Hausen vor Wald 101 W 9
Hausham 113 W 19
Hausknecht 95 T 13
Hausneindorf 53 K 17
Hausselberg 30 H 14
Haussömmern 65 M 16
Hausstette 27 H 8
Haustadt 80 R 4
Hauswurz 75 O 12
Hauteroda 53 M 17
Hauzenberg 99 U 24
Hauzendorf 90 S 20
Hauzenstein 90 S 20
Havekost *(Kreis Herzogtum Lauenburg)* 21 F 15
Havekost *(Kreis Oldenburg)* 29 H 9
Havel 34 G 24
Havelberg 32 H 20
Havelkanal 34 I 23
Havelländischer Großer Hauptkanal 33 I 21
Havelland 43 I 21
Havelsche Mark 42 I 19
Haverbeck 39 J 11
Haverbek 28 I 8
Haverlah 40 J 14
Havetoft 5 C 12
Havetoftloit 5 C 12
Havixbeck 36 K 6
Hawangen 103 W 14
Hayingen 102 V 12
Hayn 53 L 17
Haynrode 52 L 15
Haynsburg 66 M 20
Hebanz 78 P 20
Hebel 63 M 12
Hebelermeer 26 H 5
Hebenhausen 51 L 13
Heber *(Dorf)* 30 G 13
Hebertsfelden 106 U 22
Hebertshausen 104 V 18
Hebramsdorf 97 T 20
Hebrontshausen 97 U 19
Hechingen 101 U 10
Hechlingen 96 T 16
Hechthausen 19 F 11
Hechtsheim 74 Q 8
Heckelberg 34 H 25
Heckenbach 71 O 5
Heckenbeck 40 K 13
Heckentrup 49 K 8
Heckfeld 85 R 12
Heckhuscheid 70 P 2
Hecklingen 53 K 18
Heddesbach 84 R 10
Heddesheim 84 R 9
Heddinghausen 50 L 10
Hedemünden 51 L 13
Hedendorf 19 F 12
Hedeper 41 J 16
Hedersleben *(Kreis Mansfelder Land)* 54 L 18
Hedersleben *(Kreis Quedlinburg)* 53 K 17
Hedwigenkoog 7 D 10
Heede *(Kreis Diepholz)* 28 I 9
Heede *(Kreis Emsland)* 26 H 5
Heedfeld 49 M 6
Heek 36 J 5
Heemsen 29 H 11
Heepen 38 J 9
Heere 40 J 14
Heeren 42 I 19
Heeren-Werve 49 L 7
Heerstedt 18 F 10
Heersum 40 J 14
Heerte 40 J 15
Hees 46 L 2
Heeselicht 68 M 26
Heeslingen 19 G 12
Heessen 49 K 7
Hefersweiler 83 R 7
Hefigkofen 110 W 12
Heftrich 74 P 9
Hegaublick 101 W 10
Hegensdorf 50 L 9
Heggbach 103 V 13
Heggen 61 M 7
Hehlen 39 K 12
Hehlingen 41 I 16
Heidberg 50 L 9
Heide 59 N 4
Heide 7 D 11
Heide 59 N 5
Heide 95 S 15
Heide Park 30 G 13
Heideck 96 S 17
Heidelbach 63 N 11
Heidelbeck 39 J 11
Heidelberg 84 R 10
Heidelheim 78 P 20
Heidelsheim 93 S 9
Heidelstein 76 O 14
Heiden *(Kreis Borken)* 47 K 4
Heiden *(Kreis Lippe)* 39 K 10
Heidenau 68 N 25
Heidenau 19 G 12
Heidenburg 72 Q 4
Heidenend 46 M 2
Heidenfeld 76 Q 14
Heidenheim 96 S 16
Heidenheim a. d. Brenz 95 T 14
Heidenrod 73 P 7
Heidersdorf 68 N 24
Heidesheim a. Rhein 73 Q 8
Heidgraben 19 E 13
Heidhausen 39 I 11
Heidhof 32 G 17
Heidhusen 28 G 9
Heidingsfeld 85 Q 13
Heidkate 9 C 14
Heidmoor 19 E 13
Heidmühlen 9 E 14
Heidweiler 72 Q 4
Heigenbrücken 75 P 12
Heikendorf 9 C 14
Heilbronn 94 S 11
Heilgersdorf 77 P 16
Heiligenberg 102 W 11
Heiligendamm 11 D 19
Heiligendorf 41 I 16
Heiligenfelde 32 H 18
Heiligenfelde 29 H 10
Heiligengrabe 33 G 21
Heiligenhafen 10 C 16
Heiligenhagen 11 D 19
Heiligenhaus *(Kreis Mettmann)* 48 M 4
Heiligenhaus *(Rheinisch-Bergischer Kreis)* 59 N 5
Heiligenkirchen 39 K 10
Heiligenloh 29 H 9
Heiligenrode 29 H 10
Heiligenroth 73 O 7
Heiligenstadt 52 L 14
Heiligenstadt 77 Q 17
Heiligenstedten 8 E 12
Heiligenstein 84 S 9
Heiligenthal 53 L 18
Heiligenthal 31 G 15
Heiligenzimmern 101 V 10
Heiligkreuz *(Kreis Bad Kissingen)* 75 P 13
Heiligkreuz *(Kreis Traunstein)* 106 V 21
Heiligkreuzsteinach 84 R 10
Heiligkreuztal 102 V 12
Heilingen 65 N 18
Heilinghausen 89 S 20
Heilsau 21 E 15
Heilsbronn 86 R 16
Heilshoop 21 E 15
Heilshorn 18 G 10
Heimarshausen 63 M 11
Heimbach 100 V 7
Heimbach *(Kreis Birkenfeld)* 81 R 5
Heimbach *(Kreis Düren)* 70 O 3
Heimbach *(Schwalm-Eder-Kreis)* 62 N 11
Heimbach-Weis 71 O 6
Heimboldshausen 64 N 13
Heimborn 61 N 7
Heimbuchenthal 75 Q 11
Heimburg 53 K 16
Heimenkirch 111 X 13
Heimerdingen 93 T 10
Heimersheim 60 O 5
Heimertingen 103 V 14
Heimertshausen 63 N 11
Heimerzheim 59 N 4
Heimsen 39 I 11
Heimsheim 93 T 10
Heimweiler 81 Q 6
Heinade 51 K 12
Heinbockel 19 F 11
Heinde 40 J 14
Heinebach 63 M 13
Heinefelde 28 H 8
Heinersbrück 57 K 27
Heinersdorf *(Kreis Ansbach)* 95 S 15
Heinersdorf *(Kreis Oder-Spree)* 45 I 26
Heinersdorf *(Kreis Sonneberg)* 77 O 17
Heinersdorf *(Kreis Uckermark)* 35 G 26
Heinersdorf *(Saale-Orla-Kreis)* 77 O 18
Heinersgrün 78 O 19
Heinersreuth *(Kreis Bayreuth)* 77 Q 18
Heinersreuth *(Kreis Kulmbach)* 77 P 18
Heinersreuth *(Kreis Neustadt a. d. Waldnaab)* 88 Q 19
Heiningen 41 J 15
Heiningen 94 U 12
Heinkenborstel 8 D 13
Heinrichs 64 O 15
Heinrichsberg 42 J 19
Heinrichsdorf 33 G 21
Heinrichsdorf 50 M 9
Heinrichshagen 39 K 12
Heinrichsort 67 N 21
Heinrichsruh 25 F 25
Heinrichsthal 75 P 12
Heinrichswalde 25 F 25
Heinsberg 58 M 2
Heinsberg *(Kreis Olpe)* 61 M 8
Heinschenwalde 18 F 10
Heinsen *(Kreis Holzminden)* 39 K 12
Heinsen *(Kreis Lüneburg)* 31 G 15
Heinsheim 85 S 11
Heinstetten 101 V 10
Heintrop 49 L 8
Heinum 40 J 13
Heinzenbach 72 Q 6
Heinzenberg 74 O 9
Heisebeck 51 L 12
Heisede 40 J 13
Heisingen *(Essen)* 47 L 5
Heißenbüttel 18 G 10
Heist 19 F 12
Heisterbacherrott 59 N 5
Heisterende 19 E 12
Heitersheim 100 W 6
Heithöfen 38 I 9
Helbe 52 L 16
Helbigsdorf 68 M 24
Helbigsdorf *(Kreis Freiberg)* 68 N 24
Helbra 53 L 18
Heldburg 76 P 16
Helden 61 M 7
Heldenbergen 74 P 10
Heldenstein 106 V 21
Heldmannsberg 87 R 18
Heldra 64 M 14
Heldritt 77 O 16
Heldrungen 53 M 17
Helenenberg 80 Q 3
Helenesee 45 J 27
Helfant 80 R 3
Helferskirchen 61 O 7
Helfta 53 L 18
Helgoländer Bucht 6 E 7
Helgoland 6 D 7
Helgoland-Düne *(Flughafen)* 6 D 7
Hell Berge 32 I 17
Hellberg 70 O 3
Helle 32 G 20
Hellefeld 49 M 8
Hellendorf 68 N 25
Hellengerst 111 X 14
Hellenhahn-Schellenberg 61 O 8
Hellental 51 K 12
Hellenthal 70 O 3
Heller 36 N 8
Hellersdorf 44 I 24
Hellertshausen 72 Q 5
Hellingen 76 P 16
Hellingst 18 F 10
Hellstein 75 P 11
Hellwege 29 G 11
Helm 21 F 17
Helmarshausen 51 L 12
Helmbrechts *(Kreis Hof)* 78 P 19
Helmbrechts *(Kreis Tirschenreuth)* 78 Q 20
Helme 53 L 16
Helmerkamp 31 I 14
Helmern *(Kreis Höxter)* 51 L 11
Helmern *(Kreis Paderborn)* 50 L 10
Helmers 64 N 14
Helmershausen 64 O 14
Helmighausen 27 H 7
Helmighausen 50 L 10
Helminghausen 50 L 10
Helmlingen 92 T 7
Helmscherode 40 K 14
Helmsdorf 52 M 15
Helmsdorf b. Pirna 68 M 26
Helmsgrün 66 O 20
Helmsheim 93 S 9
Helmstadt 85 Q 13
Helmstadt-Bargen 84 S 10
Helmste 19 F 12
Helmstedt 41 J 17
Helmstorf 9 D 15
Helpershain 63 O 11
Helpsen 39 J 11
Helpt 24 F 24
Helpter Berge 24 F 24
Helpup 38 K 10
Helsa 51 M 13
Helse 7 E 11
Helsen 50 L 11
Helstorf 30 I 12
Helte 26 H 6
Heltersberg 83 S 7
Helvesiek 30 G 12
Hemau 90 S 19
Hembergen 37 J 6
Hembsen 51 K 11
Hemden 36 K 3
Hemdingen 19 E 13
Hemeln 51 L 12
Hemer 49 L 7
Hemeringen 39 J 11
Hemfurth 62 M 11
Hemhof 106 W 21
Hemhofen 87 Q 16
Hemleben 53 M 17
Hemme 7 D 11
Hemmelmark 5 C 13
Hemmelsdorf 9 E 16
Hemmelsdorfer See 9 E 16
Hemmelte 27 H 7
Hemmendorf 39 J 12
Hemmendorf 101 U 10
Hemmenhofen 109 W 10
Hemmerde 49 L 7
Hemmerden 58 M 3
Hemmern 50 L 9
Hemmersdorf 80 R 3
Hemmersheim 86 R 14
Hemmingen 40 J 13
Hemmingen 94 T 11
Hemmingstedt 7 D 11
Hemmoor 19 E 11
Hemsbach 84 R 9
Hemsbünde 30 G 12
Hemsen *(Kreis Emsland)* 26 H 5
Hemsen *(Kreis Soltau-Fallingbostel)* 30 G 13
Hemsendorf 55 K 22
Hemslingen 30 G 12
Hemstedt 32 I 18
Hendungen 76 O 15
Henfenfeld 87 R 18
Heng 87 S 18
Hengen 94 U 12
Hengersberg 98 T 23
Hengersberger Ohe 99 T 23
Henglarn 50 L 10
Hengsen 49 L 6
Hengsterholz 28 H 9
Hengstfeld 86 S 14
Hengstlage 27 H 8
Henneberg 76 O 15
Hennef 59 N 5
Hennen 49 L 6
Hennersdorf *(Kreis Elbe-Elster)* 56 L 24
Hennersdorf *(Weißeritzkreis)* 68 N 24

Hennesee 50 L 8
Hennethal 73 P 8
Hennickendorf *(Kreis Märkisch-Oderland)* 44 I 25
Hennickendorf *(Kreis Teltow-Fläming)* 43 J 23
Hennigsdorf 34 I 23
Henningen 31 H 16
Henningsleben 64 M 15
Hennstedt *(Kreis Dithmarschen)* 7 D 11
Hennstedt *(Kreis Steinburg)* 8 D 13
Hennweiler 72 Q 6
Henstedt *(Kreis Diepholz)* 29 H 10
Henstedt *(Kreis Segeberg)* 20 E 14
Hentern 80 R 4
Hentrup 50 K 8
Henzendorf 45 J 27
Hepberg 96 T 18
Heppendorf 58 N 3
Heppenheim (Bergstraße) 84 R 8
Heppenheim a. d. Weise 83 R 9
Hepstedt 18 G 11
Herbede 47 L 5
Herbelhausen 62 M 10
Herbergen 27 H 7
Herbern 49 K 6
Herbertingen 102 V 12
Herbertshofen 96 U 16
Herbolzheim *(Kreis Emmendingen)* 100 V 7
Herbolzheim *(Kreis Neustadt a. d. A.-Bad W.)* 86 R 15
Herborn 62 N 8
Herbram 50 K 10
Herbram Wald 50 K 10
Herbrechtingen 95 U 14
Herbrum 26 G 5
Herbrumerkämpe 26 G 6
Herbsen 50 L 11
Herbsleben 65 M 16
Herbstadt 76 P 15
Herbstein 63 O 12
Herbsthausen 85 R 13
Herchen 59 N 6
Herchenhain 75 O 11
Herchweiler 81 R 5
Hercules *(Kassel)* 63 M 12
Herda 64 N 14
Herdecke 47 L 6
Herdern 100 V 7
Herdorf 61 N 7
Herdringen 49 L 7
Herdwangen 102 W 11
Heretsried 104 U 16
Herfa 63 N 13
Herfatz 110 W 13
Herford 38 J 10
Herforst 72 Q 4
Hergarten 60 O 3
Hergatz 110 X 13
Hergershausen *(Kreis Darmstadt-Dieburg)* 74 Q 10
Hergershausen *(Kreis Hersfeld-Rotenburg)* 63 M 13
Herges 64 N 15
Hergisdorf 53 L 18
Hergolshausen 76 Q 14
Herhagen 50 M 8
Herhahn 70 O 3
Hering 84 Q 10
Heringen 53 L 16
Heringen 73 P 8
Heringen (Werra) 64 N 14
Heringhausen *(Hochsauerlandkreis)* 50 L 9
Heringhausen *(Kreis Waldeck-Frankenberg)* 50 L 10
Heringsdorf *(Kreis Ostholstein)* 10 D 17
Heringsdorf *(Kreis Ostvorpommern)* 15 E 26
Herkenrath 59 N 5
Herlasgrün 66 O 20
Herlazhofen 111 W 14
Herlefeld 63 M 13
Herleshausen 64 M 14
Herlheim 76 Q 14
Herlinghausen 51 L 11
Hermannsburg 30 H 14
Hermannsdenkmal *(Detmold)* 39 K 10
Hermannsdorf 67 O 22
Hermannsfeld 76 O 14
Hermannshof 11 D 21
Hermannskoppe 75 P 12
Hermannsreuth 89 Q 21
Hermaringen 95 U 14
Hermersberg 81 S 6
Hermersbergerhof 83 S 7
Hermersdorf 86 Q 16
Hermersdorf-Obersdorf 35 I 26
Hermershausen 62 N 10
Hermesdorf 70 Q 3
Hermeskeil 81 R 4
Hermsdorf *(Kreis Dahme-Spreewald)* 44 J 25
Hermsdorf *(Kreis Meißen-Dresden)* 68 M 25
Hermsdorf *(Kreis Oberspreewald-Lausitz)* 56 L 25
Hermsdorf *(Ohrekreis)* 42 J 18
Hermsdorf *(Saale-Holzland-Kreis)* 66 N 19
Hermsdorf (Erzgebirge) 68 N 24
Hermsdorf (Spree) 57 M 27
Hermuthausen 85 S 13
Herne 47 L 5
Heroldingen 95 T 15
Heroldsbach 87 Q 16
Heroldsberg 87 R 17
Heroldstatt 102 U 12
Herolz 75 O 12
Herongen 46 L 2
Herpf 64 O 14
Herreden 52 L 16
Herren Steinfeld 21 E 17
Herrenberg 93 U 10
Herrenchiemsee 106 W 21
Herrendeich 4 C 10
Herrengosserstedt 65 M 18
Herrenhäuser Gärten 40 I 13
Herrenhausen 40 I 13
Herreninsel 106 W 21
Herrentierbach 85 S 13
Herrenwies 93 U 8
Herrenzimmern 101 V 9
Herressen 65 M 18
Herrgottskirche 86 R 14
Herrieden 86 S 15
Herrig 58 N 4
Herringen 49 L 7
Herringhausen *(Kreis Herford)* 38 J 9
Herringhausen *(Kreis Osnabrück Land)* 37 I 8
Herrischried 108 W 8
Herrlingen 103 U 13
Herrnberchtheim 86 R 14
Herrnburg 21 E 16
Herrngiersdorf 97 T 20
Herrnhut 69 M 28
Herrnneuses 86 R 15
Herrnschwende 53 M 17
Herrnsdorf 87 Q 16
Herrnsheim 84 R 8
Herrnwahlthann 97 T 19
Herrsching 104 W 17
Herrstein 81 Q 6
Hersbruck *(Kreis Nürnberger Land)* 87 R 18
Hersbruck Süd *(Kreis Nürnberger Land)* 87 R 18
Hersbrucker Alb 87 R 18
Herschbach 71 O 5
Herschbach (Oberwesterwald) 61 O 7
Herschbach (Unterwesterwald) 61 O 7
Herschberg 83 S 6
Herschdorf *(Ilm-Kreis)* 65 O 17
Herschdorf *(Saale-Orla-Kreis)* 65 N 18
Herscheid 49 M 7
Herschfeld 76 P 14
Herschweiler-Pettersheim 81 R 6
Hersdorf 70 P 3
Hersel 59 N 5
Herßum 27 H 6
Herste 51 K 11
Herstelle 51 L 12
Hertefeld 33 I 22
Herten 47 L 5
Herten 108 X 7
Hertingen 108 W 6
Hertlingshausen 83 R 8
Hertmannsweiler 94 T 12
Hervest 47 K 5
Herwigsdorf 69 M 28
Herxheim a. Berg 83 R 8
Herxheim b. Landau 83 S 8
Herzberg 63 N 12
Herzberg *(Kreis Elbe-Elster)* 55 K 23
Herzberg *(Kreis Oder-Spree)* 45 J 26
Herzberg *(Kreis Ostprignitz-Ruppin)* 33 H 22
Herzberg *(Kreis Parchim)* 23 F 19
Herzberg a. Harz 52 L 15
Herzebrock-Clarholz 37 K 8
Herzfeld *(Kreis Parchim)* 22 G 19
Herzfeld *(Kreis Soest)* 49 L 8
Herzfelde *(Kreis Märkisch-Oderland)* 34 G 24
Herzfelde *(Kreis Uckermark)* 44 I 25
Herzhausen *(Kreis Siegen-Wittgenstein)* 61 N 8
Herzhausen *(Kreis Waldeck-Frankenberg)* 62 M 10
Herzhorn 19 E 12
Herzkamp 48 M 5
Herzlake 27 H 6
Herzogau 89 R 22
Herzogenaurach 87 R 16
Herzogenhorn 100 W 8
Herzogenrath 58 N 2
Herzogenreuth 77 Q 17
Herzogenweiler 101 V 9
Herzogsreut 99 T 24
Herzogstand 112 X 17
Herzogswalde 68 M 24
Herzogsweiler 93 U 9
Herzsprung *(Kreis Ostprignitz-Ruppin)* 33 G 21
Herzsprung *(Kreis Uckermark)* 35 H 25
Hesborn 62 M 9
Hesedorf b. Bremervörde 19 F 11
Hesedorf b. Gyhum 29 G 12
Hesel 17 G 6
Heselwangen 101 V 10
Hesepe *(Kreis Osnabrück)* 37 I 7
Heseper Moor 26 I 5
Heseper Torfwerk 26 I 5
Heskem 62 N 10
Hespert 61 N 7
Heßberg 76 O 16
Heßdorf 87 R 16
Hesselbach 76 P 14
Hesselbach *(Kreis Siegen-Wittgenstein)* 62 N 9
Hesselbach *(Odenwaldkreis)* 84 R 11
Hesselberg 95 S 15
Hesselhurst 92 U 7
Hesselte 36 I 6
Hesselteich 37 J 8
Hessen 41 J 16
Hessenpark 74 P 9
Hessenreuth 88 Q 19
Hessenreuther und Manteler Wald (Naturpark) 88 Q 19
Hessental 94 S 13
Hessenthal 75 Q 11
Hesserode 63 M 12
Heßheim 84 R 8
Hessigheim 94 T 11
Hessisch Lichtenau 63 M 13
Hessisch Oldendorf 39 J 11
Hessische Rhön (Naturpark) 75 O 13
Hessischer Spessart (Naturpark) 75 P 12
Heßlar *(Kreis Main-Spessart)* 75 Q 13
Heßlar *(Schwalm-Eder-Kreis)* 63 M 12
Heßler 47 L 5
Heßles 64 N 15
Heßlingen 39 J 11
Heßloch 83 Q 8
Hesterberg 29 I 10
Hestrup *(Kreis Emsland)* 27 I 6
Hestrup *(Kreis Grafschaft-Bentheim)* 36 I 5
Heteborn 41 K 17
Hetendorf 30 H 14
Hetlingen 19 F 12
Hettenhausen 75 O 13

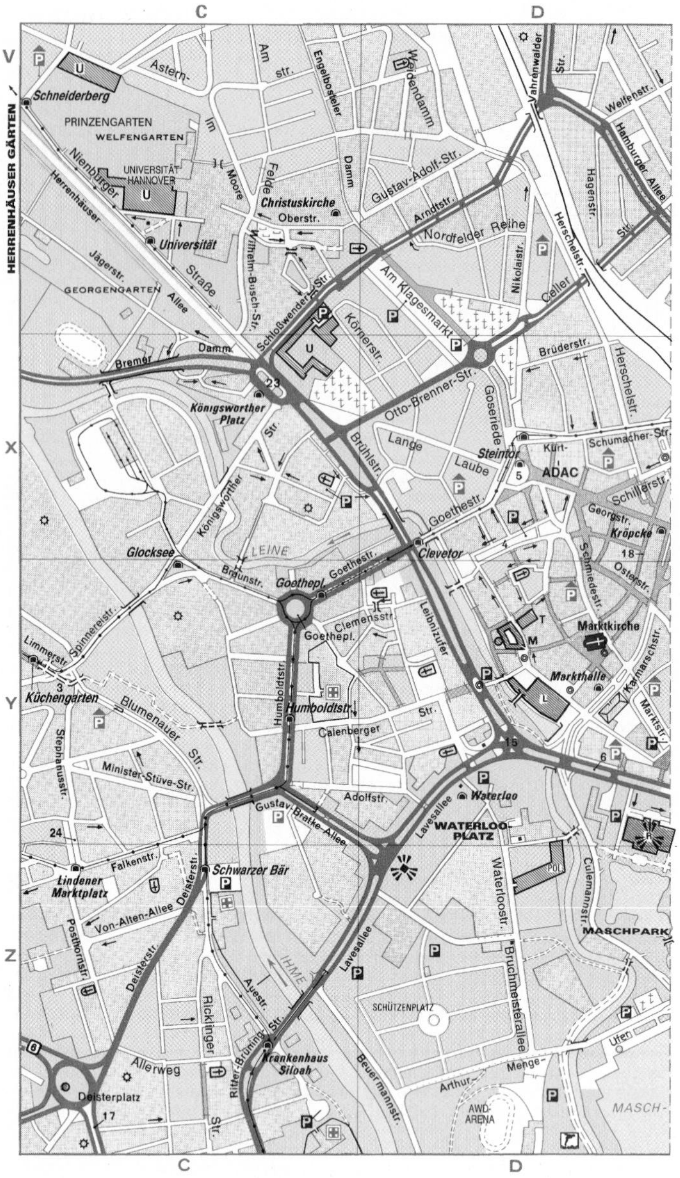

C
D
V
X
Y
Z
Schneiderberg
PRINZENGARTEN
WELFENGARTEN
UNIVERSITÄT HANNOVER
Universität
HERRENHÄUSER GÄRTEN
Christuskirche
GEORGENGARTEN
Königsworther Platz
Steintor
ADAC
Kröpcke
Glocksee
LEINE
Goethepl.
Clevertor
Marktkirche
Markthalle
Küchengarten
Humboldtstr.
Waterloo
WATERLOO-PLATZ
Schwarzer Bär
Lindener Marktplatz
MASCHPARK
SCHÜTZENPLATZ
Krankenhaus Siloah
AWD-ARENA

Hettenleidelheim 83 R 8
Hettenrodt 81 Q 5
Hettensen 51 L 13
Hettingen *(Kreis Sigmaringen)* 102 V 11
Hettingen *(Neckar-Odenwald-Kreis)* 85 R 12
Hettingenbeuern 85 R 11
Hettstadt 85 Q 13
Hettstedt *(Ilm-Kreis)* 65 N 17
Hettstedt *(Kreis Mansfelder Land)* 53 L 18
Hetzbach 84 R 10
Hetzdorf *(Kreis Freiberg)* 68 N 24
Hetzdorf *(Kreis Uckermark)* 25 F 25
Hetzerath 72 Q 4
Hetzerode 63 M 13
Hetzles 87 R 17
Hetzwege 29 G 12
Heubach *(Kreis Darmstadt-Dieburg)* 74 Q 10
Heubach *(Kreis Fulda)* 75 O 13
Heubach *(Kreis Hildburghausen)* 77 O 16
Heubach *(Ostalbkreis)* 95 T 13
Heubisch 77 P 17
Heubült 17 F 8
Heuchelberg 93 S 10
Heuchelheim 62 O 9
Heuchelheim-Klingen 83 S 8
Heuchlingen *(Kreis Heidenheim)* 95 U 14
Heuchlingen *(Ostalbkreis)* 95 T 13
Heuckewalde 66 N 20
Heudeber 41 K 16
Heudorf 18 G 10
Heudorf a. Bussen 102 V 12
Heudorf b. Mengen 102 V 11
Heudorf b. Meßkirch 102 W 11
Heudorf i. Hegau 101 W 10
Heuersdorf 66 M 21
Heuerßen 39 J 11
Heufelden 102 V 13
Heugrumbach 76 Q 13
Heukewalde 66 N 20
Heusenstamm 74 P 10
Heustreu 76 O 14
Heusweiler 81 R 4
Heuthen 52 M 14
Hevensen 51 L 13
Heverstrom 4 C 9
Hewingsen 49 L 8
Hexenagger 97 T 19
Hexenloch 100 V 8
Heyda *(Ilm-Kreis)* 65 N 16
Heyda *(Kreis Riesa-Großenhain)* 55 M 24
Heyen 39 J 12
Heyerode 64 M 14
Heyersum 40 J 13
Heygendorf 53 L 18
Heynitz 68 M 24
Heyrothsberge 42 J 19
Hiddenhausen 38 J 9
Hiddensee *(Insel)* 13 C 23
Hiddesen 39 K 10
Hiddestorf 40 J 13
Hiddingen 30 G 12
Hiddingsel 47 K 6
Hiddingsen 49 L 8
Hienheim 97 T 19
Hienheimer Forst 97 T 19
Hiesfeld 47 L 4
Hilbeck 49 L 7
Hilberath 60 O 4
Hilbersdorf *(Kreis Freiberg)* 68 N 24
Hilbersdorf *(Kreis Greiz)* 66 N 20
Hilbringen 80 R 3
Hilchenbach 61 N 8
Hildburghausen 76 O 16
Hildebrandshagen 24 F 24
Hilden 48 M 4
Hilders 64 O 14
Hildesheim 40 J 13
Hildesheimer Wald 40 J 13
Hildfeld 50 M 9
Hildrizhausen 93 U 10
Hilfarth 58 M 2
Hilgen 59 M 5
Hilgenroth 61 N 6
Hilgermissen 29 H 11
Hilgershausen *(Schwalm-Eder-Kreis)* 63 M 12
Hilgershausen *(Werra-Meißner-Kreis)* 51 M 13
Hilgertshausen 104 U 18
Hilgesdorf 41 J 17
Hilkenbrook 27 H 7
Hilkerode 52 L 14

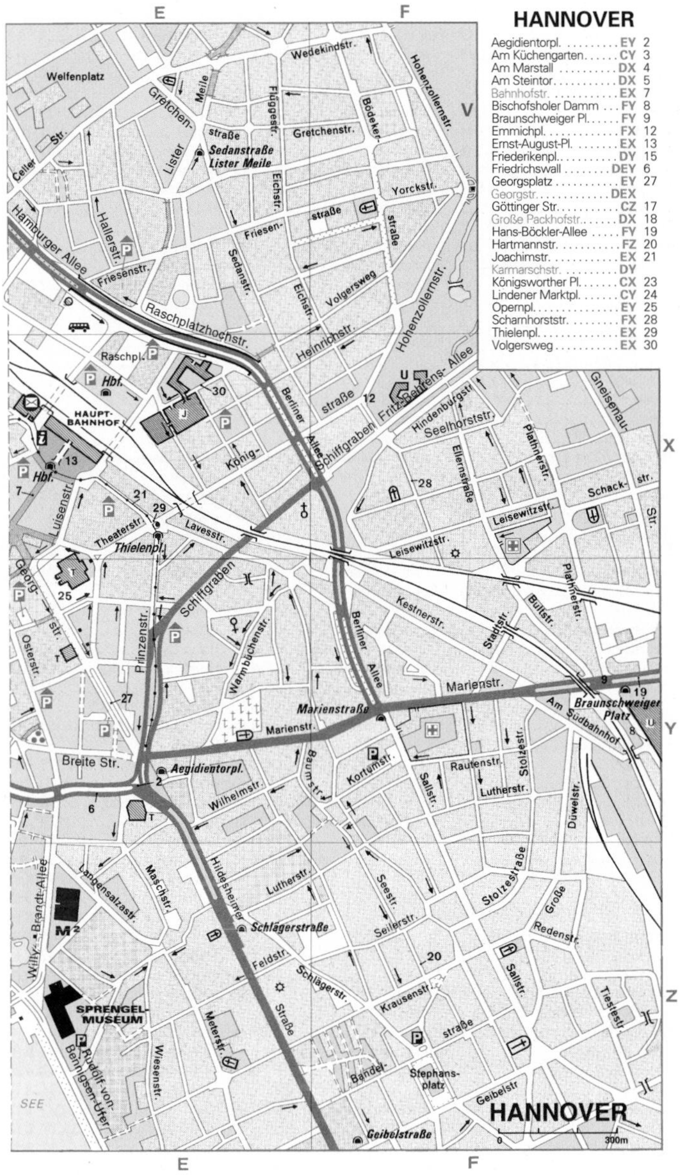

Hille 39 I 10
Hillegossen 38 K 9
Hillensberg 58 N 1
Hillentrup 39 J 10
Hillern 30 G 13
Hillerse (Kreis Gifhorn) 40 I 15
Hillerse
(Kreis Northeim) 52 K 13
Hillershausen 50 M 10
Hillersleben 42 J 18
Hillesheim 70 P 4
Hilligenley 4 C 9
Hilligensehl 30 H 12
Hillmersdorf 56 K 24
Hillscheid 73 O 7
Hilmersdorf 67 N 23
Hilpoltstein 87 S 17
Hils 40 K 13
Hilsbach 84 S 10
Hiltenfingen 104 V 16
Hilter (Ems) 26 H 5
Hilter a.
Teutoburger Wald 37 J 8
Hiltersklingen 84 R 10
Hiltersried 89 R 21
Hiltpoltstein 87 R 17
Hiltrop 47 L 5
Hiltrup 37 K 6
Hilzingen 109 W 10
Himbergen 31 G 16
Himmelgeist 48 M 4
Himmelkron 77 P 18
Himmelmert 49 M 7
Himmelpfort 34 G 23
Himmelpforten 19 F 11
Himmelsberg 52 L 16
Himmelstadt 75 Q 13
Himmelsthür 40 J 13
Himmerod 70 P 4
Himmighausen 50 K 11
Himstedt 40 J 14
Hindelang 111 X 15
Hindenberg (Kreis
Nordwestmecklenburg) 21 E 17
Hindenberg (Kreis
Oberspreewald-Lausitz) 56 K 25
Hindenberg (Kreis
Ostprignitz-Ruppin) 34 G 23
Hindenburg
(Kreis Stendal) 32 H 19
Hindenburg
(Kreis Uckermark) 34 G 24
Hindenburg-Kanzel 91 S 23
Hindenburgdamm 4 B 9
Hinrichsfehn 17 F 7
Hinrichshagen (Kreis
Mecklenburg-Strelitz) 24 F 24
Hinrichshagen (Kreis
Ostvorpommern) 14 D 24
Hinrichshagen
(Kreis Rostock) 11 D 20
Hinsbeck 46 L 2
Hinsdorf 54 K 20
Hinte 16 F 5
Hintereben 99 T 24
Hinterhermsdorf 69 N 27
Hinterheubronn 100 W 7
Hinternah 77 O 16
Hinterschmiding 99 T 24
Hintersee 25 F 26
Hintersee (Kreis Berchtesgadener
Land) 114 X 22
Hinterskirchen 105 U 20
Hinterstein 111 X 15
Hintersteinau 75 O 12
Hintersteinenberg 94 T 13
Hinterweidenthal 83 S 7
Hinterzarten 100 W 8
Hinzdorf 32 H 19
Hinzerath 72 Q 5
Hinzert-
Pölert 81 Q 4
Hinzweiler 81 R 6
Hipstedt 18 F 10
Hirnsberg 105 W 20
Hirrlingen 101 U 10
Hirsau 93 T 10
Hirschaid 87 Q 16
Hirschau (Kreis
Amberg-Sulzbach) 88 R 19
Hirschau
(Kreis Tübingen) 93 U 10
Hirschbach (Kreis
Amberg-Sulzbach) 87 R 18
Hirschbach
(Kreis Hildburghausen) 64 O 16
Hirschbach
(Kreis Rottal-Inn) 106 U 23
Hirschbach
(Weißeritzkreis) 68 N 25
Hirschberg
(Kreis Eichstätt) 96 S 18
Hirschberg (Kreis Soest) 50 L 8
Hirschberg
(Rhein-Lahn-Kreis) 73 O 7
Hirschberg
(Saale-Orla-Kreis) 78 O 19
Hirschberg
an der Bergstraße 84 R 9
Hirschenstein 91 T 22
Hirschfeld
(Kreis Elbe-Elster) 56 L 24
Hirschfeld
(Kreis Freiberg) 68 M 24
Hirschfeld
(Kreis Greiz) 66 N 20
Hirschfeld (Kreis
Schweinfurt Land) 76 Q 14
Hirschfeld
(Kreis Zwickauer Land) 66 O 21
Hirschfelde
(Kreis Barnim) 34 I 25
Hirschfelde
(Kreis Löbau-Zittau) 69 N 28
Hirschgundtal 111 X 14
Hirschhausen 74 O 9
Hirschhorn 106 U 22
Hirschhorn (Neckar) 84 R 10
Hirschhorn (Pfalz) 81 R 7
Hirschneuses 86 R 16
Hirschsprung 100 W 8
Hirschstein 68 M 24
Hirschthal 92 S 7
Hirschwald (Dorf) 88 R 19
Hirten 71 P 5
Hirten 106 V 21
Hirtenstein 67 O 23
Hirzenach 71 P 6
Hirzenhain
(Lahn-Dill-Kreis) 62 N 9
Hirzenhain
(Wetteraukreis) 75 O 11
Historischer Dampfzug
Chanderli 108 W 6
Hitdorf 59 M 4
Hittbergen 21 F 15
Hittfeld 19 F 13
Hitzacker 31 G 17
Hitzelrode 52 M 14
Hitzerode 52 M 13
Hitzhusen 8 E 13
Hitzkirchen 75 O 11
Hitzkofen 102 V 11
Hobeck 42 J 20
Hobendeich 18 F 9
Hoberge Uerentrup 38 J 9
Hoch-Weisel 74 O 9
Hochalb 94 U 13
Hochaltingen 95 T 15
Hochberg 106 W 21
Hochberg (b. Saulgau) 102 W 12
Hochberg
(b. Sigmaringen) 102 V 11
Hochberg
(Kreis Ludwigsburg) 94 T 11
Hochborn 83 Q 8
Hochbruch 46 L 3
Hochburg 100 V 7
Hochdahl 48 M 4
Hochdonn 7 D 11
Hochdorf (Kreis
Biberach a. d. Riß) 102 V 13
Hochdorf (Kreis Calw) 93 U 10
Hochdorf
(Kreis Esslingen) 94 T 12
Hochdorf
(Kreis Freudenstadt) 93 U 9
Hochdorf (Kreis Regen) 91 T 23
Hochelheim 74 O 9
Hochfeld 19 E 12
Hochfeld
(Kreis Donau-Ries) 96 T 16
Hochfelln 114 W 21
Hochgrat 111 X 14
Hochharz 52 K 15
Hochhausen
(Main-Tauber-Kreis) 85 R 12
Hochhausen (Neckar-
Odenwald-Kreis) 84 S 11
Hochheide 46 L 4
Hochheim a. Main 74 P 9
Hochkalter 114 X 22
Hochkarspitze 112 X 18
Hochkirch 69 M 27
Hochkirchen 58 N 3
Hochkopf 100 W 7
Hochmössingen 101 V 9
Hochmoor 36 K 5
Hochneukirch 58 M 3
Hochplatte 112 X 16
Hochrhönstraße 76 O 14
Hochries 113 W 20
Hochsal 108 X 8
Hochscheid 72 Q 5
Hochspeicher
Rabenleite 89 R 20
Hochspeyer 83 R 7
Hochstadt 77 P 17
Hochstadt 83 S 8
Hochstätt 105 W 20
Hochstätten 83 Q 7
Hochstahl 77 Q 17
Hochstein 95 T 25
Hochstetten 93 S 9
Hochstetten Dhaun 81 Q 6
Hochtaunus
(Naturpark) 74 O 9
Hochtaunusstraße 74 P 9
Hochwald 69 N 28
Hochwang 103 U 14
Hochwanner 112 X 17
Hockenheim 84 S 9
Hockenheimring 84 S 9
Hockeroda 65 O 18
Hodenhagen 30 H 12
Höchberg 85 Q 13
Höchenschwand 108 W 8
Höchheim 76 O 15
Höchst 75 P 11
Höchst
(Frankfurt a. Main-) 74 P 9
Höchst i. Odenwald 84 Q 10
Höchstadt a. d. Aisch 87 Q 16
Höchstädt 78 P 20
Höchstädt a. d. Donau 95 U 15
Höchstenbach 61 O 7
Höckel 37 I 7
Höckendorf
(Weißeritzkreis) 68 M 25
Höckendorf
(Westlausitzkreis) 68 N 24
Hödingen 41 J 17
Höfats 111 X 15
Höfen 70 O 2
Höfen 96 S 18
Höfen a. d. Enz 93 T 9
Höfendorf 101 U 10
Höfer 30 H 14
Höferänger 77 P 18
Höfgen 55 M 22
Höfingen 39 J 11
Höfingen 93 T 11
Högel 4 C 11
Högling 88 R 20
Höglwörth 106 W 22
Högsdorf 9 D 15
Höhbeck 32 G 18
Höheinöd 83 S 6
Höheischweiler 83 S 6
Höhenhaus (Köln) 59 N 5
Höhenkirchen 105 V 19
Höhenpark 94 T 11
Höhenrain
(Kreis Rosenheim) 105 W 19
Höhenrain
(Kreis Starnberg) 104 W 18
Höhn 61 O 7
Höhndorf 9 C 15
Höhnstedt 54 L 19
Höhr-Grenzhausen 73 O 7
Hölingen 28 H 9
Höll (Kreis Cham) 89 R 22
Hölle 78 O 19
Höllensteinsee 91 S 22
Höllental 100 W 8
Höllrich 75 P 13
Höllritzer Alp 111 X 14
Hölsbrunn 106 U 21
Höltinghausen 27 H 8
Hölzlebruck 100 W 8
Hönebach 64 N 13
Höngeda 64 M 15
Höngen 58 M 1
Hoengen 58 N 2
Höningen 83 R 8
Hoeningen 58 M 4
Hönne 49 M 7
Hönnepel 46 K 2
Hönningen 60 O 4
Hönow 34 I 24
Höntrop 47 L 5
Höpfingen 85 R 12
Höpingen 36 J 5
Hörbach 62 N 8
Hörbering 106 U 21
Hörde (Dortmund) 47 L 6
Hörden 52 K 14
Hördt 84 S 8
Hörenhausen 103 V 14
Hörgenau 63 O 11
Hörgertshausen 97 U 19
Höringen 83 R 7
Höringhausen 50 M 10
Hörlkofen 105 V 19
Hörmannsdorf 88 S 19
Hörne 18 E 11
Hörnerhaus 111 X 14
Hörnitz 69 N 28
Hörnle 112 X 17
Hörnum 4 B 8
Hörnumtief 4 B 9
Hörpel 30 G 14
Hörpolding 106 W 21
Hörre 74 O 9
Hörschhausen 71 P 4
Hörsel 64 N 15
Hörselgau 64 N 15
Hörsingen 41 J 17
Hörste
(Kreis Gütersloh) 38 J 8
Hörste (Kreis Lippe) 39 K 10
Hörste (Kreis Soest) 50 K 9
Hörste
(Kreis Warendorf) 37 J 7
Hörstein 74 P 11
Hörstel 37 J 6
Hörsten 8 D 12
Hörstgen 46 L 3
Hörstmar 39 J 10
Hörsum 40 K 13
Hörup 4 B 11
Hörzhausen 96 U 17
Hösbach 75 P 11
Hösel 48 M 4
Höslwang 106 W 20
Hösseringen 31 H 15
Hößlinsülz 94 S 12
Hoest 49 K 8
Hötensleben 41 J 17
Hoetmar 37 K 7
Höttingen 96 S 17
Hötzelsroda 64 M 15
Hötzingen 30 G 13
Hötzum 41 J 15
Hövel 49 L 7
Hövelhof 50 K 9
Hövelriege 50 K 9
Höver
(Kreis Hannover) 40 I 13
Höver (Kreis Uelzen) 31 G 16
Höveringhausen 37 J 7
Höwisch 32 H 18
Höxberg 49 K 8
Höxter 51 K 12
Hof 78 P 19
Hof (Kreis Rastatt) 92 T 8
Hof (Kreis
Riesa-Großenhain) 55 M 23
Hof (Westerwaldkreis) 61 N 8
Hof (Bernau-) 100 W 8
Hof-Pirk (Flughafen) 78 P 19
Hof Wahlstorf 9 D 14
Hofaschenbach 63 O 13
Hofbieber 63 O 13
Hofdorf 90 T 21
Hofen 95 T 14
Hoffeld 9 D 13
Hoffenheim 84 S 10
Hoffnungsthal 59 N 5
Hofgeismar 51 L 12
Hofheim 76 P 15
Hofheim
(Kreis Bergstraße) 84 R 9
Hofheim a. Taunus 74 P 9
Hofkirchen
(Kreis Passau) 99 T 23
Hofkirchen (Kreis
Straubing-Bogen) 98 T 20
Hofolding 105 W 19
Hofoldinger Forst 105 W 19
Hofolpe 61 M 8
Hofsgrund 100 W 7
Hofstätten 83 S 7
Hofstetten
(Kreis Eichstätt) 96 T 17
Hofstetten
(Kreis Haßberge) 76 P 15
Hofstetten (Kreis
Landsberg a. Lech) 104 V 16
Hofstetten
(Kreis Miltenberg) 75 Q 11
Hofstetten
(Ortenaukreis) 100 V 8
Hofweier 100 U 7
Hohberg 100 U 7
Hohburg 55 L 22

A B C D E F G H I J K L M N O P Q R S T U V W X Y Z

Hohe Acht 71 O 5
Hohe Bleick 112 X 16
Hohe Bracht 61 M 8
Hohe Eifel 71 P 4
Hohe Mark 47 K 5
Hohe Mark (Naturpark) 47 K 4
Hohe Möhr 108 W 7
Hohe Molmert 49 M 7
Hohe Schrecke 53 M 17
Hohe Ward 37 K 7
Hohe Warte 94 U 11
Hohebach 85 R 13
Hohegeiß 52 L 15
Hoheleye 62 M 9
Hohen Demzin 23 E 21
Hohen Luckow 11 E 19
Hohen Mistorf 23 E 22
Hohen Neuendorf 34 H 23
Hohen Pritz 23 F 19
Hohen Schönberg 10 E 17
Hohen Sprenz 11 E 20
Hohen Viecheln 22 E 18
Hohen Wangelin 23 F 21
Hohen Wieschendorf 10 E 18
Hohenahlsdorf 44 K 23
Hohenahr 62 N 9
Hohenaltheim 95 T 15
Hohenaschau 114 W 20
Hohenaspe 8 E 12
Hohenau 99 T 24
Hohenaverbergen 29 H 11
Hohenbellin 42 I 20
Hohenberg *(Kreis Kulmbach)* 78 P 18
Hohenberg *(Ortenaukreis)* 92 U 8
Hohenberg *(Ostalbkreis)* 95 S 14
Hohenberg a. d. Eger 79 P 20
Hohenberg-Krusemark 32 H 19
Hohenbocka 56 L 26
Hohenbollentin 24 E 23
Hohenbostel 39 J 12
Hohenbruch 34 H 23
Hohenbrück-Neu Schadow 44 J 25
Hohenbrünzow 24 E 23
Hohenbrunn 105 V 19
Hohenbucko 56 K 24
Hohenbünstorf 31 G 15
Hohenbüssow 24 E 23
Hohenburg 88 S 19
Hohendodeleben 42 J 18
Hohendorf 15 D 25
Hohenebra 53 M 16
Hohenecken 83 R 7
Hoheneggelsen 40 J 14
Hoheneiche *(Kreis Saalfeld-Rudolstadt)* 65 O 17
Hoheneiche *(Werra-Meißner-Kreis)* 64 M 13
Hohenerxleben 54 K 18
Hohenfeld 86 Q 14
Hohenfelde *(Kreis Bad Doberan)* 11 D 19
Hohenfelde *(Kreis Plön)* 9 C 15
Hohenfelde *(Kreis Steinburg)* 19 E 12
Hohenfelden 65 N 17
Hohenfels *(Kreis Konstanz)* 102 W 11
Hohenfels *(Kreis Neumarkt i. d. Oberpfalz)* 88 S 19
Hohenferchesar 43 I 21
Hohenfichte 67 N 23
Hohenfinow 35 H 25
Hohenfreiberg 111 X 15
Hohenfurch 104 W 16
Hohengandern 52 L 13
Hohengöhren 32 I 20
Hohengörsdorf 44 K 23
Hohengüßbach 77 Q 16
Hohengüstow 25 G 25
Hohenhäusling 77 Q 17
Hohenhameln 40 J 14
Hohenhaslach 94 S 11
Hohenhausen 39 J 10
Hohenheida 54 L 21
Hohenhenningen 31 I 17
Hohenhewen 101 W 10
Hohenhörn 7 D 11
Hohenholte 37 K 6
Hohenhorn 20 F 15
Hohenhorst 19 F 12
Hohenhorster-Bauerschaft 40 I 13
Hohenirlach 89 R 20
Hohenkammer 105 U 18
Hohenkemnath 88 R 19
Hohenkirchen 64 N 16
Hohenkirchen 17 F 7
Hohenlandin 35 G 26
Hohenlandsberg 86 R 14
Hohenleimbach 71 O 5
Hohenleipisch 56 L 24
Hohenlepte 42 K 20
Hohenleuben 66 N 20
Hohenlimburg 49 L 6
Hohenlinden 105 V 19
Hohenlobbese 43 J 20
Hohenlockstedt 8 E 12
Hohenloher Ebene 85 S 13
Hohenlychen 34 G 23
Hohenmemmingen 95 U 14
Hohenmirsberg 87 Q 18
Hohenmocker 24 E 23
Hohenmölsen 66 M 20
Hohenmoor *(Kreis Diepholz)* 29 H 10
Hohenmoor *(Kreis Stade)* 19 F 11
Hohennauen 33 H 21
Hohenöllen 81 R 6
Hohenölsen 66 N 20
Hohenpeißenberg 104 W 17
Hohenpölz 77 Q 17
Hohenpolding 105 U 20
Hohenprießnitz 55 L 21
Hohenrechberg 94 T 13
Hohenreichen 96 U 16
Hohenreinkendorf 25 G 27
Hohenroda *(Kreis Delitzsch)* 54 L 21
Hohenroda *(Kreis Hersfeld-Rotenburg)* 63 N 13
Hohenrode 39 J 11
Hohenroth 76 P 14
Hohensaaten 35 H 26
Hohenschambach 90 S 19
Hohenschönhausen *(Berlin)* 34 I 24
Hohenschwangau 112 X 16
Hohenseeden 42 J 20
Hohenseefeld 44 K 23
Hohenselchow 25 G 26
Hohensolms 62 O 9
Hohensprenzer See 11 E 20
Hohenstadt *(Kreis Göppingen)* 94 U 12
Hohenstadt *(Kreis Nürnberger Land)* 87 R 18
Hohenstadt *(Main-Tauber-Kreis)* 85 R 12
Hohenstadt *(Ostalbkreis)* 95 T 13
Hohenstaufen 94 T 13
Hohenstein 73 P 8
Hohenstein 35 I 25
Hohenstein 102 U 12
Hohenstein-Ernstthal 67 N 22
Hohentengen 102 V 12
Hohentengen a. Hochrhein 109 X 9
Hohenthan 89 Q 21
Hohenthann *(Kreis Landshut)* 97 U 20
Hohenthann *(Kreis Rosenheim)* 105 W 19
Hohenthurm 54 L 20
Hohentramm 31 H 17
Hohentwiel 109 W 10
Hohenwald 79 Q 20
Hohenwarsleben 42 J 18
Hohenwart 96 U 18
Hohenwarte Stausee 65 O 18
Hohenwarth 89 S 22
Hohenwarthe 42 J 19
Hohenwepel 51 L 11
Hohenwestedt 8 D 12
Hohenwulsch 32 H 18
Hohenwussen 55 M 23
Hohenwutzen 35 H 26
Hohenzell 75 P 12
Hohenzethen 31 G 16
Hohenziatz 42 J 20
Hohenzieritz 24 F 23
Hohenzollern 101 V 10
Hohenzollern Alb 102 V 11
Hoher Berg 31 H 15
Hoher Bogen 89 S 22
Hoher Fläming 43 J 21
Hoher Göll 114 X 23
Hoher Gras-Berg 112 X 18
Hoher Häderich 111 X 14
Hoher Hagen 51 L 13
Hoher Ifen 111 X 14
Hoher Kranz-Berg 112 X 17
Hoher Mechtin 31 G 16
Hoher Vogelsberg (Naturpark) 63 O 11
Hoher Westerwald 61 N 7
Hoherodskopf 75 O 11
Hohes Holz 41 J 17
Hohkeppel 59 N 5
Hohlbügel 96 T 17
Hohloh 93 T 9
Hohlstedt 53 L 17
Hohlstein 99 T 24
Hohn 8 D 12
Hohnbach 67 M 22
Hohndorf *(Kreis Stollberg)* 67 N 22
Hohndorf *(Mittlerer Erzgebirgskreis)* 67 N 23
Hohne 31 I 15
Hohne 37 J 7
Hohnebostel 40 I 14
Hohner See 8 D 12
Hohnhausen 76 P 15
Hohnhorst *(Kreis Celle)* 31 I 14
Hohnhorst *(Kreis Schaumburg)* 39 I 12
Hohnsen 39 J 12
Hohnstedt 52 K 13
Hohnstein 53 L 16
Hohnstein *(Stadt)* 68 N 26
Hohnstorf 31 G 15
Hohnstorf (Elbe) 21 F 15
Hohwacht 9 D 16
Hohwachter Bucht 9 C 16
Hohwald 69 M 26
Hoiersdorf 41 J 16
Hoinkhausen 50 L 9
Hoisbüttel 20 E 14
Hoisdorf 20 F 14
Hoisten 48 M 4
Hoitlingen 41 I 16
Holdenstedt 53 L 18
Holdenstedt 31 H 15
Holdorf *(Kreis Nordwestmecklenburg)* 21 E 17
Holdorf *(Kreis Vechta)* 27 I 8
Holenberg 39 K 12
Holenbrunn 78 P 20
Holheim 95 T 15
Holiday-Park 83 S 8
Hollage 37 I 7
Holle 40 J 14
Holleben 54 L 19
Hollen *(Kreis Gütersloh)* 38 K 9
Hollen *(Kreis Leer)* 17 G 7
Hollen b. Armstorf 18 F 11
Hollen b. Loxstedt 18 F 10
Hollenbach *(Hohenlohekreis)* 85 R 13
Hollenbach *(Kreis Aichach-Friedberg)* 96 U 17
Hollenbach *(Kreis Neuburg-Schrobenhausen)* 96 U 17
Hollenbeck 19 F 12
Hollenbek 21 F 16
Hollenermoor 27 G 7
Hollenstede 37 I 7
Hollenstedt *(Kreis Harburg)* 19 F 13
Hollenstedt *(Kreis Northeim)* 52 K 13
Holler 73 O 7
Hollerath 70 O 3
Hollern-Twielenfleth 19 F 12
Hollfeld 77 Q 17
Hollige 30 H 12
Holling 37 K 7
Hollingstedt 5 C 12
Hollnseth 18 F 11
Hollriede 17 G 7
Hollstadt 76 O 14
Hollwege 17 G 7
Hollywood Safari Park 38 K 10
Holm *(Kreis Harburg)* 19 G 13
Holm *(Kreis Pinneberg)* 19 F 13
Holm-Seppensen 19 G 13
Holnis 5 B 12
Holnstein *(Kreis Amberg-Sulzbach)* 88 R 18
Holnstein *(Kreis Neumarkt i. d. Oberpfalz)* 97 S 18
Holpe 61 N 7
Holsen *(Kreis Herford)* 38 J 9
Holsen *(Kreis Paderborn)* 50 K 9
Holßel 18 E 9
Holste 18 F 10
Holsteinische Schweiz 9 D 15
Holstendorf 9 D 15
Holstenniendorf 8 D 12
Holsterbrink 36 K 5
Holsterhausen 47 K 4
Holsthum 80 Q 3
Holt 46 L 2
Holte *(Kreis Cuxhaven)* 18 F 9
Holte *(Kreis Emsland)* 27 H 6
Holte *(Kreis Leer)* 27 G 6
Holte *(Kreis Nienburg)* 29 H 11
Holtebüttel 29 H 11
Holtemme 41 K 16
Holten 47 L 4
Holtenau 9 C 14
Holtensen *(Kreis Hameln-Pyrmont)* 39 J 12
Holtensen *(Kreis Hannover)* 40 J 12
Holtespangen 18 E 9
Holtgast 17 F 6
Holthausen *(Hochsauerlandkreis)* 50 M 9
Holthausen *(Kreis Emsland)* 26 I 5
Holthausen *(Kreis Steinfurt)* 36 J 6
Holthausen b. Breckerfeld 49 M 6
Holtheim 50 L 10
Holthusen 21 F 18
Holthusen 26 G 5
Holtkamp 38 K 9
Holtland 17 G 6
Holtorf *(Kreis Lüchow-Dannenberg)* 32 G 18
Holtorf *(Kreis Nienburg)* 29 H 11
Holtorf *(Kreis Oldenburg)* 28 H 9
Holtrop 17 F 6
Holtrup 28 H 8
Holtrup 39 J 10
Holtsee 8 C 13
Holttange 27 G 7
Holtum 29 H 11
Holtwick *(Kreis Borken)* 36 K 3
Holtwick *(Kreis Coesfeld)* 36 J 5
Holtwick *(Kreis Recklinghausen)* 47 K 5
Holungen 52 L 15
Holvede 19 F 12
Holxen 31 H 15
Holzappel 73 O 7
Holzbach *(Stadt)* 73 Q 6
Holzbronn 93 U 10
Holzbunge 8 C 13
Holzburg 63 N 11
Holzdorf 55 K 23
Holzdorf 5 C 13
Holzelfingen 102 U 11
Holzen 40 K 13
Holzen 108 W 6
Holzen *(Hochsauerlandkreis)* 49 L 7
Holzen *(Kirche)* 96 U 16
Holzen *(Kreis Dortmund)* 47 L 6
Holzendorf 24 F 24
Holzengel 53 M 16
Holzerath 80 Q 4
Holzerode 52 L 14
Holzfreyung 99 T 24
Holzgerlingen 93 U 11
Holzgünz 103 V 14
Holzham 105 W 19
Holzhammer 88 R 20
Holzharlanden 97 T 19
Holzhau 68 N 24
Holzhausen *(b. Harpstedt)* 29 H 9
Holzhausen *(b. Wildeshausen)* 28 H 9
Holzhausen *(Ilm-Kreis)* 65 N 16
Holzhausen *(Kreis Diepholz)* 29 I 10
Holzhausen *(Kreis Hildburghausen)* 76 P 16
Holzhausen *(Kreis Höxter)* 51 K 11
Holzhausen *(Kreis Kassel)* 51 L 12
Holzhausen *(Kreis Landshut)* 105 U 20
Holzhausen *(Kreis Lippe)* 39 J 10
Holzhausen *(Kreis Minden-Lübbecke)* 38 J 9
Holzhausen *(Kreis Osnabrück)* 37 J 8
Holzhausen *(Kreis Ostprignitz-Ruppin)* 33 H 21
Holzhausen *(Kreis Schweinfurt)* 76 P 14
Holzhausen *(Kreis Siegen-Wittgenstein)* 61 N 8
Holzhausen *(Kreis Steinfurt)* 37 J 7
Holzhausen *(Kreis Stendal)* 32 I 18
Holzhausen *(Lahn-Dill-Kreis)* 62 O 8
Holzhausen *(Leipzig)* 54 M 21
Holzhausen *(Werra-Meißner-Kreis)* 64 M 14
Holzhausen (-Externsteine) 39 K 10
Holzhausen (Eder) 62 N 9
Holzhausen a. d. Haide 73 P 7
Holzhausen a. Starnberger See 104 W 18
Holzhausen am Hünstein 62 N 9
Holzhausen b. Homberg 63 M 12
Holzhausen b. Teisendorf 106 W 22
Holzhausen II 39 I 10
Holzheim *(Kreis Dillingen a. d. Donau)* 95 U 15
Holzheim *(Kreis Donau-Ries)* 96 U 16
Holzheim *(Kreis Euskirchen)* 60 O 4
Holzheim *(Kreis Gießen)* 74 O 10
Holzheim *(Kreis Hersfeld-Rotenburg)* 63 N 13
Holzheim *(Kreis Neu-Ulm)* 103 U 14
Holzheim *(Rhein-Lahn-Kreis)* 73 O 8
Holzheim a. Forst 90 S 19
Holzingen 96 S 16
Holzkirch 95 U 13
Holzkirchen *(Kreis Miesbach)* 105 W 19
Holzkirchen *(Kreis Neuburg-Schrobenhausen)* 96 U 17
Holzkirchen *(Kreis Würzburg)* 85 Q 13
Holzkirchhausen 85 Q 13
Holzlar 59 N 5
Holzmaden 94 U 12
Holzminden 51 K 12
Holzmühl 75 O 12
Holzolling 105 W 19
Holzschlag 101 W 8
Holzschwang 103 U 14
Holzsußra 52 M 16
Holzthaleben 52 L 15
Holzwald 101 U 8
Holzweiler 58 M 3
Holzweißig 54 L 20
Holzwickede 49 L 6
Homberg 102 W 12
Homberg (Efze) 63 M 12
Homberg (Niederrhein) 46 L 4
Homberg (Ohm) 62 N 11
Homberg-Meiersberg 48 M 4
Hombressen 51 L 12
Hombruch 47 L 6
Homburg 59 N 6
Homburg 81 S 6
Homburg 75 P 13
Homburg a. Main 85 Q 12
Homert 49 M 6
Hommerich 59 M 5
Hommersum 46 K 2
Hommertshausen 62 N 9
Honau 92 U 7
Honerdingen 30 H 12
Honhardt 95 S 14
Honigsee 9 D 14
Honrath 59 N 5
Honsolgen 104 V 16
Honstetten 101 W 10
Hontheim 71 P 4
Honzrath 80 R 4
Hoof 81 R 5
Hooge 4 C 9
Hooge *(Insel)* 4 C 9
Hoogstede 26 I 4
Hoopte 20 F 14
Hoort 21 F 18
Hope 30 I 12
Hopfau 101 U 9
Hopfelde 63 M 13
Hopfen a. See 112 X 16
Hopfenstraße 105 U 19
Hopferau 111 X 15
Hopferbach 103 W 15
Hopferstadt 86 R 14
Hopfgarten *(Kreis Leipziger Land)* 67 M 21
Hopfgarten *(Kreis Weimarer Land)* 65 N 17
Hoppecke 50 L 9
Hoppegarten 45 I 26
Hoppegarten (Dahlwitz-) 44 I 24
Hoppenrade (Kreis Güstrow) 23 E 20
Hoppenrade *(Kreis Havelland)* 43 I 22
Hoppenrade *(Kreis Prignitz)* 32 G 20
Hoppensen 51 K 13
Hoppenstedt 41 K 15
Hoppenwalde 25 E 26
Hoppetenzell 101 W 11
Hoppstädten-Weiersbach 81 R 5
Hopsten 37 I 6
Horas 63 O 12
Horath 72 Q 4
Horb 101 U 10
Horbach *(Kreis Aachen Land)* 58 N 2
Horbach *(Main-Kinzig-Kreis)* 75 P 11
Horbach *(Westerwaldkreis)* 73 O 7
Horben 100 W 7
Horbruch 72 Q 5
Horchheim 84 R 8
Hordorf 41 K 17
Hordorf 41 J 15
Horgau 104 U 16
Horgen 101 V 9
Horgenzell 102 W 12
Horhausen 73 O 7
Horhausen (Westerwald) 61 O 6
Horheim 109 X 9
Horka *(Niederschlesischer Oberlausitzkr.)* 57 M 28
Horka *(Westlausitzkreis)* 69 M 26
Horkheim 94 S 11
Horla 53 L 17
Hormersdorf 67 N 22
Hormersdorf 87 R 18
Horn 39 K 10
Horn 109 W 10
Horn *(Hamburg)* 20 F 14
Horn *(Kreis Coesfeld)* 49 K 6
Horn *(Kreis Cuxhaven)* 18 F 11
Horn *(Kreis Soest)* 50 L 8
Horn *(Rhein-Hunsrück-Kreis)* 71 P 6
Horn-Lehe 29 G 10
Hornbach *(Kreis Pirmasens)* 82 S 6
Hornbach *(Neckar-Odenwald-Kreis)* 85 R 11
Hornbek 21 F 15
Hornberg *(b. Neckarzimmern)* 85 S 11
Hornberg *(Kreis Calw)* 93 U 9
Hornberg *(Kreis Waldshut)* 108 X 7
Hornberg *(Schwarzwaldbahn)* 100 V 8
Hornbostel 30 H 13
Hornburg *(Kreis Mansfelder Land)* 53 L 18
Hornburg *(Kreis Wolfenbüttel)* 41 J 15
Horndorf 31 G 15
Horneburg 19 F 12
Horneburg 47 L 5
Hornhausen 41 J 17
Hornisgrinde 92 U 8
Hornow 57 K 27
Hornow 57 L 27
Hornstorf 22 E 18
Hornstorf 98 T 21
Horrem 58 N 4
Horrenberg 84 S 10
Horrheim 93 T 10

Horsbüll 4 B 9
Horschbach 81 R 6
Horsmar 52 M 15
Horst 47 L 5
Horst *(Berg)* 47 P 12
Horst *(Kreis Dithmarschen)* 7 D 11
Horst *(Kreis Ludwigslust)* 21 F 15
Horst *(Kreis Nordvorpommern)* 13 D 23
Horst *(Kreis Steinburg)* 19 E 12
Horst *(Kreis Unna)* 49 K 7
Horstdorf 54 K 21
Horstedt *(Kreis Nordfriesland)* 4 C 11
Horstedt *(Kreis Rotenburg)* 29 G 11
Horstedt *(Kreis Verden)* 29 G 10
Horsten 17 F 7
Horstmar 36 J 5
Horstwalde 44 J 24
Horumersiel 17 E 8
Hosena 56 L 26
Hosenfeld 75 O 12
Hoske 57 L 26
Hossingen 101 V 10
Hoßkirch 102 W 12
Hostrup 5 C 12
Hotteln 40 J 13
Hottelstedt 65 M 17
Hottenbach 72 Q 5
Hottingen 108 X 8
Hottorf 58 M 3
Houverath 60 O 4
Hovel 17 F 7
Hoven 58 N 3
Hovestadt 49 L 8
Howe 20 F 14
Howiek 27 G 7
Hoxfeld 36 K 4
Hoxtrup 4 C 11
Hoya 29 H 11
Hoyel 38 J 9
Hoyerhagen 29 H 11
Hoyershausen 40 J 13
Hoyerswerda 57 L 26
Hoym 53 K 17
Hoysinghausen 39 I 10
Hubertshofen 101 W 9
Huchenfeld 93 T 10
Huchting *(Bremen)* 29 G 10
Huckelheim 75 P 11
Hude 28 G 9
Hübender 59 N 6
Hüchelhoven 58 M 4
Hückelhoven 58 M 2
Hückeswagen 59 M 6
Hüddessum 40 J 14
Hüde 38 I 9
Hüffelsheim 73 Q 7
Hüffenhardt 84 S 11
Hüfingen 101 W 9
Hügelheim 100 W 6
Hügelsheim 92 T 8
Hüinghausen 49 M 7
Hüingsen 49 L 7
Hülben 94 U 12
Hülchrath 58 M 4
Hüllerup 5 B 12
Hüllhorst 38 J 10
Hülperode 40 J 15
Hüls *(Kreis Krefeld)* 46 L 3
Hüls *(Kreis Recklinghausen)* 47 L 5
Hülsa 63 N 12
Hülsberg 27 G 8
Hülsebeck 23 G 19
Hülseberg 18 G 10
Hülseburg 21 F 17
Hülsede 39 J 12
Hülsen 39 K 10
Hülsen *(Kreis Emsland)* 27 H 6
Hülsen *(Kreis Verden)* 29 H 12
Hülsenbusch 59 M 6
Hülserberg 46 L 3
Hülshoff *(Roxel)* 37 K 6
Hülsten 47 K 5
Hümme 51 L 12
Hümmel 60 O 4
Hümmling 27 H 6
Hünersedel 100 V 7
Hünfeld 63 N 13
Hünfelden 73 P 8
Hünger 59 M 5
Hünsborn 61 N 7
Hünstetten 73 P 8
Hüntel 26 H 5
Hünxe 47 L 4
Hünzingen 30 H 12
Hüpede 40 J 13
Hüpstedt 52 M 15
Hürbel 103 V 13
Hürben 95 U 14
Hürtgen 58 N 3
Hürtgenwald 58 N 3
Hürth *(Köln)* 59 N 4
Hürup 5 B 12
Hüsby 5 C 12
Hüsede 38 J 9
Hüssingen 96 T 16
Hüthum 46 K 2
Hütschenhausen 81 R 6
Hüttblek 20 E 14
Hütten *(Alb-Donau-Kreis)* 102 U 12
Hütten *(Kreis Neustadt a. d. Waldnaab)* 88 Q 19
Hütten *(Kreis Schwäbisch-Hall)* 94 S 12
Hüttenberg 74 O 9
Hüttenbusch 18 G 10
Hüttener Berge *(Naturpark)* 8 C 12
Hüttenfeld 84 R 9
Hüttengesäß 74 P 11
Hüttengrund 77 O 17
Hüttenheim 86 R 14
Hüttenkofen 98 T 21
Hüttenrode 53 K 16
Hüttensee 30 H 13
Hüttenthal 84 R 10
Hüttenwohld 9 D 14
Hüttersdorf 80 R 4
Hüttgeswasen 81 Q 5
Hütting 96 T 17
Hüttingen b. Lahr 80 Q 2
Hüttisheim 103 V 13
Hüttlingen 95 T 14
Hützel 30 G 14
Hüven 27 H 6
Huglfing 112 W 17
Hugoldsdorf 12 D 22
Hugstetten 100 V 7
Hugsweier 100 U 7
Huisheim 96 T 16
Huje 8 E 12
Huldsessen 106 U 22
Huldstetten 102 V 12
Hullern 47 K 5
Hultrop 49 L 8
Humbach 105 W 18
Humfeld 39 J 11
Hummelfeld 5 C 13
Hummelshain 65 N 18
Hummeltal 77 Q 18
Hummersen 39 K 11
Hummerzheim 60 O 4
Hummetroth 84 Q 10
Humprechtshausen 76 P 15
Humptrup 4 B 10
Hunau 50 M 9
Hundelshausen 51 M 13
Hundelshausen 76 Q 15
Hundeluft 43 K 21
Hunderdorf 91 T 22
Hundersingen *(Kreis Reutlingen)* 102 U 12
Hundersingen *(Kreis Sigmaringen)* 102 V 12
Hundeshagen 52 L 14
Hundham 113 W 19
Hundhausen 61 N 6
Hundheim 85 Q 12
Hunding 99 T 23
Hundisburg 42 J 18
Hundsangen 73 O 7
Hundsbach 81 Q 6
Hundsbach *(Kreis Bad Kreuznach)* 81 Q 6
Hundsbach *(Kreis Main-Spessart)* 75 P 13
Hundsbach *(Kreis Rastatt)* 93 U 8
Hundsbach *(Kreis Tirschenreuth)* 79 P 20
Hundsdorf 62 M 11
Hundseck 93 U 8
Hundshübel 67 O 21
Hundsmühlen 27 G 8
Hungen 74 O 10
Hungerstorf 24 F 22
Hunnebrock 38 J 9
Hunsheim 61 N 6
Hunsrück 71 Q 5
Hunswinkel 61 M 7
Hunte 38 I 8
Huntebrück 28 G 9
Hunteburg 37 I 8
Huntlosen 28 H 8
Huntorf 28 G 9
Hunzen 39 K 12
Hupperath 70 Q 4
Hurlach 104 V 16
Husbäke 27 G 7
Husby 5 B 12
Husen 50 L 10
Hustedt 30 H 14
Husten 61 N 7
Husum *(Kreis Nienburg)* 29 I 11
Husum *(Kreis Nordfriesland)* 4 C 11
Hutberg 45 J 27
Hutten 75 O 12
Huttenheim 84 S 9
Huttenwang 103 W 15
Hutthurm 99 T 24
Hutzdorf 63 N 12
Hutzfeld 9 D 15
Huxfeld 29 G 11
Huy 41 K 16
Huy-Neinstedt 41 K 16
Huzenbach 93 U 9
Hymendorf 18 F 10

I

Iba 63 N 13
Ibach *(Kreis Waldshut)* 108 W 8
Ibach *(Ortenaukreis)* 92 U 8
Ibbenbüren 37 J 7
Iber 88 R 19
Iber 51 K 13
Ibersheim 84 Q 9
Ibitzgraben 14 D 23
Ibra 63 N 12
Ichenhausen 103 U 14
Ichenheim 100 U 7
Ichstedt 53 L 17
Ichtershausen 65 N 16
Ickelheim 86 R 15
Icker 37 I 8
Ickern 47 L 6
Icking 104 W 18
Idar-Oberstein 81 Q 5
Idarkopf 72 Q 5
Idarwald 72 Q 5
Iden 32 H 19
Idenheim 80 Q 3
Idensen 39 I 12
Idesheim 80 Q 3
Idsingen 30 H 12
Idstedt 5 C 12
Idstein 74 P 8
Iffeldorf 112 W 17
Iffens 18 F 9
Iffezheim 92 T 8
Ifta 64 M 14
Igel 80 Q 3
Igelsbachsee 96 S 16
Igelsberg 93 U 9
Igelsloch 93 T 9
Igensdorf 87 R 17
Igersheim 85 R 13
Iggelbach 83 R 7
Iggelheim 84 R 8
Iggensbach 99 T 23
Iggingen 95 T 13
Igling 104 V 16
Ihausen 17 G 7
Ihlbeck 19 F 11
Ihleburg 42 J 19
Ihlenfeld 24 F 24
Ihlienworth 18 E 10
Ihlow 17 F 6
Ihlow 35 I 26
Ihlowerfehn 17 F 6
Ihlowerhorn 17 F 6
Ihme-Roloven 40 J 13
Ihmert 49 M 7
Ihn 80 S 3
Ihrenbruch 27 G 6
Ihrenbrück 70 P 2
Ihrhove 27 G 6
Ihringen 100 V 6
Ihringshausen 51 L 12
Ihrlerstein 90 T 19
Ikenhausen 51 L 11
Ilbenstadt 74 P 10
Ilberstedt 54 K 19
Ilbeshausen 75 O 11
Ilbesheim b. Kirchheimbolanden 83 Q 8
Ilbesheim b. Landau 83 S 8
Ildehausen 52 K 14
Ilfeld 53 L 16
Ilhorn 30 G 13
Ilka Höhe 104 W 17
Illenschwang 95 S 15
Iller 111 X 14
Illerberg 103 V 14
Illerbeuren 103 W 14
Illerich 71 P 5
Illerieden 103 V 14
Illerkirchberg 103 U 14
Illertissen 103 V 14
Illerwinkel 103 W 14
Illesheim 86 R 15
Illingen 93 T 10
Illingen 81 R 5
Illkofen 90 S 20
Illmensee 102 W 12
Illmersdorf 44 K 24
Illschwang 88 R 19
Ilm 97 U 18
Ilm *(Fluß)* 65 N 17
Ilme 51 K 13
Ilmenau 65 N 16
Ilmendorf 97 T 18
Ilmmünster 97 U 18
Ilmspan 85 Q 13
Ilse 39 I 11
Ilsede 40 J 14
Ilsenburg 52 K 16
Ilsfeld 94 S 11
Ilshofen 85 S 13
Ilster 30 G 14
Ilten 40 I 13
Ilvese 39 I 11
Ilvesheim 84 R 9
Ilz 99 T 24
Imbshausen 52 K 14
Imgenbroich 70 O 2
Immekath 31 I 17
Immekeppel 59 N 5
Immelborn 64 N 14
Immendingen 101 W 10
Immendorf 40 J 15
Immendorf 58 N 2
Immeneich 108 W 8
Immenhausen 51 L 12
Immenreuth 78 Q 19
Immenried 103 W 13
Immenrode *(Kreis Goslar)* 40 K 15
Immenrode *(Kreis Nordhausen)* 52 L 16
Immensen *(Kreis Hannover)* 40 I 14
Immensen *(Kreis Northeim)* 51 K 13
Immenstaad 110 W 12
Immenstadt 111 X 14
Immenstedt 4 C 11
Immer 28 G 9
Immerath 58 M 3
Immichenhain 63 N 12
Immighausen 50 M 10
Immingerode 52 L 14
Impflingen 83 S 8
Imsbach 83 R 7
Imsen 40 K 13
Imsum 18 F 9
Imsweiler 83 R 7
Inchenhofen 96 U 17
Inde 58 N 2
Indelhausen 102 V 12
Inden 58 N 3
Ingeleben 41 J 16
Ingelfingen 85 S 12
Ingelheim a. Rhein 73 Q 8
Ingeln 40 J 13
Ingenheim 83 S 8
Ingenried *(Kreis Ostallgäu)* 103 W 15
Ingenried *(Kreis Weilheim-Schongau)* 104 W 16
Ingerkingen 102 V 13
Ingersheim 94 T 11
Ingersleben 65 N 16
Ingoldingen 102 V 13
Ingolstadt 96 T 18
Ingstetten 102 U 12
Inheiden 74 O 10
Inkofen *(Kreis Freising)* 105 U 19
Inkofen *(Kreis Landshut)* 97 T 20
Inn 99 U 24
Inneringen 102 V 11
Innernzell 99 T 23
Innerste 52 K 14
Innerstestausee 40 K 14
Innien 8 D 13
Inning a. Ammersee 104 V 17
Inning a. Holz 105 U 20
Inningen 104 V 16
Insel *(Kreis Soltau-Fallingbostel)* 30 G 13
Insel *(Kreis Stendal)* 42 I 19
Insel Koos 13 D 24
Insel Riems 13 D 24
Inselsee 23 E 20
Insheim 83 S 8
Insingen 86 S 14
Insul 71 O 4
Intschede 29 H 11
Inzell 114 W 22
Inzigkofen 102 V 11
Inzlingen 108 X 7
Inzmühlen 19 G 13
Ipernstedt 4 C 11
Iphofen 86 Q 14
Ippendorf *(Bonn)* 59 N 5
Ippesheim 86 R 14
Ippingen 101 W 10
Ippinghausen 51 M 11
Ipsheim 86 R 15
Iptingen 93 T 10
Ipwegermoor 18 G 8
Irchenrieth 89 R 20
Irenensee 40 I 14
Irfersdorf 96 T 18
Irfersgrün 66 O 21
Irl 106 V 21
Irlach 89 R 21
Irlahüll 96 T 18
Irlbach 98 T 22
Irmelshausen 76 O 15
Irmenach 72 Q 5
Irmgarteichen 61 N 8
Irmtraut 61 O 8
Irndorf 101 V 10
Irnsing 97 T 19
Irrel 80 Q 3
Irrhausen 70 P 2
Irsch 80 R 3
Irschenberg 105 W 19
Irsching 97 T 18
Irsee 103 W 15
Irsen 70 P 2
Irslingen 101 V 9
Irxleben 42 J 18
Isar 112 X 17
Isarfall 112 X 17
Isarwinkel 113 W 18
Iselersheim 19 F 11
Iselshausen 93 U 10
Isen 105 V 20
Isenach 83 R 8
Isenbruch 58 M 1
Isenbüttel 41 I 15
Isenburg 71 O 6
Isenhagen *(Hankensbüttel)* 31 H 15
Isensee 19 E 11
Isenstedt 38 I 9
Iseringhausen 61 N 7
Iserlohn 49 L 7
Iserlohnerheide 49 L 7
Isernhagen 40 I 13
Ismaning 105 V 19
Isny 111 W 14
Ispringen 93 T 10
Issel 46 K 3
Isselbach 73 O 7
Isselburg 46 K 3
Isselhorst 38 K 9
Issendorf 19 F 12
Isserstedt 65 N 18
Issigau 78 O 19
Issing 104 W 16
Issum 46 L 3
Isterbies 42 J 20
Istha 51 M 11
Istrup *(Kreis Höxter)* 51 K 11
Istrup *(Kreis Lippe)* 39 K 11
Ith Hills 40 J 12
Ittel 80 Q 3
Ittenbach 59 N 5
Ittendorf 110 W 12
Ittenhausen 102 V 11
Itter 84 R 11
Itterbeck 26 I 4
Ittersbach 93 T 9
Ittersdorf 80 S 3
Ittling *(Kreis Nürnberger Land)* 87 R 18
Ittling *(Kreis Straubing)* 98 T 21
Ittlingen 84 S 10
Itz 77 P 16
Itzehoe 8 E 12
Itzenbuttel 19 G 13
Itzenhain 62 N 11
Itzgrund 77 P 16
Itzstedt 20 E 14
Itzum 40 J 13
Iven 24 E 24
Ivenack 24 E 22
Ivendorf 10 E 16
Ivenrode 41 J 17
Iversheim 60 O 4
Iznang 109 W 10

J

Jabel *(Kreis Müritz)* 23 F 21
Jabel *(Kreis Ostprignitz-Ruppin)* 33 G 21
Jachen 112 X 18
Jachenau 112 X 18
Jachenhausen 97 T 19
Jackerath 58 M 3
Jacobsdorf 45 I 27
Jacobsthal 55 L 23
Jade 18 F 8
Jadebusen 18 F 8
Jaderberg 17 G 8
Jaderkreuzmoor 17 G 8
Jaderlangstraße 18 G 8
Jaebetz 23 G 21
Jägerei 30 H 14
Jägerkrug 5 C 12
Jägerndorf 98 U 22
Jägersburg 81 R 5
Jägersruh 78 P 19
Jägerwirth 99 U 23
Jäglitz 33 H 21
Jämlitz 57 L 27
Jänickendorf *(Kreis Oder-Spree)* 45 I 26
Jänickendorf *(Kreis Teltow-Fläming)* 44 J 23
Jänkendorf 57 M 28
Jännersdorf 23 G 20
Jänschwalde 45 K 27
Jänschwalde Ost 45 K 27
Jävenitz 42 I 18
Jagdshof 77 O 17
Jagel 5 C 12
Jagetzow 24 E 24
Jagow 25 F 25
Jagst 85 S 12
Jagstberg 85 S 13
Jagsthausen 85 S 12
Jagstheim 95 S 14
Jagstzell 95 S 14
Jahmo 43 K 22
Jahna 55 M 23
Jahna-Löthain 68 M 24
Jahnberge 33 H 22
Jahnsdorf 67 N 22
Jahnsfelde 45 I 26
Jahrdorf 99 U 24
Jahrsdorf 8 D 12
Jahrsdorf 87 S 17
Jahrstedt 41 I 16
Jakobsdorf 12 D 22
Jakobshagen 34 G 24
Jakobsthal 75 P 11
Jakobwüllesheim 58 N 3
Jameln 31 G 17
Jamlitz 45 K 27
Jandelsbrunn 99 T 25
Janneby 5 C 11
Jannowitz 56 L 25
Japenzin 24 E 24
Japsand *(Insel)* 4 C 9
Jarchau 32 I 19
Jardelund 5 B 11
Jardinghausen 29 H 10
Jarlingen 30 H 12
Jarmen 14 E 24
Jarnsen 30 I 14
Jarplund-Weding 5 B 12
Jasmund 13 C 24
Jasnitz 22 F 18
Jastorf 31 G 15
Jatzke 24 F 24
Jatznick 25 F 25
Jebenhausen 94 T 12
Jeber-Bergfrieden 43 K 21
Jechtingen 100 V 6
Jeckenbach 81 Q 6
Jeddeloh I 27 G 8
Jeddeloh II 27 G 8
Jeddingen 30 H 12
Jederitz 33 H 20
Jedesheim 103 V 14

A B C D E F G H I J K L M N O P Q R S T U V W X Y Z

Jedinghagen 59 M 6
Jeeben 31 H 17
Jeetzbach 32 G 19
Jeetze 32 H 18
Jeetzel 31 G 17
Jeggau 41 I 17
Jehserig 57 L 26
Jeinsen 40 J 13
Jelmstorf 31 G 15
Jembke 41 I 16
Jemgum 17 G 6
Jemmeritz 32 I 17
Jena 65 N 18
Jengen 104 W 16
Jenkofen 97 U 20
Jenkwitz 69 M 27
Jennelt 16 F 5
Jenner 114 X 23
Jennewitz 11 D 19
Jerchel *(Altmarkkreis Salzwedel)* 41 I 17
Jerchel *(Kreis Havelland)* 43 I 21
Jerchel *(Kreis Stendal)* 42 I 19
Jerichow 42 I 20
Jerischke 57 L 28
Jerrishoe 5 C 12
Jersbek 20 E 14
Jersleben 42 J 18
Jerstedt 40 K 15
Jerxheim 41 J 16
Jerze 40 K 14
Jesberg 63 N 11
Jesendorf 22 E 18
Jesendorf 98 U 21
Jesenwang 104 V 17
Jeserig b. Belzig 43 J 21
Jeserig b. Brandenburg 43 I 22
Jeseritz 41 I 17
Jesewitz 55 L 21
Jessen 55 K 22
Jessenitz 21 G 17
Jessern 45 J 26
Jessin 14 D 23
Jeßnigk 55 K 23
Jeßnitz 54 K 20
Jestädt 52 M 14
Jesteburg 19 G 13
Jestetten 109 X 9
Jetsch 44 K 24
Jettebruch 30 H 13
Jettenbach 81 R 6
Jettenbach 106 V 21
Jettingen 93 U 10
Jettingen-Scheppach 103 U 15
Jettkofen 102 W 12
Jetzendorf 104 U 18
Jevenstedt 8 D 12
Jever 17 F 7
Jeversen 30 I 13
Jheringsfehn 17 G 6
Joachimsthal 34 H 25
Jobstgreuth 86 R 15
Jochberg 112 X 18
Jochenstein (Talsperre) 99 U 25
Jocketa 66 O 20
Jockgrim 93 S 8
Jocksdorf 57 L 27
Joditz 78 O 19
Jöhlingen 93 S 9
Jöhstadt 67 O 23
Jöllenbeck 38 J 9
Jördenstorf 23 E 21
Jößnitz 66 O 20
Johannesberg 75 P 11
Johannesberg b. Fulda 75 O 12
Johannesbrunn 98 U 21
Johanngeorgenstadt 79 O 22
Johannisberg 73 P 7
Johanniskirchen 98 U 22
Johanniskreuz 83 R 7
Joldelund 4 C 11
Jonsdorf 69 N 28
Jork 19 F 13
Jossa 75 P 12
Jossgrund 75 P 12
Jostal 100 W 8
Jucken 70 P 2
Judenbach 77 O 17
Jübar 31 H 16
Jübberde 17 G 7
Jübek 5 C 12
Jüchen 58 M 3
Jüchsen 76 O 15
Jüdenberg 54 K 21
Jüdendorf 54 M 19
Jügesheim 74 P 10
Jühnde 51 L 13
Jülchendorf 22 E 19
Jülich 58 N 3
Jümme 27 G 7
Jünkerath 70 O 3
Jürgenshagen 11 E 19
Jürgenstorf *(Kreis Demmin)* 24 F 22
Jürgenstorf *(Kreis Lüneburg)* 21 G 15
Jüterbog 43 K 23
Jütrichau 42 K 20
Jützenbach 52 L 15
Jugenheim (Seeheim-) 84 Q 9
Jugenheim i. Rheinhessen 73 Q 8
Juhöhe 84 R 10
Juist 16 E 4
Juist *(Insel)* 16 E 4
Julbach 106 V 22
Juliusburg 21 F 15
Juliusruh 13 C 24
Jungingen *(Kreis Ulm)* 103 U 13
Jungingen *(Zollernalbkreis)* 101 V 11
Jungnau 102 V 11
Junkersdorf 76 P 15
Junkersdorf a. d. Weisach 76 P 16
Junkershausen 76 O 15
Junkersrott 16 F 5
Justingen 102 U 12

K

Kaaks 8 E 12
Kaakstedt 34 G 25
Kaan-Marienborn 61 N 8
Kaarßen 31 G 17
Kaarst 48 M 3
Kaarz 22 E 19
Kabel 47 L 6
Kabelhorst 10 D 16
Kabelitz 42 I 20
Kablow 44 J 25
Kachtenhausen 38 K 10
Kade 43 I 20
Kadelburg 109 X 8
Kaden 61 O 7
Käbelicksee 24 F 22
Käbschütztal 68 M 24
Kälberbronn 93 U 9
Kämmerzell 63 O 12
Kämpfelbach 93 T 9
Kändler 67 N 22
Kärlingerhaus 114 X 22
Kästorf *(Kreis Gifhorn)* 41 I 15
Kästorf *(Kreis Wolfsburg)* 41 I 16
Käthen 32 I 18
Kagar 33 G 22
Kagel 44 I 25
Kagenow 14 E 24
Kahl a. Main 74 P 11
Kahla 56 L 24
Kahla 65 N 18
Kahleberg 68 N 25
Kahler Asten 62 M 9
Kahlersberg 114 X 23
Kahren 57 K 27
Kahren 80 R 3
Kahrstedt 32 H 18
Kaichen 74 P 10
Kaierde 40 K 13
Kaifenheim 71 P 5
Kaikenried 91 S 23
Kailbach 84 R 11
Kainsbach 87 R 18
Kaisa 55 L 23
Kaiser-Wilhelm-Koog 7 E 10
Kaiserau *(Kreis Dortmund)* 49 L 6
Kaiserau *(Oberbergischer Kreis)* 59 M 6
Kaiseringen 102 V 11
Kaisersbach 94 T 12
Kaisersesch 71 P 5
Kaisershagen 52 M 15
Kaiserslautern 83 R 7
Kaiserstuhl 100 V 6
Kaiserswerth 48 M 4
Kaiserwinkel 41 I 16
Kaisheim 96 T 16
Kaitersberg 89 S 22
Kajedeich 19 E 11
Kakau 54 K 21
Kakau 31 H 16
Kakenstorf 19 G 13
Kakerbeck 32 H 17
Kakerbeck 19 F 12
Kaköhl 9 D 16
Kalbach 75 O 12
Kalbe 32 I 18
Kalbe 19 G 12
Kalbensteinberg 87 S 16
Kalbsrieth 53 L 18
Kalchreuth 87 R 17
Kaldauen 59 N 5
Kaldenhausen 46 L 3
Kaldenkirchen 46 M 2
Kaldorf 96 T 17
Kalefeld 52 K 14
Kalenborn *(Kreis Ahrweiler)* 60 O 4
Kalenborn *(Kreis Cochem-Zell)* 71 P 5
Kalenborn *(Kreis Neuwied)* 60 O 5
Kalenborn-Scheuern 70 P 3
Kalifornien 9 C 15
Kalkar 46 K 2
Kalkhorst 10 E 17
Kalkofen 102 W 11
Kalkreuth 68 M 24
Kall 60 O 3
Kalldorf 39 J 10
Kallenbach 47 K 4
Kallenhardt 50 L 9
Kalletal 39 J 10
Kallinchen 44 J 24
Kallmerode 52 L 14
Kallmoor 19 G 12
Kallmünz 90 S 19
Kallmuth 60 O 3
Kallstadt 83 R 8
Kalme 41 J 15
Kalmit 83 S 8
Kalt 71 P 6
Kalteck 91 T 22
Kaltenborn 71 O 5
Kaltenbronn 93 T 9
Kaltenbrunn *(Kreis Coburg)* 77 P 16
Kaltenbrunn *(Kreis Neustadt a. d. Waldnaab)* 88 R 19
Kalteneber 52 M 14
Kalteneggolsfeld 87 Q 17
Kaltenengers 71 O 6
Kaltenhof 10 D 18
Kaltenkirchen 19 E 13
Kaltenlengsfeld 64 O 14
Kaltenmark 54 L 19
Kaltennordheim 64 O 14
Kaltensondheim 86 Q 14
Kaltensundheim 64 O 14
Kaltental 104 W 16
Kaltenweide 40 I 13
Kaltenwestheim 64 O 14
Kalterherberg 70 O 2
Kaltes Feld 95 T 13
Kalthausen 49 M 6
Kalthof 49 L 7
Kaltohmfeld 52 L 15
Kaltwasser 57 M 28
Kalübbe 24 F 23
Kalübbe 9 D 14
Kambs *(Kreis Güstrow)* 23 E 20
Kambs *(Kreis Müritz)* 23 G 21
Kamen 49 L 6
Kamenz 68 M 26
Kamern 33 H 20
Kamin 10 E 19
Kammbach 92 U 7
Kammeltal 103 U 15
Kammer 106 W 21
Kammerbach 51 M 13
Kammerberg 105 U 18
Kammerforst 64 M 15
Kammerforst 76 Q 15
Kammerstatt 95 S 13
Kammerstein 87 S 16
Kammin 14 E 24
Kamminke 25 E 26
Kamp 25 E 25
Kamp Bornhofen 71 P 6
Kamp-Lintfort 46 L 3
Kampe 27 G 7
Kampen 19 G 13
Kampen (Sylt) 4 B 9

KARLSRUHE

Adenauerring DX 2
Akademiestr. DX 3
Amalienstr. DX 12
Am Stadtgarten EZ 8
Bahnhofpl. EZ 13
Bahnhofstr. EZ 14
Bannwaldallee CYZ
Baumeisterstr. EY 16
Beiertheimer Allee DYZ 17
Bismarckstr. DX
Blücherstr. CX
Brauerstr. DY
Breite Str. DZ
Bulacher Str. DZ 21
Ebertstr. DZ
Eisenlohrstr. CY
Erbprinzenstr. DX 29
Ettlinger Allee EZ 31
Ettlinger Str. EYZ 32
Europapl. DX 33
Fautenbruchstr. EZ
Fritz-Erler-Str. EY 34
Gartenstr. CDY
Grünwinkler Str. CZ 37
Hans-Thoma-Str. EX 40
Hermann-Billing-Str. EY 44
Herrenstr. DY 46
Hirschstr. DYZ
Jollystr. DY
Kaiserallee CX
Kaiserpl. DX 49
Kaiserstr. DEX 50
Karlstr. DYZ
Karl-Friedrich-Str. EY 52
Kriegsstr. CDEY
Litzenhardtstr. CZ
Ludwig-Marum-Str. CX
Luisenstr. EY 64
Marienstr. EY
Marie-Alexandra-Str. DZ 65
Markgrafenstr. EXY 67
Marktpl. EX 68
Mathystr. DY 70
Mittelbruchstr. EZ 71
Moltkestr. CDX
Nebeniusstr. EZ 74
Neckarstr. DZ
Neue-Anlage-Str. CZ 76
Nördliche Hildapromenade CX 80
Otto-Wels-Str. CZ
Poststr. EZ 86
Pulverhausstr. CZ
Reinhold-Frank-Str. DX 89
Rheinstr. CX 90
Ritterstr. DY
Rüppurrer Str. EYZ
Scheffelstr. CXY
Schillerstr. CXY
Schloßpl. EX 95
Schwarzwaldstr. EZ 98
Seldeneckstr. CX
Sophienstr. CDXY
Steinhäuserstr. CY
Stephanienstr. DX 104
Südendstr. CDY
Waldhornstr. EX 110
Waldstr. DX 112
Weiherfeldstr. DZ 113
Werderpl. EY 116
Wilhelmstr. EY 121
Willy-Brandt-Allee DX 122
Yorckstr. CXY
Zeppelinstr. CY 126
Zirkel EX 127

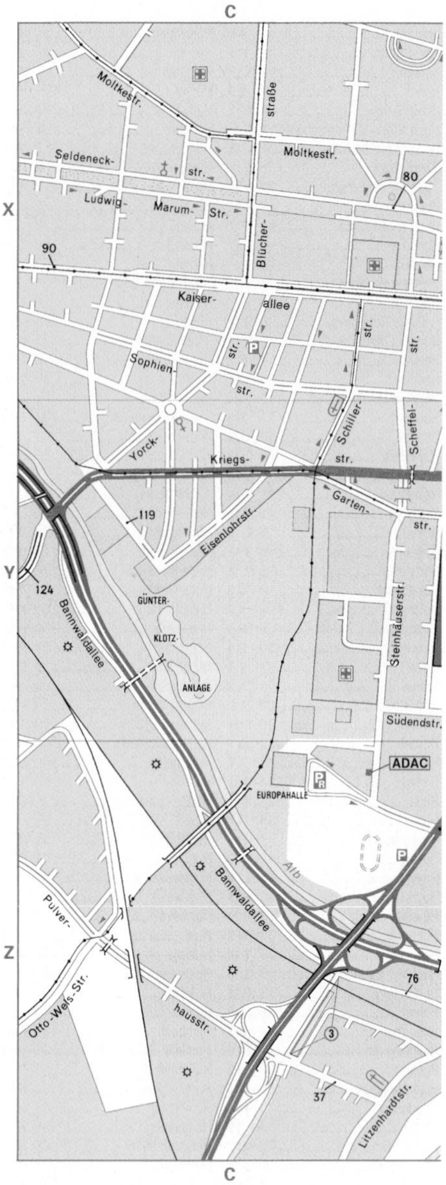

C
X
Y
Z
Moltkestr.
straße
Seldeneck-
Moltkestr.
str.
Ludwig-
Marum-
Str.
80
90
Blücher-
Kaiser-
allee
Sophien-
Yorck-
Kriegs-
Schiller-
Scheffel-
Garten-
119
Eisenlohrstr.
124
Bannwaldallee
GÜNTER-
KLOTZ-
ANLAGE
Steinhäuserstr.
Südendstr.
ADAC
EUROPAHALLE
Alb
Pulver-
hausstr.
Otto-Wels-Str.
76
37
Litzenhardtstr.

Kampenwand 114 W 21
Kamperfehn 27 G 7
Kamsdorf 65 O 18
Kandel 93 S 8
Kandel (Berg) 100 V 8
Kandelin 14 D 23
Kandelwald 100 V 7
Kandern 108 W 7
Kandertal 100 W 7
Kannawurf 53 M 17
Kannemoor 7 E 11
Kanzach 102 V 12
Kanzelwand 111 X 14
Kanzem 80 Q 3
Kanzlersgrund 64 N 15
Kapellen *(Kreis Kleve)* 46 L 3
Kapellen *(Kreis Wesel)* 46 L 3
Kapellen (Erft) 58 M 3
Kapellendorf 65 N 18
Kapern 32 G 18
Kapfenburg 95 T 14
Kappe 34 H 24
Kappel 72 P 6
Kappel *(Kreis Biberach a. d. Riß)* 102 V 12
Kappel *(Kreis Ravensburg)* 110 W 12
Kappel b. Lenzkirch 100 W 8
Kappel b. Waldsassen 79 P 20
Kappel-Grafenhausen 100 V 7
Kappeln 5 C 13
Kappelrodeck 92 U 8
Karbach *(Kreis Main-Spessart)* 75 Q 12
Karbach *(Rhein-Hunsrück-Kreis)* 71 P 6
Karben 74 P 10
Karbow-Vietlübbe 23 F 20
Karby 5 C 13
Karcheez 23 E 20
Karden 71 P 5
Kardorf 103 W 14
Kareth 90 S 20
Karft 21 F 17
Kargow 24 F 22
Karin 11 D 19
Karith 42 J 19
Karken 58 M 2
Karlburg 75 Q 13
Karlsbach 99 T 24
Karlsbad 93 T 9
Karlsbrunn 82 S 4
Karlsburg 15 E 24
Karlsdorf 66 N 19
Karlsdorf-Neuthard 93 S 9
Karlsfeld 104 V 18
Karlshagen 13 D 25
Karlshausen 70 P 2
Karlshöfen 18 F 11
Karlshuld 96 T 17
Karlskron 96 T 18
Karlsminde 5 C 13
Karlsruhe 93 S 9
Karlstadt 75 Q 13
Karlstein 114 W 22
Karlstein a. Main 74 P 11
Karlum 4 B 10
Karm 96 S 17
Karmitz 31 G 17
Karnap 47 L 5
Karnin *(Kreis Nordvorpommern)* 12 D 22
Karnin *(Kreis Ostvorpommern)* 25 E 25
Karnitz 13 C 24
Karolinenkoog 7 D 10
Karow *(Kreis Güstrow)* 23 E 20
Karow *(Kreis Jerichower Land)* 43 I 20
Karow *(Kreis Parchim)* 23 F 20
Karow *(Kreis Rügen)* 13 C 24
Karpfham 107 U 23
Karrendorf 13 D 24
Karrenzin 22 F 19
Karsbach 75 P 13
Karsdorf 54 M 18
Karsee 110 W 13
Karstädt *(Kreis Ludwigslust)* 22 G 18
Karstädt *(Kreis Prignitz)* 32 G 19
Karthane 33 H 20
Karthaus 36 K 5
Kartlow *(Kreis Demmin)* 24 E 23
Kartlow *(Kreis Nordwestmecklenburg)* 10 E 18
Karwe 33 H 22
Karwitz 31 G 17
Karze 21 G 16
Kasbach-Ohlenberg 60 O 5
Kaschow 13 D 23
Kasel-Golzig 44 K 25
Kasendorf 77 P 18
Kasing 97 T 18
Kasnevitz 13 C 24
Kaspeltshub 89 S 20

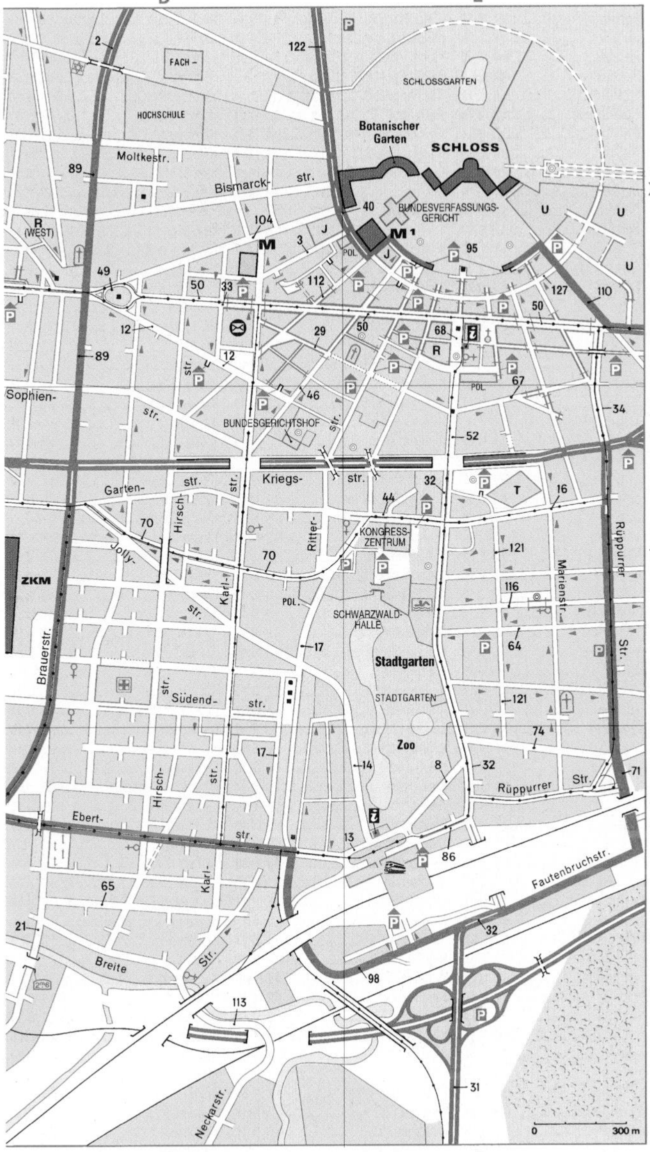
D
E
SCHLOSSGARTEN
HOCHSCHULE
FACH-
Botanischer Garten
SCHLOSS
BUNDESVERFASSUNGS-GERICHT
Moltkestr.
Bismarck- str.
Sophien-
BUNDESGERICHTSHOF
Garten- str.
Kriegs- str.
KONGRESS-ZENTRUM
ZKM
SCHWARZWALD-HALLE
Stadtgarten
STADTGARTEN
Zoo
Südend- str.
Ebert- str.
Rüppurrer Str.
Fautenbruchstr.
Breite Str.
Neckarstr.
Brauerstr.
Karl-str.
Ritter-str.
Marienstr.
Jolly-str.
X
Y
Z
0 300 m

Kassau 31 H 16
Kassebruch 18 F 9
Kasseburg 20 F 15
Kasseedorf 9 D 16
Kassel 51 M 12
Kassel *(Main-Kinzig-Kreis)* 75 P 11
Kasselburg 70 P 4
Kassieck 32 I 18
Kassow 23 E 20
Kastel 81 R 4
Kastel (Mainz-) 74 P 8
Kastel-Staadt 80 R 3
Kastellaun 71 P 6
Kaster 58 M 3
Kastl *(Kreis Altötting)* 106 V 22
Kastl *(Kreis Amberg-Sulzbach)* 88 R 19
Kastl *(Kreis Tirschenreuth)* 88 Q 19
Kastorf *(Kreis Demmin)* 24 F 23
Kastorf *(Kreis Herzogtum Lauenburg)* 21 E 15
Katelbogen 23 E 19
Katensen 40 I 14
Katerbow 33 H 21
Katernberg (Wuppertal-) 48 M 5
Katharinenheerd 7 C 10
Kathlow 57 K 27
Kathrinhagen 39 J 11
Kathus 63 N 13
Kating 7 D 10
Katlenburg-Lindau 52 K 14
Katrop 49 L 8
Katschenreuth 77 P 18
Katschow 15 E 26
Kattendorf 20 E 14
Kattenstroth 38 K 9
Kattenvenne 37 J 7
Kattrepel 7 E 11
Katzbach 89 S 22
Katzenbach *(Kreis Altenkirchen)* 61 N 7
Katzenbach *(Kreis Bad Kissingen)* 76 P 13
Katzenbuckel 84 R 11
Katzenelnbogen 73 P 7
Katzenfurt 62 O 9
Katzenloch 81 Q 5
Katzensteig 100 V 8
Katzenstein 95 T 15
Katzental 85 R 11
Katzhütte 65 O 17
Katzow 15 D 25
Katzwang 87 R 17
Katzweiler 83 R 7
Katzwinkel 61 N 7
Kaub 73 P 7
Kauern 66 N 20
Kauerndorf 77 P 18
Kaufbeuren 103 W 15
Kaufering 104 V 16
Kaufungen *(Kreis Chemnitzer Land)* 67 N 22
Kaufungen *(Kreis Kassel)* 51 M 12
Kaufunger Wald 51 L 13
Kaulhausen 90 S 20
Kaulitz 32 H 18
Kaulsdorf 65 O 18
Kaunitz 50 K 9
Kausche 56 L 26
Kauschwitz 78 O 20
Kausen 61 O 6
Kautenbach 72 Q 5
Kautendorf 78 P 19
Kavelsdorf 12 D 22
Kavelstorf 11 D 20
Kay 106 V 22
Kayh 93 U 10
Kayhausen 27 G 8
Kayhude 20 E 14
Kayna 66 N 20
Keeken 46 K 2
Keez 22 E 18
Kefenrod 75 O 11
Kefferhausen 52 M 14
Kehdingbruch 18 E 10
Kehdingen 19 E 11
Kehl 92 U 7
Kehlbach 77 O 17
Kehlen 110 W 12
Kehlstein 114 X 23
Kehmstedt 52 L 15
Kehnert 42 I 19
Kehrberg 33 G 20
Kehrenbach 63 M 12
Kehrig 71 P 5
Kehrigk 44 J 25
Kehrsen 21 F 16
Kehrum 46 K 3
Keidenzell 86 R 16
Keilberg 75 Q 11
Keitlinghausen 49 K 8
Keitum 4 B 9
Kelberg 71 P 4
Kelbra 53 L 17
Kelbra (Stausee) 53 L 16
Keldenich *(Erftkreis)* 59 N 4
Keldenich *(Kreis Euskirchen)* 60 O 3
Kelheim 97 T 19
Kelkheim 74 P 9
Kell *(Kreis Mayen-Koblenz)* 71 O 5
Kell *(Kreis Trier-Saarburg)* 80 R 4
Kella 52 M 14
Kellberg 99 U 24
Kellen 46 K 2
Kellenbach 73 Q 6
Kellenhusen 10 D 17
Keller 34 H 23
Kellerhöhe 27 H 8
Kellersee 9 D 15
Kellerwald 63 M 11
Kellinghusen 8 E 13
Kellmünz 103 V 14
Kelsterbach 74 P 9
Keltern 93 T 9
Kelz 58 N 3
Kelze 51 L 12
Kemberg 55 K 21
Kemel 73 P 8
Kemlitz 56 K 24
Kemmen 56 K 25
Kemmenau 73 O 7
Kemmern 77 Q 16
Kemnade *(Bodenwerder)* 39 K 12
Kemnader See 47 L 5
Kemnat 103 U 15
Kemnat *(Stuttgart)* 94 T 11
Kemnath *(Kreis Schwandorf)* 89 R 20
Kemnath *(Kreis Tirschenreuth)* 78 Q 19
Kemnath a. Buchberg 88 R 20
Kemnathen 97 S 18
Kemnitz *(Elstertalkreis)* 78 O 19
Kemnitz *(Kreis Löbau-Zittau)* 69 M 28
Kemnitz *(Kreis Ostvorpommern)* 14 D 24
Kemnitz *(Kreis Prignitz)* 33 G 20
Kemnitz *(Kreis Teltow-Fläming)* 43 J 22
Kempen *(Kreis Heinsberg)* 58 M 2
Kempen *(Kreis Viersen)* 46 L 3
Kempenich 71 O 5
Kempfeld 81 Q 5
Kempfenbrunn 75 P 12
Kempten 111 W 14
Kemptener Haus 111 X 14
Kemptner-Hütte 111 Y 14
Kemtau 67 N 22
Kennfus 71 P 5
Kenz 12 D 22
Kenzenhütte 112 X 16
Kenzingen 100 V 7
Keppeln 46 K 2
Keppenbach 100 V 7
Kerbfeld 76 P 15
Kerkau 32 H 18
Kerken 46 L 3
Kerkingen 95 T 15
Kerkow 35 G 25
Kerkuhn 32 H 18
Kerkwitz 45 K 27
Kermeter (Der) 70 O 3
Kernen i. Remstal 94 T 12
Kerpen 58 N 4
Kerpen *(Eifel)* 70 P 4
Kersbach 87 Q 17
Kerschenbach 70 O 3
Kerspe-Stausee 59 M 6
Kerspenhausen 63 N 12
Kerspleben 65 M 17
Kerstenhausen 63 M 11
Kerstlingerode 52 L 14
Kervenheim 46 L 2
Kerzell 75 O 13
Kerzendorf 44 J 23
Kerzenheim 83 R 8
Kesbern 49 L 7
Kesdorf 9 D 15
Kessel 46 K 2
Kesseling 60 O 5
Kesselsdorf 68 M 24
Kessin *(Kreis Bad Doberan)* 11 D 20
Kessin *(Kreis Demmin)* 24 E 23
Keßlar 65 N 18
Kesternich 70 O 2
Kestert 71 P 6
Ketelsbüttel 7 D 11
Ketelshagen 13 C 24
Ketelswarf 4 C 9
Ketsch 84 R 9
Ketteldorf 86 R 16
Ketten 63 O 13
Kettenacker 102 V 11
Kettenbach 73 P 8
Kettenburg 30 H 12
Kettenhausen 61 N 6
Kettenhöfstetten 86 R 15
Kettenkamp 27 I 7
Ketterschwang 104 W 16
Kettershausen 103 V 14
Kettig 71 O 6
Kettwig 47 L 4
Ketzerbachtal 67 M 23
Ketzin 43 I 22
Ketzür 43 I 21
Keula 52 M 15
Keulenberg 68 M 25
Kevelaer 46 L 2
Kevenhüll 97 S 18
Keyenberg 58 M 3
Kicklingen 95 U 15
Kiebitz 67 M 23
Kiebitzreihe 19 E 12
Kiedrich 73 P 8
Kiefersfelden 113 X 20
Kiehnwerder 35 I 26
Kiekebusch 57 K 27
Kiekindemark 22 F 19
Kiel 9 D 14
Kieler Bucht 9 B 14
Kieler Förde 9 C 14
Kiemertshofen 104 U 17
Kienbaum 44 I 25
Kienberg 33 I 22
Kienberg 106 V 21
Kienitz 35 H 27
Kierdorf 59 N 4
Kierspe 61 M 6
Kierspe Bahnhof 61 M 6
Kieselbach 64 N 14
Kieselbronn 93 T 10
Kieselwitz 45 J 27
Kieve 23 G 21
Kilchberg 93 U 11
Kilianshof 76 O 14
Killer 102 V 11
Killingen 95 T 14
Kimbach 84 Q 11
Kimratshofen 111 W 14
Kindelbrück 53 M 17
Kindelsberg 61 N 7
Kindenheim 83 R 8
Kinderbeuern 71 P 5
Kinderhaus 37 K 6
Kinding 96 S 18
Kindsbach 81 R 6
Kinheim 72 Q 5
Kinsau 104 W 16
Kinzig 75 P 11
Kinzig 101 U 9
Kinzigtalsperre 75 P 12
Kinzweiler 58 N 2
Kipfenberg 96 T 18
Kippenheim 100 V 7
Kippenheimweiler 100 V 7
Kipsdorf 68 N 25
Kirberg 73 P 8
Kirburg 61 N 7
Kirch Baggendorf 14 D 22
Kirch-Brombach 84 Q 10
Kirch-Göns 74 O 9
Kirch Grubenhagen 23 F 21
Kirch Jesar 21 F 17
Kirch Mulsow 10 E 19
Kirch Rosin 23 E 20
Kirch Stück 22 E 18
Kirchahorn 87 Q 18
Kirchaich 76 Q 16
Kirchaitnach 91 S 22
Kirchanschöring 106 W 22
Kirchardt 84 S 10
Kirchasch 105 V 20
Kirchbarkau 9 D 14
Kirchberg *(Kreis Erding)* 105 U 20
Kirchberg *(Kreis Goslar)* 52 K 14
Kirchberg *(Kreis Landshut)* 98 U 21
Kirchberg *(Kreis Passau)* 99 U 23
Kirchberg *(Kreis Zwickauer Land)* 67 O 21
Kirchberg *(Rhein-Hunsrück-Kreis)* 72 Q 6
Kirchberg *(Schwalm-Eder-Kreis)* 63 M 11
Kirchberg a. d. Iller 103 V 14
Kirchberg a. d. Jagst 86 S 13
Kirchberg a. d. Murr 94 T 12
Kirchberg b. Jülich 58 N 3
Kirchberg i. Wald 99 T 23
Kirchbichl 105 W 18
Kirchbierlingen 102 V 13
Kirchboitzen 30 H 12
Kirchboke 50 K 9
Kirchborchen 50 L 10
Kirchbracht 75 O 11
Kirchbrak 39 K 12
Kirchdorf *(Kreis Aurich)* 17 F 6
Kirchdorf *(Kreis Diepholz)* 29 I 10
Kirchdorf *(Kreis Keilheim)* 97 T 19
Kirchdorf *(Kreis Mühldorf a. Inn)* 105 V 20
Kirchdorf *(Kreis Nordvorpommern)* 13 D 23
Kirchdorf *(Kreis Nordwestmecklenburg)* 10 D 18
Kirchdorf *(Kreis Unterallgäu)* 103 V 15
Kirchdorf a. d. Amper 105 U 18
Kirchdorf a. d. Iller 103 V 14
Kirchdorf a. Haunpold 105 W 19
Kirchdorf a. Inn 106 V 23
Kirchdorf i. Wald 91 T 23
Kirchdornberg 38 J 9
Kirchehrenbach 87 Q 17
Kircheib 59 N 6
Kirchen 61 N 7
Kirchen 102 V 12
Kirchen-Hausen 101 W 10
Kirchenarnbach 81 R 6
Kirchenbirkig 87 Q 18
Kirchenbollenbach 81 Q 6
Kirchendemenreuth 88 Q 20
Kirchengel 53 M 16
Kirchenkirnberg 94 T 13
Kirchenlamitz 78 P 19
Kirchenpingarten 78 Q 19
Kirchenreinbach 87 R 18
Kirchensall 85 S 12
Kirchensittenbach 87 R 18
Kirchentellinsfurt 94 U 11
Kirchenthumbach 88 Q 19
Kirchenwinn 88 S 19
Kirchfarrnbach 86 R 16
Kirchfembach 87 R 16
Kirchgellersen 30 G 14
Kirchhain 62 N 10
Kirchham 107 U 23
Kirchhammelwarden 18 G 9
Kirchhasel 65 N 18
Kirchhaslach 103 V 14
Kirchhatten 28 G 9
Kirchhausen 84 S 11
Kirchheide 39 J 10
Kirchheilingen 64 M 16
Kirchheim *(Ilm-Kreis)* 65 N 17
Kirchheim *(Kreis Euskirchen)* 60 O 4
Kirchheim *(Kreis Hersfeld-Rotenburg)* 63 N 12
Kirchheim *(Kreis Traunstein)* 106 V 22
Kirchheim *(Kreis Würzburg)* 85 R 13
Kirchheim a. d. Weinstraße 83 R 8
Kirchheim a. Neckar 94 S 11
Kirchheim a. Ries 95 T 15
Kirchheim b. München 105 V 19
Kirchheim i. Schwaben 103 V 15
Kirchheim u. Teck 94 U 12
Kirchheimbolanden 83 R 8
Kirchhellen 47 L 4
Kirchherten 58 M 3
Kirchhöfe 100 V 8
Kirchhof 63 M 12
Kirchhofen 100 W 7
Kirchhorst 40 I 13
Kirchhoven 58 M 2
Kirchhundem 61 M 8
Kirchkimmen 28 G 9
Kirchlauter 76 P 16
Kirchlein 77 P 17
Kirchlengern 38 J 9
Kirchleus 77 P 18
Kirchlinteln 29 H 11
Kirchmöser 43 I 21
Kirchmöser Dorf 43 I 21

A B C D E F G H I J K L M N O P Q R S T U V W X Y Z

KASSEL

Brüder-Grimm-Pl. Z 3
Bürgerm.-Brunner-Str. Z 5
Fünffensterstr. Z 12
Fuldabrücke Z 13
Königspl. Z 21
Kurfürstenstr. Y 22
Neue Fahrt Z 25
Obere Königsstr. Z
Rudolf-Schwander-Str. Y 27
Scheidemannpl. Z 28
Ständepl. Z
Treppenstr. Z
Untere Königsstr. Y
Werner-Hilpert-Str. Y 34
Wilhelmsstr. Z 35

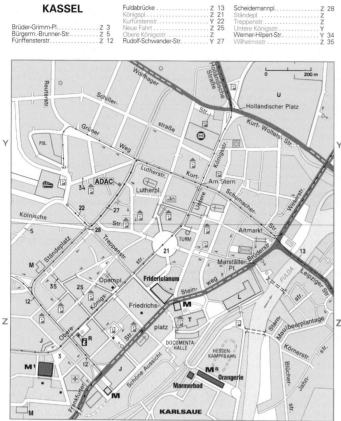

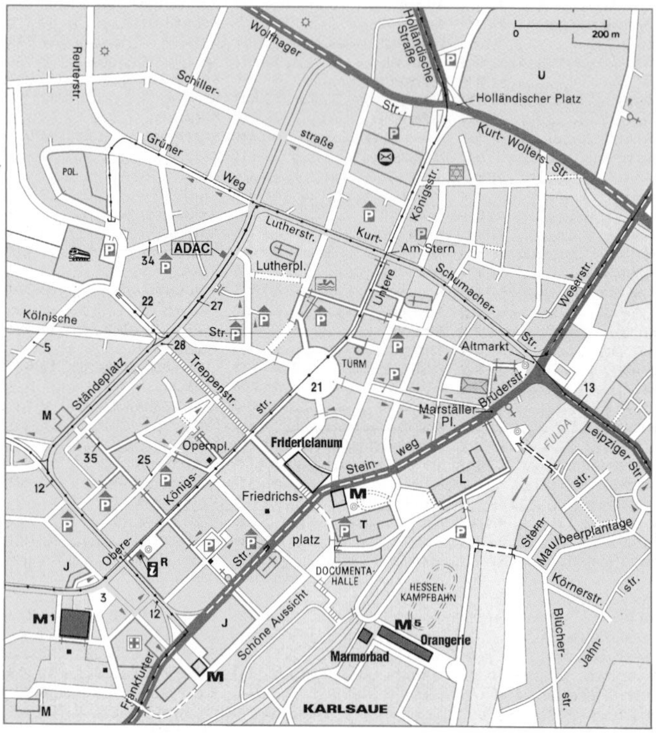

Kirchnüchel 9 D 16
Kirchohmfeld 52 L 15
Kirchohsen 39 J 12
Kirchrarbach 50 M 8
Kirchrode 40 I 13
Kirchröttenbach 87 R 17
Kirchroth 90 T 21
Kirchschletten 77 P 16
Kirchseelte 29 H 10
Kirchseeon 105 V 19
Kirchtimke 19 G 11
Kirchtroisdorf 58 N 3
Kirchveischede 61 M 7
Kirchvers 62 N 9
Kirchwald 71 O 5
Kirchwalsede 29 G 12
Kirchweidach 106 V 21
Kirchweiler 70 P 4
Kirchwerder 20 F 14
Kirchweyhe
(*Kreis Diepholz*) 29 H 10
Kirchweyhe
(*Kreis Uelzen*) 31 G 15
Kirchwistedt 18 F 10
Kirchworbis 52 L 15
Kirchzarten 100 W 7
Kirchzell 85 R 11
Kirf 80 R 3
Kirkel 82 S 5
Kirn 81 Q 6
Kirn 106 U 23
Kirnbach 101 V 8
Kirnberg 86 R 14
Kirnitzschtal 67 N 26
Kirrlach 84 S 9
Kirrweiler 81 R 6
Kirrweiler (Pfalz) 83 S 8
Kirschau 69 M 27
Kirschfurt 85 Q 11
Kirschhausen 84 R 10
Kirschhofen 73 O 8
Kirschweiler 81 Q 5
Kirtorf 63 N 11
Kisdorf 20 E 14
Kisdorferwohld 20 E 14
Kisselbach 71 P 6
Kissenbrück 41 J 15
Kissendorf 103 U 14
Kissing 104 V 16
Kißlegg 111 W 13
Kist 85 Q 13
Kittendorf 24 F 22
Kittlitz 21 F 16
Kittlitz
(*Kreis Löbau-Zittau*) 69 M 28
Kittlitz (*Kreis Oberspreewald-Lausitz*) 56 K 25
Kitzen 54 M 20
Kitzingen 86 Q 14
Kitzscher 67 M 21
Kius 5 C 13
Kiwittsheide 37 J 8
Klaber 23 E 21
Kladow (*Berlin*) 44 I 23
Kladrum 22 F 19
Kläden (*Altmarkkreis Salzwedel*) 32 H 18
Kläden (*Kreis Stendal*) 32 I 18
Kläham 97 T 20
Klaffenbach 67 N 22
Klafferstraß 99 T 25
Klais 112 X 17
Klamp 9 D 15
Klandorf 34 H 24
Klanxbüll 4 B 10
Klappholz 5 C 12
Klardorf 88 S 20
Klasdorf 44 J 24
Klattenhof 28 H 9
Klausdorf (*Kreis Nordvorpommern*) 13 C 23
Klausdorf
(*Kreis Teltow-Fläming*) 44 J 24
Klausdorf (Schwentine) 9 D 14
Klausen 72 Q 4
Klaushagen 24 G 24
Klausheide 36 I 5
Klebitz 43 K 22
Klecken 19 F 13
Kleeberg 107 U 23
Kleefeld 27 G 8
Kleekamp 37 J 8
Kleenkamp 29 G 12
Kleestadt 74 Q 10
Klein Ammensleben 42 J 18
Klein Bademeusel 57 K 28
Klein Barkau 9 D 14
Klein Behnitz 33 I 22
Klein Belitz 11 E 19
Klein Bengerstorf 21 F 16
Klein Bennebek 8 C 12
Klein Berkel 39 J 12
Klein Berßen 27 H 6
Klein Biewende 41 J 15
Klein Bokern 27 I 7
Klein Breese 32 H 17
Klein Briesen 43 J 21
Klein Brockdorf 27 I 8
Klein Brunsrode 41 I 16
Klein Bümmerstede 27 G 8
Klein Bünzow 15 E 24
Klein Damerow 23 F 20
Klein Döbbern 57 K 27
Klein Dölln 34 H 24
Klein-Eichen 62 O 11
Klein Eilstorf 30 H 12
Klein Engersen 32 I 18
Klein-Fredenbeck 19 F 12
Klein Fullen 26 H 5
Klein Gartz 32 H 17
Klein-Gerau 74 Q 9
Klein Germersleben 42 J 18
Klein Gottschow 32 G 20
Klein Grabow 23 E 20
Klein Haßlow 33 G 21
Klein Henstedt 29 H 9
Klein Hesebeck 31 G 15
Klein Hesepe 26 I 5
Klein Ilsede 40 J 14
Klein Isums 17 F 7
Klein-Karben 74 P 10
Klein Kiesow 14 E 24
Klein Köris 44 J 25
Klein-Krauscha 57 M 28
Klein Kreutz 43 I 21
Klein-Krotzenburg 74 P 10
Klein Kummerfeld 9 D 14
Klein Labenz 22 E 19
Klein Lafferde 40 J 14
Klein Leine 45 K 26
Klein Lengden 52 L 14
Klein Leppin 33 H 20
Klein Linden 62 O 9
Klein Luckow 25 F 25
Klein Lüben 32 H 19
Klein-Markow 23 E 21
Klein Marzehns 43 J 21
Klein Meckelsen 19 G 12
Klein Muckrow 45 J 27
Klein Mühlingen 42 K 19
Klein Niendorf 23 F 19
Klein Nordende 19 E 12
Klein Offenseth 19 E 13
Klein Offenseth-Sparrieshoop 19 E 13
Klein Oschersleben 41 J 18
Klein Pampau 21 F 15
Klein Pankow 23 F 20
Klein Partwitz 56 L 26
Klein Plasten 24 F 22
Klein Priebus 57 L 28
Klein Radden 44 K 25
Klein Reken 47 K 5
Klein Rheide 5 C 12
Klein Rodensleben 42 J 18
Klein Rönnau 9 E 14
Klein Rogahn 21 F 18
Klein Sarau 21 E 16
Klein Scharrel 27 G 8
Klein Schierstedt 53 K 18
Klein Schmölen 32 G 17
Klein Schneen 51 L 13
Klein Schulzendorf 44 J 23
Klein Schwaß 11 D 20
Klein Schwechten 32 H 19
Klein Sien 22 E 19
Klein Sisbeck 41 I 16
Klein Stavern 27 H 6
Klein Süntel 39 J 12
Klein Süstedt 31 H 15
Klein Trebbow (*Kreis Mecklenburg-Strelitz*) 24 G 23
Klein Trebbow (*Kreis Nordwestmecklenburg*) 22 E 18
Klein-Umstadt 74 Q 10
Klein Upahl 23 E 20
Klein Vahlberg 41 J 16
Klein Vielen 24 F 23
Klein Wangelin 23 F 20
Klein Wanzleben 42 J 18
Klein Wesenberg 21 E 15
Klein-Winternheim 73 Q 8
Klein Wittensee 8 C 13
Klein Zicker 13 D 25
Klein Ziegenfelder Tal 77 P 17
Klein Ziethen 35 H 25
Klein Zimmern 74 Q 10
Kleinaitingen 104 V 16
Kleinalmerode 51 M 13
Kleinaspach 94 T 12
Kleinau 32 H 18
Kleinauheim 74 P 10
Kleinbardau 67 M 22
Kleinbardorf 76 P 15
Kleinbautzen 69 M 27
Kleinberghofen 104 U 17
Kleinberndten 52 L 15
Kleinblittersdorf 82 S 5
Kleinbodungen 52 L 15
Kleinborbritzsch 68 N 24
Kleinbrüchter 52 M 15
Kleinbüllesheim 59 N 4
Kleindembach 65 N 18
Kleine Aller 41 I 16
Kleine Elster 56 L 24
Kleine Enz 93 T 9
Kleine Laaber 98 T 21
Kleine Röder 56 L 24
Kleine Spree 57 L 27
Kleine Vils 105 U 20
Kleineibstadt 76 P 15
Kleinenberg (*Kreis Hameln-Pyrmont*) 39 K 11
Kleinenberg
(*Kreis Paderborn*) 50 L 10
Kleinenborstel 29 H 11
Kleinenbremen 39 J 11
Kleinenbroich 48 M 3
Kleinenglis 63 M 11
Kleinengstingen 102 U 11
Kleinenkneten 28 H 9
Kleinenmarpe 39 K 10
Kleinensee 64 N 13
Kleinensiel 18 F 9
Kleiner Brombachsee 96 S 16
Kleiner Gleichberg 76 O 15
Kleiner Jasmunder Bodden 13 C 24
Kleiner Landgraben 24 F 23
Kleines Haff 25 E 26
Kleinfurra 52 L 16
Kleingartach 93 S 10
Kleingesee 87 Q 18
Kleinglattbach 93 T 10
Kleinhammer 49 M 7
Kleinhartmannsdorf 67 N 23
Kleinhaslach 86 R 16
Kleinhau 58 N 3
Kleinhelmsdorf 66 M 19
Kleinheubach 85 Q 11
Kleinich 72 Q 5
Kleinjena 66 M 19
Kleinjörl 5 C 11
Kleinkahl 75 P 11
Kleinkarlbach 83 R 8
Kleinkönigsförde 8 C 13
Kleinkötz 103 U 14
Kleinkrausnik 56 K 24
Kleinkühnau 54 K 20
Kleinlangenfeld 70 P 3
Kleinlangheim 86 Q 14
Kleinlüder 63 O 12
Kleinmachnow (*Berlin*) 44 I 23
Kleinmaischeid 61 O 6
Kleinmölsen 65 M 17
Kleinmutz 34 H 23
Kleinnaundorf-Würschnitz 68 M 25
Kleinoldendorf 17 G 7
Kleinosthein 74 P 11
Kleinottweiler 81 R 5
Kleinow 32 G 19
Kleinpaschleben 54 K 19
Kleinpösna 55 M 21
Kleinpritzer See 23 F 19
Kleinradmeritz 69 M 28
Kleinrinderfeld 85 Q 13
Kleinröhrsdorf 68 M 25
Kleinromstedt 65 N 18
Kleinsassen 63 O 13
Kleinsaubernitz 57 M 27
Kleinschmalkalden 64 N 15
Kleinschwabhausen 65 N 18
Kleinsendelbach 87 R 17
Kleinsteinbach 93 T 9
Kleinvollstedt 8 D 13
Kleinwaabs 5 C 13
Kleinwallstadt 75 Q 11
Kleinwaltersdorf 67 N 23
Kleinwechsungen 52 L 16
Kleinweiler 111 X 14
Kleinweisach 86 Q 15
Kleinwelka 69 M 27
Kleinwenkheim 76 P 14
Kleinwerther 52 L 16
Kleinwessek 9 D 16
Kleinwiehe 5 B 11
Kleinwörden 19 F 11
Kleinwulkow 42 I 20
Kleinwusterwitz 43 I 20
Kleinzerbst 54 K 20
Kleinzerlang 33 G 22
Kleinziegenfeld 77 P 17
Klempau 21 E 15
Klempenow 24 E 23
Klenau 104 U 17
Klengen 101 V 9
Klenkendorf 18 F 11
Klenzau 9 D 15
Kleptow 25 F 26
Klepzig 54 L 20
Kleßen 33 H 21
Klessener Zootzen 33 H 21
Kletkamp 9 D 15
Klettbach 65 N 17
Klettgau-Grießen 109 X 9
Klettstedt 64 M 16
Klettwitz 56 L 25
Kletzen-Zschölkau 54 L 21
Kletzin 14 E 23
Kletzke 32 H 20
Kleukheim 77 P 17
Kleutsch 54 K 20
Kleve 46 K 2
Kleve (*Kreis Dithmarschen*) 7 D 11
Kleve (*Kreis Steinburg*) 8 E 12
Klevenow 14 D 23
Kleverhof 24 E 22
Kliding 71 P 5
Klieken 43 K 21
Kliestow 44 J 23
Klietz 32 H 20
Klietznick 42 I 20
Klieve 50 L 8
Klinga 55 M 21
Klingbach 83 S 8
Klingberg 9 D 16
Klingen (*Kreis Aichach-Friedberg*) 104 U 17
Klingen (*Kreis Würzburg*) 86 R 14
Klingenberg 68 N 24
Klingenberg 85 Q 11
Klingenberg Stausee 68 N 24
Klingenbrunn 91 T 23
Klingendorf 11 E 20
Klingenmünster 83 S 8
Klingenthal 79 O 21
Klinglbach 91 S 22
Klingsmoos 96 U 17
Klink 23 F 21
Klinken 22 F 19
Klinkrade 21 E 15
Klinkum 58 M 2
Klint 19 F 11
Klintum 4 B 10
Klinze 41 I 17
Klitsche 42 I 20
Klitschmar 54 L 20
Klitten 57 L 27
Klitzschen 55 L 22
Klix 57 M 27
Klixbüll 4 B 10
Klobbicke 34 H 25
Klobenreuth 88 Q 20
Klobikau 54 L 19
Klockenhagen 11 D 21
Klockow 25 F 26
Klocksdorf 21 E 16
Klocksin 23 F 21
Kloddram 21 F 17
Klöden 55 K 22
Klötze 31 I 17
Klötzer Forst 31 I 17
Kloppenheim 74 P 10
Kloschwitz 54 L 19
Kloster 13 C 23
Kloster Neuendorf 42 I 18
Kloster Oesede 37 J 8
Kloster Veßra 76 O 15
Kloster Zinna 43 J 23
Klosterbach 29 H 10
Klosterbeuren 103 V 14
Klosterdorf 35 I 25
Klosterfelde 34 H 24
Klosterhäseler 65 M 18
Klosterheide 38 J 9
Klosterholte 27 I 6
Klosterkumbd 71 P 6
Klosterkuppel 75 Q 12
Klosterlangheim 77 P 17
Klosterlechfeld 104 V 16
Klostermansfeld 53 L 18
Klostermoor 27 G 6
Klosterreichenbach 93 U 9
Klosterseelte 29 H 10
Klosterwalde 34 G 24
Klotingen 49 L 7
Klotten 71 P 5
Klotzow 15 E 25
Klotzsche (*Dresden*) 68 M 25
Klüden 42 I 18
Klüppelberg 59 M 6
Klueß 23 E 20
Klüsserath 72 Q 4
Klütz 10 E 17
Kluftern 110 W 12
Kluse 26 H 6
Kmehlen-Gävernitz 68 M 24
Knappenrode 57 L 26
Knau 66 O 19
Knauthain 54 M 20
Knautnaundorf 54 M 20
Kneblinghausen 50 L 9
Knechtsteden
(Kloster) 59 M 4
Kneese 21 F 16
Kneheim 27 H 7
Kneitlingen 41 J 16
Knesebeck 31 H 16
Knesing 106 W 21
Knetterheide 38 J 10
Knetzgau 76 Q 15
Knickberg 29 I 10
Kniebis 93 U 8
Knielingen 93 S 9
Knippelsdorf 55 K 24
Knittlingen 93 S 10
Knock 16 F 5
Knopfmacherfelsen 101 V 10
Knopp-Labach 81 R 6
Knorburg 4 B 11
Knorrendorf 24 F 23
Knorrhütte 112 X 17
Knottenried 111 X 14
Knüll 63 N 12
Knüllgebirge 63 N 12
Knüllwald 63 N 12
Knutbühren 51 L 13
Kobbeln 45 J 27
Koberg 21 F 15
Kobern-Gondorf 71 P 6
Kobershain 55 L 22
Koblentz 25 F 26
Koblenz 57 L 26
Koblenz 71 O 6
Kobrow 22 E 19
Kochel a. See 112 X 18
Kochelsee 112 X 18
Kochendorf 5 C 13
Kocher 95 T 13

Kochersteinsfeld 85 S 12
Kocherstetten 85 S 13
Kochertürn 85 S 11
Kochstedt 54 K 20
Kodersdorf 69 M 28
Köbbinghausen 29 H 9
Köchelstorf 21 E 17
Köckte (*Altmarkkreis Salzwedel*) 41 I 17
Köckte (*Kreis Stendal*) 42 I 19
Köditz (*Kreis Hof*) 78 P 19
Köditz (*Kreis Saalfeld-Rudolstadt*) 65 N 17
Ködnitz 77 P 18
Köfering (*Kreis Amberg-Sulzbach*) 88 R 19
Köfering (*Kreis Regensburg*) 90 T 20
Köhlen (*Kreis Cuxhaven*) 18 F 10
Köhlen (*Kreis Lüchow-Dannenberg*) 31 H 17
Köhn 9 C 15
Köhnholz 5 B 12
Köhra 55 M 21
Kölau 31 H 16
Kölburg 96 T 16
Kölkebeck 37 J 8
Kölleda 65 M 17
Köllerbach 81 S 4
Köllitsch 55 L 23
Kölln 24 E 24
Kölln-Reisiek 19 E 13
Köln 59 N 4
Köln-Bonn (*Flughafen*) 59 N 5
Kölpinsee 15 D 26
Kölsa (*Kreis Delitzch*) 54 L 20
Kölsa (*Kreis Elbe-Elster*) 55 L 23
Kölschhausen 62 O 9
Kölzin (*Kreis Ludwigslust*) 21 F 16
Kölzin (*Kreis Ostvorpommern*) 14 E 24
Könau 31 H 16
Könderitz 66 M 20
Köndringen 100 V 7
Könen 80 Q 3
Köngen 94 T 12
Köngernheim 73 Q 8
Könghausen 103 V 15
Königerode 53 L 17
Königheim 85 R 12
Königreich 19 F 13
Königs Wusterhausen 44 J 24
Königsbach-Stein 93 T 9
Königsberg 33 G 21
Königsberg 81 R 6
Königsberg (*Dorf*) 62 O 9
Königsberg i. Bayern 76 P 15
Königsborn 42 J 19
Königsborn 49 L 7
Königsbronn 95 T 14
Königsbrück 68 M 25
Königsbrunn 104 V 16
Königschaffhausen 100 V 6
Königsdahlum 40 K 14
Königsdorf 59 N 4
Königsdorf 105 W 18
Königsee 65 O 17
Königseggwald 102 W 12
Königsfeld 60 O 5
Königsfeld 77 Q 17
Königsfeld i. Schwarzwald 101 V 9
Königshagen 63 M 11
Königshain 69 M 28
Königshain-Widerau 67 N 22
Königshainer Gebirge 69 M 28
Königsheim 101 V 10
Königshofen 66 M 19
Königshofen (*Kreis Ansbach*) 95 S 15
Königshofen (*Main-Tauber-Kreis*) 85 R 13
Königshoven 58 M 3
Königshügel 8 C 12
Königshütte 52 K 16
Königslutter 41 J 16
Königsmark 32 H 19
Königsmoor (*Stadt*) 20 G 12
Königsmoos 96 U 17
Königssee 114 X 22
Königstein 68 N 26
Königstein 74 P 9
Königstein 88 R 18
Königstuhl 84 R 10
Königswald 63 M 13
Königswalde (*Kreis Annaberg*) 67 O 23
Königswalde (*Kreis Zwickauer Land*) 66 N 21
Königswartha 57 M 26
Königswinter (*Bonn*) 59 N 5
Könitz 65 O 18
Könnern 54 K 19
Könnigde 32 I 18
Köpenick 44 I 24
Köpernitz (*Kreis Ostprignitz-Ruppin*) 33 G 22
Köpernitz (*Kreis Potsdam-Mittelmark*) 43 J 20
Köpfchen 58 N 2
Köppelsdorf 77 O 17
Köppern 74 P 9
Körbecke 51 L 11
Körbecke (Möhnesee) 49 L 8
Körbeldorf 87 Q 18
Körbelitz 42 J 19
Körchow 21 F 17
Kördorf 73 P 7
Köritz 33 H 21
Körle 63 M 12
Körlitz 55 L 22
Körner 52 M 15
Körperich 80 Q 2
Körprich 80 R 4
Körrenzig 58 M 2
Kösching 97 T 18
Köschinger Forst 97 T 18
Köselitz 43 K 21
Kösingen 95 T 15
Köslau 76 P 16
Kösseine 78 Q 19
Kössern 67 M 22
Kößlarn 107 U 23
Kößnach 90 T 21
Köstersweg 18 E 10
Köstorf 31 G 16
Köterberg (*Dorf*) 51 K 11
Köterende 28 G 9
Kötermoor 18 F 9
Köthel 21 F 15
Köthen 44 J 25
Köthen (Anhalt) 54 K 19
Köthensdorf-Reitzenhain 67 N 22
Kötschlitz 54 L 20
Kötten 55 L 23
Köttewitz-Krebs 68 N 25
Köttingen 59 N 4
Kötz 103 U 14
Kötzlin 33 H 20
Kötzschau 54 M 20
Kötzting 89 S 22
Kogel (*Kreis Ludwigslust*) 21 F 16
Kogel (*Kreis Müritz*) 23 F 21
Kohden 74 O 11
Kohlberg 61 N 6
Kohlberg (*Kreis Esslingen*) 94 U 12
Kohlberg (*Kreis Neustadt a. d. Waldnaab*) 88 R 20
Kohlenbissen 30 H 14
Kohlgarten 100 W 7
Kohlgrund 50 L 10
Kohlscheid 58 N 2
Kohlsdorf 45 J 26
Kohlstädt 50 K 10
Kohlstetten 102 U 11
Kohlwald 93 U 9
Kohren-Sahlis 67 M 21
Kolberg 44 J 25
Kolbermoor 105 W 20
Kolbingen 101 V 10
Kolbinger Höhle 101 V 10
Koldenbüttel 7 C 11
Koldenhof 24 G 24
Kolenfeld 39 I 12
Kolitzheim 76 Q 14
Kolkerheide 4 C 11
Kolkhagen 31 G 15
Kolkwitz (*Kreis Saalfeld-Rudolstadt*) 65 N 18
Kolkwitz (*Kreis Spree-Neiße*) 56 K 26
Kollbach 98 U 22
Kollbach (*Kreis Dachau*) 105 U 18
Kollbach (*Kreis Rottal-Inn*) 98 U 21
Kollerbeck 51 K 11
Kollm 57 M 28
Kollmar 19 E 12
Kollnau 100 V 7
Kollnburg 91 S 22
Kollow 20 F 15
Kollrunge 17 F 7
Kollweiler 81 R 6
Kolnvenn 26 I 4
Kolochau 55 K 23
Kolpin 44 J 25
Kolrep 33 G 20
Kolshorn 40 I 13
Kolzenburg 44 J 23
Kommern 60 O 3
Kommingen 101 W 9
Komptendorf 57 K 27
Konken 81 R 6
Konnersreuth 79 P 20
Konradshofen 103 V 15
Konradsreuth 78 P 19
Konstanz 110 X 11
Konz 80 Q 3
Konzell 91 S 22
Konzen 70 O 2
Kopp 70 P 3
Koppatz 57 K 27
Koppelow 23 E 20
Koppenbrück 33 H 21
Kopperby 5 C 13
Korb 94 T 12
Korb (*Möckmühl*) 85 R 12
Korb-Kleinheppach 94 T 12
Korbach 50 M 10
Korbetha 54 L 19
Korbußen 66 N 20
Kordel 72 Q 3
Kordigast 77 P 17
Kork 92 U 7
Kornbach 78 P 19
Kornbühl 102 U 11
Kornburg 87 R 17
Kornelimünster 58 N 2
Korntal-Münchingen 94 T 11
Kornwestheim 94 T 11
Korschenbroich 48 M 3
Korswandt 15 E 26
Kortenbeck 31 H 16
Korweiler 71 P 6
Kosel 57 L 28
Kosel 5 C 13
Koselau 10 D 16
Koselitz 56 L 24
Koselower See 13 C 23
Koserow 15 D 26
Kosilenzien 55 L 24
Koslar 58 N 3
Kospa-Pressen 55 L 21
Kossa 55 L 22
Koßdorf 55 L 23
Kossebade 23 F 19
Kossenblatt 45 J 26
Koßwig 56 K 26
Kostebrau 56 L 25
Kotelow 25 F 24
Kothen 75 O 13
Kotitz 69 M 27
Kotten 57 L 26
Kottenforst Ville (Naturpark) 59 N 4
Kottenheide 79 O 21
Kottenheim 71 O 5
Kottensdorf 87 R 16
Kottgeisering 104 V 17
Kottweiler-Schwanden 81 R 6
Kotzen 33 I 21
Kotzenbüll 7 C 10
Kowalz 11 D 21
Koxhausen 70 Q 2
Kraak 22 F 18
Kraatz 34 H 23
Kraatz-Buberow 34 H 23
Krackow 25 F 26
Krähberg 84 R 11
Krähenberge 33 G 22
Kränzlin 33 H 22
Kraftisried 111 W 15
Kraftsbuch 96 S 17
Kraftsdorf 66 N 19
Kraftshof 87 R 17
Kraftsolms 74 O 9
Kragen 30 H 14
Krahne 43 J 21
Kraiburg 106 V 21
Kraichbach 84 S 9
Kraichtal 93 S 10
Krailing 91 S 22
Krailling 104 V 18
Krainke 21 G 16
Kraisdorf 76 P 16
Krakow a. See 23 F 20
Krakower See 23 F 20
Kraksdorf 10 D 17
Krakvitz 13 D 24
Kramerhof 13 C 23
Krampfer 32 G 20
Krams 33 G 20
Kranenburg 19 F 11
Kranenburg 46 K 2
Kranepuhl 43 J 21
Krangen 33 H 22
Kranichfeld 65 N 17
Kranichstein 74 Q 10
Krankenhagen 39 J 11
Kranlucken 64 N 13
Kransburg 18 E 9
Kransmoor 18 F 10
Kranzberg 105 U 18
Kranzegg 111 X 14
Krassig 55 K 24
Krassolzheim 86 R 15
Krassow 22 E 18
Kratzeburg 24 F 22
Krauchenwies 102 V 11
Kraupa 56 L 24
Krauschwitz 57 L 28
Krausenbach 75 Q 12
Krausnick 44 J 25
Krausnicker Berge 44 J 25
Kraußnitz 56 L 25
Krauthausen 58 N 3
Krautheim (*Hohenlohekreis*) 85 R 12
Krautheim (*Kreis Kitzingen*) 76 Q 14
Krautostheim 86 R 15
Krautsand 19 E 12
Krautscheid (*Kreis Bitburg-Prüm*) 70 P 2
Krautscheid (*Kreis Neuwied*) 59 N 6
Kray 47 L 5
Kreba-Neudorf 57 L 28

Alter Markt Y 4
Alte Lübecker Chaussee Z 3
Andreas-Gayk-Str. Y 6
Arndtpl. X 8
Asmusstr. Z 9
Auguste-Viktoria-Str. Y 10
Brunswiker Str. X
Chemnitzstr. Y 16
Dänische Str. XY 17
Dreieckspl. X 19
Eckernförder Str. XY 25
Europapl. Y 29
Exerzierpl. Y 30
Gartenstr. X 35
Hafenstr. Y 39
Hasseldieksdammer Weg S 41
Hebbelstr. X 42
Hegewischstr. X 44
Helmholtzstr. Z 45
Hermann-Weigmann-Str. S 47
Holstenbrücke Y 49
Holstenstr. Y 51
Holtenauer Str. X
Hummelwiese Z 53
Karolinenweg X 56
Kehdenstr. Y 57
Kleiner Kuhberg Y 59
Königsweg YZ 61
Küterstr. Y 67
Lehmberg S 68
Lessingpl. X 69
Martensdamm Y 74
Olshausenstr. X 80
Prinzengarten X 85
Raiffeisenstr. YZ 87
Saarbrückenstr. S 91
Sachaustr. Z 92
Saldernstr. X 93
Schevenbrücke Y 95
Schloßgarten X 97
Schülperbaum Y 100
Schuhmacherstr. Y 102
Sophienblatt Z
Stephan-Heinzel-Str. S 104
Stresemannpl. Y 105
Walkerdamm Y 108
Wall Y 109
Wilhelminenstr. X 113
Winterbeker Weg S 116
Ziegelteich Y 118

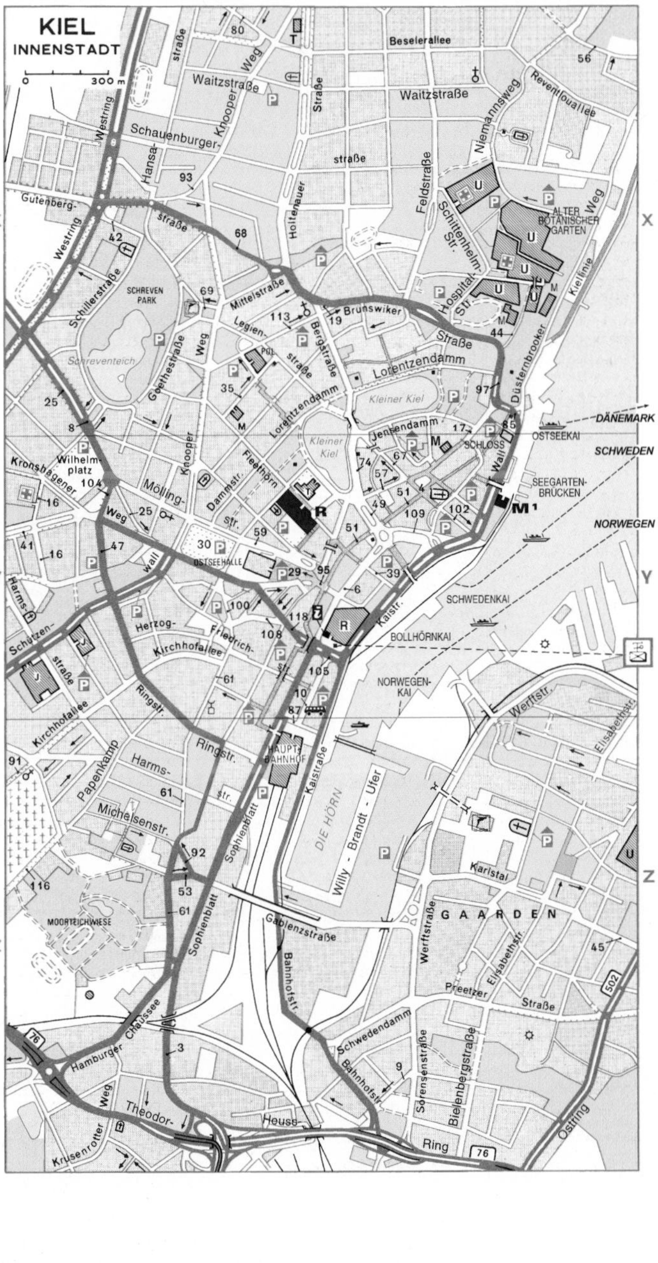

A B C D E F G H I J K L M N O P Q R S T U V W X Y Z

Krebeck 52 L 14
Kreblitz 44 K 25
Krebsow 14 D 24
Krechting 36 K 4
Kreckow 25 F 24
Kredenbach 61 N 8
Kreepen 29 H 12
Kreershäuschen 73 Q 6
Krefeld 46 M 3
Kreidach 84 R 10
Kreien 23 F 20
Kreiensen 52 K 13
Kreimbach-Kaulbach 81 R 6
Kreinitz 55 L 23
Kreischa 68 N 25
Krekel 70 O 3
Krelingen 30 H 12
Krembz 21 F 17
Kremitz 55 K 23
Kremkau 32 I 18
Kremmeldorf 77 Q 17
Kremmen 34 H 23
Kremmin 22 G 18
Krempdorf 19 E 12
Krempe 19 E 12
Krempel 18 E 10
Krempendorf 23 G 20
Kremperheide 19 E 12
Krempin 10 D 19
Krems II 9 E 15
Krenkingen 109 W 8
Krensheim 85 R 13
Krensitz 54 L 21
Kreßberg 95 S 14
Kressbronn 110 X 12
Krettnach 80 Q 3
Kretzschau 66 M 20
Kreuth 88 S 19
Kreuth 113 X 19
Kreutzen 30 H 14
Kreuz-Spitze 112 X 16
Kreuzau 58 N 3
Kreuzberg 76 O 13
Kreuzberg 99 T 24
Kreuzberg *(Oberbergischer Kreis)* 59 M 6
Kreuzberg (Ahr) 60 O 4
Kreuzebra 52 L 14
Kreuzeck 112 X 17
Kreuzholzhausen 104 V 17
Kreuzkamp 9 E 16
Kreuzkrug 34 G 24
Kreuztal 61 N 7
Kreuzthal *(Kreis Haßberge)* 76 P 15
Kreuzthal *(Kreis Oberallgäu)* 111 W 14
Kreuzweg 40 I 14
Kreuzweiler 80 R 3
Kreuzweingarten 60 O 4
Kreuzwertheim 85 Q 12
Krevese 32 H 19
Krewelin 34 H 24
Kreypau 54 M 20
Kriebethal 67 M 23
Kriebitzsch 66 M 20
Kriebstein 67 M 23
Kriegsfeld 83 Q 7
Kriele 33 I 21
Krielow 43 I 22
Krien 24 E 24
Kriesow 24 E 23
Kriestorf 98 U 23
Kriftel 74 P 9
Krina 54 L 21
Kringelsdorf 57 L 27

KONSTANZ

Augustinerpl. Z
Bahnhofpl. Z 2
Bahnhofstr. Z 3
Benediktinerpl. Y 4
Bodanpl. Z
Bodanstr. Z
Brauneggerstr. Y
Emmishoferstr. Z 5
Gartenstr. Y 8
Glärnischstr. Y 9
Gottlieber Str. Z 12
Hafenstr. Z
Hussenstr. Z 13
Inselgasse Y
Kanzleistr. Z 17
Katzgasse Y 18
Konzilstr. YZ
Kreuzlinger Str. Z 20
Lutherpl. Z
Mainaustr. Y 22
Marktstätte Z 23
Münsterpl. Y
Munzgasse Z 25
Neugasse Z 26
Obere Laube Z
Obermarkt Z 28
Paradiesstr. Z 29
Rheinbrücke Y
Rheingutstr. Y
Rheinsteig Y
Rosgartenstr. Z 32
Schottenstr. Y
Schützenstr. Z 35
Seestr. Y 36
Spanierstr. Y 38
St-Stephans-Pl. Z 33
Theodor-Heuss-Str. Y 39
Torgasse Y 42
Untere Laube Y
Webersteig Y
Wessenbergstr. Z 43
Wissenstr. Z
Zollernstr. Z 45

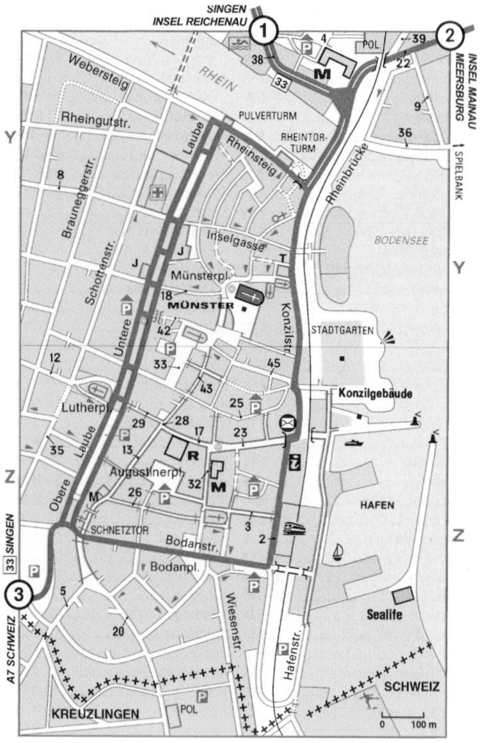

SINGEN
INSEL REICHENAU
INSEL MAINAU MEERSBURG
SPIELBANK
Webersteig
RHEIN
Rheingutstr.
PULVERTURM
RHEINTOR-TURM
Rheinsteig
Rheinbrücke
Brauneggerstr.
Laube
Inselgasse
BODENSEE
Schottenstr.
Münsterpl.
MÜNSTER
Konzilstr.
Untere
STADTGARTEN
Konzilgebäude
Lutherpl.
Obere
Augustinerpl.
HAFEN
SCHNETZTOR
Bodanstr.
Bodanpl.
SINGEN
A7 SCHWEIZ
Wiesenstr.
Hafenstr.
Sealife
SCHWEIZ
KREUZLINGEN
POL
100 m

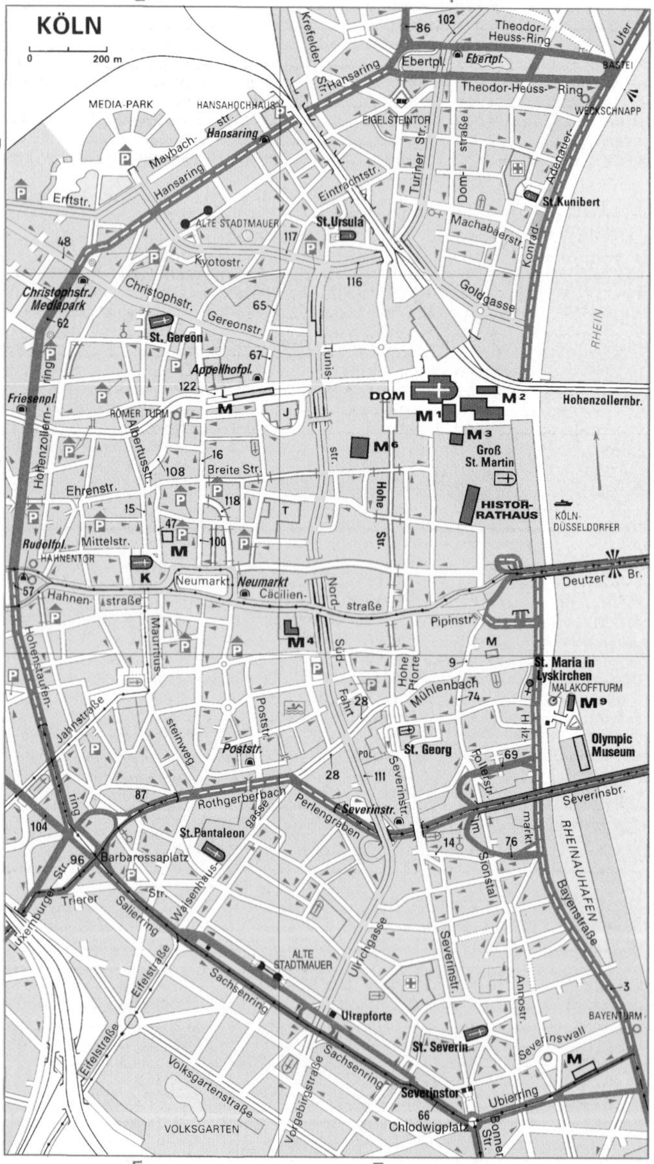

KÖLN
200 m
MEDIA PARK
HANSAHOCHHAUS
Hansaring
Maybach-str.
Theodor-Heuss-Ring
Ebertpl.
EIGELSTEINTOR
WEICKSCHNAPP
Turiner Str.
Eintrachtstr.
Erftstr.
ALTE STADTMAUER
St.Ursula
St.Kunibert
Machabäerstr.
Konrad-Adenauer-Ufer
Kyotostr.
Goldgasse
Christophstr./ Mediapark
Christophstr.
Gereonstr.
St. Gereon
Appellhofpl.
RHEIN
Friesenpl.
RÖMER TURM
DOM
Hohenzollernbr.
Groß St. Martin
Breite Str.
Ehrenstr.
Hohe Str.
HISTOR. RATHAUS
KÖLN-DÜSSELDORFER
Rudolfpl.
HAHNENTOR
Mittelstr.
Neumarkt
Cäcilien-
Nord-straße
Deutzer Br.
Hahnenstraße
Pipinstr.
Hohenstaufenring
St. Maria in Lyskirchen
MALAKOFFTURM
Mühlenbach
Olympic Museum
Poststr.
St. Georg
Severinsbr.
Rothgerberbach
Perlengraben
Severinstr.
St.Pantaleon
Barbarossaplatz
RHEINAUHAFEN
Trierer Str.
Salierring
ALTE STADTMAUER
Sachsenring
Ulrepforte
BAYENTURM
St. Severin
Severinswall
Severinstor
Ubierring
Chlodwigplatz
Volksgartenstraße
VOLKSGARTEN

Am Bayenturm FX 3
An der Malzmühle FX 9
An St.-Katharinen FX 14
Apostelnstr. EV 15
Auf dem Berlich EV 16
Blaubach FX 28
Ehrenstr. EV
Eigelstein FU
Gertrudenstr. EV 47
Gladbacher Str. EU 48
Habsburgerring EV 57
Hahnenstr. EV
Hohenstaufenring EX
Hohenzollernring EV
Kaiser-Wilhelm-Ring EV 62
Kardinal-Frings-Str. EV 65
Karolingerring FX 66
Kattenbug EV 67
Kleine Witschgasse FX 69
Mathiasstr. FX 74
Mechtildisstr. FX 76
Mittelstr. EV
Neumarkt EV
Neusser Str. FU 86
Pfälzer Str. EX 96
Richmodstr. EV 100
Riehler Str. FU 102
Roonstr. EX 104
Sankt-Apern-Str. EV 108
Severinstr. FX
Tel-Aviv-Str. FX 111
Ursulastr. FU 116
Victoriastr. FU 117
Zeppelinstr. EV 118
Zeughausstr. EV 122

Krinitz 32 G 18
Krinning 99 T 25
Kripp 60 O 5
Krippehna 55 L 21
Kritzkow 23 E 20
Kritzmow 11 D 20
Kritzow *(b. Lübz)* 23 F 20
Kritzow *(b. Schwerin)* 22 F 18
Kröbeln 56 L 24
Kröchlendorff 25 G 25
Krögelstein 77 Q 17
Krögis 68 M 24
Kröhstorf 98 U 22
Krölpa 65 N 18
Kröning 98 U 21
Kröpelin 11 D 19
Kröppelshagen 20 F 14
Kröppen 83 S 6
Kröslin 13 D 25
Kröv 72 Q 5
Krofdorf-Gleiberg 62 O 9
Krogaspe 9 D 13
Kroge *(Kreis Soltau-Fallingbostel)* 30 H 13
Kroge *(Kreis Vechta)* 27 I 8
Krohnhorst 34 G 25
Krombach *(Kreis Aschaffenburg)* 75 P 11
Krombach *(Kreis Siegen-Wittgenstein)* 61 N 7
Krombach-Stausee 61 O 8
Kromlau 57 L 27
Krommenthal 75 P 12
Kronach 77 P 17
Kronau 84 S 9
Kronberg 74 P 9
Kronburg 103 W 14
Kronenburg 70 O 3
Kronprinzenkoog 7 E 10
Kronsburg 9 D 14
Kronsforde 21 E 15
Kronsgaard 5 B 13
Kronshagen 9 C 14
Kronsmoor 8 E 12
Kronweiler 81 R 5
Kropp 8 C 12
Kroppach 61 N 7
Kroppen 56 L 25
Kroppenstedt 41 K 17
Kropstädt 43 K 22
Krossen 44 K 24
Krostitz 54 L 21
Krottelbach 81 R 5
Krottenkopf 112 X 17
Krottensee 87 R 18
Krottorf 41 K 17
Krottorf 61 N 7
Kruckow 14 E 23
Krückau 19 E 13
Krückeberg 39 J 11
Krüden 32 H 19
Krügersdorf 45 J 26
Krümmel 24 G 22
Krün 112 X 17
Krüssau 42 J 20
Kruft 71 O 6
Krugau 45 J 25
Kruge-Gersdorf 35 H 25
Krugsdorf 25 F 26
Krugzell 111 W 14
Krukow 21 F 15
Krum 76 P 15
Krumbach 84 R 10
Krumbach *(Kreis Sigmaringen)* 101 W 11
Krumbach (Schwaben) 103 V 15
Krumbeck 24 F 24
Krumhermersdorf 67 N 23
Krummasel 31 G 17
Krummbek 9 C 15
Krumme Fohre 77 P 18
Krummendeich 19 E 11
Krummendiek 8 E 12
Krummenerl 61 M 7
Krummenhagen 13 D 23
Krummenhennersdorf 68 N 24
Krummennaab 88 Q 20
Krummensee 34 I 25
Krummesse 21 E 15
Krummhörn 16 F 5
Krummin 15 D 25
Krumminer Wiek 15 D 25
Krummwisch 8 C 13
Krumpa 54 M 19
Krumstedt 7 D 11
Krusendorf *(Kreis Luneburg)* 21 G 16
Krusendorf *(Kreis Rendsburg-Eckernförde)* 5 C 14
Krusenhagen 10 E 18
Kubach 74 O 8
Kubitzer Bodden 13 C 23
Kublank 24 F 24
Kuchelmiß 23 E 21
Kuchen 94 U 13
Kuchenheim 60 O 4
Kuddewörde 20 F 15
Kuden 7 E 11
Kudensee *(Stadt)* 7 E 11
Küchen 63 M 13
Küchensee 21 E 16
Kückelheim *(Hochsauerlandkreis)* 49 M 8
Kückelheim *(Märkischer Kreis)* 49 M 7
Kückhoven 58 M 3
Kücknitz-Herrenwyk 21 E 16
Küdow-Lüchfeld 33 H 22
Kühbach 96 U 17
Kühlenthal 96 U 16
Kühlungsborn 10 D 19
Kühlungsborn Ost 11 D 19
Kühlungsborn West 10 D 19
Kühndorf 64 O 15
Kühnhaide 67 O 23
Kühnham 107 U 23
Kühnhausen 96 U 17
Kühnitzsch 55 L 22
Kühren 54 K 19
Kühren 9 D 14
Kühren-Burkartshain 55 L 22
Kührsdorf 9 D 14
Kührstedt 18 F 10
Kühsen 21 E 15
Kükels 20 E 14
Kükenmoor 29 H 12
Küllstedt 52 M 14
Külsheim 85 Q 12
Külte 51 L 11
Kümbdchen 73 Q 6
Kümmernitz 33 H 20
Kümmersbruck 88 R 19
Kümmritz 44 K 24
Künisches Gebirge 91 S 23
Künsche 32 H 17
Künsdorf 78 O 19
Künsebeck 38 J 9
Küntrop 49 M 7
Künzell 63 O 13
Künzelsau 85 S 13
Künzing 98 T 23
Küps 77 P 17
Kürbitz 78 O 20
Kürmreuth 88 R 19
Kürn 90 S 20
Kürnach 76 Q 14
Kürnbach 93 S 10
Kürten 59 M 5
Kürzell 100 U 7
Kues 72 Q 5
Küssaberg 109 X 9
Küsserow 23 E 22
Küstelberg 50 M 9
Küsten 31 H 17
Küstenkanal 27 H 6
Küstorf 31 H 16
Küstrin-Kietz 35 I 27
Küstrow 12 C 22
Kütten 54 L 20
Küttig 71 P 6
Kützberg 76 P 14
Kugelbake *(Cuxhaven)* 7 E 10
Kuhardt 84 S 8
Kuhbach 100 U 7

Kuhbier 33 G 20
Kuhfelde 31 H 17
Kuhlen 22 E 18
Kuhlhausen 33 H 20
Kuhlrade 11 D 21
Kuhs 23 E 20
Kuhsdorf 33 G 20
Kuhstedt 18 F 10
Kuhstorf 21 F 17
Kukuk 23 F 19
Kulkwitz 54 M 20
Kulkwitzer See 54 M 20
Kulmain 78 Q 19
Kulmbach 77 P 18
Kulz 89 R 21
Kumhausen 97 U 20
Kummer 22 G 18
Kummerfeld 19 E 13
Kummerow (Kreis Demmin) 24 E 22
Kummerow (Kreis Nordvorpommern) 12 D 22
Kummerow (Kreis Uckermark) 35 G 26
Kummerower See 24 E 22
Kummersdorf 44 J 25
Kummersdorf-Alexanderdorf 44 J 24
Kummersdorf Gut 44 J 24
Kummro 45 J 27
Kumreut 99 T 24
Kunersdorf (Kreis Märkisch-Oderland) 35 H 26
Kunersdorf (Kreis Spree-Neiße) 56 K 26
Kunigunde 40 K 15
Kunitz 66 N 18
Kunnersdorf 69 M 28
Kunow (Kreis Prignitz) 33 H 20
Kunow (Kreis Uckermark) 35 G 26
Kunrau 31 I 17
Kunreuth 87 Q 17
Kuntzow 14 E 24
Kupferberg 77 P 18
Kupferdreh 47 L 5
Kupferzell 85 S 13
Kuppendorf 29 I 10
Kuppenheim 93 T 8
Kuppentin 23 F 20
Kuppingen 93 U 10
Kupprichhausen 85 R 12
Kurl 49 L 6
Kurpfalz Park 83 R 8
Kursdorf 54 L 20
Kurtenberg 60 O 4
Kurtscheid 61 O 6
Kurtschlag 34 H 24
Kurzen Trechow 23 E 19
Kurzlipsdorf 43 K 22
Kuschkow 44 J 25
Kusel 81 R 6
Kusey 31 I 17
Kusterdingen 94 U 11
Kutenholz 19 F 11
Kutzleben 65 M 16
Kuventhal 51 K 13
Kyffhäuser 53 L 17
Kyffhäuser Gebirge 53 L 17
Kyhna 54 L 20
Kyll 80 P 3
Kyllburg 70 P 3
Kyritz 33 H 21
Kyritz Ruppiner Heide 33 G 21

L

Laaber (Kreis Neumarkt i. d. Oberpfalz) 87 S 18
Laaber (Kreis Regensburg) 90 S 19
Laaberberg 97 T 20
Laacher See 71 O 5
Laage 11 E 21
Laar 26 I 4
Laar (Kreis Kassel Land) 51 L 11
Laas 55 L 23
Laasche 32 G 18
Laase 22 E 19
Laaslich 32 G 19
Laasow 56 K 26
Laatzen 40 J 13
Laave 31 G 17
Labbeck 46 L 3
Labenz 21 E 15
Laber 97 X 17
Laberweinting 98 T 20
Laboe 9 C 14
Lachen 83 S 8
Lachendorf 30 I 14
Lachte 31 H 15
Lachtehausen 30 I 14
Lacken-Berg 91 S 23
Lackendorf 101 V 9
Lackenhäuser 99 T 25
Ladbergen 37 J 7
Ladeburg (Kreis Anhalt-Zerbst) 42 J 19
Ladeburg (Kreis Barnim) 34 H 24
Ladekop 19 F 13
Ladelund 4 B 11
Ladenburg 84 R 9
Laderholz 30 I 12
Lägerdorf 19 E 12
Lähden 27 H 6
Lämmerspiel 74 P 10
Ländchen Friesack 33 H 21
Ländchen Rhinow 33 H 21
Länge 101 W 9
Längenau 79 P 20
Laer 36 J 6
Lärz 24 G 22
Laeven 24 G 24
Laffeld 58 M 2
Lage (Kreis Grafschaft-Bentheim) 36 I 4
Lage (Kreis Lippe) 39 K 10
Lager Bathorn 26 I 5
Lager Bergen-Belsen 30 H 13
Lager Hammelburg 75 P 13
Lager Lechfeld 104 V 16
Lager Orbke 30 H 13
Lagershausen 52 K 14
Laggenbeck 37 J 7
Lahde 39 I 10
Lahm (Kreis Coburg) 77 P 16
Lahm (Kreis Kronach) 77 O 18
Lahm b. Lichtenfels 77 P 17
Lahn (Kreis Emsland) 27 H 6
Lahnau 62 O 9
Lahnberge 62 N 10
Lahneck (Lahnstein) 71 P 6
Lahnhof 62 N 8
Lahnstein 71 P 6
Lahntal 62 N 10
Lahr (Kreis Cochem-Zell) 71 P 6
Lahr (Kreis Limburg-Weilburg) 61 O 8
Lahr (Ortenaukreis) 100 U 7
Lahre 27 H 6
Lahstedt 40 J 14
Laibstadt 96 S 17
Laichingen 94 U 13
Laimering 104 U 17
Laimerstadt 97 T 19
Laimgrub 106 W 21
Laimnau 110 X 12
Laineck 77 Q 18
Laisa 62 N 9
Laiz 102 V 11
Lalendorf 23 E 21
Lalling 99 T 23
Lam 91 S 23
Lambertsberg 70 P 3
Lambrecht 83 R 8
Lambrechtshagen 11 D 20
Lambsheim 83 R 8
Lamerden 51 L 11
Lamerdingen 104 V 16
Lamme 40 J 15
Lammersdorf 70 O 2
Lammershagen 9 D 15
Lammertsfehn 17 G 7
Lampaden 80 R 4
Lampersdorf 55 M 23
Lampertheim 84 R 9
Lampertswalde (Kreis Riesa-Großenhain) 56 M 25
Lampertswalde (Kreis Torgau-Oschatz) 55 L 23
Lampoding 106 W 22
Lampoldshausen 85 S 12
Lamsfeld-Groß Liebitz 45 K 26
Lamspringe 40 K 14
Lamstedt 18 F 11
Lancken-Granitz 13 C 24
Landau (Kreis Waldeck-Frankenberg) 51 L 11
Landau a. d. Isar 98 T 22
Landau i. d. Pfalz 83 S 8
Landeck 83 S 8
Landefeld 63 M 13
Landegge 26 H 5
Landemert 49 M 7
Landenhausen 63 O 12
Landensberg 103 U 15
Landersdorf 105 V 20
Landershofen 96 T 17
Landersum 36 J 6
Landesbergen 29 I 11
Landesbrück 19 E 11
Landeskrone 69 M 28
Landgraben (Bach b. Aken) 54 K 19
Landgraben (Bach b. Friedland) 24 E 24
Landgrafroda 53 L 18
Landkern 71 P 5
Landkirchen 10 C 17
Landolfshausen 52 L 14
Landsatz 31 G 17
Landsberg 54 L 20
Landsberg a. Lech 104 V 16
Landschaftspolder 16 G 5
Landscheid 70 Q 4
Landscheide 7 E 11
Landsham 105 V 19
Landshausen 84 S 10
Landshut 97 U 20
Landstuhl 81 R 6
Landsweiler 81 R 4
Landwehr 40 K 13
Landwehrhagen 51 L 12
Langballig 5 B 12
Langballigholz 5 B 12
Langburkersdorf 69 M 26
Langd 74 O 10
Langdorf 91 S 23
Lange Berge 77 O 16
Lange Heide 18 G 10
Langebrück 68 M 25
Langefeld 17 F 6
Langel 59 N 5
Langeln 19 E 13
Langeln (Kreis Wernigerode) 41 K 16
Langeloh 30 G 13
Langelsheim 40 K 14
Langen (Kreis Cuxhaven) 18 F 9
Langen (Kreis Emsland) 27 I 6
Langen (Kreis Offenbach) 74 Q 10
Langen (Kreis Ostprignitz-Ruppin) 33 H 22
Langen-Bergheim 74 P 11
Langen Brütz 22 F 18
Langen Jarchow 22 E 18
Langen Trechow 23 E 19
Langenalb 93 T 9
Langenaltheim 96 T 16
Langenapel 31 H 16
Langenargen 110 X 12
Langenau (Alb-Donau-Kreis) 95 U 14
Langenau (Kreis Freiberg) 67 N 23
Langenau (Kreis Kronach) 77 O 17
Langenau (Kreis Lörrach) 108 X 7
Langenaubach 61 N 8
Langenbach 66 O 19
Langenbach (Kreis Freising) 105 U 19
Langenbach (Kreis Freudenstadt) 93 U 8
Langenbach (Kreis Hof) 77 O 18
Langenbach (Kreis Zwickauer Land) 67 O 21
Langenberg (Hochsauerlandkreis) 50 M 9
Langenberg (Kreis Chemnitzer Land) 67 N 22
Langenberg (Kreis Gütersloh) 50 K 8
Langenberg (Kreis Mettmann) 47 L 5
Langenberg (Kreis Vechta) 27 I 8
Langenberg (Stadtkreis Gera) 66 N 20
Langenbernsdorf 66 N 20
Langenbeutingen 85 S 12
Langenbieber 63 O 13
Langenbogen 54 L 19
Langenbrand (Kreis Calw) 93 T 9
Langenbrand (Kreis Rastatt) 93 T 9
Langenbrettach 85 S 12
Langenbruck 97 U 18
Langenbrügge 31 H 16
Langenbuch 66 O 19
Langenburg 85 S 13
Langendamm (Kreis Friesland) 17 F 8
Langendamm (Kreis Nienburg) 29 I 11
Langendamm (Kreis Nordvorpommern) 11 D 21
Langendammsmoor 18 F 9
Langendembach 65 N 18
Langendernbach 61 O 8
Langendorf (Burgenlandkreis) 66 M 20
Langendorf (Kreis Bad Kissingen) 76 P 13
Langendorf (Kreis Marburg-Biedenkopf) 62 N 10
Langendorf (Kreis Weißenfels) 66 M 19
Langendreer 47 L 5
Langeneck 106 U 22
Langeneichstädt 54 L 19
Langeneicke 50 L 9
Langenenslingen 102 V 12
Langenerling 97 T 20
Langenfeld (Kreis Hameln-Pyrmont) 39 J 11
Langenfeld (Kreis Mayen-Koblenz) 71 O 5
Langenfeld (Kreis Mettmann) 59 M 4
Langenfeld (Kreis Neustadt a. d. A.-Bad W.) 86 R 15
Langenfeld (Kreis Wartburgkreis) 64 N 14
Langengeisling 105 V 19
Langengrassau 56 K 24
Langenhagen (Kreis Hannover) 40 I 13
Langenhagen (Kreis Ostholstein) 9 D 16
Langenhagen (Kreis Parchim) 23 F 20
Langenhahn 61 O 7
Langenhain (Main-Taunus-Kreis) 74 P 9
Langenhain (Werra-Meißner-Kreis) 64 M 14
Langenhain (-Ziegenberg) 74 O 9
Langenhard 100 V 7
Langenhart 102 V 11
Langenhaslach 103 V 15
Langenhausen 18 F 11
Langenhennersdorf 68 N 26
Langenhessen 66 N 21
Langenholtensen 52 K 14
Langenholthausen 49 M 7
Langenholzhausen 39 J 10
Langenhorn (Hamburg) 19 F 13
Langenhorst (Kreis Steinfurt) 36 J 5
Langenisarhofen 98 T 22
Langenlehsten 21 F 16
Langenleiten 76 P 13
Langenleuba-Niederhain 67 N 21
Langenleuba-Oberhain 67 N 21
Langenlipsdorf 43 K 23
Langenlonsheim 73 Q 7
Langenmoor 18 F 11
Langenmosen 96 U 17
Langennaundorf 55 L 24
Langenneufnach 103 V 15
Langenordnach 100 W 8
Langenorla 65 N 18
Langenpettenbach 104 U 18
Langenpreising 105 U 19
Langenprozelten 75 P 12
Langenrain 110 W 11
Langenreichen 96 U 16
Langenreichenbach 55 L 22
Langenreinsdorf 66 N 21
Langensalzwedel 32 I 19
Langenschiltach 101 V 8
Langenschwarz 63 N 12
Langenseifen 73 P 8
Langenselbold 74 P 11
Langensendelbach 87 R 17
Langenstadt 77 P 18
Langenstein (Kreis Halberstadt) 53 K 16
Langenstein (Kreis Marburg-Biedenkopf) 62 N 10
Langensteinach 86 R 14
Langensteinbach (Kreis KarlsruheLand) 93 T 9
Langensteinbach (Kreis Mittweida) 67 N 21
Langenstraße 50 L 9
Langenstriegis 67 N 23
Langenteilen 28 I 8
Langenthal 51 L 12
Langenthonhausen 97 S 19
Langenweddingen 42 J 18
Langenweißbach 67 O 21
Langenwetzendorf 66 N 20
Langenwolmsdorf 68 M 26
Langenwolschendorf 66 O 19
Langenzenn 87 R 16
Langeoog 17 E 6
Langeoog (Insel) 17 E 6
Langer See 44 I 24
Langerringen 104 V 16
Langerwehe 58 N 3
Langerwisch 43 J 23
Langes Moor 18 F 10
Langewiese 62 M 9
Langewiesen 65 N 16
Langförden 27 H 8
Langfurth 95 S 15
Langgöns 74 O 9
Langhagen 23 E 21
Langhennersdorf 67 N 23
Langholt 27 G 6
Langholz 5 C 13
Langlingen 40 I 14
Langmühle 83 S 7
Langnau 110 X 12
Langniendorf 21 E 15
Langnow 33 G 20
Langquaid 97 T 20
Langreder 39 J 12
Langschede 49 L 7
Langscheid 49 L 7
Langsdorf (Kreis Gießen) 74 O 10
Langsdorf (Kreis Nordvorpommern) 14 D 22
Langsee 5 C 12
Langstadt 74 Q 10
Langstedt 5 C 12
Langsur 80 Q 3
Langula 64 M 15
Langwaden 84 Q 9
Langwarden 18 F 8
Langwasser 87 R 17
Langwedel (Kreis Gifhorn) 31 H 15
Langwedel (Kreis Rendsburg-Eckernförde) 9 D 13
Langwedel (Kreis Verden) 29 H 11
Langwege 27 I 8
Langweid a. Lech 96 U 16
Langweiler 81 R 6
Lanhausen 18 F 9
Lank-Latum 48 M 4
Lankau 21 E 16
Lanke 34 H 24
Lanker See 9 D 14
Lankow 22 F 18
Lanstrop 49 L 6
Lantenbach 61 M 6
Lanz 32 G 18
Lanze 32 H 17
Lanzenhain 63 O 11
Lanzingen 75 P 11
Lapitz 24 F 23
Lappenstuhl 37 I 8
Lappersdorf 90 S 20
Larrelt 16 F 5
Larrieden 95 S 14
Lasbek 20 E 15
Lascheid 70 P 3
Lasel 70 P 3
Lassahn 21 F 16
Lassan 15 E 25
Laßbach 85 S 13
Laßbruch 39 J 11
Lassentin 12 D 22
Laßrönne 20 F 14
Laßzinswiesen 45 K 27
Lastau 67 M 22
Lastrup (Kreis Cloppenburg) 27 H 7
Lastrup (Kreis Emsland) 27 H 6
Latdorf 54 K 19
Latendorf 9 E 14
Latferde 39 J 12
Lathen 26 H 5
Latrop 62 M 9
Laub (Kreis Donau-Ries) 95 T 15
Laub (Kreis Kitzingen) 86 Q 14
Laubach 95 T 13
Laubach (Hochtaunuskreis) 74 O 9
Laubach (Kreis Cochem-Zell) 71 P 5
Laubach (Kreis Gießen) 62 O 10
Laubach (Kreis Göttingen) 51 L 13
Laubach (Rhein-Hunsrück-Kreis) 71 P 6
Lauben (Kreis Oberallgäu) 111 W 14
Lauben (Kreis Unterallgäu) 103 V 14
Laubenheim 74 Q 8
Laubsdorf 57 K 27
Laubusch 56 L 26
Laubuseschbach 74 O 9
Laucha 64 N 15
Laucha a. d. Unstrut 54 M 19
Lauchdorf 103 W 15
Lauchert 102 V 11
Lauchhammer 56 L 25
Lauchheim 95 T 14
Lauchringen 109 X 8
Lauchröden 64 N 14
Lauda-Königshofen 85 R 13
Laudenbach (Kreis Main-Spessart) 75 Q 13
Laudenbach (Kreis Miltenberg) 85 Q 11
Laudenbach (Main-Tauber-Kreis) 85 R 13
Laudenbach (Rhein-Neckar-Kreis) 84 R 9
Laudenbach (Werra-Meißner-Kreis) 51 M 13
Laudenberg 85 R 11
Laudert 71 P 6
Laue 54 L 21
Lauenau (Hannover) 39 J 12
Lauenberg 51 K 13
Lauenbrück 30 G 12
Lauenburg 21 F 15
Lauenburgische Seen (Naturpark) 21 E 16
Lauenförde 51 L 12
Lauenhagen 39 I 11
Lauenhain (Kreis Kronach) 77 O 18
Lauenhain (Kreis Zwickauer Land) 66 N 21
Lauenhain-Tanneberg 67 M 22
Lauenstein (Kreis Hameln-Pyrmont) 39 J 12
Lauenstein (Kreis Kronach) 77 O 18
Lauenstein (Weißeritzkreis) 68 N 25
Lauer 76 P 14
Lauf 92 U 8
Lauf a. d. Pegnitz 87 R 17
Laufach 75 P 11
Laufdorf 62 O 9
Laufeld 71 P 4
Laufen 106 W 22
Laufen a. d. Eyach 101 V 10
Laufen a. Kocher 95 T 13
Laufenburg 108 X 8
Laufenselden 73 P 7
Laufersweiler 72 Q 5
Lauffen a. Neckar 94 S 11
Lauffen o. Rottweil 101 V 9
Laugna 96 U 16
Lauingen 41 J 16
Lauingen 95 U 15
Laumersheim (Mannheim) 83 R 8
Laumühlen 19 F 11
Laupertshausen 103 V 13
Laupheim 103 V 13
Laupin 21 G 17
Laurenburg 73 O 7
Laus 105 W 19
Lausa 55 L 23
Lauscha 77 O 17
Lausche 69 N 27
Lauschied 81 Q 6
Lausheim 101 W 9
Lausitz 55 L 24
Lausitzer Bergland 69 M 26

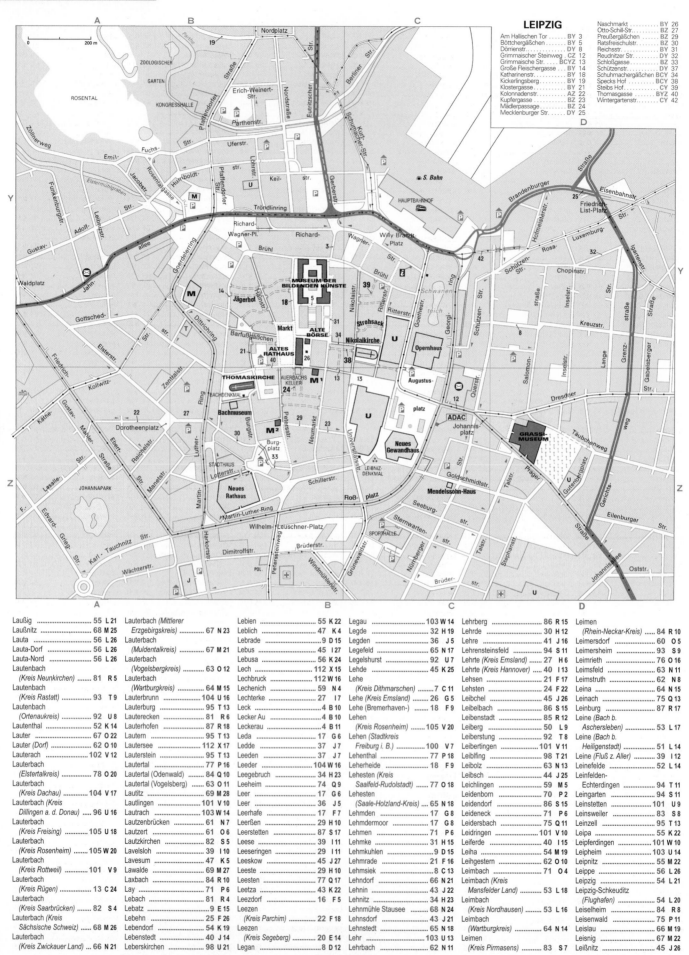

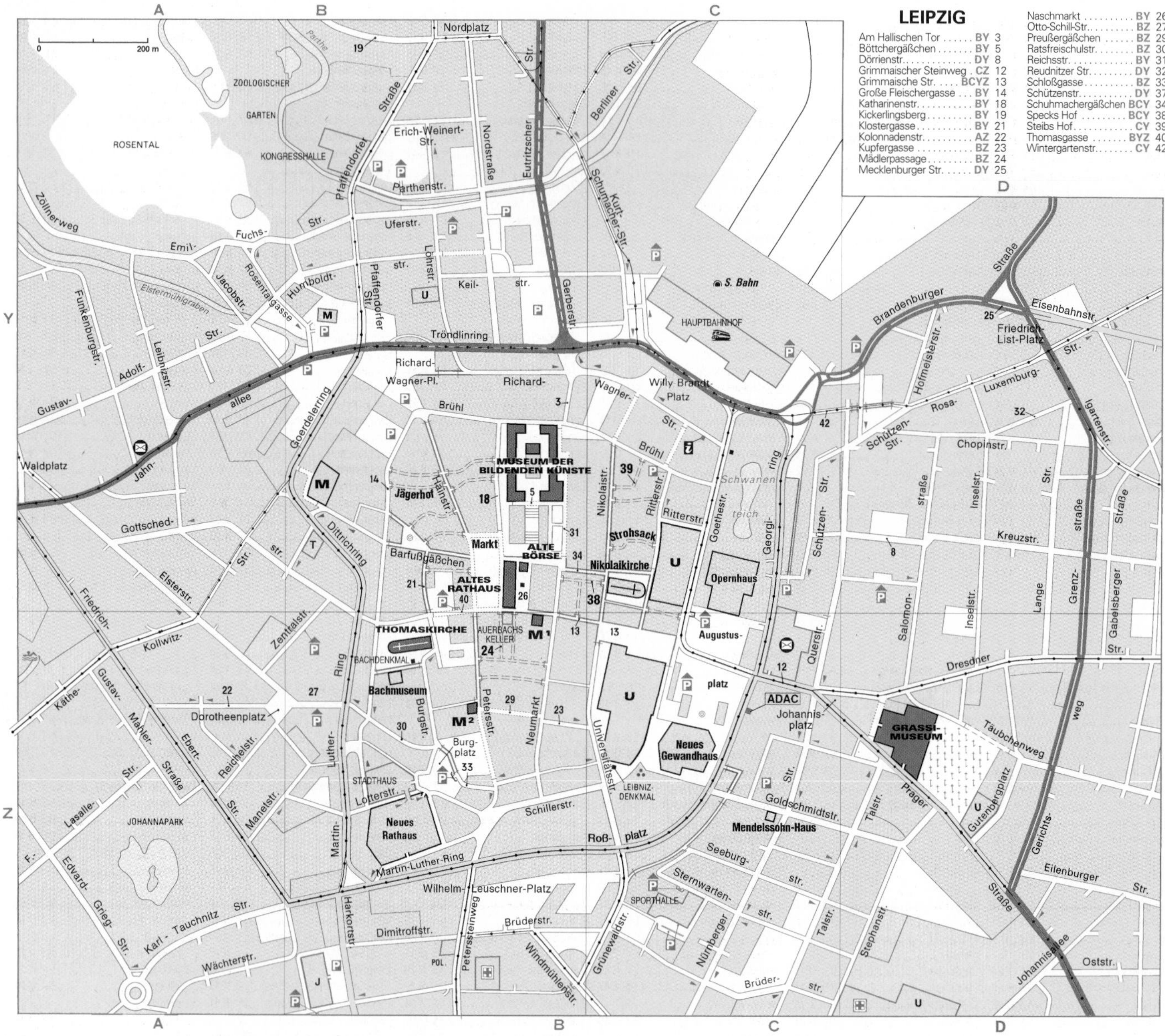
LEIPZIG
Am Hallischen Tor .... BY 3
Böttchergäßchen .... BY 5
Dörrienstr. .... DY 8
Grimmaischer Steinweg . CZ 12
Grimmaische Str. ..... BCYZ 13
Große Fleischergasse ... BY 14
Katharinenstr. .... BY 18
Kickerlingsberg .... BY 19
Klostergasse .... BY 21
Kolonnadenstr. .... AZ 22
Kupfergasse .... BZ 23
Mädlerpassage .... BZ 24
Mecklenburger Str. ...... DY 25
Naschmarkt .... BY 26
Otto-Schill-Str. .... BZ 27
Preußergäßchen .... BZ 29
Ratsfreischulstr. .... BZ 30
Reichsstr. .... BY 31
Reudnitzer Str. .... DY 32
Schloßgasse .... BZ 33
Schützenstr. .... DY 37
Schuhmachergäßchen BCY 34
Specks Hof .... BCY 38
Steibs Hof .... CY 39
Thomasgasse .... BYZ 40
Wintergartenstr. .... CY 42
A
B
C
D
Y
Z
200 m
Nordplatz
ZOOLOGISCHER GARTEN
ROSENTAL
KONGRESSHALLE
HAUPTBAHNHOF
S. Bahn
Tröndlinring
Willy Brandt-Platz
MUSEUM DER BILDENDEN KÜNSTE
Jägerhof
Markt
ALTE BÖRSE
ALTES RATHAUS
Nikolaikirche
Strohsack
Opernhaus
THOMASKIRCHE
AUERBACHS KELLER
BACHDENKMAL
Bachmuseum
Augustus-platz
ADAC
Johannisplatz
GRASSI-MUSEUM
Neues Gewandhaus
LEIBNIZ-DENKMAL
Mendelssohn-Haus
STADTHAUS
Neues Rathaus
JOHANNAPARK
Martin-Luther-Ring
Wilhelm-Leuschner-Platz
Roß-platz
SPORTHALLE
Friedrich-List-Platz
Waldplatz
Dorotheenplatz
Schwanenteich

Laußig ..... 55 L 21
Laußnitz ..... 68 M 25
Lauta ..... 56 L 26
Lauta-Dorf ..... 56 L 26
Lauta-Nord ..... 56 L 26
Lautenbach *(Kreis Neunkirchen)* ..... 81 R 5
Lautenbach *(Kreis Rastatt)* ..... 93 T 9
Lautenbach *(Ortenaukreis)* ..... 92 U 8
Lautenthal ..... 52 K 14
Lauter ..... 67 O 22
Lauter *(Dorf)* ..... 62 O 10
Lauterach ..... 102 V 12
Lauterbach *(Elstertalkreis)* ..... 78 O 20
Lauterbach *(Kreis Dachau)* ..... 104 V 17
Lauterbach *(Kreis Dillingen a. d. Donau)* ..... 96 U 16
Lauterbach *(Kreis Freising)* ..... 105 U 18
Lauterbach *(Kreis Rosenheim)* ..... 105 W 20
Lauterbach *(Kreis Rottweil)* ..... 101 V 9
Lauterbach *(Kreis Rügen)* ..... 13 C 24
Lauterbach *(Kreis Saarbrücken)* ..... 82 S 4
Lauterbach *(Kreis Sächsische Schweiz)* ..... 68 M 26
Lauterbach *(Kreis Zwickauer Land)* ..... 66 N 21
Lauterbach *(Mittlerer Erzgebirgskreis)* ..... 67 N 23
Lauterbach *(Muldentalkreis)* ..... 67 M 21
Lauterbach *(Vogelsbergkreis)* ..... 63 O 12
Lauterbach *(Wartburgkreis)* ..... 64 M 15
Lauterbrunn ..... 104 U 16
Lauterburg ..... 95 T 13
Lauterecken ..... 81 R 6
Lauterhofen ..... 87 R 18
Lautern ..... 95 T 13
Lautersee ..... 112 X 17
Lauterstein ..... 95 T 13
Lautertal ..... 77 P 16
Lautertal (Odenwald) ..... 84 Q 10
Lautertal (Vogelsberg) ..... 63 O 11
Lautitz ..... 69 M 28
Lautlingen ..... 101 V 10
Lautrach ..... 103 W 14
Lautzenbrücken ..... 61 N 7
Lautzert ..... 61 O 6
Lautzkirchen ..... 82 S 5
Lavelsloh ..... 39 I 10
Lavesum ..... 47 K 5
Lawalde ..... 69 M 27
Laxbach ..... 84 R 10
Lay ..... 71 P 6
Lebach ..... 81 R 4
Lebatz ..... 9 E 15
Lebehn ..... 25 F 26
Lebendorf ..... 54 K 19
Lebenstedt ..... 40 J 14
Leberskirchen ..... 98 U 21
Lebien ..... 55 K 22
Leblich ..... 47 K 4
Lebrade ..... 9 D 15
Lebus ..... 45 I 27
Lebusa ..... 56 K 24
Lech ..... 112 X 15
Lechbruck ..... 112 W 16
Lechenich ..... 59 N 4
Lechterke ..... 27 I 7
Leck ..... 4 B 10
Lecker Au ..... 4 B 10
Leckerau ..... 4 B 11
Leda ..... 17 G 6
Ledde ..... 37 J 7
Leeden ..... 37 J 7
Leeder ..... 104 W 16
Leegebruch ..... 34 H 23
Leeheim ..... 74 Q 9
Leer ..... 17 G 6
Leer ..... 36 J 5
Leerhafe ..... 17 F 7
Leerßen ..... 29 H 10
Leerstetten ..... 87 S 17
Leese ..... 39 I 11
Leeseringen ..... 29 I 11
Leeskow ..... 45 J 27
Leeste ..... 29 H 10
Leesten ..... 77 Q 17
Leetza ..... 43 K 22
Leezdorf ..... 16 F 5
Leezen *(Kreis Parchim)* ..... 22 F 18
Leezen *(Kreis Segeberg)* ..... 20 E 14
Legan ..... 8 D 12
Legau ..... 103 W 14
Legde ..... 32 H 19
Legden ..... 36 J 5
Legefeld ..... 65 N 17
Legelshurst ..... 92 U 7
Lehde ..... 45 K 25
Lehe *(Kreis Dithmarschen)* ..... 7 C 11
Lehe *(Kreis Emsland)* ..... 26 G 5
Lehe (Bremerhaven-) ..... 18 F 9
Lehen *(Kreis Rosenheim)* ..... 105 V 20
Lehen *(Stadtkreis Freiburg i. B.)* ..... 100 V 7
Lehenthal ..... 77 P 18
Leherheide ..... 18 F 9
Lehesten *(Kreis Saalfeld-Rudolstadt)* ..... 77 O 18
Lehesten *(Saale-Holzland-Kreis)* ..... 65 N 18
Lehmden ..... 17 G 8
Lehmdermoor ..... 17 G 8
Lehmen ..... 71 P 6
Lehmke ..... 31 H 15
Lehmkuhlen ..... 9 D 15
Lehmrade ..... 21 F 16
Lehmsiek ..... 8 C 13
Lehndorf ..... 66 N 21
Lehnin ..... 43 J 22
Lehnitz ..... 34 H 23
Lehnmühle Stausee ..... 68 N 24
Lehnsdorf ..... 43 J 21
Lehnstedt ..... 65 N 18
Lehr ..... 103 U 13
Lehrbach ..... 62 N 11
Lehrberg ..... 86 R 15
Lehrde ..... 30 H 12
Lehre ..... 41 J 16
Lehrensteinsfeld ..... 94 S 11
Lehrte *(Kreis Emsland)* ..... 27 H 6
Lehrte *(Kreis Hannover)* ..... 40 I 13
Lehsen ..... 21 F 17
Lehsten ..... 24 F 22
Leibchel ..... 45 J 26
Leibelbach ..... 86 S 15
Leibenstadt ..... 85 R 12
Leiberg ..... 50 L 9
Leiberstung ..... 92 T 8
Leibertingen ..... 101 V 11
Leiblfing ..... 98 T 21
Leibolz ..... 63 N 13
Leibsch ..... 44 J 25
Leichlingen ..... 59 M 5
Leidenborn ..... 70 P 2
Leidendorf ..... 86 S 15
Leideneck ..... 71 P 6
Leidersbach ..... 75 Q 11
Leidringen ..... 101 V 10
Leiferde ..... 40 I 15
Leiha ..... 54 M 19
Leihgestern ..... 62 O 10
Leimbach ..... 71 O 4
Leimbach *(Kreis Mansfelder Land)* ..... 53 L 18
Leimbach *(Kreis Nordhausen)* ..... 53 L 16
Leimbach *(Wartburgkreis)* ..... 64 N 14
Leimen *(Kreis Pirmasens)* ..... 83 S 7
Leimen *(Rhein-Neckar-Kreis)* ..... 84 R 10
Leimersdorf ..... 60 O 5
Leimersheim ..... 93 S 9
Leimrieth ..... 76 O 16
Leimsfeld ..... 63 N 11
Leimstruth ..... 62 N 8
Leina ..... 64 N 15
Leinach ..... 75 Q 13
Leinburg ..... 87 R 17
Leine *(Bach b. Aschersleben)* ..... 53 L 17
Leine *(Bach b. Heiligenstadt)* ..... 51 L 14
Leine *(Fluß z. Aller)* ..... 39 I 12
Leinefelde ..... 52 L 14
Leinfelden-Echterdingen ..... 94 T 11
Leingarten ..... 94 S 11
Leinstetten ..... 101 U 9
Leinsweiler ..... 83 S 8
Leinzell ..... 95 T 13
Leipa ..... 55 K 22
Leipferdingen ..... 101 W 10
Leipheim ..... 103 U 14
Leipnitz ..... 55 M 22
Leippe ..... 56 L 26
Leipzig ..... 54 L 21
Leipzig-Schkeuditz *(Flughafen)* ..... 54 L 20
Leiselheim ..... 84 R 8
Leisenwald ..... 75 P 11
Leislau ..... 66 M 19
Leisnig ..... 67 M 22
Leißnitz ..... 45 J 26

Leistadt 83 R 8
Leisten 23 F 20
Leistenförde 21 F 16
Leistenow 24 E 23
Leitershofen 104 U 16
Leitersweiler 81 R 5
Leitheim 96 T 16
Leitmar 50 L 10
Leitzkau 42 J 19
Leiwen 72 Q 4
Lelbach 50 M 10
Lelkendorf 24 E 22
Lellenfeld 95 S 15
Lelm 41 J 16
Lembach *(Kreis Haßberge)* 76 Q 16
Lembach *(Kreis Waldshut)* 101 W 9
Lembeck 47 K 4
Lemberg 83 S 6
Lembruch 38 I 9
Lemförde 38 I 9
Lemgo 39 J 10
Lemgow 32 H 18
Lemke 29 I 11
Lemkendorf 10 C 17
Lemkenhafen 10 C 17
Lemmersdorf 25 F 25
Lemsahl-Mellingstedt 20 E 14
Lemwerder 29 G 9
Lendern 8 D 12
Lenderscheid 63 N 12
Lendersdorf 58 N 3
Lendorf 63 M 12
Lendringsen 49 L 7
Lengde 41 K 15
Lengdorf 105 V 20
Lengede 40 J 14
Lengefeld *(Kreis Sangerhausen)* 53 L 17
Lengefeld *(Kreis Weimarer Land)* 65 N 18
Lengefeld *(Mittlerer Erzgebirgskreis)* 67 N 23
Lengefeld *(Unstrut-Hainich-Kreis)* 52 M 15
Lengelscheid 61 M 7
Lengenbostel 19 G 12
Lengenfeld *(Göltzschtalkreis)* 66 O 21
Lengenfeld *(Kreis Neumarkt i. d. Oberpfalz)* 88 S 18
Lengenfeld *(Kreis Ostallgäu)* 104 W 16
Lengenfeld b. Groschlattengrün 78 Q 20
Lengenfeld b. Tirschenreuth 89 Q 20
Lengenfeld u. Stein 52 M 14
Lengenwang 111 W 15
Lengerich 27 I 6
Lengerich 37 J 7
Lengers 64 N 14
Lengfeld *(Kreis Hildburghausen)* 76 O 15
Lengfeld *(Kreis Kelheim)* 97 T 20
Lengfeld *(Kreis Schwandorf)* 89 R 21
Lengfeld *(Stadtkreis Würzburg)* 86 Q 13
Lengfeld Fasanenhof 74 Q 10
Lengfurt 85 Q 12
Lenggries 113 W 18
Lengham 107 U 23
Lenglern 51 L 13
Lengmoos 105 V 20
Lengsham 106 U 23
Lengthal 98 T 21
Lenhausen 49 M 7
Lenkersheim 86 R 15
Lenne *(Fluß b. Winterberg)* 62 M 9
Lenne *(Hochsauerlandkreis)* 62 M 8
Lenne *(Kreis Holzminden)* 40 K 13
Lennegebirge 49 M 7
Lennep 48 M 5
Lennestadt 61 M 8
Lenningen 94 U 12
Lenningsen 49 L 7
Lensahn 10 D 16
Lensterstrand 10 D 16
Lenterode 52 L 14
Lentersheim 95 S 15
Lentföhrden 19 E 13
Lenthe 40 I 12
Lenting 96 T 18
Lentzke 33 H 22
Lenz *(Kreis Müritz)* 23 F 21
Lenz *(Kreis Riesa-Großenhain)* 68 M 24
Lenzen *(Kreis Parchim)* 23 E 20
Lenzen *(Kreis Prignitz)* 32 G 18
Lenzinghausen 38 J 9
Lenzkirch 100 W 8
Leobendorf 106 W 22
Leonberg *(Kreis Schwandorf)* 88 S 20
Leonberg *(Kreis Tirschenreuth)* 79 Q 20
Leonberg *(Stuttgart)* 93 T 11
Leopoldshafen 93 S 9
Leopoldshagen 25 E 25
Leopoldshöhe 38 J 10
Leopoldskanal 100 V 7
Leopoldstal 50 K 10
Leplow 12 D 22
Leppersdorf 68 M 25
Leppin *(Altmarkkreis Salzwedel)* 32 H 18
Leppin *(Kreis Mecklenburg-Strelitz)* 24 F 24
Leps 42 K 20
Lerbach 52 K 14
Lerchenberg 64 M 14
Lerchenberg 73 Q 8
Leschede 36 I 5
Lesse 40 J 14
Lessenich 60 O 4
Lessien 31 I 16
Leßlohe 89 Q 21
Lesum 29 G 10
Lethe 27 H 8
Letmathe 49 L 6
Letschin 35 I 27
Lette *(Kreis Coesfeld)* 36 K 5
Lette *(Kreis Warendorf)* 37 K 8
Letter 40 I 12
Lettewitz 54 L 19
Lettgenbrunn 75 P 12
Lettin 54 L 19
Lettmecke 49 M 7
Lettweiler 83 Q 7
Letzin 24 E 23
Letzlingen 42 I 18
Leubach 64 O 14
Leubas 111 W 15
Leuben 67 M 23
Leubetha 79 O 20
Leubingen 65 M 17
Leubnitz *(Elstertalkreis)* 78 O 20
Leubnitz *(Kreis Zwickauer Land)* 66 N 21
Leubsdorf 67 N 23
Leubsdorf 60 O 5
Leuchau 77 P 18
Leuchtenberg 89 R 20
Leuchtenburg 65 N 18
Leudersdorf 70 O 4
Leuenberg 35 H 25
Leukersdorf 67 N 22
Leun 62 O 9
Leuna 54 M 20
Leupoldsgrün 78 P 19
Leupoldstein 87 Q 18
Leupolz 110 W 13
Leuscheid 59 N 6
Leuschentin 24 E 22
Leussow *(Kreis Ludwigslust)* 21 G 17
Leussow *(Kreis Mecklenburg-Strelitz)* 24 G 22
Leustetten 102 W 11
Leutenbach 87 Q 17
Leutenberg 65 O 18
Leuterschach 111 W 15
Leutersdorf 69 N 27
Leutershausen *(Kreis Ansbach)* 86 S 15
Leutershausen *(Kreis Rhön-Grabfeld)* 76 P 14
Leutesdorf 71 O 6
Leutesheim 92 U 7
Leuth 46 L 2
Leuthen 57 K 26
Leutkirch 103 W 14
Leutstetten 104 V 18
Leuzendorf 86 R 14
Levenhagen 14 D 23
Leverkusen *(Köln)* 59 M 4
Levern 38 I 9
Leveste 39 J 12
Levitzow 23 E 21
Lexow 23 F 21
Leybucht 16 F 5
Leybuchtpolder 16 F 5
Libben 13 C 23
Libbenichen 45 I 27
Libbesdorf 54 K 20
Liblar 59 N 4
Libur 59 N 5
Lich 62 O 10
Lichenroth 75 O 11
Licherode 63 M 12
Lichte 77 O 17
Lichtenau 66 N 19
Lichtenau 50 L 10
Lichtenau *(Kreis Ansbach)* 86 S 16
Lichtenau *(Kreis Neuburg-Schrobenhausen)* 96 T 18
Lichtenau *(Kreis Rastatt)* 92 T 7
Lichtenberg 61 N 7
Lichtenberg *(Berlin)* 44 I 24
Lichtenberg *(Kreis Hof)* 78 O 19
Lichtenberg *(Kreis Lüchow-Dannenberg)* 32 H 17
Lichtenberg *(Kreis Mecklenburg-Strelitz)* 24 F 24
Lichtenberg *(Kreis Westlausitz-Dresdener Land)* 68 M 25
Lichtenberg *(Stadtkreis Frankfurt Oder)* 45 J 27
Lichtenberg *(Stadtkreis Salzgitter)* 40 J 14
Lichtenberg *(Erzgebirge)* 68 N 24
Lichtenborn 70 P 2
Lichtendorf 49 L 6
Lichtenfels 62 M 10
Lichtenfels 77 P 17
Lichtenhaag 98 U 21
Lichtenhagen 39 K 12
Lichtenhain *(Kreis Sächsische Schweiz)* 69 N 26
Lichtenhain *(Stadtkreis Jena)* 65 N 18
Lichtenhorst 29 H 12
Lichtenmoor *(Stadt)* 29 H 11
Lichtenow 44 I 25
Lichtensee 56 L 24
Lichtenstein 67 N 21
Lichtenstein 102 U 11
Lichtental 93 T 8
Lichtentanne *(Kreis Saalfeld-Rudolstadt)* 77 O 18
Lichtentanne *(Kreis Zwickauer Land)* 66 N 21
Lichtenwald *(Kreis Esslingen)* 94 T 12
Lichtenwald *(Kreis Regensburg)* 90 S 20
Lichtenwalde 67 N 23
Lichterfeld 56 L 25
Lichterfelde *(Kreis Barnim)* 34 H 25
Lichterfelde *(Kreis Stendal)* 32 H 19
Liebelsberg 93 T 10
Liebenau 68 N 25
Liebenau 29 I 11
Liebenau 51 L 11
Liebenau 110 W 12
Liebenberg 34 H 23
Liebenburg 40 J 15
Liebengrün 66 O 18
Liebenrode 52 L 15
Liebenscheid 61 N 8
Liebenstadt 96 S 17
Liebenstein 65 N 16
Liebenstein 89 Q 21
Liebenstein *(Bornhofen)* 71 P 6
Liebenthal 34 H 24
Liebenwalde 34 H 24
Lieberhausen 61 M 6
Lieberose 45 K 26
Liebersee 55 L 23
Liebertwolkwitz 54 M 21
Liebfrauenstraße 84 Q 8
Lieblingshof 11 D 20
Lieblos 75 P 11
Liebschütz 66 O 18
Liebschützberg 55 L 23
Liebshausen 71 P 6
Liebstadt 68 N 25
Liebstedt 65 M 18
Liechelkopf 111 Y 14
Liederbach 74 P 9
Liedern 46 K 3
Liederstädt 53 M 18
Liedolsheim 84 S 9
Lieg 71 P 6
Liegau-Augustusbad 68 M 25
Liel 108 W 6
Lieme 39 J 10
Liemehna 55 L 21
Liemke 38 K 9
Lienen 18 G 9
Lienen 37 J 7
Liener 27 H 7
Lienheim 109 X 9
Liensfeld 9 D 15
Lienzingen 93 T 10
Liepe *(Kreis Barnim)* 35 H 25
Liepe *(Kreis Havelland)* 33 I 21
Liepe *(Kreis Uecker-Randow)* 25 F 26
Liepen *(Kreis Mecklenburg-Strelitz)* 24 F 24
Liepen *(Kreis Ostvorpommern)* 24 E 24
Lieper Winkel 15 E 25
Liepgarten 25 E 26
Lieps 24 F 23
Liers 71 O 4
Liesborn 50 K 8
Lieschow 13 C 23
Liesen 62 M 9
Liesenich 71 P 5
Lieser 72 Q 5
Lieskau 56 L 25
Lieske *(Kreis Bautzen)* 57 M 27
Lieske *(Kreis Oberspreewald-Lausitz)* 56 L 26
Ließen 44 J 24
Liessow *(Kreis Güstrow)* 23 E 21
Liessow *(Kreis Parchim)* 22 E 18
Liesten 32 H 17
Lietzen 45 I 27
Lietzow *(Kreis Havelland)* 33 I 22
Lietzow *(Kreis Rügen)* 13 C 24
Liezheimer Forst 95 T 15
Liggeringen 109 W 11
Liggersdorf 102 W 11
Lilienstein 68 N 26
Lilienthal *(Bremen)* 29 G 10
Limbach *(Göltzschtalkreis)* 66 O 20
Limbach *(Kreis Bamberg)* 87 Q 16
Limbach *(Kreis Günzburg)* 103 U 15
Limbach *(Kreis Haßberge)* 76 Q 15
Limbach *(Kreis Meißen-Dresden)* 68 M 24
Limbach *(Kreis Neuwied)* 59 N 6
Limbach *(Kreis Saarlouis)* 81 R 4
Limbach *(Kreis Sonneberg)* 77 O 17
Limbach *(Kreis Torgau-Oschatz)* 55 M 23
Limbach *(Neckar-Odenwald-Kreis)* 85 R 11
Limbach *(Saar-Pfalz-Kreis)* 81 S 5
Limbach-Oberfrohna 67 N 22
Limberg 56 K 26
Limburg 83 R 8
Limburg a. d. Lahn 73 O 8
Limburgerhof 84 R 9
Limeshain 74 P 11
Limmersdorf 77 P 18
Limpurger Forst 86 R 15
Limsdorf 45 J 26
Linach 101 V 8
Linau 21 F 15
Lind 60 O 4
Lind 89 R 21
Linda *(Kreis Wittenberg)* 55 K 23
Linda *(Saale-Orla-Kreis)* 66 N 19
Lindach 106 V 21
Lindau 77 P 18
Lindau *(Kreis Anhalt-Zerbst)* 42 J 20
Lindau *(Kreis Northeim)* 52 L 14
Lindau *(Kreis Rendsburg-Eckernförde)* 8 C 13
Lindau *(Kreis Schleswig-Flensburg)* 5 C 13
Lindau i. Bodensee *(Kreis LindauBodensee)* 110 X 13
Lindaunis 5 C 13
Lindberg 91 S 23
Linde 34 H 23
Linde 59 M 5
Linden *(Hannover)* 40 I 13
Linden *(Kreis Bad Tölz-Wolfratshausen)* 105 W 18
Linden *(Kreis Dithmarschen)* 7 D 11
Linden *(Kreis Hildburghausen)* 76 O 15
Linden *(Kreis Kaiserslautern)* 81 R 6
Linden *(Kreis Neustadt a. d. A.-Bad W.)* 86 R 15
Linden *(Kreis Uelzen)* 31 H 15
Linden-Dahlhausen 47 L 5
Lindena 56 L 24
Lindenau *(Kreis Aue-Schwarzenberg)* 67 O 21
Lindenau *(Kreis Hildburghausen)* 76 P 16
Lindenau *(Kreis Oberspreewald-Lausitz)* 56 L 25
Lindenberg *(Kreis Bad Dürkheim)* 83 R 8
Lindenberg *(Kreis Barnim)* 34 I 24
Lindenberg *(Kreis Demmin)* 24 E 23
Lindenberg *(Kreis Oder-Spree)* 45 J 26
Lindenberg *(Kreis Ostallgäu)* 104 V 16
Lindenberg *(Kreis Prignitz)* 33 G 20
Lindenberg i. Allgäu 111 X 13
Lindenfels 84 Q 10
Lindenhagen 25 G 25
Lindenhardt 87 Q 18
Lindenhayn 54 L 21
Lindenhof 24 E 23
Lindenholzhausen 73 O 8
Lindenkreuz 66 N 19
Lindenthal *(Leipzig)* 54 L 21
Linderbach 65 N 17
Linderhof 112 X 16
Linderhofe 39 J 11
Lindern *(Kreis Emsland)* 27 H 7
Lindern *(Kreis Hannover Land)* 58 N 2
Lindewitt 5 B 11
Lindheim 74 P 10
Lindhöft 5 C 13
Lindholm 4 B 10
Lindhorst *(Kreis Hannover Land)* 39 I 11
Lindhorst *(Kreis Uckermark)* 25 F 25
Lindhorst *(Ohrekreis)* 42 J 18
Lindkirchen 97 T 19
Lindlar 59 M 6
Lindloh 26 H 5
Lindow *(Kreis Nordwestmecklenburg)* 21 E 16
Lindow *(Kreis Ostprignitz-Ruppin)* 34 H 22
Lindstedt 32 I 18
Lindthal 56 L 25
Lindwedel 30 I 13
Lingelbach 63 N 12
Lingen 26 I 5
Lingenfeld 84 S 9
Lingese-Stausee 59 M 6
Lingwedel 31 H 15
Linken 25 F 27
Linkenheim-Hochstetten 93 S 9
Linn 46 L 3
Linnau 4 B 11
Linnenfeld 49 K 7
Linnenkamp 51 K 13
Linnich 58 N 2
Linow 33 G 22
Linsburg 29 I 11
Linsengericht 75 P 11
Linstow 23 F 21
Linswege 17 G 7
Lintach 88 R 19
Lintel *(Kreis Delmenhorst)* 28 G 9
Lintel *(Kreis Gütersloh)* 50 K 9
Linthe 43 J 22
Lintig 18 F 10
Lintorf 48 L 4
Lintzel 30 H 14
Linum 33 H 22
Linumhorst 33 H 22
Linx *(Rheinau)* 92 U 7
Linz 56 L 25
Linz a. Rhein 60 O 5
Lippach 95 T 14
Lippborg 49 L 8
Lippe 61 N 8
Lippendorf 66 M 21
Lipperbruch 50 K 9
Lipperode 50 K 9
Lippersdorf 67 N 23
Lippersdorf-Erdmannsdorf 66 N 19
Lippertsgrün 78 P 18
Lippertshofen 87 S 18
Lippertsreute 102 W 11
Lippetal 49 K 8
Lippinghausen 38 J 9
Lippling 50 K 9
Lippoldsberg 51 L 12
Lipporn 73 P 7
Lippramsdorf 47 K 5
Lipprechterode 52 L 15
Lippstadt 50 K 9
Liptingen 101 W 10
Liptitz 55 M 22
Lirstal 71 P 5
Lisberg 76 Q 16
Lischeid 62 N 11
Lispenhausen 63 N 13
Lissa 54 L 20
Lißberg 74 O 11
Lissingen 70 P 3
List 4 A 9
Listerfehrda 55 K 22
Listrup 36 I 6
Litschen 57 L 27
Littel 27 G 8
Littenweiler 100 W 7
Litterzhofen 96 S 18
Littfeld 61 M 7
Litzelstetten 110 W 11
Litzendorf 77 Q 17
Litzlohe 87 R 18
Lixfeld 62 N 9
Lobbach 84 R 10
Lobberich 58 M 2
Lobbese 43 J 22
Lobeda 65 N 18
Lobenfeld 84 R 10
Lobenstein 78 O 18
Lobeofsund 33 H 22
Lobmachtersen 40 J 15
Lobstädt 66 M 21
Loburg 42 J 20
Loccum 39 I 11
Loch 60 O 4
Lochau 54 L 20
Lochen 105 W 18
Lochenstein 101 V 10
Locherhof 101 V 9
Lochtum 41 K 15
Lochum 61 O 7
Lockstädt 32 G 20
Lockstedt *(Altmarkkreis Salzwedel)* 32 I 17
Lockstedt *(Kreis Steinburg)* 8 E 13
Lockstedt *(Ohrekreis)* 41 I 17
Locktow 43 J 22
Lockweiler 81 R 4
Lockwisch 21 E 16
Lodbergen 27 H 7
Loddin 15 D 26
Lodenau 57 L 28
Lodersleben 53 L 18
Lodmannshagen 15 D 24
Löbau 69 M 28
Löbejün 54 L 19
Löben 55 K 23
Löberitz 54 L 20
Löbichau 66 N 20
Löbitz 66 M 19
Löbnitz *(Kreis Delitzsch)* 54 L 21
Löbnitz *(Kreis Nordvorpommern)* 12 D 22
Löbschütz 66 M 20
Löcherberg 100 U 8
Löchgau 94 S 11
Löcknitz *(Kreis Uecker-Randow)* 25 F 26
Lödderitz 42 K 19

A B C D E F G H I J K L M N O P Q R S T U V W X Y Z

Löderburg ... 53 K 18
Lödingsen ... 51 L 13
Lödla ... 66 N 21
Löf ... 71 P 6
Löffelscheid ... 71 P 5
Löffelstelzen ... 85 R 13
Löffelsterz ... 76 P 15
Löffingen ... 101 W 9
Lögow ... 33 H 21
Löhlbach ... 62 M 10
Löhma ... 66 O 19
Löhme ... 34 I 25
Löhnberg ... 62 O 8
Löhne ... 38 J 10
Löhnhorst ... 29 G 9
Löhrieth ... 76 P 14
Löhsten ... 55 L 23
Löllbach ... 81 Q 6
Löningen ... 27 H 7
Lönnewitz ... 55 L 23
Lönsgrab ... 30 H 12
Lönsstein ... 30 H 14
Löpsingen ... 95 T 15
Lörch ... 100 V 7
Lörrach ... 108 X 7
Lörzenbach ... 84 R 10
Löschenrod ... 75 O 13
Löschwitz ... 88 Q 19
Lössau ... 66 O 19
Lößnitz ... 67 O 22
Lövenich
(Kreis Heinsberg) ... 58 M 2
Lövenich
(Stadtkreis Köln) ... 59 N 4
Löwen ... 51 L 11
Löwenberg ... 34 H 23
Löwenbruch ... 44 J 23
Löwendorf ... 51 K 11
Löwenhagen ... 51 L 13
Löwensen ... 39 K 11
Löwenstedt ... 5 C 11
Löwenstein ... 94 S 12
Löwensteiner Berge ... 94 S 12
Löwitz *(Kreis*
Nordwestmecklenburg) ... 21 E 17
Löwitz *(Kreis*
Ostvorpommern) ... 25 E 25
Loffenau ... 93 T 9
Loga ... 69 M 26
Loga ... 17 G 6
Logabirum ... 17 G 6
Lohausen ... 48 M 4
Lohbarbek ... 8 E 12
Lohberg ... 91 S 23
Lohberge ... 19 G 13
Lohbrügge ... 20 F 14
Lohe
(Kreis Cloppenburg) ... 27 G 7
Lohe *(Kreis Cuxhaven)* ... 18 F 10
Lohe *(Kreis Emsland)* ... 27 H 6
Lohe *(Kreis Vechta)* ... 27 H 8
Lohe-Föhrden ... 8 C 12
Lohe-Rickelshof ... 7 D 11
Loheide ... 4 B 10
Lohfelden ... 51 M 12
Lohhof ... 39 I 10
Lohkirchen ... 106 V 21
Lohm ... 33 H 20
Lohma *(Altenburg)* ... 67 N 21
Lohma *(Pleystein)* ... 89 R 21
Lohmar ... 59 N 5
Lohme ... 13 C 24
Lohmen
(Kreis Güstrow) ... 23 E 20
Lohmen *(Kreis*
Sächsische Schweiz) ... 68 N 26
Lohne ... 32 H 18
Lohne ... 36 I 5
Lohne *(Kreis Soest)* ... 49 L 8
Lohne
(Schwalm-Eder-Kreis) ... 63 M 11
Lohne (Oldenburg) ... 27 I 8
Lohnsfeld ... 83 R 7
Lohr ... 86 S 14
Lohr a. Main ... 75 Q 12
Lohra ... 62 N 9
Lohrbach ... 85 R 11
Lohrhaupten ... 75 P 12
Lohsa ... 57 L 27
Loiching ... 98 U 21
Loikum ... 46 K 3
Loiperstätt ... 105 V 20
Loipl ... 114 X 22
Loisach ... 112 X 17
Loissin ... 13 D 24
Loit ... 5 C 13
Loiterau ... 5 C 12

Loitsche ... 42 J 19
Loitz ... 14 E 23
Loitzendorf ... 91 S 21
Lollar ... 62 O 10
Lomersheim ... 93 T 10
Lomitz ... 32 H 18
Lommatzsch ... 55 M 23
Lommersdorf ... 70 O 4
Lommersum ... 59 N 4
Lomnitz ... 68 M 25
Lomske ... 57 M 27
Lonau ... 52 K 15
Londorf ... 62 N 10
Lone ... 95 U 14
Lonetal ... 95 U 14
Longerich *(Köln)* ... 59 N 4
Longkamp ... 72 Q 5
Longuich ... 72 Q 4
Lonnerstadt ... 86 Q 16
Lonnewitz ... 55 M 23
Lonnig ... 71 P 6
Lonsee ... 95 U 13
Lonzig ... 66 N 20
Looft ... 8 D 12
Loop ... 9 D 13
Loope ... 59 N 6
Loose ... 5 C 13
Loosen ... 21 G 17
Loppenhausen ... 103 V 15
Loppersum ... 16 F 5
Loppin ... 23 F 21
Loquard ... 16 F 5
Loquitz ... 65 O 18
Lorch ... 73 P 7
Lorch ... 94 T 13
Loreley ... 73 P 7
Lorenzenzimmern ... 95 S 13
Lorenzreuth ... 78 P 20
Lorsbach ... 74 P 9
Lorsch ... 84 R 9
Lorscheid ... 81 Q 4
Lorup ... 27 H 6
Loschwitz *(Dresden)* ... 68 M 25
Losentitz ... 13 D 24
Loshausen ... 63 N 11
Losheim ... 80 R 4
Losheim (Eifel) ... 70 O 3
Lossa ... 53 M 18
Loßbruch ... 39 K 10
Loßburg ... 101 U 9
Losse ... 32 H 19
Lossow ... 45 J 27
Loßwig ... 55 L 23
Lostau ... 42 J 19
Lothe ... 39 K 11
Lotseninsel ... 5 B 14
Lotte ... 37 J 7
Lotten ... 27 I 6
Lottengrün ... 79 O 20
Lottstetten ... 109 X 9
Louisenberg ... 5 C 13
Louisendorf *(Kreis Kleve)* ... 46 K 2
Louisendorf *(Kreis*
Waldeck-Frankenberg) ... 62 M 10
Lowick ... 46 K 3
Loxstedt ... 18 F 9
Loxten ... 27 I 7
Loxten ... 37 J 8
Loy ... 18 G 8
Lubmin ... 13 D 24
Lubolz ... 44 K 25
Lucherberg ... 58 N 3
Lucka ... 66 M 20
Luckau ... 56 K 25
Luckau ... 31 H 17
Luckenau ... 66 M 20
Luckenwalde ... 44 J 23
Lucklum ... 41 J 16
Luckow ... 25 G 26
Luckow ... 25 E 26
Luckow-Petershagen ... 25 G 26
Ludenhausen ... 104 W 16
Ludolfshausen ... 52 L 13
Ludorf ... 23 F 22
Ludwag ... 77 Q 17
Ludweiler-Warndt ... 82 S 4
Ludwigs-Donau-
Main-Kanal ... 87 S 18
Ludwigsau ... 63 N 13
Ludwigsaue ... 34 H 23
Ludwigsburg ... 13 D 24
Ludwigsburg ... 5 C 13
Ludwigsburg ... 94 T 11
Ludwigschorgast ... 77 P 18
Ludwigsdorf ... 17 F 6
Ludwigsfelde ... 44 J 23
Ludwigshafen ... 84 R 9

Ludwigshafen a.
Bodensee ... 101 W 11
Ludwigshöhe
(Kreis Mainz-Bingen) ... 84 Q 9
Ludwigshöhe *(Kreis*
Südliche Weinstraße) ... 83 S 8
Ludwigslust ... 22 G 18
Ludwigsluster Kanal ... 21 G 18
Ludwigsmoos ... 96 U 17
Ludwigsstadt ... 77 O 18
Ludwigsthal ... 91 S 23
Ludwigswinkel ... 92 S 7
Lübars ... 42 J 20
Lübbecke ... 38 J 9
Lübben ... 44 K 25
Lübbenau ... 45 K 25
Lübbenow ... 25 F 25
Lübbersdorf ... 24 F 24
Lübberstedt
(Kreis Harburg) ... 30 G 14
Lübberstedt
(Kreis Osterholz) ... 18 F 10
Lübberstorf ... 22 E 19
Lübbow ... 31 H 17
Lübeck ... 21 E 16
Lübecker Bucht ... 10 D 16
Lüben ... 31 H 16
Lübesse ... 22 F 18
Lüblow ... 22 F 18
Lübnitz ... 43 J 21
Lübow ... 22 E 18
Lübs
(Kreis Anhalt-Zerbst) ... 42 J 19
Lübs *(Kreis*
Ostvorpommern) ... 25 E 25
Lübstorf ... 22 E 18
Lübtheen ... 21 G 17
Lübz ... 23 F 20
Lübzin ... 23 E 19
Lüchow ... 31 H 17
Lüchtringen ... 51 K 12
Lückendorf ... 69 N 28
Lückenmühle ... 65 O 18
Lückersdorf-Gelenau ... 68 M 26
Lückstedt ... 32 H 18
Lüdelsen ... 31 H 16
Lüdenhausen ... 39 J 11
Lüdenscheid ... 49 M 6
Lüder ... 31 H 15
Lüderbach ... 64 M 14
Lüderitz ... 42 I 19
Lüdermünd ... 63 O 12
Lüdersburg ... 21 G 15
Lüdersdorf
(Kreis Barnim) ... 35 H 26
Lüdersdorf *(Kreis*
Nordwestmecklenburg) ... 21 E 16
Lüdersdorf
(Kreis Teltow-Fläming) ... 44 J 23
Lüdersen ... 40 J 13
Lüdersfeld ... 39 I 11
Lüdershagen ... 11 D 21
Lüdingen ... 30 G 12
Lüdinghausen ... 47 K 6
Lüdingworth ... 18 E 10
Lüdingworth-
Seehausen ... 18 E 10
Lüerdissen ... 40 K 12
Lüffingen ... 32 I 18
Lügde ... 39 K 11
Lüge ... 32 H 18
Lühburg ... 11 E 21
Lühe ... 42 J 19
Lühmannsdorf ... 15 D 24
Lühnde ... 40 J 13
Lüllau ... 19 G 13
Lüllingen ... 46 L 2
Lülsfeld ... 76 Q 14
Lünebach ... 70 P 3
Lüneburg ... 20 G 15
Lüneburger Heide ... 30 G 13
Lüneburger Heide
(Naturschutzpark) ... 30 G 13
Lünen ... 47 L 6
Lünen-Süd ... 47 L 6
Lünern ... 49 L 7
Lünne ... 37 I 6
Lünow ... 43 I 21
Lünten ... 36 J 4
Lüntorf ... 39 K 12
Lünzen ... 30 G 13
Lüptitz ... 55 L 22
Lürschau ... 5 C 12
Lüsche ... 27 H 8
Lüskow ... 25 E 24
Lüßberg ... 31 H 15
Lüssow *(Kreis Güstrow)* ... 23 E 20

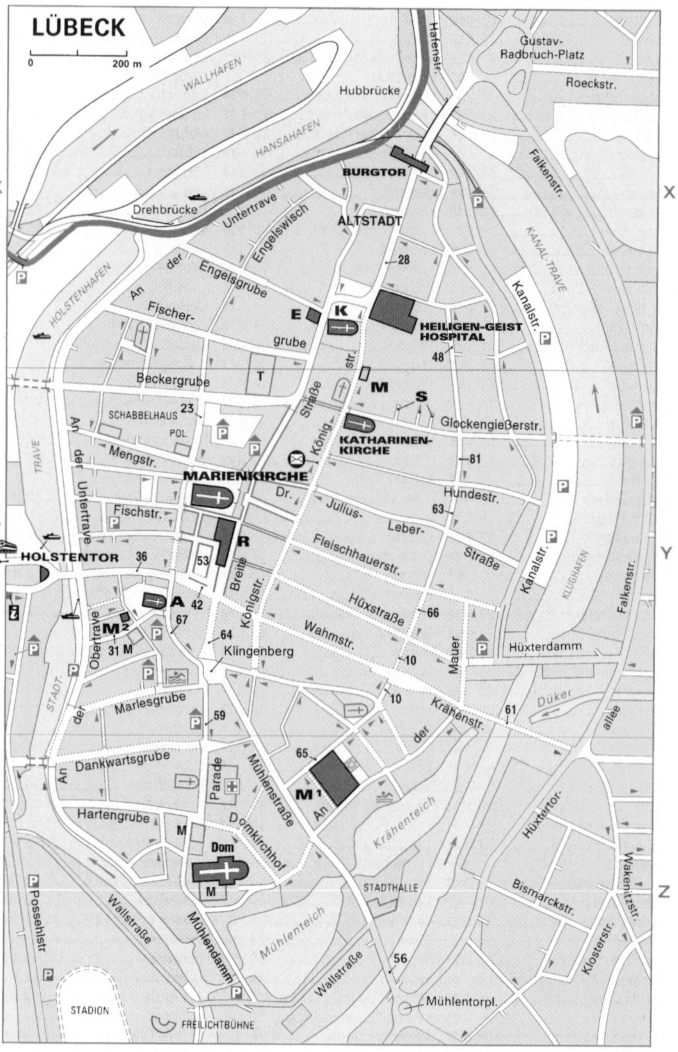

Balauerfohr ... Y 10
Beckergrube ... Y
Breite Str. ... Y
Fleischhauerstr. ... Y
Fünfhausen ... Y 23
Große Burgstr. ... X 28
Große Petersgrube ... Y 31
Holstenstr. ... Y 36
Hüxstr. ... Y
Klingenberg ... Y
Königstr. ... XY
Kohlmarkt ... Y 42
Langer
Lohberg ... X 48
Marktpl. ... Y 53
Mühlenstr. ... Z
Mühlentorbrücke ... Z 56
Pferdemarkt ... Y 59
Rehderbrücke ... Y 61
Rosengarten ... Y 63
Sandstr. ... Y 64
Schlumacherstr. ... Y 66
Schmiedestr. ... Y 67
St-Annen-
Str. ... Z 65
Tünkenhagen ... Y 81
Wahmstr. ... Y

Lüssow
(Kreis Nordvorpommern) 13 D 23
Lüssow
(Kreis Ostvorpommern) .. 14 E 24
Lüstringen ... 37 J 8
Lütau ... 21 F 15
Lütersheim ... 51 L 11
Lütetsburg ... 16 F 5
Lütgendortmund ... 47 L 6
Lütgeneder ... 51 L 11
Lüthorst ... 51 K 13
Lütje Hörn *(Insel)* ... 16 F 4
Lütjenbrode ... 10 C 17
Lütjenburg ... 9 D 15
Lütjenholm ... 4 B 11
Lütjenhorn ... 4 B 11
Lütjensee ... 20 F 15
Lütjenwestedt ... 8 D 12
Lütkendorf ... 23 G 20
Lütkenwisch ... 32 G 18
Lütmarsen ... 51 K 12
Lütow ... 15 D 25
Lüttauer See ... 21 F 16
Lüttchendorf ... 53 L 18
Lütte ... 43 J 21
Lütten Klein ... 11 D 20
Lüttenhagen ... 24 F 24
Lüttenmark ... 21 F 16
Lütter ... 75 O 13
Lüttewitz-Dreißig ... 67 M 23
Lüttgenrode ... 41 K 16
Lüttgenzlatz ... 42 J 20
Lüttingen ... 46 K 3
Lüttow ... 21 F 16

Lüttringhausen ... 48 M 5
Lütz ... 71 P 6
Lützel ... 61 N 8
Lützelbach *(Kreis*
Darmstadt-Dieburg) ... 84 Q 10
Lützelbach
(Odenwaldkreis) ... 84 Q 11
Lützelburg ... 104 U 16
Lützelwig ... 63 M 12
Lützen ... 54 M 20
Lützenhardt ... 93 U 9
Lützenkirchen ... 59 M 5
Lützkampen ... 70 P 2
Lützlow ... 25 G 26
Lützow ... 21 F 17
Lützschena-Stahmeln ... 54 L 20
Lug ... 56 L 25
Lug ... 83 S 7
Lugau ... 56 L 24
Lugau (Erzgebirge) ... 67 N 22
Luhden ... 39 J 11
Luhdorf ... 20 G 14
Luhe ... 19 G 14
Luhe-Wildenau ... 88 R 20
Luhme ... 33 G 22
Luhmühlen ... 30 G 14
Luhnstedt ... 8 D 13
Luisenburg ... 78 P 19
Luisenhütte *(Balve)* ... 49 L 7
Luisenthal ... 64 N 16
Luizhausen ... 95 U 13
Luko ... 43 K 20
Lumpzig ... 66 N 20
Lunden ... 7 D 11

Lune ... 20 F 10
Lunestedt ... 18 F 10
Lunow ... 35 H 26
Lunsen ... 29 H 11
Lunzenau ... 67 N 22
Lupburg ... 97 S 19
Lupendorf ... 23 F 21
Lupfen ... 101 V 10
Luplow ... 24 F 22
Luppa *(Kreis Bautzen)* ... 57 M 27
Luppa
(Kreis Torgau-Oschatz) ... 55 L 22
Luppe ... 54 L 20
Lusen ... 99 T 24
Luso ... 42 K 20
Lust ... 42 K 18
Lustadt ... 83 S 8
Lusthoop ... 19 F 12
Luthe ... 39 I 12
Luther-Denkmal ... 64 N 15
Lutheran ... 23 F 20
Lutten ... 28 H 9
Luttenwang ... 104 V 17
Lutter *(Kreis Eichsfeld)* ... 52 L 14
Lutter *(Kreis Hannover)* ... 30 I 12
Lutter a. Barenberge ... 40 K 14
Lutterberg ... 51 L 12
Lutterloh ... 30 H 14
Luttern ... 30 H 14
Luttingen ... 108 X 8
Luttum ... 29 H 11
Lutum ... 36 K 5
Lutzerath ... 71 P 5
Lutzhöft ... 5 B 12

Lutzhorn .... 19 E 13
Lutzingen .... 95 U 15
Lychen .... 34 G 23
Lynow .... 44 J 24

M

Maar .... 63 O 12
Maas-Schwalm-Nette
(Naturpark) .... 58 M 2
Maasbüll .... 5 B 12
Maasbüll (b. Niebüll) .... 4 B 10
Maasdorf
(Kreis Elbe-Elster) .... 56 L 24
Maasdorf
(Kreis Köthen) .... 54 K 19
Maasen .... 29 H 10
Maasholm .... 5 B 13
Maberzell .... 63 O 12
Machern .... 55 L 21
Machtlfing .... 104 W 17
Machtlos *(b. Bebra)* .... 63 N 13
Machtlos
(b. Breitenbach) .... 63 N 12
Machtolsheim .... 94 U 13
Macken .... 71 P 6
Mackenbach .... 81 R 6
Mackenrode
(Kreis Eichsfeld) .... 52 M 14
Mackenrode
(Kreis Göttingen) .... 52 L 14
Mackenrode
(Kreis Nordhausen) .... 52 L 15
Mackensen .... 51 K 13
Mackenzell .... 63 O 13
Madel .... 42 J 19
Madenburg .... 83 S 8
Madenhausen .... 76 P 14
Madfeld .... 50 L 10
Mägdesprung .... 53 K 17
Mägerkingen .... 102 V 11
Mährenhausen .... 77 P 16
Mähring .... 79 Q 21
Mähringen
(Kreis Tübingen) .... 94 U 11
Mähringen
(Stadtkreis Ulm) .... 103 U 13
Mäkel .... 28 H 9
Märkisch Buchholz .... 44 J 25
Märkisch Wilmersdorf .... 44 J 23
Märkische Schweiz
(Naturpark) .... 35 I 26
Märschendorf .... 27 H 8
Märtensmühle .... 44 J 23
Mäusdorf .... 85 S 13
Magdala .... 65 N 18
Magdeburg .... 42 J 18
Magdeburgerforth .... 42 J 20
Magdlos .... 75 O 12
Magelsen .... 29 H 11
Magnetsried .... 104 W 17
Magolsheim .... 102 U 12
Magstadt .... 93 T 10
Mahdel .... 55 K 23
Mahitzschen .... 55 L 23
Mahlberg .... 47 K 4
Mahlberg .... 100 V 7
Mahlbergskopf .... 81 Q 6
Mahlenzien .... 43 J 21
Mahlis .... 55 M 22
Mahlitz .... 33 H 20
Mahlow .... 44 I 24
Mahlsdorf .... 32 H 17
Mahlspüren .... 102 W 11
Mahlstetten .... 101 V 10
Mahlum .... 40 J 14
Mahlwinkel .... 42 I 19
Mahnburg .... 31 H 16
Mahndorf .... 53 K 16
Mahndorf .... 29 G 10
Maibach .... 74 O 9
Maibach .... 76 P 14
Maichingen .... 93 T 10
Maierhöfen .... 111 X 14
Maierhofen .... 90 T 19
Maihingen .... 95 T 15
Maikammer .... 83 S 8
Mailar .... 50 M 8
Mailheim .... 86 R 15
Mailing .... 97 T 18
Main .... 74 P 10
Main-Donau-Kanal .... 87 Q 16
Mainaschaff .... 74 Q 11
Mainau .... 110 W 11
Mainberg .... 76 P 14
Mainbernheim .... 86 Q 14
Mainbullau .... 85 Q 11
Mainburg .... 97 U 19
Maineck .... 77 P 17
Mainflingen .... 74 P 11
Mainhardt .... 94 S 12
Mainhausen .... 74 P 11
Mainleus .... 77 P 18
Mainroth .... 77 P 17
Mainschhorn .... 29 I 11
Mainsondheim .... 86 Q 14
Mainstockheim .... 86 Q 14
Maintal .... 74 P 10
Mainwangen .... 101 W 11
Mainz .... 73 Q 8
Mainzweiler .... 81 R 5
Maisach .... 104 V 17
Maitenbeth .... 105 V 20
Maitis .... 94 T 13
Malberg .... 70 P 3
Malborn .... 81 Q 4
Malchen .... 84 Q 9
Malchin .... 24 E 22
Malchiner See .... 23 E 21
Malching .... 107 V 23
Malchow .... 23 F 21
Malente .... 9 D 15
Malgarten .... 37 I 8
Malgersdorf .... 98 U 22
Malitschkendorf .... 55 K 23
Malkendorf .... 9 E 15
Malkomes .... 63 N 13
Mallenchen .... 56 K 25
Mallentin .... 21 E 17
Mallersdorf .... 97 T 20
Mallerstetten .... 97 S 18
Mallin .... 24 F 23
Malliß .... 32 G 17
Mallnow .... 45 I 27
Malloh .... 31 I 16
Malmsheim .... 93 T 10
Malsburg .... 108 W 7
Malsch *(Kreis Karlsruhe)* .... 93 T 9
Malsch
(Rhein-Neckar-Kreis) .... 84 S 10
Malschwitz .... 69 M 27
Malse .... 18 F 10
Malsfeld .... 63 M 12
Malstedt .... 19 F 11
Malter-Paulsdorf .... 68 N 24
Malterdingen .... 100 V 7
Malterhausen .... 43 J 22
Malxe .... 57 K 27
Malzow .... 21 E 16
Mambach .... 108 W 7
Mamerow .... 23 E 21
Mammendorf .... 104 V 17
Mamming .... 98 U 21
Manau .... 76 P 15
Manching .... 97 T 18
Mandel .... 73 Q 7
Mandelbachtal .... 82 S 5
Mandeln .... 62 N 9
Mandelshagen .... 11 D 21
Mandelsloh .... 30 I 12
Mandern .... 80 R 4
Manderscheid *(Kreis
Bernkastel-Wittlich)* .... 70 P 4
Manderscheid
(Kreis Bitburg-Prüm) .... 70 P 3
Manebach .... 65 N 16
Mangelsdorf .... 42 I 20
Mangfall .... 105 W 19
Mangfallgebirge .... 113 X 19
Manhagen .... 10 D 16
Manheim .... 58 N 3
Manker .... 33 H 22
Mankmoos .... 22 E 19
Mankmuß .... 32 G 18
Mannebach
(Kreis Trier-Saarburg) .... 80 R 3
Mannhagen Dorf .... 13 D 23
Mannhausen .... 41 I 17
Mannheim .... 84 R 9
Mannichswalde .... 66 N 20
Mannweiler Cölln .... 83 Q 7
Manrode .... 51 L 12
Mansbach .... 63 N 13
Manschnow .... 35 I 27
Mansfeld .... 53 L 18
Mansie .... 17 G 7
Manslagt .... 16 F 5
Mantel .... 88 R 20
Manteler Forst .... 89 Q 20
Mantinghausen .... 50 K 9
Mantlach .... 96 S 17
Manubach .... 73 P 7
Marbach .... 84 R 10
Marbach *(Dorf)* .... 63 O 13
Marbach *(Kreis Erfurt)* .... 65 N 16
Marbach
(Kreis Mittweida) .... 67 M 23
Marbach
(Kreis Reutlingen) .... 102 V 12
Marbach
(Kreis Sigmaringen) .... 102 U 12
Marbach *(Schwarzwald-
Baar-Kreis)* .... 101 V 9
Marbach a. Neckar .... 94 T 11
Marbeck .... 47 K 4
Marbostel b. Soltau .... 30 H 13
Marburg .... 62 N 10
Marcardsmoor .... 17 F 7
March *(Kreis Breisgau-
Hochschwarzwald)* .... 100 V 7
March *(Kreis Regen)* .... 91 T 23
Marching .... 97 T 19
Mardorf
(Kreis Hannover) .... 39 I 11
Mardorf *(Kreis
Marburg-Biedenkopf)* .... 62 N 10
Margarethen .... 106 U 21
Margarethenthann .... 97 T 19
Margetshöchheim .... 85 Q 13
Margretenhaun .... 63 O 13
Margrethausen .... 101 V 10
Maria Birnbaum .... 104 U 17
Maria Brünnlein .... 96 T 15
Maria Eck .... 106 W 21
Maria Engelport .... 71 P 5
Maria Gern .... 114 W 23
Maria Laach .... 71 O 5
Maria Steinbach .... 103 W 14
Maria Veen .... 36 K 5
Mariadorf .... 58 N 2
Mariäkappel .... 95 S 14
Mariakirchen .... 98 U 22
Marialinden .... 59 N 5
Mariaposching .... 98 T 22
Mariaweiler .... 58 N 3
Mariazell .... 101 V 9
Marienbaum .... 46 K 3
Marienberg .... 67 O 23
Marienberg .... 58 N 2
Marienberg .... 105 W 20
Marienberghausen .... 59 N 6
Marienborn .... 41 J 17
Marienburg .... 40 J 13
Marienburg .... 71 P 5
Marienchor .... 16 G 5
Mariendorf .... 51 L 12
Marieney .... 79 O 20
Marienfeld
(Kreis Gütersloh) .... 37 K 8
Marienfeld
(Rhein-Sieg-Kreis) .... 59 N 6
Marienfels .... 73 P 7
Marienglashöhle
(Friedrichroda) .... 64 N 15
Marienhafe .... 16 F 5
Marienhagen .... 40 J 13
Marienhausen .... 61 O 7
Marienheide .... 59 M 6
Marienkoog .... 4 B 10
Marienloh .... 50 K 10
Marienmünster .... 51 K 11
Marienrode .... 40 J 13
Marienroth .... 77 O 18
Mariensee .... 30 I 12
Marienstatt .... 61 N 7
Marienstedt .... 21 F 16
Marienstein .... 113 W 19
Mariental .... 41 J 16
Marienthal
(Kreis Oberhavel) .... 34 G 23
Marienthal
(Kreis Wesel) .... 47 K 4
Marienthal *(Rheingau-
Taunus-Kreis)* .... 73 P 7
Marienthal (Pfalz) .... 83 R 7
Marienwerder .... 34 H 24
Marihn .... 24 F 22
Marine Ehrenmal *(Laboe)* .... 9 C 14
Maring-Noviand .... 72 Q 5
Marisfeld .... 64 O 15
Marjoß .... 75 P 12
Mark .... 27 G 6
Markdorf .... 110 W 12
Markee .... 33 I 22
Markelfingen .... 109 W 11
Markelsdorfer Huk .... 10 C 17
Markelsheim .... 85 R 13
Markendorf
(Kreis Teltow-Fläming) .... 44 K 23
Markendorf
(Stadtkreis Frankfurt) .... 45 J 27
Markersbach .... 67 O 22

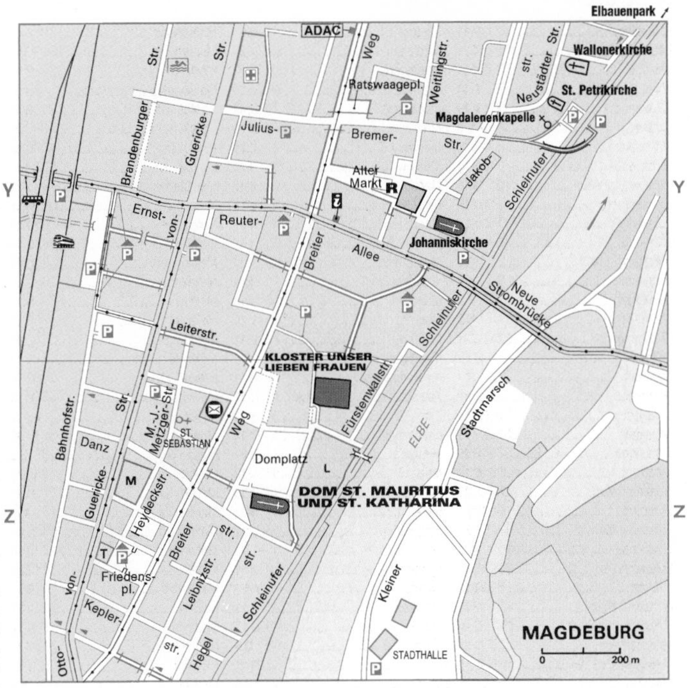

Markersdorf
(Kreis Mittweida) .... 67 N 22
Markersdorf *(Niederschlesischer
Oberlausitzkr.)* .... 69 M 28
Markgrafenheide .... 11 D 20
Markgrafpieske .... 44 J 25
Markgröningen .... 94 T 11
Markhausen .... 27 H 7
Markkleeberg .... 54 M 21
Marklendorf .... 30 H 13
Marklkofen .... 98 U 21
Marklohe .... 29 H 11
Markneukirchen .... 79 P 20
Markoldendorf .... 51 K 13
Markranstädt .... 54 M 20
Markröhlitz .... 54 M 19
Marksburg .... 73 P 6
Marksuhl .... 64 N 14
Markt .... 96 U 16
Markt Berolzheim .... 96 S 16
Markt Bibart .... 86 R 15
Markt Einersheim .... 86 R 14
Markt Erlbach .... 86 R 15
Markt Indersdorf .... 104 U 18
Markt Nordheim .... 86 R 15
Markt Rettenbach .... 103 W 15
Markt Schwaben .... 105 V 19
Markt Taschendorf .... 86 Q 15
Markt Wald .... 103 V 15
Marktbergel .... 86 R 15
Marktbreit .... 86 Q 14
Marktgölitz .... 65 O 18
Marktheidenfeld .... 75 Q 12
Marktl .... 106 V 22
Marktleugast .... 78 P 18
Marktleuthen .... 78 P 20
Marktlustenau .... 95 S 14
Marktoberdorf .... 111 W 15
Marktoffingen .... 95 T 15
Marktredwitz .... 78 P 20
Marktrodach .... 77 P 18
Marktschellenberg .... 114 W 23
Marktschorgast .... 78 P 18
Marktsteft .... 86 Q 14
Marktsteinach .... 76 P 15
Marktzeuln .... 77 P 17
Marl .... 38 I 9
Marl .... 47 L 5
Marlach .... 85 R 12
Marlen .... 92 U 7
Marlesreuth .... 78 P 19
Marlishausen .... 65 N 17
Marloffstein .... 87 R 17
Marlow .... 11 D 21
Marmagen .... 60 O 3
Marnbach .... 104 W 17
Marne .... 7 E 11
Marnheim .... 83 R 8
Marnitz .... 23 G 19
Maroldsweisach .... 76 P 15
Marolterode .... 52 M 16
Marpingen .... 81 R 5
Marquardt .... 43 I 22
Marquartstein .... 114 W 21
Marren .... 27 H 7
Marsberg .... 50 L 10
Marschacht .... 20 F 15
Marschalkenzimmern .... 101 V 9
Marsdorf .... 68 M 25
Martensdorf .... 12 D 22
Martensrade .... 9 D 15
Martfeld .... 29 H 11
Martinfeld .... 52 M 14
Martinlamitz .... 78 P 19
Martinroda .... 65 N 16
Martinsbuch .... 98 T 21
Martinshaun .... 97 T 20
Martinsheim .... 86 R 14
Martinshöhe .... 81 R 6
Martinskirchen .... 55 L 23
Martinsmoos
(Neubulach) .... 93 U 9
Martinstein .... 81 Q 6
Martinsthal .... 73 P 8
Martinszell .... 111 X 14
Marwede .... 31 H 15
Marwitz .... 34 H 23
Marx .... 17 F 7
Marxdorf .... 45 I 26
Marxen .... 19 G 14
Marxgrün .... 78 O 19
Marxheim .... 96 T 16
Marxloh .... 47 L 4
Marxzell .... 93 T 9
Marzahn *(Berlin)* .... 34 I 24
Marzahna .... 43 J 22
Marzahne .... 43 I 21
Marzell .... 100 W 7
Marzhausen .... 51 L 13
Marzling .... 105 U 19
Marzoll .... 114 W 22
Masbeck .... 36 K 6
Maschen .... 20 F 14
Mascherode .... 41 J 15
Masel .... 31 H 15

MAINZ

Augustinerstr. .... Z 6
Bischofspl. .... Z 12
Christofsstr. .... Z 16
Fischtorstr. .... Z 21
Flachsmarktstr. .... Z
Große Bleiche .... Z
Gutenbergpl. .... Z 23
Höfchen .... Z 26
Karmeliterstr. .... Z 27
Kirschgarten .... Z 29
Liebfrauenpl. .... Z 32
Ludwigsstr. .... Z
Markt .... Z
Peter-Altmeier-Allee .... Z 35
Quintinsstr. .... Z 36
Schillerstr. .... Z
Schöfferstr. .... Z 40
Schusterstr. .... Z
Zeughausgasse .... Z 43

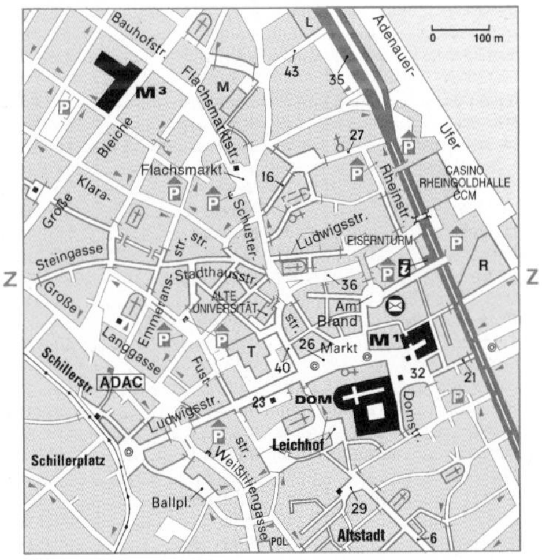

A B C D E F G H I J K L M N O P Q R S T U V W X Y Z

Maselheim 103 V 13
Maserer Paß 114 W 21
Maspe 39 K 11
Maßbach 76 P 14
Massen 56 L 25
Massen 49 L 6
Massenbach 84 S 11
Massenbachhausen 84 S 11
Massenhausen 105 U 18
Masserberg 77 O 16
Massing 106 U 21
Massow 23 G 21
Mastershausen 71 P 6
Mastholte 50 K 9
Masthorn 70 P 2
Materborn 46 K 2
Matgendorf 23 E 21
Matorf 39 J 10
Matrum 27 H 7
Mattendorf 57 K 27
Mattierzoll 41 J 16
Mattsies 103 V 15
Matzdorf 25 F 25
Matzenbach 95 S 14
Matzersreuth 79 Q 21
Matzing 106 W 21
Matzlow-Garwitz 22 F 19
Mauchen 109 W 9
Mauenheim 101 W 10
Mauer 84 R 10
Mauerkirchen 106 W 20
Mauern 97 U 19
Mauersberg 67 O 23
Mauerstetten 104 W 16
Maukendorf 57 L 26
Maulbach 62 N 11
Maulbeerwalde 33 G 21
Maulbronn 93 S 10
Maulburg 108 X 7
Mauloff 70 P 9
Maumke 61 M 8
Mauren 96 T 16
Maurine 21 E 16
Mausbach 58 N 2
Maust 57 K 27
Mauth 99 T 24
Mauthaus-Stausee 77 O 18
Mautitz 55 M 23
Mauzenberg 93 T 9
Maxdorf 83 R 8
Maxen 68 N 25
Maxhütte-Haidhof 88 S 20
Maximiliansau 93 S 8
Maximiliansgrotte 87 R 18
Maxsain 61 O 7
Mayen 71 O 5
Mayschoß 60 O 5
Mechau 32 H 18
Mechelgrün 79 O 20
Mechelroda 65 N 18
Mechenhard 85 Q 11
Mechenried 76 P 15
Mechernich 60 O 3
Mechlenreuth 78 P 19
Mechow *(Kreis Herzogtum Lauenburg)* 21 E 16
Mechow *(Kreis Mecklenburg-Strelitz)* 24 G 24
Mechtersen 20 G 14
Mechtersheim 84 S 9
Mechterstädt 64 N 15
Mechtshausen 40 K 14
Meckbach 63 N 13
Meckel 80 Q 3
Meckelfeld 20 F 14
Meckelstedt 18 F 10
Meckenbeuren 110 W 12
Meckenhausen 87 S 17
Meckenheim *(Kreis Bad Dürkheim)* 83 R 8
Meckenheim *(Rhein-Sieg-Kreis)* 60 O 5
Meckesheim 84 S 10
Mecklar 63 N 13
Mecklenbeck 37 K 6
Mecklenburger Bucht 10 D 17
Mecklenburgische Schweiz 23 E 21
Mecklenburgische Seenplatte 23 F 20
Meddersheim 81 Q 6
Meddewade 20 E 15
Medebach 50 M 10
Medelby 4 B 11
Medelon 62 M 10
Medem 18 E 10
Medenbach 74 P 9
Medewitz 43 J 21
Medingen 68 M 25
Medingen *(Bad Bevensen)* 31 G 15
Medlingen 95 U 14
Medlitz 77 P 16
Medow 24 E 24
Medrow 14 E 22
Meeder 77 P 16
Meensen 51 L 13
Meerane 66 N 21
Meerbeck 39 I 11
Meerbusch *(Düsseldorf)* 48 M 4
Meerdorf 40 I 14
Meerhof 50 L 10
Meerholz 75 P 11
Meerhusener Moor 17 F 6
Meersburg 110 W 11
Meeschendorf 10 C 17
Meesiger 24 E 22
Meetschow 32 G 18
Meetzen 21 E 17
Meezen 8 D 13
Megesheim 95 T 15
Meggen 61 M 8
Meggerdorf 8 C 12
Mehderitzsch 55 L 23
Mehedorf 18 F 11
Mehla 66 N 20
Mehlbek 8 D 12
Mehle 40 J 13
Mehlem 60 O 5
Mehlen *(Bonn)* 63 M 11
Mehlingen 83 R 7
Mehliskopf 93 U 8
Mehlmeisel 78 Q 19
Mehltheuer *(Elstertalkreis)* 66 O 20
Mehltheuer *(Kreis Riesa-Großenhain)* 55 M 23
Mehmke 31 H 16
Mehr *(b. Kleve)* 46 K 2
Mehr *(b. Rees)* 46 K 3
Mehren *(Kreis Altenkirchen)* 59 N 6
Mehren *(Kreis Daun)* 71 P 4
Mehrhoog 46 K 3
Mehring 72 Q 4
Mehring 106 V 22
Mehringen 53 K 18
Mehringen 36 I 5
Mehrow 34 I 24
Mehrstedt 52 M 16
Mehrstetten 102 U 12
Mehrum 40 J 14
Mehrum 46 L 3
Meiches 63 O 11
Meichow 35 G 25
Meidelstetten 102 U 11
Meiderich 47 L 4
Meierhof 78 P 19
Meiersberg 25 E 25
Meiersberg 48 M 4
Meihern 97 T 18
Meilendorf 54 K 20
Meilenhofen 96 T 17
Meilschnitz 77 O 17
Meimbressen 51 L 12
Meimersdorf 9 D 14
Meimsheim 94 S 11
Meinbrexen 51 K 12
Meine 41 I 15
Meineringhausen 50 M 10
Meinern 30 H 13
Meinersdorf 67 N 22
Meinersen 40 I 15
Meinersfehn 17 G 7
Meinerzhagen 61 M 6
Meineweh 66 M 19
Meinhard 52 M 14
Meinheim 96 S 16
Meinholz 30 H 13
Meiningen 64 O 15
Meiningsen 49 L 8
Meinkenbracht 49 M 8
Meinkot 41 I 16
Meinsdorf *(Kreis Anhalt-Zerbst)* 43 K 20
Meinsdorf *(Kreis Teltow-Fläming)* 55 K 23
Meinsen 39 J 11
Meisberg 53 L 18
Meisburg 70 P 4
Meisdorf 53 K 17
Meisenheim 81 Q 7
Meiße 30 H 13
Meißen 68 M 24
Meißendorf 30 H 13
Meißenheim 100 U 7
Meißner 64 M 13
Meißner-Kaufunger Wald (Naturpark) 51 M 12
Meiste 50 L 9
Meitingen 96 U 16
Meitze 30 I 13
Meitzendorf 42 J 18
Melaune 69 M 28
Melbach 74 O 10
Melbeck 31 G 15
Melchingen 102 U 11
Melchiorshausen 29 H 10
Melchow 34 H 25
Meldorf 7 D 11
Meldorfer Bucht 7 D 10
Meldorfer Hafen 7 D 10
Melgershausen 63 M 12
Melkendorf 77 P 18
Melkof 21 F 17
Melkow 42 I 20
Melle 38 J 9
Melleck 114 W 22
Mellen 32 G 18
Mellen 49 M 7
Mellenbach-Glasbach 65 O 17
Mellendorf 40 I 13
Mellensee 44 J 24
Mellenthin 15 E 26
Mellin 31 I 16
Mellingen 65 N 18
Mellinghausen 29 H 10
Mellnau 62 N 10
Mellrich 50 L 8
Mellrichstadt 76 O 14
Mellum *(Insel)* 17 E 8
Melpers 64 O 14
Melsbach 61 O 6
Melsdorf 9 D 14
Melstrup 26 H 6
Melsungen 63 M 12
Meltewitz 55 L 22
Melverode *(Braunschweig)* 41 J 15
Melz 23 G 21
Melzingen 31 G 15
Melzow 35 G 25
Memleben 53 M 18
Memmelsdorf 77 Q 16
Memmelsdorf i. Unterfranken 77 P 16
Memmenhausen 103 V 15
Memmert *(Insel)* 16 F 4
Memmingen 103 W 14
Memprechtshofen 92 T 7
Menden (Rheinland) 59 N 5
Menden (Sauerland) 49 L 7
Mendhausen 76 O 15
Mendig 71 O 5
Mendorf 97 T 18
Mendorferbuch 88 S 19
Mengede 47 L 6
Mengelrode 52 L 14
Mengen *(Kreis Breisgau-Hochschwarzwald)* 100 W 7
Mengen *(Kreis Sigmaringen)* 102 V 12
Mengeringhausen 50 L 10
Mengerschied 73 Q 6
Mengersgereuth-Hämmern 77 O 17
Mengershausen 51 L 13
Mengerskirchen 61 O 8
Mengkofen 98 T 21
Mengsberg 63 N 11
Mengshausen 63 N 12
Menkhausen 49 M 8
Menne 51 L 11
Mennewitz 54 K 19
Mennighüffen 38 J 10
Menning 97 T 18
Menningen 102 V 11
Mennisweiler 102 W 13
Mensfelden 73 O 8
Menslage 27 H 7
Menteroda 52 M 15
Menz *(Kreis Jerichower Land)* 42 J 19
Menz *(Kreis Oberhavel)* 34 G 23
Menzel 50 L 9
Menzelen 46 L 3
Menzendorf 21 E 17
Menzenschwand 100 W 8
Menzing 104 V 18
Menzingen 93 S 10
Meppen 26 H 5
Merbeck 58 M 2

MANNHEIM

Bismarckpl. DZ 10
Dalbergstr. CY 15
Freherstr. CY 20
Friedrichspl. DZ 23
Goethestr. DY 25
Heidelberger Str. DZ
Kaiserring DZ
Konrad-Adenauer-Brücke CZ 30
Kurpfalzbrücke DY 31
Kurpfalzstr. CDYZ
Moltkestr. DZ 38
Planken CDYZ
Reichskanzler-Müller-Str. DZ 49
Schanzestr. CY 53
Schloßgartenstr. CZ 56
Seilerstr. CY 61
Spatzenbrücke CY 62
Willy-Brandt-Pl. DZ 67

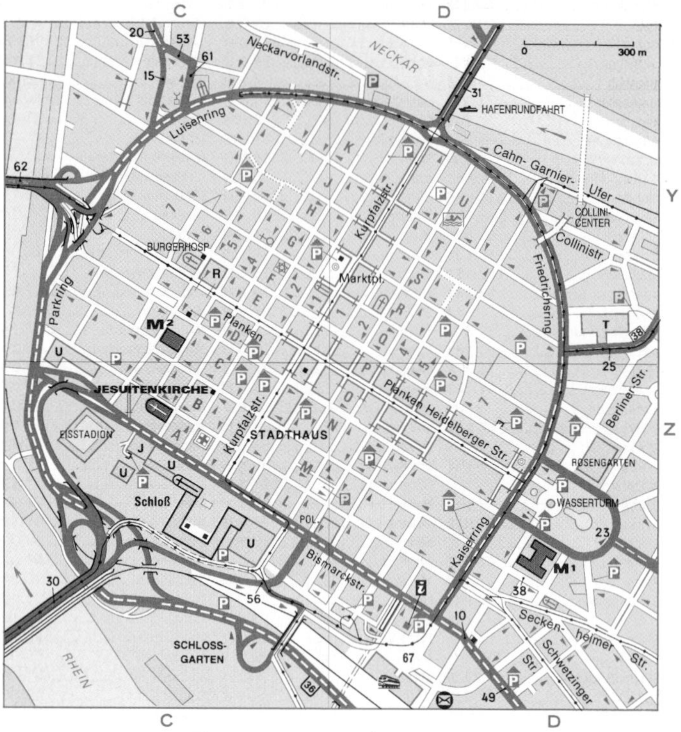

Merching 104 V 16
Merchingen 85 R 12
Merchingen 80 R 4
Merchweiler 81 R 5
Merdingen 100 V 7
Merenberg 61 O 8
Merfeld 36 K 5
Merfelder Bruch 36 K 5
Mergelstetten 95 U 14
Mering 104 V 16
Merken 58 N 3
Merkendorf 66 N 19
Merkendorf *(Kreis Ansbach)* 86 S 16
Merkendorf *(Kreis Bamberg)* 77 Q 16
Merkenfritz 75 O 11
Merkers 64 N 14
Merkershausen 76 P 15
Merklingen *(Alb-Donau-Kreis)* 94 U 13
Merklingen *(Kreis Böblingen)* 93 T 10
Merkstein 58 N 2
Merkur 93 T 8
Merkwitz *(Kreis Torgau-Oschatz)* 55 M 23
Merkwitz *(Leipzig)* 54 L 21
Merl *(Kreis Cochem-Zell)* 71 P 5
Merl *(Rhein-Sieg-Kreis)* 60 O 5
Merlau 62 O 11
Merlsheim 50 K 11
Mernes 75 P 12
Mersch *(Kreis Düren)* 58 N 3
Mersch *(Kreis Warendorf)* 49 K 7
Merscheid 72 Q 5
Merschwitz 68 M 24
Merseburg 54 L 19
Merten *(b. Brühl)* 59 N 4
Merten *(b. Eitorf)* 59 N 6
Mertendorf 66 M 19
Mertesdorf 80 Q 4
Mertingen 96 U 16
Mertloch 71 P 5
Merxhausen *(Kreis Holzminden)* 51 K 12
Merxhausen *(Kreis Kassel)* 51 M 11
Merxheim 81 Q 6
Merxleben 64 M 16
Merz 45 J 27
Merzalben 83 S 7
Merzdorf *(Kreis Elbe-Elster)* 56 L 24
Merzdorf *(Kreis Teltow-Fläming)* 44 J 24
Merzen 37 I 7
Merzenhausen 58 N 2
Merzenich 58 N 3
Merzhausen 100 W 7
Merzhausen *(Hochtaunuskreis)* 74 P 9
Merzhausen *(Schwalm-Eder-Kreis)* 63 N 11
Merzien 54 K 20
Merzig 80 R 3
Merzkirchen 80 R 3
Meschede 50 L 8
Meschenich 59 N 4
Mescherin 25 G 27
Meseberg *(Kreis Oberhavel)* 34 H 23
Meseberg *(Kreis Stendal)* 32 H 19
Meseberg *(Ohrekreis)* 42 J 18
Mesekenhagen 13 D 23
Mesendorf 33 G 20
Mespelbrunn 75 Q 11
Meßdorf 32 H 18
Messegelände *(Hannover)* 40 J 13
Messel 74 Q 10
Messelhausen 85 R 13
Messenkamp 39 J 12
Messerich 80 Q 3
Messingen 37 I 6
Messinghausen 50 L 10
Meßkirch 102 W 11
Meßnerschlag 99 U 25
Meßstetten 101 V 10
Mestlin 23 F 19
Mesum 37 J 6
Metebach 64 N 15
Metel 39 I 12
Metelen 36 J 5
Metelsdorf 22 E 18
Metschow 24 E 22
Metten 98 T 22
Mettenbach 97 U 20
Mettendorf 80 Q 2
Mettenhausen 98 U 22
Mettenheim 106 V 21
Mettenheim 84 Q 8
Metterich 70 Q 3
Metternich 59 N 4
Metting 98 T 21
Mettingen 37 J 7
Mettinghausen 50 K 9
Mettlach 80 R 3
Mettmann 48 M 4
Metzdorf 80 Q 3
Metze 51 M 11
Metzels 64 O 15
Metzelthin 34 G 24
Metzingen 94 U 11
Metzingen *(Kreis Celle)* 31 H 15
Metzingen *(Kreis Lüchow-Dannenberg)* 31 G 16
Metzlos-Gehaag 75 O 12
Meudt 61 O 7
Meura 65 O 17
Meurich 80 R 3
Meuro *(Kreis Oberspreewald-Lausitz)* 56 L 25
Meuro *(Kreis Wittenberg)* 55 K 22
Meuro-Sackwitz 55 K 22
Meuselbach-Schwarzmühle 65 O 17
Meuselwitz 66 M 20
Mewegen 25 F 26
Meyenburg 23 G 20
Meyenburg 18 G 9
Meyenfeld 39 I 12
Meyhen 66 M 19
Meyn 5 B 11
Meynau 5 B 11
Meynbach 32 G 18
Michaelsbuch 98 T 22
Michaelsdorf 11 C 21
Michelau 77 P 17
Michelau i. Steigerwald 76 Q 15
Michelbach *(Kreis Aschaffenburg)* 74 P 11
Michelbach *(Kreis Marburg-Biedenkopf)* 62 N 10
Michelbach *(Kreis Rastatt)* 93 T 9
Michelbach *(Kreis Saarlouis)* 80 R 4
Michelbach *(Rhein-Hunsrück-Kreis)* 71 P 6
Michelbach (Nassau) 73 P 8
Michelbach a. d. Bilz 94 S 13
Michelbach a. d. Lücke 86 S 14
Michelbach a. Wald 85 S 12
Michelfeld *(Kreis Amberg-Sulzbach)* 87 Q 18
Michelfeld *(Kreis Kitzingen)* 86 Q 14
Michelfeld *(Kreis Schwäbisch-Hall)* 94 S 13

Michelfeld (Rhein-Neckar-Kreis) 84 S 10
Micheln 54 K 19
Michelrieth 85 Q 12
Michelsberg (Dorf) 63 N 11
Michelsdorf 43 J 22
Michelsneukirchen 90 S 21
Michelstadt 84 Q 11
Michelwinnaden 102 W 13
Michelwitz 66 M 20
Michendorf 43 J 23
Michldorf 89 R 20
Mickhausen 103 V 15
Middelhagen 13 D 25
Middels-Westerloog 17 F 6
Midlich 36 J 5
Midlum (Föhr) 4 B 9
Midlum (Kreis Cuxhaven) 18 E 9
Midlum (Kreis Leer) 17 G 6
Miehlen 73 P 7
Miel 59 N 4
Mierendorf 23 E 20
Miesau 81 R 6
Miesbach 113 W 19
Miesenbach 81 R 6
Miesenheim 71 O 6
Mieste 41 I 17
Miesterhorst 41 I 17
Mietenkam 106 W 21
Mietingen 103 V 13
Mietraching (Kreis Deggendorf) 98 T 23
Mietraching (Kreis Rosenheim) 105 W 19
Mihla 64 M 15
Milchenbach 61 M 8
Milda 65 N 18
Milde 42 I 18
Mildenau 67 O 23
Mildenberg 34 G 23
Mildenitz 25 F 24
Mildensee 54 K 20
Mildstedt 4 C 11
Milkau 67 M 22
Milkel 57 M 27
Milkersdorf 56 K 26
Millienhagen 12 D 22
Millingen (Kreis Kleve) 46 K 3
Millingen (Kreis Wesel) 46 L 3
Milmersdorf 34 G 24
Milow (Kreis Havelland) 43 I 20
Milow (Kreis Ludwigslust) 32 G 18
Milow (Kreis Uckermark) 25 F 25
Milse 38 J 9
Milseburg 63 O 13
Milser Heide 38 K 10
Milspe 48 M 6
Milstrich 56 M 26
Miltach 89 S 22
Milte 37 K 7
Miltenberg 85 Q 11
Miltern 42 I 19
Miltzow 13 D 23
Milz 76 O 15
Milzau 54 L 19
Mimmenhausen 110 W 11
Mindel 103 V 15
Mindelaltheim 103 U 15
Mindelheim 103 V 15
Mindelheimer-Hütte 111 Y 14
Mindelsee 109 W 11
Mindelstetten 97 T 18
Mindelzell 103 V 15
Minden (Kreis Bitburg-Prüm) 80 Q 3
Minden (Kreis Minden-Lübbecke) 39 J 10
Minderheide 39 J 10
Minderlittgen 71 P 4
Mindersdorf 102 W 11
Minfeld 92 S 8
Mingerode 52 L 14
Minheim 72 Q 4
Minseln 108 X 7
Minsen 17 E 7
Minsener Oog (Insel) 17 E 8
Minsleben 53 K 16
Minstedt 19 F 11
Mintraching 90 T 20
Minzow 23 F 21
Mirow (Kreis Mecklenburg-Strelitz) 24 G 22
Mirow (Kreis Parchim) 22 F 18
Mirskofen 97 U 20
Misburg 40 I 13
Mischelbach 96 S 17
Misselwarden 18 E 9
Missen 111 X 14
Missen 56 K 26
Missen-Wilhams 111 X 14
Mißlareuth 78 O 19
Missunde 5 C 13
Mistelbach 77 Q 18
Mistelfeld 77 P 17
Mistelgau 77 Q 18
Mistorf 23 E 20
Mittbach 105 V 20
Mittegroßefehn 17 F 6
Mittel-Berge 49 M 8
Mittel-Gründau 75 P 11
Mittelbach (Kreis Chemnitzer Land) 67 N 22
Mittelbach (Kreis Zweibrücken) 82 S 6
Mittelberg 111 X 15
Mittelbiberach 102 V 13
Mittelbronn 94 T 13
Mittelbrunn 81 R 6
Mittelbuch 103 V 13
Mittelbuchen 74 P 10
Mittelehrenbach 87 Q 17
Mitteleschenbach 87 S 16
Mittelfischach 95 S 13
Mittelhausen (Kreis Erfurt) 65 M 17
Mittelhausen (Kreis Sangerhausen) 53 L 18
Mittelherwigsdorf 69 N 28
Mittelhof 61 N 7
Mittelkalbach 75 O 12
Mittellandkanal 37 I 8
Mittelmarsch 16 F 5
Mittelneufnach 103 V 15
Mittelnkirchen 19 F 12
Mittelpöllnitz 66 N 19
Mittelradde 27 H 6
Mittelreidenbach 81 Q 6
Mittelsaida 67 N 23
Mittelschmalkalden 64 N 15
Mittelsinn 75 P 12
Mittelsömmern 65 M 16
Mittelsteinach 86 R 15
Mittelsten Thülle 27 H 7
Mittelstenahe 18 F 11
Mittelstetten (Kreis Augsburg) 104 V 16
Mittelstetten (Kreis Fürstenfeldbruck) 104 V 17
Mittelstrimmig 71 P 5
Mitteltal 93 U 8
Mittelteil (b. Ihlienworth) 18 E 10
Mittelteil (b. Lüdingworth) 18 E 10
Mittelzell 109 W 11
Mittenaar 62 N 9
Mittenwald 112 X 17
Mittenwalde (Kreis Dahme-Spreewald) 44 J 24
Mittenwalde (Kreis Uckermark) 34 G 24
Mitteralm 113 W 20
Mitterdarching 105 W 19
Mitterfecking 97 T 19
Mitterfels 91 T 22
Mitterfirmiansreut 99 T 24
Mittergars 106 V 20
Mitterskirchen 106 U 22
Mitterteich 79 Q 20
Mittich 107 U 24
Mittlerer Isarkanal 105 U 19
Mittweida 67 N 22
Mittweide 45 J 26
Mitwitz 77 P 17
Mixdorf 45 J 27
Mochau (Kreis Döbeln) 67 M 23
Mochau (Kreis Wittenberg) 43 K 22
Mochenwangen 102 W 12
Mochow 45 K 26
Mockern 66 N 21
Mockrehna 55 L 22
Mockritz 67 M 23
Modau 84 Q 10
Modautal 84 Q 10
Modschiedel 77 P 17
Möbiskruge 45 J 27
Möckenlohe 96 T 17
Möckern 42 J 19
Möckmühl 85 S 12
Mödingen 95 U 15
Mögelin 43 I 20
Mögglingen 95 T 13
Möglenz 55 L 24
Möglin 35 I 26
Möglingen 94 T 11
Möhlau 54 K 21
Möhler 37 K 8
Möhne 50 L 9
Möhnesee 49 L 8
Möhnsen 21 F 15
Möhra 64 N 14
Möhren 96 T 16
Möhrenbach 65 O 16
Möhrendorf 87 R 16
Möhringen 101 W 10
Möhringen (Stuttgart) 94 T 11
Mölbis 67 M 21
Mölkau (Leipzig) 54 M 21
Möllbergen 39 J 10
Möllen 47 L 4
Möllenbeck 39 J 11
Möllenbeck (Kreis Ludwigslust) 22 G 19
Möllenbeck (Kreis Mecklenburg-Strelitz) 24 F 24
Möllenbeck (Kreis Stendal) 32 H 18
Möllendorf 53 L 18
Möllenhagen 24 F 22
Möllensdorf 43 K 21
Mölln (Kreis Demmin) 24 F 23

Alter Messepl. EX 3
Baldepl. GX 14
Baumgartnerstr. EX 17
Biedersteiner Str. HU 25
Bonner Str. GU 26
Denninger Str. HV 34
Elsässer Str. HX 42
Emil-Riedel-Str. HV 45
Flurstr. HX 49
Friedrichstr. GU 52
Galileipl. HV 53
Gebsattelstr. GX 55
Georgenstr. FGU 59
Giselastr. GU 60
Gohrenstr. GU 61
Grasserstr. EV 63
Hackerbrücke EV 65
Herkomerpl. HU 71
Hiltenspergerstr. FGU 74
Hompeschstr. HV 76
Humboldtstr. GX 77
Johann-Fichte-Str. GU 82
Josephspl. FU 83
Kaiserstr. GU 86
Kißkaltpl. GU 94
Kölner Pl. GU 95
Kunigundenstr. GU 97
Kurfürstenpl. GU 99
Maillingerstr. EV 109
Maria-Theresia-Str. HV 111
Marschallstr. GU 112
Martin-Greif-Str. EX 115
Martiusstr. GU 116
Maßmannstr. FU 118
Max-Josephs-Brücke HV 124
Max-Planck-Str. HX 129
Metzgerstr. HX 134
Möhlstr. HV 137
Münchner Freiheit GU 140
Pappenheimstr. EV 163
Potsdamer Str. GU 167
Prinzregentenbrücke HV 169
Radlkoferstr. EX 174
Regerpl. GX 175
Rosenheimer Pl. HX 181
Schießstättstr. EX 189
Stengelstr. HU 201
Sternwartstr. HV 204
Theresienhöhe EX 207
Thiemestr. GU 208
Tivolistr. HV 211
Trogerstr. HVX 215
Tumblingerstr. FX 218
Viktoriastr. GU 223
Wredestr. EV 232
Zirkus-Krone-Str. EV 236

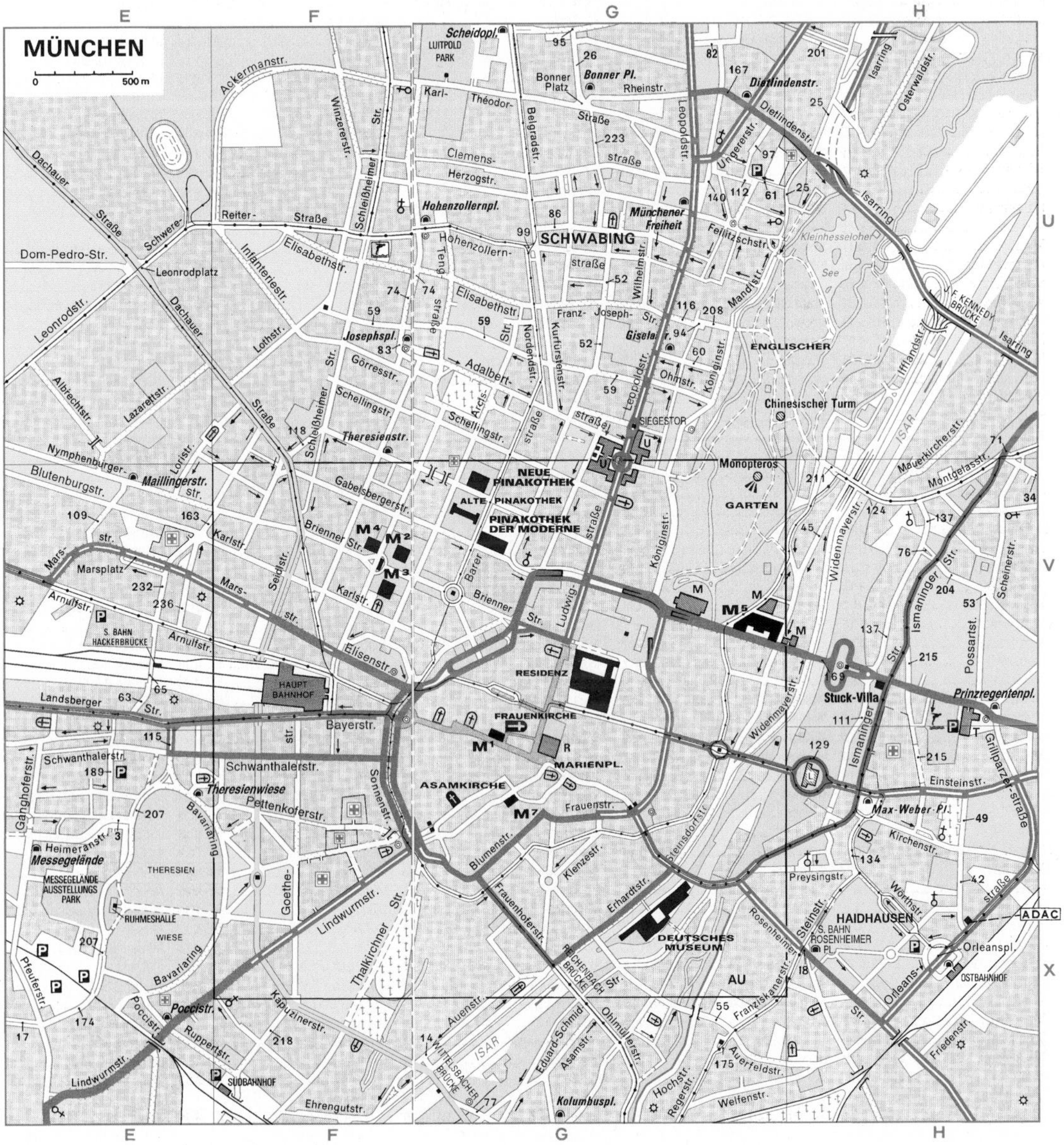

MÜNCHEN
500 m
SCHWABING
ENGLISCHER GARTEN
Chinesischer Turm
Monopteros
SIEGESTOR
NEUE PINAKOTHEK
ALTE PINAKOTHEK
PINAKOTHEK DER MODERNE
RESIDENZ
FRAUENKIRCHE
MARIENPL.
ASAMKIRCHE
DEUTSCHES MUSEUM
HAUPTBAHNHOF
Theresienwiese
Messegelände
HAIDHAUSEN
AU
Stuck-Villa
Prinzregentenpl.
Max-Weber-Pl.
ISAR
ADAC

MÜNSTER

Alter Fischmarkt .... Y 2
Alter Steinweg .... Y 5
An der Apostelkirche .... Y 8
Bahnhofstr. .... Z
Bogenstr. .... Y 12
Drubbel .... Y 16
Eisenbahnstraße .... Z 20
Hammer Str. .... Z 30
Johannisstr. .... Z 39
Ludgeristr. .... Z
Mauritzstr. .... Y 48
Mauritztor .... Y 51
Pferdegasse .... Y 63
Prinzipalmarkt .... YZ
Rothenburg .... Z 69
Salzstr. .... YZ 72
Spiekerhof .... Y 78
Steinfurter Str. .... Y 80
Überwasserstr. .... Y 83
Universitätsstr. .... YZ 86
Verspoel .... Z 89
Wasserstr. .... Y 92
Wolbecker Str. .... Z 96

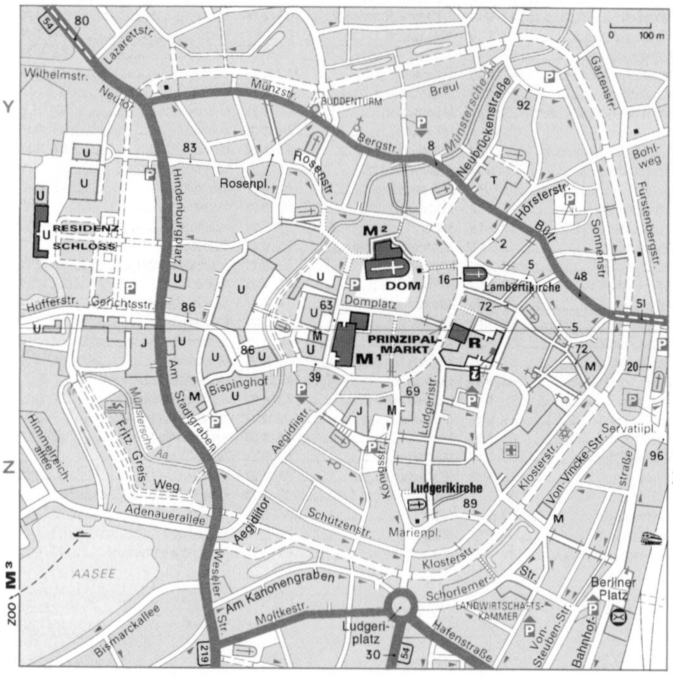

Lazarettstr.
Wilhelmstr.
Münzstr.
Breul
BUDDENTURM
Bergstr.
Rosenstr.
Rosenpl.
Neubrückenstraße
Münstersche Aa
Hörsterstr.
Bült
Gartenstr.
Fürstenbergstr.
Sonnenstr.
RESIDENZ SCHLOSS
Hindenburgplatz
Hüfferstr.
Gerichtsstr.
DOM
Domplatz
Lambertikirche
PRINZIPALMARKT
Bispinghof
Am Stadtgraben
Aegidiistr.
Ludgeristr.
Königsstr.
Ludgerikirche
Marienpl.
Klosterstr.
Schützenstr.
Servatiipl.
Von-Vincke-Str.
Adenauerallee
Himmelreichallee
AASEE
Aegidiitor
Am Kanonengraben
Moltkestr.
Bismarckallee
Weseler Str.
Ludgeriplatz
Schorlemerstr.
LANDWIRTSCHAFTSKAMMER
Hafenstraße
Von-Steuben-Str.
Bahnhofstr.
Berliner Platz
0 100 m

Mölln *(Kreis Herzogtum Lauenburg)* ... 21 F 16
Mölschbach ... 83 R 7
Mölschow ... 15 D 25
Mölsheim ... 83 R 8
Mömbris ... 75 P 11
Mömling ... 84 Q 11
Mömlingen ... 74 Q 11
Mönau ... 57 L 27
Mönchberg ... 85 Q 11
Mönchengladbach ... 58 M 3
Mönchenholzhausen ... 65 N 17
Mönchgut ... 13 D 25
Mönchhagen ... 11 D 20
Mönchhosbach ... 63 M 13
Mönchkröttendorf ... 77 P 17
Mönchröden ... 77 P 17
Mönchsambach ... 86 Q 16
Mönchsdeggingen ... 95 T 15
Mönchsroth ... 95 S 15
Mönchweiler ... 101 V 9
Mönkeberg ... 9 C 14
Mönkebude ... 25 E 25
Mönkehöfen ... 38 J 8
Mönkloh ... 19 E 13
Mönninghausen ... 50 K 9
Mönsheim ... 93 T 10
Mörel ... 8 D 13
Mörfelden ... 74 Q 9
Mörfelden-Walldorf ... 74 Q 9
Mörgen ... 103 V 15
Möringen ... 32 I 19
Mörlach ... 87 S 17
Mörlbach ... 86 R 14
Mörlenbach ... 84 R 10
Mörnsheim ... 96 T 17
Moers ... 46 L 3
Mörsbach *(Kreis Zweibrücken)* ... 82 S 6
Mörsbach *(Westerwaldkreis)* ... 61 N 7
Mörsch ... 93 T 8
Mörschied ... 81 Q 5
Mörsdorf ... 71 P 6
Mörsdorf ... 87 S 17
Mörse ... 41 I 16
Mörsfeld ... 83 Q 7
Mörshausen ... 63 M 12
Mörsingen ... 102 V 12
Mörslingen ... 95 U 15
Mörtitz ... 55 L 21
Mörzheim ... 83 S 8
Mösbach ... 92 U 8
Möschlitz ... 66 O 19
Moese ... 50 K 9
Möser ... 42 J 19
Mössingen ... 102 U 11
Mößling ... 106 V 21
Möthlow ... 33 I 21
Möttingen ... 95 T 15
Möttlingen ... 93 T 10
Mötzing ... 98 T 21
Mötzingen ... 93 U 10
Mözen ... 20 E 14
Mogendorf ... 61 O 7
Moggast ... 87 Q 17
Mohlsdorf ... 66 N 20
Moholz ... 57 M 28
Mohorn ... 68 M 24
Mohrkirch ... 5 B 13
Mohsdorf ... 67 N 22
Moide ... 30 H 13
Moisall ... 23 E 19
Moisburg ... 19 F 13
Moisched ... 62 N 11
Moischt ... 62 N 10
Moisling ... 21 E 15
Molau ... 66 M 19
Molbath ... 31 H 16
Molbergen ... 27 H 7
Molchow ... 33 H 22
Moldenit ... 5 C 12
Molfsee ... 9 D 14
Molkenberg ... 33 H 20
Mollenfelde ... 51 L 13
Mollseifen ... 62 M 9
Molmerswende ... 53 L 17
Molschleben ... 65 M 16
Molsdorf ... 65 N 16
Moltow ... 22 E 18
Moltzow ... 23 F 21
Molzen ... 31 G 15
Momberg ... 63 N 11
Mommenheim ... 73 Q 8
Monakam ... 93 T 10
Mondfeld ... 85 Q 12
Mondorf *(Kreis Merzig-Wadern)* ... 80 R 3
Mondorf *(Rhein-Sieg-Kreis)* ... 59 N 5
Monheim ... 59 M 4
Monheim ... 96 T 16
Monreal ... 71 P 5
Monrepos ... 94 T 11
Monschau ... 70 O 2
Monschau (Forst) ... 70 O 2
Monsheim ... 83 R 8
Montabaur ... 73 O 7
Monzel ... 72 Q 4
Monzelfeld ... 72 Q 5
Monzingen ... 81 Q 6
Moor ... 21 E 17
Moor-Siedlung ... 27 G 6
Moorausmoor ... 18 F 10
Moorbek ... 28 H 8
Moordorf *(Kreis Aurich)* ... 17 F 6
Moordorf *(Kreis Wesermarsch)* ... 28 G 9
Moorenweis ... 104 V 17
Moorhusen *(b. Glückstadt)* ... 19 E 12
Moorhusen *(b. Itzehoe)* ... 7 E 12
Moorhusen *(Kreis Aurich)* ... 17 F 6
Moormerland ... 17 F 6
Moorrege ... 19 E 13
Moorriem ... 18 G 8
Moorsee ... 9 D 14
Moorweg ... 17 F 6
Moorwerder *(Hamburg)* ... 20 F 14
Moorwinkelsdamm ... 17 G 7
Moos *(Kreis Deggendorf)* ... 98 T 22
Moos *(Kreis Konstanz)* ... 109 W 10
Moos *(Kreis Rastatt)* ... 92 T 8
Moosbach *(Kreis Ansbach)* ... 87 S 16
Moosbach *(Kreis Neustadt a. d. Waldnaab)* ... 89 R 21
Moosbach *(Kreis Nürnberger Land)* ... 87 R 17
Moosbach *(Kreis Oberallgäu)* ... 111 X 15
Moosbeuren ... 102 V 13
Moosbronn ... 93 T 9
Moosburg ... 102 V 12
Moosburg a. d. Isar ... 105 U 19
Moosen ... 105 U 20
Moosfürth ... 98 T 22
Moosham *(Kreis Mühldorf a. Inn)* ... 105 V 20
Moosham *(Kreis Regensburg)* ... 90 T 20
Mooshausen ... 103 W 14
Moosheim ... 102 V 12
Moosinning ... 105 V 19
Moosthann ... 97 T 20
Moosthenning ... 98 T 21
Mooswald ... 100 U 8
Moraas ... 21 F 17
Morbach ... 72 Q 5
Morenhoven ... 59 N 4
Morgenitz ... 15 E 25
Morgenröthe ... 79 O 21
Morgenröthe-Rautenkranz ... 79 O 21
Morgenrot ... 53 K 17
Moringen ... 51 K 13
Moritz ... 42 K 20
Moritzburg ... 68 M 25
Morl ... 54 L 19
Morlautern ... 83 R 7
Morles ... 63 O 13
Morlesau ... 75 P 13
Mornshausen ... 62 N 9
Morsbach ... 61 N 7
Morscheid Riedenburg ... 81 Q 5
Morschen ... 63 M 12
Morschenich ... 58 N 3
Morschreuth ... 87 Q 17
Morshausen ... 71 P 6
Morsleben ... 41 J 17
Morsum *(Kreis Verden)* ... 29 H 11
Morsum *(Sylt)* ... 4 B 9
Morsum-Kliff ... 4 B 9
Morungen ... 53 L 17
Morxdorf ... 43 K 22
Mosbach ... 64 N 15
Mosbach ... 85 R 11
Mosborn ... 75 P 12
Mosbruch ... 71 P 4
Mosebeck ... 39 K 10
Mosel ... 66 N 21
Mosel ... 72 Q 4
Moselberge ... 72 Q 4
Moselkern ... 71 P 6
Moseltal ... 72 Q 4
Mosenberg *(b. Homberg)* ... 63 M 12
Mosenberg *(b. Manderscheid)* ... 70 P 4
Mosheim ... 63 M 12
Mosigkau ... 54 K 20
Mossau ... 84 Q 10
Mossautal ... 84 R 10
Moßbach ... 66 N 19
Motel ... 21 F 17
Motten ... 75 O 13
Mottgers ... 75 P 12
Mottschieß ... 102 W 11
Motzen ... 44 J 24
Motzenhofen ... 96 U 17
Motzfeld ... 63 N 13
Motzlar ... 64 N 13
Moxa ... 66 O 18
Moyland ... 46 K 2
Much ... 59 N 6
Mucheln ... 9 D 15
Muchow ... 22 G 19
Muckental *(Ostalbkreis)* ... 85 T 14
Muckwar ... 56 K 26
Mud ... 85 R 11
Mudau ... 85 R 11
Muddenhagen ... 51 L 11
Mudersbach ... 61 N 7
Mücheln ... 54 M 19
Mücka ... 57 M 28
Mücke ... 62 O 11
Mückendorf ... 44 J 24
Mückenloch ... 84 R 10
Müden *(Kreis Celle)* ... 30 H 14
Müden *(Kreis Gifhorn)* ... 40 I 15
Müdesheim ... 75 Q 13
Mügeln *(Kreis Torgau-Oschatz)* ... 55 M 23
Mügeln *(Kreis Wittenberg)* ... 55 K 23
Müggelheim ... 44 I 24
Müggendorf ... 18 E 10
Müggenkrug ... 17 F 7
Müglitz ... 68 N 25
Müglitztal ... 68 N 25
Mühlacker ... 93 T 10
Mühlanger ... 55 K 22
Mühlau ... 67 N 22
Mühlbach *(Fluß)* ... 73 P 7
Mühlbach *(Kreis Heilbronn)* ... 93 S 10
Mühlbach *(Kreis Hersfeld-Rotenburg)* ... 63 N 12
Mühlbach *(Kreis Main-Spessart)* ... 75 Q 13
Mühlbach *(Kreis Mittweida)* ... 67 N 23
Mühlbach *(Kreis Neumarkt i. d. Oberpfalz)* ... 97 S 18
Mühlbach *(Kreis Rhön-Grabfeld)* ... 76 P 14
Mühlbach *(Kreis Sächsische Schweiz)* ... 68 N 25
Mühlbach (Rieschweiler-) ... 83 S 6
Mühlbeck ... 54 L 21
Mühlberg *(Kreis Elbe-Elster)* ... 55 L 23
Mühlberg *(Kreis Gotha)* ... 65 N 16
Mühlburg ... 93 S 9
Mühldorf ... 106 V 21
Mühleip ... 59 N 6
Mühlen ... 27 I 8
Mühlen ... 101 U 10
Mühlen Eichsen ... 21 E 17
Mühlenbach ... 100 V 8
Mühlenbarbek ... 8 E 12
Mühlenbeck ... 34 I 24
Mühlenberg *(Kreis Emsland)* ... 27 H 6
Mühlenberg *(Kreis Holzminden)* ... 51 K 12
Mühlenhof ... 23 F 19
Mühlenrade ... 21 F 15
Mühlenrahmede ... 49 M 7
Mühlental ... 79 O 20
Mühlfeld ... 76 O 15
Mühlhausen ... 52 M 15
Mühlhausen *(Kreis Aichach-Friedberg)* ... 104 U 16
Mühlhausen *(Kreis Biberach a. d. Riß)* ... 102 W 13
Mühlhausen *(Kreis Dingolfing-Landau)* ... 98 T 21
Mühlhausen *(Kreis Erlangen-Höchstadt)* ... 86 Q 16
Mühlhausen *(Kreis Kelheim)* ... 97 T 19
Mühlhausen *(Kreis Neumarkt i. d. Oberpfalz)* ... 87 S 18
Mühlhausen *(Kreis Waldeck-Frankenberg)* ... 50 L 10
Mühlhausen *(Kreis Würzburg)* ... 76 Q 14
Mühlhausen *(Rhein-Neckar-Kreis)* ... 84 S 10
Mühlhausen *(Schwalm-Eder-Kreis)* ... 63 M 12
Mühlhausen *(Stuttgart)* ... 94 T 11
Mühlhausen-Ehingen ... 101 W 10
Mühlheim ... 74 P 10
Mühlheim ... 96 T 16
Mühlheim a. Bach ... 101 U 10
Mühlheim a. d. Donau ... 101 V 10
Mühlhofen ... 110 W 11
Mühlingen ... 101 W 11
Mühlleithen ... 79 O 21
Mühlried ... 96 U 17
Mühlrose ... 57 L 27
Mühlsbach ... 100 V 8
Mühlsdorf ... 42 K 20
Mühlstedt ... 43 K 20
Mühlstetten ... 96 S 17
Mühltal ... 84 Q 10
Mühltroff ... 66 O 19
Mühro ... 43 J 20
Mülhausen ... 46 L 3
Mülheim *(Köln)* ... 59 N 4
Mülheim *(Kreis Euskirchen)* ... 70 O 4
Mülheim (Mosel) ... 72 Q 5
Mülheim a. d. Ruhr ... 47 L 4
Mülheim-Kärlich ... 71 O 6
Müllenbach *(Kreis Ahrweiler)* ... 71 P 4
Müllenbach *(Kreis Cochem-Zell)* ... 71 P 5
Müllenbach *(Oberbergischer Kreis)* ... 61 M 6
Müllheim ... 100 W 6
Müllingen ... 40 J 13
Müllrose ... 45 J 27
Mülsen St. Jacob ... 67 N 21
Mülsen St. Micheln ... 67 N 21
Mülsen St. Niclas ... 67 N 21
Mülverstedt ... 64 M 15
Mümling-Grumbach ... 84 Q 10
Münchaurach ... 87 R 16
Münchberg ... 78 P 19
Müncheberg ... 45 I 26
Münchehagen ... 39 I 11
Münchehof ... 52 K 14
Münchehofe *(Kreis Dahme-Spreewald)* ... 44 J 25
Münchehofe *(Kreis Märkisch-Oderland)* ... 35 I 26
München ... 105 V 18
München-F.J. Strauss *(Flughafen)* ... 105 U 19
Münchenbernsdorf ... 66 N 19
Münchenreuth *(Kreis Hof)* ... 78 O 19
Münchenreuth *(Kreis Tirschenreuth)* ... 79 P 20
Müncherlbach ... 87 R 16
Münchham ... 107 V 23
Münchhausen ... 56 K 24
Münchhausen ... 62 N 10
Münchingen ... 101 W 9
Münchingen *(Stuttgart)* ... 94 T 11
Münchsdorf *(Kreis Landshut)* ... 105 U 20
Münchsdorf *(Kreis Rottal-Inn)* ... 98 U 22
Münchsmünster ... 97 T 19
Münchsteinach ... 86 R 15
Münchwald ... 73 Q 7
Münchweier ... 100 V 7
Münchweiler a. d. Alsenz ... 83 R 7
Münchweiler a. d. Rodalb ... 83 S 7
Mündelheim ... 46 L 4
Münden ... 62 M 10
Mündersbach ... 61 O 7
Mündling ... 96 T 16
Münk ... 71 P 5
Münkeboe ... 17 F 6
Münklingen ... 93 T 10
Münnerstadt ... 76 P 14
Münsing ... 104 W 18
Münsingen ... 102 U 12
Münstedt ... 40 J 14
Münster *(Kreis Augsburg)* ... 103 V 15
Münster *(Kreis Darmstadt-Dieburg)* ... 74 Q 10
Münster *(Kreis Donau-Ries)* ... 96 U 16
Münster *(Kreis Limburg-Weilburg)* ... 74 O 8
Münster *(Kreis Straubing-Bogen)* ... 90 T 21
Münster *(Main-Tauber-Kreis)* ... 86 R 14
Münster *(Wetteraukreis)* ... 74 O 9
Münster (Westfalen) ... 37 K 6
Münster-Osnabrück *(Flughafen)* ... 37 J 7
Münster-Sarmsheim ... 73 Q 7
Münsterappel ... 83 Q 7
Münsterbrock ... 51 K 11
Münsterdorf ... 19 E 12
Münsterhausen ... 103 V 15
Münstermaifeld ... 71 P 6
Münstertal ... 100 W 7
Müntz ... 58 N 3
Münzenberg ... 74 O 10
Münzesheim ... 93 S 10
Müritz-Elde-Wasserstraße ... 23 F 20
Müritz-Havel-Kanal ... 24 G 22
Müritz National-park ... 24 F 22
Müritz See ... 23 F 21
Müritzarm ... 23 G 22
Mürlenbach ... 70 P 3
Mürow ... 35 G 26
Mürsbach ... 77 P 16
Mürwik ... 5 B 12
Müs ... 63 O 12
Müsch ... 71 O 4
Müschede ... 49 L 8
Müschen ... 56 K 26
Müschenbach ... 61 N 7
Müsen ... 61 N 8
Müsleringen ... 39 I 11
Muess ... 22 F 18
Müssen ... 21 F 15
Müssingen ... 31 H 16
Müssingen ... 37 K 7
Mützdorf ... 43 J 21
Mützel ... 42 I 20
Mützenich ... 70 O 2
Mützingen ... 31 G 16
Mützlitz ... 33 I 21
Muggenbrunn ... 100 W 7
Muggendorf ... 87 Q 17
Muggensturm ... 93 T 8
Muhr ... 96 S 16
Muhringen ... 101 U 10
Mulartshütte ... 58 N 2
Mulda ... 68 N 24

Mulde 55 M 22
Muldenberg 79 O 21
Muldenberger Stausee 79 O 21
Muldenstein 54 K 21
Muldestausee 54 L 21
Mulfingen 85 R 13
Mulknitz 57 K 27
Mulkwitz 57 L 27
Mulmshorn 29 G 11
Mulsum
(Kreis Cuxhaven) 18 E 9
Mulsum *(Kreis Stade)* 19 F 11
Mummelsee 92 U 8
Mumsdorf 66 M 20
Mundelfingen 101 W 9
Mundelsheim 94 S 11
Munderkingen 102 V 12
Mundersum 37 I 6
Mundingen
(Alb-Donau-Kreis) 102 V 12
Mundingen
(Kreis Emmendingen) 100 V 7
Munkbrarup 5 B 12
Munkmarsch 4 B 9
Munningen 95 T 15
Munster 30 H 14
Munzingen 100 W 7
Muppberg 77 P 17
Mupperg 77 P 17
Murchin 15 E 25
Murg 108 X 8
Murgtal 93 T 9
Murnau 112 W 17
Murnauer Moos 112 X 17
Murr 94 T 11
Murrhardt 94 T 12
Mursberg 94 T 11
Musbach 102 W 12
Muschenheim 74 O 10
Muschwitz 66 M 20
Muskauer Heide 57 L 27
Mußbach 83 R 8
Mussenhausen 103 W 15
Mussum 46 K 3
Mustin *(Kreis
Herzogtum Lauenburg)* 21 E 16
Mustin *(Kreis Parchim)* 23 E 19
Mutlangen 94 T 13
Muttensweiler 102 V 13
Mutterstadt 84 R 9
Mutzschen 55 M 22
Myhl 58 M 2
Mylau 66 O 20

N

Naab 88 R 20
Naabeck 88 S 20
Nabburg 89 R 20
Nachrodt-
Wiblingwerde 49 L 6
Nachterstedt 53 K 18
Nachtsheim 71 P 5
Nackel 33 H 21
Nackenheim 74 Q 9
Nadrensee 25 G 27
Nägelstedt 64 M 16
Naensen 51 K 13
Nagel 78 Q 19
Nagold 93 U 10
Nagoldstaubecken 93 U 9
Nahbollenbach 81 Q 6
Nahe 20 E 14
Nahe 81 Q 6
Nahe-Weinstraße 73 Q 7
Nahmitz 43 I 22
Nahrendorf 31 G 16
Nahrstedt 32 I 19
Nahwinden 65 N 17
Naila 78 P 19
Naitschau 66 O 20
Nalbach 80 R 4
Namborn 81 R 5
Nandlstadt 97 U 19
Nankendorf 77 Q 18
Nannhausen 73 Q 6
Nanzdietschweiler 81 R 6
Nanzenbach 62 N 9
Narsdorf 67 M 22
Narthauen 29 G 11
Nartum 29 G 11
Nassau 68 N 24
Nassau 73 P 7
Nassenbeuren 103 V 15
Nassenerfurth 63 M 11
Nassenfels 96 T 17
Nassenheide 34 H 23
Nassig 85 Q 12
Naßweiler 82 S 4
Nastätten 73 P 7
Natarp 37 K 7
Nateln 49 L 8
Natendorf 31 G 15
Natenstedt 28 H 9
Natho 42 K 20
Natingen 51 L 11
Natrup Hagen
(Nationalpark) 37 J 7
Nattenhausen
(Nationalpark) 103 V 14
Nattenheim
(Nationalpark) 70 P 3
Natterholz (Nationalpark) 96 T 16
Natternberg
(Nationalpark) 98 T 22
Nattheim (Nationalpark) 95 T 14
Natzungen 51 L 11
Nauborn 62 O 9
Nauen *(Kreis Goslar)* 40 K 14
Nauen *(Kreis Havelland)* 33 I 22
Nauendorf 54 L 19
Naugarten 25 G 25
Nauheim
(Kreis Groß-Gerau) 74 Q 9
Nauheim *(Kreis
Limburg-Weilburg)* 73 O 8
Naumburg 66 M 19
Naumburg 51 M 11
Naundorf *(Kreis
Altenburger Land)* 66 N 20
Naundorf
(Kreis Delitzsch) 55 L 21
Naundorf
(Kreis Elbe-Elster) 56 K 24
Naundorf *(Kreis Freiberg)* 68 N 24
Naundorf *(Kreis Oberspreewald-
Lausitz)* 56 K 26
Naundorf
(Kreis Torgau-Oschatz) 55 M 23
Naundorf
(Kreis Wittenberg) 43 K 22
Naundorf *(Saalkreis)* 54 L 20
Naunheim
(Kreis Mayen-Koblenz) 71 P 5
Naunhof *(Kreis
Riesa-Großenhain)* 68 M 24
Naunhof
(Kreis Torgau-Oschatz) 67 M 22
Naunhof *(Muldentalkreis)* 55 M 21
Nauort 71 O 6
Naurath (Eifel) 72 Q 4
Naurod 74 P 8
Nausis 63 N 12
Nautschütz 66 M 19
Nauwalde 56 L 24
Nazza 64 M 15
Neandertal 48 M 4
Nebel 4 C 9
Nebelhöhle 102 U 11
Nebelhorn 111 X 15
Nebelin 32 G 19
Nebelschütz 68 M 26
Nebenstedt 31 G 17
Nebra 53 M 18
Nebringen 93 U 10
Neckar 84 R 10
Neckarbischofsheim 84 S 10
Neckarelz 84 R 11
Neckargemünd 84 R 10
Neckargerach 84 R 11
Neckarhausen 84 R 10
Neckarhausen
(Edingen-) 84 R 9
Neckarsteinach 84 R 10
Neckarsulm 85 S 11
Neckartailfingen 94 U 11
Neckartal 84 R 10
Neckartal-Odenwald
(Naturpark) 85 R 11
Neckartenzlingen 94 U 11
Neckarwestheim 94 S 11
Neckarzimmern 84 S 11
Neckeroda 65 N 18
Neddemin 24 F 23
Neddenaverbergen 29 H 12
Neddesitz 13 C 24
Nedlitz
(Kreis Anhalt-Zerbst) 42 J 20
Nedlitz *(Kreis
Jerichower Land)* 42 J 19
Neef 71 P 5
Neehausen 54 L 19
Neenstetten 95 U 14
Neerdar 50 M 10
Neermoor 17 G 6
Neersen 58 M 3
Neerstedt 28 H 9
Neetze 21 G 15
Neetzka 24 F 24
Neetzow 24 E 24
Negenborn
(Kreis Hannover) 40 I 12
Negenborn
(Kreis Holzminden) 39 K 12
Negenharrie 9 D 14
Negernbötel 9 E 14
Nehden 50 L 9
Neheim-Hüsten 49 L 7
Nehlitz 54 L 19
Nehms 9 D 15
Nehmten 9 D 15
Nehren 71 P 5
Nehren 102 U 11
Nehringen 14 E 22
Neibsheim 93 S 10
Neichen 55 M 22
Neiden 55 L 22
Neidenbach 70 P 3
Neidenberga 65 O 18
Neidenfels 83 R 8
Neidenstein 84 S 10
Neidhardswinden 86 R 16
Neidlingen 94 U 12
Neindorf *(Bördekreis)* 41 J 17
Neindorf
(Kreisstadt Wolfsburg) 41 I 16
Neinstedt 53 K 17
Neipperg 94 S 11
Neitersen 61 N 6
Nelben 54 L 19
Nellingen 94 U 13
Nellingen a. d. Fildern 94 T 11
Nellinghof 28 I 8
Nemden 37 J 8
Nemmenich 58 N 4
Nemmersdorf 78 Q 19
Nempitz 54 M 20
Nemsdorf 54 L 18
Nemsdorf-Göhrendorf 54 L 18
Nenderoth 61 O 8
Nendingen 101 V 10
Nendorf 39 I 10
Nendorp 16 G 5
Nenndorf *(Kreis Harburg)* 19 F 13
Nenndorf
(Kreis Wittmund) 17 F 6
Nennhausen 33 I 21
Nennig 80 R 3
Nennslingen 96 S 17
Nentershausen *(Kreis
Hersfeld-Rotenburg)* 64 M 13
Nentershausen
(Westerwaldkreis) 73 O 7
Nentschau 78 P 20
Nenzenheim 86 R 14
Nenzingen 101 W 10
Neppermin 15 E 26
Neppermin-Balm 15 E 26
Nerchau 55 M 22
Nerdin 24 E 24
Nerdlen 71 P 4
Nerenstetten 95 U 14
Neresheim 95 T 14
Neritz 20 E 14
Nerkewitz 65 N 18
Neroberg 73 P 8
Neroth 70 P 4
Nersingen 103 U 14
Neschen 59 M 5
Neschholz 43 J 22
Neschwitz 57 M 26
Nesenitz 31 I 17
Nessa 66 M 20
Nesse *(Kreis Aurich)* 17 F 6
Nesselbach 85 S 13
Nesselröden
(Kreis Göttingen) 52 L 14
Nesselröden
(Werra-Meißner-Kreis) 64 M 14
Nesselwang 111 X 15
Nesselwangen 102 W 11
Nessendorf 9 D 16
Neßlbach 99 T 23
Neßmersiel
(Kreis Aurich) 17 E 6
Nethe 51 L 11
Nethen 17 G 8
Netphen 61 N 8
Netra 64 M 14
Nette 40 J 14
Nette *(Fluß b. Kempen)* 47 L 2
Nette *(Fluß b. Mayen)* 71 P 5
Nettelburg 17 G 6
Nettelkamp 31 H 15
Nettelrede 39 J 12
Nettelsee 9 D 14
Nettelstädt 50 L 9
Nettelstedt 38 J 10
Nettersheim 60 O 3
Nettesheim-Butzheim 58 M 4
Nettetal 58 M 2
Nettgau 31 I 16
Nettlingen 40 J 14
Netze 51 M 11
Netzeband 33 H 21
Netzen 43 I 22
Netzow 34 G 24
Netzschkau 66 O 20
Neu-Anspach 74 P 9
Neu Bartelshagen 12 C 22
Neu Boltenhagen 15 D 24
Neu Darchau 31 G 16
Neu Duvenstedt 8 C 13
Neu Ebersdorf 18 F 10
Neu-Eichenberg 51 L 13
Neu-Esting 104 V 17
Neu Fahrland 43 I 23
Neu Falkenhagen 23 F 22
Neu Gaarz 23 F 21
Neu Golm 45 J 26
Neu Gülze 21 F 16
Neu Heinde 23 E 21
Neu-Isenburg *(Frankfurt)* 74 P 10
Neu Käbelich 24 F 24
Neu Kaliß 32 G 17
Neu Kentzlin 24 E 22
Neu Königsaue 53 K 18
Neu Kosenow 25 E 25
Neu-Listernohl 61 M 7
Neu Ludwigsdorf 62 M 9
Neu Lübbenau 44 J 25
Neu Mukran 13 C 24
Neu Poserin 23 F 20
Neu Reddewitz 13 C 24
Neu St. Jurgen 18 G 10
Neu Ulm 103 U 14
Neu Versen 26 H 5
Neu Wendischthun 21 G 16
Neu Wulmstorf 19 F 13
Neu Zachun 21 F 17
Neu Zauche 45 K 26
Neu Zittau 44 I 25
Neuärgerniß 66 O 20
Neualbenreuth 79 Q 21
Neuastenberg 62 M 9
Neubachenbruch 18 F 10
Neubarnim 35 H 26
Neubau *(Börderkreis)* 41 J 17
Neubau
(Kreis Bayreuth) 78 P 19
Neubau
(Kreis Cham) 89 S 21
Neubeckum 49 K 8
Neubensdorf 43 I 21
Neuberend 5 C 12
Neuberg 74 P 10
Neubeuern 113 W 20
Neubiberg 105 V 18
Neubörger 27 H 6
Neubokel 40 I 15
Neubrandenburg 24 F 23
Neubronn 86 R 13
Neubruchhausen 29 H 10
Neubruck 86 R 16
Neubrück
(Kreis Oder-Spree) 45 J 26
Neubrück
(Kreis Peine) 40 I 15
Neubrunn 76 O 15
Neubrunn 85 Q 13
Neubukow 10 D 19
Neubulach 93 U 10
Neuburg a. d. Donau 96 T 17
Neuburg a. d. Kammel 103 V 15
Neuburg a. Inn 99 U 24
Neuburg a. Rhein 93 T 8
Neuburg-Steinhausen 10 E 18
Neuburgweier 93 T 8
Neuburlage 27 G 6
Neuburxdorf 55 L 23
Neuching 105 V 19
Neudenau 85 S 11
Neudersum 26 H 5
Neudietendorf 65 N 16
Neudingen 101 W 9
Neudörpen 27 H 6
Neudorf
(Kreis Annaberg) 79 O 22
Neudorf
(Kreis Ansbach) 86 R 16
Neudorf
(Kreis Bautzen) 57 M 27
Neudorf
(Kreis Bayreuth) 87 Q 18
Neudorf *(Kreis
Freyung-Grafenau)* 99 T 24
Neudorf *(Kreis Leer)* 17 F 7
Neudorf
(Kreis Lichtenfels) 77 P 17
Neudorf *(Kreis Neustadt a. d.
Waldnaab)* 88 R 20
Neudorf
(Kreis Nienburg) 30 H 12

NEUBRANDENBURG

An der Marienkirche AY 3
Beguinenstr. AY 4
Behmenstr. BY 5
Bernhardstr. AY 7
Bussardstr. BY 8
Darrenstr. AY 9
Friedländer Str. BY 12
Herbordstr. BY 13
Lerchenstr. AY 14
Marktpl. AY 17
Mühlenholzstr. BYZ 18
Poststr. BY 20
Sonnenkamp BZ 21
Torgelower Str. BY 22
Treptower Str. AY 23
Turmstr. BY
Voßtr. AY 24
Waagestr. AY 26

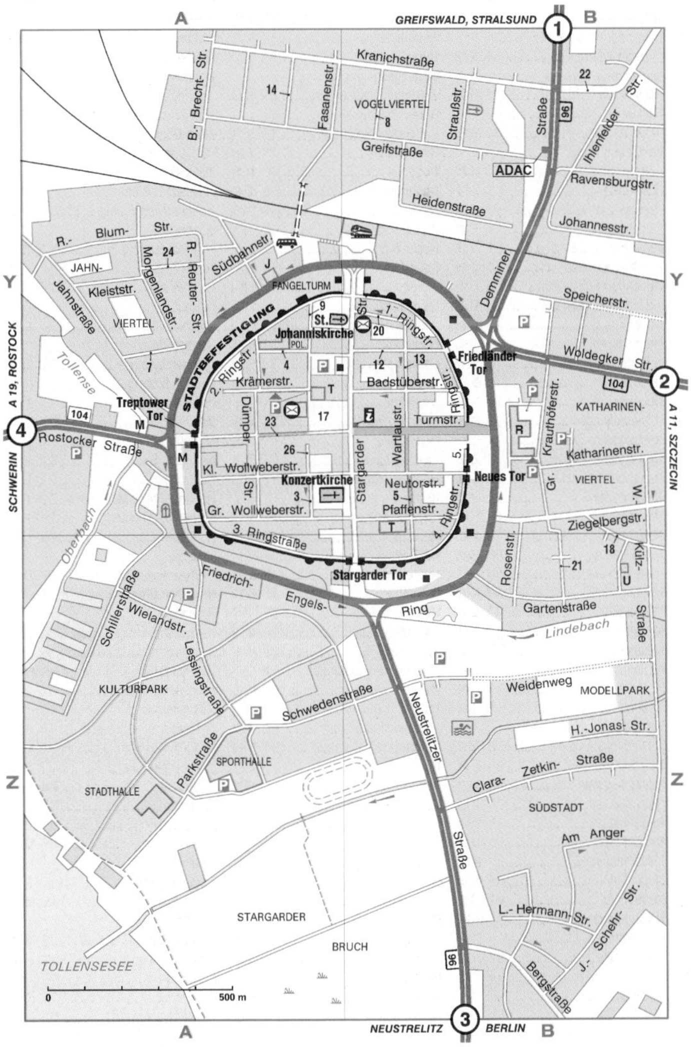

Neudorf (Kreis Ostholstein) 9 D 15
Neudorf (Kreis Plön) 9 D 15
Neudorf (Kreis Quedlinburg) 53 L 17
Neudorf (Kreis Waldeck-Frankenberg) 50 L 10
Neudorf (Kreis Weißenburg-Gunzenhausen) 96 T 17
Neudorf (Graben-) 84 S 9
Neudorf-Bornstein 9 C 13
Neudorf-Platendorf 41 I 15
Neudrossenfeld 77 P 18
Neue Dosse 33 H 20
Neue Jäglitz 33 H 20
Neue Welt 16 F 5
Neuehütten 43 J 21
Neueibau 69 N 27
Neuekrug 31 H 16
Neuenbau 77 O 17
Neuenbaum 59 M 4
Neuenbeken 50 K 10
Neuenbeuthen 65 O 18
Neuenbrook 19 E 12
Neuenbuch 85 Q 12
Neuenbürg (Enzkreis) 93 T 9
Neuenbürg (Kreis Karlsruhe) 84 S 10
Neuenbunnen 27 H 7
Neuenburg 17 F 7
Neuenburg 100 W 6
Neuendeich 19 E 12
Neuendettelsau 86 S 16
Neuendorf 75 P 12
Neuendorf (Altmarkkreis Salzwedel) 32 H 17
Neuendorf (Kreis Barnim) 35 H 26
Neuendorf (Kreis Dahme-Spreewald) 44 K 25
Neuendorf (Kreis Güstrow) 23 E 19
Neuendorf (Kreis Oberhavel) 34 H 23
Neuendorf (Kreis Ostprignitz-Ruppin) 33 H 21
Neuendorf (Kreis Ostvorpommern) 15 D 25
Neuendorf (Kreis Potsdam-Mittelmark) 43 J 22
Neuendorf (Kreis Spree-Neiße) 57 K 27
Neuendorf A 25 E 25
Neuendorf a. Damm 32 I 18
Neuendorf a. See 44 J 25
Neuendorf a. See (Kreis Dahme-Spreewald) 13 C 23
Neuendorf B 24 E 24
Neuendorf b. Elmshorn 19 E 12
Neuendorf b. Grimmen 13 D 23
Neuendorf b. Neuenkirchen 13 C 23
Neuendorf b. Saal 11 C 21
Neuendorf b. Wilster 7 E 11
Neuendorf i. Sande 45 I 26
Neuendorfer See 44 J 25
Neuenfelde 18 G 9
Neuenfelde (Hamburg-) 19 F 13
Neuengamme 20 F 14
Neuengeseke 50 L 8
Neuengönna 66 N 18
Neuengörs 20 E 15
Neuengronau 75 P 12
Neuengrün 77 P 18
Neuenhagen (b. Bad Freienwalde) 35 H 26
Neuenhagen (b. Berlin) 44 I 25
Neuenhagen (Kreis Nordvorpommern) 10 E 17
Neuenhain 63 N 11
Neuenhammer 89 Q 21
Neuenhaßlau 74 P 11
Neuenhaus 36 I 4
Neuenhaus 94 U 11
Neuenheerse 50 K 10
Neuenhof 64 N 14
Neuenhofe 42 J 18
Neuenhuntorf 28 G 9
Neuenkirchen (b. Bramsche) 37 I 7
Neuenkirchen (b. Melle) 38 J 9
Neuenkirchen (Kreis Cuxhaven) 18 E 10
Neuenkirchen (Kreis Diepholz) 29 H 10
Neuenkirchen (Kreis Dithmarschen) 7 D 10
Neuenkirchen (Kreis Goslar) 40 J 15
Neuenkirchen (Kreis Gütersloh) 50 K 9
Neuenkirchen (Kreis Ludwigslust) 21 F 16
Neuenkirchen (Kreis Mecklenburg-Strelitz) 24 F 24
Neuenkirchen (Kreis Osterholz) 18 G 9
Neuenkirchen (Kreis Rügen) 13 C 24
Neuenkirchen (Kreis Soltau-Fallingbostel) 30 G 13
Neuenkirchen (Kreis Stade) 19 F 12
Neuenkirchen (Kreis Steinburg) 19 E 12
Neuenkirchen (Kreis Steinfurt) 36 J 6
Neuenkirchen (Oldenburg) 37 I 8
Neuenkirchen b. Anklam 24 E 24
Neuenkirchen b. Greifswald 13 D 24
Neuenkleusheim 61 M 7
Neuenklitsche 42 I 20
Neuenknick 39 I 11
Neuenkoop 28 G 9
Neuenkruge 27 G 8
Neuenlande 18 F 9
Neuenmarhorst 29 H 9
Neuenmarkt 77 P 18
Neuenrade 49 M 7
Neuensalz 79 O 20
Neuenschleuse 19 E 11
Neuensorg (Kreis Kulmbach) 77 P 18
Neuensorg (Kreis Lichtenfels) 77 P 17
Neuensorga 66 N 19
Neuenstadt 85 S 11
Neuenstein (Hohenlohekreis) 85 S 12
Neuenstein (Kreis Hersfeld-Rotenburg) 63 N 12
Neuensund 25 F 25
Neuental 63 N 11
Neuenwalde 18 E 10
Neuenweg 100 W 7
Neuenwege 17 F 8
Neuer Kanal 22 F 18
Neuerburg (Kreis Bernkastel-Wittlich) 71 P 4
Neuerburg (Kreis Bitburg-Prüm) 70 P 2
Neuerkirch 71 P 6
Neuermark-Lübars 32 I 20
Neuerstadt 55 K 23
Neufahrn (Kreis Freising) 105 V 18
Neufahrn (Kreis Landshut) 97 T 20
Neufang (Kreis Kronach) 77 P 18
Neufang (Kreis Kulmbach) 77 P 18
Neufarn 105 V 19
Neufeld 7 E 11
Neufelderkoog 7 E 10
Neufels 85 S 12
Neuferchau 31 I 17
Neuffen 94 U 12
Neufinsing 105 V 19
Neufirrel 17 F 7
Neufnach 103 V 15
Neufra (Kreis Biberach a. d. Riß) 102 V 12
Neufra (Kreis Rottweil) 101 V 10
Neufra (Kreis Sigmaringen) 102 V 11
Neufrach 110 W 11
Neufraunhofen 105 U 20
Neufunnixsiel 17 E 7
Neugablonz 103 W 15
Neugalmsbüll 4 B 10
Neugarmssiel 17 E 7
Neugattersleben 54 K 19
Neugersdorf 69 N 27
Neuglienicke 33 G 22
Neuglobsow 34 G 23
Neugnadenfeld 26 I 4
Neugraben 19 F 13
Neugrimnitz 34 H 25
Neuhaaren 58 M 2
Neuhäusel 73 O 7
Neuhardenberg 35 I 26
Neuharlingersiel 17 E 7
Neuhaus (Allgäu) 110 X 13
Neuhaus (Kreis Bayreuth) 77 Q 17
Neuhaus (Kreis Celle) 40 I 14
Neuhaus (Kreis Cham) 90 S 21
Neuhaus (Kreis Erlangen-Höchstadt) 87 Q 16
Neuhaus (Kreis Hof) 78 O 19
Neuhaus (Kreis Lüneburg) 21 G 16
Neuhaus (Kreis Miesbach) 113 W 19
Neuhaus (Kreis Nordvorpommern) 11 D 20
Neuhaus (Schwarzwald-Baar-Kreis) 101 W 9
Neuhaus (Oste) 18 E 11
Neuhaus a. d. Eger 79 P 20
Neuhaus a. d. Pegnitz 87 R 18
Neuhaus a. Inn 99 U 24
Neuhaus a. Rennweg 77 O 17
Neuhaus i. Solling 51 K 12
Neuhaus-Schierschnitz 77 P 17
Neuhausen (Enzkreis) 93 T 10
Neuhausen (Kreis Freiberg) 68 N 24
Neuhausen (Kreis Hof) 78 P 20
Neuhausen (Kreis Konstanz) 101 W 10
Neuhausen (Kreis Landshut) 97 U 19
Neuhausen (Kreis Spree-Neiße) 57 K 27
Neuhausen a. d. Erms 94 U 11
Neuhausen a. d. Fildern 94 T 11
Neuhausen o. Eck 101 W 10
Neuheede 26 G 5
Neuheide 53 L 16
Neuheilenbach 70 P 3
Neuheim 43 J 23
Neuhemsbach 83 R 7
Neuherberg (Kreis Neustadt a. d. A.-Bad W.) 86 R 14
Neuherberg (Stadtkreis München) 105 V 18
Neuhof (Kreis Fulda) 75 O 12
Neuhof (Kreis Hildesheim) 40 K 14
Neuhof (Kreis Ludwigslust) 21 F 16
Neuhof (Kreis Oberhavel) 34 G 24
Neuhof (Kreis Osterode a. Harz) 52 L 15
Neuhof (Rheingau-Taunus-Kreis) 73 P 8
Neuhof (Forst) 75 O 12
Neuhof a. d. Zenn 86 R 15
Neuhof b. Bad Kleinen 22 E 18
Neuhof b. Neukloster 22 E 19
Neuhof b. Neustadt-Glewe 22 F 18
Neuhof b. Parchim 23 F 19
Neuhofen 84 R 9
Neuhofen (Kreis Rottal-Inn) 106 U 22
Neuhofen (Kreis Straubing-Bogen) 98 T 21
Neuholland 34 H 23
Neuhonrath 59 N 5
Neuhütten (Kreis Heilbronn) 94 S 12
Neuhütten (Kreis Main-Spessart) 75 P 12
Neuhütten (Kreis Trier-Saarburg) 81 R 5
Neukalen 24 E 22
Neukamp 13 D 24
Neukamperfehn 17 F 6
Neukieritzsch 66 M 21
Neukirch (Bodenseekreis) 110 X 13
Neukirch (Kreis Bautzen) 69 M 26
Neukirch (Kreis Rottweil) 101 V 10
Neukirch (Schwarzwald-Baar-Kreis) 100 V 8
Neukirch (Westlausitzkreis) 56 M 25

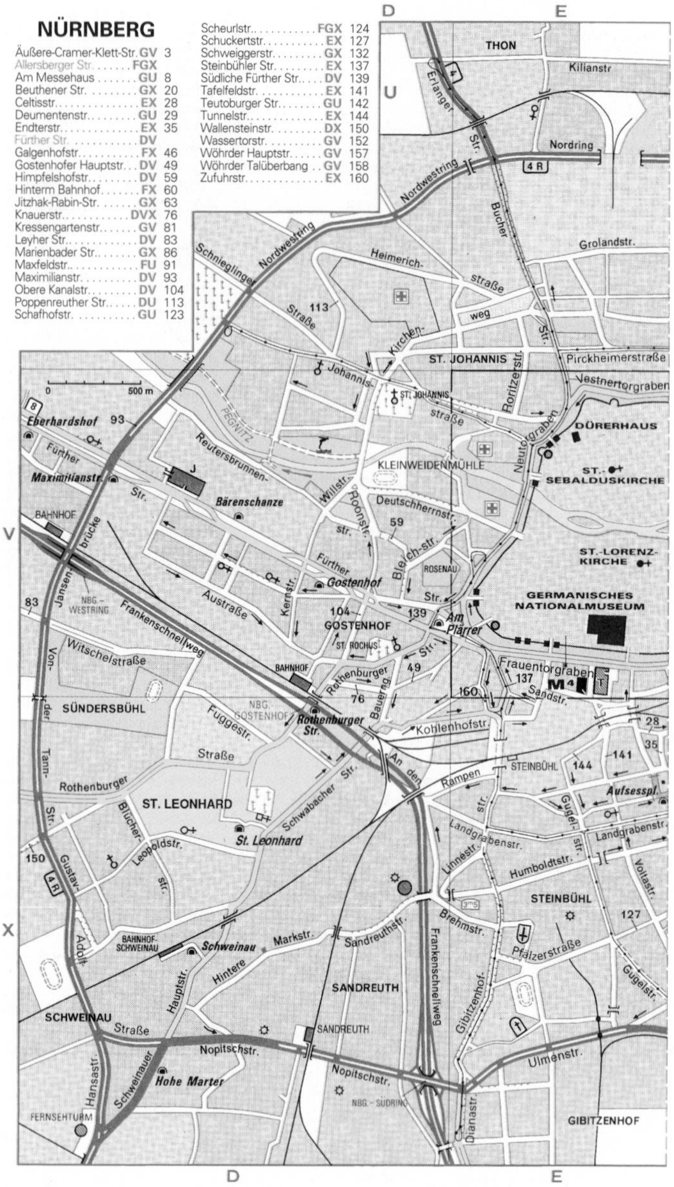

NÜRNBERG
Äußere-Cramer-Klett-Str. GV 3
Allersberger Str. FGX
Am Messehaus GU 8
Beuthener Str. GX 20
Celtisstr. EX 28
Deumentenstr. GU 29
Endterstr. EX 35
Fürther Str. DV
Galgenhofstr. FX 46
Gostenhofer Hauptstr. DV 49
Himpfelshofstr. DV 59
Hinterm Bahnhof FX 60
Jitzhak-Rabin-Str. GX 63
Knauerstr. DVX 76
Kressengartenstr. GV 81
Leyher Str. DV 83
Marienbader Str. GX 86
Maxfeldstr. FU 91
Maximilianstr. DV 93
Obere Kanalstr. DV 104
Poppenreuther Str. DU 113
Schafhofstr. GU 123
Scheurlstr. FGX 124
Schuckertstr. EX 127
Schweiggerstr. GX 132
Steinbühler Str. EX 137
Südliche Fürther Str. DV 139
Tafelfeldstr. EX 141
Teutoburger Str. GU 142
Tunnelstr. EX 144
Wallensteinstr. DX 150
Wassertorstr. GV 152
Wöhrder Hauptstr. GV 157
Wöhrder Talüberbang GV 158
Zufuhrstr. EX 160
THON
ST. JOHANNIS
DÜRERHAUS
ST. SEBALDUSKIRCHE
KLEINWEIDENMÜHLE
ST.-LORENZ-KIRCHE
GERMANISCHES NATIONALMUSEUM
GOSTENHOF
SÜNDERSBÜHL
ST. LEONHARD
STEINBÜHL
SANDREUTH
SCHWEINAU
GIBITZENHOF
Eberhardshof
Bärenschanze
Hohe Marter

Neukirchen (b. Malente) 9 D 15
Neukirchen (b. Oldenburg i. Holstein) 10 D 17
Neukirchen (Kreis Coburg) 77 O 16
Neukirchen (Kreis Freiberg) 68 M 24
Neukirchen (Kreis Hersfeld-Rotenburg) 63 N 13
Neukirchen (Kreis Leipziger Land) 67 M 21
Neukirchen (Kreis Neuss) 58 M 4
Neukirchen (Kreis Nordfriesland) 4 B 10
Neukirchen (Kreis Regensburg) 88 S 20
Neukirchen (Kreis Rottal-Inn) 106 U 22
Neukirchen (Kreis Schleswig-Flensburg) 5 B 13
Neukirchen (Kreis Schwandorf) 97 S 19
Neukirchen (Kreis Stendal) 32 H 19
Neukirchen (Kreis Straubing-Bogen) 91 T 22
Neukirchen (Kreis Waldeck-Frankenberg) 62 M 10
Neukirchen (Lahn-Dill-Kreis) 74 O 9
Neukirchen (Rhein-Sieg-Kreis) 60 O 4
Neukirchen (Schwalm-Eder-Kreis) 63 N 12
Neukirchen (Wartburgkreis) 64 M 15
Neukirchen (Erzgebirge) 67 N 22
Neukirchen (Pleiße) 66 N 21
Neukirchen a. d. Alz 106 V 21
Neukirchen a. Inn 99 U 24
Neukirchen a. Teisenberg 106 W 22
Neukirchen b. Hl. Blut 89 S 22
Neukirchen b. Sulzbach-Rosenberg 88 R 18
Neukirchen-Balbini 89 S 21
Neukirchen v. Wald 99 T 24
Neukirchen-Vluyn 46 L 3
Neukissing 104 V 16
Neukloster (Kreis Nordwestmecklenburg) 22 E 19
Neukloster (Kreis Stade) 19 F 12
Neuklostersee 22 E 19
Neukünkendorf 35 H 26
Neuküstrinchen 35 H 26
Neukyhna 54 L 20
Neuland (b. Himmelpforten) 19 F 11
Neuland (b. Wischhafen) 19 E 11
Neulautern 94 S 12
Neuleben 21 E 16
Neulehe 27 G 6
Neuleiningen 83 R 8
Neuler 95 T 14
Neulewin 35 H 26
Neuliebel 57 L 28
Neulietzegöricke 35 H 26
Neulingen 93 T 10
Neulögow 34 G 23
Neulöwenberg 34 H 23
Neulohn 58 N 2
Neulorup 27 H 7
Neulußheim 84 S 9
Neumagen-Dhron 72 Q 4
Neumark (Göltzschtalkreis) 66 O 21
Neumark (Kreis Weimarer Land) 65 M 17
Neumarkhausen 27 H 7
Neumarkt i. d. Oberpfalz 87 S 18
Neumarkt-St. Veit 106 U 21
Neumorschen 63 M 12
Neumühle (Kreis Greiz) 66 N 20
Neumühle (Kreis Uelzen) 31 G 16
Neumühle (Schwerin) 22 F 18
Neumühler See 21 F 17
Neumünster 9 D 13
Neunaigen 88 R 20
Neunburg v. Wald 89 R 21
Neundorf (b. Lobenstein) 77 O 18
Neundorf (b. Schleiz) 66 O 19
Neundorf (Elstertalkreis) 78 O 20
Neundorf (Kreis Annaberg) 67 O 23
Neundorf (Kreis Aschersleben-Staßfurt) 53 K 18
Neunheilingen 64 M 16
Neunhof 87 R 17
Neunhofen 66 N 19
Neunkhausen 61 N 7
Neunkirchen (Kreis Daun) 70 P 4

F G

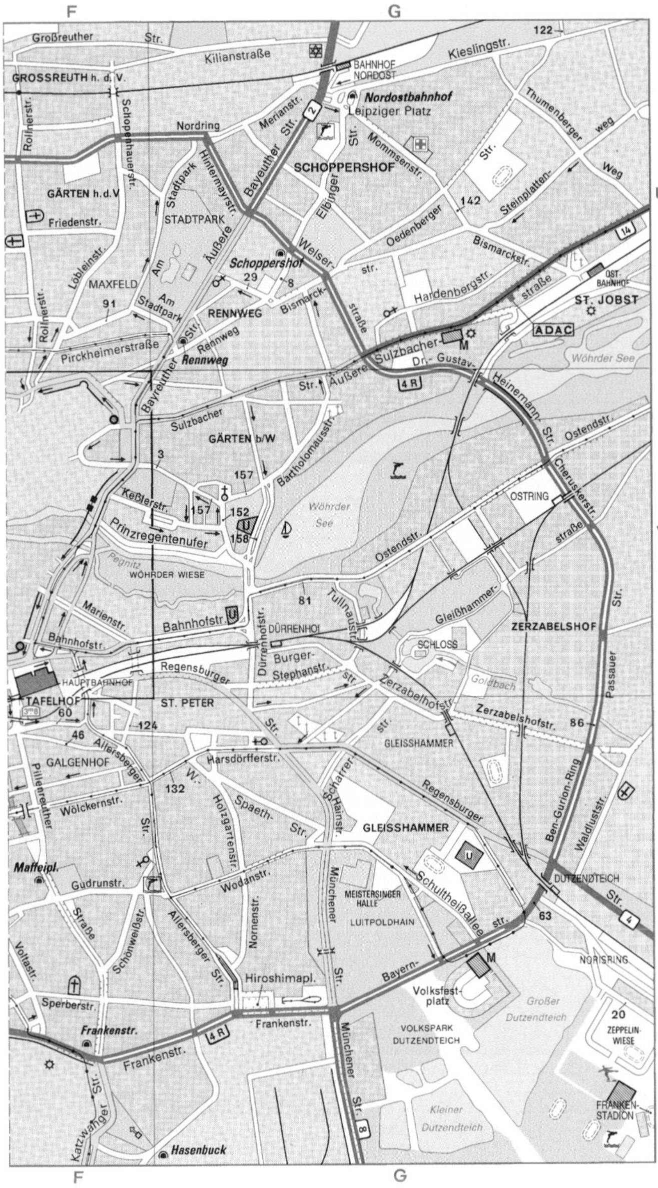
GROSSREUTH h. d. V.
Kilianstraße
Kieslingstr.
BAHNHOF NORDOST
Nordostbahnhof
Leipziger Platz
Nordring
Bayreuther Str.
SCHOPPERSHOF
GÄRTEN h. d. V
STADTPARK
Friedenstr.
MAXFELD
Schoppershof
RENNWEG
Rennweg
Pirckheimerstraße
Sulzbacher
ST. JOBST
ADAC
Wöhrder See
GÄRTEN b/W
Bartholomäusstr.
Keßlerstr.
Prinzregentenufer
WÖHRDER WIESE
Wöhrder See
OSTRING
Ostendstr.
Cheruskerstr.
Bahnhofstr.
DÜRRENHOF
HAUPTBAHNHOF
Regensburger
ZERZABELSHOF
SCHLOSS
TAFELHOF
ST. PETER
Zerzabelshofstr.
GLEISSHAMMER
GALGENHOF
Harsdörfferstr.
Wölckernstr.
Regensburger
Ben-Gurion-Ring
Waldluststr.
Maffeipl.
Gudrunstr.
Wodanstr.
DUTZENDTEICH
MEISTERSINGER HALLE
LUITPOLDHAIN
Schultheißallee
NORISRING
Hiroshimapl.
Bayernstr.
Volksfestplatz
Großer Dutzendteich
Frankenstr.
VOLKSPARK DUTZENDTEICH
ZEPPELIN-WIESE
Münchener Str.
Kleiner Dutzendteich
FRANKEN-STADION
Hasenbuck
Passauer Str.

F G

Neunkirchen (Kreis Miltenberg) ... 85 Q 12
Neunkirchen (Kreis Schwäbisch-Hall) ... 94 S 12
Neunkirchen (Kreis Siegen-Wittgenstein) ... 61 N 8
Neunkirchen (Main-Tauber-Kreis) ... 85 R 13
Neunkirchen (Neckar-Odenwald-Kreis) ... 84 R 11
Neunkirchen (Stadtkreis Weiden) ... 88 Q 20
Neunkirchen (Westerwaldkreis) ... 61 O 8
Neunkirchen (Saar) ... 81 R 5
Neunkirchen a. Brand ... 87 R 17
Neunkirchen a. Main ... 78 Q 18
Neunkirchen a. Sand ... 87 R 17
Neunkirchen-Seelscheid ... 59 N 6
Neunstadt ... 95 T 14
Neunstetten (Hohenlohekreis) ... 85 R 12
Neunstetten (Kreis Ansbach) ... 86 S 15
Neuötting ... 106 V 22
Neupetershain ... 56 L 26
Neupetershain Nord ... 56 L 26
Neupotz ... 93 S 8
Neurath ... 58 M 3
Neuravensburg ... 110 X 13
Neureetz ... 35 H 26
Neureichenau ... 99 T 25
Neureut ... 93 S 9
Neurhede ... 26 G 5
Neuried ... 92 U 7
Neuried (München) ... 104 V 18
Neuringe ... 26 I 5
Neurochlitz ... 25 G 27
Neuroda ... 65 N 16
Neurüdnitz ... 35 H 26
Neuruppin ... 33 H 22
Neusäß ... 104 U 16
Neusalza-Spremberg ... 69 M 27
Neusatz (Kreis Calw) ... 93 T 9
Neusatz (Kreis Rastatt) ... 92 U 8
Neuscharrel ... 27 G 7
Neuschloß ... 84 R 9
Neuschönau ... 99 T 24
Neuschoo ... 17 F 6
Neuschwanstein ... 112 X 16
Neuseddin ... 43 J 22
Neuses ... 75 P 11
Neuses (Kreis Coburg) ... 77 P 16
Neuses (Main-Tauber-Kreis) ... 85 R 13
Neuses a. Berg ... 86 Q 14
Neuses a. Raueneck ... 76 P 16
Neuses a. Sand ... 86 Q 15
Neusetz ... 86 Q 14
Neusiß ... 65 N 16
Neusitz ... 65 N 18
Neusitz ... 86 R 14
Neusorg ... 78 Q 19
Neusorge ... 57 L 28
Neuss ... 48 M 4
Neußen ... 55 L 23
Neustadt (Kreis Eichsfeld) ... 52 L 15
Neustadt (Kreis Ostprignitz-Ruppin) ... 33 H 21
Neustadt (Kreis Wesermarsch) ... 18 F 9
Neustadt (Odenwaldkreis) ... 84 Q 11
Neustadt (Saale-Orla-Kreis) ... 66 N 19
Neustadt (Titisee-) ... 100 W 8
Neustadt (Westlausitzkreis) ... 57 L 27
Neustadt (-Bremen) ... 29 G 10
Neustadt (Harz) ... 53 L 16
Neustadt (Hessen) ... 63 N 11
Neustadt (Vogtland) ... 79 O 20
Neustadt (Wied) ... 61 O 6
Neustadt a. d. Aisch ... 86 R 15
Neustadt a. d. Donau ... 97 T 19
Neustadt a. d. Waldnaab ... 89 Q 20
Neustadt a. d. Weinstraße ... 83 R 8
Neustadt a. Kulm ... 88 Q 19
Neustadt a. Main ... 75 Q 12
Neustadt a. Rennsteig ... 65 O 16
Neustadt a. Rübenberge ... 39 I 12
Neustadt b. Coburg ... 77 P 17
Neustadt-Glewe ... 22 F 18
Neustadt i. Holstein ... 9 D 16
Neustadt i. Sachsen ... 69 M 26
Neustadtgödens ... 17 F 7
Neustädt ... 64 N 14
Neustädter Bucht ... 9 D 16
Neustädter Moor ... 29 I 9
Neustädtlein ... 95 S 14
Neustädtlein a. Forst ... 77 Q 18
Neustädtles ... 76 O 14
Neustetten (Kreis Ansbach) ... 86 R 15
Neustetten (Kreis Tübingen) ... 93 U 10
Neustraßburg ... 70 P 3
Neustrelitz ... 24 F 23
Neusustrum ... 26 H 5
Neutechau ... 9 E 16
Neuteschendorf ... 10 C 16
Neuthard ... 93 S 9
Neutraubling ... 90 T 20
Neutrauchburg ... 111 W 14
Neutrebbin ... 35 I 26
Neutz ... 54 L 19
Neutz-Lettewitz ... 54 L 19
Neuvrees ... 27 H 7
Neuwallmoden ... 40 J 14
Neuwarmbüchen ... 40 I 13
Neuwarper See ... 25 E 26
Neuwegersleben ... 41 J 17
Neuweiler ... 93 U 9
Neuweilnau ... 74 P 9
Neuwerder ... 33 H 21
Neuwerk ... 58 M 3
Neuwernsdorf ... 68 N 24
Neuwesteel ... 16 F 5
Neuwied ... 71 O 6
Neuwiese ... 56 L 26
Neuwildflecken ... 75 O 13
Neuwirthshaus ... 75 P 13
Neuwittenbek ... 9 C 14
Neuwürschnitz ... 67 N 22
Neuzelle ... 45 J 27
Neverin ... 24 F 24
Nevern ... 22 E 18
Neversdorf ... 20 E 14
Neviges ... 48 M 5
Newel ... 80 Q 3
Nexdorf ... 55 L 24
Neye-Stausee ... 59 M 6
Nichel ... 43 J 22
Nickenich ... 71 O 5
Nicklashausen ... 85 Q 12
Nickritz ... 55 M 23
Nidda ... 74 O 11
Niddasee ... 75 O 11
Niddatal ... 74 P 10
Nidder ... 75 O 11
Nidderau ... 74 P 10
Nideggen ... 58 N 3
Niebel ... 43 J 22
Niebendorf-Heinsdorf ... 44 K 24
Nieblum ... 4 B 9
Niebüll ... 4 B 10
Nieby ... 5 B 13
Niedaltdorf ... 80 R 3
Nieden ... 25 F 25
Niedenstein ... 51 M 11
Nieder-Beerbach ... 84 Q 10
Nieder-Bobritzsch ... 68 N 24
Nieder Erlenbach ... 74 P 10
Nieder Fläming ... 44 K 22
Nieder-Frauendorf ... 68 N 25
Nieder-Gemünden ... 62 N 11
Nieder-Kainsbach ... 84 Q 10
Nieder-Kinzig ... 84 Q 10
Nieder-Klingen ... 84 Q 10
Nieder-Lichtenau ... 67 N 23
Nieder-Liebersbach ... 84 R 10
Nieder-Mockstadt ... 74 P 10
Nieder-Mörlen ... 74 O 10
Nieder-Moos ... 75 O 12
Nieder-Neundorf ... 57 M 28
Nieder Ochtenhausen ... 19 F 11
Nieder-Ohmen ... 62 O 11
Nieder-Olm ... 73 Q 8
Nieder Ramstadt ... 84 Q 10
Nieder Roden ... 74 Q 10
Nieder-Rosbach ... 74 P 10
Nieder-Seemen ... 75 O 11
Nieder-Seifersdorf ... 69 M 28
Nieder-Waroldern ... 50 M 11
Nieder-Weisel ... 74 O 10
Nieder-Werbe (Kreis Waldeck-Frankenberg) ... 50 M 10
Nieder-Wiesen ... 83 Q 7
Nieder-Wöllstadt ... 74 P 10
Niederahr ... 61 O 7
Niederaichbach ... 98 U 20
Niederalben ... 81 R 6
Niederalbertsdorf ... 66 N 20
Niederalteich ... 98 T 23
Niederambach ... 96 U 17
Niederasphe ... 62 N 9
Niederau ... 68 M 24
Niederau ... 58 N 3
Niederaudorf ... 113 X 20
Niederaula ... 63 N 12
Niederaußem ... 58 N 4
Niederbachem ... 60 O 5
Niederbeisheim ... 63 M 12
Niederberg ... 59 N 4
Niederbergheim ... 50 L 8
Niederbergkirchen ... 106 V 21
Niederbergstraße ... 49 L 7
Niederberndorf ... 50 M 8
Niederbieber ... 63 O 13
Niederbieber-Segendorf ... 71 O 6
Niederbösa ... 53 M 17
Niederbrechen ... 73 O 8
Niederbreitbach ... 61 O 6
Niederbrombach ... 81 Q 5
Niederburg ... 73 P 7
Niedercunnersdorf ... 69 M 27
Niederdielfen ... 61 N 8
Niederdorf ... 67 N 22
Niederdorf ... 46 L 2
Niederdorfelden ... 74 P 10
Niederdorla ... 64 M 15
Niederdreisbach ... 61 N 7
Niederdresselndorf ... 61 N 8
Niederdünzebach ... 64 M 14
Niederdürenbach ... 71 O 5
Niedereimer ... 49 L 8
Niedereisenhausen ... 62 N 9
Niederelbert ... 73 O 7
Niederellenbach ... 63 M 12
Niederelsungen ... 51 L 11
Niederembt ... 58 N 3
Niederemmel ... 72 Q 4
Niederensee ... 49 L 7
Niedererbach ... 73 O 7
Niedereschach ... 101 V 9
Niedereulenbach ... 97 T 20
Niederfell ... 71 P 6
Niederfinow ... 35 H 25
Niederfischbach ... 61 N 7
Niederfrohna ... 67 N 22
Niederfüllbach ... 77 P 16
Niedergandern ... 52 L 13
Niedergebra ... 52 L 15
Niedergladbach ... 73 P 7
Niedergörsdorf ... 43 K 22
Niedergoseln ... 55 M 23
Niedergründau ... 75 P 11
Niedergude ... 63 M 13
Niedergurig ... 69 M 27
Niederhausen ... 100 V 7
Niederhaverbeck ... 30 G 13
Niederheimbach ... 73 P 7
Niederhöcking ... 98 U 22
Niederhofen ... 103 W 14
Niederholsten ... 38 J 8
Niederhone ... 64 M 14
Niederhorbach ... 92 S 8
Niederhornbach ... 97 T 19
Niederieierndorf ... 97 T 20
Niederirsen ... 61 N 6
Niederjesar ... 45 I 27
Niederjosbach ... 74 P 9
Niederjossa ... 63 N 12
Niederkail ... 72 Q 4
Niederkaina ... 69 M 27
Niederkalbach ... 75 O 12
Niederkassel ... 48 M 4
Niederkassel ... 59 N 5
Niederkaufungen ... 51 M 12
Niederkirchen ... 83 R 7
Niederkirchen b. Deidesheim ... 83 R 8
Niederkirchen i. Ostertal ... 81 R 5
Niederkleen ... 74 O 9
Niederklein ... 62 N 10
Niederkrüchten ... 58 M 2
Niederlamitz ... 78 P 19
Niederlandin ... 35 G 26
Niederlangen ... 26 H 5
Niederlauch ... 70 P 3
Niederlauer ... 76 P 14
Niederlauken ... 74 O 9
Niederlausitz ... 56 K 24
Niederlauterbach ... 97 U 18
Niederlauterstein ... 67 N 23
Niederlehme ... 44 J 24
Niederlern ... 105 U 19
Niederlibbach ... 73 P 8
Niederlinxweiler ... 81 R 5
Niederlistingen ... 51 L 11
Niederlommatzsch ... 68 M 24
Niederlosheim ... 80 R 4
Niederlungwitz ... 67 N 21
Niedermarsberg ... 50 L 10
Niedermehnen ... 38 I 9
Niedermeien ... 39 J 10
Niedermeilingen ... 73 P 7
Niedermeiser ... 51 L 11
Niedermöllern ... 66 M 19
Niedermöllrich ... 63 M 12
Niedermörmter ... 46 K 3
Niedermohr ... 81 R 6
Niedermotzing ... 90 T 21
Niedermurach ... 89 R 21
Niedernberg ... 75 Q 11
Niederndodeleben ... 42 J 18
Niederndorf ... 66 N 19
Niederndorf ... 61 N 7
Niederndorf ... 87 R 16
Niederneisen ... 73 O 8
Niederneuching ... 105 V 19
Niedernhall ... 85 S 12
Niedernhausen (Kreis Darmstadt-Dieburg) ... 84 Q 10
Niedernhausen (Rheingau-Taunus-Kreis) ... 74 P 8
Niedernjesa ... 51 L 13
Niedernstöcken ... 30 I 12
Niederntudorf ... 50 L 10
Niedernwöhren ... 39 I 11
Niederoderwitz ... 69 N 28
Niederöfflingen ... 71 P 4
Niederorke ... 62 M 10
Niederorschel ... 52 L 15
Niederpöllnitz ... 66 N 19
Niederpöring ... 98 T 22
Niederrad ... 74 P 9
Niederraunau ... 103 V 15
Niederreifenberg ... 74 P 9
Niederreißen ... 65 M 18
Niederrieden ... 103 V 14
Niederrodenbach ... 74 P 11
Niederröblingen ... 53 L 18
Niederroßbach ... 61 O 8
Niederroßla ... 65 M 18
Niederroth ... 104 V 18
Niedersachswerfen ... 52 L 16
Niedersächsisches Wattenmeer ... 16 F 4
Niederscheld ... 62 N 8
Niederschlettenbach ... 92 S 7
Niederschmon ... 53 L 18
Niederschöna ... 68 N 24
Niederschönenfeld ... 96 T 16
Niederschopfheim ... 100 U 7
Niederseelbach ... 74 P 8
Niederselters ... 73 O 8
Niederseßmar ... 59 M 6
Niedersfeld ... 50 M 9
Niedersgegen ... 80 Q 2
Niedershausen ... 62 O 8
Niedersimten ... 83 S 6
Niedersonthofen ... 111 X 14
Niederspier ... 53 M 16
Niederstaufen ... 110 X 13
Niedersteinbach ... 67 N 21
Niedersteinbach ... 75 P 11
Niederstetten ... 85 R 13
Niederstotzingen ... 95 U 14
Niederstraubing ... 105 U 20
Niederstrich ... 19 E 11
Niederstriegis ... 67 M 23
Niedersunzing ... 98 T 21
Niedertaufkirchen ... 106 V 21
Niederthalhausen ... 63 N 12
Niedertiefenbach ... 73 P 7
Niedertopfstedt ... 53 M 16
Niedertrebra ... 65 M 18
Niedertrennbach ... 98 U 21
Niederurff ... 63 M 11
Niedervellmar ... 51 L 12
Niederviehbach ... 98 U 21
Niedervorschütz ... 63 M 12
Niederwalgern ... 62 N 10
Niederwallmenach ... 73 P 7
Niederwangen ... 110 W 13
Niederwasser ... 100 V 8
Niederweidbach ... 62 N 9
Niederweiler ... 100 W 6
Niederweis ... 80 Q 3
Niederwerbig ... 43 J 22
Niederwerrn ... 76 P 14
Niederwiesa ... 67 N 23
Niederwihl ... 108 X 8
Niederwillingen ... 65 N 17
Niederwinden ... 100 V 8
Niederwinkling ... 98 T 22
Niederwörresbach ... 81 Q 6
Niederwürschnitz ... 67 N 22
Niederwürzbach ... 82 S 5
Niederzell ... 75 P 12

Niederzeuzheim 73 O 8
Niederzier 58 N 3
Niederzimmern 65 M 17
Niederzissen 71 O 5
Niedringhausen 38 J 9
Niefern-Öschelbronn 93 T 10
Niegripp 42 J 19
Nieheim 51 K 11
Niehorst 38 K 9
Niehuus 5 B 12
Niekrenz 11 D 21
Niel 46 K 2
Nielebock 42 I 20
Niemberg 54 L 20
Niemegk 43 J 22
Niemetal 51 L 13
Nienberge 37 K 6
Nienbergen 31 H 16
Nienborg 36 J 5
Nienborstel 8 D 12
Nienbüttel 8 D 12
Nienburg 54 K 19
Nienburg 29 I 11
Niendorf (Kreis Ludwigslust) 32 G 17
Niendorf (Kreis Nordwestmecklenburg) 21 E 16
Niendorf (Ohre-Kreis) 41 I 17
Niendorf (Hamburg-) 19 F 13
Niendorf (Lübeck-) 21 E 15
Niendorf I (Kreis Uelzen) 31 G 15
Nienhagen (b. Lage) 39 K 10
Nienhagen (b. Leopoldshöhe) 38 J 10
Nienhagen (Kreis Bad Doberan) 11 D 19
Nienhagen (Kreis Celle) 40 I 14
Nienhagen (Kreis Halberstadt) 41 K 17
Nienhagen (Kreis Northeim) 51 K 13
Nienhagen (Kreis Soltau-Fallingbostel) 30 H 12
Nienhagen (Stadtkreis Rostock) 11 D 20
Nienhagen b. Güstrow 23 E 20
Nienhagen b. Teterow 23 E 21
Nienhof 40 I 14
Nienkattbek 8 D 13
Nienstädt 39 J 11
Nienstedt (Kreis Hameln-Pyrmont) 39 J 12
Nienstedt (Kreis Osterode a. Harz) 52 K 14
Nienstedt (Kreis Sangerhausen) 53 L 18
Nienwalde 32 G 18
Nienwohld 20 E 14
Nienwohlde 31 H 15
Niep 46 L 3
Niepars 12 D 22
Nieplitz 43 J 22
Niers 58 M 3
Niersbach 72 Q 4
Niersenbruch 46 L 3
Nierst 48 M 4
Nierstein 74 Q 9
Nierswalde 46 K 2
Niese 51 K 11
Niesen 51 L 11
Niesgrau 5 B 13
Nieska 55 L 24
Niesky 57 M 28
Nieste 51 M 13
Niestetal 51 M 12
Nieukerk 46 L 3
Nievenheim 59 M 4
Nievern 73 O 7
Niewisch 45 J 26
Niewitz 44 K 25
Nikolausberg 52 L 13
Nikolausdorf 27 H 8
Nimburg 100 V 7
Nims 70 P 3
Nimshuscheid 70 P 3
Nimsreuland 70 P 3
Nincop 19 F 13
Nindorf (Kreis Celle) 30 H 13
Nindorf (Kreis Cuxhaven) 18 F 11
Nindorf (Kreis Dithmarschen) 7 D 11
Nindorf (Kreis Harburg) 30 G 14
Nindorf (Kreis Rendsburg-Eckernförde) 8 D 13
Nindorf (Kreis Rotenburg) 30 H 12
Nindorf (Kreis Stade) 19 F 12
Nipmerow 13 C 24
Nischwitz 55 L 22
Nisdorf 12 C 22
Nister 61 N 7
Nister-Möhrendorf 61 O 8
Nistertal 61 O 7
Nitschareuth 66 N 20
Nittel 80 R 3
Nittenau 89 S 20
Nittendorf 90 S 19
Nitzahn 43 I 21
Nitzow 32 H 20
Nobitz 66 N 21
Nochten 57 L 27
Nöbdenitz 66 N 20
Nöbeln 67 N 22
Nöggenschwiel 108 W 8
Nöham 98 U 22
Nöpke 29 I 12
Noer 5 C 14
Nördlicher Binnensee 10 C 17
Nördlicher Teutoburger Waldwiehengebirge (Naturpark) 37 I 8
Nördlingen 95 T 15
Nörten-Hardenberg 52 L 13
Nörting 105 U 18
Nörvenich 58 N 3
Nöschenrode 53 K 16
Nössige 68 M 24
Nöthen 60 O 4
Nötting 97 T 18
Növenthien 31 H 16
Nohen 81 R 5
Nohfelden 81 R 5
Nohn (Kreis Daun) 70 P 4
Nohn (Kreis Merzig-Wadern) 80 R 3
Nohra (Kreis Nordhausen) 52 L 16
Nohra (Kreis Weimar-Land) 65 N 17
Nolde-Museum Seebüll 4 B 10
Nonnberg 106 U 21
Nonnenbach 70 O 3
Nonnendorf (Kreis Ostvorpommern) 13 D 25
Nonnendorf (Kreis Teltow-Fläming) 44 K 23
Nonnenhorn 110 X 12
Nonnenmiß 93 T 9
Nonnenroth 62 O 10
Nonnenweier 100 U 7
Nonnewitz 66 M 20
Nonnweiler 81 R 4
Nonnweiler (Stausee) 81 R 4
Norby (b. Büdelsdorf) 8 C 12
Norby (b. Eckernförde) 5 C 13
Nord Edewecht 27 G 7
Nord-georgsfehnkanal 17 F 7
Nord-Ostsee-Kanal 8 D 12
Nordahn 18 F 11
Nordborchen 50 K 10
Nordburg 30 I 14
Norddeich (Kreis Aurich) 16 F 5
Norddeich (Kreis Dithmarschen) 7 D 10
Norddinker 49 L 7
Norddorf 4 B 9
Norddrebber 30 H 12
Nordel 39 I 10
Norden 16 F 5
Nordenau 62 M 9
Nordenbeck 50 M 10
Nordenberg 86 R 14
Nordendorf 96 U 16
Nordenham 18 F 9
Nordenholz 28 G 9
Nordenstadt 74 P 9
Norderaue 4 C 9
Norderbrarup 5 C 13
Norderfriedrichskoog 7 C 10
Norderhafen 4 C 10
Norderhever 4 C 9
Norderheverkoog 7 C 10
Nordermeldorf 7 D 11
Norderney 16 E 5
Norderney am Leuchturm 16 E 5
Norderoog (Insel) 4 C 9
Norderoogsand (Insel) 4 C 9
Norderschweiburg 18 F 8
Norderstapel 7 C 11
Norderstedt 19 E 14
Norderwöhrden 7 D 11
Nordfeld 7 C 11
Nordfriesische Inseln 4 B 8
Nordfriesland 4 B 10
Nordgeorgsfehn 17 G 7
Nordgermersleben 41 J 18
Nordhackstedt 4 B 11
Nordhalben 77 O 18
Nordhastedt 7 D 11
Nordhausen 53 L 16
Nordheim 84 Q 9
Nordheim (Kreis Donau-Ries) 96 T 16
Nordheim (Kreis Heilbronn) 94 S 11
Nordheim (Kreis Schmalkalden-Meiningen) 76 O 15
Nordheim a. Main 76 Q 14
Nordheim v. d. Rhön 76 O 14
Nordhelle 61 M 7
Nordhemmern 39 I 10
Nordholte 27 I 6
Nordholz 18 E 9
Nordhorn 36 I 5
Nordkampen 30 H 12
Nordkirchen 47 K 6
Nordleda 18 E 10
Nordloh 27 G 7
Nordlohne 26 I 5
Nordmarsch-Langeneß 4 C 9
Nordmentzhausen 18 F 8
Nordperd 13 C 25
Nordpfälzer Bergland 83 R 6
Nordrach 100 U 8
Nordradde 26 H 6
Nordschwaben 108 X 7
Nordsehl 39 I 11
Nordstemmen 40 J 13
Nordstetten 101 U 10
Nordstrand (Gemeinde) 4 C 10
Nordstrandischmoor 4 C 10
Nordstraße 5 B 13
Nordumfluter 45 K 26
Nordvelen 36 K 4
Nordwalde 37 J 6
Nordwohlde 29 H 10
Norf 48 M 4
Norgaardholz 5 B 13
Norheim 73 Q 7
Norstedt 4 C 11
Northeim 52 K 13
Nortmoor 17 G 6
Nortorf (Kreis Rendsburg-Eckernförde) 8 D 13
Nortorf (Kreis Steinburg) 7 E 11
Nortrup 27 I 7
Nossen 67 M 23
Nossendorf 14 E 22
Nossentiner Hütte 23 F 21
Nossentiner-Schwinzer Heide (Naturpark) 23 F 20
Nostorf 21 F 15
Noswendel 81 R 4
Nothfelden 51 L 11
Nothweiler 92 S 7
Notschrei 100 W 7
Nottekanal 44 J 24
Nottensdorf 19 F 12
Notter 52 M 15
Nottfeld 5 C 13
Nottuln 36 K 6
Notzing 105 V 19
Notzingen 94 T 12
Nudersdorf 43 K 21
Nudow 44 J 23
Nübbel 8 D 12
Nübel 5 C 12
Nüchel 9 D 15
Nüdlingen 76 P 14
Nümbrecht 59 N 6
Nünchritz 56 M 24
Nürburg 71 O 4
Nürburgring 71 O 4
Nürnberg 87 R 17
Nürnberg (Flughafen) 87 R 17
Nürtingen 94 U 12
Nüßleshof 64 N 15
Nüst 63 O 13
Nüsttal 63 O 13
Nütterden 46 K 2
Nüttermoor 17 G 6
Nützen 19 E 13
Nufringen 93 U 10
Nunkirchen 80 R 4
Nunsdorf 44 J 23
Nurn 77 P 18
Nusbaum 80 Q 3
Nusplingen 101 V 10
Nußbach (Kreis Kusel) 83 R 7
Nußbach (Ortenaukreis) 92 U 8
Nußbach (Schwarzwald-Baar-Kreis) 101 V 8
Nußbaum 93 T 10
Nußdorf (Bodenseekreis) 110 W 11
Nußdorf (Kreis Ludwigsburg) 93 T 10
Nußdorf (Kreis Traunstein) 106 W 21
Nußdorf a. Inn 113 W 20
Nusse 21 F 15
Nußloch 84 S 10
Nustrow 11 D 21
Nutha 42 K 20
Nuthe 44 J 23
Nuthe (Bach) 42 K 20
Nuthegraben 44 J 23
Nutscheid (Der) 59 N 6
Nuttel 17 G 8
Nutteln 8 E 12
Nuttlar 50 L 9
Nymphenburg (München) 105 V 18

O

Ob 112 W 16
Obbach 76 P 14
Obenhausen 103 V 14
Obenstrohe 17 F 8
Ober-Abtsteinach 84 R 10
Ober Beerbach 84 Q 10
Ober-Bessingen 62 O 10
Ober-Bobritzsch 68 N 24
Ober-Breidenbach 63 N 11
Ober-Erlenbach 74 P 10
Ober-Flörsheim 83 Q 8
Ober-Frauendorf 68 N 25
Ober Gleen 63 N 11
Ober-Hainbrunn 84 R 10
Ober-Heinsdorf 66 O 21
Ober-Hilbersheim 73 Q 8
Ober-Kainsbach 84 Q 10
Ober-Kinzig 84 Q 10
Ober-Klingen 84 Q 10
Ober Kostenz 72 Q 6
Ober-Lais 75 O 11
Ober-Lichtenau 68 M 25
Ober-Mörlen 74 O 10
Ober-Moos 75 O 12
Ober Ochtenhausen 19 F 11
Ober-Ohmen 63 O 11
Ober-Olm 73 Q 8
Ober Rammingen 103 V 15
Ober-Ramstadt 84 Q 10
Ober-Roden 74 Q 10
Ober-Rosbach 74 P 10
Ober Schönmattenwag 84 R 10
Ober-Seemen 75 O 11
Ober-Seibertenrod 63 O 11
Ober-Sensbach 84 R 11
Ober-Waroldern 50 M 10
Ober-Wegfurth 63 N 12
Ober-Werbe 50 M 10
Ober-Wiesen 83 Q 7
Ober Wöllstadt 74 P 10
Oberacker 93 S 10
Oberaden 49 L 6
Oberahr 61 O 7
Oberaichbach 98 U 20
Oberailsfeld 87 Q 18
Oberalba 64 N 14
Oberaltertheim 85 Q 13
Oberammergau 112 X 17
Oberampfrach 86 S 14
Oberappersdorf 97 U 19
Oberasbach 87 R 16
Oberau (Kreis Berchtesgadener Land) 114 X 23
Oberau (Kreis Garmisch-Partenkirchen) 112 X 17
Oberaudorf 113 X 20
Oberauerbach 82 S 6
Oberauerkiel 91 S 23
Oberaula 63 N 12
Oberaurach 76 Q 15
Oberaußem 58 N 4
Oberbach 75 O 13
Oberbalbach 85 R 13
Oberbalzheim 103 V 14
Oberbauer 49 M 6
Oberbauerschaft 38 J 9
Oberbechingen 95 U 15
Oberbeisheim 63 M 12
Oberbergen 100 V 6
Oberbergkirchen 106 V 21
Oberberken 94 T 12
Oberbernbach 104 U 17
Oberbessenbach 75 Q 11
Oberbettingen 70 P 3
Oberbiberg 105 W 18
Oberbibrach 88 Q 19
Oberbieber 71 O 6
Oberbiel 62 O 9
Oberbillig 80 Q 3
Oberbodnitz 66 N 19
Oberböhmsdorf 66 O 19
Oberbösa 53 M 17
Oberboihingen 94 U 12
Oberbränd 101 W 8
Oberbrechen 73 O 8
Oberbrombach 81 Q 5
Oberbruch-Dremmen 58 M 2
Oberbrüden 94 T 12
Oberbrügge 49 M 6
Oberbrumberg 77 P 18
Oberbrunn 77 P 16
Obercarsdorf 68 N 24
Obercrinitz 67 O 21
Obercunnersdorf 69 M 28
Oberdachstetten 86 R 15
Oberderdingen 93 S 10
Oberdielbach 84 R 11
Oberdiendorf 99 U 24
Oberdieten 62 N 9
Oberdigisheim 101 V 10
Oberding 105 V 19
Oberdischingen 102 V 13
Oberdolling 97 T 18
Oberdorf 67 N 22
Oberdorf a. Ipf 95 T 15
Oberdorf b. Immenstadt 111 X 14
Oberdorf b. Langenargen 110 X 12
Oberdorla 64 M 15
Oberdrees 60 O 4
Oberdünzebach 64 M 14
Obere Bauerschaft 30 I 12
Obere Donau (Naturpark) 101 V 10
Oberegg 103 W 15
Obereggenen 100 W 6
Obereichenbach 86 S 15
Obereichstätt 96 T 17
Obereisenheim 76 Q 14
Obereisesheim 85 S 11
Oberelchingen 103 U 14
Oberellen 64 N 14
Oberellenbach 97 T 20
Oberelsbach 76 O 14
Oberelsungen 51 L 11
Oberembt 58 N 3
Oberempfenbach 97 U 19
Oberems 74 P 9
Oberensingen 94 U 11
Oberer Bayerischer Wald (Naturpark) 89 S 21
Oberer Mundatwald 92 S 7
Oberergoldsbach 97 T 20
Obererlbach 87 S 16
Obererthal 75 P 13
Oberesch 80 R 3
Obereschach (Kreis Ravensburg) 110 W 12
Obereschach (Schwarzwald-Baar-Kreis) 101 V 9
Obereschenbach 75 P 13
Oberessendorf 102 W 13
Obereßfeld 76 P 15
Oberfeldbrecht 86 R 15
Oberfeldkirchen 106 V 21
Oberfell 71 P 6
Oberferrieden 87 S 17
Oberfischach 95 S 13
Oberfischbach 61 N 7
Oberflacht 101 V 10
Oberflossing 106 V 21
Obergartzem 60 O 4
Obergebra 52 L 15
Obergeis 63 N 12
Obergermaringen 104 W 16
Obergessenbach 98 U 22
Obergessertshausen 103 V 15
Obergimpern 84 S 11
Oberginsbach 85 R 13
Oberglottertal 100 V 7
Obergräfenhain 67 N 22
Obergrenzebach 63 N 11
Obergriesbach 104 U 17
Obergriesheim 85 S 11
Obergröningen 95 T 13
Obergrombach 93 S 9
Obergünzburg 103 W 15
Obergurig 69 M 27
Oberhaching 105 V 18
Oberhäslich 68 N 25
Oberhaid 77 Q 16
Oberhain 65 O 17
Oberham 106 U 23
Oberhambach 81 Q 5
Oberhammelwarden 18 G 9
Oberharmersbach 100 U 8
Oberhartheim 97 T 18
Oberhaselbach 97 T 20
Oberhausen (Kreis Emmendingen) 100 V 7
Oberhausen (Kreis Neuburg-Schrobenhausen) 96 T 17
Oberhausen (Kreis Oberhausen) 47 L 4
Oberhausen (Kreis Weilheim-Schongau) 112 W 17
Oberhausen a. d. Appel 83 Q 7
Oberhausen a. d. Nahe 83 Q 7
Oberhausen b. Oldenburg 28 G 9
Oberhausen-Rheinhausen 84 S 9
Oberhaverbeck 30 G 13
Oberheimbach 73 P 7
Oberheldrungen 53 M 17
Oberhembach 87 S 17
Oberhenneborn 50 M 8
Oberhermsgrün 79 O 20
Oberhinkofen 90 T 20
Oberhirschberg 91 T 22
Oberhochstatt 96 S 17
Oberhöchstadt 74 P 9
Oberhöcking 98 U 21
Oberhörne 18 G 9
Oberhof (Kreis Nordwestmecklenburg) 10 E 17
Oberhof (Kreis Schmalkalden-Meiningen) 64 N 16
Oberhohenried 76 P 15
Oberholzhausen 62 M 10
Oberholzheim 103 V 13
Oberholzklau 61 N 7
Oberhummel 105 U 19
Oberhundem 61 M 8
Oberickelsheim 86 R 14
Oberiflingen 101 U 9
Oberirsen 59 N 6
Oberjettenberg 114 W 22
Oberjettingen 93 U 10
Oberjoch 111 X 15
Oberjosbach 74 P 9
Oberkail 70 P 4
Oberkalbach 75 O 13
Oberkammlach 103 V 15
Oberkatz 64 O 14
Oberkaufungen 51 M 12
Oberkessach 85 R 12
Oberkirch 92 U 8
Oberkirchen (Hochsauerlandkreis) 62 M 9
Oberkirchen (Kreis St. Wendel) 81 R 5
Oberkirn 72 Q 6
Oberkirnach 101 V 8
Oberkleen 74 O 9
Oberkochen 95 T 14
Oberköst 86 Q 16
Oberkollbach 93 T 10
Oberkollwangen 93 T 9
Oberkotzau 78 P 19
Oberküps 77 P 17
Oberkürnach 111 W 14
Oberlahr 61 O 6
Oberlangau 89 R 21
Oberlangen 26 H 5
Oberlangenstadt 77 P 17
Oberlangheim 77 P 17
Oberlascheid 70 P 2
Oberlauchringen 109 X 8
Oberlauringen 76 P 15
Oberlausitz 68 M 26
Oberlauterbach (Kreis Landshut) 97 T 19
Oberlauterbach (Kreis Pfaffenhofen a. d. Ilm) 97 U 18
Oberleichtersbach 75 P 13
Oberleinach 75 Q 13
Oberlemp 62 O 9
Oberlenningen 94 U 12
Oberlethe 27 G 8
Oberleuken 80 R 3
Oberlichtenau 67 N 22
Oberlind (Kreis Neustadt a. d. Waldnaab) 89 R 20
Oberlind (Kreis Sonneberg) 77 O 17

Oberlindhart 97 T 20
Oberlinxweiler 81 R 5
Oberlistingen 51 L 11
Oberloquitz 65 O 18
Oberlübbe 39 J 10
Oberlungwitz 67 N 22
Obermässing 96 S 17
Obermaiselstein 111 X 14
Obermarchtal 102 V 12
Obermarsberg 50 L 10
Obermaßfeld-Grimmenthal 76 O 15
Obermaubach 58 N 3
Obermehler 52 M 15
Obermeiser 51 L 11
Obermeitingen 104 V 16
Obermelsungen 63 M 12
Obermögersheim 96 S 15
Obermoschel 83 Q 7
Obermühlhausen 104 W 17
Obermünchen 97 U 19
Obermünstertal 100 W 7
Obermurach 89 R 21
Obernau *(Kreis Aschaffenburg)* 101 U 10
Obernau *(Kreis Tübingen)* 75 Q 11
Obernau-Stausee 61 N 8
Obernbreit 86 R 14
Obernburg 75 Q 11
Oberndorf *(Kreis Cuxhaven)* 19 E 11
Oberndorf *(Kreis Nürnberger Land)* 87 R 17
Oberndorf *(Lahn-Dill-Kreis)* 62 O 9
Oberndorf *(Main-Kinzig-Kreis)* 75 P 12
Oberndorf a. Lech 96 T 16
Oberndorf a. Neckar 101 V 9
Oberneisen 73 P 8
Oberneuching 105 V 19
Oberneudorf 85 R 11
Oberneufnach 103 V 15
Oberneukirchen 106 V 21
Oberneuland 29 G 10
Obernfeld 52 L 14
Obernhain 74 P 9
Obernhausen 76 O 13
Obernheim 101 V 10
Obernheim-Kirchenarnbach 81 R 6
Obernhof 73 P 7
Obernholz 31 H 15
Obernitz 65 O 18
Obernjesa 51 L 13
Obernkirchen 39 J 11
Obernsees 77 Q 18
Oberntief 86 R 15
Oberntudorf 50 L 9
Obernüst 64 O 13
Obernwöhren 39 J 11
Obernwohlde 9 E 15
Obernzell 99 U 24
Obernzenn 86 R 15
Oberoderwitz 69 N 28
Oberölsbach 87 R 18
Oberöwisheim 84 S 10
Oberohe 30 H 14
Oberoppurg 66 N 19
Oberornau 105 V 20
Oberostendorf 104 W 16
Oberotterbach 92 S 7
Oberottmarshausen 104 V 16
Oberpfälzer Wald 89 Q 20
Oberpfälzer Wald (Naturpark) 89 R 21
Oberpfaffenhofen 104 V 17
Oberpferdt 78 P 19
Oberpframmern 105 V 19
Oberpfraundorf 90 S 19
Oberpiebing 98 T 21
Oberpleichfeld 76 Q 14
Oberpleis 59 N 5
Oberpöring 98 T 22
Oberprechtal 100 V 8
Oberquembach 74 O 9
Oberreichenbach *(Kreis Calw)* 93 T 9
Oberreichenbach *(Kreis Erlangen-Höchstadt)* 86 R 16
Oberreichenbach *(Kreis Fürth)* 86 R 16
Oberreichenbach *(Main-Kinzig-Kreis)* 75 O 11
Oberreidenbach 81 Q 6
Oberreifenberg 74 P 9
Oberreißen 65 M 18
Oberreute 111 X 13
Oberried *(Kreis Breisgau-Hochschwarzwald)* 100 W 7
Oberried *(Kreis Regen)* 91 S 23
Oberrieden *(Kreis Saalfeld-Rudolstadt)* 51 M 13
Oberrieden *(Kreis Unterallgäu)* 103 V 15
Oberriexingen 94 T 11
Oberriffingen 95 T 14
Oberrimbach *(Kreis Neustadt a. d. A.-Bad W.)* 86 Q 15
Oberrimbach *(Main-Tauber-Kreis)* 86 R 14
Oberrimsingen 100 W 7
Oberrodenbach 74 P 11
Oberröblingen 53 L 17
Oberroning 97 T 20
Oberrosphe 62 N 10
Oberroßbach 62 N 8
Oberrot 94 S 12
Oberroth *(Kreis Dachau)* 104 V 17
Oberroth *(Kreis Neu-Ulm)* 103 V 14
Oberrotweil 100 V 6
Obersalwey 49 M 8
Obersalzberg 114 X 23
Oberschambach 97 T 19
Oberschefflenz 85 R 11
Oberscheidweiler 71 P 4
Oberscheinfeld 86 Q 15
Oberscheld 62 N 9
Oberschledorn 50 M 10
Oberschleißheim 105 V 18
Oberschmeien 102 V 11
Oberschneiding 98 T 21
Oberschömbach 70 O 3
Oberschöna 67 N 23
Oberschönau 64 N 15
Oberschöneberg 103 V 15
Oberschönegg 103 V 14
Oberschönenfeld 104 V 16
Oberschopfheim 100 U 7
Oberschwandorf 93 U 9
Oberschwappach 76 Q 15
Oberschwarzach 76 Q 15
Oberschweinbach 104 V 17
Obersdorf *(Kreis Mansfelder Land)* 53 L 17
Obersdorf *(Kreis Siegen-Wittgenstein)* 61 N 8
Obersdorf (Hermersdorf-) 35 I 26
Obersee 33 H 21
Obersee 114 X 22
Oberseifersdorf 69 N 28
Obersgegen 80 Q 2
Obershagen 40 I 14
Obershausen 61 O 8
Obersimten 83 S 6
Obersinn 75 P 12
Obersöchering 112 W 17
Obersontheim 95 S 13
Oberspechtrain 98 U 21
Oberspeltach 95 S 13
Oberspier 53 M 16
Oberspiesheim 76 Q 14
Oberspitzenbach 100 V 7
Oberstadion 102 V 13
Oberstadt 64 O 15
Oberstadtfeld 70 P 4
Oberstaufen 111 X 14
Oberstaufenbach 81 R 6
Oberstdorf 111 X 14
Oberste Henn 61 N 8
Obersteeg 59 N 5
Obersteinach 85 S 13
Obersteinbach 94 S 12
Obersteinbach a. d. Haide 87 S 16
Obersteinhagen 38 K 9
Oberstenfeld 94 S 11
Oberstetten 102 V 11
Oberstimm 96 T 18
Oberstreu 76 O 14
Obersülzen 83 R 8
Obersüßbach 97 U 19
Obersuhl 64 N 14
Obersulmetingen 102 V 13
Obersulzbach 86 R 15
Obersunzing 98 T 21
Obertal 93 U 8
Obertalheim 93 U 9
Obertaufkirchen 105 V 20
Oberteisendorf 106 W 22
Oberteuringen 110 W 12
Oberthal 81 R 5
Obertheres 76 P 15
Oberthingau 111 W 15
Oberthulba 76 P 13
Obertiefenbach 73 O 8
Obertraubling 90 T 20
Obertrennbach 98 U 21
Obertrubach 87 Q 18
Obertshausen 74 P 10
Obertsrot 93 T 9
Oberückersee 34 G 25
Oberufhausen 63 N 13
Oberuhldingen 110 W 11
Oberurff 63 M 11
Oberursel 74 P 9
Oberveischede 61 M 7
Obervellmar 51 L 12
Oberviechtach 89 R 21
Oberviehbach 98 U 21
Obervieland 29 G 10
Oberwachingen 102 V 12
Oberwald 75 O 11
Oberwaldbach 103 U 15
Oberwaldbehrungen 76 O 14
Oberwalluf 73 P 8
Oberwarngau 105 W 19
Oberweid 64 O 14
Oberweidbach 62 N 9
Oberweier *(Kreis Karlsruhe)* 93 T 9
Oberweier *(Ortenaukreis)* 100 U 7
Oberweiler 70 P 3
Oberweiler-Tiefenbach 81 R 6
Oberweis 70 Q 3
Oberweißbach 65 O 17
Oberweißenbrunn 76 O 13
Oberwesel 73 P 7
Oberweser 51 L 12
Oberwetz 74 O 9
Oberwiehl 61 N 6
Oberwiera 67 N 21
Oberwiesenacker 88 S 18
Oberwiesenthal 79 O 22
Oberwihl 108 X 8
Oberwildenau 88 R 20
Oberwinden 100 V 8
Oberwinter 60 O 5
Oberwittighausen 85 R 13
Oberwittstadt 85 R 12
Oberwössen 114 W 21
Oberwolfach 100 V 8
Oberzeitlbach 104 U 17
Oberzell *(Kreis Konstanz)* 110 W 11
Oberzell *(Kreis Ravensburg)* 110 W 12
Oberzell *(Main-Kinzig-Kreis)* 75 P 13
Oberzella 64 N 14
Oberzeuzheim 73 O 8
Oberzier 58 N 3
Oberzissen 71 O 5
Obhausen 54 L 18
Obing 106 V 21
Obrigheim 84 R 11
Obrigheim (Pfalz) 83 R 8
Obrighoven 46 L 3
Ocholt 27 G 7
Ochsenbach 93 S 10
Ochsenberg 95 T 14
Ochsendorf 41 J 16
Ochsenfeld 96 T 17
Ochsenfurt 86 R 14
Ochsenhausen 103 V 13
Ochsenkopf *(Kreis Bayreuth Land)* 78 P 19
Ochsenkopf *(Kreis Wittenberg)* 55 K 21
Ochsensaal 55 L 22
Ochsenwang 94 U 12
Ochsenwerder *(Hamburg)* 20 F 14
Ochtelbur 17 F 6
Ochtendung 71 O 6
Ochtersum *(Kreis Hildesheim)* 40 J 13
Ochtersum *(Kreis Wittmund)* 17 F 6
Ochtmannien 29 H 10
Ochtmannsbruch 19 F 13
Ochtmersleben 42 J 18
Ochtmissen 20 G 15
Ochtrup 36 J 5
Ochtum 29 G 10
Ockenheim 73 Q 7
Ockfen 80 R 3
Ockholm 4 B 10
Ockrilla 68 M 24
Ockstadt 74 P 10
Odderade 7 D 11
Odelzhausen 104 V 17
Odenbach 81 Q 6
Odendorf 60 O 4
Odenhausen 62 O 10
Odenheim 84 S 10
Odenkirchen 58 M 3
Odenspiel 61 N 7
Odenthal 59 M 5
Odenwald 84 R 10
Oder *(Fluß b. Wulften)* 52 L 14
Oder-Havel-Kanal 34 H 24
Oder-Spree-Kanal 44 I 25
Oderberg 35 H 26
Oderbruch 35 H 26
Oderbrück 52 K 15
Oderding 104 W 17
Oderin 44 J 25
Odernheim a. Glan 83 Q 7
Odersbach 73 O 8
Odersberg 61 O 8
Odershausen 63 M 11
Oderstausee 52 L 15
Oderteich 52 K 15
Oderwald 41 J 15
Odisheim 18 E 10
Oebelitz 12 D 22
Oebisfelde 41 I 16
Oechsen 64 N 14
Oechtringen 31 G 15
Oedelsheim 51 L 12
Oedelum 40 J 14
Ödenwald 101 U 9
Ödenwaldstetten 102 U 12
Oederan 67 N 23
Oederquart 19 E 11
Oedesse 40 I 14
Oedheim 85 S 11
Oeding 36 K 4
Oedingen 61 M 8
Ödsbach 92 U 8
Oedt 46 M 3
Öfingen 101 W 9
Öflingen 108 X 7
Öhe 13 C 23
Oehna 43 K 23
Öhningen 109 X 10
Öhringen 85 S 12
Oekoven 58 M 3
Oelber 40 J 14
Ölbronn-Dürrn 93 T 10
Oelde 49 K 8
Oelixdorf 8 E 12
Öllingen 95 U 14
Oellingen 86 R 14
Oelsa 68 N 25
Oelsen 68 N 25
Oelshausen 51 M 11
Oelsig 55 K 24
Oelsnitz 78 O 20
Oelsnitz (Erzgebirge) 67 N 22
Oelsnitz-Niegeroda 56 L 24
Oelze 65 O 17
Oelzschau 55 M 21
Önsbach 92 U 8
Oepfershausen 64 O 14
Öpfingen 102 V 13
Oer-Erkenschwick 47 L 5
Oerel 18 F 11
Oering 20 E 14
Oerlenbach 76 P 14
Oerlinghausen 38 K 9
Oermten 46 L 3
Oerrel *(Kreis Gifhorn)* 31 H 15
Oerrel *(Kreis Soltau-Fallingbostel)* 30 H 14
Oerreler Moor 31 H 15
Oersdorf *(Kreis Rendsburg-Eckernförde)* 8 D 12
Oersdorf *(Kreis Stade)* 19 F 12
Örtze 30 H 14
Oerzen 31 G 14
Oeschebüttel 8 E 13
Öschelbronn *(Kreis Böblingen)* 93 U 10
Öschelbronn (Niefern-) *(Enzkreis)* 93 T 10
Öschingen 102 U 11
Oesdorf 50 L 10
Oesdorf 87 Q 16
Oese 18 F 11
Oesede 37 J 8
Oesfeld 85 R 13
Oeslau 77 P 17
Oester 37 K 8
Oester-Stausee 61 M 7
Oesterbehringen 64 M 15
Oesterdeichstrich 7 D 10
Oestereiden 50 L 9
Österfeld 61 M 7
Oesterholz 50 K 10
Oesterweg 37 J 8
Österwiehe 50 K 9
Oesterwurth 7 D 10
Oestheim 86 S 14
Oestinghausen 49 L 8
Östliche Karwendelspitze 112 X 18
Oestrich-Winkel 73 P 8
Östringen 84 S 10
Östrum 40 J 14
Ötigheim 93 T 8
Ötisheim 93 T 10
Oetjendorf 20 E 15
Oettern 65 N 18
Oettersdorf 66 O 19
Oettingen 95 T 15
Oetzen 31 G 16
Oetzendorf 31 G 15
Ötzingen 61 O 7
Oeventrop 49 L 8
Oeverich 60 O 5
Oeversee 5 B 12
Oeynhausen 51 K 11
Offdilln 61 N 8
Offen 30 H 13
Offenau 85 S 11
Offenbach *(Frankfurt)* 74 P 10
Offenbach *(Lahn-Dill-Kreis)* 62 N 9
Offenbach a. d. Queich 83 S 8
Offenbach Hundheim 81 R 6
Offenbau 96 S 17
Offenberg 98 T 22
Offenbüttel 8 D 12
Offenburg 92 U 7
Offenhausen *(Kreis Nürnberger Land)* 87 R 18
Offenheim 83 Q 8
Offensen *(Kreis Celle)* 30 I 14
Offensen *(Kreis Northeim)* 51 L 13
Offenstetten 97 T 19
Offenthal 74 Q 10
Offenwang 106 W 22
Offingen *(Kreis Biberach a. d. Riß)* 102 V 12
Offingen *(Kreis Günzburg)* 103 U 15
Offleben 41 J 17
Offstein 83 R 8
Ofterdingen 101 U 11
Ofterschwang 111 X 14
Oftersheim 84 R 9
Ogenbargen 17 F 6
Oggelsbeuren 102 V 13
Oggelshausen 102 V 12
Oggenhausen 95 T 14
Oggersheim 84 R 9
Ogrosen 56 K 26
Oha 8 D 12
Ohe *(Fluß)* 27 H 6
Ohe *(Fluß)* 99 T 23
Ohe *(Kreis Celle)* 30 H 14
Ohe *(Kreis Rendsburg-Eckernförde)* 8 D 13
Ohl 59 M 6
Ohle 49 M 7
Ohlenberg 60 O 5
Ohlendorf 20 F 14
Ohlendorf (Salzgitter-) 40 J 15
Ohlenrode 40 K 13
Ohlenstedt 18 G 10
Ohlerath 60 O 4
Ohlsbach 100 U 7
Ohlstadt 112 X 17
Ohm 62 O 11
Ohmenhausen 94 U 11
Ohmenheim 95 T 15
Ohmgebirge 52 L 15
Ohnastetten 102 U 11
Ohndorf 39 I 12
Ohne 36 J 5
Ohof 40 I 14
Ohorn 68 M 26
Ohr 39 J 12
Ohratalsperre 64 N 16
Ohrdorf 31 H 16
Ohrdruf 64 N 16
Ohre 41 I 17
Ohrel 19 F 11
Ohrenbach *(Stadt)* 86 R 14
Ohrensen 19 F 12
Ohrn 94 S 12
Ohrnberg 85 S 12
Ohrsleben 41 J 16
Ohrt 18 G 9
Ohrte 27 I 7
Ohrtermersch 27 I 7
Ohrum 41 J 15
Ohu 97 U 20
Oie 12 C 22
Oiste 29 H 11
Okarben 74 P 10
Okel 29 H 10
Oker 40 K 15
Okerstausee 52 K 15
Okertal 52 K 15
Okriftel 74 P 9
Oland 4 B 10
Olbernhau 68 O 24
Olberode 63 N 12
Olbersdorf 69 N 28
Olbersleben 65 M 18
Olching 104 V 17
Oldau 30 I 13
Oldeborg 17 F 5
Oldenbrok 18 G 9
Oldenbüttel *(Kreis Osterholz)* 18 G 10
Oldenbüttel *(Kreis Rendsburg-Eckernförde)* 8 D 12
Oldenburg *(Stadtkreis Oldenburg)* 27 G 8
Oldenburg i. Holstein 10 D 16
Oldenburger Graben 10 D 16
Oldendorf *(Kreis Celle)* 30 H 14
Oldendorf *(Kreis Hameln-Pyrmont)* 40 J 12
Oldendorf *(Kreis Osnabrück)* 38 J 8
Oldendorf *(Kreis Osterholz)* 18 F 10
Oldendorf *(Kreis Rotenburg)* 19 G 11
Oldendorf *(Kreis Stade)* 19 F 11
Oldendorf *(Kreis Steinburg)* 8 E 12
Oldendorf (Luhe) 30 G 14
Oldendorf a. d. Göhrde 31 G 16
Oldendorp 16 G 5
Oldenhütten 8 D 13
Oldenkott 36 J 4
Oldenstadt 31 H 15
Oldenswort 7 C 10
Oldentrup 38 J 9
Oldersbek 4 C 11
Oldershausen 20 F 15
Oldersum 17 G 6
Olderup 4 C 11
Oldisleben 53 M 17
Oldorf 17 F 7
Oldsum 4 B 9
Olef 70 O 3
Olef-Stausee 70 O 3
Olewig 80 Q 3
Olfen *(Kreis Coesfeld)* 47 K 6
Olfen *(Odenwaldkreis)* 84 R 10
Olk 80 Q 3
Ollarzried 103 W 15
Ollendorf 65 M 17
Ollheim 59 N 4
Ollsen 30 G 14
Olpe 61 M 7
Olpe *(Hochsauerlandkreis)* 49 L 8
Olpe *(Rheinisch-Bergischer Kreis)* 59 M 5
Olpenitzdorf 5 C 14
Olsberg 50 L 9
Olsbrücken 81 R 6
Oltmannsfehn 17 F 7
Olvenstedt 42 J 18
Olzheim 70 P 3
Ommersheim 82 S 5
Onolzheim 95 S 14
Onstmettingen 101 V 10
Oos 70 P 3
Opelzoo 74 P 9
Opfenbach 110 X 13
Opferbaum 76 Q 14
Opferdingen 101 W 9
Opfingen 100 V 7
Opladen 59 M 5
Oppach 69 M 27
Oppau 84 R 9
Oppelhain 56 L 24

Oppeln 18 E 10
Oppelsbohm 94 T 12
Oppenau 92 U 8
Oppendorf 38 I 9
Oppenheim 74 Q 9
Oppenwehe 38 I 9
Oppenweiler 94 T 12
Opperhausen *(Kreis Northeim)* 52 K 13
Oppershausen *(Kreis Celle)* 30 I 14
Oppershausen *(Unstrut-Hainich-Kreis)* 64 M 15
Oppershofen 74 O 10
Oppertshofen 96 T 16
Oppin 54 L 20
Oppingen 94 U 13
Oppitz 57 M 27
Oppum 48 M 3
Oppurg 66 N 18
Oranienbaum 54 K 21
Oranienburg 34 H 23
Orbis 83 Q 7
Orbke 30 H 13
Ording 7 C 9
Orenhofen 72 Q 3
Orke 62 M 10
Orla 65 N 18
Orlamünde 65 N 18
Orleshausen 74 P 11
Orlishausen 65 M 17
Ormesheim 82 S 5
Ormont 70 P 3
Ornbau 86 S 15
Orscholz 80 R 3
Orsenhausen 103 V 13
Orsfeld 70 P 3
Orsingen 101 W 10
Orsingen-Nenzingen 101 W 10
Orsoy 46 L 4
Ortenberg *(Ortenaukreis)* 92 U 7
Ortenberg *(Wetteraukreis)* 74 O 11
Ortenburg 99 U 23
Orth 10 C 17
Ortmannsdorf 67 N 21
Ortrand 56 L 25
Ortshausen 40 K 14
Ortwig 35 H 27
Osann-Monzel 72 Q 4
Osberghausen 59 N 6
Osburger Hochwald 80 R 4
Oschätzchen 56 L 24
Oschatz 55 M 23
Oschersleben 41 J 17
Oschitz 66 O 19
Osdorf 9 C 14
Osdorf (Hamburg-) 19 F 13
Osloß 41 I 16
Osnabrück 37 J 8
Ossa 67 M 21
Osseck 78 P 19
Ossenbeck 28 I 9
Ossenberg 46 L 3
Ossendorf *(Kreis Höxter)* 51 L 11
Ossendorf *(Kreis Oder-Spree)* 45 J 27
Ossenheim 74 P 10
Oßling 56 L 26
Oßmannstedt 65 M 18
Ost-Langenhorn 4 B 10
Ostbense 17 E 6
Ostbevern 37 J 7
Ostbüren 49 L 7
Ostdorf 101 V 10
Oste 19 G 12
Oste-Hamme Kanal 18 F 10
Ostedt 31 H 16
Osteel 16 F 5
Ostelsheim 93 T 10
Osten 19 E 11
Ostenau 5 C 11
Ostendorf *(Kreis Cloppenburg)* 27 H 7
Ostendorf *(Kreis Osterholz)* 29 G 10
Ostendorf *(Kreis Stade)* 19 F 11
Ostendorf *(Kreis Steinfurt)* 37 J 6
Ostenfeld (Husum) 5 C 11
Ostenfeld (Rendsburg) 8 D 13
Ostenfelde *(Kreis Osnabrück)* 37 J 8
Ostenfelde *(Kreis Warendorf)* 37 K 8
Ostenholz 30 H 13
Ostenholzer Moor 30 H 13
Ostenwalde *(Kreis Emsland)* 27 H 6
Ostenwalde *(Kreis Steinfurt)* 37 I 6
Oster-Ohrstedt 5 C 11
Osterath 48 M 3
Osterbach 99 T 24
Osterberg *(Kreis Neu-Ulm)* 103 V 14
Osterberg *(Kreis Steinfurt)* 37 J 7
Osterbrock 26 I 5
Osterbruch 18 E 10
Osterbuch 96 U 16
Osterburg 32 H 19
Osterburken 85 R 12
Osterby *(Kreis Rendsburg-Eckernförde)* 5 C 13
Osterby *(Kreis Schleswig-Flensburg)* 5 B 11
Ostercappeln 37 I 8
Ostereistedt 19 G 11
Osterems 16 F 4
Osterfeine 28 I 8
Osterfeld 66 M 19
Osterhagen 52 L 15
Osterhausen *(Kreis Cloppenburg)* 27 H 8
Osterhausen *(Kreis Mansfelder Land)* 53 L 18
Osterhever 7 C 10
Osterhofen *(Kreis Deggendorf)* 98 T 23
Osterhofen *(Kreis Ravensburg)* 102 W 13
Osterholz *(Kreis Diepholz)* 29 H 10
Osterholz (Bremen-) 29 G 10
Osterholz-Scharmbeck 18 G 10
Osterhorn 19 E 13
Osterlinde 40 J 14
Osterlindern 27 H 7
Ostermarsch *(Kreis Aurich)* 16 F 5
Ostermarsch *(Kreis Nordfriesland)* 4 C 11
Ostermoor 27 G 7
Ostermünchen 105 W 20
Ostermunzel 39 I 12
Osterndorf 18 F 10
Osternienburg 54 K 20
Osternohe 87 R 18
Osteroda *(Kreis Elbe-Elster)* 55 K 23
Osterode *(Kreis Halberstadt)* 41 J 16
Osterode a. Harz 52 K 14
Osteroden 37 I 7
Osterrade 8 D 12
Osterrönfeld 8 D 13
Ostersander 17 F 6
Ostersee 112 W 17
Ostersode 18 G 10
Osterspai 71 P 6
Osterstedt 8 D 12
Ostertimke 19 G 11
Ostervesede 30 G 12
Osterwaal 97 U 19
Osterwald *(Kreis Grafschaft-Bentheim)* 26 I 5
Osterwald *(Kreis Hameln-Pyrmont)* 40 J 12
Osterwald *(Kreis Hannover Land)* 39 J 12
Osterwald *(Kreis Pirmasens)* 50 M 9
Osterwald Oberende 39 I 12
Osterwanna 18 E 10
Osterwarngau 105 W 19
Osterweddingen 42 J 18
Osterwick 36 J 5
Osterwieck 41 K 16
Osterwohld 7 D 11
Osterwohle 31 H 17
Osterzell 104 W 16
Osterzhausen 96 U 16
Ostfildern 94 T 11
Ostfriesische Inseln 16 E 4
Ostfriesland 17 F 5
Ostgroßefehn 17 F 6
Osthausen-Wülfershausen 65 N 17
Ostheim *(Kreis Haßberge)* 76 P 15
Ostheim *(Kreis Weißenburg-Gunzenhausen)* 96 S 16
Ostheim *(Main-Kinzig-Kreis)* 74 P 10
Ostheim *(Schwalm-Eder-Kreis)* 63 M 12
Ostheim *(Wetteraukreis)* 74 O 10
Ostheim v. d. Rhön 76 O 14
Osthelden 61 N 7
Osthofen 84 Q 8
Ostingersleben 41 J 17
Ostinghausen 50 L 8
Ostland 16 F 4
Ostönnen 49 L 8
Ostpeene 24 F 22
Ostrach 102 W 12
Ostramondra 65 M 17
Ostrau *(Kreis Döbeln)* 55 M 23
Ostrau *(Saalkreis)* 54 L 20
Ostrauer Scheibe 69 N 26
Ostrhauderfehn 27 G 6
Ostritz 69 M 28
Ostro 68 M 26
Ostrohe 7 D 11
Ostsee-Bäderstraße 9 E 16
Oststeinbek 20 F 14
Osttünnen 49 L 7
Otersen 29 H 12
Othfresen 40 J 15
Otrang (Römische Villa) 70 P 3
Ottacker 111 X 15
Ottbergen 40 J 14
Ottbergen 51 K 11
Ottelmannshausen 76 O 15
Ottenau 93 T 9
Ottenbach 94 T 13
Ottenbüttel 8 E 12
Ottendorf *(Kreis Mittweida)* 67 N 22
Ottendorf *(Kreis Rendsburg-Eckernförde)* 9 C 14
Ottendorf *(Kreis Sächsische Schweiz)* 69 N 26
Ottendorf *(Kreis Schwäbisch Hall)* 94 S 13
Ottendorf *(Kreis Stade)* 19 F 12
Ottendorf *(Saale-Holzland-Kreis)* 66 N 19
Ottendorf-Okrilla 68 M 25
Ottengrün 79 Q 21
Ottenhausen *(Kreis Höxter)* 50 K 11
Ottenhausen *(Kreis Sömmerda)* 53 M 17
Ottenheim 100 U 7
Ottenhöfen 92 U 8
Ottenhof 87 Q 18
Ottenhofen 105 V 19
Ottensoos 87 R 18
Ottenstein *(Kreis Borken)* 36 J 4
Ottenstein *(Kreis Holzminden)* 39 K 12
Otter 19 G 13
Otterbach *(Stadt)* 83 R 7
Otterberg *(Kaiserslautern)* 83 R 7
Otterfing 105 W 19
Ottering 98 T 21
Otterloh 105 W 18
Otterndorf 18 E 10
Otternhagen 39 I 12
Ottersberg 29 G 11
Ottersdorf *(Kreis Rastatt)* 92 T 8
Ottersdorf *(Kreis Roth)* 87 S 17
Ottersheim 83 S 8
Otterskirchen 99 U 23
Ottersleben 42 J 18
Otterstadt 84 R 9
Otterstedt 29 G 11
Otterswang *(Kreis Ravensburg)* 102 W 12
Otterswang *(Kreis Sigmaringen)* 102 W 11
Ottersweier 92 T 8
Otterwisch 55 M 21
Ottfingen 61 N 7
Otting 106 W 22
Otting-Weilheim 96 T 16
Ottingen 30 H 12
Ottlar 50 M 10
Ottmannsdorf 66 N 19
Ottmaring *(Kreis Aichach-Friedberg)* 104 V 17
Ottmaring *(Kreis Deggendorf)* 98 T 22
Ottmarsbocholt 47 K 6
Ottobeuren 103 W 14
Ottobrunn 105 V 18
Ottorfszell 85 R 11
Ottoschwanden 100 V 7
Ottowind 77 O 16
Ottrau 63 N 12
Ottweiler 81 R 5
Otzberg 84 Q 10
Otze 40 I 14
Otzenhausen 81 R 4
Otzenrath 58 M 3
Otzing 98 T 22
Our 70 Q 2
Ovelgönne *(Kreis Celle)* 30 I 13
Ovelgönne *(Kreis Stade)* 19 F 13
Ovelgönne *(Kreis Wesermarsch)* 18 F 9
Ovelgünne 41 J 17
Ovendorf 9 D 14
Ovenhausen 51 K 11
Ovenstädt 39 I 10
Over 20 F 14
Overath 59 N 5
Overwarfe 18 F 9
Owen 94 U 12
Owingen *(Bodenseekreis)* 102 W 11
Owingen *(Zollernalbkreis)* 101 U 10
Owschlag 8 C 12
Oxstedt 18 E 9
Oy 111 X 15
Oybin 69 N 28
Oyle 29 I 11
Oytal 111 X 14
Oyten 29 G 11
Oythe 28 H 8

P

Paar 96 U 17
Paaren 43 I 22
Paaren i. Glien 34 I 22
Paarsch 23 F 19
Pabsdorf 42 J 19
Pabstorf 41 J 16
Packebusch 32 H 18
Padberg 50 L 10
Padenstedt 8 D 13
Paderborn 50 K 10
Paderborn-Lippstadt *(Flughafen)* 50 L 9
Padingbüttel 18 E 9
Padingbütteler Aldenteich 18 E 9
Pähl 104 W 17
Päpinghausen 39 J 10
Päse 40 I 14
Pätow-Steegen 21 F 17
Pätz 44 J 24
Päwesin 43 I 22
Paffendorf 58 N 3
Paffrath 59 N 5
Pahlen 7 D 11
Pahren 66 O 19
Paimar 85 R 13
Painten 90 T 19
Paintener Forst 88 S 19
Paitzkofen 98 T 22
Palenberg 58 N 2
Palingen 21 E 16
Palitzsee 33 G 22
Palling 106 V 21
Palzem 80 R 3
Palzing 105 U 19
Pampin 23 G 19
Pampow *(Kreis Ludwigslust)* 21 F 18
Pampow *(Kreis Uecker-Randow)* 25 F 26
Pamsendorf 89 R 20
Pang 105 W 20
Panker 9 D 15
Pankofen 98 T 22
Pankow *(Berlin)* 34 I 24
Pannecke 32 G 17
Panorama-Park Sauerland 61 M 8
Panrod 73 P 8
Panschwitz-Kuckau 68 M 26
Pansdorf 9 E 16
Pansfelde 53 L 17
Pantelitz 12 D 22
Panten 21 F 15
Papenburg 27 G 6
Papenburg Obenende 27 G 6
Papendorf *(Kreis Bad Doberan)* 11 D 20
Papendorf *(Kreis Uecker-Randow)* 25 F 25
Papenhagen 12 D 22
Papenhorst 40 I 14
Papenhusen 21 E 17
Papiermühle 72 Q 4
Paplitz *(Kreis Jerichower Land)* 42 J 20
Paplitz *(Kreis Teltow-Fläming)* 44 J 24
Pappelau 102 U 13
Pappendorf 67 N 23
Pappenheim 96 T 16
Papproth 57 L 26
Papstdorf 68 N 26
Paradies 111 X 13
Parchau 42 J 19
Parchen 42 I 20
Parchim 23 F 19
Parchtitz 13 C 24
Parensen 51 L 13
Paretz 43 I 22
Parey *(Kreis Havelland)* 33 H 20
Parey *(Kreis Jerichower Land)* 42 I 19
Paring 97 T 20
Parkow 23 E 19
Parkstein 88 Q 20
Parkstetten 90 T 21
Parlow 34 G 25
Parlow-Glambeck 34 G 25
Parmen-Weggun 24 F 24
Parow 13 C 23
Parsau 41 I 16
Parsberg *(Kreis Miesbach)* 113 W 19
Parsberg *(Kreis Neumarkt i. d. Oberpfalz)* 97 S 19
Parsdorf 105 V 19
Parstein 35 H 26
Parsteiner See 35 H 25
Partenstein 75 P 12
Parthe 55 M 21
Parthenstein 55 M 21
Partnachklamm 112 X 17
Parum 21 F 17
Parumer See 23 E 20
Paschwitz 55 L 22
Pasenow 24 F 24
Pasewalk 25 F 25
Pasing 104 V 18
Paska 65 O 18
Passade 9 C 14
Passader See 9 C 14
Passau 99 U 24
Passee 11 E 19
Passow *(Kreis Parchim)* 23 F 20
Passow *(Kreis Uckermark)* 35 G 26
Pastetten 105 V 19
Pastin 23 E 19
Patersdorf 91 S 22
Pattendorf 97 T 20
Pattensen *(Kreis Hannover)* 40 J 13
Pattensen *(Kreis Harburg)* 20 G 14
Patzetz 54 K 19
Patzig 13 C 24
Paulinenaue 33 H 22
Paulinzella 65 N 17
Paulsdorf 88 R 19
Paulushofen 97 S 18
Pauluszell 106 U 20
Paunzhausen 105 U 18
Pausa 66 O 20
Pausin 34 I 23
Paußnitz 55 L 23
Pavenstädt 38 K 9
Pech 60 O 5
Pechau 42 J 19
Pechbrunn 79 Q 20
Pechern 57 L 28
Peckatel 24 F 23
Peckeloh 37 J 8
Peckelsheim 51 L 11
Peckensen 31 H 16
Peckfitz 41 I 17
Peddenberg 47 K 4
Peene 24 E 23
Peene-Südkanal 24 E 24
Peenemünde 13 D 25
Peenestrom 15 D 25
Peetsch 24 G 22
Peetzsee 44 I 25
Peffingen 80 Q 3
Pegau 66 M 20
Pegestorf 39 K 12
Pegnitz 87 Q 18
Peheim 27 H 7
Pehritzsch 55 L 21
Peickwitz 56 L 25
Peine 40 J 14
Peissen 8 D 12
Peißen *(Kreis Bernburg)* 54 K 19
Peißen *(Saalkreis)* 54 L 20
Peißenberg 104 W 17
Peiting 112 W 16
Peitz 45 K 27
Pelchenhofen 87 S 18
Pelham 106 W 21
Pelkum 49 L 7
Pellingen 80 Q 4
Pellworm 4 C 9
Pellworm *(Insel)* 4 C 9
Pelm 70 P 4
Pelsin 25 E 25
Pelzerhaken 10 D 16
Pemfling 89 S 21
Penig 67 N 22
Penkefitz 31 G 17
Penkow 23 F 21
Penkun 25 G 26
Pennewitt 22 E 19
Pennewitz 65 O 17
Pennigbüttel 18 G 10
Pennigsehl 29 I 11
Penting 89 S 21
Pentling 90 T 20
Penzberg 112 W 18
Penzin 11 E 19
Penzing 104 V 16
Penzlin *(Kreis Müritz)* 24 F 23
Penzlin *(Kreis Parchim)* 23 F 20
Peppenhoven 60 O 4
Peppenkum 82 S 5
Perach 106 V 22
Perasdorf 91 T 22
Percha 104 W 18
Perchting 104 V 17
Perdöhl 21 F 17
Perdöl 9 D 14
Peritz 56 L 24
Perkam 98 T 21
Perl 80 R 3
Perlach 105 V 18
Perleberg 32 G 19
Perlesreut 99 T 24
Perlin 21 F 17
Perouse 93 T 10
Perscheid 73 P 7
Perschen 89 R 20
Pertolzhofen 89 R 21
Perwenitz 34 I 23
Pesch 60 O 4
Pessin 33 I 21
Pestenacker 104 V 16
Pesterwitz *(Dresden)* 68 M 24
Pestrup 28 H 9
Petern 113 X 18
Petersau 84 R 9
Petersaurach 86 S 16
Petersberg *(Kreis Fulda)* 63 O 13
Petersberg *(Kreis Hersfeld-Rotenburg)* 63 N 13
Petersberg *(Kreis Neustadt a. d. A.-Bad W.)* 86 R 15
Petersberg *(Saalkreis)* 54 L 19
Petersbuch 96 T 17
Petersdorf *(Kreis Aichach-Friedberg)* 96 U 17
Petersdorf *(Kreis Cloppenburg)* 27 G 8
Petersdorf *(Kreis Mecklenburg-Strelitz)* 24 F 24
Petersdorf *(Kreis Nordhausen)* 53 L 16
Petersdorf *(Kreis Rostock)* 11 D 20
Petersdorf a. Fehmarn 10 C 17
Petersdorf b. Frankfurt (Oder) 45 I 27
Petersdorf b. Fürstenwalde 45 J 26
Petersfehn 27 G 8
Petersfeld *(Kreis Ammerland)* 17 G 8
Petersfeld *(Kreis Cloppenburg)* 27 H 7
Petershagen 25 G 26
Petershagen 39 I 10
Petershagen *(b. Frankfurt)* 45 I 27
Petershagen *(b. Strausberg)* 44 I 25
Petershain 57 M 28
Petershausen 104 U 18

Peterskirchen .... 106 V 21
Peterskopf .... 83 R 8
Petersroda .... 54 L 20
Petersthal .... 111 X 15
Peterswald-Löffelscheid .... 71 P 5
Peterswörth .... 95 U 15
Peterzell
(Kreis Freudenstadt) ..... 101 V 9
Peterzell *(Schwarzwald-Baar-Kreis)* .... 101 V 9
Petkum .... 16 F 5
Petkus .... 44 K 24
Pettendorf .... 90 S 20
Pettenhofen .... 87 R 18
Petterweil .... 74 P 10
Petting .... 106 W 22
Pettstadt .... 87 Q 16
Pettstädt .... 54 M 19
Peukendorf .... 52 M 15
Peulingen .... 32 I 19
Peutenhausen .... 96 U 17
Pevestorf .... 32 G 18
Pewsum .... 16 F 5
Pfaben .... 78 Q 20
Pfäfflingen .... 95 T 15
Pfälzer Wald .... 83 S 7
Pfälzer Wald (Naturpark) ... 83 S 7
Pfändhausen .... 76 P 14
Pfaffenberg .... 75 Q 11
Pfaffenberg *(Dorf)* .... 97 T 20
Pfaffendorf .... 97 U 19
Pfaffendorf
(Kreis Köthen) .... 54 K 19
Pfaffendorf
(Kreis Oder-Spree) .... 45 J 26
Pfaffenhausen .... 103 V 15
Pfaffenhausen
(Main-Kinzig-Kreis) .... 75 P 12
Pfaffenhausen
(Schwalm-Eder-Kreis) ..... 63 M 11
Pfaffenheck .... 71 P 6
Pfaffenhofen *(Kreis Amberg-Sulzbach)* .... 88 R 18
Pfaffenhofen
(Kreis Heilbronn) .... 93 S 10
Pfaffenhofen *(Kreis Neustadt a. d. A.-Bad W.)* .... 86 R 14
Pfaffenhofen *(Kreis Roth)* ... 87 S 17
Pfaffenhofen a. d. Glonn .... 104 V 17
Pfaffenhofen a. d. Ilm .... 97 U 18
Pfaffenhofen a. d. Roth ... 103 U 14
Pfaffenhofen a. d. Zusam .... 96 U 16
Pfaffenreuth .... 79 Q 20
Pfaffenrot .... 93 T 9
Pfaffenweiler *(Kreis Breisgau-Hochschwarzwald)* .... 100 W 7
Pfaffenweiler *(Schwarzwald-Baar-Kreis)* .... 101 V 9
Pfaffenwiesbach .... 74 P 9
Pfaffing .... 105 V 20
Pfaffroda .... 67 N 24
Pfahlbronn .... 94 T 13
Pfahldorf .... 96 T 18
Pfahlhausen .... 28 G 9
Pfahlheim .... 95 T 14
Pfakofen .... 97 T 20
Pfalz .... 73 P 7
Pfalzdorf .... 17 F 6
Pfalzdorf *(Kreis Kleve)* .... 46 K 2
Pfalzfeld .... 71 P 6
Pfalzgrafenweiler .... 93 U 9
Pfalzheim .... 33 G 22
Pfarrkirchen .... 106 U 22
Pfarrweisach .... 76 P 16
Pfatter .... 90 T 21
Pfaumheim .... 74 Q 11
Pfeddersheim .... 83 R 8
Pfedelbach .... 85 S 12
Pfeffelbach .... 81 R 5
Pfeffenhausen .... 97 U 19
Pfeffingen .... 101 V 10
Pfelling .... 98 T 22
Pferdingsleben .... 65 N 16
Pferdsdorf .... 64 N 13
Pferdsdorf-Spichra .... 64 M 14
Pferdsfeld .... 73 Q 6
Pferdskopf .... 74 P 9
Pfieffe .... 63 M 13
Pfiffelbach .... 65 M 18
Pfingstweid .... 110 W 12
Pfinz .... 84 S 9
Pfinztal .... 93 T 9
Pfitzingen .... 85 R 13
Pflochsbach .... 75 Q 12
Pflückuff .... 55 L 23
Pflummern .... 102 V 12
Pförring .... 97 T 19
Pfofeld .... 96 S 16
Pfohren .... 101 W 9
Pfordt .... 63 O 12
Pforzen .... 103 W 15
Pforzheim .... 93 T 10
Pfraundorf .... 96 S 18
Pfreimd .... 89 R 20
Pfrentsch .... 89 R 21
Pfrimm .... 83 R 8
Pfrondorf .... 94 U 11
Pfronstetten .... 102 V 12
Pfronten .... 111 X 15
Pfrungen .... 102 W 12
Pfünz .... 96 T 17
Pfuhl .... 103 U 14
Pfullendorf .... 102 W 11
Pfullingen .... 102 U 11
Pfungstadt .... 84 Q 9
Phantasialand
(Brühl) .... 59 N 4
Philadelphia .... 44 J 25
Philippsburg .... 84 S 9
Philippsreut .... 99 T 25
Philippsthal .... 64 N 14
Philippsweiler .... 70 P 3
Phöben .... 43 I 22
Picher .... 21 F 18
Piding .... 114 W 22
Piegendorf .... 97 T 20
Pielenhofen .... 90 S 19
Pier .... 58 N 3
Piesau .... 77 O 17
Pieskow .... 45 J 26
Piesport .... 72 Q 4
Piesteritz .... 55 K 21
Pietenfeld .... 96 T 17
Piethen .... 54 K 19
Pietling .... 106 V 22
Pietzing .... 105 W 20
Pietzpuhl .... 42 J 19
Pilgerzell .... 75 O 13
Pilgramsberg .... 91 S 21
Pilgramsreuth .... 78 P 20
Pillgram .... 45 J 27
Pillig .... 71 P 5
Pillmersried .... 89 R 21
Pillnitz *(Dresden)* .... 68 M 25
Pilmersreuth a. d. Straße .... 89 Q 20
Pilmersreuth a. Wald .... 79 Q 21
Pilsach .... 87 S 18
Pilsensee .... 104 V 17
Pilsting .... 98 T 21
Pilsum .... 16 F 5
Pingelshagen .... 21 E 18
Pingsheim .... 58 N 4
Pinnau .... 19 E 13
Pinneberg .... 19 F 13
Pinnow *(b. Haßleben)* .... 25 G 25
Pinnow *(b. Malchin)* .... 24 E 22
Pinnow
(b. Neu-Brandenburg) ..... 24 F 23
Pinnow *(Kreis Ostvorpommern)* .... 15 E 25
Pinnow *(Kreis Parchim)* ...... 22 F 18
Pinnow
(Kreis Spree-Neiße) .... 45 K 27
Pinnow b. Angermünde ..... 35 G 26
Pinnower See .... 22 F 18
Pipinsried .... 104 U 17
Pirach .... 106 V 22
Pirk .... 89 R 20
Pirkach .... 87 R 16
Pirken .... 106 U 20
Pirkensee .... 88 S 20
Pirmasens .... 83 S 6
Pirna .... 68 N 25
Pirow .... 32 G 19
Piskowitz .... 56 M 26
Pitschen-Pickel .... 44 K 24
Pittenhart .... 106 W 21
Pittersberg .... 88 R 20
Pitzling *(Kreis Cham)* .... 89 S 21
Pitzling *(Kreis Dingolfing-Landau)* .... 98 U 22
Pivitsheide .... 39 K 10
Pixel .... 37 K 8
Plaaz .... 23 E 21
Plänitz-Leddin .... 33 H 21
Plaggenburg .... 17 F 6
Plaidt .... 71 O 6
Plane .... 43 J 21
Planegg .... 104 V 18
Planitz-Deila .... 67 M 24
Plankenfels .... 77 Q 18
Plankstadt .... 84 R 9
Plantlünne .... 37 I 6
Plate .... 22 F 18
Platendorf .... 41 I 15
Plath .... 24 F 24
Platkow .... 35 I 26
Platte .... 78 Q 20
Platte Heide .... 49 L 7
Platten .... 72 Q 4
Plattenhardt .... 94 U 11
Plattling .... 98 T 22
Platz .... 75 P 13
Platzer Kuppe .... 75 P 13
Plau a. See .... 23 F 20
Plaue *(Ilm-Kreis)* .... 65 N 16
Plaue
(Kreis Brandenburg) .... 43 I 21
Plauen .... 78 O 20
Plauer See .... 43 I 21
Plauerhagen .... 23 F 20
Plaußig *(Leipzig)* .... 54 L 21
Plech .... 87 R 18
Pleidelsheim .... 94 T 11
Plein .... 71 P 4
Pleinfeld .... 96 S 16
Pleinting .... 99 U 23
Pleiskirchen .... 106 V 21
Pleißa .... 67 N 22
Pleiße .... 66 M 21
Pleizenhausen .... 71 P 6
Plennin .... 11 D 21
Pleß *(Kreis Unterallgäu)* ... 103 V 14
Plessa .... 56 L 24
Plessenburg .... 52 L 13
Plessow .... 43 I 22
Plettenberg .... 49 M 7
Pleystein .... 89 R 21
Pliening .... 105 V 19
Plieningen .... 94 T 11
Pliezhausen .... 94 U 11
Plittersdorf .... 92 T 8
Plochingen .... 94 T 12
Plön .... 9 D 15
Plönjeshausen .... 19 F 11
Plößberg .... 89 Q 20
Plötz *(Kreis Demmin)* .... 24 E 23
Plötz *(Saalkreis)* .... 54 L 19
Plötzin .... 43 I 22
Plötzkau .... 54 K 19
Plötzky .... 42 J 19
Plöwen .... 25 F 26
Plohn .... 66 O 21
Plossig .... 55 K 22
Plothen .... 66 O 19
Plüderhausen .... 94 T 12
Plüschow .... 21 E 17
Plütscheid .... 70 P 3
Pluwig .... 80 Q 4
Pobenhausen .... 96 U 18
Pobershau .... 67 O 23
Pobzig .... 54 K 19
Pockau .... 67 N 23
Pocking .... 107 U 23
Podelwitz *(Kreis Altenburger Land)* .... 66 N 21
Podelwitz
(Kreis Leipziger Land) ..... 54 L 21
Podelzig .... 45 I 27
Podrosche .... 57 L 28
Pöcking .... 104 W 17
Pödeldorf .... 77 Q 16
Pödinghausen .... 38 J 9
Pöhl .... 66 O 20
Pöhl (Stausee) .... 66 O 20
Pöhla .... 79 O 22
Pöhlde .... 52 L 14
Pöhls .... 21 E 15
Poel *(Insel)* .... 10 D 18
Pölchow .... 11 D 20
Pölich .... 72 Q 4
Pölitz *(Kreis Güstrow)* .... 23 E 21
Pölitz *(Kreis Stormarn)* .... 20 E 15

POTSDAM

Alleestr. .... BX
Alter Markt .... BY
Am Alten Markt .... BY 6
Am Kanal .... BY
Am Neuen Garten .... BX
Am Neuen Markt .... BY
Am Schragen .... BX 7
Auf dem Kiewitt .... AY
Babelsberger Str. .... BCY
Bassinpl. .... BX
Behlerstr. .... BCX
Benkertstr. .... BX 15
Berliner Str. .... BCX
Bornstedter Str. .... AX 18
Brandenburger Str. .... ABX
Brauhausberg .... BY 19
Breite Str. .... ABY
Charlottenstr. .... ABXY
Dortustr. .... AXY
Ebräerstr. .... BY 21
Feuerbachstr. .... AY
Französische Str. .... BY 25
Friedrich-Ebert-Str. .... BXY
Friedrich-Engels-Str. .... BCY
Geschwister-Scholl-Str. .... AY 26
Gregor-Mendel-Str. .... AX
Gutenbergstr. .... ABX
Hans-Thoma-Str. .... BX
Hebbelstr. .... BX
Hegelallee .... ABX
Heinrich-Mann-Allee .... BY
Helene-Lange-Str. .... BX
Hermann-Elflein-Str. .... AX 31
Humboldtbrücke CX
Humboldtring .... CY
Jägerallee .... AX
Jägerstr. .... BX
Kiezstr. .... AY
Kurfürstenstr. .... BX
Lange Brücke .... BY
Leiblstr. .... BX
Leipziger Str. .... BY
Lennéstr. .... AY
Lindenstr. .... AXY
Luisenpl. .... AY 42
Mangerstr. CX
Mittelstr. .... BX
Mühlenbergweg .... AX 48
Nuthestr. .... CY 51
Pappelallee .... AX
Platz der Einheit .... BY 54
Reiterweg .... BX
Ruinenbergstr. .... AX
Schillerpl. .... AY
Schloßstr. .... BY 60
Schopenhauerstr. .... AXY
Siefertstr. .... BY 64
Voltaireweg .... AX
Weinbergstr. .... AX
Wilhelm-Staab-Str. .... BY 67
Yorckstr. .... BY
Zeppelinstr. .... AY

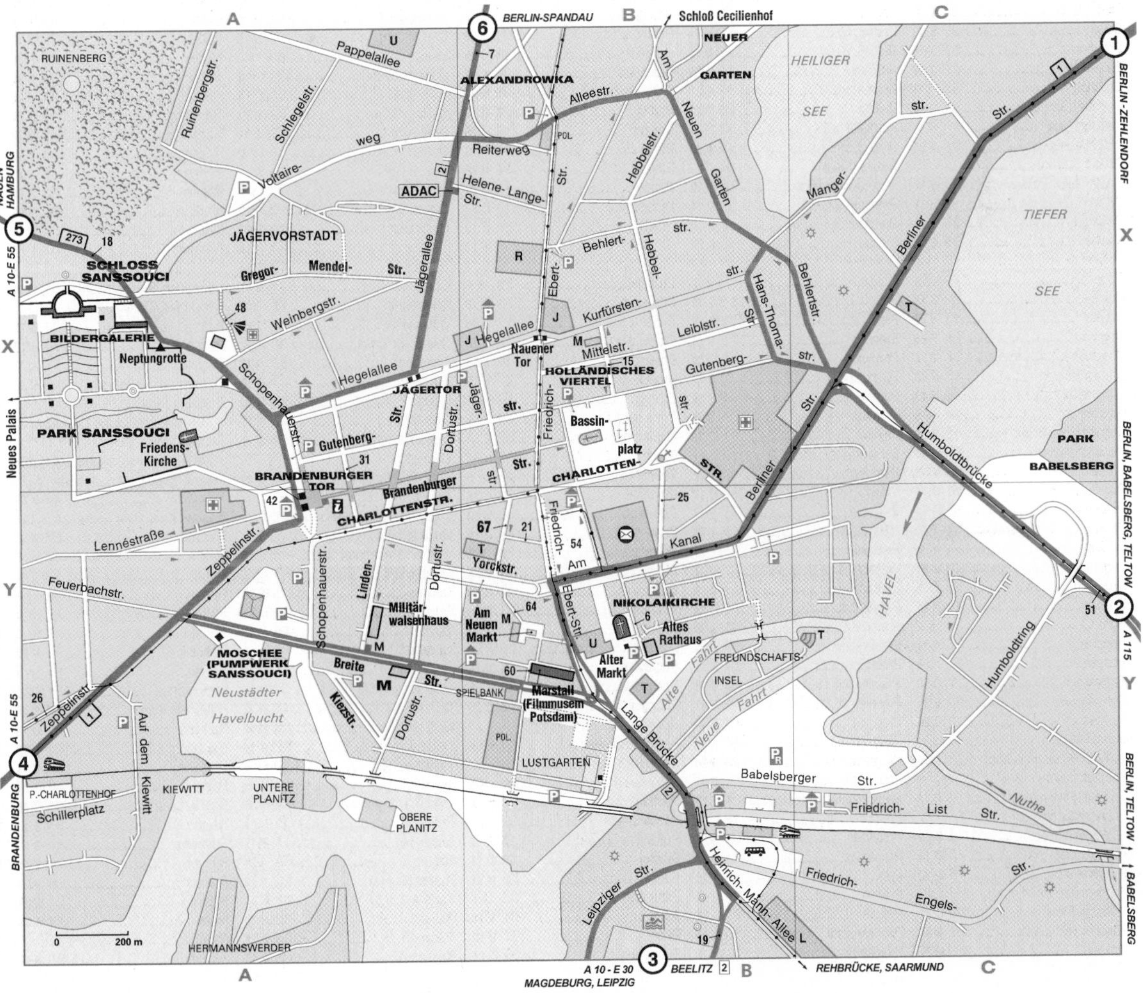

BERLIN-SPANDAU
Schloß Cecilienhof
NEUER GARTEN
HEILIGER SEE
TIEFER SEE
RUINENBERG
Pappelallee
ALEXANDROWKA
Alleestr.
Reiterweg
ADAC
Helene-Lange-Str.
JÄGERVORSTADT
SCHLOSS SANSSOUCI
BILDERGALERIE
Neptungrotte
PARK SANSSOUCI
Friedens-Kirche
Neues Palais
NAUEN HAMBURG
A 10-E 55
Hegelallee
JÄGERTOR
Nauener Tor
HOLLÄNDISCHES VIERTEL
Bassinplatz
BRANDENBURGER TOR
CHARLOTTENSTR.
Brandenburger Str.
Lennéstraße
Feuerbachstr.
Zeppelinstr.
Yorckstr.
Militärwaisenhaus
Am Neuen Markt
MOSCHEE (PUMPWERK SANSSOUCI)
Breite Str.
Neustädter Havelbucht
Marstall (Filmmuseum Potsdam)
NIKOLAIKIRCHE
Altes Rathaus
Alter Markt
FREUNDSCHAFTSINSEL
Alte Fahrt
Neue Fahrt
Lange Brücke
LUSTGARTEN
HAVEL
PARK BABELSBERG
Humboldtbrücke
Humboldtring
Berliner Str.
Babelsberger Str.
Friedrich-List-Str.
Friedrich-Engels-Str.
Heinrich-Mann-Allee
Leipziger Str.
Nuthe
BERLIN-ZEHLENDORF
BERLIN, BABELSBERG, TELTOW
A 115
BERLIN, TELTOW
BABELSBERG
BRANDENBURG
P.-CHARLOTTENHOF
KIEWITT
UNTERE PLANITZ
OBERE PLANITZ
Schillerplatz
HERMANNSWERDER
A 10 - E 30 MAGDEBURG, LEIPZIG
BEELITZ
REHBRÜCKE, SAARMUND
0 200 m

Pölling 87 S 18
Pöllwitz 66 O 20
Pölsfeld 53 L 18
Poelvennsee 46 L 2
Pölzig 66 N 20
Pömbsen 51 K 11
Pömmelte 42 K 19
Pönitz 9 D 16
Pönning 98 T 21
Pöring 105 V 19
Pörnbach 96 U 18
Pösing 89 S 21
Pößneck 65 N 18
Pötenitz 10 E 16
Pötenitzer Wiek 10 E 16
Pötrau 21 F 15
Pöttmes 96 U 17
Pötzschau 54 M 21
Pogeez 21 E 16
Poggelow 11 E 21
Poggendorf 14 D 23
Poggenhagen 39 I 12
Poggenort 37 I 6
Poggensee 21 F 15
Pogum 16 G 5
Pohl-Göns 74 O 9
Pohle 39 J 12
Pohlheim 74 O 10
Pohlitz 45 J 27
Pohnsdorf
(Kreis Ostholstein) 9 E 15
Pohnsdorf *(Kreis Plön)* 9 D 14
Poign 90 T 20
Poing 105 V 19
Poitzen 30 H 14
Pokrent 21 F 17
Polau 31 G 16
Polch 71 P 5
Polchow *(Kreis Güstrow)* 11 E 21
Polchow *(Kreis Rügen)* 13 C 24
Polenz *(Kreis
Sächsische Schweiz)* 68 M 26
Polenz *(Muldentalkreis)* 55 M 21
Polenz (Bach) 68 M 26
Poley 54 K 19
Polkenberg 67 M 22
Poll *(Köln)* 58 N 4
Pollanten 96 S 18
Polle 39 K 12
Polleben 53 L 18
Pollenfeld 96 T 17
Pollhagen 39 I 11
Pollhöfen 31 I 15
Polling *(Kreis
Mühldorf a. Inn)* 106 V 21
Polling *(Kreis
Weilheim-Schongau)* 104 W 17
Pollitz 32 H 18
Polsingen 96 T 16
Polßen 35 G 25
Polsum 47 L 5
Polte 42 I 19
Polz 32 G 18
Polzen 55 K 23
Polzow 25 F 26
Pomellen 25 F 27
Pommelsbrunn 87 R 18
Pommerby 5 B 13
Pommern 71 P 5
Pommersche Bucht 15 D 26
Pommersfelden 87 Q 16
Pommertsweiler 95 T 13
Pommoissel 31 G 16
Pomßen 55 M 21
Pondorf *(Kreis Eichstätt)* 97 T 18
Pondorf *(Kreis
Straubing-Bogen)* 90 T 21
Ponickau 56 L 25
Ponitz 66 N 21
Pont 46 L 2
Poppberg 87 R 18
Poppeltal 93 U 9
Poppenbüll 7 C 10
Poppenbüttel 20 E 14
Poppendorf 11 D 20
Poppenhausen
(Kreis Hildburghausen) 76 P 16
Poppenhausen
(Kreis Schweinfurt) 76 P 14
Poppenhausen
(Wasserkuppe) 75 O 13
Poppenlauer 76 P 14
Poppenreuth 78 Q 20
Poppenreuth b.
Tirschenreuth 79 Q 21
Poppenricht 88 R 19
Poppitz 55 M 23
Poratz 34 G 25
Porep 23 G 20
Poritz 32 I 18
Porschdorf 68 N 26
Porschendorf 68 M 26
Porst 54 K 20
Porstendorf 66 N 18
Porta Westfalica 39 J 10
Portsloge 27 G 8
Porz *(Köln)* 59 N 5
Porzellanstraße 78 P 20
Poseritz 13 D 23
Poserna 54 M 20
Posseck *(Elstertalkreis)* 78 O 20
Posseck *(Kreis Kronach)* 77 P 18
Possendorf 68 N 25
Postau 98 U 20
Postbauer-Heng 87 S 18
Posterstein 66 N 20
Postfeld 9 D 14
Posthausen 29 G 11
Postmünster 106 U 22
Postsee 9 D 14
Potsdam 43 I 23
Potshausen 27 G 6
Pottenhausen 38 J 10
Pottenstein 87 Q 18
Pottenstetten 88 S 20
Potts Park 39 J 10
Pottum 61 O 8
Potzberg 81 R 6
Potzehne 41 I 18
Potzlow 25 G 25
Pouch 54 L 21
Poxdorf
(Kreis Bamberg) 77 Q 17
Poxdorf
(Kreis Forchheim) 87 R 17
Poyenberg 8 D 13
Pracht 61 N 6
Prackenbach 91 S 22
Prächting 77 P 16
Präg 100 W 7
Praest 46 K 3
Prag 99 T 24
Pragsdorf 24 F 24
Prappach 76 P 15
Prasdorf 9 C 14
Pratau 55 K 21
Pratjau 9 D 15
Prausitz 55 M 23
Prebberede 11 E 21
Prebitz 88 Q 19
Preddöhl 33 G 20
Predigtstuhl 114 W 22
Preetz *(Kreis
Nordvorpommern)* 12 C 22
Preetz *(Kreis Plön)* 9 D 14
Prehnsfelde 8 D 13
Preilack 45 K 27
Preischeid 70 P 2
Preißach 88 Q 19
Preith 96 T 17
Prem 112 W 16
Premich 76 P 14
Premnitz 43 I 20
Premslin 32 G 19
Prenden 34 H 24
Prenzlau 25 G 25
Prerow 11 C 21
Presberg 73 P 7
Preschen 57 L 27
Pressath 88 Q 19
Presseck 77 P 18
Pressel 55 L 22
Pressen 55 L 21
Pressig 77 O 17
Preßnitz 67 O 23
Preten 21 G 16
Pretschen 45 J 25
Prettin 55 L 22
Pretzfeld 87 Q 17
Pretzien 42 J 19
Pretzier 32 H 17
Pretzsch 66 M 19
Pretzsch (Elbe) 55 K 22
Pretzschendorf 68 N 24
Preunschen 85 R 11
Preußisch Oldendorf 38 J 9
Preußisch Ströhen 38 I 9
Preußlitz 54 K 19
Prevorst 94 S 12
Prex 78 P 20
Prezelle 32 H 18
Priborn 23 G 21
Prichsenstadt 86 Q 15
Priegendorf 77 P 16
Prien 106 W 21
Prienbach 106 V 23
Priener Hütte 114 W 20
Priepert 34 G 23
Prieros 44 J 25
Prieschka 56 L 24
Priesendorf 76 Q 16
Priesitz 55 K 22
Prießen 56 L 24
Prießnitz
(Burgenlandkreis) 66 M 19
Prießnitz
(Kreis Leipziger Land) 67 M 21
Priestewitz 68 M 24
Prietitz 68 M 26
Prietzen 33 H 20
Prignitz 32 G 19
Prillwitz 24 F 23
Prims 81 R 4
Primstal 81 R 4
Prinz-Luitpold-Haus 111 X 15
Prinzbach
(Biberach i. Kinzigtal) 100 V 8
Prinzenmoor 8 D 12
Prinzhöfte 29 H 9
Priorei 49 M 6
Priort 43 I 22
Pripsleben 24 E 23
Prisannewitz 11 E 20
Prischwitz 69 M 26
Prisdorf 19 E 13
Prislich 22 G 18
Prisser 31 G 17
Prittitz 66 M 19
Prittriching 104 V 16
Pritzen 56 L 26
Pritzenow 24 E 24
Pritzerbe 43 I 21
Pritzier 21 F 17
Pritzwalk 33 G 20
Priwall 10 E 16
Probbach 61 O 8
Probst Jesar 21 G 17
Probstei 9 C 14
Probsteierhagen 9 C 14
Probstried 103 W 14
Probstzella 77 O 18
Prödel 42 J 19
Pröller 91 S 22
Prölsdorf 76 Q 15
Prönsdorf 88 S 18
Prösen 56 L 24
Pröttlin 32 G 18
Prötzel 35 I 25
Prövenholz 50 L 9
Profen 66 M 20
Prohn 13 C 23
Prohner Wiek 13 C 23
Proitze 31 H 16
Promnitztal 68 M 25
Promoisel 13 C 24
Pronsfeld 70 P 3
Pronstorf 9 E 15
Prora 13 C 24
Prorer Wiek 13 C 24
Proschim 56 L 26
Proseken 22 E 18
Prosigk 54 K 20
Prosselsheim 76 Q 14
Proßmarke 56 K 24
Protzen 33 H 22
Provinzialmoor 26 H 5
Pruchten 12 C 22
Prüfening 90 S 20
Prühl 86 Q 15
Prüm 70 P 3
Prützen 24 E 23
Prützke 43 I 21
Prüzen 23 E 20
Prunn 97 T 19
Prutting 105 W 20
Puchheim 104 V 18
Puchhof 90 T 21
Pudagla 15 E 26
Puderbach
(Kreis Neuwied) 61 O 6
Puderbach *(Kreis
Siegen-Wittgenstein)* 62 N 9
Püchau 55 L 21
Püchersreuth 89 Q 20
Pülfringen 85 R 12
Pülsen 9 D 15
Pülzig 43 K 21
Pünderich 71 P 5
Pürgen 104 V 16
Pürten 106 V 21
Püsselbüren 37 J 6
Püttelkow 21 F 17
Püttlingen 82 S 4
Pulheim 59 M 4
Pullach 105 V 18
Pullenreuth 78 Q 19
Pullenried 89 R 21
Pulling 105 U 19
Pulow 15 E 25
Puls 8 D 12
Pulsen 56 L 24
Pulsnitz 68 M 26
Pulspforde 42 K 20
Pulvermaar 71 P 4
Purnitz 31 H 17
Purschwitz 69 M 27
Purtscheller Haus 114 X 23
Purzien 55 K 23
Puschendorf 87 R 16
Puschwitz 69 M 26
Pustow 14 D 23
Putbus 13 C 24
Putensen 30 G 14
Putgarten 13 B 24
Putlitz 23 G 20
Puttgarden 10 C 17
Putzar 25 E 24
Putzbrunn 105 V 19
Putzkau 69 M 26
Pye 37 J 8
Pyras 96 S 17
Pyrbaum 87 S 17

Q

Quadenschönfeld 24 F 24
Quadrath Ichendorf 58 N 4
Quakenbrück 27 H 7
Qualburg 46 K 2
Qualitz 22 E 19
Quappendorf 35 I 26
Quarmbeck 53 K 17
Quarnbek 9 D 13
Quarnebeck 31 I 17
Quarnstedt 8 E 13
Quarrendorf 20 G 14
Quassel 21 F 17
Quatitz 69 M 27
Queck 63 N 12
Queckborn 62 O 10
Quedlinburg 53 K 17
Queich 83 S 8
Queidersbach 81 R 6
Queienfeld 76 O 15
Queis 54 L 20
Quelkhorn 29 G 11
Quelle 38 K 9
Quellendorf 54 K 20
Quenhorn 37 K 8
Quenstedt 53 K 18
Querenbach 79 Q 21
Querenhorst 41 I 16
Querfurt 53 L 18
Quern 5 B 13
Quernheim 38 J 9
Quernheim 38 I 9
Quersa-Brockwitz 56 M 24
Querstedt 32 I 18
Querum 41 J 15
Quesitz 54 M 20
Questenberg 53 L 17
Quetzdölsdorf 54 L 20
Quickborn
(Kreis Dithmarschen) 7 D 11
Quickborn *(Kreis
Lüchow-Dannenberg)* 32 G 17
Quickborn
(Kreis Pinneberg) 19 E 13
Quierschied 81 S 5
Quillow 25 F 25
Quint 72 Q 4
Quirla 66 N 19
Quitzdorf
(Talsperre) 57 M 28
Quitzdorf am See 57 M 28
Quitzerow 14 E 23
Quitzöbel 32 H 19
Quitzow 32 G 19
Quotshausen 62 N 9

R

Rabber 38 J 9
Rabel 5 B 13
Raben 43 J 21
Raben-Steinfeld 22 F 18
Rabenau 68 N 24
Rabenau 62 N 10
Rabenden 106 V 21
Rabenholz 5 B 13
Rabenkirchen-Faulück 5 C 13
Rabenscheid 61 N 8
Rabenstein 67 N 22
Rabenstein 91 S 23
Raboldshausen 63 N 12
Rachlau 69 M 27
Rackith 55 K 22
Rackwitz 54 L 21
Radbruch 20 G 14
Raddestorf 39 I 10
Radduscch 56 K 26
Rade 55 K 22
Rade *(Kreis Gifhorn)* 31 H 16
Rade *(Kreis Harburg)* 19 F 13
Rade *(Kreis Osterholz)* 18 G 9
Rade *(Kreis Steinburg)* 8 D 13
Rade b. Rendsburg 8 D 13
Radeberg 68 M 25
Radebeul *(Dresden)* 68 M 24
Radeburg 68 M 25
Radefeld 54 L 20
Radegast *(Fluß)* 21 E 17
Radegast
(Kreis Bad Doberan) 11 E 19
Radegast *(Kreis Köthen)* 54 L 20
Radegast
(Kreis Lüneburg) 21 F 16
Radekow 25 G 27
Radeland 44 J 24
Rademin 32 H 18
Radenbeck
(Kreis Gifhorn) 31 I 16
Radenbeck
(Kreis Lüneburg) 31 G 15
Radensdorf 45 K 25
Radensleben 33 H 22
Raderhorst 39 I 11
Radevormwald 49 M 6
Radewege 43 I 21
Radheim 74 Q 11
Radibor 69 M 27
Radis 55 K 21
Radisleben 53 K 17
Radldorf 98 T 21
Radling 89 S 21
Radlinghausen 50 L 10
Radmühl 75 O 12
Radolfzell 109 W 10
Raduhn 22 F 19
Räbel 32 H 20
Räber 31 H 15
Räbke 41 J 16
Räckelwitz 69 M 26
Rädel 43 J 22
Räderloh 31 H 15
Rädigke 43 J 21
Rägelin 33 G 21
Ränkam 89 S 22
Räpitz 54 M 20
Raesfeld 47 K 4
Raestrup 37 K 7
Rätzlingen *(Kreis Uelzen)* 31 H 16
Rätzlingen *(Ohrekreis)* 41 I 17
Rätzsee 24 G 22
Ragewitz 55 M 22
Ragösen
(Kreis Anhalt-Zerbst) 43 K 20
Ragösen *(Kreis
Potsdam-Mittelmark)* 43 J 21
Ragow *(Kreis
Dahme-Spreewald)* 44 J 24
Ragow *(Kreis Oberspreewald-
Lausitz)* 44 K 25
Ragow *(Kreis Oder-Spree)* . 45 J 26
Raguhn 54 K 20
Rahden 38 I 9
Rahlstedt 20 F 14
Rahm 46 L 3
Rahm (Duisburg-) 47 L 4
Rahnisdorf 55 K 23
Rahnsdorf 43 K 22
Rahrbach 61 M 7
Rahrdum 17 F 7
Rai-Breitenbach 84 Q 11
Raibach 74 Q 10
Raichberg 101 V 10
Raigering 88 R 19
Rain 98 T 21
Rain a. Lech 96 T 16
Rainau 95 T 14
Rainding 99 U 23
Rainrod 74 O 11
Raisdorf 9 D 14
Raisting 104 W 17
Raiten 114 W 21
Raitenbuch *(Kreis Neumarkt i. d.
Oberpfalz)* 88 S 19
Raitenbuch *(Kreis Weißenburg-
Gunzenhausen)* 96 S 17
Raitenhaslach 106 V 22
Raithaslach 101 W 10
Rajen 27 G 6
Rakow
(Kreis Bad Doberan) 10 D 18
Rakow *(Kreis
Nordvorpommern)* 14 D 23
Ralbitz-Rosenthal 57 M 26
Ralingen 80 Q 3
Ralswiek 13 C 24
Rambach 64 M 14
Ramberg 83 S 8
Rambin 13 C 23
Ramelow 24 E 24
Ramelsloh 20 F 14
Ramerberg 105 V 20
Ramersbach 60 O 5
Ramhorst 40 I 14
Ramhusen 7 E 11
Ramin 25 F 26
Ramitz 13 C 24
Ramme 30 G 12
Rammelburg 53 L 17
Rammelsbach 81 R 6
Rammenau 68 M 26
Rammersweier 92 U 7
Rammert 101 U 10
Rammingen
(Alb-Donau-Kreis) 95 U 14
Rammingen
(Kreis Unterallgäu) 103 V 15
Rampe 22 E 18
Ramsach 104 V 16
Ramsau 105 V 20
Ramsau b.
Berchtesgaden 114 X 22
Ramsbeck 50 M 9
Ramsberg 96 S 16
Ramsdorf 66 M 21
Ramsdorf 36 K 4
Ramsel 36 I 6
Ramsen 83 R 8
Ramsenthal 77 P 18
Ramsla 65 M 17
Ramsloh 27 G 7
Ramspau 90 S 20
Ramsried 89 S 22
Ramstedt 7 C 11
Ramstein-Miesenbach 81 R 6
Ramsthal 76 P 14
Randau 42 J 19
Randegg 109 W 10
Randenweiler 95 S 14
Randerath 58 M 2
Randersacker 86 Q 13
Randow 25 F 26
Randowbruch 25 G 26
Ranfels 99 T 23
Rangendingen 101 U 10
Rangsdorf 44 J 24
Ranies 42 J 19
Ranis 65 O 18
Rankendorf 10 E 17
Rankwitz 15 E 25
Ranna 87 R 18
Rannenberg 39 J 11
Rannstedt 65 M 18
Rannungen 76 P 14
Ranoldsberg 106 V 21
Ransbach 63 N 13
Ransbach-Baumbach 73 O 7
Ranschgraben 84 R 9
Ransel 73 P 7
Ranspach 66 O 19
Ranstadt 74 O 10
Ransweiler 83 R 7
Rantrum 4 C 11
Rantum 4 B 8
Rantumbecken 4 B 8
Ranzel 59 N 5
Ranzig 45 J 26
Ranzin 14 E 24
Rappbodestausee 53 K 16
Rappelsdorf 76 O 16
Rappenseehütte 111 Y 14
Rapperath 60 O 4
Rappershausen 76 O 15
Rapperszell 96 T 17
Rappin 13 C 24
Rappoltengrün 77 O 18
Rappweiler 80 R 4
Rapshagen 33 G 20
Rasch 87 R 18
Raschau 67 O 22
Rascheid 81 Q 4

Rasdorf 63 N 13
Raßberg 99 T 24
Raßnitz 54 L 20
Rassower Strom 13 C 23
Rast 102 W 11
Rastatt 93 T 8
Rastdorf 27 H 7
Rastede 17 G 8
Rastenberg 65 M 18
Rastorferpassau 9 D 15
Rastow 22 F 18
Ratekau 9 E 16
Rath 58 M 3
Rath (Köln-) 59 N 5
Rath-Anhoven 58 M 3
Rathebur 25 E 25
Ratheim 58 M 2
Rathen 68 N 26
Rathendorf 67 M 22
Rathenow 33 I 21
Rathewalde 68 N 26
Rathjensdorf 9 D 15
Rathlosen 29 H 10
Rathmannsdorf *(Kreis Aschersleben-Staßfurt)* 53 K 18
Rathmannsdorf *(Kreis Sächsische Schweiz)* 68 N 26
Rathmecke 49 M 6
Rathsmannsdorf 99 U 23
Rathstock 35 I 27
Ratingen 48 M 4
Ratscher 76 O 16
Ratshausen 101 V 10
Rattelsdorf 77 P 16
Rattenberg 91 S 22
Rattenkirchen 106 V 20
Rattey 24 F 24
Rattiszell 91 S 21
Ratzbek 21 E 15
Ratzdorf 45 J 28
Ratzeburg 21 E 16
Ratzeburger See 21 E 16
Ratzel 26 I 4
Ratzenhofen 97 T 19
Ratzenried 111 W 13
Raubach *(Kreis Neuwied)* 61 O 6
Raubach *(Odenwaldkreis)* 84 R 10
Raubling 113 W 20
Rauchenberg 113 X 18
Rauda 66 N 19
Rauen 45 J 26
Rauenberg *(Main-Tauber-Kreis)* 85 Q 12
Rauenberg *(Rhein-Neckar-Kreis)* 84 S 10
Rauenstein 77 O 17
Rauenthal 75 P 11
Rauenzell 86 S 15
Rauhe Ebrach 86 Q 16
Rauher Kulm 88 Q 19
Rauhkasten 100 U 7
Rauischholzhausen 62 N 10
Raum 67 O 22
Raumland 62 M 9
Raumünzach 93 U 9
Raunheim 74 P 9
Rauschberg 114 W 22
Rauschenberg 62 N 10
Rauschwitz *(Saale-Holzland-Kreis)* 66 N 19
Rauschwitz *(Westlausitzkreis)* 68 M 26
Rausdorf 20 F 14
Raußlitz 67 M 23
Rautberg-Kopf 112 X 18
Rautheim 41 J 15
Raven 30 G 14
Ravengiersburg 73 Q 6
Ravenhorst 12 D 22
Ravensberg 10 E 19
Ravensberg 52 L 15
Ravensbrück 34 G 23
Ravensburg 110 W 12
Ravenstein 85 R 12
Raversbeuren 72 Q 5
Ravolzhausen 74 P 10
Rayen 46 L 3
Rebberlah 30 H 14
Rebelow 24 E 24
Rebenstorf 32 H 17
Rebesgrün 66 O 21
Reblin 61 M 7
Rech 60 O 5
Rechberg 94 T 13
Rechberghausen 94 T 12
Rechelkopf 113 W 18
Rechenberg 95 S 14
Rechenberg-Bienenmühle 68 N 24
Rechertsried 91 S 22
Rechlin 24 F 22
Rechtenbach *(Kreis Main-Spessart)* 75 Q 12
Rechtenbach *(Lahn-Dill-Kreis)* 62 O 9
Rechtenfleth 18 F 9
Rechtenstein 102 V 12
Rechterfeld 28 H 9
Rechtmehring 105 V 20
Rechtsupweg 17 F 5
Recke 37 I 7
Reckendorf 77 P 16
Reckenfeld 37 J 6
Reckenneusig 77 P 16
Reckenroth 73 P 8
Reckenzin 32 G 19
Reckerode 63 N 12
Recklinghausen 47 L 5
Recknitz 23 E 20
Reckum 28 H 9
Reddeber 53 K 16
Reddelich 11 D 19
Reddern 56 K 26
Reddighausen 62 M 9
Reddingen 30 H 14
Redefin 21 F 17
Redekin 42 I 20
Redemoißel 31 G 16
Rederank 11 D 19
Rederstall 7 D 11
Reding 107 U 24
Redlin 23 F 20
Rednitz 87 R 17
Rednitzhembach 87 S 17
Redwitz 77 P 17
Reede Borkum 16 F 4
Reelkirchen 39 K 11
Reelsen 50 K 11
Reepsholt 17 F 7
Rees 46 K 3
Reesdorf *(Kreis Jerichower Land)* 42 J 20
Reesdorf *(Kreis Potsdam-Mittelmark)* 43 J 22
Reesen 42 J 19
Reeßum 29 G 11
Reetz 70 O 4
Reetz *(Kreis Potsdam-Mittelmark)* 43 J 21
Reetz *(Kreis Prignitz)* 32 G 19
Referinghausen 50 M 10
Refrath 59 N 5
Regelsbach 87 R 16
Regen 91 T 23
Regenhütte 91 S 23
Regensburg 90 S 20
Regenstauf 90 S 20
Regenstein 53 K 16
Regesbostel 19 F 12
Reggliswiler 103 V 14
Regis-Breitingen 66 M 21
Regnitz 87 R 16
Regnitzlosau 78 P 20
Rehagen 44 J 24
Rehau 78 P 20
Rehbach 54 M 20
Rehbach 84 Q 10
Rehbeck 31 G 17
Rehberg 33 H 20
Rehberger Berge 33 H 20
Rehborn 83 Q 7
Rehbrücke 43 I 23
Rehburg-Loccum 39 I 11
Rehburger Berge 39 I 11
Rehden 28 I 9
Rehe 61 O 8
Rehefeld-Zaunhaus 68 N 25
Reher *(Kreis Hameln-Pyrmont)* 39 J 11
Reher *(Kreis Steinburg)* 8 D 12
Rehfeld 55 L 23
Rehfeld-Berlitt 33 H 20
Rehfelde 44 I 25
Rehfelsen 100 W 7
Rehhorst 21 E 15
Rehling 96 U 16
Rehlingen 30 G 14
Rehlingen 80 R 4
Rehm-Flehde-Bargen 7 D 11
Rehme 39 J 10
Rehmsdorf 66 M 20
Rehna 21 E 17
Rehren 39 J 11
Rehrhof 30 G 14
Rehsen 54 K 21
Rehungen 52 L 15
Reibitz 54 L 21
Reichardtswerben 54 M 19
Reichartshausen *(Rhein-Neckar-Kreis)* 84 R 10
Reiche Ebrach 87 Q 16
Reichelsdorf 87 R 17
Reichelsheim (Odenwald) 84 Q 10
Reichelsheim (Wetterau) 74 O 10
Reichelshofen 86 R 14
Reichenau 68 M 25
Reichenau 68 N 24
Reichenau 109 W 11
Reichenbach 68 M 25
Reichenbach *(b. Gengenbach)* 100 U 8
Reichenbach *(b. Lahr)* 100 V 7
Reichenbach *(Kreis Ansbach)* 86 S 14
Reichenbach *(Kreis Bad Kissingen)* 76 P 14
Reichenbach *(Kreis Bergstraße)* 84 Q 10
Reichenbach *(Kreis Birkenfeld)* 81 R 5
Reichenbach *(Kreis Cham)* 89 S 21
Reichenbach *(Kreis Chemnitzer Land)* 67 N 21
Reichenbach *(Kreis Freiberg)* 67 N 23
Reichenbach *(Kreis Karlsruhe)* 93 T 9
Reichenbach *(Kreis Kronach)* 77 O 18
Reichenbach *(Kreis Kulmbach)* 77 P 18
Reichenbach *(Kreis Mittweida)* 67 M 23
Reichenbach *(Kreis Saalfeld-Rudolstadt)* 65 N 18
Reichenbach *(Saale-Holzland-Kreis)* 66 N 19
Reichenbach *(Wartburgkreis)* 64 M 15
Reichenbach *(Werra-Meißner-Kreis)* 63 M 13
Reichenbach (Oberlausitz) 69 M 28
Reichenbach (Vogtland) 66 O 20
Reichenbach a. d. Fils 94 T 12
Reichenbach a. Heuberg 101 V 10
Reichenbach b. Schussenried 102 V 12
Reichenbach i. Täle 94 U 13
Reichenbach-Reichenau 68 M 25
Reichenbach-Steegen 81 R 6
Reichenbach u. Rechberg 94 T 13
Reichenberg *(Kreis Märkisch-Oderland)* 35 I 26
Reichenberg *(Kreis Meißen-Dresden)* 68 M 25
Reichenberg *(Kreis Rottal-Inn)* 106 U 22
Reichenberg *(Kreis Würzburg)* 85 Q 13
Reichenbuch 84 R 11
Reicheneibach 106 U 21
Reichenhain 56 L 24
Reichenhausen 64 O 14
Reichenhofen 103 W 13
Reichenkirchen 105 U 19
Reichenow 35 I 26
Reichensachsen 64 M 13
Reichenschwand 87 R 18
Reichental 93 T 9
Reichenwalde 45 J 25
Reichersbeuern 113 W 18
Reicherskreuz 45 J 27
Reicherstein 96 U 17
Reichertshausen *(Kreis Freising)* 97 U 19
Reichertshausen *(Kreis Pfaffenhofen a. d. Ilm)* 105 U 18
Reichertsheim 105 V 20
Reichertshofen *(Kreis Neumarkt i. d. Oberpfalz)* 87 S 18
Reichertshofen *(Kreis Pfaffenhofen a. d. Ilm)* 96 U 18
Reichling 104 W 16
Reichmannsdorf 86 Q 16
Reichmannsdorf *(Kreis Saalfeld-Rudolstadt)* 65 O 17

REGENSBURG

Brückstr. E 7
Domgarten E 12
Fröhliche-Türken-Str. E 15
Gesandtenstr. D
Goldene-Bären-Str. D 17
Goliathstr. DE
Haidpl. D
Königsstr. E 21
Landshuter Str. E 22
Ludwigstr. D 24
Luitpoldstr. E 26
Maximilianstr. E
Neue-Waag-Gasse D 28
Neupfarrpl. DE
Pfauengasse E 30
Rathauspl. D 34
Thundorfer Str. E 42
Viereimergasse E 43
Weiße-Hahnen-Gasse E 46
Weiße-Lilien-Str. E 48

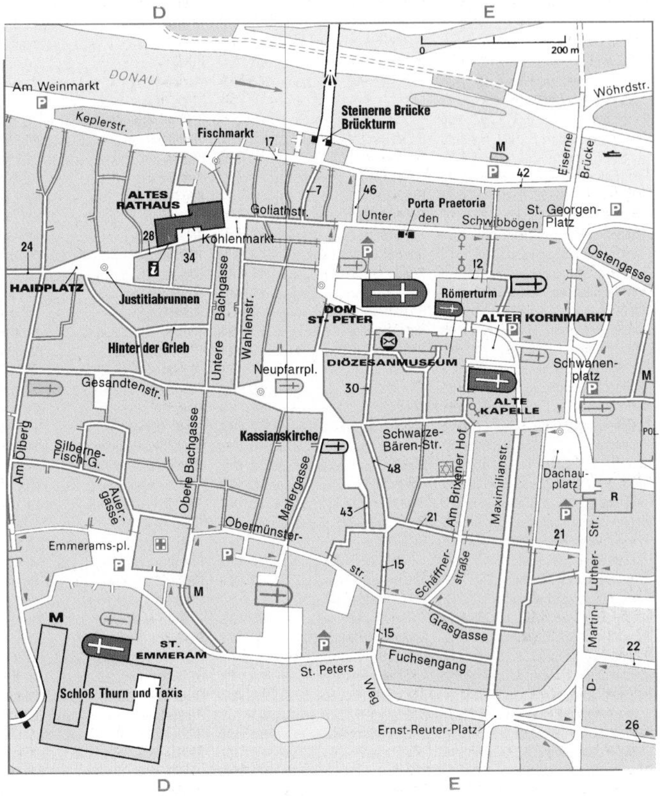

D
E
0
200 m
DONAU
Am Weinmarkt
Wöhrdstr.
Keplerstr.
Fischmarkt
Steinerne Brücke
Brückturm
Eiserne Brücke
ALTES RATHAUS
Goliathstr.
Unter den Schwibbögen
Porta Praetoria
St. Georgen-Platz
Kohlenmarkt
HAIDPLATZ
Justitiabrunnen
Untere Bachgasse
Wahlenstr.
DOM ST. PETER
Römerturm
ALTER KORNMARKT
Ostengasse
Hinter der Grieb
Neupfarrpl.
DIÖZESANMUSEUM
Schwanenplatz
Gesandtenstr.
ALTE KAPELLE
Am Ölberg
Silberne-Fisch-G.
Auergasse
Obere Bachgasse
Kassianskirche
Malergasse
Schwarze-Bären-Str.
Am Brixener Hof
Maximilianstr.
Dachauplatz
Obermünster-
Emmerams-pl.
Schäfferstraße
Grasgasse
Fuchsengang
Martin-Luther-Str.
ST. EMMERAM
St. Peters Weg
Schloß Thurn und Taxis
Ernst-Reuter-Platz

Reichmannshausen 76 P 15
Reicholzheim 85 Q 12
Reichshof 61 N 7
Reichstädt *(Kreis Greiz)* 66 N 20
Reichstädt *(Weißeritzkreis)* 68 N 24
Reichstorf 98 U 22
Reichswald 46 K 2
Reichwalde *(Kreis Dahme-Spreewald)* 44 K 25
Reichwalde *(Niederschlesischer Oberlausitzkr.)* 57 L 27
Reichweiler 81 R 5
Reick *(Dresden)* 68 M 25
Reideburg 54 L 20
Reifenberg 83 S 6
Reifenstein 52 L 15
Reiffenhausen 52 L 13
Reifferscheid *(Kreis Ahrweiler)* 71 O 4
Reifferscheid *(Kreis Euskirchen)* 70 O 3
Reifland 67 N 23
Reihen 84 S 10
Reil 71 P 5
Reilingen 84 S 9
Reimersbude 7 C 11
Reimershagen 23 E 20
Reimlingen 95 T 15
Reimsbach 80 R 4
Reinbek 20 F 14
Reinberg *(Kreis Demmin)* 24 E 23
Reinberg *(Kreis Nordvorpommern)* 13 D 23
Reine 39 J 11
Reinerbeck 39 J 11
Reinersdorf 68 M 24
Reinerzau 101 U 9
Reinfeld 21 E 15
Reinhardshagen 51 L 12
Reinhardshausen 63 M 11
Reinhardswald 51 L 12
Reinhardtsdorf 68 N 26
Reinhardtsdorf-Schöna 69 N 26
Reinhardtsgrimma 68 N 25
Reinhartshausen 104 V 16
Reinharz 55 K 22
Reinhausen 52 L 13
Reinheim *(Kreis Darmstadt-Dieburg)* 84 Q 10
Reinheim *(Saar-Pfalz-Kreis)* 82 S 5
Reinholdshain 67 N 21
Reinickendorf *(Berlin)* 34 I 24
Reiningen 30 H 14
Reinkenhagen 13 D 23
Reinsbüttel 7 D 10
Reinsdorf *(Burgenlandkreis)* 53 M 18
Reinsdorf *(Kreis Döbeln)* 67 M 22
Reinsdorf *(Kreis Helmstedt)* 41 J 17
Reinsdorf *(Kreis Schaumburg)* 39 J 11
Reinsdorf *(Kreis Teltow-Fläming)* 44 K 23
Reinsdorf *(Kreis Wittenberg)* 43 K 21
Reinsdorf *(Kreis Zwickauer Land)* 67 N 21
Reinsdorf *(Kyffhäuserkreis)* 53 L 17
Reinsdorf Nord 43 K 21
Reinsfeld 65 N 16
Reinsfeld 81 Q 4
Reinshagen *(Kreis Bad Doberan)* 11 D 19
Reinshagen *(Kreis Güstrow)* 23 E 20
Reinstädt 65 N 18
Reinstedt 53 K 18
Reinstetten 103 V 13
Reinstorf *(Kreis Lüneburg)* 31 G 15
Reinstorf *(Kreis Nordwestmecklenburg)* 22 E 18
Reinstorf *(Kreis Uelzen)* 31 H 15
Reintal 112 X 17
Reipoltskirchen 81 R 6
Reisbach 81 R 4
Reisbach 98 U 21
Reischach 106 V 22
Reischenhart 113 W 20
Reisdorf 92 S 7
Reiselfingen 101 W 9
Reisenbach 84 R 11
Reiskirchen 62 O 10
Reislingen 41 I 16
Reißing *(Kreis Freising)* 97 T 19
Reißing *(Kreis Straubing-Bogen)* 98 T 21
Reiste 50 M 8
Reistenhausen 85 Q 11
Reistingen 95 T 15
Reit i. Winkl 114 W 21
Reiter Alpe 114 X 22
Reiterswiesen 76 P 14
Reith 19 F 12
Reith 75 P 13
Reitham 105 W 19
Reitnau 110 X 13
Reitscheid 81 R 5
Reitwein 45 I 27
Reitzengeschwenda 65 O 18
Reitzenhain 67 O 23
Rekum 18 G 9
Relliehausen 51 K 13
Rellingen 19 F 13
Relsberg 81 R 7
Remagen 60 O 5
Remblinghausen 50 M 8
Remchingen 93 T 9
Remda 65 N 17
Remels 17 G 7
Remkersleben 41 J 18
Remlin 14 E 21
Remlingen 41 J 16
Remlingen 85 Q 13
Remmels 8 D 12
Remplin 23 E 22
Remptendorf 66 O 18
Rems 95 T 13
Remscheid 48 M 5
Remse 67 N 21
Remseck am Neckar 94 T 11
Remsfeld 63 M 12
Remshalden 94 T 12
Rench 92 U 8
Renchen 92 U 8
Renda 64 M 14
Rendel 74 P 10
Rendsburg 8 D 12
Renfrizhausen 101 U 10
Rengersbrunn 75 P 12
Rengershausen 62 M 10
Rengershausen 85 R 13

Rengsdorf 61 O 6
Rengshausen 63 M 12
Renhardsweiler 102 V 12
Renkenberge 27 H 6
Rennau 41 J 16
Rennerod 61 O 8
Rennersdorf 69 M 28
Rennersdorf-Neudörfel 68 M 26
Rennertshofen
(Kreis Neu-Ulm) 103 V 14
Rennertshofen *(Kreis Neuburg-Schrobenhausen)* 96 T 17
Renningen 93 T 10
Rennsteig 64 N 15
Rennsteiggarten 64 N 16
Renquishausen 101 V 10
Renshausen 52 L 14
Renslage 27 I 7
Renthendorf 66 N 19
Rentrup 27 I 6
Rentweinsdorf 77 P 16
Rentwertshausen 76 O 15
Renzel 19 E 13
Renzendorf 63 N 11
Renzow 21 F 17
Repelen 46 L 3
Repke 31 H 15
Reppelin 11 D 21
Reppenstedt 20 G 15
Reppichau 54 K 20
Reppinichen 43 J 20
Rerik 10 D 18
Rescheid 70 O 3
Resse 40 I 12
Resse (Gelsenkirchen-) 47 L 5
Ressen-Zaue 45 J 26
Resthausen 27 H 7
Restrup 27 I 7
Retgendorf 22 E 18
Rethem 29 H 12
Rethen 40 I 17
Rethen (Leine) 40 J 13
Rethmar 40 J 14
Rethwisch *(Kreis Plön)* 9 D 14
Rethwisch
(Kreis Stormarn) 20 E 15
Rethwisch (Börgerende-) 11 D 19
Retscheroth 59 N 6
Retschow 11 D 19
Rettenbach
(b. St. Englmar) 90 T 22
Rettenbach
(Kreis Cham) 91 S 21
Rettenbach
(Kreis Günzburg) 103 U 15
Rettenbach a. Auerberg 112 W 16
Rettenberg 111 X 14
Retterode 63 M 13
Rettert 73 P 7
Rettin 10 D 16
Rettmer 31 G 15
Retzau 54 K 20
Retzbach 75 Q 13
Retzen 39 J 10
Retzin *(Kreis Prignitz)* 32 G 19
Retzin *(Kreis
Uecker-Randow)* 25 F 26
Retzow
(Kreis Havelland) 33 I 22
Retzow *(Kreis Müritz)* 24 G 22
Retzow *(Kreis Parchim)* 23 F 20
Retzow
(Kreis Uckermark) 24 G 23
Retzstadt 75 Q 13
Reuden
(Burgenlandkreis) 66 M 20
Reuden
(Kreis Anhalt-Zerbst) 43 J 20
Reudnitz 66 N 20
Reumtengrün 79 O 21
Reupelsdorf 86 Q 14
Reupzig 54 K 20
Reurieth 76 O 15
Reusch 86 R 14
Reusrath 59 M 4
Reußen 54 L 20
Reußenköge 4 C 10
Reußenstein 94 U 12
Reusten 93 U 10
Reut 106 V 22
Reute *(Kreis
Biberach a. d. Riß)* 102 V 13
Reute
(Kreis Emmendingen) 100 V 7
Reute
(Kreis Ravensburg) 102 W 13
Reutern 99 U 23
Reuth 70 P 3
Reuth *(Elstertalkreis)* 78 O 19
Reuth *(Göltzschtalkreis)* 66 N 20
Reuth *(Kreis Ansbach)* 87 S 16
Reuth *(Kreis Forchheim)* 87 Q 17
Reuth a. Wald 96 S 17
Reuth b. Erbendorf 88 Q 20
Reuthen 57 L 27
Reutlingen 94 U 11
Reutlingendorf 102 V 12
Reutlinger Alb 102 U 11
Reutti
(Alb-Donau-Kreis) 95 U 13
Reutti *(Kreis Neu-Ulm)* 103 U 14
Revenahe 19 F 12
Revensdorf 9 C 13
Rexingen 101 U 9
Reyershausen 52 L 13
Rezelsdorf 86 R 16
Rhade 18 G 11
Rhade 47 K 4
Rhadereistedt 19 G 11
Rhauderfehn 27 G 6
Rhaudermoor 27 G 6
Rhaunen 72 Q 6
Rheda 38 K 8
Rhede 26 G 5
Rhede 36 K 4
Rhedebrügge 36 K 4
Rheden 40 J 13
Rheder 51 K 11
Rhederfeld 26 G 5
Rheidt 59 N 5
Rhein 84 R 9
Rhein-Taunus
(Naturpark) 73 P 8
Rhein-Weser-Turm 61 M 8
Rhein-Westerwald
(Naturpark) 61 O 6
Rheinau *(Ortenaukreis)* 92 U 7
Rheinau
(Stadtkreis Mannheim) 84 R 9
Rheinbach 60 O 4
Rheinberg 46 L 3
Rheinbischofsheim 92 U 7
Rheinböllen 73 P 7
Rheinbreitbach 60 O 5
Rheinbrohl 60 O 6
Rheindahlen 58 M 3
Rheindorf 59 M 4
Rheindürkheim 84 Q 9
Rheine 37 J 6
Rheineck 60 O 5
Rheinfelden 108 X 7
Rheinfels 73 P 7
Rheingaugebirge 73 P 7
Rheingönheim 84 R 9
Rheingoldstraße 71 P 6
Rheinhausen 100 V 7
Rheinhausen
(Duisburg-) 47 L 4
Rheinhausen
(Oberhausen-) 84 S 9
Rheinheim 109 X 8
Rheinisches
Freilichtmuseum 60 O 3
Rheinmünster 92 T 8
Rheinsberg 33 G 22
Rheinsberger See 33 G 22
Rheinsheim 84 S 9
Rheinstein 73 Q 7
Rheinstetten 93 T 8
Rheintal 73 P 7
Rheinweiler 108 W 6
Rheinzabern 93 S 8
Rhen 19 E 13
Rhena 50 M 10
Rhens 71 P 6
Rheurdt 46 L 3
Rheydt 58 M 3
Rheydt *(Dorf)* 58 M 3
Rhin 33 G 22
Rhina 63 N 13
Rhinkanal 33 H 21
Rhinluch 33 H 22
Rhinow 33 H 21
Rhode 41 J 16
Rhode 61 M 7
Rhoden 41 J 15
Rhoden 50 L 11
Rhodt 83 S 8
Rhön 75 O 13
Rhöndorf 60 O 5
Rhüden 40 K 14
Rhünda 63 M 12
Rhume 52 L 14
Rhumspringe 52 L 14
Rhynern 49 L 7
Ribbeck
(Kreis Havelland) 33 I 22
Ribbeck
(Kreis Oberhavel) 34 G 23
Ribbenstedt 41 J 17
Ribbesbüttel 41 I 15
Ribnitz-Damgarten 11 D 21
Richelbach 85 Q 12
Richelsdorf 64 N 14
Richen *(Kreis
Darmstadt-Dieburg)* 74 Q 10
Richen *(Kreis Heilbronn)* 84 S 10
Richrath 59 M 4
Richstein 62 N 9
Richtenberg 12 D 22
Richterich 58 N 2
Rickelrath 58 M 2
Rickenbach 108 X 7
Rickensdorf 41 I 16
Rickling 9 D 14
Riddagshausen 41 J 15
Ridders 8 D 12
Riebau 32 H 17
Riebelsdorf 63 N 11
Rieben 43 J 23
Rieblingen 96 U 16
Riebrau 31 G 16
Ried *(Kreis
Aichach-Friedberg)* 104 V 17
Ried *(Kreis Bad Tölz-
Wolfratshausen)* 112 W 18
Ried *(Kreis Günzburg)* 103 U 15
Ried *(Kreis
Weilheim-Schongau)* 104 W 16
Rieda 54 L 20
Rieda 29 H 11
Riedbach
(Kreis Haßberge) 76 P 15
Riedbach *(Kreis
Schwäbisch-Hall)* 85 R 13
Riedberghorn 111 X 14
Riedbergpaß 111 X 14
Riedböhringen 101 W 9
Riede 29 H 10
Riede 51 M 11
Riedelberg 82 S 6
Rieden 71 O 5
Rieden *(Kreis
Amberg-Sulzbach)* 88 S 19
Rieden
(Kreis Ostallgäu) 103 W 15
Rieden *(Kreis Würzburg)* 76 Q 14
Rieden a. Ammersee 104 W 17
Rieden a. d. Kötz 103 U 14
Rieden a. Forggensee 112 X 16
Riedenberg 75 P 13
Riedenburg 97 T 19
Riedenheim 86 R 13
Riedensheim 96 T 17
Rieder 53 K 17
Riederau 104 W 17
Riederich 94 U 11
Riedering 105 W 20
Riedern 85 Q 12
Riedern a. Wald 109 W 8
Riedhausen 102 W 12
Riedhausen b.
Günzburg 95 U 14
Riedheim
(Kreis Günzburg) 103 U 14
Riedheim
(Kreis Konstanz) 109 W 10
Riedlingen *(Kreis
Biberach a. d. Riß)* 102 V 12
Riedlingen
(Kreis Donau-Ries) 96 T 16
Riedlingen
(Kreis Lörrach) 108 W 6
Riedöschingen 101 W 9
Riedstadt 74 Q 9
Riefensbeek 52 K 15
Riegel 100 V 7
Riegelsberg 81 S 4
Riegelstein 87 R 18
Riegsee 112 W 17
Riekenbostel 30 G 12
Riekofen 98 T 21
Rielasingen *(Singen)* 109 W 10
Rielasingen-
Worblingen 109 W 10
Riem 105 V 19
Riemsdorf 68 M 24
Riemsloh 38 J 9
Rieneck 75 P 12
Riepach 95 T 14
Riepe *(Kreis Aurich)* 17 F 6

ROSTOCK

Arnold-Bernhart-Str. BX 2
Badstüberstr. BX 4
Beim Grünen Tor BX 8
Breite Str. BX
Buchbinderstr. CX 9
Friedhofsweg BX 14
Gertrudenpl. BX 16
Große Wasserstr. CX 17
Kleine Wasserstr. CX 19
Krämerstr. CX 21
Kröpeliner Str. BCX
Mönchentor CX 24
Pädagogienstr. BX 26
Richard-Wagner-Str. CX 28
Rungestr. BCX 29
Schwaansche Str. BX 31
Strandstr. BCX 34
Vogelsang CX 38
Wendenstr. CX 41

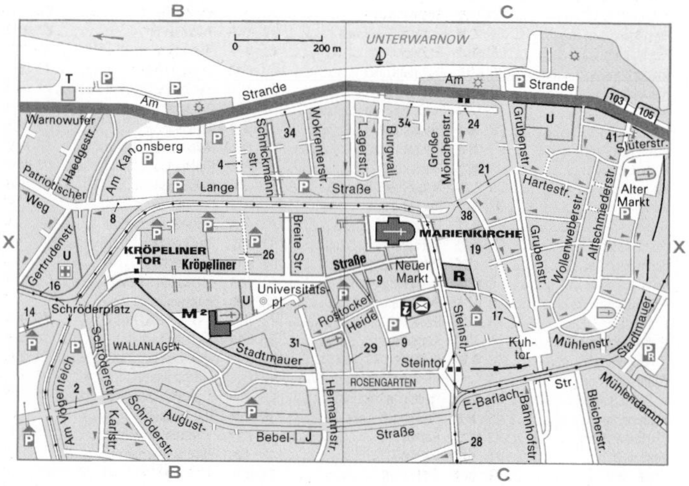
B
C
UNTERWARNOW
200 m
Am Strande
Strande
Warnowufer
Kanonsberg
Lange
Straße
Patriotischer Weg
Haedgestr.
Schnickmannstr.
Wokrenterstr.
Lagerstr.
Burgwall
Große Mönchenstr.
Grubenstr.
Hartestr.
Alter Markt
Slüterstr.
MARIENKIRCHE
KRÖPELINER TOR
Kröpeliner
Breite Str.
Neuer Markt
Universitäts-pl.
Schröderplatz
Gertrudenstr.
Rostocker Heide
Steinstr.
Kuhtor
Mühlenstr.
Wollenweberstr.
Altschmiedestr.
Stadtmauer
WALLANLAGEN
Schröderstr.
Steintor
ROSENGARTEN
Hermannstr.
E.-Barlach-Str.
Bahnhofstr.
Bleicherstr.
Mühlendamm
Am Vögenteich
Karlstr.
August-Bebel-Str.
Straße
X

Riepe *(Kreis Rotenburg)* 30 G 12
Riepe *(Kreis
Soltau-Fallingbostel)* 30 H 13
Rieplos 44 J 25
Rieps 21 E 16
Riepsdorf 10 D 16
Ries 95 T 15
Riesa 55 M 23
Riesbriek 4 B 11
Riesbürg 95 T 15
Rieschweiler-Mühlbach 83 S 6
Riesdorf 54 K 20
Rieseberg 41 J 16
Rieseby 5 C 13
Riesel 51 K 11
Riesenbeck 37 J 6
Riesigk 54 K 21
Rießen 45 J 27
Rieste
(Kreis Osnabrück) 37 I 8
Rieste *(Kreis Uelzen)* 31 G 15
Riestedt 53 L 18
Riestedt 31 H 15
Riesweiler 73 Q 6
Rietberg 50 K 9
Rietenau 94 T 12
Rieth 76 P 15
Rieth *(Kreis
Uecker-Randow)* 25 E 26
Rietheim 101 V 9
Rietheim-Weilheim 101 V 10
Riethnordhausen *(Kreis
Sangerhausen)* 53 L 17
Riethnordhausen
(Kreis Sömmerda) 65 M 17
Rietschen 57 L 28
Rietz 43 I 21
Rietz Neuendorf 45 J 26
Rietze 40 I 15
Rietzel 42 J 20
Rietzmeck 54 K 20
Rietzneuendorf-
Friedrichshof 44 J 24
Riewend 43 I 22
Riggerding 99 T 23
Riglasreuth 78 Q 19
Rilchingen-Hanweiler 82 S 5
Rimbach 84 R 10
Rimbach *(Kreis Cham)* 89 S 22
Rimbach
(Kreis Kitzingen) 76 Q 14
Rimbach
(Kreis Rottal-Inn) 106 U 21
Rimbeck 50 L 11
Rimberg 50 N 12
Rimhorn 84 Q 11
Rimpar 76 Q 13
Rimschweiler 82 S 6
Rimsting 106 W 21
Rinchnach 91 T 23
Rinchnachmündt 91 T 23
Rindelbach 95 T 14
Rindenmoos 102 V 13
Rinderfeld 86 R 13
Rindern 46 K 2
Ringe 26 I 4
Ringelai 99 T 24
Ringelbach 92 U 8
Ringelheim 40 J 14
Ringen 60 O 5
Ringenberg 46 K 3
Ringenhain 69 M 27
Ringenwalde 34 G 25
Ringfurth 42 I 19
Ringgau 64 M 14
Ringgenbach 102 W 11
Ringingen
(Alb-Donau-Kreis) 102 U 13
Ringingen
(Zollernalbkreis) 102 V 11
Ringleben 53 L 17
Ringsberg 5 B 12
Ringschnait 103 V 13
Ringsheim 100 V 7
Ringstedt 18 F 10
Ringwall 83 R 8
Rinkerode 37 K 7
Rinnenthal 104 U 17
Rinnthal 83 S 7
Rinschheim 85 R 12
Rinteln 39 J 11
Rinthe 62 M 9
Rippach 54 M 20
Rippberg 85 R 11
Rippenweier 84 R 10
Rippershausen 64 O 15
Rippien 68 N 25
Rippolingen 108 X 7
Ripsdorf 70 O 3
Rischenau 39 K 11
Rispel 17 F 7
Riß 102 V 13
Rißegg 102 V 13
Rissen 19 F 13
Rissenthal 80 R 4
Risserkogel 113 X 19
Rißtissen 102 V 13
Ristedt *(Kreis Diepholz)* 29 H 10
Ristedt *(Kreis
Westliche Altmark)* 31 I 17
Risum-Lindholm 4 B 10
Ritschenhausen 76 O 15
Ritschermoor 19 E 12
Ritterhude 29 G 10
Rittersbach *(Kreis Roth)* 87 S 17
Rittersbach *(Neckar-
Odenwald-Kreis)* 85 R 11
Rittersdorf 65 N 17
Rittersdorf 70 Q 3
Rittersgrün 79 O 22
Rittershausen 62 N 8
Rittierode 52 K 13
Rittmannshausen 64 M 14
Rittsteig 91 S 23
Ritzerow 24 F 22
Ritzleben 32 H 18
Riveris-Stausee 80 Q 4
Rixen 50 L 9
Rixfeld 63 O 12
Roben 66 N 20
Robern 85 R 11
Robringhausen 50 L 8
Rochau 32 H 19
Rochlitz 67 M 22
Rochsburg 67 N 22
Rockenberg 74 O 10
Rockenhausen 83 R 7
Rockensüß 63 M 13
Rockeskyll 70 P 4
Rocksdorf 87 S 18
Rockstedt 19 G 11
Rod a. d. Weil 74 O 9
Roda 62 N 10
Roda *(Bach)* 66 N 19
Roda
(Kreis Leipziger Land) 67 M 21
Roda *(Muldentalkreis)* 55 M 22
Rodacherbrunn 77 O 18
Rodalben 83 S 6
Rodau 4 B 11
Rodau 78 O 19
Rodau
(Kreis Bergstraße) 84 Q 9
Rodau *(Kreis
Darmstadt-Dieburg)* 84 Q 10
Roddahn 33 H 20
Roddan 32 H 20
Roden 75 Q 12
Rodenäs 4 B 10
Rodenbach
(Kreis Kaiserslautern) 81 R 6
Rodenbach
(Kreis Main-Spessart) 75 Q 12
Rodenbach
(Lahn-Dill-Kreis) 61 N 8
Rodenbek 9 D 14
Rodenberg 39 J 12
Rodenhausen 62 N 9
Rodenkirchen 18 F 9
Rodenkirchen *(Köln)* 59 N 4
Rodenkircherwurp 18 F 9
Rodenwalde 21 F 16
Rodenzenreuth 78 Q 20
Roderath 60 O 4
Rodersdorf
(Elstertalkreis) 78 O 20
Rodersdorf
(Kreis Halberstadt) 53 K 17
Rodershausen 70 Q 2
Rodewald 30 I 12
Rodewisch 66 O 21
Rodgau 74 P 10
Rodheim 74 O 10
Rodheim-Bieber 62 O 9
Rodheim v. d. Höhe 74 P 10
Roding 89 S 21
Rodleben 42 K 20
Rodt 101 U 9
Rodt
(Oberbergischer Kreis) 59 M 6
Rodt (Schleidweiler-) 72 Q 4
Roduchelstorf 21 E 16
Röbel *(Kreis Müritz)* 23 F 21
Röbel *(Kreis Ostholstein)* 9 D 16
Röbersdorf 87 Q 16

Röblingen a. See 54 L 19
Röcke 39 J 11
Röckenhofen 96 S 18
Röckersbühl 87 S 18
Röckingen 95 S 15
Röcknitz 55 L 22
Röckwitz 24 E 23
Röddelin 34 G 24
Röddenau 62 M 10
Rödelhausen 72 Q 5
Rödelmaier 76 P 14
Rödelsee 86 Q 14
Röden 77 P 17
Rödental 77 P 17
Röderau 55 M 23
Röderaue 56 L 24
Röderhof 41 K 17
Rödermark 74 Q 10
Rödern 68 M 25
Rödersheim-Gronau 83 R 8
Rödgen 62 O 10
Rödingen 58 N 3
Rödinghausen 38 J 9
Rödlin-Thurow 24 F 23
Rödlitz 67 N 21
Röfingen 103 U 15
Röggeliner See 21 E 16
Rögling 96 T 16
Rögnitz 21 F 17
Röhe 58 N 2
Röhl 80 Q 3
Röhlingen 95 T 14
Röhrda 64 M 14
Röhre 49 M 8
Röhrenfurth 63 M 12
Röhringsberg 52 L 14
Röhrmoos 104 V 18
Röhrnbach 99 T 24
Röhrsdorf *(Kreis Chemnitzer Land)* 67 N 22
Röhrsdorf *(Kreis Meißen-Dresden)* 68 M 24
Röhrsdorf *(Kreis Sächsische Schweiz)* 68 N 25
Röhrsen 31 H 15
Röllbach 85 Q 11
Röllfeld 85 Q 11
Röllshausen 63 N 11
Rölsdorf 58 N 3
Römerberg 84 S 9
Römerkessel 104 W 16
Römershagen 61 N 7
Römerstein *(Gemeinde)* 94 U 12
Römhild 76 O 15
Römstedt 31 G 15
Rönkhausen 49 M 7
Rönne 9 D 14
Rönnebeck 34 G 23
Rönnelmoor 18 F 8
Rönsahl 59 M 6
Röpersdorf 25 G 25
Roes 71 P 5
Rösa 54 L 21
Rösebeck 51 L 11
Rösenbeck 50 L 10
Röslau 78 P 19
Röspe 62 M 8
Rösrath 59 N 5
Rössing 40 J 13
Röst 7 D 11
Röt 93 U 9
Rötenbach *(Kreis Breisgau-Hochschwarzwald)* 101 W 8
Rötenbach *(Kreis Freudenstadt)* 101 V 9
Rötenberg 101 V 9
Roetgen 58 O 2
Rötgesbüttel 41 I 15
Rötha 54 M 21
Röthen 31 G 16
Röthenbach 68 N 24
Röthenbach 78 P 20
Röthenbach (Allgäu) 111 X 13
Röthenbach a. d. Pegnitz 87 R 17
Röthenbach b. St. Wolfgang 87 R 17
Röthges 62 O 10
Röthlein 76 Q 14
Röttbach 85 Q 12
Rötteln 108 X 6
Röttenbach *(Kreis Erlangen-Höchstadt)* 87 Q 16
Röttenbach *(Kreis Roth)* 96 S 17
Röttgen *(Bonn)* 59 N 5
Röttingen *(Kreis Würzburg)* 86 R 13
Röttingen *(Ostalbkreis)* 95 T 14
Rötz 89 R 21
Rövershagen 11 D 20
Röwitz 41 I 17
Roffhausen 17 F 8
Roga 24 F 24
Rogäsen 43 J 21
Rogätz 42 J 19
Rogeez 23 F 21
Roggden 95 U 15
Roggenburg 103 V 14
Roggendorf 21 E 17
Roggendorf *(Kreis Euskirchen)* 60 O 3
Roggendorf (Köln-) 59 M 4
Roggenhagen 24 F 24
Roggenstede 17 F 6
Roggenstein 89 R 20
Roggenstorf 10 E 17
Roggentin *(Kreis Bad Doberan)* 11 D 20
Roggentin *(Kreis Mecklenburg-Strelitz)* 24 F 22
Rogglfing 106 U 22
Roggosen 57 K 27
Roggow *(Kreis Bad Doberan)* 10 D 18
Roggow *(Kreis Güstrow)* 23 E 21
Rohdenhaus 48 M 5
Rohlsdorf 33 G 20
Rohlstorf 9 E 15
Rohne 57 L 27
Rohnstedt 53 M 16
Rohr 49 L 7
Rohr 70 O 4
Rohr *(Kreis Roth)* 87 R 16
Rohr *(Kreis Schmalkalden-Meiningen)* 64 O 15
Rohr *(Stuttgart)* 94 T 11
Rohr i. Niederbayern 97 T 19
Rohrbach *(Elstertalkreis)* 79 P 20
Rohrbach *(Kreis Coburg)* 77 P 17
Rohrbach *(Kreis Heilbronn)* 93 S 10
Rohrbach *(Kreis Hersfeld-Rotenburg)* 63 N 13
Rohrbach *(Kreis Mühldorf a. Inn)* 106 V 21
Rohrbach *(Kreis Pfaffenhofen a. d. Ilm)* 97 U 18
Rohrbach *(Kreis Ravensburg)* 102 W 13
Rohrbach *(Kreis Regensburg)* 88 S 19
Rohrbach *(Kreis Südliche Weinstraße)* 83 S 8
Rohrbach *(Saar-Pfalz-Kreis)* 82 S 5
Rohrbach i. Schwarzwald 101 V 8
Rohrbeck 43 K 23
Rohrberg 31 H 17
Rohrbrunn 75 Q 12
Rohrdorf *(Kreis Calw)* 93 U 10
Rohrdorf *(Kreis Ravensburg)* 111 W 14
Rohrdorf *(Kreis Rosenheim)* 105 W 20
Rohrdorf *(Kreis Sigmaringen)* 102 V 11
Rohren 70 O 2
Rohrenfels 96 T 17
Rohrhards-Berg 100 V 8
Rohrlack 33 H 21
Rohrmoos 111 X 14
Rohrsee 102 W 13
Rohrsen 29 H 11
Rohrsheim 41 J 16
Roidin 24 E 23
Roigheim 85 R 12
Roisdorf 59 N 5
Roitham 106 W 21
Roitzsch *(Kreis Bitterfeld)* 54 L 20
Roitzsch *(Kreis Torgau-Oschatz)* 55 L 22
Roitzschjora 54 L 21
Roklum 41 J 16
Roland 49 K 8
Rolandsbogen 60 O 5
Rolfsbüttel 40 I 15
Rolfshagen 39 J 11
Rolfzen 51 K 11
Rollesbroich 70 O 2
Rollshausen 52 L 14
Rollshausen 62 N 9
Rollwitz 25 F 25
Rolofshagen 21 E 17
Rom 23 F 19
Romansthal 77 P 17
Romkerhalle 52 K 15
Rommelhausen 74 P 10
Rommelsbach 94 U 11
Rommelshausen 94 T 11
Rommelsried 104 U 16
Rommerode 51 M 13
Rommers 75 O 13
Rommersheim 70 P 3
Rommerskirchen 58 M 4
Rommerz 75 O 12
Romrod 63 N 11
Romsthal 75 P 12
Rondeshagen 21 E 15
Ronhausen 62 N 10
Ronhof 87 R 17
Ronneburg 74 P 11
Ronneburg 66 N 20
Ronnenberg 40 J 12
Ronsberg 103 W 15
Ronsdorf 48 M 5
Ronshausen 63 N 13
Ronsolden 88 S 19
Rorup 36 K 5
Rosa 64 N 14
Rosall 79 Q 21
Rosbach 61 N 6
Rosbach v. d. Höhe 74 P 10
Rosche 31 H 16
Roschwitz 54 K 19
Rosdorf 51 L 13
Rosdorf (Holstein) 8 E 13
Rosebruch 30 G 12
Roseburg 21 F 15
Rosenbach 69 M 28
Rosenberg *(Neckar-Odenwald-Kreis)* 85 R 12
Rosenberg *(Ostalbkreis)* 95 S 14
Rosendahl 36 J 5
Rosenfeld 55 L 23
Rosenfeld 101 V 10
Rosenfelde 10 D 17
Rosengarten 94 S 13
Rosengarten *(Kreis Harburg)* 19 F 13
Rosengarten *(Kreis Rügen)* 13 D 24
Rosengarten *(Stadtkreis Frankfurt)* 45 I 27
Rosenhagen 39 I 11
Rosenhagen *(Kreis Nordwestmecklenburg)* 21 F 17
Rosenhagen *(Kreis Ostvorpommern)* 25 E 25
Rosenhain 69 M 28
Rosenheim 61 N 7
Rosenheim 105 W 20
Rosenkopf 81 R 6
Rosenkranz 4 B 10
Rosenow *(Kreis Demmin)* 24 F 23
Rosenow *(Kreis Uckermark)* 24 G 24
Rosenthal 62 N 10
Rosenthal *(Kreis Lüneburg)* 21 G 15
Rosenthal *(Kreis Peine)* 40 J 14
Rosenthal *(Kreis Teltow-Fläming)* 44 K 24
Rosenthal *(Westlausitzkreis)* 57 M 26
Rosenthal-Bielatal 68 N 26
Rosenwinkel 33 G 21
Rosian 42 J 20
Rosien 21 G 16
Rositz 66 M 21
Roskow 43 I 22
Rosow 25 G 27
Rossau *(Kreis Mittweida)* 67 M 23
Rossau *(Kreis Stendal)* 32 H 18
Roßbach *(Kreis Bad Kissingen)* 75 P 13
Roßbach *(Kreis Fulda)* 63 N 13
Roßbach *(Kreis Merseburg-Querfurt)* 54 M 19
Roßbach *(Kreis Miltenberg)* 75 Q 11
Roßbach *(Kreis Mühldorf a. Inn)* 106 U 21
Roßbach *(Kreis Neuwied)* 61 O 6
Roßbach *(Kreis Rottal-Inn)* 98 U 22
Roßbach *(Werra-Meißner-Kreis)* 51 M 13
Roßbach *(Westerwaldkreis)* 61 O 7
Roßbach-Wald 90 S 21
Roßberg 102 U 11
Roßberg *(Stadt)* 102 W 13
Roßdorf *(Kreis Darmstadt-Dieburg)* 74 Q 10
Roßdorf *(Kreis Jerichower Land)* 42 I 20
Roßdorf *(Kreis Marburg-Biedenkopf)* 62 N 10
Roßdorf *(Kreis Schmalkalden-Meiningen)* 64 N 14
Roßdorf-Dunkelforth 42 I 20
Roßdort 74 P 10
Roßfeld *(Kreis Coburg)* 76 O 16
Roßfeld *(Kreis Schwäbisch-Hall)* 95 S 14
Roßfeld-Ringstraße 114 X 23
Roßhaupten 112 X 16
Roßholzen 113 W 20
Rossin 25 E 25
Roßla 53 L 17
Roßlau 43 K 20
Roßleben 53 M 18
Rossow *(Kreis Mecklenburg-Strelitz)* 24 F 24
Rossow *(Kreis Ostprignitz-Ruppin)* 33 G 21
Rossow *(Kreis Uecker-Randow)* 25 F 26
Roßstein 113 X 19
Roßtal 87 R 16
Roßtrappe 53 K 17
Roßwälden 94 T 12
Roßwag 93 T 10
Roßwein 67 M 23
Rostock 11 D 20
Rostocker Heide 11 D 20
Rostrup 27 G 7
Rot *(Donau)* 103 W 13
Rot *(Kocher)* 94 T 13
Rot *(Main-Tauber-Kreis)* 85 R 13
Rot (St. Leon-) 84 S 9
Rot a. d. Rot 103 V 14
Rot a. See 86 S 14
Rot b. Laupheim 103 V 13
Rotbach 59 N 4
Rotberg 44 I 24
Rote Lache 93 T 8
Rotenberg 94 L 14
Rotenburg 29 G 12
Rotenburg 63 N 13
Rotenhain 61 O 7
Rotenhar 94 T 13
Rotenhuse 10 D 16
Rotenkirchen 51 K 13
Roter Main 77 P 18
Rotes Kliff *(Sylt)* 4 B 8
Rotfelden 93 U 10
Roth 87 S 17
Roth *(Kreis Altenkirchen)* 61 N 7
Roth *(Kreis Hildburghausen)* 76 O 15
Roth *(Kreis Lichtenfels)* 77 P 17
Roth *(Kreis Neu-Ulm)* 103 U 14
Roth *(Kreis Rhön-Grabfeld)* 76 O 14
Roth *(Lahn-Dill-Kreis)* 61 O 8
Roth a. d. Our 80 Q 2
Roth b. Prüm 70 P 3
Rotha 53 L 17
Rothaargebirge 62 N 8
Rothaargebirge (Naturpark) 62 M 8
Rothau 99 T 24
Rothaus 100 W 8
Rothemann 75 O 13
Rothemühl 25 F 25
Rothemühle 61 N 7
Rothenbach *(Kreis Heinsberg)* 58 M 2
Rothenbach *(Westerwaldkreis)* 61 O 7
Rothenberg 77 P 16
Rothenberg 84 R 10
Rothenbergen 75 P 11
Rothenbuch 75 Q 12
Rothenburg 54 L 19
Rothenburg (Oberlausitz) 57 L 28
Rothenburg o. d. Tauber 86 R 14
Rothenfels 75 Q 12
Rothenkirchen *(Göltzschtalkreis)* 67 O 21
Rothenkirchen *(Kreis Fulda)* 63 N 13
Rothenkirchen *(Kreis Kronach)* 77 O 17
Rothenklempenow 25 F 26
Rothenschirmbach 53 L 18
Rothensee 42 J 19
Rothenstadt 88 R 20
Rothenstein 65 N 18
Rothenstein 96 T 17
Rothenthal 68 O 24
Rothenuffeln 39 J 10
Rother Kuppe 76 O 14
Rothesütte 52 L 16
Rothhausen 76 P 14
Rothhelmshausen 63 M 11
Rothmannsthal 77 P 17
Rothsee 87 S 17
Rothselberg 81 R 6
Rothwesten 51 L 12
Rott 5 C 11
Rott 58 N 2
Rott 104 W 16
Rott *(Fluß)* 106 U 21
Rott a. Inn 105 W 20
Rotta 55 K 21
Rottach 111 X 14
Rottach-Egern 113 W 19
Rottau 106 W 21
Rottenacker 102 V 13
Rottenbach *(Kreis Coburg)* 77 O 16
Rottenbach *(Kreis Saalfeld-Rudolstadt)* 65 N 17
Rottenberg 75 P 11
Rottenbuch 112 W 16
Rottenburg a. d. Laaber 97 T 20
Rottenburg a. Neckar 93 U 10
Rottendorf *(Kreis Schwandorf)* 88 R 20
Rottendorf *(Kreis Würzburg)* 86 Q 14
Rottenegg 97 U 19
Rotterode 64 N 15
Rottershausen 76 P 14
Rotterterode 63 N 12
Rotthalmünster 107 U 23
Rottinghausen 37 I 8
Rottleben 53 L 17
Rottleberode 53 L 16
Rottmersleben 42 J 18
Rottorf 20 F 14
Rottorf a. Klei 41 J 16
Rottstock *(b. Brück)* 43 J 22
Rottstock *(b. Görzke)* 43 J 21
Rottum 103 V 13
Rottweil 101 V 9
Rotwand 113 X 19
Roxel 37 K 6
Roxförde 42 I 18
Roxheim 73 Q 7
Roxheim (Pfalz) 84 R 9
Rubbelrath 48 M 3
Rubenow 13 D 25
Rubkow 15 E 25
Rubow 22 E 18
Ruchow 23 E 19
Ruckersfeld 61 N 8
Rudelstetten 95 T 15
Rudelzhausen 97 U 19
Ruden 13 D 25
Rudendorf 76 P 16
Ruderatshofen 103 W 15
Rudersberg 94 T 12
Rudersdorf 61 N 8
Ruderting 99 U 24
Rudingshain 63 O 11
Rudisleben 65 N 16
Rudlos 63 O 12
Rudolphshan 63 O 13
Rudolphstein 78 O 19
Rudolstadt 65 N 18
Rudower See 32 G 18
Rübehorst 33 H 20
Rübeland 53 K 16
Rübenach 71 O 6
Rübenau 67 O 23
Rüber 71 P 6
Rübke 19 F 13
Rück 85 Q 11
Rückers 75 O 12
Rückersdorf 87 R 17
Rückersdorf *(Kreis Elbe-Elster)* 56 L 24
Rückersdorf *(Kreis Greiz)* 66 N 20
Rückersdorf *(Kreis Sächsische Schweiz)* 68 M 26
Rückershausen 73 P 8
Rückholz 111 X 15
Rückingen 74 P 10
Rückmarsdorf 54 L 20
Rüddingshausen 62 N 10
Rüde 5 B 12
Rüdenau 85 Q 11
Rüdenhausen 86 Q 15
Rüdersdorf *(Kreis Greiz)* 66 N 19
Rüdersdorf *(Kreis Märkisch-Oderland)* 44 I 25
Rüdershausen *(Kreis Göttingen)* 52 L 14
Rüdershausen *(Kreis Wesermarsch)* 18 G 8
Rüdesheim 73 Q 7
Rüdesheim a. Rhein 73 Q 7
Rüdigershagen 52 L 15
Rüdigheim 74 P 10
Rüdinghausen 47 L 6
Rüdisbronn 86 R 15
Rüdnitz 34 H 24
Rügen *(Insel)* 13 C 23
Rügge 5 B 13
Rüggeberg 49 M 6
Rügheim 76 P 15
Rügischer Bodden 13 D 24
Rügland 86 R 15
Rühen 41 I 16
Rühle *(Kreis Emsland)* 26 H 5
Rühle *(Kreis Holzminden)* 39 K 12
Rühlerfeld 26 H 5
Rühlermoor 26 I 5
Rühlertwist 26 I 5
Rühlingstetten 95 T 15
Rühlow 24 F 24
Rühn 23 E 19
Rühstädt 32 H 19
Rülzheim 83 S 8
Rümmingen 108 X 6
Rümpel 20 E 15
Ründeroth 59 N 6
Rünthe 49 L 6
Rüper 40 I 17
Rüppershausen 62 N 8
Rüscheid 61 O 6
Rüschendorf *(Kreis Steinfurt)* 37 I 6
Rüschendorf *(Kreis Vechta)* 37 I 8
Rüschhaus 37 K 6
Rüsfort 27 I 8
Rüspel 19 G 12
Rüssel 27 I 7
Rüsselhausen 85 R 13
Rüsselsheim 74 Q 9
Rüssen 28 H 9
Rüssenbach 87 Q 17
Rüssingen 83 R 8
Rüstungen 52 M 14
Rütenbrock 26 H 5
Rütenmoor 26 H 5
Rüterberg 31 G 17
Rüthen 50 L 9
Rüthnick 34 H 22
Rüting 21 E 17
Rütschdorf 85 R 12
Rugendorf 77 P 18
Rugenort 7 D 10
Rugensee 22 E 18
Ruhestein 93 U 8
Ruhla 64 N 15
Ruhland 56 L 25
Ruhlkirchen 63 N 11
Ruhlsdorf *(Kreis Barnim)* 34 H 24
Ruhlsdorf *(Kreis Potsdam-Mittelmark)* 44 I 23
Ruhlsdorf *(Kreis Teltow-Fläming)* 44 J 23
Ruhlsdorf *(Kreis Wittenberg)* 55 K 22
Ruhmannsfelden 91 T 22
Ruhner Berge 23 G 19
Ruhpolding 114 W 21
Ruhr 50 M 9
Ruhrgebiet 47 L 4
Ruhrstorf 98 U 22
Ruhstorf a. d. Rott 107 U 24
Ruhwarden 18 F 8
Ruhwinkel 9 D 14
Ruit *(Kreis Karlsruhe)* 93 S 10
Ruit *(Stuttgart)* 94 T 11
Rulfingen 102 V 11
Rulle 37 I 8
Rullstorf 21 G 15
Rumbach 92 S 7
Rumbeck *(Hochsauerlandkreis)* 49 L 8

Rumbeck *(Kreis Hameln-Pyrmont)* 39 J 11
Rumeln 46 L 3
Rummelloch 4 C 9
Rummenohl 49 M 6
Rumohr 9 D 14
Rumpshagen 24 F 22
Runding 89 S 22
Runkel 73 O 8
Runow 23 F 19
Runzhausen 62 N 9
Rupboden 75 P 13
Ruppach-Goldhausen 73 O 7
Ruppendorf 68 N 24
Ruppersdorf 77 O 18
Ruppersdorf (Oberlausitz) 69 N 28
Ruppertenrod 62 O 11
Ruppertsburg 62 O 10
Ruppertsgrün *(Elstertalkreis)* 66 O 20
Ruppertsgrün *(Kreis Zwickauer Land)* 66 N 21
Ruppertshain 74 P 9
Ruppertshofen *(Kreis Schwäbisch-Hall)* 85 S 13
Ruppertshofen *(Ostalbkreis)* 94 T 13
Ruppertshütten 75 P 12
Ruppertsweiler 83 S 7
Ruppertszell 104 U 17
Ruppichteroth 59 N 6
Ruppiner Kanal 34 H 23
Ruppiner Schweiz 33 G 22
Ruppiner See 33 H 22
Rupprechtstegen 87 R 18
Rupsroth 63 O 13
Rur 70 O 2
Rur-Stausee 58 O 3
Rurberg 70 O 3
Rurdorf 58 N 2
Rurtalsperre 70 O 3
Rusch 111 X 14
Ruschberg 81 R 5
Ruschwedel 19 F 12
Rusel 98 T 23
Rushend 39 J 11
Russee 9 D 14
Rußheim 84 S 9
Rust 100 V 7
Rustenfelde 52 L 14
Rustow 14 E 23
Rutenberg 24 G 23
Rutesheim 93 T 10
Ruthe 40 J 13
Ruthenbeck 22 F 19
Ruwer 72 Q 4
Ryck 13 D 23
Ryckgraben 13 D 23
Rysum 16 F 5

S

Saal 11 D 21
Saal 76 P 15
Saal a. d. Donau 97 T 19
Saalach 114 W 22
Saalbach 84 S 9
Saalburg 78 O 19
Saalburg 74 P 9
Saaldorf *(Kreis Berchtesgadener Land)* 106 W 22
Saaldorf *(Saale-Orla-Kreis)* 78 O 19
Saale 65 O 18
Saale 78 P 19
Saaler Bodden 11 C 21
Saalfeld *(Schwarzakreis)* 65 O 18
Saalfeld *(Unstrut-Hainich-Kreis)* 52 M 15
Saalhaupt 97 T 20
Saalhausen 56 L 25
Saalhausen 61 M 8
Saalow 44 J 24
Saalsdorf 41 I 17
Saalstadt 81 S 6
Saar 82 S 4
Saar-Hunsrück 80 R 4
Saara 66 N 19
Saarbach 92 S 7
Saarbrücken 82 S 5
Saarbrücken-Ensheim *(Flughafen)* 82 S 5
Saarburg 80 R 3
Saarhölzbach 80 R 3
Saarlouis 80 S 4
Saarmund 44 J 23
Saarwellingen 80 R 4
Saasen 62 O 10
Saathain 56 L 24
Sababurg 51 L 12
Sabbenhausen 39 K 11
Sabel 11 E 20
Sabershausen 71 P 6
Sabrodt 57 L 26
Sachau 41 I 17
Sachenshausen 63 N 11
Sachrang 113 W 20
Sachsbach 86 S 15
Sachsdorf 68 M 24
Sachsen 86 S 15
Sachsenberg 79 O 21
Sachsenberg 62 M 10
Sachsenbrunn 77 O 16
Sachsenburg *(Kreis Mittweida)* 67 N 23
Sachsenburg *(Kyffhäuserkreis)* 53 M 17
Sachsendorf *(Kreis Märkisch-Oderland)* 45 I 27
Sachsendorf *(Muldentalkreis)* 55 M 22
Sachsengrund 79 O 21
Sachsenhagen 39 I 11
Sachsenhausen *(Frankfurt)* 74 P 10
Sachsenhausen *(Kreis Heidenheim)* 95 U 14
Sachsenhausen *(Kreis Oberhavel)* 34 H 23
Sachsenhausen *(Kreis Waldeck-Frankenberg)* 50 M 11
Sachsenhausen *(Kreis Weimarer Land)* 65 M 18
Sachsenhausen *(Main-Tauber-Kreis)* 85 Q 12
Sachsenheim 94 T 11
Sachsenkam 105 W 18
Sachsenried 104 W 16
Sachsenwald 20 F 15
Sachsgrün 78 O 20
Sack 40 J 13
Sacka 56 M 25
Sackpfeife 62 N 9
Sacro 57 K 27
Sacrow 43 I 23
Sacrow-Waldow 45 K 26
Sadelkow 24 F 24
Sadenbeck 33 G 20
Sadersdorf 19 F 11
Sadisdorf 68 N 24
Sächsische Schweiz 69 N 26
Sächsische Weinstraße 68 M 24
Saeffelen 58 M 1
Saerbeck 37 J 6
Sättelstädt 64 N 15
Säuling 112 X 16
Saffig 71 O 6
Sagar 57 L 28
Sagard 13 C 24
Sagast 23 G 19
Sagau 9 D 16
Sage 27 H 8
Sagehorn 29 G 11
Sahlenburg 18 E 9
Sahms 21 F 15
Sahrendorf 30 G 14
Saidenbach Stausee 67 N 23
Saig 100 W 8
Sailauf 75 P 11
Sailershausen 76 P 15
Salach 94 T 13
Salbke 42 J 19
Salchendorf *(b. Netphen)* 61 N 8
Salchendorf *(b. Neunkirchen)* 61 N 8
Salching 98 T 21
Saldenburg 99 T 24
Salder 40 J 15
Salem 21 F 16
Salem 110 W 11
Salgen 103 V 15
Sallach 98 T 21
Sallahn 31 G 16
Sallgast 56 L 25
Sallneck 108 W 7
Salm 70 P 4
Salmanskirchen 106 V 21
Salmendingen 102 U 11
Salmsdorf 76 P 16
Salmtal 72 Q 4
Salmünster 75 P 12
Salow 24 E 24
Saltendorf 88 R 20
Salz 76 P 14
Salz *(Fluß)* 75 O 12
Salz *(Vogelsbergkreis)* 75 O 12
Salz *(Westerwaldkreis)* 61 O 7
Salzach 106 V 22
Salzau 9 D 15
Salzberg 63 N 12
Salzbergen 36 J 6
Salzbergwerk 85 S 11
Salzbrunn 43 J 22
Salzburg 61 N 8
Salzdahlum 41 J 15
Salzderhelden 51 K 13
Salzenforst-Bolbritz 69 M 27
Salzfurtkapelle 54 K 20
Salzgitter 40 J 15
Salzgitter-Bad 40 J 15
Salzhaff 10 D 18
Salzhausen 30 G 14
Salzhemmendorf 39 J 12
Salzkotten 50 K 9
Salzmünde 54 L 19
Salzstetten 93 U 9
Salzwedel 31 H 17
Salzweg 99 U 24
Salzwoog 83 S 7
Sambach 87 Q 16
Sambachshof 76 P 15
Sambleben 41 J 16
Sameister 112 W 16
Samerberg 113 W 20
Samern 36 J 5
Sammarei 99 U 23
Samswegen 42 J 18
Samtens 13 C 23
Sand *(Kreis Kassel)* 51 M 11
Sand *(Kreis Rastatt)* 93 U 8
Sand *(Ortenaukreis)* 92 U 7
Sand *(Rhein-Sieg-Kreis)* 59 N 5
Sand a. Main 76 Q 15
Sandau 32 H 20
Sandauerholz 32 H 20
Sandbach 84 Q 11
Sandbach 99 U 23
Sandbeiendorf 42 I 19
Sandbek 5 B 13
Sandberg *(Kreis Fulda)* 76 O 13
Sandberg *(Kreis Rhön-Grabfeld)* 76 O 14
Sandbostel 19 F 11
Sande 17 F 8
Sande 50 K 9
Sande (Enge-) 4 B 10
Sandebeck 50 K 10
Sandel 17 F 7
Sandelzhausen 97 U 19
Sandersdorf 54 L 20
Sandersdorf 97 T 18
Sandershausen 51 M 12
Sandersleben 53 K 18
Sandesneben 21 E 15
Sandforth 38 J 9
Sandfurth 42 I 19
Sandhagen *(Kreis Bad Doberan)* 10 D 19
Sandhagen *(Kreis Mecklenburg-Strelitz)* 25 E 24
Sandharlanden 97 T 19
Sandhatten 28 G 8
Sandhausen 18 G 10
Sandhausen 84 R 9
Sandhof 95 S 14
Sandhorst 17 F 6
Sanding 97 T 20
Sandizell 96 U 17
Sandkaten 9 D 15
Sandkrug 35 H 25
Sandkrug 28 G 8
Sandlofs 63 N 12
Sandsbach 97 T 20
Sandstedt 18 F 9
Sandtorf 84 R 9
Sangerhausen 53 L 17
Sanitz 11 D 21
Sankelmark 5 B 12
St. Andreasberg 52 K 15
St. Annen 7 C 11
St. Arnold 36 J 6
St. Augustin 59 N 5
St. Bartholomä 114 X 22
St. Bernhard 76 O 15
St. Blasien 108 W 8
St. Candidus 93 T 10
St. Dionys 20 F 15
St. Egidien 67 N 21
St. Englmar 91 S 22
St. Gangloff 66 N 19
St. Georgen 101 V 9
St. Georgsberg 21 E 16
St. Germanshof 92 S 7
St. Gertrud 21 E 16
St. Goar 73 P 7
St. Goarshausen 73 P 7
St. Heinrich 104 W 18
St. Hubert 46 L 3
St. Hubertus 21 E 16
St. Hülfe 28 I 9
St. Ilgen 84 R 10
St. Ingbert 82 S 5
St. Jakob 106 W 21
St. Johann *(b. Hohe Warte)* 94 U 11
St. Johann *(Gemeinde)* 102 U 12
St. Johann *(Kreis Kelheim)* 97 T 19
St. Johannis 77 Q 18
St. Joost 17 F 7
St. Jürgen 21 E 16
St. Jürgensland 29 G 10
St. Julian 81 R 6
St. Katharinen 60 O 6
St. Leon-Rot 84 S 9
St. Leonhard 106 V 21
St. Leonhard a. Wonneberg 106 W 22
St. Leonhard i. Forst 104 W 17
St. Lorenz 21 E 15
St. Märgen 100 V 8
St. Margarethen 19 E 11
St. Martin 83 S 8
St. Michaelis 67 N 23
St. Michaelisdonn 7 E 11
St. Oswald-Riedlhütte 91 T 24
St. Pauli *(Hamburg)* 19 F 13
St. Peter 100 V 8
St. Peter-Ording 7 D 9
St. Quirin 113 W 19
St. Roman 101 V 8
St. Salvator 99 U 23
St. Servatius 114 W 21
St. Thomas 70 P 3
St. Tönis 48 M 3
St. Trudpert 100 W 7
St. Ulrich 100 W 7
St. Vit 50 K 8
St. Wendel 81 R 5
St. Wilhelm 100 W 7
St. Wolfgang 105 V 20
Sanne *(Altmarkkreis Salzwedel)* 32 H 18
Sanne *(Kreis Stendal)* 32 I 19
Sannerz 75 P 12
Sanspareil 77 Q 17
Sanssouci *(Potsdam)* 43 I 23
Sanzkow 24 E 23
Sapelloh 39 I 10
Sarching 90 S 20
Sargenroth 73 Q 6
Sargstedt 41 K 16
Sarkwitz 9 E 16
Sarlhusen 8 D 13
Sarmstorf 23 E 20
Sarnow 24 E 24
Sarnstall 83 S 7
Sarow 24 E 23
Sarre 42 J 18
Sarrod 75 O 12
Sarstedt 40 J 13
Sarzbüttel 7 D 11
Sasbach *(Kreis Emmendingen)* 100 V 6
Sasbach *(Ortenaukreis)* 92 U 8
Sasbachwalden 92 U 8
Sasel 20 F 14
Sassanfahrt 87 Q 16
Sassen 14 D 23
Sassenberg 37 K 8
Sassenburg 41 I 15
Sassendorf 77 Q 16
Sassenhausen 62 N 9
Sassenholz 19 F 11
Saßleben 56 K 25
Saßmannshausen 62 N 9
Saßnitz 13 C 24
Satemin 31 H 17
Saterland 27 G 7
Satjendorf 9 C 15
Satow *(Kreis Bad Doberan)* 11 E 19
Satow *(Kreis Müritz)* 23 F 21
Satrup 5 B 12
Sattelbogen 91 S 21
Satteldorf 86 S 14
Sattelpeilnstein 91 S 22
Sattenhausen 52 L 14
Satuelle 42 I 18
Satzkorn 43 I 22
Satzung 67 O 23
Satzvey 60 O 4
Saubach 53 M 18
Sauen 45 J 26
Sauensiek 19 F 12
Sauer 80 Q 2
Sauerlach 105 W 18
Sauerland 49 M 6
Sauerthal 73 P 7
Sauggart 102 V 12
Saulburg 90 T 21
Sauldorf 102 W 11
Saulgrub 112 W 17
Saulheim 73 Q 8
Saupersdorf 67 O 21
Saupsdorf 69 N 26
Sausedlitz 54 L 21
Saustrup 5 B 13
Sauzin 15 D 25
Saxdorf 55 L 23
Sayda 68 N 24
Sayn 71 O 6
Saynbach 71 O 6
Schaafheim 74 Q 11
Schaag 58 M 2
Schaalby 5 C 12
Schaale 21 F 16
Schaalsee 21 F 16
Schaalsee (Naturpark) 21 E 16
Schachdorf-Ströbeck 41 K 16
Schachen 110 X 12
Schacht-Audorf 8 D 13
Schachten 51 L 12
Schachten 89 S 22
Schachtrup 49 K 8
Schackendorf 9 E 14
Schackensleben 42 J 18
Schackenthal 53 K 18
Schacksdorf 56 L 25
Schackstedt 53 K 18
Schadehorn 20 E 15
Schadeleben 53 K 18
Schadewitz 56 L 24
Schäftersheim 85 R 13
Schäftlarn 104 W 18
Schaephuysen 46 L 3
Schäplitz 32 I 18
Schafberg 37 J 7
Schafberg 89 R 22
Schaffhausen 82 S 4
Schaffhausen 95 T 15
Schafflund 5 B 11
Schafreuter 113 X 18
Schafshill 97 T 18
Schafstädt 54 L 19
Schafstedt 7 D 11
Schaftlach 113 W 19
Schafwedel 31 H 16
Schafwinkel 30 H 12
Schaibing 99 U 24
Schaidt 92 S 8
Schaippach 75 P 12
Schale 37 I 6
Schalkau 77 O 17
Schalkenbach 60 O 5
Schalkenmehren 71 P 4
Schalkham 98 U 21
Schalkhausen 86 S 15
Schalkholz 7 D 11
Schalksmühle 49 M 6
Schalkstetten 95 U 13
Schallbach 108 X 6
Schallfeld 76 Q 15
Schallodenbach 83 R 7
Schallstadt 100 W 7
Schambach *(Kreis Straubing-Bogen)* 98 T 22
Schambach *(Kreis Weißenburg-Gunzenhausen)* 96 T 16
Schameder 62 M 8
Schamhaupten 97 T 18
Schanbach 94 T 12
Schandelah 41 J 16
Schanze 62 M 9
Schanzendorf 29 G 11
Schapbach 101 U 8
Schapdetten 36 K 6
Schapen 37 I 6
Schapow 25 F 25
Schaprode 13 C 23
Schaproder Bodden 13 C 23
Scharbeutz 9 D 16
Scharbow 21 F 17
Scharenstetten 95 U 13
Scharfenberg 68 M 24
Scharfenberg 50 L 9
Scharfenbrück 44 J 23
Scharfenstein 67 N 23
Scharfoldendorf 40 K 12
Scharhörn *(Insel)* 6 E 9
Scharlibbe 32 H 20
Scharling 113 X 19
Scharmbeck 20 F 14
Scharmbeckstotel 29 G 10
Scharmede 50 K 9
Scharmützelsee 45 J 26
Scharnebeck 21 G 15
Scharnhorst *(Kreis Celle)* 30 H 14
Scharnhorst *(Kreis Verden)* 29 H 11
Scharrel *(Kreis Cloppenburg)* 27 G 7
Scharrel *(Kreis Diepholz)* 29 H 9
Scharrel *(Kreis Hannover)* 39 I 12
Scharrinhausen 29 I 10
Scharrl 30 G 13
Schartau 42 J 19
Scharzfeld 52 L 15
Schashagen 10 D 16
Schatensen 30 G 14
Schatthausen 84 S 10
Schattin 21 E 16
Schauberg 77 O 17
Schauen 41 K 16
Schauenburg 51 M 12
Schauenburg 92 U 8
Schauenstein 78 P 19
Schauernheim 84 R 8
Schaufling 98 T 23
Schauinsland 100 W 7
Schaumberg 81 R 5
Schaumburg 39 J 11
Schaumburg 73 O 7
Schaumburger Wald 39 I 11
Schechen 105 W 20
Schechingen 95 T 13
Scheddebrock 37 J 6
Scheden 51 L 13
Scheer 102 V 11
Scheerenberg 52 K 14
Scheersberg 5 B 13
Scheeßel 30 G 12
Scheffau 110 X 13
Schefflenz 85 R 11
Scheibe-Alsbach 77 O 17
Scheibenberg 67 O 22
Scheibenhardt 92 T 8
Scheid 62 M 11
Scheidegg 110 X 13
Scheiden 54 M 20
Scheidental 85 R 11
Scheidewang Alp 111 X 14
Scheidingen 49 L 7
Scheinfeld 86 Q 15
Schelenburg 37 J 8
Schelklingen 102 U 13
Schellbach 66 N 20
Schellbronn 93 T 10
Schelldorf 42 I 19
Schelldorf 96 T 18
Schellenbach 103 V 15
Schellerhau 68 N 25
Schellert 86 R 15
Schellerten 40 J 14
Schellhorn 9 D 14
Schellweiler 81 R 6
Schemmerberg 102 V 13
Schemmerhofen 102 V 13
Schemmern 63 M 13
Schenefeld *(Kreis Pinneberg)* 19 F 13
Schenefeld *(Kreis Steinburg)* 8 D 12
Schenkelberg 61 O 7
Schenkenberg *(Kreis Delitzsch)* 54 L 20
Schenkenberg *(Kreis Uckermark)* 25 F 25
Schenkendöbern 45 K 27
Schenkendorf 44 K 24
Schenkenhorst *(Altmarkkreis Salzwedel)* 32 I 18
Schenkenhorst *(Kreis Potsdam-Mittelmark)* 44 I 23
Schenkenzell 101 V 9
Schenklengsfeld 63 N 13
Scheppach 103 U 15
Scheppau 41 J 16
Schepsdorf 36 I 5

SAARBRÜCKEN

Am Stadtgraben AZ 2
Bahnhofstr. AY
Berliner Promenade AY 3
Bleichstr. BZ 4
Deutschherrnstr. AZ 8
Karl-Marx-Str. AY 17
Lebacher Str. AY 18
Ludwigstr. AY 22
Neumarkt AZ 28
Obertorstr. BZ 29
Paul-Marien-Str. BZ 32
Präsident-Balz-Str. BZ 34
Reichsstr. AY 35
Richard-Wagner-Str. BY 36
St. Johanner Markt BZ 39
Scheidter Str. BY 40
Schillerpl. BZ 41
Stephanstr. BY 43
Türkenstr. BZ 46
Viktoriastr. AY 47
Wilhelm-Heinrich-Brücke AY 48

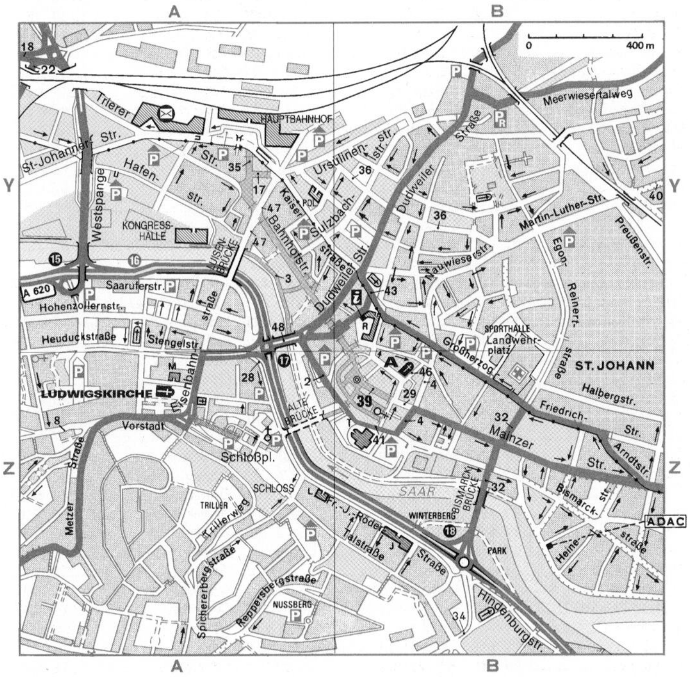

Scherbda 64 M 14
Scherenbostel 40 I 13
Scherfede 50 L 11
Scherlebeck 47 L 5
Schermbeck 47 K 4
Schermcke 41 J 17
Schermen 42 J 19
Schernberg 52 M 16
Schernebeck 42 I 19
Scherneck 77 P 16
Schernfeld 96 T 17
Schernikau 32 I 19
Schernsdorf 45 J 27
Scherpenseel 58 N 2
Scherstetten 103 V 15
Scherzheim 92 T 8
Schessinghausen 29 I 11
Scheßlitz 77 Q 17
Scheuder 54 K 20
Scheuen 30 H 14
Scheuerfeld 61 N 7
Scheuerfeld 77 P 16
Scheuerheck 60 O 4
Scheuren 60 O 4
Scheuring 104 V 16
Scheven 60 O 3
Schevenhütte 58 N 2
Scheyern 96 U 18
Schiebsdorf 44 K 25
Schiedel 56 M 26
Schieder 39 K 11
Schiedungen 52 L 15
Schiefbahn 48 M 3
Schielberg 93 T 9
Schielo 53 L 17
Schienen 109 W 10
Schiener Berg 109 W 10
Schierau 54 K 20
Schierbrok 29 G 9
Schieren 9 E 15
Schierensee 9 D 13
Schierhorn 19 G 13
Schierke 52 K 15
Schierling 97 T 20
Schiersfeld 83 Q 7
Schierstein 73 P 8
Schießen 103 V 14
Schießhaus 51 K 12
Schiffdorf 18 F 9
Schiffelbach 62 N 10
Schiffenberg 62 O 10
Schifferstadt 84 R 9
Schiffmühle 35 H 26
Schiffweiler 81 R 5
Schilbach *(Elstertalkreis)* 79 O 20
Schilbach *(Saale-Orla-Kreis)* 78 O 19
Schilda 56 L 24
Schilde 21 F 16
Schildesche 38 J 9
Schildgen 59 M 5
Schildow 34 I 24
Schildthurn 106 V 22
Schilksee 9 C 14
Schillersdorf 24 F 22
Schillerslage 40 I 13
Schillertswiesen 90 S 21
Schillig 17 E 8
Schillingen 80 R 4
Schillingsfürst 86 S 14
Schillingstadt 85 R 12
Schillingstedt 53 M 17
Schillsdorf 9 D 14
Schiltach 101 V 9
Schiltberg 104 U 17
Schimborn 75 P 11
Schimm 22 E 18
Schimmendorf 77 P 18
Schinder 113 X 19
Schinkel 9 C 13
Schinna 39 I 11
Schinne 32 I 19
Schiphorst 20 E 15
Schipkau 56 L 25
Schippach 85 Q 11
Schipphorst 9 D 14
Schirgiswalde 69 M 27
Schirmenitz 55 L 23
Schirmitz 89 R 20
Schirnau 8 C 13
Schirnding 79 P 20
Schirnrod 77 O 16
Schirradorf 77 P 17
Schirum 17 F 6
Schkeuditz 54 L 20
Schkölen 66 M 19
Schköna 55 K 21
Schkopau 54 L 19
Schkortitz 55 M 22
Schkortleben 54 M 20
Schlabendorf 56 K 25
Schladebach 54 M 20
Schladen 41 J 15
Schladern 61 N 6
Schladt 71 P 4
Schlächtenhaus 108 W 7
Schlag 91 T 23
Schlagbrügge 21 E 16
Schlagenthin *(Kreis Jerichower Land)* 43 I 20
Schlagenthin *(Kreis Märkisch-Oderland)* 45 I 26
Schlagsdorf *(Kreis Nordwestmecklenburg)* 21 E 16
Schlagsdorf *(Kreis Ostholstein)* 10 C 17
Schlaitdorf 94 U 11
Schlaitz 54 L 21
Schlakendorf 24 E 22
Schlalach 43 J 22
Schlamau 43 J 21
Schlamersdorf 9 D 15
Schlammersdorf *(Kreis Forchheim)* 87 Q 17
Schlammersdorf *(Kreis Neustadt a. d. Waldnaab)* 88 Q 19
Schlangen 50 K 10
Schlangenbad 73 P 8
Schlanstedt 41 J 17
Schlarpe 51 L 13
Schlat 94 U 13
Schlatt *(Kreis Breisgau-Hochschwarzwald)* 100 W 7
Schlatt *(Zollernalbkreis)* 101 U 11
Schlatt a. Randen 109 W 10
Schlaube 45 J 27
Schlaubetal 45 J 27
Schlauersbach 86 S 16
Schlausenbach 70 P 3
Schlebusch 59 M 5
Schleching 114 W 21
Schledehausen 37 J 8
Schleesen 54 K 21
Schleeßel 29 G 11
Schlegel *(Kreis Löbau-Zittau)* 69 N 28
Schlegel *(Saale-Orla-Kreis)* 77 O 18
Schlehdorf 112 X 17
Schlei 5 C 13
Schleibnitz 42 J 18
Schleid 64 N 13
Schleiden 70 O 3
Schleiden (Forst) 70 O 3
Schleidweiler-Rodt 72 Q 3
Schleife 57 L 27
Schleinitz 67 M 23
Schleiz 66 O 19
Schlema 67 O 21
Schlemmin *(Kreis Güstrow)* 23 E 19
Schlemmin *(Kreis Nordvorpommern)* 12 D 22
Schlemmin *(Kreis Parchim)* 23 F 20
Schlenzer 44 K 23
Schlepkow 25 F 25
Schlepzig 44 J 25
Schlesen 9 D 15
Schleswig 5 C 12
Schleswig-Holsteinisches Freilichtmuseum *(Kiel)* 9 D 14
Schleswig-Holsteinisches Wattenmeer 4 B 9
Schlettau *(Kreis Annaberg)* 67 O 22
Schlettau *(Saalkreis)* 54 L 19
Schleuse 76 O 15
Schleusegrund 77 O 16
Schleusingen 76 O 16
Schleusingerneundorf 65 O 16
Schlewecke 40 J 14
Schlich 58 N 3
Schlicht 24 F 24
Schlicht 88 R 19
Schlichten 94 T 12
Schlichting 7 D 11
Schlickelde 37 I 7
Schlieben 56 K 24
Schlieffenberg 23 E 21
Schliengen 100 W 6
Schlier 110 W 13
Schlierbach 94 T 12
Schlierbach *(Kreis Bergstraße)* 84 Q 10
Schlierbach *(Main-Kinzig-Kreis)* 75 P 11
Schlierbach *(Schwalm-Eder-Kreis)* 63 N 11
Schlierbachswald 64 M 14
Schliersee 113 W 19
Schliersee *(Dorf)* 113 W 19
Schlierstadt 85 R 12
Schliffkopf 93 U 8
Schlingen 103 W 15
Schliprüthen 49 M 8
Schlitz 63 N 12
Schlitzerländer Tierfreiheit 63 N 12
Schlöben 66 N 19
Schloen 24 F 22
Schloß Holte-Stukenbrock 38 K 9
Schloß Landsberg 64 O 15
Schloß Neuhaus 50 K 10
Schloß Ricklingen 39 I 12
Schlossau 85 R 11
Schloßberghöhlen 81 S 6
Schloßböckelheim 83 Q 7
Schloßborn 74 P 9
Schloßkulm 65 N 18
Schloßvippach 65 M 17
Schlotheim 52 M 15
Schlottwitz 68 N 25
Schlotzau 63 N 12
Schluchsee *(Gemeinde)* 100 W 8
Schlücht 109 W 8
Schlüchtern 75 O 12
Schlüsselburg 39 I 11
Schlüsselfeld 86 Q 15
Schlüttsiel 4 B 10
Schluft 34 H 24
Schlunkendorf 43 J 23
Schlutup 21 E 16
Schmachtendorf 47 L 4
Schmachtenhagen 34 H 23
Schmadebeck 11 D 19
Schmalegg 102 W 12
Schmalenbeck *(Kreis Osterholz)* 29 G 11
Schmalenbeck *(Kreis Stormarn)* 20 F 14
Schmalenberg 83 R 7
Schmalensee 9 D 14
Schmalfeld 19 E 13
Schmalfelden 86 S 14
Schmalkalden 64 N 15
Schmallenberg 62 M 8
Schmalnau 75 O 13
Schmalstede 9 D 14
Schmalwasser 76 O 14
Schmalwasser (Talsperre) 64 N 15
Schmannewitz 55 L 22
Schmarbeck 30 H 14
Schmargendorf 35 H 25
Schmarren 18 E 9
Schmarsau 32 H 18
Schmarsow 24 E 23
Schmatzfeld 41 K 16
Schmatzhausen 97 U 20
Schmatzin 15 E 24
Schmechten 51 K 11
Schmedehausen 37 J 7
Schmedenstedt 40 J 14
Schmeie 102 V 11
Schmellwitz 57 K 26
Schmelz 80 R 4
Schmergow 43 I 22
Schmerkendorf 55 L 23
Schmerlecke 50 L 8
Schmerlitz 56 M 26
Schmerwitz 43 J 21
Schmerzke 43 I 21
Schmetzdorf 42 I 20
Schmiden 94 T 11
Schmidgaden 88 R 20
Schmidham 99 U 23
Schmidmühlen 88 S 19
Schmidsfelden 111 W 14
Schmidt 58 O 3
Schmidtheim 70 O 3
Schmiechen *(Alb-Donau-Kreis)* 102 U 13
Schmiechen *(Kreis Aichach-Friedberg)* 104 V 16
Schmiedeberg *(Kreis Uckermark)* 35 G 25
Schmiedeberg *(Weißeritzkreis)* 68 N 25
Schmiedefeld 65 O 17
Schmiedefeld a. Rennsteig 65 O 16
Schmiedehausen 66 M 19
Schmieheim 100 V 7
Schmilau 21 F 16
Schmilka 69 N 26
Schmilkendorf 43 K 21
Schmillinghausen 50 L 11
Schmira 65 N 16
Schmirma 54 M 19
Schmitten 74 P 9
Schmittlotheim 62 M 10
Schmitzhöhe 59 N 5
Schmöckwitz 44 I 24
Schmölau *(Kreis Dannenberg)* 31 G 16
Schmölau *(Kreis Westliche Altmark)* 31 H 16
Schmölln *(Kreis Altenburger Land)* 66 N 21
Schmölln *(Kreis Uckermark)* 25 G 26
Schmölln-Putzkau 69 M 26
Schmölz 77 P 17
Schmogrow 45 K 26
Schmolde 23 G 20
Schmoldow 14 E 24
Schmollensee 15 E 26
Schmorda 65 O 18
Schmorkau 56 M 25
Schmücke *(Dorf)* 64 O 16
Schmutter 96 U 16
Schnabelwaid 87 Q 18
Schnackenburg 32 G 18
Schnackenwerth 76 P 14
Schnaditz 55 L 21
Schnaid 87 Q 16
Schnait 94 T 12
Schnaitheim 95 T 14
Schnaitsee 106 V 21
Schnaittach 87 R 18
Schnaittenbach 88 R 20
Schnakenbek 21 F 15
Schnarchenreuth 78 O 19
Schnarrtanne 79 O 21
Schnarup-Thumby 5 C 12
Schnathorst 38 J 10
Schnaupping 105 V 20
Schneckenhausen 83 R 7
Schneckenlohe 77 P 17
Schneeberg 78 P 19
Schneeberg *(Kreis Aue-Schwarzenberg)* 67 O 21
Schneeberg *(Kreis Miltenberg)* 85 R 11
Schneeberg *(Kreis Oder-Spree)* 45 J 26
Schneeberg *(Kreis Schwandorf)* 89 R 21
Schneeren 39 I 12
Schneerener Moor 39 I 11
Schneflingen 31 I 16
Schnega 31 H 16
Schneidenbach 66 O 20
Schneiderkrug 27 H 8
Schneidlingen 42 K 18
Schneifel 70 P 3
Schneifel (Forsthaus) 70 P 3
Schneizlreuth 114 W 22
Schnellbach 64 N 15
Schnelldorf 86 S 14
Schnellin 55 K 22
Schnellmannshausen 64 M 14
Schnellroda 54 M 19
Schnellrode 63 M 13
Schnepke 29 H 10
Schnett 77 O 16
Schnetzenhausen 110 W 12
Schneverdingen 30 G 13
Schney 77 P 17
Schnürpflingen 103 V 13
Schnuttenbach 103 U 15
Schobüll *(Kreis Nordfriesland)* 4 C 11
Schobüll *(Kreis Schleswig-Flensburg)* 5 B 11
Schochwitz 54 L 19
Schöbendorf 44 J 24
Schöffau 112 W 17
Schöffelding 104 V 16
Schöffengrund 74 O 9
Schöfweg 99 T 23
Schöllang 111 X 14
Schöllbronn 93 T 9
Schöllenbach 84 R 11
Schöllkrippen 75 P 11
Schöllnach 99 T 23
Schömbach Stausee 67 N 21
Schömberg *(Kreis Calw)* 93 T 9
Schömberg *(Kreis Freudenstadt)* 101 U 9
Schömberg *(Zollernalbkreis)* 101 V 10
Schöna 69 N 26
Schöna *(b. Eilenburg)* 55 L 22
Schöna *(b. Sörnewitz)* 55 L 23
Schöna-Kolpien 56 K 24
Schönach 98 T 21
Schönach *(Kreis Sigmaringen)* 102 W 11
Schönaich *(Kreis Böblingen)* 94 U 11
Schönaich *(Kreis Schweinfurt)* 86 Q 15
Schönanger 99 T 24
Schönau 64 O 15
Schönau *(Kreis Cham)* 89 R 21
Schönau *(Kreis Ebersberg)* 105 W 19
Schönau *(Kreis Euskirchen)* 60 O 4
Schönau *(Kreis Lörrach)* 100 W 7
Schönau *(Kreis Main-Spessart)* 75 P 13
Schönau *(Kreis Olpe)* 61 N 7
Schönau *(Kreis Passau)* 99 U 25
Schönau *(Kreis Regen)* 91 S 22
Schönau *(Kreis Rottal-Inn)* 98 U 22
Schönau *(Rhein-Neckar-Kreis)* 84 R 10
Schönau (Pfalz) 92 S 7
Schönau a. d. Brend 76 O 14
Schönau a. Königssee 114 X 22
Schönau-Berzdorf 69 M 28
Schönau v. d. Walde 64 N 15
Schönbach 61 N 8
Schönbach *(Göltzschtalkreis)* 66 O 20
Schönbach *(Kreis Löbau-Zittau)* 69 M 27
Schönbach (Sermuth-) 67 M 22
Schönbeck 24 F 24
Schönbek 9 D 13
Schönberg *(b. Bad Brambach)* 79 P 20
Schönberg *(b. Lindow)* 33 H 22
Schönberg *(b. Rodau)* 66 O 19
Schönberg *(b. Tamnitz)* 33 H 21
Schönberg *(Kreis Freyung-Grafenau)* 99 T 24
Schönberg *(Kreis Herzogtum Lauenburg)* 20 E 15
Schönberg *(Kreis Mühldorf a. Inn)* 106 U 21
Schönberg *(Kreis Nordwestmecklenburg)* 21 E 16
Schönberg *(Kreis Nürnberger Land)* 87 R 17
Schönberg *(Kreis Plön)* 9 C 15
Schönberg *(Kreis Stendal)* 32 H 19
Schönberg *(Kreis Weilheim-Schongau)* 112 W 16
Schönbergerstrand 9 C 15

A B C D E F G H I J K L M N O P Q R S T U V W X Y Z

Schönborn (Donnersbergkreis) 83 R 7
Schönborn (Kreis Elbe-Elster) 56 L 24
Schönborn (Kreis Riesa-Großenhain) 56 M 25
Schönborn (Rhein-Lahn-Kreis) 73 P 7
Schönborn-Dreiwerden 67 N 23
Schönbronn 86 S 14
Schönbrunn (Kreis Dachau) 104 V 18
Schönbrunn (Kreis Hildburghausen) 77 O 16
Schönbrunn (Kreis Landshut) 97 U 20
Schönbrunn (Kreis Wunsiedel i. F.) 78 P 19
Schönbrunn (Rhein-Neckar-Kreis) 84 R 10
Schönbrunn (Saale-Orla-Kreis) 78 O 18
Schönbrunn (Lausitz) 68 M 26
Schönbrunn a. Lusen 99 T 24
Schönbrunn i. Steigerwald 76 Q 16
Schönbuch 93 U 10
Schönbuch (Naturpark) 94 U 11
Schönburg 66 M 19
Schönburg 107 U 23
Schönburg (Oberwesel) 73 P 7
Schönbusch 74 Q 11
Schönderling 75 P 13
Schöndorf 80 Q 4
Schönebeck 42 J 19
Schönebeck (Kreis Prignitz) 33 G 20
Schöneberg 35 G 26
Schöneberg 103 V 15
Schöneberg (Kreis Altenkirchen) 61 O 6
Schöneberg (Kreis Bad Kreuznach) 73 Q 7
Schönebürg 103 V 13
Schöneck 74 P 10
Schöneck 79 O 21
Schönecken 70 P 3
Schönefeld (b. Luckenwalde) 44 J 23
Schönefeld (b. Marzahna) 43 K 22
Schönegründ 93 U 9
Schöneiche (Kreis Oder-Spree) 44 I 25
Schöneiche (Kreis Teltow-Fläming) 44 J 24
Schönemark 39 K 10
Schönemoor 29 G 9
Schönenbach (Kreis Breisgau-Hochschwarzwald) 100 W 8
Schönenbach (Schwarzwald-Baar-Kreis) 100 V 8
Schönenberg 59 N 6
Schönenberg 95 T 14
Schönenberg-Kübelberg 81 R 6
Schönerlinde 34 I 24
Schönermark (b. Grünow) 35 G 26
Schönermark (b. Prenzlau) 25 G 25
Schönermark (Kreis Oberhavel) 34 G 23
Schönermark (Kreis Ostprignitz-Ruppin) 33 H 20
Schönerstadt 67 N 23
Schöneseiffen 70 O 3
Schönewalde (b. Finsterwalde) 56 K 24
Schönewalde (b. Weißen) 55 K 23
Schönewerda 53 M 18
Schönewörde 31 I 15
Schönfeld 70 P 3
Schönfeld (b. Gartz) 25 G 26
Schönfeld (b. Prenzlau) 25 F 25
Schönfeld (Kreis Annaberg) 67 O 22
Schönfeld (Kreis Barnim) 34 H 25
Schönfeld (Kreis Bayreuth) 77 Q 18
Schönfeld (Kreis Demmin) 24 E 22
Schönfeld (Kreis Eichstätt) 96 T 17
Schönfeld (Kreis Potsdam-Mittelmark) 43 J 23
Schönfeld (Kreis Riesa-Großenhain) 56 M 25
Schönfeld (Kreis Stendal) 32 H 20
Schönfeld (Main-Tauber-Kreis) 85 Q 13
Schönfeld-Weißig 68 M 25
Schönfelde 45 I 26
Schönfels 66 N 21
Schönficht 89 Q 20
Schönfließ 34 I 24
Schöngeising 104 V 17
Schöngleina 66 N 19
Schönhagen (b. Gumtow) 33 H 20
Schönhagen (b. Pritzwalk) 33 G 20
Schönhagen (Kreis Northeim) 51 K 12
Schönhagen (Kreis Rendsburg-Eckernförde) 5 C 14
Schönhagen (Kreis Teltow-Fläming) 44 J 23
Schönhaid 79 Q 20
Schönhausen (Kreis Mecklenburg-Strelitz) 25 F 25
Schönhausen (Kreis Stendal) 32 I 20
Schönhauser Damm 33 I 20
Schönheide 79 O 21
Schönhof 21 E 17
Schönhofen 90 S 19
Schönholthausen 49 M 8
Schönholz-Neuwerder 33 H 21
Schöning 50 K 9
Schöningen 41 J 16
Schöninger Aue 41 J 16
Schöninghausdorf 26 H 5
Schönkirchen 9 C 14
Schönlind 79 P 20
Schönlind (Kreis Amberg-Sulsbach) 88 R 19
Schönmünz 93 U 8
Schönmünzach 93 U 9
Schönningstedt 20 F 14
Schönow (Kreis Barnim) 34 H 24
Schönow (Kreis Uckermark) 35 G 26
Schönrain 112 W 18
Schönram 106 W 22
Schönreuth 78 Q 19
Schönsee 89 R 21
Schönstadt 62 N 10
Schönstedt 64 M 15
Schöntal 85 S 12
Schönteichen 56 M 26
Schönthal 89 R 21
Schönwald (Kreis Wunsiedel i. F.) 78 P 20
Schönwald (Ortenaukreis) 100 U 8
Schönwald i. Schwarzwald 100 V 8
Schönwalde (Kreis Barnim) 34 H 24
Schönwalde (Kreis Dahme-Spreewald) 44 K 25
Schönwalde (Kreis Havelland) 34 I 23
Schönwalde (Kreis Uecker-Randow) 25 F 25
Schönwalde (Altmark) 42 I 19
Schönwalde am Bungsberg 9 D 16
Schönwerder 25 F 25
Schönwohld 9 D 14
Schönwolkau 54 L 21
Schöppenstedt 41 J 16
Schöppingen 36 J 5
Schöpstal 69 M 28
Schörzingen 101 V 10
Schötmar 39 J 10
Scholderup 5 C 13
Scholen 29 H 10
Schollach 100 W 8
Schollbrunn (Kreis Main-Spessart) 85 Q 12
Schollbrunn (Neckar-Odenwald-Kreis) 84 R 11
Schollene 33 H 20
Scholven 47 L 5
Schomberg 49 M 8
Schomburg 110 W 13
Schonach 100 V 8
Schonau 62 N 11
Schonderfeld 75 P 13
Schondorf 104 V 17
Schondra 75 P 13
Schongau 104 W 16
Schoningen 51 L 12
Schonstett 105 W 20
Schonungen 76 P 14
Schopfheim 108 X 7
Schopfloch (Kreis Ansbach) 95 S 14
Schopfloch (Kreis Esslingen) 94 U 12
Schopfloch (Kreis Freudenstadt) 101 U 9
Schopp 81 R 7
Schora 42 J 20
Schorba 65 N 18
Schorborn 51 K 12
Schorbus 57 K 26
Schorfheide 34 H 24
Schorndorf (Kreis Cham) 89 S 21
Schorndorf (Rems-Murr-Kreis) 94 T 12
Schornsheim 73 Q 8
Schornweisach 86 Q 15
Schorrentin 24 E 22
Schorssow 23 E 21
Schorstedt 32 H 18
Schortens 17 F 7
Schortewitz 54 L 20
Schossin 21 F 17
Schott 16 F 5
Schotten 7 E 11
Schotten 75 O 11
Schottenstein 77 P 16
Schraden 56 L 25
Schramberg (Stadt) 101 V 9
Schrampe 32 H 18
Schraplau 54 L 19
Schraudenbach 76 Q 14
Schrebitz 55 M 23
Schrecksbach 63 N 11
Schreiersgrün 66 O 20
Schrenz 54 L 20
Schretstaken 21 F 15
Schreufa 62 M 10
Schriesheim 84 R 9
Schrobenhausen 96 U 17
Schröck 62 N 10
Schröding 105 U 20
Schröttinghausen 38 J 9
Schrozberg 86 R 13
Schuby (Kreis Rendsburg-Eckernförde) 5 C 13
Schuby (Kreis Schleswig-Flensburg) 5 C 12
Schuckenbaum 38 J 10
Schülern 30 G 13
Schüller 70 O 3
Schülp 7 D 10
Schülp b. Nortorf 8 D 13
Schülp b. Rendsburg 8 D 12
Schuenhagen 12 D 22
Schünow 44 J 24
Schürdt 61 O 6
Schüren 50 M 8
Schüttdamm 19 E 11
Schüttorf 36 J 5
Schützingen 93 T 10
Schuhlen-Wiese 45 J 26
Schuld 71 O 4
Schulenberg 11 D 21
Schulenberg 29 H 9
Schulenberg i. Oberharz 52 K 15
Schulenburg 40 J 13
Schulendorf 21 F 15
Schulzendorf (Kreis Dahme-Spreewald) 44 I 24
Schulzendorf (Kreis Märkisch-Oderland) 35 H 26
Schulzendorf (Kreis Oberhavel) 34 G 23
Schunter 41 J 16
Schupf 87 R 18
Schura 101 V 9
Schurwald 94 T 12
Schussen 102 W 12
Schuttern 100 U 7
Schuttertal 100 V 7
Schutterwald 92 U 7
Schutterzell 100 U 7
Schutzbach 61 N 7
Schwaan 11 E 20
Schwabach 87 R 17
Schwabbach 85 S 12
Schwabe 8 D 13
Schwabegg 104 V 16
Schwaben 97 T 19
Schwaben Park 94 T 12
Schwabenheim a. d. Selz 73 Q 8
Schwabenrod 63 N 11
Schwaberwegen 105 V 19
Schwabhausen 64 N 16
Schwabhausen (Kreis Dachau) 104 V 18
Schwabhausen (Kreis Landsberg a. Lech) 104 V 16
Schwabhausen (Main-Tauber-Kreis) 85 R 12
Schwabing 105 V 18
Schwabmühlhausen 104 V 16
Schwabmünchen 104 V 16
Schwabsberg 95 T 14
Schwabsburg 74 Q 8
Schwabsoien 104 W 16
Schwabstedt 7 C 11
Schwabthal 77 P 17
Schwackenreute 101 W 11
Schwäbisch-Fränkischer Wald (Naturpark) 94 S 12
Schwäbisch-Gmünd 94 T 13
Schwäbisch-Hall 94 S 13
Schwäbische Alb 101 V 10
Schwäbische Rezat 96 S 17
Schwafheim 46 L 3
Schwaförden 29 H 10
Schwagstorf (b. Bad Essen) 37 I 8
Schwagstorf (b. Fürstenau) 37 I 7
Schwaig (Kreis Bad Tölz-Wolfratshausen) 112 W 18
Schwaig (Kreis Erding) 105 U 19
Schwaig (Nürnberg) 87 R 17
Schwaiganger 112 X 17
Schwaigen 112 X 17
Schwaigern 94 S 11
Schwaikheim 94 T 12
Schwaim 107 U 23
Schwalbach (Saar) 80 S 4
Schwalbach a. Taunus 74 P 9
Schwalefeld 50 M 9
Schwalenberg 39 K 11
Schwalingen 30 G 13
Schwallungen 64 N 15
Schwalm (Fluß b. Brüggen) 58 M 2
Schwalm (Fluß b. Schwalmstadt) 63 N 11
Schwalmstadt 63 N 11
Schwalmstadt-Treysa 63 N 11
Schwalmstadt-Ziegenhain 63 N 11
Schwalmtal (Kreis Viersen) 58 M 2
Schwalmtal (Vogelsbergkreis) 63 N 11
Schwanau 100 U 7
Schwanbeck (Kreis Mecklenburg-Strelitz) 24 E 24
Schwanbeck (Kreis Nordwestmecklenburg) 21 E 16
Schwanberg 86 Q 14
Schwand (Elstertalkreis) 78 O 20
Schwand (Kreis Neustadt a. d. Waldnaab) 88 Q 20
Schwand (Kreis Roth) 87 S 17
Schwandorf 88 S 20
Schwandorf (Kreis Tuttlingen) 101 W 10
Schwandt 24 F 23
Schwanebeck (Kreis Barnim) 34 I 24
Schwanebeck (Kreis Halberstadt) 41 K 17
Schwanebeck (Kreis Havelland) 33 I 22
Schwanebeck (Kreis Potsdam-Mittelmark) 43 J 21
Schwaneberg (Bördekreis) 42 K 18
Schwaneberg (Kreis Uckermark) 25 G 26
Schwanebergermoor 27 G 7
Schwanefeld 41 J 17
Schwanenberg 58 M 2
Schwanenkirchen 98 T 23
Schwanewede 18 G 9
Schwaney 50 K 10
Schwanfeld 76 Q 14
Schwangau 112 X 16
Schwanheide 21 F 16
Schwanheim (Kreis Bergstraße) 84 Q 9
Schwanheim (Rhein-Neckar-Kreis) 84 R 10
Schwaningen 101 W 9
Schwann 93 T 9
Schwansen 5 C 13
Schwansener See 5 C 14
Schwanstetten 87 S 17
Schwante 34 H 23
Schwarme 29 H 11
Schwarmstedt 30 H 12
Schwartbuck 9 C 15
Schwartenberg 68 O 24
Schwarz 63 N 12
Schwarz (Kreis Müritz) 33 G 22
Schwarz (Kreis Schönebeck) 42 K 19
Schwarza 108 W 8
Schwarza (Bach) 65 O 17
Schwarza (Kreis Schmalkalden-Meiningen) 64 O 15
Schwarza (Schwarzakreis) 65 N 17
Schwarzach (b. Schönsee) 89 R 21
Schwarzach (Fluß) 89 R 20
Schwarzach (Kreis Rastatt) 92 T 8
Schwarzach (Kreis Straubing-Bogen) 91 T 22
Schwarzach (Neckar-Odenwald-Kreis) 84 R 10
Schwarzach a. Main 86 Q 14
Schwarzach b. Kulmbach 77 P 18
Schwarzach b. Nabburg 89 R 20
Schwarzbach (Kreis Fulda) 63 O 13
Schwarzbach (Kreis Mittweida) 67 M 22
Schwarzbach (Kreis Oberspreewald-Lausitz) 56 L 25
Schwarzbach (Kreis Schmalkalden-Meiningen) 64 O 14
Schwarzbachwachtsattel 114 X 22
Schwarzburg 65 O 17
Schwarze Berge 19 F 13
Schwarze Elster 55 K 23
Schwarze Laaber 90 S 19
Schwarze Pumpe 57 L 27
Schwarzeck 114 X 22
Schwarzenacker 82 S 5
Schwarzenau 62 M 9
Schwarzenbach (Kreis Neustadt a. d. Waldnaab) 88 Q 19
Schwarzenbach (Kreis Tirschenreuth) 89 Q 21
Schwarzenbach (Saarpfalz-Kreis) 82 S 5
Schwarzenbach a. d. Saale 78 P 19
Schwarzenbach a. Wald 77 P 18
Schwarzenbach Stausee 93 U 8
Schwarzenbek 21 F 15
Schwarzenberg 68 M 26
Schwarzenberg (Kreis Cham) 89 S 22
Schwarzenberg (Kreis Freudenstadt) 93 U 9
Schwarzenberg (Erzgebirge) 67 O 22
Schwarzenborn 63 N 12
Schwarzenbruck 87 R 17
Schwarzenburg 56 K 24
Schwarzenfeld 88 R 20
Schwarzenhammer 78 P 20
Schwarzenholz 80 R 4
Schwarzenraben 50 L 9
Schwarzenstein 77 P 18
Schwarzenthonhausen 90 S 19
Schwarzer Graben 55 L 22
Schwarzer Grat 111 W 14
Schwarzer Mann 70 P 3
Schwarzer Regen 91 S 23
Schwarzhausen 64 N 15
Schwarzheide 56 L 25
Schwarzhofen 89 R 21
Schwarzkollm 56 L 26
Schwarzriegel 89 S 22
Schwarzwälder Hochwald 80 R 4
Schwarzwald 100 W 8
Schwarzwald-Hochstraße 92 U 8
Schwarzwasser 31 I 15
Schwasdorf 23 E 21
Schwebda 64 M 14
Schweben 75 O 12
Schwebenried 76 P 14
Schwebheim (Kreis Ansbach) 86 R 15
Schwebheim (Kreis Schweinfurt) 76 Q 14
Schweckhausen 51 L 11
Schwedelbach 81 R 6
Schwedeneck 5 C 14
Schwedt 35 G 26
Schweewarden 18 F 9
Schwefe 49 L 8
Schwege 37 J 7
Schwegenheim 84 S 8
Schwegermoor 37 I 8
Schwei 18 F 9
Schweiburg 18 F 8
Schweich 72 Q 4
Schweicheln 38 J 9
Schweicheln-Bermbeck 38 J 9
Schweigen-Rechtenbach 92 S 7
Schweigern 85 R 12
Schweighausen 73 P 7
Schweighausen 100 V 7
Schweighof 100 W 7
Schweighofen 92 S 7
Schweikershain 67 M 22
Schweikershausen 76 P 15
Schweimke 31 H 15
Schweina 64 N 15
Schweinbach 65 O 18
Schweinberg 85 R 12
Schweindorf 95 T 15
Schweinfurt 76 P 14
Schweinhausen 102 V 13
Schweinhütt 91 T 23
Schweinitz (Kreis Anhalt-Zerbst) 42 J 20
Schweinitz (Kreis Wittenberg) 55 K 23
Schweinitzer Fließ 55 K 23
Schweinrich 33 G 21
Schweinsberg 62 N 10
Schweinsbühl 50 M 10
Schweinschied 81 Q 6
Schweinsdorf 86 R 14
Schweinshaupten 76 P 15
Schweisdorf 77 P 17
Schweitenkirchen 97 U 18
Schweix 83 S 6
Schwelm 48 M 5
Schwemlingen 80 R 3
Schwemsal 55 L 21
Schwend 88 R 18
Schwenda 53 L 17
Schwendi 103 V 13
Schwenke 49 M 6
Schwennenbach 95 U 15
Schwenningen (Kreis Dillingen a. d. Donau) 95 U 15
Schwenningen (Kreis Sigmaringen) 101 V 10
Schwenningen (Villingen-) 101 V 9
Schwentine 9 D 14
Schwepnitz 56 L 25
Schweppenhausen 73 Q 7
Schwerborn 65 M 17
Schwerfen 60 O 3
Schwerin 22 F 18
Schwerin (Kreis Dahme-Spreewald) 44 J 24
Schwerin (Kreis Oder-Spree) 44 J 25
Schweriner See 22 E 18
Schweringen 29 H 11
Schweringhausen 29 H 10
Schwerinsburg 25 E 25
Schwerinsdorf 17 G 6
Schwerstedt (Kreis Sömmerda) 65 M 16
Schwerstedt (Kreis Weimarer Land) 65 M 17
Schwerte 49 L 6
Schwerz 54 L 20
Schwesing 4 C 11
Schweskau 32 H 17
Schwetzingen 84 R 9
Schwicheldt 40 J 14
Schwichteler 27 H 8
Schwichtenberg 25 E 25
Schwickershausen 74 P 8
Schwieberdingen 94 T 11
Schwiegershausen 52 K 14
Schwielochsee 45 J 26
Schwielowsee 43 I 22
Schwienau 31 H 15
Schwienhusen 7 D 11
Schwienskopp 7 D 10
Schwiesau 32 I 17
Schwiessel 23 E 21
Schwifting 104 V 16
Schwimmbach 98 T 21
Schwindebeck 30 G 14
Schwindegg 105 V 20
Schwindkirchen 105 V 20
Schwinge 19 F 12
Schwinkendorf 23 F 22
Schwinzer Heide 23 F 20
Schwirzheim 70 P 3
Schwitten 49 L 7
Schwittersdorf 54 L 19
Schwörstadt 108 X 7
Schwollen 81 Q 5
Schwüblingsen 40 I 14
Schwülper 40 I 15

Schwürbitz 77 P 17
Sebalder Reichswald 87 R 17
Sebbeterode 63 N 11
Sebexen 52 K 14
Sebnitz 69 N 26
Secantsgraben 32 I 18
Sechselberg 94 T 12
Sechshelden 62 N 8
Sechtem 59 N 4
Seck 61 O 8
Seckach 85 R 12
Seckenhausen 29 H 10
Secklendorf 31 G 15
Seckmauern 85 Q 11
Seddin 43 J 23
Seddinsee 44 I 25
Sedelsberg 27 G 7
Sedlitz 56 L 26
See 97 S 19
Seebach *(Kreis Deggendorf)* 98 T 23
Seebach *(Ortenaukreis)* 92 U 8
Seebach *(Unstrut-Hainich-Kreis)* 64 M 15
Seebach *(Wartburgkreis)* 64 N 15
Seebarn 89 S 21
Seebeck-Strubensee 34 H 23
Seebenau 31 H 17
Seebergen 65 N 16
Seebergen 29 G 10
Seebronn 93 U 10
Seebruck 106 W 21
Seebrugg 100 W 8
Seeburg 102 U 12
Seeburg *(Kreis Göttingen)* 52 L 14
Seeburg *(Kreis Mansfelder Land)* 54 L 19
Seeburg *(Kreis Potsdam-Mittelmark)* 43 I 23
Seeburger See 52 L 14
Seedorf 101 V 9
Seedorf *(Kreis Demmin)* 14 E 23
Seedorf *(Kreis Herzogtum Lauenburg)* 21 F 16
Seedorf *(Kreis Rotenburg)* 19 F 11
Seedorf *(Kreis Segeberg)* 9 D 15
Seedorf *(Kreis Uelzen)* 31 G 15
Seedorfer See 9 D 15
Seefeld 34 I 25
Seefeld 104 V 17
Seefeld *(Kreis Rendsburg-Eckernförde)* 8 D 12
Seefeld *(Kreis Wesermarsch)* 18 F 9
Seefelderaußendeich 18 F 9
Seeg 111 X 15
Seega 53 M 17
Seegatterl 114 X 21
Seege 32 G 18
Seegrehna 55 K 21
Seehausen 29 G 10
Seehausen 112 W 17
Seehausen *(Bördekreis)* 41 J 17
Seehausen *(Kreis Teltow-Fläming)* 43 K 22
Seehausen *(Kreis Uckermark)* 35 G 25
Seehausen *(Kyffhäuserkreis)* 53 M 17
Seehausen *(Leipzig)* 54 L 21
Seehausen (Altmark) 32 H 19
Seehausen (Bremen-) 29 G 10
Seeheim-Jugenheim 84 Q 9
Seehof 77 Q 16
Seekamp 9 D 15
Seekirch 102 V 12
Seeklause 79 P 20
Seelbach 100 V 7
Seelbach *(Kreis Limburg-Weilburg)* 73 O 8
Seelbach *(Kreis Siegen-Wittgenstein)* 61 N 7
Seelbach *(Lahn-Dill-Kreis)* 62 N 9
Seelenfeld 39 I 11
Seelensdorf 43 I 21
Seeligstadt 68 M 26
Seelingstädt 66 N 20
Seelinstädt 55 M 22
Seelitz 67 M 22
Seelow 35 I 27
Seelscheid 59 N 5
Seelübbe 25 G 25
Seelze 39 I 12
Seeon-Seebruck 106 W 21
Seerhausen 55 M 23
Seershausen 40 I 14
Seesen 40 K 14
Seeshaupt 104 W 17
Seeste 37 I 7
Seester 19 E 12
Seestermühe 19 E 12
Seeth 7 C 11
Seethen 32 I 18
Seeve 19 G 13
Seevetal 19 F 14
Seewald 93 U 9
Seffern 70 P 3
Segeberg (Forst) 9 E 14
Segeletz 33 H 21
Segendorf 71 O 6
Segeten 108 X 8
Seggerde 41 I 17
Seghorn 17 F 8
Segringen 95 S 14
Sehestedt *(Kreis Rendsburg-Eckernförde)* 8 C 13
Sehestedt *(Kreis Wesermarsch)* 18 F 8
Sehlde *(Kreis Hildesheim)* 40 J 13
Sehlde *(Kreis Wolfenbüttel)* 40 J 14
Sehlem *(Kreis Bernkastel-Wittlich)* 72 Q 4
Sehlem *(Kreis Hildesheim)* 40 J 13
Sehlen 13 C 24
Sehlen 62 M 10
Sehlendorf 9 D 16
Sehlingen 29 H 12
Sehma 67 O 22
Sehnde 40 J 13
Sehnsen 39 I 11
Seibelsdorf 77 P 18
Seibersbach 73 Q 7
Seibersdorf 106 V 22
Seiboldsried 98 T 23
Seibranz 103 W 13
Seidenbuch 84 Q 10
Seidenroth 75 P 12
Seidewinkel 57 L 26
Seidingstadt 76 O 16
Seidmannsdorf 77 P 17
Seidwitz 78 Q 19
Seifersbach 67 N 23
Seifersdorf *(Kreis Torgau-Oschatz)* 67 M 22
Seifersdorf *(Weißeritzkreis)* 68 N 24
Seifersdorf b. Radeberg 68 M 25
Seiferts 76 O 14
Seifertshausen 63 M 13
Seiffen 68 O 24
Seifhennersdorf 69 N 27
Seifriedsburg 75 P 13
Seigendorf 87 Q 17
Seigertshausen 63 N 12
Seilershof 34 G 23
Seinsheim 86 R 14
Seinstedt 41 J 15
Seißen 102 U 13
Seitenroda 65 N 18
Seitingen-Oberflacht 101 V 10
Selb 78 P 20
Selb-Plößberg 78 P 20
Selbach 81 R 5
Selbeck *(Kreis Lippe)* 39 K 11
Selbeck *(Stadtkreis Mülheim a. d. Ruhr)* 47 L 4
Selbecke 49 M 6
Selben 54 L 21
Selbitz *(Fluß)* 78 O 19
Selbitz *(Kreis Hof)* 78 P 19
Selbitz *(Kreis Wittenberg)* 55 K 21
Selchow *(Kreis Dahme-Spreewald)* 44 I 24
Selchow *(Kreis Oder-Spree)* 44 J 25
Selent 9 D 15
Selenter See 9 D 15
Selfkant 58 M 1
Selgersdorf 58 N 3
Selgetsweiler 102 W 11
Seligenporten 87 S 17
Seligenstadt 74 P 10
Seligenthal 64 N 15
Selk 5 C 12
Selke 53 K 17
Sellendorf 44 K 24
Sellerich 70 P 3
Sellessen 57 L 27
Sellin 13 C 25
Sellnrod 63 O 11
Sellstedt 18 F 10
Selm 47 K 6
Selmsdorf 21 E 16
Selow 23 E 19
Selpin 11 E 21
Selsingen 19 F 11
Selter 40 K 13
Selters 74 O 11

SCHWERIN

Alter Garten BCY 3
Am Packhof BXY 2
Apothekerstr. BXY 10
Bäckerstr. AY 12
Beethovenstr. AX 13
Bischofstr. BY 15
Bornhövedstr. CX 16
Bürgerm.-Bade-Pl. BX 18
Demmlerpl. AY 19
Demmlerstr. AZ 21
Dr-Külz-Str. AX 24
Enge Str. BY 25
Franz-Mehring-Str. ABY 27
Friedrichstr. BY 28
Fritz-Reuter-Str. AY 30
Gaußstr. BXY 31
Große Wasserstr. AZ 33
Grunthalpl. BX 34
Heinrich-Mann-Str. BZ 40
Helenenstr. BY 42
Hermannstr. BZ 43
Hospitalstr. CX 45
Jägerweg BZ 46
Jahnstr. CY 48
Johannesstr. AY 52
Johannes-Stelling-Str. BZ 49
Jungfernstieg AY 53
Karl-Liebknecht-Pl. AZ 54
Kirchenstr. CY 55
Kleiner Moor CY 57
Lennéstr. CZ 58
Lobedanzgang BY 61
Löwenpl. AX 62
Ludwigsluster Chaussee BZ 63
Max-Suhrbier-Str. AX 64
Mecklenburgstr. BYZ 66
Müllerstr. AY 70
Platz der Freiheit AX 76
Puschkinstr. BY 78
Reutzstr. BX 81
Richard-Wagner-Str. AY 82
Ritterstr. BY 84
Robert-Koch-Str. CX 85
Sandstr. AY 90
Schloßgartenallee CZ 91
Schmiedestr. BY 94
Schweinemarkt BX 96
Severinstr. ABY 99
Spieltordamm BX 102
Werner-Seelenbinder-Str. AY 108

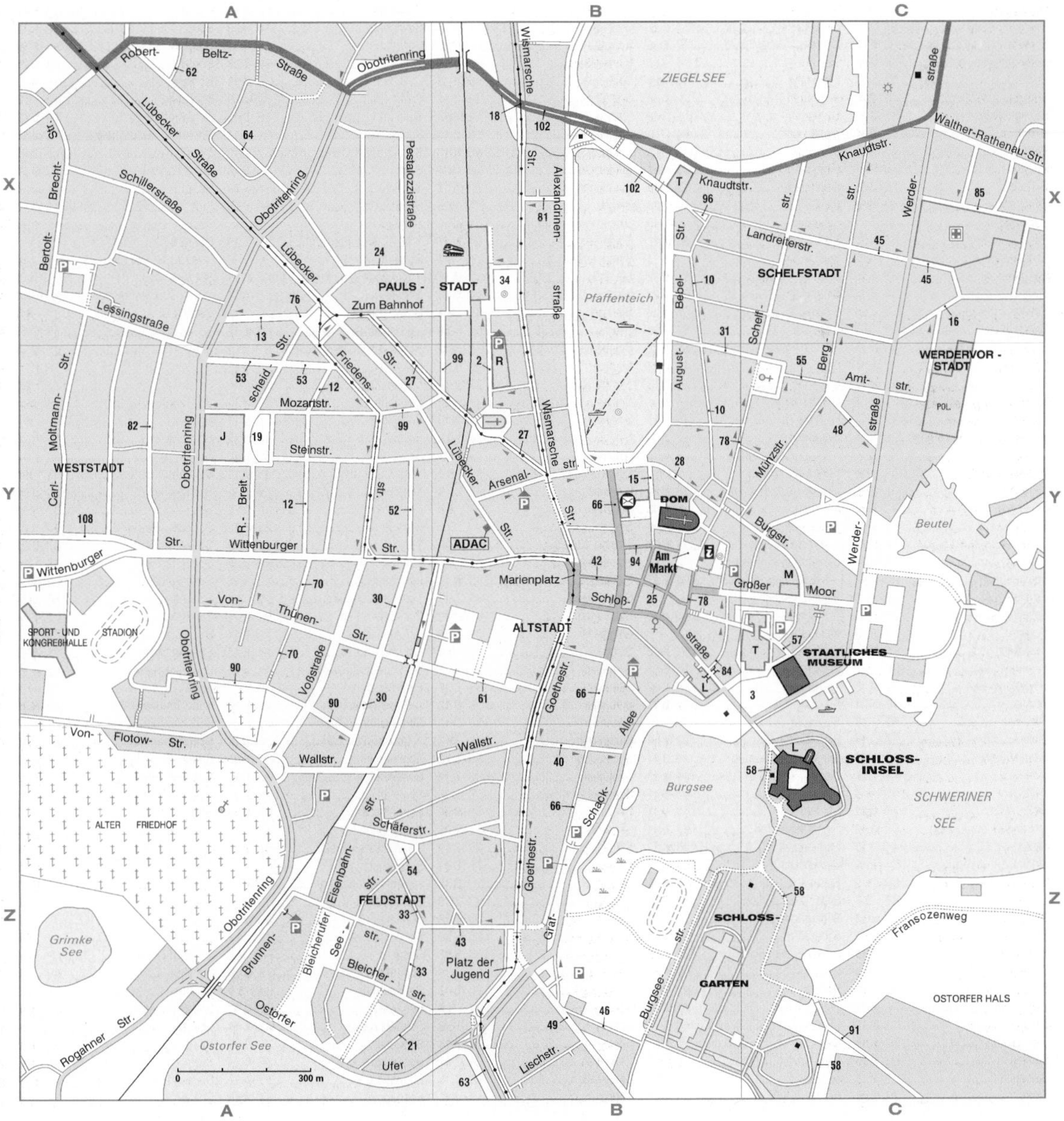

ZIEGELSEE
PAULS - STADT
SCHELFSTADT
WERDERVOR - STADT
WESTSTADT
ALTSTADT
FELDSTADT
DOM
Am Markt
Marienplatz
STAATLICHES MUSEUM
SCHLOSS-INSEL
SCHLOSS-GARTEN
Burgsee
SCHWERINER SEE
Pfaffenteich
Grimke See
Ostorfer See
OSTORFER HALS
ALTER FRIEDHOF
SPORT- UND KONGRESSHALLE
STADION
ADAC
Beutel
Platz der Jugend
Zum Bahnhof
Obotritenring
Lübecker Straße
Wismarsche Straße
Knaudtstr.
Walther-Rathenau-Str.
Franzosenweg
0
300 m

Selters (Taunus) 74 O 8
Selters (Westerwald) 61 O 7
Seltz 24 E 23
Selz 83 Q 8
Selzen 73 Q 8
Sembach 83 R 7
Sembten 45 J 27
Sembzin 23 F 21
Semd 74 Q 10
Semlin 33 I 21
Semlow 12 D 21
Semmenstedt 41 J 16
Sende 38 K 9
Senden 37 K 6
Senden 103 V 14
Sendenhorst 49 K 7
Senftenberg 56 L 25
Senftenberg West 56 L 25
Senftenberger See 56 L 26
Senftenhütte 34 H 25
Sengenthal 87 S 18
Sengwarden 17 F 8
Senheim 71 P 5
Senne *(Dorf)* 38 K 9
Sennelager 50 K 10
Sennestadt 38 K 9
Sennewitz 54 L 19
Sennfeld 76 P 14
Sennigshöhe 77 O 16
Sensbachtal 84 R 11
Senst 43 K 21
Sensweiler 81 Q 5
Sentenhart 102 W 11
Senzig 44 J 25
Senzke 33 I 21
Seppenrade 47 K 6
Seppensen 19 G 13
Sereetz 9 E 16
Serengeti-Park 30 H 12
Sergen 57 K 27
Serkenrode 49 M 8
Sermuth-Schönbach 67 M 22
Serno 43 J 21
Sernow 44 K 23
Serrahn 23 F 21
Serrfeld 76 P 15
Serrig 80 R 3
Sersheim 94 T 11
Serwest 35 H 25
Sessenhausen 61 O 7
Seßlach 77 P 16
Seth 20 E 14
Setlage 37 I 6
Setterich 58 N 2
Settinchen 56 K 25
Settmarshausen 51 L 13
Setzelbach 63 N 13
Setzin 21 F 17
Seubersdorf 97 S 18
Seubersdorf i. d. Oberpfalz 86 R 16
Seugast 88 R 19
Seukendorf 87 R 16
Seulbitz 78 P 19
Seulingen 52 L 14
Seulingswald 63 N 13
Seußen 78 P 20
Seußlitz 68 M 24
Seuversholz 96 T 17
Sevelen 46 L 3
Sevelten 27 H 8
Severin 22 F 19
Sewekow 23 G 21
Sexau 100 V 7
Seybothenreuth 78 Q 19
Seyda 43 K 22
Sibbesse 40 J 13
Siblin 9 D 15
Sibratshofen 111 X 14
Sichau 41 I 17
Sichtigvor 50 L 8
Sick 29 G 11
Sickendorf 63 O 12
Sickte 41 J 15
Siddessen 51 L 11
Siddinghausen 50 L 9
Siebeldingen 83 S 8
Sieben Berge 40 J 13
Siebenbäumen 21 E 15
Siebeneichen 21 F 15
Siebengebirge 59 N 5
Siebenlehn 67 M 23
Siebenstern 50 K 11
Sieber 52 K 15
Siebigerode 53 L 18
Siebleben 64 N 16
Siebnach 103 V 15
Siede 29 H 10
Siedelsbrunn 84 R 10
Sieden 29 H 10
Siedenbollentin 24 E 24
Siedenbrünzow 24 E 23
Siedenburg 29 H 10
Siedenlangenbeck 31 H 17
Siedlinghausen 50 M 9
Siedlung 26 H 5
Siedlung Hipstedt 18 F 10
Siedlung Niederlangen 26 H 5
Siedlung Sinningen 37 J 6
Sief 58 N 2
Sieg 61 N 8
Siegbach 62 N 9
Siegburg 59 N 5
Siegelau 100 V 7
Siegelbach 65 N 16
Siegelbach 83 R 7
Siegelsbach 84 S 11
Siegen 61 N 8
Siegenburg 97 T 19
Siegenhofen 87 S 18
Siegerland 61 N 8
Siegersleben 41 J 17
Siegertsbrunn 105 V 19
Sieglar 59 N 5
Siegsdorf 106 W 21
Siek 20 F 14
Siekholz 39 K 11
Sielbeck 9 D 15
Sielen 51 L 12
Sielenbach 104 U 17
Sielhorst 38 I 9
Sielow 57 K 26
Siemen 32 G 17
Siemerode 52 L 14
Siemersdorf 14 D 22
Siemitz 23 E 20
Sien 81 Q 6
Sieperting 49 M 8
Sierhagen 9 D 16
Sierksdorf 9 D 16
Siersburg 80 R 3
Siersdorf 58 N 2
Siershahn 73 O 7
Siersleben 53 L 18
Sierße 40 J 15
Sieseby 5 C 13
Sießen 102 V 12
Siethen 44 J 23
Siethwende 19 E 12
Sietow 23 F 21
Sietzing 35 I 26
Sietzsch 54 L 20
Sieverdingen 30 H 12
Sievern 18 F 9
Sievernich 58 N 3
Sieversdorf *(Kreis Oder-Spree)* 45 I 27
Sieversdorf *(Kreis Ostholstein)* 9 D 15
Sieversdorf *(Kreis Ostprignitz-Ruppin)* 33 H 21
Sieversen 19 F 13
Sievershagen *(Kreis Bad Doberan)* 11 D 20
Sievershagen *(Kreis Nordwestmecklenburg)* 21 E 17
Sievershausen *(Kreis Hannover)* 40 I 14
Sievershausen *(Kreis Northeim)* 51 K 12
Sievershütten 20 E 14
Sieverstedt 5 C 12
Sievertshagen 12 D 22
Siewisch 56 K 26
Siggelkow 23 F 19
Siggen 10 D 17
Siggen 111 W 13
Siglingen 85 S 11
Sigmaringen 102 V 11
Sigmaringendorf 102 V 11
Sigmarszell 110 X 13
Sigmertshausen 104 V 18
Sigras 88 R 19
Silbach 50 M 9
Silberbach 79 P 20
Silberberg 45 J 26
Silberbergwer Samson 52 K 15
Silberborn 51 K 12
Silberg 61 M 8
Silberhausen 52 M 15
Silberhütte 53 L 17
Silbersee 57 L 27
Silberstedt 5 C 12
Silberstraße 67 O 21
Silixen 39 J 11
Sillenbuch 94 T 11
Sillens 18 F 9
Sillenstede 17 F 7
Sillertshausen 97 U 19
Sillerup 5 B 11
Sillium 40 J 14
Silmenitz 13 D 24
Silmersdorf 23 G 20
Silstedt 53 K 16
Silz 23 F 21
Silz 83 S 7
Silzen 8 D 12
Simander 32 H 17
Simbach 98 U 22
Simbach a. Inn 106 V 23
Simmelsdorf 87 R 18
Simmerath 70 O 2
Simmerbach 73 Q 6
Simmerberg 111 X 13
Simmern 73 O 7
Simmern (Hunsrück) 73 Q 6
Simmersbach 62 N 9
Simmersfeld 93 U 9
Simmershausen *(Kreis Fulda)* 64 O 14
Simmershausen *(Kreis Hildburghausen)* 76 O 15
Simmershausen *(Kreis Kassel)* 51 L 12
Simmershofen 86 R 14
Simmertal 73 Q 6
Simmozheim 93 T 10
Simonsberg 4 C 10
Simonshofen 87 R 17
Simonskall 58 N 3
Simonswald 100 V 8
Simonswolde 17 F 6
Simssee 105 W 20
Simtshausen 62 N 10
Sinbronn 95 S 15
Sindelfingen 93 T 11
Sindelsdorf 112 W 18
Sindfeld 50 L 10
Sindolsheim 85 R 12
Sindorf 58 N 4
Sindringen 85 S 12
Singen 93 T 9
Singen (Hohentwiel) 109 W 10
Singerberg 65 N 17
Singhofen 73 P 7
Singlis 63 M 11
Singold 104 V 16
Sinkershausen 62 N 9
Sinn 62 O 8
Sinnersdorf 59 M 4
Sinning 96 T 17
Sinntal 75 P 12
Sinsen 47 K 5
Sinsheim 84 S 10
Sinspelt 70 Q 2
Sinspert 61 N 7
Sinz 80 R 3
Sinzenich 58 O 3
Sinzheim 92 T 8
Sinzig 60 O 5
Sinzing 90 T 20
Sippersfeld 83 R 7
Sipplingen 102 W 11
Siptenfelde 53 L 17
Sirchingen 102 U 12
Sirksfelde 21 E 15
Sistig 70 O 3
Sittenbach 104 V 17
Sittendorf 53 L 17
Sittensen 19 G 12
Sitzendorf 65 O 17
Sitzenkirch 108 W 7
Sitzenroda 55 L 22
Skäßchen 56 L 24
Skaska-Döbra 56 L 26
Skassa 56 M 24
Skerbersdorf 57 L 28
Slate 23 F 19
Soden 75 Q 11
Soderstorf 30 G 14
Sodingen 47 L 5
Söby 5 C 13
Söchtenau 105 W 20
Söcking 104 V 17
Södel 74 O 10
Söflingen 103 U 13
Sögel 27 H 6
Sögeln 37 I 8
Söhlde 40 J 14
Söhlingen 30 G 12
Söhnstetten 95 T 13
Söhre 40 J 13
Söhren 9 D 15
Söhrewald 51 M 12
Sölde 49 L 6
Sölden 100 W 7
Söldenau 99 U 23
Söllenthin 33 H 20
Söllhuben 105 W 20
Söllichau 55 L 21
Söllingen 41 J 16
Söllingen *(Kreis Karlsruhe)* 93 T 9
Söllingen *(Kreis Rastatt)* 92 T 8
Söllitz 89 R 20
Söllmnitz 66 N 20
Sölten 47 K 4
Sömmerda 65 M 17
Sönnern 49 L 7
Sörgenloch 73 Q 8
Sörnewitz 55 L 23
Sörup 5 B 13
Sösestausee 52 K 14
Söst 80 R 3
Soest 49 L 8
Soeste 27 H 7
Sötenich 60 O 3
Sötern 81 R 5
Söven 59 N 5
Sohl 102 W 11
Sohland a. d. Spree 69 M 27
Sohland a. Rotstein 69 M 28
Sohlingen 51 K 12
Soholm 4 B 11
Soholmer Au 4 B 10
Sohren 72 Q 5
Soiernspitze 112 X 18
Soisdorf 63 N 13
Solingen 48 M 5
Solitude 94 T 11
Solla 99 T 23
Sollbrück 5 C 12
Soller 58 N 3
Sollerup 5 C 11
Solling 51 K 12
Solling-Vogler (Naturpark) 51 K 12
Solln 105 V 18
Sollnitz 54 K 20
Sollschwitz 56 L 26
Sollstedt *(Kreis Nordhausen)* 52 L 15
Sollstedt *(Unstrut-Hainich-Kreis)* 52 M 15
Sollwitt 5 C 11
Solms *(Kreis Hersfeld-Rotenburg)* 63 N 12
Solms *(Lahn-Dill-Kreis)* 62 O 9
Solnhofen 96 T 16
Solpke 41 I 17
Solschen 40 J 14
Solsdorf 65 N 17
Soltau 30 H 13
Soltendieck 31 H 16
Solz 63 M 13
Somborn 75 P 11
Sommerach 86 Q 14
Sommerau 91 S 23
Sommerberg 47 T 9
Sommerfeld 34 H 23
Sommerfelde 35 H 25
Sommerhausen 59 N 6
Sommerhausen 86 Q 14
Sommerkahl 75 P 11
Sommerland 19 E 12
Sommersdorf *(Böderkreis)* 41 J 17
Sommersdorf *(Kreis Demmin)* 24 E 22
Sommersdorf *(Kreis Uecker-Randow)* 25 G 26
Sommersell 51 K 11
Sommerstorf 23 F 21
Somplar 62 M 10
Sondelfingen 94 U 11
Sonderbuch *(Alb-Donau-Kreis)* 102 U 13
Sonderbuch *(Kreis Reutlingen)* 102 V 12
Sonderhofen 86 R 13
Sondermoning 106 W 21
Sondermühlen 38 J 9
Sondern 61 M 7
Sondernau 76 O 14
Sondernheim 84 S 9
Sonderriet 85 Q 12
Sondershausen 53 L 16
Sondheim 76 O 15
Sondheim v. d. Rhön 76 O 14
Sonneberg 77 O 17
Sonneborn 64 N 15
Sonneborn 39 J 11
Sonnefeld 77 P 17
Sonnen 99 T 25
Sonnenberg 52 K 15
Sonnenberg 73 P 8
Sonnenberg *(Kreis Oberhavel)* 34 G 23
Sonnenberg *(Kreis Uecker-Randow)* 25 F 26
Sonnenberg-Winnenberg 81 Q 5
Sonnenborstel 29 H 11
Sonnenbühl 102 U 11
Sonnewalde 56 K 24
Sonntagshorn 114 W 22
Sonsbeck 46 L 3
Sontheim *(Alb-Donau-Kreis)* 102 U 13
Sontheim *(Kreis Unterallgäu)* 103 V 15
Sontheim *(Stadtkreis Heilbronn)* 94 S 11
Sontheim a. d. Brenz 95 U 14
Sonthofen 111 X 14
Sontra 64 M 13
Soonwald 73 Q 6
Sophienhöhe 87 Q 18
Sophienhof *(Kreis Demmin)* 14 E 23
Sophienhof *(Kreis Plön)* 9 D 15
Sophienstädt 34 H 24
Sophienthal *(Kreis Herzogtum Lauenburg)* 21 F 16
Sophienthal *(Kreis Märkisch-Oderland)* 35 I 27
Sora 68 M 24
Sorga 63 N 13
Sorge 52 K 16
Sorghof 88 R 19
Sorno 56 L 25
Sornzig-Ablaß 55 M 23
Sorpesee 49 L 7
Sorsum *(b. Elze)* 40 J 13
Sorsum *(b. Hildesheim)* 40 J 13
Sosa 79 O 21
Sosa Stausee 79 O 21
Soßmar 40 J 14
Sothel 30 G 12
Sottorf 19 F 13
Sottrum *(Kreis Hildesheim)* 40 J 14
Sottrum *(Kreis Rotenburg)* 29 G 11
Sotzweiler 81 R 5
Soven 31 G 17
Soyen 105 V 20
Spaatz 33 H 20
Spabrücken 73 Q 7
Spachbrücken 74 Q 10
Spaden 18 F 9
Späningen 32 H 18
Spahl 64 O 13
Spahnharrenstätte 27 H 6
Spaichingen 101 V 10
Spalt 87 S 16
Spandau *(Berlin)* 44 I 23
Spandowerhagen 13 D 25
Spangdahlem 70 Q 4
Spangenberg 63 M 12
Spansberg 56 L 24
Spantekow 24 E 24
Sparneck 78 P 19
Sparrieshoop 19 E 13
Spatzenhausen 112 W 17
Spay 71 P 6
Spechthausen 34 H 25
Spechtsbrunn 77 O 17
Spechtshorn 31 I 15
Speck 24 F 22
Specker See 24 F 22
Speckswinkel 62 N 11
Speele 51 L 12
Speicher 72 Q 3
Speichersdorf 78 Q 19
Speichersee 105 V 19
Speicherz 75 O 13
Speichrow 45 J 26
Speinshart 88 Q 19
Spekendorf 17 F 6
Speldorf 47 L 4
Spellen 46 L 3
Spenge 38 J 9
Sperberslohe 87 S 17
Sperenberg 44 J 24
Spergau 54 M 20
Spessart 75 Q 11
Spessart-Höhenstraße 75 P 12
Spetzerfehn 17 F 6
Speyer 84 S 9
Speyerbach *(Fluß b. Edesheim)* 83 S 8
Speyerbach *(Fluß b. Elmstein)* 83 R 7
Speyerdorf 83 R 8
Spich 59 N 5
Spichra 64 M 14
Spiegelau 91 T 24
Spiegelberg 33 H 21
Spiegelberg 94 S 12
Spiegelhagen 32 G 19
Spiegelhütte 91 S 23
Spieka 18 E 9
Spieka-Neufeld 18 E 9
Spiekeroog 17 E 7
Spiekeroog *(Insel)* 17 E 7
Spiel 58 N 3
Spielbach 86 R 14
Spielberg 93 T 9
Spielberg 75 P 11
Spielberg *(Kreis Cham)* 89 R 21
Spielberg *(Kreis Wunsiedel i. F.)* 78 P 20
Spielmannsau 111 X 14
Spiesen-Elversberg 81 S 5
Spiesheim 83 Q 8
Spithal 31 H 16
Spitzing-Sattel 113 W 19
Spitzingsee 113 X 19
Spitzkunnersdorf 69 N 28
Spitzstein 113 W 20
Splietsdorf 12 D 22
Spöck 93 S 9
Spören 54 L 20
Spohla 57 L 26
Spohle 17 G 8
Spoldershagen 11 D 21
Sponheim 73 Q 7
Spora 66 M 20
Spork 46 K 3
Spork-Eichholz 39 K 10
Spornitz 22 F 19
Spraitbach 94 T 13
Sprakebüll 4 B 11
Sprakel 27 H 6
Sprakel 37 J 6
Spraken 29 H 11
Sprakensehl 31 H 15
Spreckens 18 F 11
Spreda 27 H 8
Spree 57 J 26
Spreeau 44 I 25
Spreenhagen 44 I 25
Spreewald 45 K 25
Spreewitz 57 L 27
Spremberg 57 L 27
Spremberg (Talsperre) 57 L 27
Sprendlingen *(Kreis Mainz-Bingen)* 73 Q 7
Sprendlingen *(Kreis Offenbach)* 74 P 10
Sprenge 9 C 14
Sprengel 30 G 13
Sprey 57 L 27
Springbiel 36 J 5
Springe 39 J 12
Springen 64 N 14
Springen 73 P 7
Springstille 64 N 15
Sprockhövel 47 L 5
Sprötau 65 M 17
Sprötze 19 G 13
Sproitz 57 M 28
Sprollenhaus 93 T 9
Sprotta 55 L 22
Sputendorf 44 I 23
Staaken 44 I 23
Staakow 44 J 25
Staats 42 I 18
Staatsbad Brückenau 75 P 13
Staberdorf 10 C 17
Staberhuk 10 C 17
Stacha 69 M 26
Stachenhausen 85 S 13
Stackelitz 43 J 21
Stade 19 F 12
Stadecken Elsheim 73 Q 8
Stadelhofen *(Kreis Bamberg)* 77 P 17
Stadelhofen *(Kreis Main-Spessart)* 75 Q 13
Stadelhorn 114 X 22
Stadeln 87 R 16
Staden 74 P 10
Stadensen 31 H 15

Stadersand 19 F 12
Stadl 104 W 16
Stadland 18 F 9
Stadlern 89 R 21
Stadorf 31 H 15
Stadt Blankenberg 59 N 6
Stadt Wehlen 68 N 26
Stadtallendorf 62 N 11
Stadtbek 9 D 15
Stadtbergen 104 U 16
Stadthagen 39 J 11
Stadthosbach 63 M 13
Stadtilm 65 N 17
Stadtkyll 70 O 3
Stadtlauringen 76 P 15
Stadtlengsfeld 64 N 14
Stadtlohn 36 K 4
Stadtoldendorf 40 K 12
Stadtprozelten 85 Q 12
Stadtroda 66 N 19
Stadtsteinach 77 P 18
Stadum 4 B 11
Stäbelow 11 D 20
Stätzling 104 U 16
Staffelbach 76 Q 16
Staffelberg 77 P 17
Staffelde (Kreis Oberhavel) 34 H 22
Staffelde (Kreis Stendal) 32 I 19
Staffelsee 112 W 17
Staffelstein 70 P 3
Staffelstein 77 P 17
Staffhorst 29 H 10
Stafflangen 102 V 13
Staffort 93 S 9
Stafstedt 8 D 12
Stahlbrode 13 D 23
Stahle 51 K 12
Stahleck (Bacharach) 73 P 7
Stahlhofen 61 O 7
Stahnsdorf 44 I 23
Stahringen 101 W 10
Staig 103 V 14
Staitz 66 N 19
Stakendorf 9 C 15
Stalförden 27 H 7
Stalldorf 85 R 13
Stallwang 91 S 21
Stammbach 78 P 19
Stammham (Kreis Altötting) 106 V 22
Stammham (Kreis Eichstätt) 96 T 18
Stammheim (Kreis Calw) 93 T 10
Stammheim (Kreis Schweinfurt) 76 Q 14
Stammheim (Wetteraukreis) 74 P 10
Stamsried 89 S 21
Standorf 86 R 13
Stangengrün 66 O 21
Stangenhagen 43 J 23
Stangenrod 62 O 10
Stangenroth 76 P 13
Stangerode 53 L 18
Stangheck 5 B 13
Stannewisch 57 L 28
Stapel (Kreis Leer) 17 G 7
Stapel (Kreis Lüneburg) 21 G 16
Stapel (Kreis Rotenburg) 29 G 11
Stapelburg 41 K 16
Stapelfeld (Kreis Cloppenburg) 27 H 7
Stapelfeld (Kreis Stormarn) 20 F 14
Stapelholm 7 C 11
Stapelmoor 26 G 5
Staritz 55 L 23
Starkenberg 66 N 20
Starkenburg 72 Q 5
Starkshorn 30 H 14
Starnberg 104 V 18
Starnberger See 104 W 17
Starsiedel 54 M 20
Starzach 101 U 10
Staßfurt 53 K 18
Staubecken 101 W 9
Staucha 55 M 23
Stauchitz 55 M 23
Staudach 106 U 21
Staudach-Egerndach 114 W 21
Staudernheim 83 Q 7
Staufen 108 W 8
Staufen i. Breisgau 100 W 7
Staufenberg (Kreis Gießen) 62 O 10
Staufenberg (Kreis Göttingen) 51 M 12
Staumühle 50 K 10
Staupitz (Kreis Elbe-Elster) 56 L 25
Staupitz (Kreis Torgau-Oschatz) 55 L 22
Staven 24 F 24
Stavenhagen Reuterstadt 24 E 22
Stavern 27 H 6
Stebbach 93 S 10
Stechau 56 K 24
Stechow 33 I 21
Steckby 42 K 20
Steckelsdorf 33 I 20
Steckenborn 70 O 3
Stecklenberg 53 K 17
Stedden 30 I 13
Steddorf 19 F 12
Stedebergen 29 H 11
Steden 18 F 10
Stederdorf (Kreis Peine) 40 I 14
Stederdorf (Kreis Uelzen) 31 H 15
Stedesand 4 B 10
Stedesdorf 17 F 6
Stedten 54 L 19
Stedtfeld 64 N 14
Stedtlingen 76 O 14
Steeg 61 N 7
Steegen 81 R 6
Steele 47 L 5
Steenfeld 8 D 12
Steenfelde 27 G 6
Steenkrütz 9 D 15
Steenodde 4 C 9
Steesow 32 G 18
Stefansfeld 110 W 11
Steffeln 70 P 3
Steffenberg 62 N 9
Steffenshagen 11 D 19
Stefling 89 S 20
Stegaurach 77 Q 16
Stegelitz (Kreis Jerichower Land) 42 J 19
Stegelitz (Kreis Stendal) 42 I 19
Stegelitz (Kreis Uckermark) 34 G 25
Stegen 100 W 7
Steglitz (Berlin) 44 I 23
Stehla 55 L 23
Steibis 111 X 14
Steide 36 J 5
Steigerthal 53 L 16
Steigerwald 86 Q 15
Steigerwald (Naturpark) 86 Q 15
Steigra 54 M 19
Steimbke 29 I 12
Steimel 61 O 6
Steimke (Kreis Diepholz) 29 H 10
Steimke (Kreis Gifhorn) 31 H 15
Steimke (Kreis Westliche Altmark) 31 I 16
Stein 9 C 14
Stein (Enzkreis) 93 T 9
Stein (Kreis Schwandorf) 89 R 20
Stein (Nürnberg) 87 R 16
Stein (Zollernalbkreis) 101 U 10
Stein a. d. Traun 106 W 21
Stein a. Kocher 85 S 11
Stein i. Allgäu 111 X 14
Stein-Neukirch 61 N 8
Steina (Kreis Osterode a. Harz) 52 L 15
Steina (Westlausitzkreis) 68 M 26
Steinach (Fluß) 78 Q 19
Steinach (Kreis Ostallgäu) 111 X 15
Steinach (Kreis Sonneberg) 77 O 17
Steinach (Kreis Straubing-Bogen) 91 T 21
Steinach (Ortenaukreis) 100 V 8
Steinach (Rems-Murr-Kreis) 94 T 12
Steinach a. d. Saale 76 P 14
Steinalben 83 S 6
Steinau 18 E 10
Steinau 63 O 13
Steinau a. d. Straße 75 P 12
Steinbach 84 Q 10
Steinbach (Kreis Annaberg) 79 O 23
Steinbach (Kreis Eichsfeld) 52 L 14
Steinbach (Kreis Fürstenfeldbrück) 104 V 17
Steinbach (Kreis Fürth) 87 R 16
Steinbach (Kreis Fulda) 63 N 13
Steinbach (Kreis Gießen) 62 O 10
Steinbach (Kreis Haßberge) 76 Q 15
Steinbach (Kreis Hildburghausen) 77 O 16
Steinbach (Kreis Limburg-Weilburg) 73 O 8
Steinbach (Kreis Main-Spessart) 75 P 12
Steinbach (Kreis Meißen-Dresden) 68 M 24
Steinbach (Kreis Rastatt) 92 T 8
Steinbach (Kreis Saarlouis) 81 R 4
Steinbach (Muldentalkreis) 67 M 21
Steinbach (Neckar-Odenwald-Kreis) 85 R 11
Steinbach (Niederschlesischer Oberlausitzkr.) 57 L 28
Steinbach (Rems-Murr-Kreis) 94 T 12
Steinbach (Taunus) 74 P 9
Steinbach a. d. Haide 77 O 18
Steinbach a. Donnersberg 83 R 7
Steinbach a. Glan 81 R 6
Steinbach a. Wald 77 O 18
Steinbach b. Geroldsgrün 77 O 18
Steinbach b. Ottweiler 81 R 5
Steinbach-Hallenberg 64 N 15
Steinbach-Stausee 60 O 4
Steinbeck (Kreis Harburg) 19 F 13
Steinbeck (Kreis Märkisch-Oderland) 35 H 25
Steinbeck (Kreis Steinfurt) 37 I 7
Steinbeck (Luhe) 30 G 14
Steinberg 5 B 13
Steinberg 74 P 10
Steinberg (Göltzschtalkreis) 67 O 21
Steinberg (Kreis Dingolfing-Landau) 98 U 21
Steinberg (Kreis Kronach) 77 P 18
Steinberg (Kreis Potsdam-Mittelmark) 43 J 21
Steinberg (Kreis Schwandorf) 89 S 20
Steinberg (Staig-) 103 V 14
Steinbergen 39 J 11
Steinberghaff 5 B 13
Steinbergkirche 5 B 13
Steinbild 26 H 5
Steinborn 70 P 3
Steinbrink 39 I 10
Steinbrück 40 J 14
Steinburg 91 T 22
Steinburg (Kreis Steinburg) 19 E 12
Steinburg (Kreis Stormarn) 20 E 15
Steindorf 104 V 17
Steinebach (Kreis Altenkirchen) 61 N 7
Steinebach a. d. Wied 61 O 7
Steinegg 93 T 10
Steinekirch 103 U 15
Steinen 61 O 7
Steinen 108 X 7
Steinenberg 94 T 12
Steinenbronn 94 U 11
Steinenstadt 100 W 6
Steineroth 61 N 7
Steinfeld (Kreis Bad Doberan) 11 D 20
Steinfeld (Kreis Bamberg) 77 Q 17
Steinfeld (Kreis Euskirchen) 60 O 3
Steinfeld (Kreis Hildburghausen) 76 O 16
Steinfeld (Kreis Main-Spessart) 75 Q 13
Steinfeld (Kreis Rotenburg) 29 G 11
Steinfeld (Kreis Schleswig-Flensburg) 5 C 13
Steinfeld (Kreis Stendal) 32 I 19
Steinfeld (Kreis Stormarn) 20 E 15
Steinfeld (Kreis Südliche Weinstraße) 92 S 8
Steinfeld (Oldenburg) 27 I 8
Steinfischbach 74 P 9
Steinförde 34 G 23
Steinfurt 36 J 6
Steinfurt 85 R 12
Steinfurth 15 E 24
Steinfurth 74 O 10
Steingaden 112 W 16
Steingau 105 W 18
Steinhagen 12 D 22
Steinhagen 38 J 9
Steinhagen (Kreis Güstrow) 23 E 19
Steinhausen 50 L 9
Steinhausen 102 V 13
Steinhausen (Kreis Friesland) 17 F 8
Steinhausen (Kreis Nordwestmecklenburg) 10 E 18
Steinhausen a. d. Rottum 103 V 13
Steinheid 77 O 17
Steinheim (Kreis Dillingen a. d. Donau) 95 U 15
Steinheim (Kreis Gießen) 74 O 10
Steinheim (Kreis Höxter) 51 K 11
Steinheim (Kreis Neu-Ulm) 103 U 14
Steinheim (Kreis Unterallgäu) 103 V 14
Steinheim a. d. Murr 94 T 11
Steinheim am Albuch 95 T 14
Steinhilben 102 V 11
Steinhöfel 45 I 26
Steinhöring 105 V 20
Steinhötel 35 G 25
Steinhorst 50 K 9
Steinhorst (Kreis Gifhorn) 31 H 15
Steinhorst (Kreis Herzogtum Lauenburg) 21 E 15
Steinhude 39 I 12
Steinhuder Meer 39 I 11
Steinhuder Meer (Naturpark) 39 I 11
Steinigtwolmsdorf 69 M 27
Steiningen 71 P 4
Steiningloh 88 R 19
Steinitz 57 L 27
Steinkimmen 28 G 9
Steinkirchen 19 F 12
Steinkirchen (Kreis Erding) 105 U 20
Steinkirchen (Kreis Pfaffenhofen a. d. Ilm) 104 U 18
Steinloge 28 H 8
Steinlohe 89 R 21
Steinmauern 93 T 8
Steinmocker 24 E 24
Steinölsa 57 M 28
Steinpleis 66 N 21
Steinrode 52 L 15
Steinsberg 84 S 10
Steinsdorf 76 Q 16
Steinsdorf (Elstertalkreis) 66 O 20
Steinsdorf (Kreis Greiz) 66 N 20
Steinsdorf (Kreis Oder-Spree) 45 J 28
Steinsdorf-Dixförda 55 K 23
Steinsfeld (Kreis Ansbach) 86 R 14
Steinsfeld (Kreis Haßberge) 76 P 15
Steinsfeld-Hartershofen 86 R 14
Steinsfurt 84 S 10
Steinthaleben 53 L 17
Steintoch 35 I 27
Steinwald 78 Q 20
Steinwald (Naturpark) 78 Q 20
Steinwand 75 O 13
Steinwedel 40 I 13
Steinweiler (Kreis Germersheim) 92 S 8
Steinweiler (Kreis Heidenheim) 95 T 14
Steinwenden 81 R 6
Steinwiesen 77 P 18
Steißlingen 101 W 10
Stellau 20 F 14
Stelle 7 D 11
Stelle 20 F 14
Stelle-Wittenwurth 7 D 11
Stellenfelde 29 G 11
Stellichte 30 H 12
Stelzenberg 83 R 7
Stemel 49 L 7
Stemmen (Kreis Hannover) 39 I 12
Stemmen (Kreis Lippe) 39 J 11
Stemmen (Kreis Rotenburg) 30 G 12
Stemmer 39 I 10
Stemmer Moor 38 I 9
Stempeda 53 L 16
Stemshorn 38 I 9
Stemwarde 20 F 14
Stemwede 38 I 9
Stendal 32 I 19
Stendell 35 G 26
Stenden 46 L 3
Stenderup 5 B 13
Stendorf 9 D 16
Stenern 36 K 3
Stengelheim 96 T 17
Stenn 66 N 21
Stennweiler 81 R 5
Stenum 29 G 9
Stepenitz (Stadt) 23 G 20
Stepfershausen 64 O 14
Stephanopel 49 L 7
Stephanshausen 73 P 7
Stephanskirchen (b. Rosenheim) 105 W 20
Stephanskirchen (b. Wasserburg) 106 V 20
Stephansposching 98 T 22
Steppach (Kreis Augsburg) 104 U 16
Steppach (Kreis Bamberg) 87 Q 16
Stepperg 96 T 17
Sterbfritz 75 P 12
Sterdebüll 4 C 10
Sterkelshausen 63 M 12
Sterkrade 47 L 4
Sterley 21 F 16
Sternberg 22 E 19
Sternberg 76 P 15
Sternebeck-Harnekop 35 H 25
Sternenfels 93 S 10
Sternhagen 25 G 25
Sterpersdorf 86 Q 16
Sterup 5 B 13
Sterzhausen 62 N 10
Stettbach 76 P 14
Stetten (b. Echingen) 101 U 10
Stetten (b. Egerloch) 101 U 10
Stetten (Bodenseekreis) 110 W 11
Stetten (Donnersbergkreis) 83 Q 8
Stetten (Kreis Biberach a. d. Riß) 103 V 13
Stetten (Kreis Dachau) 104 V 18
Stetten (Kreis Konstanz) 101 W 10
Stetten (Kreis Main-Spessart) 75 Q 13
Stetten (Kreis Rhön-Grabfeld) 76 O 14
Stetten (Kreis Unterallgäu) 103 V 15
Stetten (Kreis Waldshut) 109 X 9
Stetten (Leinfelden-Echterdingen) 94 T 11
Stetten (Ostalbkreis) 95 T 14
Stetten a. Heuchelberg 94 S 11
Stetten a. Kalten Markt 102 V 11
Stetten i. Remstal (Kernen) 94 T 12
Stetten o. Lontal 95 U 14
Stetten u. Holstein 102 V 11
Stettenhofen 104 U 16
Stetternich 58 N 3
Stettfeld (Kreis Haßberge) 76 Q 16
Stettfeld (Kreis Karlsruhe) 84 S 9
Stettiner Haff 25 E 26
Steuden 54 L 19
Steudnitz 66 M 19
Steutz 54 K 20
Stevede 36 K 5
Stevern 36 K 6
Steyerberg 29 I 11
Stickhausen 17 G 6
Stiefenhofen 111 X 14
Stiege 53 L 16
Stieglund 5 C 11
Stieldorf (Königswinter) 59 N 5
Stiepel 47 L 5
Stierhöfstetten 86 Q 15
Stimpfach 95 S 14
Stinstedt (b. Bederkesa) 18 F 10
Stinstedt (b. Loxstedt) 18 F 10
Stinteck 7 D 10
Stipshausen 72 Q 5
Stirn 96 S 16
Stirpe 50 L 8
Stobber 45 I 26
Stock 106 W 21
Stockach 101 W 11
Stockelsdorf 21 E 15
Stockem 80 Q 3
Stockhausen (Kreis Minden-Lübbecke) 38 J 9
Stockhausen (Vogelsbergkreis) 63 O 12
Stockheim (Kreis Düren) 58 N 3
Stockheim (Kreis Kronach) 77 P 17
Stockheim (Kreis Rhön-Grabfeld) 76 O 14
Stockheim (Kreis Unterallgäu) 103 V 15
Stockheim (Wetteraukreis) 74 P 11
Stocksdorf 29 H 10
Stocksee 9 D 15
Stockstadt a. Main 74 Q 11
Stockstadt a. Rhein 84 Q 9
Stockum (Hochsauerlandkreis) 49 M 7
Stockum (Kreis Unna) 49 K 7
Stockum (Möhnesee) 49 L 8
Stockum (Witten-) 47 L 6
Stöben 66 M 19
Stöbritz 56 K 25
Stöckach 76 P 15
Stöcken 66 N 20
Stöcken (Kreis Gifhorn) 31 H 16
Stöcken (Kreis Uelzen) 31 G 16
Stöcken (Hannover-) 40 I 13
Stöckenhof 94 T 12
Stöckey 52 L 15
Stöckheim (Altmarkkreis Salzwedel) 31 H 16
Stöckheim (Stadtkreis Northeim) 52 K 13
Stöckheim (b. Braunschweig) 41 J 15
Stöckigt 79 O 20
Stöckse 29 I 12
Stödtlen 95 S 14
Stöffin 33 H 22
Stöfs 9 D 15
Stölln 33 H 21
Stöllnitz 21 F 17
Stölpchen 56 M 25
Stör 8 D 13
Störkathen 8 E 13
Störmede 50 L 9
Störmthal 54 M 21
Störnstein 89 Q 20
Störtewerkerkoog 4 B 10
Störwasserstraße 22 F 18
Stößen 66 M 19
Stötten 95 U 13
Stötten a. Auerberg 112 W 16
Stoetze 31 G 16
Stoffen 104 V 16
Stoffenried 103 V 14
Stohl 9 C 14
Stolberg 53 L 16
Stolberg 58 N 2
Stolk 5 C 12
Stolkerfeld 5 C 12
Stollberg 4 C 10
Stollberg 67 N 22
Stollhamm 18 F 9
Stollhofen 92 T 8
Stolpe (b. Anklam) 25 E 24
Stolpe (b. Usedom) 24 E 25
Stolpe (Kreis Plön) 9 D 14
Stolpe (Oder) 35 H 26
Stolpen 68 M 26
Stolper See 9 D 14
Stoltebüll 5 B 13
Stoltenberg 9 C 15
Stoltenhagen 13 D 23
Stolzenau 39 I 11
Stolzenburg 25 F 25
Stolzenfels 71 P 6
Stolzenhagen (b. Angermünde) 35 H 26
Stolzenhagen (b. Wandlitz) 34 H 24
Stolzenhain 55 K 23
Stolzenhain a. d. Röder 56 L 24

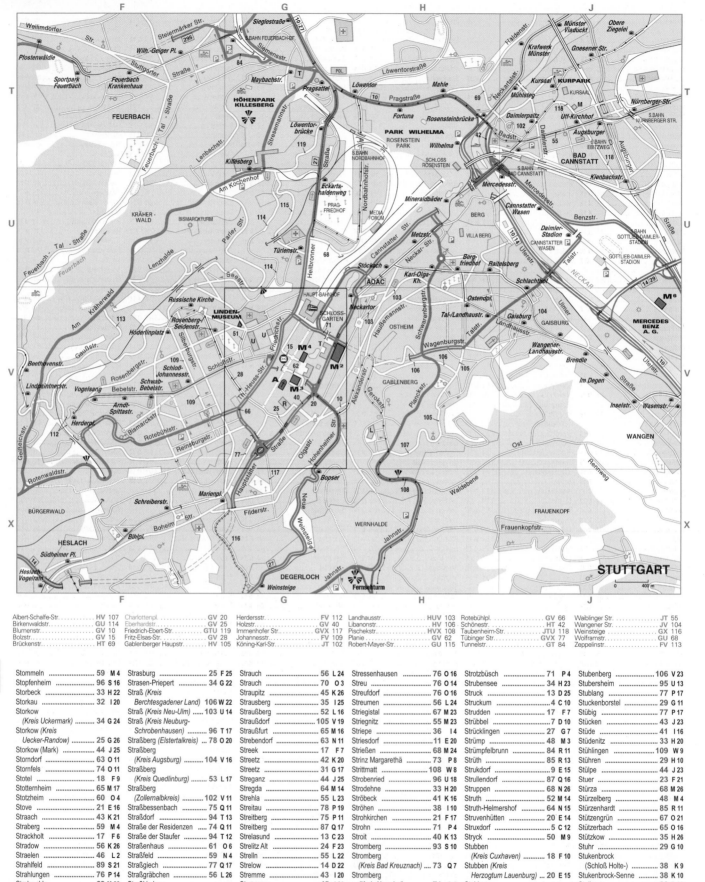

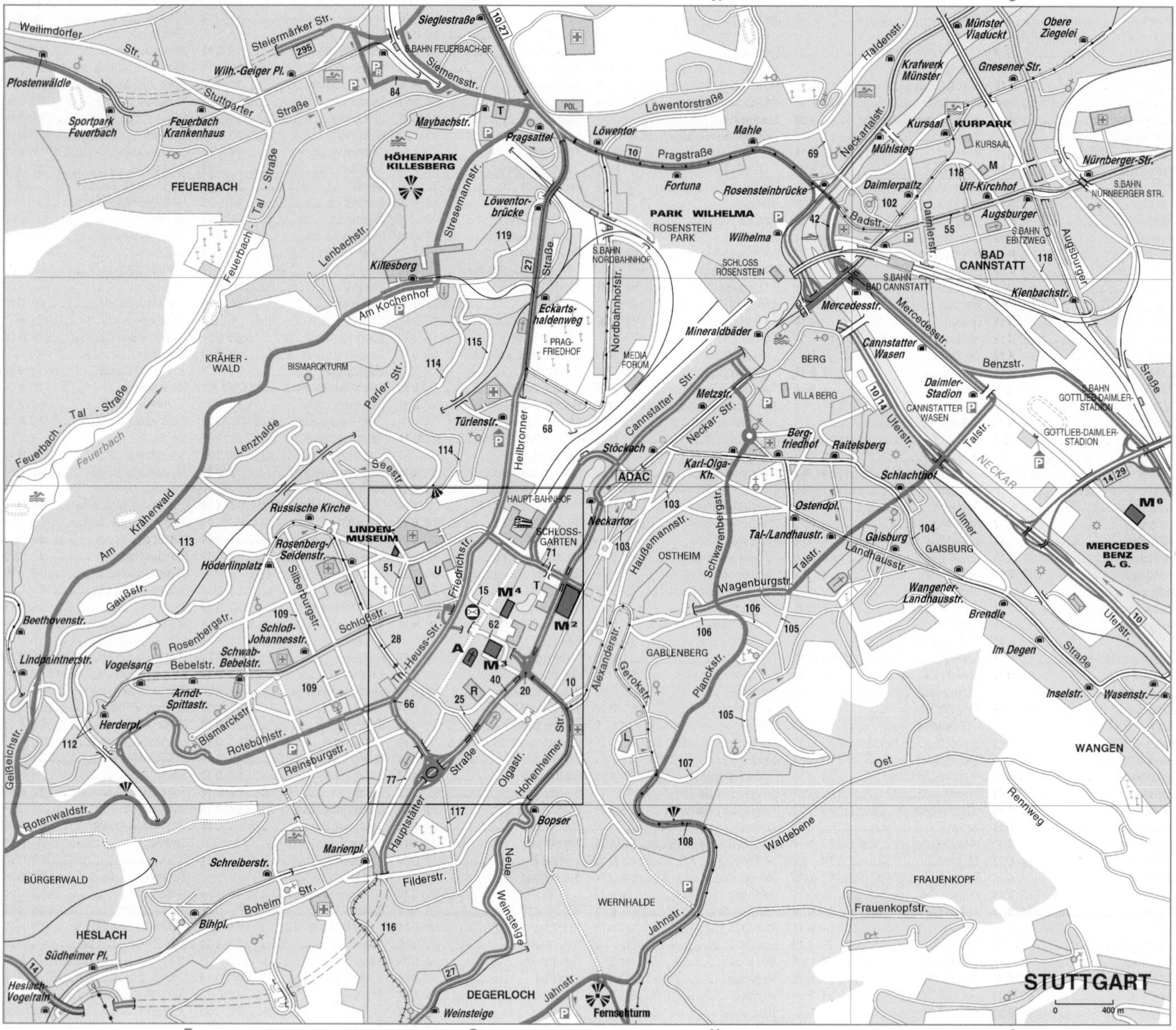

F
G
H
J
T
U
V
X
STUTTGART
0
400 m
Weilimdorfer Str.
Stelermärker Str.
Sieglestraße
S.BAHN FEUERBACH-BF.
Siemensstr.
Pfostenwäldle
Wilh.-Geiger Pl.
Stuttgarter Straße
Sportpark Feuerbach
Feuerbach Krankenhaus
FEUERBACH
Feuerbach - Tal - Straße
Maybachstr.
HÖHENPARK KILLESBERG
Pragsattel
Löwentorstraße
Löwentor
Pragstraße
Mahle
Haldenstr.
Münster Viadukt
Obere Ziegelei
Krafwerk Münster
Gnesener Str.
Kursaal
KURPARK
KURSAAL
Mühlsteg
Nürnberger-Str.
S.BAHN NÜRNBERGER STR.
Daimlerplatz
Uff-Kirchhof
Fortuna
Rosensteinbrücke
Löwentor-brücke
Killesberg
Stresemannstr.
Lenbachstr.
PARK WILHELMA
ROSENSTEIN PARK
Wilhelma
S.BAHN NORDBAHNHOF
Nordbahnhofstr.
SCHLOSS ROSENSTEIN
Badstr.
Augsburger
BAD CANNSTATT
S.BAHN EBITZWEG
S.BAHN BAD CANNSTATT
Kienbachstr.
Am Kochenhof
Eckarts-haldenweg
PRAG-FRIEDHOF
MEDIA FORUM
Mineralbäder
Mercedesstr.
Cannstatter Wasen
BERG
Benzstr.
KRÄHER - WALD
BISMARCKTURM
Parler Str.
Türlenstr.
Heilbronner
Metzstr.
Neckar- Str.
Cannstatter Str.
VILLA BERG
Daimler-Stadion
CANNSTATTER WASEN
S.BAHN GOTTLIEB-DAIMLER-STADION
GOTTLIEB-DAIMLER-STADION
Feuerbach
Lenzhalde
Seestr.
Stöckach
ADAC
Karl-Olga-Kh.
Berg-friedhof
Raitelsberg
Schlachthof
NECKAR
Talstr.
Uferstr.
HAUPT-BAHNHOF
Russische Kirche
LINDEN-MUSEUM
Rosenberg-Seidenstr.
Hölderlinplatz
Am Kräherwald
SCHLOSS-GARTEN
Neckartor
Ostendpl.
Tal-/Landhaustr.
Gaisburg
GAISBURG
Ulmer
OSTHEIM
Haußmannstr.
Schwarenbergstr.
Landhausstr.
Wagenburgstr.
Wangener-Landhausstr.
Brendle
MERCEDES BENZ A. G.
Gaußstr.
Silberburgstr.
Friedrichstr.
Beethovenstr.
Schloß-Johannesstr.
Schloßstr.
Rosenbergstr.
Lindpaintnerstr.
Vogelsang
Bebelstr.
Schwab-Bebelstr.
Th.-Heuss-Str.
GABLENBERG
Alexanderstr.
Gerokstr.
Planckstr.
Im Degen
Inselstr.
Wasenstr.
Straße
Arndt-Spittastr.
Herderpl.
Bismarckstr.
Rotebühlstr.
Reinsburgstr.
Straße
Olgastr.
Hohenheimer Str.
WANGEN
Ost
Geißeichstr.
Rotenwaldstr.
Hauptstätter
Bopser
Rennweg
Waldebene
Schreiberstr.
Marienpl.
BÜRGERWALD
Boheim Str.
Filderstr.
Neue Weinsteige
FRAUENKOPF
WERNHALDE
Frauenkopfstr.
Jahnstr.
HESLACH
Bihlpl.
Südheimer Pl.
Heslach-Vogelrain
DEGERLOCH
Weinsteige
Fernsehturm

Albert-Schalfe-Str. HV 107
Birkenwaldstr. GU 114
Blumenstr. GV 10
Bolzstr. GV 15
Brückenstr. HT 69
Charlottenpl. GV 20
Eberhardstr. GV 25
Friedrich-Ebert-Str. GTU 119
Fritz-Elsas-Str. GV 28
Gablenberger Haupstr. HV 105
Herdersstr. FV 112
Holzstr. GV 40
Immenhofer Str. GVX 117
Johannesstr. FV 109
Köning-Karl-Str. JT 102
Landhausstr. HUV 103
Libanonstr. HV 106
Pischekstr. HVX 108
Planie GV 62
Robert-Mayer-Str. GU 115
Rotebühlpl. GV 66
Schönestr. HT 42
Taubenheim-Str. JTU 118
Tübinger Str. GVX 77
Tunnelstr. GT 84
Waiblinger Str. JT 55
Wangener Str. JV 104
Weinsteige GX 116
Wolframstr. GU 68
Zeppelinstr. FV 113

Stommeln 59 M 4
Stopfenheim 96 S 16
Storbeck 33 H 22
Storkau 32 I 20
Storkow (Kreis Uckermark) 34 G 24
Storkow (Kreis Uecker-Randow) 25 G 26
Storkow (Mark) 44 J 25
Storndorf 63 O 11
Stornfels 74 O 11
Stotel 18 F 9
Stotternheim 65 M 17
Stotzheim 60 O 4
Stove 21 E 16
Straach 43 K 21
Straberg 59 M 4
Strackholt 17 F 6
Stradow 56 K 26
Straelen 46 L 2
Strahlfeld 89 S 21
Strahlungen 76 P 14
Strahwalde 69 M 28
Stralendorf (Kreis Ludwigslust) 21 F 17
Stralendorf (Kreis Parchim) 23 F 19
Stralsund 13 D 23
Strande 9 C 14
Strasburg 25 F 25
Strasen-Priepert 34 G 22
Straß (Kreis Berchtesgadener Land) 106 W 22
Straß (Kreis Neu-Ulm) 103 U 14
Straß (Kreis Neuburg-Schrobenhausen) 96 T 17
Straßberg (Elstertalkreis) 78 O 20
Straßberg (Kreis Augsburg) 104 V 16
Straßberg (Kreis Quedlinburg) 53 L 17
Straßberg (Zollernalbkreis) 102 V 11
Straßbessenbach 75 Q 11
Straßdorf 94 T 13
Straße der Residenzen 74 Q 11
Straße der Staufer 94 T 12
Straßenhaus 61 O 6
Straßfeld 59 N 4
Straßgiech 77 Q 17
Straßgräbchen 56 L 26
Straßkirchen (Kreis Passau) 99 U 24
Straßkirchen (Kreis Straubing-Bogen) 98 T 22
Straßlach 105 V 18
Straubenhardt 93 T 9
Straubing 98 T 21
Strauch 56 L 24
Strauch 70 O 3
Straupitz 45 K 26
Strausberg 35 I 25
Straußberg 52 L 16
Straußdorf 105 V 19
Straußfurt 65 M 16
Strebendorf 63 N 11
Streek 17 F 7
Streetz 42 K 20
Streetz 31 G 17
Streganz 44 J 25
Stregda 64 M 14
Strehla 55 L 23
Streitau 78 P 19
Streitberg 75 P 11
Streitberg 87 Q 17
Strelasund 13 C 23
Strelitz Alt 24 F 23
Strelln 55 L 22
Strelow 14 D 22
Stremme 43 I 20
Stremmen 45 J 26
Strenglin 9 E 15
Strenz 23 E 20
Strenzfeld 54 K 19
Strenznaundorf 54 K 19
Stresdorf 21 E 17
Stresow 42 J 20
Stressenhausen 76 O 16
Streu 76 O 14
Streufdorf 76 O 16
Streumen 56 L 24
Striegistal 67 M 23
Striegnitz 55 M 23
Striepe 36 I 4
Striesdorf 11 E 20
Strießen 68 M 24
Strinz Margarethä 73 P 8
Strittmatt 108 W 8
Strobenried 96 U 18
Strodehne 33 H 20
Ströbeck 41 K 16
Ströhen 38 I 10
Strohkirchen 21 F 17
Strohn 71 P 4
Stroit 40 K 13
Stromberg 93 S 10
Stromberg (Kreis Bad Kreuznach) 73 Q 7
Stromberg (Kreis Neuwied) 71 O 6
Stromberg (Kreis Warendorf) 50 K 8
Stromberg-Heuchelberg (Naturpark) 93 S 10
Strothe 31 G 16
Strothe 50 M 10
Strotzbüsch 71 P 4
Strubensee 34 H 23
Struck 13 D 25
Struckum 4 C 10
Strudden 17 F 7
Strübbel 7 D 10
Strücklingen 27 G 7
Strümp 48 M 3
Strümpfelbrunn 84 R 11
Strüth 85 R 13
Strukdorf 9 E 15
Strullendorf 87 Q 16
Struppen 68 N 26
Struth 52 M 14
Struth-Helmershof 64 N 15
Struvenhütten 20 E 14
Struxdorf 5 C 12
Stryck 50 M 9
Stubben (Kreis Cuxhaven) 18 F 10
Stubben (Kreis Herzogtum Lauenburg) 20 E 15
Stubben (Kreis Segeberg) 20 E 15
Stubbendorf (Kreis Bad Doberan) 11 D 21
Stubbendorf (Kreis Demmin) 14 E 22
Stubbenkammer 13 C 24
Stubenberg 106 V 23
Stubersheim 95 U 13
Stublang 77 P 17
Stuckenborstel 29 G 11
Stübig 77 P 17
Stücken 43 J 23
Stüde 41 I 16
Stüdenitz 33 H 20
Stühlingen 109 W 9
Stühren 29 H 10
Stülpe 44 J 23
Stuer 23 F 21
Stürza 68 M 26
Stürzelberg 48 M 4
Stürzenhardt 85 R 11
Stützengrün 67 O 21
Stützerbach 65 O 16
Stützkow 35 H 26
Stuhr 29 G 10
Stukenbrock (Schloß Holte-) 38 K 9
Stukenbrock-Senne 38 K 10
Stulln 88 R 20
Stumpf 59 M 5
Stumsdorf 54 L 20
Stupferich 93 T 9
Stuppach 85 R 13
Stutensee 93 S 9
Stuttgart 94 T 11

Stuttgart-Echterdingen (*Flughafen*) 94 T 11
Stuvenborn 20 E 14
Suchsdorf 9 C 14
Suckow (*Kreis Güstrow*) 23 E 20
Suckow (*Kreis Ostvorpommern*) 15 E 25
Suckow (*Kreis Parchim*) 32 G 19
Suckwitz 23 F 20
Suddendorf 36 J 5
Sude 21 F 16
Sudelfeld 113 W 20
Suderbruch 30 H 12
Suderburg 31 H 15
Sudershausen 52 L 14
Suderwich 47 L 5
Suderwick 46 K 3
Suderwittingen 31 H 16
Sudheide 38 J 10
Sudheim 52 K 13
Sudwalde 29 H 10
Sudweyhe 29 H 10
Süchteln 58 M 3
Sückau 21 G 16
Süd Edewecht 27 G 7
Südaue 39 I 12
Südbrookmerland 17 F 6
Süddinker 49 L 7
Süddorf 27 G 7
Süden 4 C 10
Südende 17 G 8
Südensee 5 B 12
Süderau 19 E 12
Süderaue 4 C 9
Süderbrarup 5 C 13
Süderdeich (*Kreis Dithmarschen*) 7 D 10
Süderdeich (*Kreis Stade*) 19 E 11
Süderdorf 8 D 12
Süderende (*Kreis Cuxhaven*) 18 F 10
Süderende (*Kreis Nordfriesland*) 4 B 9
Süderfahrenstedt 5 C 12
Südergellersen 30 G 14
Süderhackstedt 5 C 11
Süderhafen 4 C 10
Süderhastedt 7 D 11
Süderheistedt 7 D 11
Süderhöft 7 C 11
Süderholm 7 D 11
Süderleda 18 E 10
Süderlügum 4 B 10
Südermarsch 4 C 11
Süderoog (*Insel*) 4 C 9
Süderoogsand (*Insel*) 4 C 9
Süderschmedeby 5 C 12
Süderstapel 7 C 11
Süderwalsede 29 G 12
Südfall (*Insel*) 4 C 10
Südheide (Naturpark) 30 H 14
Südhemmern 39 J 10
Südkampen 30 H 12
Südkirchen 49 K 6
Südlohn 36 K 4
Südlohne 36 I 5
Südperd 13 D 25
Südwinsen 30 H 13
Süggerath 58 N 2
Sühlen 20 E 14
Sükow 23 G 19
Sülbeck 21 G 15
Sülfeld (*Kreis Segeberg*) 20 E 14
Sülfeld (*Stadtkreis Wolfsburg*) 41 I 16
Sülldorf 42 J 18
Sülldorf 19 F 13
Süllwarden 18 F 8
Sülstorf 22 F 18
Sülz 59 M 6
Sülze 30 H 14
Sülzfeld 76 O 15
Sülzhayn 52 L 16
Sümmern 49 L 7
Sünching 98 T 21
Sünna 64 N 14
Sünninghausen 49 K 8
Sünzhausen (*Kreis Freising*) 97 U 18
Sünzhausen (*Kreis Pfaffenhofen a. d. Ilm*) 105 U 18
Süplingen 41 J 17
Süpplingen 41 J 16
Süpplingenburg 41 J 16
Süptitz 55 L 22
Sürth 59 N 5
Sürzerhof 71 P 6
Süsel 9 D 16
Süß 64 N 13
Süssau 10 D 17
Süßen 94 T 13
Süssenbach 90 S 21
Süßer See 54 L 18
Süßkofen 98 T 21
Süstedt 29 H 10
Süsterseel 58 N 1
Sütel 10 C 17
Süttorf 21 G 15
Suffersheim 96 T 17
Sugenheim 86 R 15
Suhl 64 O 16
Suhle 27 H 7
Suhlendorf 31 H 16
Sukow 22 F 18
Sukow Marienhof 23 E 21
Sulgen 101 V 9
Sulingen 29 H 10
Sulsdorf 10 C 17
Sulz (*Kreis Donau-Ries*) 96 U 16
Sulz (*Ortenaukreis*) 100 V 7
Sulz a. Eck 93 U 10
Sulz a. Neckar 101 U 9
Sulzach 95 S 15
Sulzbach 98 U 22
Sulzbach (*Neckar-Odenwald-Kreis*) 85 R 11
Sulzbach (*Rhein-Neckar-Kreis*) 84 R 9
Sulzbach (Saar) 82 S 5
Sulzbach (Taunus) 74 P 9
Sulzbach a. d. Donau 90 S 20
Sulzbach a. d. Murr 94 S 12
Sulzbach a. Inn 99 U 24
Sulzbach a. Main 75 Q 11
Sulzbach-Laufen 95 T 13
Sulzbach-Rosenberg 88 R 19
Sulzberg 111 X 15
Sulzburg 100 W 7
Sulzdorf (*Kreis Donau-Ries*) 96 T 16
Sulzdorf (*Kreis Schwäbisch-Hall*) 95 S 13
Sulzdorf (*Kreis Schweinfurt*) 76 P 15
Sulzdorf a. d. Lederhecke 76 P 15
Sulzemoos 104 V 17
Sulzfeld (*Kreis Karlsruhe*) 93 S 10
Sulzfeld (*Kreis Schweinfurt*) 76 P 15
Sulzfeld a. Main 86 Q 14
Sulzheim 76 Q 15
Sulzkirchen 87 S 18
Sulzschneid 111 W 15
Sulzthal 76 P 14
Summt 34 H 24
Sumpfsee 23 E 20
Sumte 21 G 16
Sundern (*Kreis Minden-Lübbecke*) 38 I 9
Sundern (Gütersloh-) 38 K 9
Sundern (Sauerland) 49 M 8
Sundhausen (*Kreis Gotha*) 64 N 16
Sundhausen (*Kreis Nordhausen*) 53 L 16
Sundhausen (*Unstrut-Hainich-Kreis*) 64 M 16
Sunthausen 101 V 9
Sunzendorf 88 R 18
Suppingen 102 U 13
Surberg 106 W 22
Surendorf 5 C 14
Surheim 106 W 22
Suroide 30 H 13
Surwold 27 H 6
Sustrum 26 H 5
Sustrumermoor 26 H 5
Suterode 52 K 14
Sutthausen 37 J 8
Suttorf (*Kreis Hannover*) 39 I 12
Suttorf (*Kreis Steinfurt*) 37 J 6
Suttrop 50 L 9
Swisttal 59 N 4
Syburg 47 L 6
Sydow 42 I 20
Syhra 67 M 21
Syke 29 H 10
Sylda 53 K 18
Sylt (*Insel*) 4 B 8
Sylvenstein-Stausee 113 X 18
Syrau 66 O 20
Syrgenstein 95 U 14
Sythen 47 K 5

T

Taaken 29 G 11
Taarstedt 5 C 13
Tabarz 64 N 15
Taben-Rodt 80 R 3
Tabertshausen 98 T 22
Tacherting 106 V 21
Taching 106 W 22
Tachinger See 106 W 22
Tacken 32 G 20
Täferrot 95 T 13
Täfertingen 104 U 16
Tännesberg 89 R 20
Tätendorf 31 G 15
Tätzschwitz 56 L 26
Tafertshofen 103 V 14
Tafertsweiler 102 W 12
Tagmersheim 96 T 16
Tailfingen 101 V 11
Taimering 98 T 20
Tairnbach 84 S 10
Taiting 104 U 17
Taldorf 110 W 12
Talge 27 I 7
Talheim (*Kreis Heilbronn*) 94 S 11
Talheim (*Kreis Tübingen*) 102 U 11
Talheim (*Kreis Tuttlingen*) 101 V 9
Talkau 21 F 15
Talle 39 J 10
Tallensen 39 J 11
Talling 81 Q 4
Taltitz 78 O 20
Tambach 77 P 16
Tambach-Dietharz 64 N 15
Tamm 94 T 11
Tammensiel 4 C 10
Tandern 104 U 17
Tangeln 31 H 17
Tangendorf (*Kreis Harburg*) 20 G 14
Tangendorf (*Kreis Prignitz*) 32 G 19
Tanger 42 I 19
Tangerhütte 42 I 19
Tangermünde 42 I 19
Tangersdorf 34 G 23
Tangrim 14 D 22
Tangstedt (*Kreis Pinneberg*) 19 E 13
Tangstedt (*Kreis Stormarn*) 20 E 14
Tankenrade 9 E 15
Tankumsee 41 I 15
Tann 64 O 14
Tann 106 V 22
Tanna 78 O 19
Tannau 110 X 12
Tanndorf 67 M 22
Tanne 52 K 16
Tanneberg (*Kreis Meißen-Dresden*) 68 M 24
Tanneberg (*Kreis Mittweida*) 67 M 22
Tannenbergsthal 79 O 21
Tannenhausen 17 F 6
Tannenkirch 108 W 6
Tannern 113 X 18
Tannhausen (*Kreis Ravensburg*) 102 W 12
Tannhausen (*Ostalbkreis*) 95 T 15
Tannheim (*Kreis Biberach a. d. Riß*) 103 V 14
Tannheim (*Schwarzwald-Baar-Kreis*) 101 V 9
Tannroda 65 N 17
Tantow 25 G 27
Tapfheim 96 T 16
Tappenbeck 41 I 16
Tappendorf 8 D 13
Tarbarg 17 F 7
Tarbek 9 D 14
Tarmow 33 H 22
Tarmstedt 29 G 11
Tarnewitz 10 E 17
Tarnow 23 E 20
Tarp 5 C 12
Tarthun 42 K 18
Tasdorf 9 D 14
Tassdorf 44 I 25
Tastrup 5 B 12
Tating 7 D 10
Tatzelwurm 113 W 20
Taube 54 K 20
Taubenbach 106 V 22
Taubenberg 105 W 19
Taubenheim 68 M 24
Taubenheim (Spree) 69 M 27
Taubensuhl 83 S 7
Tauber 86 S 14
Tauberbischofsheim 85 R 12
Tauberfeld 96 T 17
Tauberrettersheim 85 R 13
Tauberzell 86 R 14
Taucha (*Leipzig*) 54 L 21
Tauche 45 J 26
Tauer 45 K 27
Taufkirchen (*Kreis Erding*) 105 U 20
Taufkirchen (*Kreis Mühldorf a. Inn*) 106 V 21
Taufkirchen (*Kreis München*) 105 V 18
Taufkirchen (*Kreis Rottal-Inn*) 106 U 22
Taufstein 75 O 11
Taugwitz 66 M 18
Taunus 74 P 9
Taunusstein-Neuhof 73 P 8
Tauperlitz 78 P 19
Taura 55 L 23
Taura b. Burgstädt 67 N 22
Tauscha (*Kreis Mittweida*) 67 N 22
Tauscha (*Kreis Riesa-Großenhain*) 68 M 25
Tauschenberg 62 N 10
Tautenburg 66 N 19
Tautenhain (*Kreis Leipziger Land*) 67 M 22
Tautenhain (*Saale-Holzland-Kreis*) 66 N 19
Tawern 80 Q 3
Taxöldern 89 S 20
Taxölderner Forst 89 S 20
Techelsdorf 9 D 14
Techentin 23 F 19
Teck 94 U 12
Tecklenburg 37 J 7
Teetz 33 G 21
Tegau 66 O 19
Tegeler See 44 I 23
Tegelrieden 27 H 8
Tegernau 108 W 7
Tegernbach (*Kreis Freising*) 97 U 19
Tegernbach (*Kreis Pfaffenhofen a. d. Ilm*) 96 U 18
Tegernheim 90 S 20
Tegernsee (*Stadt*) 113 W 19
Teglingen 26 I 6
Teicha 54 L 19
Teichel 65 N 17
Teichröda 65 N 17
Teichweiden 65 N 18
Teichwolframsdorf 66 N 20
Teisbach 98 U 21
Teisenberg 106 W 22
Teisendorf 106 W 22
Teising 106 V 21
Teisnach 91 S 22
Teistungen 52 L 14
Telbrake 28 H 8
Teldau 21 G 16
Telgte 37 K 7
Tellerhäuser 79 O 22
Tellig 71 P 5
Tellingstedt 7 D 11
Tellmer 30 G 14
Telschow-Weitgendorf 23 G 20
Teltow (*Berlin*) 44 I 23
Telz 44 J 24
Temmels 80 Q 3
Temmen 34 G 25
Temmenhausen 95 U 13
Tempelberg 45 I 26
Tempelfelde 34 H 25
Templin 34 G 24
Tengen 101 W 9
Tengern 38 J 10
Tengling 106 W 22
Teningen 100 V 7
Tennenbronn 101 V 9
Tennenlohe 87 R 17
Tensbüttel 7 D 11
Tensbüttel-Röst 7 D 11
Tensfeld 9 D 14
Tenstedt 27 H 8
Teplitz 10 E 19
Terborg 17 G 6
Tergast 17 F 6
Terpt 44 K 25
Tertius (*Insel*) 7 D 10
Teschendorf (*Kreis Mecklenburg-Strelitz*) 24 F 24
Teschendorf (*Kreis Oberhavel*) 34 H 23
Teschow (*Kreis Bad Doberan*) 10 E 18
Teschow (*Kreis Güstrow*) 23 E 21
Tespe 20 F 15
Tessenow 23 F 19
Tessin 11 D 21
Tessin b. Boizenburg 21 F 16
Tessin b. Wittenburg 21 F 17
Testorf (*Kreis Ludwigslust*) 21 F 16
Testorf (*Kreis Nordwestmecklenburg*) 21 E 17
Testorf (*Kreis Ostholstein*) 9 D 16
Testorf (*Kreis Uelzen*) 31 G 16
Tetenbüll 7 C 10
Tetenbüllspieker 7 C 10
Tetenhusen 8 C 12
Teterow 23 E 21
Teterower See 23 E 21
Tetschendorf 23 G 21
Tettau (*Kreis Kronach*) 77 O 17
Tettau (*Kreis Oberspreewald-Lausitz*) 56 L 25
Tettenborn 52 L 15
Tettenhausen 106 W 22
Tettens (*Kreis Friesland*) 17 F 7
Tettens (*Kreis Wesermarsch*) 18 F 9
Tettenwang 97 T 19
Tettenweis 107 U 23
Tettnang 110 W 12
Tetz 58 N 3
Tetzitzer See 13 C 24
Teublitz 88 S 20
Teuchatz 77 Q 17
Teuchern 66 M 20
Teufelshöhle 87 Q 18
Teufelskopf 80 R 4
Teufelsmoor (*Dorf*) 18 G 10
Teugn 97 T 20
Teunz 89 R 21
Teupitz 44 J 24
Teuschnitz 77 O 18
Teutleben 64 N 15
Teutoburger Wald 37 J 7
Teutschenthal 54 L 19
Teveren 58 N 2
Tewel 30 G 13
Tewswoos 32 G 17
Thaden 8 D 12
Thailen 80 R 4
Thaining 104 W 16
Thal 64 N 15
Thalau 75 O 13
Thalberg 56 L 24
Thalberg 99 U 25
Thaldorf 97 T 19
Thale 53 K 17
Thaleischweiler-Fröschen 83 S 6
Thalexweiler 81 R 4
Thalfang 81 Q 4
Thalfingen 103 U 14
Thalham 105 W 19
Thalhausen (*Kreis Dachau*) 104 U 17
Thalhausen (*Kreis Freising*) 105 U 19
Thalheim (*Kreis Bitterfeld*) 54 L 20
Thalheim (*Kreis Erding*) 105 U 20
Thalheim (*Kreis Nürnberger Land*) 87 R 18
Thalheim (*Kreis Sigmaringen*) 101 V 11
Thalheim (*Kreis Torgau-Oschatz*) 55 M 23
Thalheim (Erzgebirge) 67 N 22
Thalhofen 104 W 16
Thalitter 50 M 10
Thalkirchdorf 111 X 14
Thallichtenberg 81 R 6
Thallwitz 55 L 22
Thalmässing 96 S 17
Thalmannsfeld 96 S 17
Thalmassing 97 T 20
Thambach 106 U 21
Thammenhain 55 L 22
Thamsbrück 64 M 15
Thandorf 21 E 16
Thangelstedt 65 N 17
Thanhausen (*Kreis Regensburg*) 90 S 20
Thanhausen (*Kreis Weißenburg-Gunzenhausen*) 96 S 16
Thanheim (*Kreis Amberg-Sulzbach*) 88 R 19
Thanheim (*Zollernalbkreis*) 101 V 10
Thann (*Kreis Ansbach*) 86 S 15
Thann (*Kreis Kelheim*) 97 T 18
Thann (*Kreis Landshut*) 105 U 20
Thanndorf 98 U 22
Thannhausen 103 V 15
Thanning 105 W 18
Thanstein 89 R 21
Tharandt 68 N 24
Thebing 47 K 4
Thedinghausen 29 H 11
Theenhausen 38 J 9
Theesen 38 J 9
Theeßen 42 J 20
Theilenhofen 96 S 16
Theilheim (*Kreis Schweinfurt*) 76 Q 14
Theilheim (*Kreis Würzburg*) 86 Q 14
Theisa 56 L 24
Theisbergstegen 81 R 6
Theisseil 89 Q 20
Theißen 66 M 20
Theißing 97 T 18
Thekla (*Leipzig*) 54 L 21
Theley 81 R 5
Thelkow 11 D 21
Themar 76 O 15
Thenried 89 S 22
Theobaldshof 64 N 14
Theres 76 P 15
Theuern 77 O 17
Theuern (*Kreis Amberg-Sulzbach*) 88 R 19
Theuma 79 O 20
Thiede 40 J 15
Thielbeer 32 H 18
Thielitz 31 H 16
Thiendorf 56 M 25
Thier 59 M 6
Thierbach (*Elstertalkreis*) 66 O 19
Thierbach (*Kreis Leipziger Land*) 67 M 21
Thiergarten 73 Q 6
Thiergarten 102 V 11
Thierhaupten 96 U 16
Thieringhausen 61 M 7
Thiersheim 78 P 20
Thierstein 78 P 20
Thieshope 20 G 14
Thießen 43 K 20
Thiessow 13 D 25
Thimmendorf 65 O 18
Thölau 78 P 20
Thölstedt 28 H 9
Thönse 40 I 13
Thören 30 H 13
Thörnich 72 Q 4
Tholey 81 R 5
Thomasburg 31 G 15
Thomm 80 Q 4
Thomsdorf 24 G 24
Thonhausen 66 N 20
Thonhopsberg 30 H 14
Thonlohe 97 S 19
Thorr 58 N 3
Thoßfell 66 O 20
Thräna 66 M 21
Threna 55 M 21
Thüle 27 H 7
Thüle 50 K 9
Thülen 50 L 9
Thülsfelde 27 H 7
Thülsfelder Stausee 27 H 7
Thümmlitzwalde 67 M 22
Thüngen 75 Q 13
Thüngersheim 75 Q 13
Thür 71 O 5
Thürheim 96 U 16
Thüringer Wald 64 N 14
Thürkow 23 E 21
Thürnhofen 86 S 15
Thürnthenning 98 T 21
Thüste 40 J 12
Thuine 37 I 6
Thulba 75 P 13
Thum 67 N 22
Thum 58 N 3
Thumby 5 C 13

Thumhausen 90 S 19
Thumsee 114 W 22
Thumsenreuth 78 Q 20
Thundorf 76 P 14
Thundorf i. Unterfranken 98 T 23
Thunum 17 F 6
Thurland 54 K 20
Thurm 67 N 21
Thurmansbang 99 T 23
Thurn 87 Q 17
Thurnau 77 P 18
Thurndorf 88 Q 18
Thurow 24 F 23
Thyrnau 99 U 24
Thyrow 44 J 23
Tiddische 41 I 16
Tiebensee 7 D 11
Tiefenbach (*Kreis Cham*) 89 R 21
Tiefenbach (*Kreis Heilbronn*) 85 S 11
Tiefenbach (*Kreis Landshut*) 97 U 20
Tiefenbach (*Kreis Neu-Ulm*) 103 V 14
Tiefenbach (*Kreis Passau*) 99 U 24
Tiefenbach (*Rhein-Hunsrück-Kreis*) 73 Q 6
Tiefenbach b. Oberstdorf 111 X 14
Tiefenberg 111 X 14
Tiefenbroich 48 M 4
Tiefenbronn 93 T 10
Tiefenbrunn 78 P 20
Tiefenellern 77 Q 17
Tiefenhäusern 108 W 8
Tiefenhöchstadt 77 Q 17
Tiefenhöle 94 U 13
Tiefenhülen 102 U 12
Tiefenort 64 N 14
Tiefenpölz 77 Q 17
Tiefenried 103 V 15
Tiefensee 34 H 25
Tiefenstein 81 Q 5
Tiefenstein 108 X 8
Tiefthal 65 M 16
Tiefurt (*Weimar*) 65 N 18
Tielen 8 D 12
Tielenhemme 8 D 12
Tielge 38 I 9
Tiengen 100 W 7
Tiengen (Waldshut-) 109 X 8
Tieringen 101 V 10
Tießau 31 G 16
Tietelsen 51 L 11
Tietlingen 30 H 13
Tietzow 33 H 22
Tigerfeld 102 V 12
Tilbeck 37 K 6
Till 46 K 2
Tilleda 53 L 17
Tilzow 13 C 24
Timmaspe 8 D 13
Timmdorf 9 D 15
Timmel 17 F 6
Timmendorf 10 E 18
Timmendorfer Strand 9 E 16
Timmenrode 53 K 17
Timmerhorn 20 E 14
Tinnen 26 H 5
Tinningstedt 4 B 10
Tinnum 4 B 8
Tiroler Ache 114 W 21
Tirpersdorf 79 O 20
Tirschendorf 79 O 20
Tirschenreuth 79 Q 21
Tiste 19 G 12
Titisee 100 W 8
Titmaringhausen 50 M 9
Titschendorf 77 O 18
Titting 96 T 17
Tittling 99 T 24
Tittmoning 106 V 22
Titz 58 M 3
Toba 52 M 16
Tobertitz 78 O 20
Toddin 21 F 17
Todenbüttel 8 D 12
Todendorf (*Kreis Plön*) 20 E 15
Todendorf (*Kreis Stormarn*) 9 C 15
Todenfeld 60 O 4
Todesfelde 20 E 14
Todtenhausen 39 I 10
Todtenweis 96 U 16
Todtglüsingen 19 G 13
Todtmoos 108 W 7
Todtmoos-Au 108 W 7
Todtnau 100 W 7
Todtnauberg 100 W 7
Todtshorn 30 G 13
Tödtenried 104 U 17
Töging 106 V 21
Tökendorf 9 D 14
Tönisberg 46 L 3
Tönisheide 48 M 5
Tönisvorst 58 M 3
Tönnhausen 20 F 14
Tönning 7 D 10
Tönningstedt 20 E 14
Tönnishäuschen 49 K 7
Töpchin 44 J 24
Töpen 78 O 19
Töpingen 30 G 13
Töplitz 43 I 22
Törpin 24 E 23
Törwang 113 W 20
Tötensen 19 F 13
Töttelstädt 65 M 16
Toitz 14 E 22
Tolk 5 C 12
Tolkewitz 68 M 25
Tollense 24 E 23
Tollensesee 24 F 23
Tolzin 23 E 21
Tomerdingen 95 U 13
Tonau 101 V 10
Tondorf 60 O 4
Tonndorf 65 N 17
Tonnenheide 38 I 9
Topfseifersdorf 67 N 22
Toppenstedt 20 G 14
Torfhaus 52 K 15
Torgau 55 L 23
Torgelow (*Kreis Müritz*) 24 F 22
Torgelow (*Kreis Uecker-Randow*) 25 F 26
Torgelow-Holländerei 25 E 26
Torgelower See 24 F 22
Tornau (*Kreis Anhalt-Zerbst*) 42 K 20
Tornau (*Kreis Wittenberg*) 55 L 21
Tornau v. d. Heide 54 K 20
Tornesch 19 E 13
Tornitz 42 K 19
Tornow (*Kreis Barnim*) 35 H 25
Tornow (*Kreis Dahme-Spreewald*) 44 J 24
Tornow (*Kreis Uckermark*) 25 F 25
Torsholt 17 G 7
Tossens 18 F 8
Tostedt 19 G 13
Tosterglope 31 G 16
Totenmaar 71 P 4
Toter Mann 100 W 7
Traar (*Krefeld*) 46 L 3
Trabelsdorf 76 Q 16
Traben-Trarbach 72 Q 5
Trabitz 42 K 19
Trabitz 88 Q 19
Traidersdorf 89 S 22
Trailfingen 102 U 12
Train 97 T 19
Trainsjoch 113 X 20
Trais-Münzenberg 74 O 10
Traisa 74 Q 10
Traisbach 63 O 13
Traitsching 91 S 21
Tralau 20 E 14
Tramm (*Kreis Herzogtum Lauenburg*) 21 F 15
Tramm (*Kreis Parchim*) 22 F 18
Tramnitz 33 H 21
Trampe 34 H 25
Transvaal 31 I 16
Trantow 14 E 23
Trappenkamp 9 D 14
Trappstadt 76 P 15
Trasching 90 S 21
Traßdorf 65 N 17
Trassem 80 R 3
Trassenheide 13 D 25
Trattendorf 57 L 27
Traubing 104 W 17
Trauchgau 112 X 16
Trauen 30 H 14
Traun 106 W 21
Traunfeld 87 R 18
Traunreut 106 W 21
Traunstein 106 W 21
Traunsteinerhaus 114 X 22
Traunwalchen 106 W 21
Trausnitz 89 R 20
Trautenstein 53 K 16
Trautmannshofen 87 R 18
Trautskirchen 86 R 15
Trave 9 D 15
Travemünde 10 E 16
Travenbrück 20 E 14
Trebatsch 45 J 26
Trebbin 44 J 23
Trebbus 56 K 24
Trebel (*Kreis Luchow-Dannenberg*) 32 H 17
Treben 66 M 21
Trebendorf 57 L 27
Trebenow 25 F 25
Trebgast 77 P 18
Trebitz (*Kreis Dahme-Spreewald*) 45 J 26
Trebitz (*Kreis Wittenberg*) 55 K 22
Trebnitz (*Kreis Bernburg*) 54 K 19
Trebnitz (*Kreis Märkisch-Oderland*) 35 I 26
Trebnitz (*Kreis Weißenfels*) 66 M 20
Trebra (*Kreis Nordhausen*) 52 L 15
Trebra (*Kyffhäuserkreis*) 53 M 16
Trebs 21 G 17
Trebsen 55 M 22
Trebur 74 Q 9
Trebus (*Kreis Oder-Spree*) 45 I 26
Trebus (*Niederschlesischer Oberlausitzkr.*) 57 L 28
Trechtingshausen 73 P 7
Trechwitz 43 I 22
Treene 5 C 12
Treenemarsch 7 C 11
Treffelhausen 95 T 13
Treffelstein 89 R 21
Treffensbuch 94 U 13
Treffurt 64 M 14
Treherz 103 W 14
Treia 5 C 11
Treis 62 O 10
Treis-Karden 71 P 5
Treisbach 62 N 9
Trelde 19 G 13
Tremmen 43 I 22
Tremmersdorf 88 Q 19
Tremsbüttel 20 E 14
Tremsdorf 44 J 23
Trendelburg 51 L 12
Trennewurth 7 E 11
Trennfeld 85 Q 12
Trennfurt 85 Q 11
Trent 13 C 23
Treplin 45 I 27
Treppeln 45 J 27
Treppendorf 44 K 25
Treppendorf 86 Q 16
Treptow (*Berlin*) 44 I 24
Treseburg 53 K 16
Tressau 78 Q 19
Treuchtlingen 96 T 16
Treuen 66 O 20
Treuenbrietzen 43 J 22
Treugeböhla 56 L 24
Treunitz 77 Q 17
Trevesen 78 Q 19
Treysa 63 N 11
Triangel 41 I 15
Triberg 100 V 8
Tribsees 14 D 22
Trichenricht 89 R 20
Trichtingen 101 V 9
Trieb (*Göltzschtalkreis*) 79 O 20
Trieb (*Kreis Lichtenfels*) 77 P 17
Triebel 78 O 20
Triebendorf 79 Q 20
Triebes 66 N 20
Triebischtal 68 M 24
Triefenstein 85 Q 12
Triensbach 86 S 13
Triepkendorf 24 G 24
Trieplatz 33 H 21
Trier 80 Q 3
Trierweiler 80 Q 3
Triesbach 68 M 24
Trifels 83 S 7
Triftern 106 U 23
Triglitz 33 G 20
Trillfingen 101 U 10
Trimberg 76 P 13
Trimbs 71 P 5
Tringenstein 62 N 9
Trinkwasserspeicher Frauenau 91 S 24
Trinum 54 K 19
Trinwillershagen 11 D 21
Tripkau 31 G 17
Trippigleben 41 I 17
Trippstadt 83 R 7
Tripsdrill 94 S 11
Tripsrath 58 N 2
Triptis 66 N 19
Trischen (*Insel*) 7 D 10
Trisching 88 R 20
Trischlberg 90 S 20
Trittau 20 F 15
Trittenheim 72 Q 4
Trochtelfingen (*Kreis Reutlingen*) 102 V 11
Trochtelfingen (*Ostalbkreis*) 95 T 15
Trockau 87 Q 18
Trockenborn-Wolfersdorf 66 N 19
Trockenerfurth 63 M 11
Tröbes 89 R 21
Tröbitz 56 L 24
Tröbnitz 66 N 19
Tröbsdorf 53 M 18
Trögen 51 K 13
Tröglitz 66 M 20
Tröstau 78 P 19
Trogen 78 O 19
Troisdorf 59 N 5
Troistedt 65 N 17
Trollenhagen 24 F 23
Tromlitz 65 N 18
Tromm 84 R 10
Trommetsheim 96 S 16
Tromper Wiek 13 C 24
Tromsdorf 65 M 18
Tropfsteinhöhle 85 R 12
Troschenreuth 87 Q 18
Trossenfurt 76 Q 15
Trossin 55 L 22
Trossingen 101 V 9
Trostberg 106 V 21
Trubenhausen 51 M 13
Truchtelfingen 101 V 11
Truchtlaching 106 W 21
Trügleben 64 N 15
Trünzig 66 N 20
Trüstedt 42 I 18
Trugenhofen 96 T 17
Trulben 83 S 6
Trunstadt 76 Q 16
Trupermoor 29 G 10
Truppach 77 Q 18
Trusetal 64 N 15
Tryppehna 42 J 19
Tschernitz 57 L 27
Tschirn 77 O 18
Tucheim 42 J 20
Tuchen-Klobbicke 34 H 25
Tuchenbach 87 R 16
Tübingen 94 U 11
Tüchen 33 G 20
Tüchersfeld 87 Q 18
Tückelhausen 86 R 14
Tüddern 58 M 1
Tülau 31 I 16
Tümlauer Bucht 7 C 9
Tümlauer Koog 7 C 10
Tündern 39 J 12
Tüngeda 64 M 15
Tüngental 94 S 13
Tünsdorf 80 R 3
Tüntenhausen 105 U 19
Türkenfeld (*Kreis Fürstenfeldbruck*) 104 V 17
Türkenfeld (*Kreis Landshut*) 97 T 20
Türkheim (*Kreis Göppingen*) 94 U 13
Türkheim (*Kreis Unterallgäu*) 103 V 15
Türkismühle 81 R 5
Türnich 59 N 4
Tüschenbroich 58 M 2
Tüschendorf 29 G 11
Tüßling 106 V 21
Tütschengereuth 76 Q 16
Tüttendorf 9 C 13
Tüttleben 65 N 16
Tützpatz 24 E 23
Tunau 100 W 7
Tunding 98 T 21
Tungeln 27 G 8
Tungendorf 9 D 13
Tungerloh-Capellen 36 K 5
Tungerloh-Pröbsting 36 K 5
Tuniberg 100 V 7
Tuningen 101 V 9
Tunsel 100 W 6
Tuntenhausen 105 W 20
Tunxdorf 26 G 5
Turnow 45 K 27
Tussenhausen 103 V 15
Tutow 14 E 23
Tutting 107 U 23
Tuttlingen 101 W 10
Tutzing 104 W 17
Tutzinger-Hütte 112 X 18
Twedt 5 C 13
Tweel 27 H 8
Twenhusen 37 I 7
Twieflingen 41 J 16
Twiehausen 38 I 9
Twielenfleth 19 F 12
Twist 26 I 5
Twiste 50 L 10
Twisteden 46 L 2
Twistestausee 51 L 11
Twistetal 50 M 10
Twistringen 29 H 9
Tyrlaching 106 V 22
Tyrolsberg 87 S 18

U

Ubach 58 N 2
Ubstadt-Weiher 84 S 9
Uchenhofen 76 P 15
Uchtdorf 42 I 19
Uchte 39 I 10
Uchtspringe 42 I 18
Uckendorf 59 N 5
Uckerath 59 N 6
Uckermark 34 G 24
Uckersdorf 62 N 8
Uckro 56 K 24
Udenborn 63 M 11
Udenbreth 70 O 3
Udenhain 75 P 12
Udenhausen (*Kreis Kassel*) 51 L 12
Udenhausen (*Vogelsbergkreis*) 63 N 12
Uder 52 L 14
Udersleben 53 L 17
Udestedt 65 M 17
Udorf 50 L 10
Übach-Palenberg 58 N 2
Überacker 104 V 17
Überauchen 101 V 9
Übereisenbach 70 P 2
Überherrn 82 S 4
Überlingen 110 W 11
Überlingen a. Ried 109 W 10
Überlinger See 110 W 11
Überruhr 47 L 5
Übersberg 102 U 11
Übersee 106 W 21
Uebigau (*Kreis Elbe-Elster*) 55 L 23
Uebigau (*Kreis Riesa-Großenhain*) 56 L 24
Üchtelhausen 76 P 14
Ückendorf 47 L 5
Ücker 25 F 25
Ückeritz 15 D 26
Ueckermünde 25 E 26
Ueckermünder Heide 25 E 25
Uedelhoven 70 O 4
Uedem 46 K 2
Uedemerbruch 46 L 2
Üdersdorf 70 P 4
Uedesheim 48 M 4
Ueffeln 37 I 7
Üfingen 40 J 15
Uehlfeld 86 Q 16
Ühlingen-Birkendorf 109 W 8
Uehrde 41 J 16
Uelde 50 L 8
Uelitz 22 F 18
Uelleben 64 N 16
Uellendahl 48 M 5
Üllnitz 42 K 19
Ülpenich 58 N 4
Ülsby 5 C 12
Uelsen 36 I 4
Uelvesbüll 7 C 10
Uelzen 31 H 15
Uenglingen 32 I 19
Uentrop 49 K 7
Uenzen 29 H 10
Üplingen 41 J 17
Uepsen 29 H 10
Uerdingen 46 L 3
Uersfeld 71 P 5
Ürzell 75 O 12
Ürzig 72 Q 5
Üselitz 13 D 23
Ueßbach 71 P 4
Ueterlande 18 F 9
Uetersen 19 E 13
Uetterath 58 M 2
Uetteroda 64 M 14
Üttfeld 70 P 2
Uettingen 85 Q 13
Uetz-Paaren 43 I 22
Uetze 40 I 14
Uetzing 77 P 17
Üxheim 70 O 4
Uffeln 39 J 10
Uffenheim 86 R 14
Uffing 112 W 17
Uftrungen 53 L 16
Uhingen 94 T 12
Uhlberg 96 T 16
Uhldingen 110 W 11
Uhlstädt 65 N 18
Uhrsleben 41 J 17
Uhsmannsdorf 57 M 28
Uhyst 57 L 27
Uhyst a. Taucher 69 M 26
Uichteritz 54 M 19
Uiffingen 85 R 12
Uissigheim 85 Q 12
Ulbering 106 U 23
Ulbersdorf 69 N 26
Ulfa 74 O 11
Ulfen 64 M 14
Ullersdorf 45 J 27
Ullstadt 86 R 15
Ulm (*Kreis Rastatt*) 92 T 8
Ulm (*Ortenaukreis*) 92 U 8
Ulm (Donau) 103 U 13
Ulmbach 75 O 12
Ulmen 71 P 4
Ulmet 81 R 6
Ulrichstein 63 O 11
Ulsenheim 86 R 14
Ulsnis 5 C 13
Ulzburg 19 E 13
Umflutkanal 42 J 19
Umkirch 100 V 7
Ummanz (*Insel*) 13 C 23
Ummeln 38 K 9
Ummendorf 41 J 17
Ummendorf 102 V 13
Ummern 31 I 15
Ummerstadt 77 P 16
Umpferstedt 65 N 18
Unadingen 101 W 9
Undeloh 30 G 13
Undenheim 73 Q 8
Undingen 102 U 11
Unering 104 V 17
Ungedanken 63 M 11
Ungerhausen 103 V 14
Ungstein 83 R 8
Unkel 60 O 5
Unlingen 102 V 12
Unna 49 L 7
Unnau 61 O 7
Unnersdorf 77 P 16
Unseburg 42 K 18
Unsen 39 J 12
Unsleben 76 O 14
Unstrut 64 M 15
Unter Abtsteinach 84 R 10
Unter Biberalpe 111 Y 14
Unter-Flockenbach 84 R 10
Unter-Heinsdorf 66 O 21
Unter-Ostern 84 Q 10
Unter Rammingen 103 V 15
Unter-Schönmattenwag 84 R 10
Unter schwärzenbach 107 U 23
Unter Sensbach 84 R 11
Unteraha 100 W 8
Unteraich 89 R 20
Unteralpfen 108 X 8
Unteraltenbernheim 86 R 15
Unteraltertheim 85 Q 13
Unterammergau 112 X 17
Unterankenreute 102 W 13
Unterasbach 95 S 16
Unteraspach 95 S 13
Unterauerbach 89 R 20
Unterbaar 96 U 16
Unterbalbach 85 R 13
Unterbalzheim 103 V 14
Unterbergen 104 V 16
Unterbernbach 96 U 17
Unterbleichen 103 V 14
Unterböhringen 94 U 13

Unterbränd 101 W 9
Unterbreizbach 64 N 13
Unterbruch *(Heinsberg)* 58 M 2
Unterbrüden 94 T 12
Unterbrunn 104 V 17
Unterbuchen 113 W 18
Unterdarching 105 W 19
Unterdeufstetten 95 S 14
Unterdießen 104 W 16
Unterdietfurt 106 U 21
Unterdigisheim 101 V 10
Unterebersbach 76 P 14
Unteregg 103 W 15
Unterelchingen 103 U 14
Unterellen 64 N 14
Unterelsbach 76 O 14
Unterensingen 94 U 12
Unterentersbach 100 V 8
Untererthal 75 P 13
Untereschbach 59 N 5
Untereschenbach 75 P 13
Unteressendorf 102 V 13
Untereßfeld 76 P 15
Unterfahlheim 103 U 14
Unterfelden 86 R 15
Unterflossing 106 V 21
Unterföhring 105 V 18
Unterfrohnstetten 98 T 23
Untergermaringen 104 W 16
Unterglaim 97 U 20
Unterglottertal 100 V 7
Untergriesbach 99 U 25
Untergriesheim 85 S 11
Untergröningen 95 T 13
Untergrombach 93 S 9
Untergrüne 49 L 7
Untergruppenbach 94 S 11
Unterhaching 105 V 18
Unterhaun 63 N 13
Unterhausen 102 U 11
Unterheimbach 94 S 12
Unterheinriet 94 S 11
Unterhöft 98 U 22
Unterhütte 89 R 22
Unterjeckenbach 81 R 6
Unterjesingen 93 U 10
Unterjettenberg 114 W 22
Unterjettingen 93 U 10
Unterjoch 111 X 15
Unterkatz 64 O 14
Unterkessach 85 R 12
Unterkirchberg 103 U 13
Unterkirnach 101 V 9
Unterknöringen 103 U 15
Unterkochen 95 T 14
Unterköblitz 88 R 20
Unterkoskau 78 O 19
Unterkotzau 78 O 19
Unterlaimbach 86 R 15
Unterlauchringen 109 X 8
Unterlauter 77 P 16
Unterleichtersbach 75 P 13
Unterleinach 75 Q 13
Unterleinleiter 87 Q 17
Unterleiterbach 77 P 16
Unterlenningen 94 U 12
Unterliezheim 95 T 15
Unterloquitz 65 O 18
Unterlosa 78 O 20
Unterlüß 30 H 14
Untermässing 96 S 17
Untermagerbein 95 T 15
Untermarchtal 102 V 12
Untermarxgrün 79 O 20
Untermaßfeld 64 O 15
Untermaubach 58 N 3
Untermeitingen 104 V 16
Untermerzbach 77 P 16
Untermettingen 109 W 9
Untermitterdorf 99 T 23
Untermünkheim 94 S 13
Untermünstertal 100 W 7
Untermusbach 93 U 9
Unternesselbach 86 R 15
Unterneukirchen 106 V 21
Unterneuses 86 Q 16
Unteröwisheim 93 S 10
Unterpaffenhofen 104 V 18
Unterpindhart 97 T 19
Unterpleichfeld 76 Q 14
Unterpörlitz 65 N 16
Unterprechtal 100 V 8
Unterpreppach 76 P 16
Unterregenbach 85 S 13
Unterreichenbach 75 O 11
Unterreichenbach 93 T 10
Unterreit 106 V 21
Unterreithen 112 X 16
Unterrieden 51 L 13
Unterrieden 87 R 18
Unterriffingen 95 T 14
Unterrißdorf 53 L 18
Unterrödel 96 S 17
Unterrohrbach 98 U 22
Unterrot 94 T 13
Unterroth 103 V 14
Untersberg 114 W 22
Unterschefflenz 85 R 11
Unterschleichach 76 Q 15
Unterschleißheim 105 V 18
Unterschneidheim 95 T 15
Unterschönau 64 N 15
Unterschöneberg 103 U 15
Unterschüpf 85 R 13
Unterschwaningen 95 S 15
Unterschwarzach 103 W 13
Unterschweinbach 104 V 17
Untersee 33 H 21
Untersee 109 X 10
Untersiemau 77 P 16
Untersiggingen 110 W 12
Untersimonswald 100 V 8
Untersontheim 95 S 13
Untersotzbach 75 O 11
Unterspiesheim 76 Q 14
Unterstadion 102 V 13
Unterstall 96 T 17
Unterstedt 29 G 12
Untersteinach 86 Q 15
Untersteinach
(Kreis Bayreuth) 78 Q 19
Untersteinach
(Kreis Kulmbach) 77 P 18
Untersteinbach
(Hohenlohekreis) 94 S 12
Untersteinbach
(Kreis Haßberge) 76 Q 15
Untersteinbach
(Rauhenebrach-) 76 Q 15
Untersteinbach a. d. Haide 87 S 17
Untersuhl 64 N 14
Untersulmetingen 102 V 13
Untertal 101 U 8
Untertal (Biederbach-) 100 V 8
Untertheres 76 P 15
Unterthingau 111 W 15
Untertraubenbach 89 S 21
Untertürken 106 V 22
Unterückersee 25 G 25
Unteruhldingen 110 W 11
Unterwaldbehrungen 76 O 14
Unterweid 64 O 14
Unterweikertshofen 104 V 17
Unterweilenbach 96 U 17
Unterweiler 103 V 13
Unterweisenborn 63 N 13
Unterweißbach 65 O 17
Unterwellenborn 65 O 18
Unterwiesenbach 103 V 14
Unterwittelsbach 104 U 17
Unterwittighausen 85 R 13
Unterwössen 114 W 21
Unterwürschnitz 79 O 20
Unterwurmbach 96 S 16
Unterzeil 103 W 13
Unterzeitlarn 98 U 22
Unterzell 90 S 21
Untrasried 103 W 15
Untreusee 78 P 19
Unzhurst 92 T 8
Upahl 21 E 17
Upen 40 J 15
Upfkofen 97 T 20
Upgant-Schott 16 F 5
Uphusen *(Kreis Verden)* 29 G 10
Uphusen
(Stadtkreis Emden) 16 F 5
Uphusum 4 B 10
Uplengen 17 G 7
Upleward 16 F 5
Upost 24 E 22
Uppenberg 37 K 6
Upschört 17 F 7
Upsprunge 50 L 9
Urach 101 V 8
Uracher Wasserfall 94 U 12
Urbach 94 T 12
Urbach *(Kreis Neuwied)* 61 O 6
Urbach
(Kreis Nordhausen) 53 L 16
Urbach
(Unstrut-Hainich-Kreis) 52 M 15
Urbach (Köln-) 59 N 5
Urbar 71 O 6
Urberach 74 Q 10
Urdenbach 48 M 4
Urexweiler 81 R 5
Urfeld 112 X 18
Urft 60 O 3
Urft-Stausee 70 O 3
Urlau 111 W 14
Urleben 64 M 16
Urloffen 92 U 7
Urmersbach 71 P 5
Urmitz 71 O 6
Urnau 110 W 12
Urnshausen 64 N 14
Urphar 85 Q 12
Ursberg 103 V 15
Ursensollen 88 R 19
Ursheim 96 T 16
Urspring
(Alb-Donau-Kreis) 95 U 13
Urspring *(Kreis
Weilheim-Schongau)* 112 W 16
Urspringen 75 Q 13
Ursprungtal 113 X 20
Ursulapoppenricht 88 R 19
Usadel 24 F 23
Uschlag 51 M 12
Usedom 25 E 25
Usedom-Oderhaff
(Naturpark) 15 E 25
Usenborn 75 O 11
Userin 24 F 22
Useriner See 24 F 22
Usingen 74 O 9
Uslar 51 L 12
Usseln 50 M 10
Ustersbach 103 V 15
Utarp 17 F 6
Utecht 21 E 16
Utenbach 65 M 18
Utendorf 64 O 15
Utersum 4 B 9
Utgast 17 F 6
Uthleben 53 L 16
Uthlede 18 G 9
Uthmöden 41 I 18
Uthörn *(Insel)* 4 A 9
Uthwerdum 17 F 6
Uttenhofen 103 V 15
Uttenhofen
(Rosengarten-) 94 S 13
Uttenreuth 87 R 17
Uttenweiler 102 V 12
Uttershausen 63 M 12
Utting 104 V 17
Uttlau 99 U 23
Uttrichshausen 75 O 13
Uttum 16 F 5
Utzedel 24 E 23
Utzenfeld 100 W 7
Utzenhofen 88 R 19
Utzmemmingen 95 T 15

V

Vaake 51 L 12
Vaale 8 D 12
Vaalermoor 7 E 11
Vach 87 R 16
Vacha 64 N 14
Vachdorf 76 O 15
Vachendorf 106 W 21
Vadenrod 63 O 11
Vadrup 37 J 7
Vaerloh 19 G 12
Vagen 105 W 19
Vahlbruch 39 K 12
Vahlde 30 G 12
Vahldorf 42 J 18
Vahren 27 H 7
Vahrendorf 19 F 13
Vaihingen 94 T 11
Vaihingen a. d. Enz 93 T 10
Valbert 61 M 7
Valdorf 39 J 10
Valepp 113 X 19
Valfitz 31 H 17
Vallendar 71 O 6
Valley 105 W 19
Vallstedt 40 J 15
Valluhn 21 F 16
Valwig 71 P 5
Vanselow 24 E 23
Varbitz 31 H 16
Varchentin 24 F 22
Vardeilsen 51 K 13
Vardingholt 36 K 4
Varel 17 F 8
Varendorf 31 G 15
Varenesch 28 H 9
Varenholz 39 J 10
Varenrode 37 I 6
Varensell 50 K 9
Varl 38 I 9
Varloh 26 I 5
Varlosen 51 L 13
Varnhorn 28 H 8
Varnkevitz 13 B 24
Varrel *(Kreis Cuxhaven)* 18 E 11
Varrel *(Kreis Diepholz)* 29 I 10
Varrelbusch 27 H 8
Vasbeck 50 L 10
Vasbühl 76 P 14
Vastorf 31 G 15
Vaterstetten 105 V 19
Vatterode 53 L 18
Vechelde 40 J 15
Vechta 28 H 8
Vechte 26 I 4
Vechte 36 J 5
Vechtel 27 I 6
Veckenstedt 41 K 16
Veckerhagen 51 L 12
Veelböken 21 E 17
Veen 46 L 3
Veenhusen 17 G 6
Veerse 30 G 12
Veert 46 L 2
Vegesack 29 G 9
Vehlefanz 34 H 23
Vehlen 43 I 20
Vehlen 39 J 11
Vehlgast-Kümmernitz 33 H 20
Vehlinge 46 K 3
Vehlitz 42 J 19
Vehlow 33 G 20
Vehne 27 G 8
Vehnemoor 27 G 7
Vehrte 37 I 8
Veilbronn 87 Q 17
Veilsdorf 77 O 16
Veitlahm 77 P 18
Veitsaurach 87 S 16
Veitsbronn 87 R 16
Veitshöchheim 85 Q 13
Veitsrodt 81 Q 5
Veitsteinbach 75 O 12
Velbert 48 L 5
Velburg 88 S 19
Velden
(Kreis Landshut) 105 U 20
Velden *(Kreis
Nürnberger Land)* 87 R 18
Veldensteiner Forst 87 Q 18
Veldenz 72 Q 5
Veldhausen 26 I 4
Veldrom 50 K 10
Velen 36 K 4
Velgast 12 D 22
Velgen 31 G 15
Vellage 26 G 6
Vellahn 21 F 16
Vellberg 95 S 13
Vellern 49 K 8
Vellinghausen 49 L 7
Vellmar 51 L 12
Velmede 50 L 9
Velmeden 51 M 13
Velpe 37 J 7
Velpke 41 I 16
Velsdorf 41 I 17
Velstove 41 I 16
Velten 34 H 23
Veltheim 41 J 16
Veltheim 39 J 10
Veltheim (Ohe) 41 J 16
Vendersheim 73 Q 8
Venhaus 37 I 6
Venne 37 I 8
Vennermoor 37 I 8
Venrath 58 M 3
Ventschau 31 G 16
Ventschow 22 E 18
Venusberg 67 N 23
Venwegen 58 N 2
Venzkow 22 F 19
Venzvitz 13 D 23
Verchen 24 E 22
Verden 29 H 11
Veringendorf 102 V 11
Veringenstadt 102 V 11
Verl 38 K 9
Verlar 50 K 9
Verliehausen 51 L 13
Verlüßmoor 18 G 10
Verna 63 N 11
Vernawahlshausen 51 L 12
Verne 50 K 9
Vernich 59 N 4
Versbach 86 Q 13
Verse-Stausee 49 M 7
Versen 26 H 5
Versmold 37 J 8
Vesbeck 30 I 12
Vesser 65 O 16
Vestenbergsgreuth 86 Q 15
Vestrup 27 H 8
Vethem 30 H 12
Vetschau 56 K 26
Vettelhoven 60 O 5
Vettelschoß 60 O 6
Vettin 33 G 20
Vettweiß 58 N 3
Vicht 58 N 2
Victorbur 17 F 6
Viecheln 14 D 21
Viecht 97 U 20
Viechtach 91 S 22
Viehhausen 90 T 19
Viehle 21 G 16
Vielank 31 G 17
Vielbrunn 84 Q 11
Vielist 23 F 21
Vielitz 34 H 23
Vielstedt 28 G 9
Vienau 32 H 18
Vienenburg 41 K 15
Vierbach 64 M 13
Vierden 19 G 12
Viereck 25 F 26
Vieregge 13 C 23
Viereichen 57 L 28
Viereth 76 Q 16
Vierhöfen 20 G 14
Vieritz 43 I 20
Vierkirchen 69 M 28
Vierkirchen 104 U 18
Vierlande 20 F 14
Viermünden 62 M 10
Viernau 64 N 15
Viernheim 84 R 9
Vierraden 35 G 26
Viersen 58 M 3
Vierzehnheiligen 77 P 17
Viesebeck 51 L 11
Vieselbach 65 N 17
Vietgest 23 E 21
Vieth 96 U 18
Vietlübbe 23 F 20
Vietmannsdorf 34 G 24
Vietschow 23 E 21
Vietze 32 G 18
Vietznitz 33 H 21
Viez 21 F 17
Vilchband 85 R 13
Vilgertshofen 104 W 16
Vilkerath 59 N 5
Villenbach 95 U 15
Villigst 49 L 6
Villingen 101 V 9
Villingen 74 O 10
Villingendorf 101 V 9
Villip 60 O 5
Villmar 73 O 8
Vilm 13 D 24
Vilmnitz 13 C 24
Vils *(Donau)* 98 U 22
Vilsbiburg 106 U 21
Vilseck 88 R 19
Vilsen 29 H 10
Vilsheim 105 U 20
Vilshofen *(Kreis
Amberg-Sulzbach)* 88 S 19
Vilshofen
(Kreis Passau) 99 U 23
Vilsingen 102 V 11
Vilslern 105 U 20
Vilzing 89 S 22
Vinnbrück 46 L 3
Vinnen 27 H 7
Vinningen 83 S 6
Vinnum 47 K 6
Vinsebeck 50 K 11
Vinstedt 31 G 15
Vinte 37 I 7
Vinzelberg 42 I 18
Vinzier 20 E 14
Viöl 5 C 11
Violau 103 U 15
Vippachedelhausen 65 M 17
Vipperow 23 G 22
Vireneburg 71 O 5
Virnsberg 86 R 15
Visbek 28 H 8
Visbeker Steindenkmäler 28 H 8
Vischering
(Lüdinghausen) 47 K 6
Visquard 16 F 5
Visselhövede 30 H 12
Vissum 32 H 18
Vitense 21 E 17
Vitte 13 C 23
Vitzdorf 10 C 17
Vitzenburg 53 M 18
Vitzeroda 64 N 14
Vlatten 58 O 3
Vlotho 39 J 10
Vluyn 46 L 3
Vochem 59 N 4
Vockerode
(Kreis Anhalt-Zerbst) 54 K 21
Vockerode
(Werra-Meißner-Kreis) 51 M 13
Vockfey 31 G 16
Vögelsen 20 G 15
Vöhl 50 M 10
Vöhrenbach 101 V 8
Vöhringen
(Kreis Neu-Ulm) 103 V 14
Vöhringen
(Kreis Rottweil) 101 U 9
Vöhrum 40 I 14
Völkenroth 71 P 6
Völkersbach 93 T 9
Völkersen 29 G 11
Völkershausen
(Wartburgkreis) 64 N 14
Völkershausen
(Werra-Meißner-Kreis) 64 M 14
Völkersweiler 83 S 7
Völklingen 82 S 4
Völksen 40 J 12
Völlen 27 G 6
Völlenerfehn 27 G 6
Völlinghausen 49 L 8
Völpke 41 J 17
Völschow 24 E 24
Voerde (Ennepetal-) 49 M 6
Voerde (Niederrhein) 47 L 4
Vörden 37 I 8
Vörden 51 K 11
Vörstetten 100 V 7
Voesch 46 L 3
Vötting 105 U 19
Vogelbeck 52 K 13
Vogelsang
(Kreis Oder-Spree) 45 J 28
Vogelsang *(Kreis
Uecker-Randow)* 25 E 26
Vogelsberg 65 O 11
Vogelsdorf
(Kreis Halberstadt) 41 J 16
Vogelsdorf *(Kreis
Märkisch-Oderland)* 44 I 25
Vogler 39 K 12
Vogling 106 W 22
Vogt 110 W 13
Vogtareuth 105 W 20
Vogtendorf 77 P 18
Vogtland 79 O 20
Vogtsbauernhof 100 V 8
Vogtsburg 100 V 6
Vohburg 97 T 18
Vohenstrauß 89 R 21
Vohren 37 K 8
Vohwinkel 48 M 5
Voigtsdorf 68 N 24
Voigtstedt 53 L 17
Voitenthan 78 Q 20
Voitsumra 78 P 19
Voitze 31 I 16
Volgfelde 42 I 18
Volkach *(Stadt)* 76 Q 14
Volkenroda 52 M 15
Volkenschwand 97 U 19
Volkenshagen 11 D 20
Volkerode
(Kreis Eichsfeld) 52 M 14
Volkerode
(Kreis Göttingen) 51 L 13
Volkers 75 P 13
Volkersbrunn 75 Q 11
Volkersdorf 68 M 25
Volkershausen 76 P 14
Volkersheim 40 J 14
Volkertshausen 101 W 10
Volkholz 62 N 8
Volkmannsdorf 66 O 19
Volkmannsgrün 78 P 19
Volkmarsberg 95 T 14

Volkmarsdorf 41 I 16
Volkmarsen 51 L 11
Volkmarshausen 51 L 12
Volkmarst 18 F 10
Volkratshofen 103 W 14
Volkringhausen 49 L 7
Volksdorf (Hamburg) 20 F 14
Volksdorf (Kreis Demmin) 14 E 22
Volkstedt 53 L 18
Volkwardingen 30 G 14
Vollenschier 42 I 18
Vollersode 18 G 10
Vollerwiek 7 D 10
Vollmaringen 93 U 10
Vollmarshausen 51 M 12
Vollmerhausen 59 N 6
Vollmershain 66 N 20
Vollmerz 75 O 12
Vollrathsruhe 23 F 21
Volmarstein 47 L 6
Volme 49 M 6
Volmerdingsen 39 J 10
Volperhausen 61 N 7
Volpertshausen 74 O 9
Volpriehausen 51 L 13
Volsbach 77 Q 18
Volsemenhusen 7 E 11
Voltlage 37 I 7
Volzendorf 32 H 17
Vonhausen 74 P 11
Vorbach 88 Q 19
Vorbachzimmern 85 R 13
Vorbein 14 E 23
Vorderburg 111 X 15
Vorderfreundorf 99 T 25
Vorderkleebach 87 Q 18
Vorderreute 110 W 12
Vorderriß 112 X 18
Vorderweidenthal 83 S 7
Vorderwestermurr 94 T 12
Vordesten Thüle 27 H 7
Vordorf 41 I 15
Vordorf 78 P 19
Voremberg 39 J 12
Vorhalle 47 L 6
Vorhelm 49 K 7
Vorhop 31 I 15
Vormwald
(Kreis Aschaffenburg) 75 P 11
Vormwald (Kreis
Siegen-Wittgenstein) 61 N 8
Vornbach 99 U 24
Vornholz (Ostenfelde) 37 K 8
Vorpommersche
Boddenlandschaft 12 C 22
Vorra 87 Q 16
Vorra (Pegnitz) 87 R 18
Vorsfelde 41 I 16
Vorst (Kreis Kleve) 46 L 3
Vorst (Kreis Viersen) 58 M 3
Vortal 101 V 9
Vorwerck 31 G 15
Vorwerk (Kreis Celle) 30 I 14
Vorwerk
(Kreis Rotenburg) 29 G 11
Vorwohle 40 K 13
Voslapp 17 F 8
Voßbarg 17 F 7
Voßberg 19 E 13
Vossenack 58 N 3
Voßheide 39 J 10
Voßhöhlen 20 E 14
Vosskanal 34 H 24
Vossum 46 L 2
Voßwinkel 49 L 7
Vrasselt 46 K 2
Vreden 36 J 4
Vrees 27 H 7
Vülzburg 96 S 17
Vynen 46 K 3

W

Waabs 5 C 13
Waake 52 L 14
Waakirchen 113 W 19
Waal 104 W 16
Waalhaupten 104 W 16
Waase 13 C 23
Wabern 63 M 12
Wachau 54 M 21
Wachau b. Radeberg 68 M 25
Wachbach 85 R 13
Wachenbrunn 76 O 15
Wachenburg 84 R 10
Wachendorf 29 H 10
Wachendorf 60 O 4
Wachendorf 101 U 10
Wachenheim 83 R 8
Wachenhofen 96 S 16
Wachenroth 86 Q 16
Wachenzell 96 T 17
Wachow 43 I 22
Wachsenburg 65 N 16
Wachstedt 52 M 14
Wachtberg 60 O 5
Wachtendonk 46 L 3
Wachtküppel 75 O 13
Wachtnitz 68 M 24
Wachtum 27 H 7
Wacken 8 D 12
Wackernheim 73 Q 8
Wackersberg 113 W 18
Wackersdorf 89 S 20
Wackersleben 41 J 17
Waddekath 31 H 16
Waddenhausen 39 J 10
Waddens 18 F 9
Waddewarden 17 F 7
Waddeweitz 31 H 16
Wadelsdorf 57 L 27
Wadern 81 R 4
Wadersloh 50 K 8
Wadgassen 82 S 4
Wadrill 81 R 4
Wächtersbach 75 P 11
Wälde 101 U 9
Wäschenbeuren 94 T 13
Wässerndorf 86 R 14
Waffenbrunn 89 S 21
Waffenrod 77 O 16
Waffensen 29 G 11
Wagenfeld 29 I 9
Wagenhofen 96 T 17
Wagenhoff 41 I 15
Wagenitz 33 H 21
Wagenschwend 85 R 11
Wagenstadt 100 V 7
Wagensteig 100 W 8
Wagersrott 5 C 13
Waggum 41 J 15
Waghäusel 84 S 9
Waging a. See 106 W 22
Waginger See 106 W 22
Wagrien 9 D 15
Wagshurst 92 U 7
Wagun 24 E 22
Wahlbach (Kreis
Siegen-Wittgenstein) 61 N 8
Wahlbach (Rhein-
Hunsrück-Kreis) 73 P 6
Wahlen
(Kreis Bergstraße) 84 R 10
Wahlen
(Kreis Euskirchen) 60 O 3
Wahlen
(Kreis Merzig-Wadern) 80 R 4
Wahlen
(Vogelsbergkreis) 63 N 11
Wahlendow 15 E 25
Wahlerscheid 70 O 2
Wahlhausen 52 M 13
Wahlitz 42 J 19
Wahlrod 61 O 7
Wahlsburg 51 L 12
Wahlscheid 59 N 5
Wahlsdorf 44 K 23
Wahlstedt 9 E 14
Wahlwies 101 W 10
Wahmbeck 51 L 12
Wahmbeckerheide 39 K 10
Wahn 26 H 6
Wahn 59 N 5
Wahnbach-Stausee 59 N 5
Wahnbek 28 G 8
Wahnebergen 29 H 11
Wahns 64 O 14
Wahrenberg 32 H 19
Wahrenbrück 55 L 24
Wahrendorf 9 D 16
Wahrenholz 31 I 15
Wahrstedt 41 I 16
Waibling 98 T 21
Waiblingen 94 T 11
Waibstadt 84 S 10
Waich 114 W 21
Waidhaus 89 R 21
Waidhofen 96 U 18
Waigolshausen 76 Q 14
Wain 103 V 14
Wainsdorf 56 L 24
Waischenfeld 87 Q 18
Waizenbach 75 P 13
Waizenhofen 96 S 17
Wakendorf I 20 E 15
Wakendorf II 20 E 14
Walbeck 46 L 2
Walbeck (Kreis
Mansfelder Land) 53 L 18
Walbeck (Ohrekreis) 41 J 17
Walberberg 59 N 4
Walbertsweiler 102 W 11
Walburg 63 M 13
Walburgskirchen 106 U 22
Walchensee (Dorf) 112 X 17
Walchsing 98 U 23
Walchum 26 H 5
Wald 48 M 5
Wald (Kreis Cham) 90 S 21
Wald (Kreis Ostallgäu) 111 W 15
Wald
(Kreis Sigmaringen) 102 W 11
Wald (Kreis Weißenburg-
Gunzenhausen) 96 S 16
Wald-Amorbach 74 Q 11
Wald an der Alz 106 V 21
Wald-Erlenbach 84 R 10
Wald-Michelbach 84 R 10
Walda 96 U 17
Walda-Kleinthiemig 56 M 24
Waldachtal 93 U 9
Waldacker 74 P 10
Waldalgesheim 73 Q 7
Waldangelloch 84 S 10
Waldaschaff 75 Q 11
Waldau 77 O 16
Waldau 100 W 8
Waldberg
(Kreis Augsburg) 104 V 16
Waldberg
(Kreis Rhön-Grabfeld) 76 O 14
Waldböckelheim 73 Q 7
Waldbreitbach 61 O 6
Waldbröl 61 N 6
Waldbronn 93 T 9
Waldbrunn
(Kreis Würzburg) 85 Q 13
Waldbrunn (Neckar-
Odenwald-Kreis) 84 R 11
Waldbrunn
(Westerwald) 61 O 8
Waldbüttelbrunn 85 Q 13
Waldburg 110 W 13
Walddorf 69 N 27
Walddorf 93 U 9
Walddorfhäslach 94 U 11
Walddrehna 56 K 24
Waldeck 78 Q 19
Waldeck (Stadt) 50 M 11
Waldems 74 P 9
Waldenau-Datum 19 F 13
Waldenbuch 94 U 11
Waldenburg 67 N 21
Waldenburg 85 S 12
Waldenrath 58 M 2
Walderbach 89 S 21
Waldersee 54 K 20
Waldershof 78 Q 20
Waldesch 71 P 6
Waldeshöhe 25 F 25
Waldfeucht 58 M 1
Waldfisch 64 N 14
Waldfischbach-Burgalben 83 S 6
Waldfrieden 42 J 19
Waldgirmes 62 O 9
Waldgrehweiler 83 Q 7
Waldhäuser 99 T 24
Waldhausen (b. Aalen) 95 T 14
Waldhausen (b. Lorch) 94 T 12
Waldhausen
(Kreis Göppingen) 95 U 13
Waldhausen
(Kreis Traunstein) 106 V 21
Waldhausen (Neckar-
Odenwald-Kreis) 85 R 11
Waldhausen (Warstein-) 50 L 8
Waldheim 67 M 23
Waldhölzbach 80 R 4
Waldhof (Kreis Rottal-Inn) 98 U 22
Waldhof
(Stadtkreis Mannheim) 84 R 9
Waldhufen 69 M 28
Waldkappel 63 M 13
Waldkatzenbach 84 R 11
Waldkirch
(Kreis Emmendingen) 100 V 7
Waldkirch
(Kreis Günzburg) 103 U 15
Waldkirch (Kreis Neustadt a. d.
Waldnaab) 89 Q 21
Waldkirch
(Kreis Waldshut) 108 X 8
Waldkirchen
(Göltzschtalkreis) 66 O 21
Waldkirchen (Kreis
Freyung-Grafenau) 99 T 24
Waldkirchen (Erzgebirge) 67 N 23
Waldkraiburg 106 V 21
Waldleiningen 83 R 7
Waldmannshofen 86 R 14
Waldmössingen 101 V 9
Waldmohr 81 R 6
Waldmühlbach 85 R 11
Waldmühlen 61 O 8
Waldmünchen 89 R 22
Waldnaab 89 Q 20
Waldniel 58 M 2
Waldorf
(Kreis Ahrweiler) 60 O 5
Waldorf
(Rhein-Sieg-Kreis) 59 N 4
Waldow 44 K 25
Waldprechtsweier 93 T 9
Waldrach 80 Q 4
Waldram 104 W 18
Waldrems 94 T 12
Waldrohrbach 83 S 7
Waldsassen 79 P 20
Waldsee 74 P 9
Waldsee (Stadt) 84 R 9
Waldshut 108 X 8
Waldsiedlung 47 K 5
Waldsieversdorf 35 I 26
Waldsolms 74 O 9
Waldstadt 93 S 9
Waldstetten
(Kreis Günzburg) 103 U 14
Waldstetten (Neckar-
Odenwald-Kreis) 85 R 12
Waldstetten
(Ostalbkreis) 94 T 13
Waldtann 95 S 14
Waldthurn 89 Q 20
Waldtrudering 105 V 19
Waldulm 92 U 8
Waldweiler 80 R 4
Waldwimmersbach 84 R 10
Waldzell 75 Q 12
Walhalla 90 S 20
Walheim 58 N 2
Walheim 94 S 11
Walke 100 U 8
Walkendorf 11 E 21
Walkenried 52 L 15
Walkersbach (Kreis
Pfaffenhofen a. d. Ilm) 97 U 18
Walkersbach
(Rems-Murr-Kreis) 94 T 12
Walkersbrunn 87 R 17
Walkertshofen
(Kreis Augsburg) 103 V 15
Walkertshofen
(Kreis Kelheim) 97 T 19
Wall (Kreis Miesbach) 113 W 19
Wall (Kreis Rosenheim) 113 X 20
Wallach 46 L 3
Wallau 74 P 9
Wallau (Lahn) 62 N 9
Wallbach 108 X 7
Wallberg 113 W 19
Walldorf 64 O 15
Walldorf (Rhein-
Neckar-Kreis) 84 S 9
Walldorf (Mörfelden-) 74 P 9
Walldürn 85 R 12
Walle (Kreis Celle) 30 H 13
Walle (Kreis Gifhorn) 40 I 15
Walle (Kreis Verden) 29 H 11
Wallenborn 70 P 4
Wallenbrück 38 J 9
Wallendorf 54 L 20
Wallendorf 80 Q 2
Wallenfels 77 P 18
Wallenhausen 103 U 14
Wallenhorst 37 I 8
Wallenrod 63 O 11
Wallensen 40 J 12
Wallerdorf
(Kreis Deggendorf) 98 U 23
Wallerdorf
(Kreis Donau-Ries) 96 U 17
Wallerfangen 80 S 4
Wallerfing 98 T 22
Wallerhausen 61 N 7
Wallernhausen 74 O 11
Wallersdorf 98 T 22
Wallersheim 70 P 3
Wallerstädten 74 Q 9
Wallerstein 95 T 15
Wallertheim 73 Q 8
Wallesau 87 S 17
Walleshausen 104 V 16
Wallgau 112 X 17
Wallhalben 81 S 6
Wallhausen 53 L 17
Wallhausen 73 Q 7
Wallhausen 86 S 14
Wallhöfen 18 G 10
Wallinghausen 17 F 6
Wallitz 33 G 22
Wallmenroth 61 N 7
Wallmerod 73 O 7
Wallmow 25 F 26
Wallnsdorf 96 S 18
Wallrabenstein 73 P 8
Wallroth 75 O 12
Wallsbüll 5 B 11
Wallstadt 84 R 9
Wallstawe 31 H 17
Walluf 73 P 8
Wallwitz (Kreis
Jerichower Land) 42 J 19
Wallwitz (Saalkreis) 54 L 19
Walmsburg 31 G 16
Walow 23 F 21
Walpernhain 66 M 19
Walpersdorf 61 N 8
Walpertskirchen 105 V 19
Walschleben 65 M 16
Walsdorf 74 P 8
Walsdorf 76 Q 16
Walsheim 82 S 5
Walsleben (Kreis
Ostprignitz-Ruppin) 33 H 21
Walsleben
(Kreis Stendal) 32 H 19
Walsmühlen 21 F 17
Walsrode 30 H 12
Walstedde 49 K 7
Walsum 47 L 4
Walsumer Mark 47 L 4
Waltenhausen 103 V 15
Waltenhofen
(Kreis Oberallgäu) 111 W 14
Waltenhofen
(Kreis Ostallgäu) 112 X 16
Waltenweiler 110 W 12
Walternienburg 42 K 19
Waltersberg 87 S 18
Waltersbrück 63 N 11
Waltersdorf (b. Berlin) 44 I 24
Waltersdorf (b. Lückau) 56 K 24
Waltersdorf
(Kreis Löbau-Zittau) 69 N 27
Waltersdorf
(Sächsische Schweiz) 68 N 26
Waltersdorf b. Berga 66 N 20
Waltershausen
(Kreis Gotha) 64 N 15
Waltershausen
(Kreis Rhön-Grabfeld) 76 O 15
Waltershofen
(Kreis Ravensburg) 111 W 13
Waltershofen (Stadtkreis
Freiburg i. B.) 100 V 7
Waltersleben 65 N 17
Walting (Kreis Cham) 89 S 22
Walting (Kreis Eichstätt) 96 T 17
Walting (Kreis Weißenburg-
Gunzenhausen) 96 S 17
Waltringen 49 L 7
Waltringhausen 39 I 12
Waltrop 47 L 6
Walxheim 95 T 14
Walzbachtal 93 S 9
Walzlings 111 W 14
Wambach 73 P 8
Wambeln 49 L 7
Wamckow 23 F 19
Wamel 49 L 8
Wampen 13 D 24
Wandersleben 65 N 16
Wanderup 5 B 12
Wandlitz 34 H 24
Wandsbek (Hamburg) 20 F 14
Wanfried 64 M 14
Wang 97 U 19
Wangelau 21 F 15
Wangelnstedt 51 K 13
Wangels 9 D 16
Wangen
(Kreis Göppingen) 94 T 12
Wangen
(Kreis Konstanz) 109 X 10
Wangen
(Kreis Starnberg) 104 V 18
Wangen i. Allgäu 110 W 13
Wangenheim 64 M 15
Wangerland 17 F 7
Wangerland-Hooksiel 17 F 8
Wangerooge 17 E 7
Wangerooge (Insel) 17 E 7
Wangersen 19 F 12
Wanheimerort 47 L 4
Wanhöden 18 E 10
Wank 111 X 17
Wankendorf 9 D 14
Wankum 46 L 2
Wanna 18 E 10
Wannbach 87 Q 17
Wanne-Eickel 47 L 5
Wannsee (Berlin-) 44 I 23
Wannweil 94 U 11
Wansdorf 34 I 23
Wansleben a. See 54 L 19
Wanzleben 42 J 18
Wanzlitz 22 G 18
Wapeldorf 17 G 8
Wapelfeld 8 D 12
Warbel 11 E 21
Warbende 24 F 23
Warberg 41 J 16
Warbeyen 46 K 2
Warburg 51 L 11
Warchau 43 I 21
Warching 96 T 16
Wardböhmen 30 H 13
Wardenburg 27 G 8
Warder (Kreis
Rendsburg-Eckernförde) 8 D 13
Warder (Kreis Segeberg) 9 E 15
Wardersee 9 E 15
Wardow 11 E 21
Wardt 46 K 3
Waren 23 F 22
Warendorf 37 K 7
Warin 22 E 19
Warle 41 J 16
Warlitz 21 F 17
Warlow 22 F 18
Warmbronn 93 T 10
Warme 51 L 11
Warme Bode 52 K 16
Warmensteinach 78 Q 19
Warmisried 103 W 15
Warmsen 39 I 10
Warnau (Kreis Plön) 9 D 14
Warnau (Kreis Stendal) 33 H 20
Warnemünde 11 D 20
Warnitz
(Kreis Uckermark) 35 G 25
Warnitz
(Stadtkreis Schwerin) 21 F 18
Warnkenhagen
(Kreis Güstrow) 23 E 21
Warnkenhagen (Kreis
Nordwestmecklenburg) 10 D 17
Warnow (Fluß) 23 F 19
Warnow (Kreis Güstrow) 23 E 19
Warnow (Kreis
Nordwestmecklenburg) 21 E 17
Warnstedt 53 K 17
Warnstedt 27 H 8
Warpe 29 H 11
Warpke 31 H 16
Warringholz 8 D 12
Warsingsfehn 17 G 6
Warsleben 41 J 17
Warsow (Kreis Demmin) 24 E 22
Warsow
(Kreis Ludwigslust) 21 F 17
Warstade 19 E 11
Warstein 50 L 9
Warsteinkopf 114 X 22
Wart 93 U 9
Wartburg 64 N 14
Wartenberg 105 U 19
Wartenberg 63 O 12
Wartenberg-Rohrbach 83 R 7
Wartenburg 55 K 22
Wartenfels 77 P 18
Wartha (Wartburgkreis) 64 M 14
Wartha
(Westlausitzkreis) 57 L 26
Warthausen 102 V 13
Warthe (Kreis
Ostvorpommern) 15 E 25
Warthe (Kreis Uckermark) 34 G 24
Wartin 25 G 26
Wartmannsroth 75 P 13
Warwerort 7 D 10
Warza 64 N 16
Warzenbach 62 N 9

Warzenried 89 S 22
Wasbek 8 D 13
Wasbüttel 41 I 15
Wascheid 70 P 3
Waschleithe 67 O 22
Waschow 21 F 17
Wasdow 14 E 22
Wasenbach 73 P 7
Wasenberg 63 N 11
Wasenweiler 100 V 7
Wasgau 83 S 7
Wasmuthhausen 76 P 16
Wassel 40 J 13
Wassenach 71 O 5
Wassenberg 58 M 2
Wassensdorf 41 I 17
Wasseralfingen 95 T 14
Wasserberg 62 N 10
Wasserburg 110 X 12
Wasserburg a. Inn 105 V 20
Wasserkuppe 75 O 13
Wasserleben 41 K 16
Wasserlos 74 P 11
Wasserlosen 76 P 14
Wassermungenau 87 S 16
Wassersleben 5 B 12
Wasserstraße 39 I 11
Wassersuppe 33 H 21
Wasserthaleben 53 M 16
Wassertrüdingen 95 S 15
Wasserzell 96 T 17
Waßmannsdorf 44 I 24
Wasungen 64 O 15
Watenbüttel 40 J 15
Watenstedt 41 J 16
Watenstedt (Salzgitter-) 40 J 15
Waterfall 36 I 4
Wathlingen 40 I 14
Wattenbach 51 M 12
Wattenbach 86 S 16
Wattenbek 9 D 14
Wattendorf 77 P 17
Wattenheim 83 R 8
Wattenscheid 47 L 5
Wattenweiler 103 V 15
Watterbach 85 R 11
Watterdingen 101 W 10
Wattmannshagen 23 E 21
Wattweiler 82 S 5
Watzenborn-Steinberg 62 O 10
Watzmann 114 X 22
Watzum 41 J 16
Waxenstein 112 X 17
Waxweiler 70 P 3
Waygaard 4 B 10
Webau 66 M 20
Weberin 22 F 18
Webershausen 17 F 6
Weberstedt 64 M 15
Wechingen 95 T 15
Wechmar 64 N 16
Wechold 29 H 11
Wechselburg 67 M 22
Weckbach 85 Q 11
Weckersdorf 66 O 19
Weckesheim 74 O 10
Wedau 47 L 4
Weddel 41 J 15
Weddelbrook 19 E 13
Wedderien 31 G 16
Weddersleben 53 K 17
Wedderstedt 53 K 17
Weddewarden 18 F 9
Weddingen 40 K 15
Weddingstedt 7 D 11
Wedehorn 29 H 10
Wedel 19 F 12
Wedel (Holstein) 19 F 13
Wedemark 30 I 13
Wedendorf 21 E 17
Wedesbüttel 41 I 15
Weding 5 B 12
Wedlitz 54 K 19
Wedringen 42 J 18
Weede 9 E 15
Weende 52 L 13
Weener 27 G 6
Weenzen 40 J 13
Weertzen 19 G 12
Wees 5 B 12
Weesby 4 B 11
Weese 37 I 7
Weesen 30 H 14
Weesenstein 68 N 25
Weesow 34 I 25
Weetzen 40 J 12
Weeze 46 L 2
Wefensleben 41 J 17
Weferlingen 41 J 17
Weg 108 W 7
Wega 63 M 11
Wegberg 58 M 2
Wegeleben 53 K 17
Wegendorf 34 I 25
Wegenstedt 41 I 17
Wegeringhausen 61 M 7
Wegfurt 76 O 14
Weggun 24 G 24
Wegholm 39 I 10
Wegscheid (*Kreis Bad Tölz-Wolfratshausen*) 113 X 18
Wegscheid (*Kreis Passau*) 99 U 25
Wehbach 61 N 7
Wehdel (*Kreis Cuxhaven*) 18 F 10
Wehdel (*Kreis Osnabrück*) 27 I 8
Wehdem 38 I 9
Wehden 18 F 10
Wehe 38 I 9
Wehebach-Stausee 58 N 3
Wehen 73 P 8
Wehingen 101 V 10
Wehlen 30 G 13
Wehlen 72 Q 5
Wehm 27 H 6
Wehnde 52 L 14
Wehningen 31 G 17
Wehnsdorf 56 K 24
Wehnsen 40 I 14
Wehr 108 X 7
Wehr (*Kreis Ahrweiler*) 71 O 5
Wehr (*Kreis Heinsberg*) 58 N 1
Wehr (*Kreis Trier-Saarburg*) 80 R 3
Wehra 108 W 7
Wehratal 108 W 7
Wehrbleck 29 I 10
Wehrda (*Kreis Hersfeld-Rotenburg*) 63 N 13
Wehrda (*Kreis Marburg-Biedenkopf*) 62 N 10
Wehrden 51 K 12
Wehre 41 J 15
Wehren 39 K 10
Wehrenberg 29 I 10
Wehrendorf (*Kreis Herford*) 39 J 10
Wehrendorf (*Kreis Osnabrück*) 38 J 8
Wehretal 64 M 14
Wehrhain 56 K 24
Wehrheim 74 P 9
Wehringen 104 V 16
Wehrland 15 E 25
Wehrsdorf 69 M 27
Wehrshausen 63 N 13
Wehrstedt 40 J 14
Weiberg 50 L 9
Weibern 71 O 5
Weibersbrunn 75 Q 12
Weichenried 96 U 18
Weichensdorf 45 J 27
Weichering 96 T 17
Weichs 104 U 18
Weichshofen 98 T 21
Weicht 104 W 16
Weichtungen 76 P 14
Weickersgrüben 75 P 13
Weida 66 N 20
Weidach 77 P 16
Weide 9 E 14
Weidelbach 62 N 8
Weidelbach 95 S 14
Weiden 43 K 21
Weiden 101 V 9
Weiden i. d. Oberpfalz 89 Q 20
Weidenau 75 O 12
Weidenau (Siegen-) 61 N 8
Weidenbach 70 P 4
Weidenbach (*Kreis Ansbach*) 86 S 15
Weidenbach (*Kreis Mühldorf a. Inn*) 106 V 21
Weidenberg 78 Q 19
Weidenhahn 61 O 7
Weidenhain 55 L 22
Weidenhausen (*Kreis Marburg-Biedenkopf*) 62 N 9
Weidenhausen (*Kreis Siegen-Wittgenstein*) 62 N 9
Weidenhausen (*Werra-Meißner-Kreis*) 52 M 13
Weidensdorf 67 N 21
Weidensees 87 Q 18
Weidenstetten 95 U 13
Weidenthal 83 R 7
Weidhausen 77 R 17
Weiding (*Kreis Cham*) 89 S 22
Weiding (*Kreis Mühldorf a. Inn*) 106 V 21
Weiding (*Kreis Schwandorf*) 89 R 21
Weidingen 70 P 3
Weiersbach 81 R 5
Weigendorf (*Kreis Amberg-Sulzbach*) 87 R 18
Weigendorf (*Kreis Dingolfing-Landau*) 98 U 21
Weigenheim 86 R 14
Weigersdorf 69 M 27
Weigheim 101 V 9
Weigmannsdorf-Müdisdorf 68 N 24
Weigsdorf-Köblitz 69 M 27
Weihenstephan 97 U 20
Weihenzell 86 R 15
Weiher 88 R 19
Weiher (*Kreis Bergstraße*) 84 R 10
Weiher (Ubstadt-) 84 S 9
Weiherhammer 88 R 20
Weihern 90 S 21
Weihmichl 97 U 20
Weihmörting 107 U 23
Weihungszell 103 V 14
Weikersheim 85 R 13
Weil 104 V 16
Weil a. Rhein 108 X 6
Weil der Stadt 93 T 10
Weil i. Schönbuch 94 U 11
Weilach 96 U 17
Weilar 64 N 14
Weilbach (*Kreis Miltenberg*) 85 Q 11
Weilbach (*Main-Taunus-Kreis*) 74 P 9
Weilburg 74 O 8
Weildorf (*Bodenseekreis*) 102 W 11
Weildorf (*Kreis Berchtesgadener Land*) 106 W 22
Weildorf (*Zollernalbkreis*) 101 U 10
Weilen 101 V 10
Weiler 58 N 4
Weiler (*Enzkreis*) 93 T 9
Weiler (*Kreis Ravensburg*) 102 W 12
Weiler (*Rhein-Neckar-Kreis*) 84 S 10
Weiler (*Schwarzwald-Baar-Kreis*) 101 V 9
Weiler i. d. Bergen 95 T 13
Weiler o. Helfenstein 95 U 13
Weiler-Simmerberg 111 X 13
Weiler z. Stein 94 T 12
Weilerbach 81 R 6
Weilersbach (*Kreis Forchheim*) 87 Q 17
Weilersbach (*Schwarzwald-Baar-Kreis*) 101 V 9
Weilerswist 59 N 4
Weilheim (*Kreis Waldshut*) 108 X 8
Weilheim (*Zollernalbkreis*) 101 U 10
Weilheim (Otting-) 96 T 16
Weilheim (Rietheim-) 101 V 10
Weilheim a. d. Teck 94 U 12
Weilheim i. Oberbayern 104 W 17
Weilimdorf 94 T 11
Weilmünster 74 O 9
Weilrod 74 P 9
Weilrode 52 L 15
Weilstetten 101 V 10
Weiltingen 95 S 15
Weimar 65 N 18
Weimar (*Kreis Kassel*) 51 L 12
Weimar (*Kreis Marburg-Biedenkopf*) 62 N 10
Weimarschmieden 64 O 14
Weimersheim 96 S 16
Weinähr 73 P 7
Weinbach 74 O 8
Weinberg 86 S 15
Weinbiet 83 R 8
Weinböhla 68 M 24
Weine 50 L 9
Weingarten 64 N 15
Weingarten (*Kreis Karlsruhe*) 93 S 9
Weingarten (*Kreis Ravensburg*) 102 W 12
Weingarten (Pfalz) 83 S 8
Weinheim 84 R 10
Weinolsheim 83 Q 8
Weinried 103 V 14
Weinsberg 94 S 11
Weinsfeld 70 P 3
Weinsheim (*Kreis Bad Kreuznach*) 73 Q 7
Weinsheim (*Kreis Bitburg-Prüm*) 70 P 3
Weinsheim (Worms-) 84 R 8
Weinstadt 94 T 12
Weinzierlein 87 R 16
Weiperath 72 Q 5
Weiperfelden 74 O 9
Weipertshofen 95 S 14
Weira 66 N 19
Weisbach (*Kreis Rhön-Grabfeld*) 76 O 14
Weisbach (*Saale-Orla-Kreis*) 65 O 18
Weisbach (Waldbrunn-) 84 R 11
Weischlitz 78 O 20
Weisdin 24 F 23
Weisel 73 P 7
Weisen 32 G 19
Weisenau 74 Q 8
Weisenbach 93 T 9
Weisendorf 87 R 16
Weisenheim a. Berg 83 R 8
Weisenheim a. Sand 83 R 8
Weisin 23 F 20
Weiskirchen (*Kreis Merzig-Wadern*) 80 R 4
Weiskirchen (*Kreis Offenbach*) 74 P 10
Weismain 77 P 17
Weiß (Köln) 59 N 5
Weissach 93 T 10
Weißach 111 X 14
Weissach i. Tal 94 T 12
Weißack 56 K 25
Weißandt-Gölzau 54 K 20
Weißbach (*Hohenlohekreis*) 85 S 12
Weißbach (*Kreis Altenburger Land*) 66 N 20
Weißbach (*Kreis Ostallgäu*) 111 X 15
Weißbach (*Kreis Zwickauer Land*) 67 O 21
Weißbach (*Mittlerer Erzgebirgkreis*) 67 N 23
Weißbach a. d. Alpenstraße 114 W 22
Weißdorf 78 P 19
Weiße Elster 66 O 20
Weißen 55 K 23
Weißenau 110 W 12
Weißenbach (*Kreis Bad Kissingen*) 75 P 13
Weißenbach (*Werra-Meißner-Kreis*) 51 M 13
Weißenbachsattel 100 W 7
Weißenberg 69 M 27
Weißenberg 88 R 19
Weißenberg 83 S 7
Weißenberge 31 I 15
Weißenborn (*Kreis Göttingen*) 52 L 14
Weißenborn (*Saale-Holzland-Kreis*) 66 N 19
Weißenborn (*Schwalm-Eder-Kreis*) 63 N 12
Weißenborn (*Werra-Meißner-Kreis*) 64 M 14
Weißenborn (Erzgebirge) 68 N 24
Weißenborn-Lüderode 52 L 15
Weißenbronn 87 S 16
Weißenbrunn (*Kreis Haßberge*) 76 P 16
Weißenbrunn (*Kreis Kronach*) 77 P 18
Weißenbrunn (*Kreis Nürnberger Land*) 87 R 18
Weißenbrunn v. Wald 77 O 17
Weißenburg 96 S 16
Weißenburger Wald 96 T 16
Weißenfels 66 M 19
Weißenhäuser Strand 9 D 16
Weißenhasel 64 M 13
Weißenhaus 9 D 16
Weißenhorn 103 V 14
Weißenohe 87 R 17
Weißensand 66 O 20
Weißensberg 110 X 13
Weißensee 111 X 15
Weißensee (Berlin) 34 I 24
Weißensee (*Kreis Sömmerda*) 65 M 17
Weißenstadt 78 P 19
Weißenstein 95 T 13
Weißenthurm 71 O 6
Weißer Main 77 P 18
Weißer Regen 89 S 22
Weißer Schöps 57 L 28
Weißer Stein 70 O 3
Weißewarte 42 I 19
Weißig (*Kreis Sächsische Schweiz*) 68 M 25
Weißig (*Westlausitzkreis*) 56 L 26
Weißig a. Raschütz 56 L 24
Weißkeißel 57 L 28
Weißkollm 57 L 27
Weißlenreuth 78 P 19
Weißtannenhöhe 100 W 8
Weißwasser 57 L 27
Weistropp 68 M 24
Weisweil (*Kreis Emmendingen*) 100 V 7
Weisweil (*Kreis Waldshut*) 109 X 9
Weisweiler 58 N 3
Weitefeld 61 N 7
Weiten 80 R 3
Weiten-Gesäß 84 Q 11
Weitenau 108 W 7
Weitendorf 23 E 20
Weitendorf b. Brüel 22 E 19
Weitenhagen (*Kreis Nordvorpommern*) 12 D 22
Weitenhagen (*Kreis Ostvorpommern*) 14 D 24
Weitenung 92 T 8
Weiterode 63 N 13
Weitersborn 73 Q 6
Weitershain 62 O 10
Weitershausen 62 N 9
Weiterstadt 74 Q 9
Weitin 24 F 23
Weitingen 101 U 10
Weitmar 47 L 5
Weitnau 111 X 14
Weitramsdorf 77 P 16
Weitsche 31 G 17
Weitsee 114 W 21
Weitzgrund 43 J 21
Weitzmühlen 29 H 11
Weixdorf 68 M 25
Weizen 101 W 9
Welbergen 36 J 5
Welbhausen 86 R 14
Welbsleben 53 K 18
Welchenberg 98 T 22
Welcherath 71 P 4
Welchweiler 81 R 6
Welda 51 L 11
Welden 103 U 15
Welferode 63 M 12
Welfesholz 53 L 18
Wellaune 55 L 21
Welldorf 58 N 3
Welle (*Kreis Harburg*) 19 G 13
Welle (*Kreis Stendal*) 42 I 19
Wellen 42 J 18
Wellen 18 F 10
Wellen (*Kreis Trier-Saarburg*) 80 Q 3
Wellen (*Kreis Waldeck-Frankenberg*) 63 M 11
Wellendingen (*Kreis Rottweil*) 101 V 10
Wellendingen (*Kreis Waldshut*) 101 W 9
Wellendorf (*Kreis Osnabrück*) 37 J 8
Wellendorf (*Kreis Uelzen*) 31 H 16
Wellenkamp 8 E 12
Wellerode 51 M 12
Wellerswalde 55 L 23
Wellheim 96 T 17
Wellie 29 I 11
Wellingen 80 R 3
Wellingholzhausen 37 J 8
Wellmich 73 P 7
Wellmitz 45 J 28
Wellsdorf 66 O 20
Welmbüttel 7 D 11
Welmlingen 108 W 6
Welschbillig 80 Q 3
Welschen-Ennest 61 M 8
Welschenbach 71 O 5
Welschensteinach 100 V 8
Welschingen 101 W 10
Welschneudorf 73 O 7
Welse 35 G 26
Welsede 39 J 11
Welsenbruch 35 G 26
Welsickendorf 44 K 23
Welsleben 42 J 18
Welsow 35 G 26
Welt 7 D 10
Welte 36 K 5
Weltenburg 97 T 19
Welterod 73 P 7
Weltzin 24 E 23
Welver 49 L 7
Welze 30 I 12
Welzheim 94 T 12
Welzin (*Kreis Nordwestmecklenburg*) 10 E 17
Welzin (*Kreis Ostvorpommern*) 25 E 25
Welzow 56 L 26
Wemb 46 L 2
Wembach 100 W 7
Wemding 96 T 16
Wemlighausen 62 M 9
Wemmetsweiler 81 R 5
Wendeburg 40 J 15
Wendefurth 53 K 16
Wendehausen 64 M 14
Wendelsheim 83 Q 7
Wendelsheim 93 U 10
Wendelskirchen 98 U 21
Wendelstein 53 M 18
Wendelstein 113 W 20
Wendelstein (Stadt) 87 R 17
Wendemark 32 H 19
Wenden (*Kreis Gifhorn*) 41 J 15
Wenden (*Kreis Nienburg*) 29 I 12
Wenden (*Kreis Olpe*) 61 N 7
Wendenborstel 30 I 12
Wendershausen 51 M 13
Wendessen 41 J 15
Wendewisch 21 F 15
Wendhausen (*Kreis Helmstedt*) 41 J 15
Wendhausen (*Kreis Hildesheim*) 40 J 14
Wendhausen (*Kreis Lüneburg*) 21 G 15
Wendisch Baggendorf 14 D 22
Wendisch Evern 31 G 15
Wendisch Priborn 23 F 20
Wendisch-Rietz 45 J 26
Wendisch Waren 23 F 20
Wendischbrome 31 I 16
Wendishain 67 M 22
Wendland 31 G 17
Wendling 105 V 20
Wendlingen 94 T 12
Wendlinghausen 39 J 11
Wendorf (*Kreis Müritz*) 24 F 22
Wendorf (*Kreis Nordvorpommern*) 13 D 23
Wendorf (*Kreis Parchim*) 22 E 18
Wendorf (*Stadtkreis Wismar*) 22 E 18
Wendthagen 39 J 11
Wendtorf 9 C 14
Weng (*Kreis Dingolfing-Landau*) 98 U 21
Weng (*Kreis Passau*) 107 U 23
Wengen (*Kreis Oberallgäu*) 111 W 14
Wengen (*Kreis Weißenburg-Gunzenhausen*) 96 S 17
Wengern 47 L 6
Wengerohr 72 Q 4
Wenholthausen 49 M 8
Wenigenlupnitz 64 N 15
Wenigumstadt 74 Q 11
Wenings 75 O 11
Wenkheim 85 Q 13
Wennbüttel 7 D 11
Wenne 49 M 8
Wennemen 49 L 8
Wennigloh 49 L 8
Wennigsen 39 J 12
Wenningstedt 4 B 8
Wenschdorf 85 Q 11
Wense (*Kreis Peine*) 40 I 15

Wense (Kreis Rotenburg) ... 19 F 12
Wensickendorf ... 34 H 24
Wensin ... 9 E 15
Wentorf (Amt Sandesneben) ... 21 E 15
Wentorf b. Hamburg ... 20 F 14
Wenze ... 41 I 17
Wenzen ... 51 K 13
Wenzenbach ... 90 S 20
Wenzendorf ... 19 F 13
Wenzigerode ... 63 M 11
Wenzlow ... 43 J 21
Werbach ... 85 Q 12
Werbellinsee ... 34 H 25
Werbelow ... 25 F 25
Werben (Kreis Leipziger land) ... 66 M 20
Werben (Kreis Spree-Neiße) ... 56 K 26
Werben (Elbe) ... 32 H 19
Werbig (Kreis Märkisch-Oderland) ... 35 I 27
Werbig (Kreis Potsdam-Mittelmark) ... 43 J 21
Werbig (Kreis Teltow-Fläming) ... 44 K 23
Werchau ... 55 K 23
Werchow ... 56 K 25
Werda ... 79 O 20
Werdau ... 66 N 21
Werden (Essen) ... 47 L 5
Werder (Kreis Demmin) ... 24 E 24
Werder (Kreis Märkisch-Oderland) ... 44 I 25
Werder (Kreis Oder-Spree) ... 45 J 26
Werder (Kreis Ostprignitz-Ruppin) ... 33 H 22
Werder (Kreis Parchim) ... 23 F 20
Werder (Der) ... 24 F 24
Werder (Havel) ... 43 I 22
Werdohl ... 49 M 7
Werdorf ... 62 O 9
Werdum ... 17 F 7
Werenzhain ... 56 L 24
Wergzahna ... 43 K 22
Werkel ... 63 M 11
Werkleitz ... 42 K 19
Werl ... 49 L 7
Werlaburgdorf ... 41 J 15
Werleshausen ... 51 M 13
Werlte ... 27 H 7
Wermelskirchen ... 59 M 5
Wermsdorf ... 55 M 22
Wermutshausen ... 85 R 13
Wern ... 75 Q 13
Werna ... 52 L 16
Wernarz ... 75 P 13
Wernau ... 94 T 12
Wernberg-Köblitz ... 89 R 20
Wernborn ... 74 O 9
Wernburg ... 65 N 18
Werne ... 49 K 6
Werne (Bochum-) ... 47 L 5
Werneck ... 76 Q 14
Wernersreuth ... 79 Q 21
Wernesgrün ... 66 O 21
Werneuchen ... 34 I 25
Wernfeld ... 75 P 13
Wernfels ... 87 S 16
Wernges ... 63 N 12
Wernigerode ... 53 K 16
Wernikow ... 33 G 21
Werningshausen ... 65 M 17
Werningsleben ... 65 N 17
Wernitz ... 33 I 22
Wernitzgrün ... 79 P 21
Wernsbach ... 87 S 17
Wernsbach b. Ansbach ... 86 R 15
Wernsdorf ... 77 Q 17
Wernsdorf (Kreis Chemnitzer Land) ... 67 N 21
Wernsdorf (Kreis Dahme-Spreewald) ... 44 I 25
Wernsdorf (Mittlerer Erzgebirgskreis) ... 67 N 23
Wernsdorf (Saale-Orla-Kreis) ... 78 O 19
Wernshausen ... 64 N 15
Wernstedt ... 32 I 18
Wernswig ... 63 N 12
Weroth ... 73 O 7
Werpeloh ... 27 H 6
Werra (Fluß) ... 77 O 16
Wersabe ... 18 G 9
Wersau ... 84 Q 10
Werschau ... 73 O 8
Werschen ... 66 M 20
Werschweiler ... 81 R 5
Werse ... 49 K 7
Wersen ... 37 J 7
Wershofen ... 71 O 4
Werste ... 39 J 10
Wertach (Stadt) ... 111 X 15
Wertacher Hörnle ... 111 X 15
Werth ... 46 K 3
Wertheim ... 85 Q 12
Werther ... 52 L 16
Werther ... 38 J 9
Wertherbruch ... 46 K 3
Werthhoven ... 60 O 5
Wertingen ... 96 U 16
Werxhausen ... 52 L 14
Weschnitz ... 84 R 10
Weseke ... 36 K 4
Wesel ... 30 G 13
Wesel ... 46 L 3
Wesel-Datteln-Kanal ... 47 K 5
Weselberg ... 81 R 6
Weseloh ... 29 H 10
Weselsdorf ... 22 F 18
Wesenberg ... 24 G 22
Wesendahl ... 34 I 25
Wesendorf (Kreis Gifhorn) ... 31 I 15
Wesendorf (Kreis Oberhavel) ... 34 H 24
Weser ... 51 L 12
Weseram ... 43 I 22
Weserbergland Schaumburg-Hameln (Naturpark) ... 39 J 11
Wesergebirge ... 39 J 10
Wesertal ... 51 L 12
Weslarn ... 49 L 8
Wespen ... 42 K 19
Wessel ... 49 K 7
Wesselburen ... 7 D 10
Wesselburener-Deichhausen ... 7 D 10
Wesselburenerkoog ... 7 D 10
Wesseling ... 59 N 4
Wesseln (Kreis Dithmarschen) ... 7 D 11
Wesseln (Kreis Hildesheim) ... 40 J 14
Wesseloh ... 30 G 13
Wessenstedt ... 31 G 15
Wessin ... 22 F 19
Weßling ... 104 V 17
Weßnig ... 55 L 23
Wessobrunn ... 104 W 17
Wessum ... 36 J 4
West-Langenhorn ... 4 B 10
Westaue ... 39 I 12
Westbevern ... 37 J 7
Westdorf ... 53 K 18
Westdorf ... 17 F 5
Weste ... 31 G 16
Westen ... 29 H 11
Westenbrügge ... 10 D 19
Westendorf (Kreis Augsburg) ... 96 U 16
Westendorf (Kreis Ostallgäu) ... 104 W 16
Westenfeld ... 76 O 15
Westenfeld ... 49 M 8
Westenholz ... 30 H 13
Westenholz ... 50 K 9
Westensee (Gemeinde) ... 8 D 13
Wester-Ohrstedt ... 4 C 11
Wester Wanna ... 18 E 10
Westerau ... 21 E 15
Westerbauer ... 49 L 6
Westerbeck ... 41 I 15
Westerbeck ... 37 J 7
Westerberg ... 18 E 11
Westerbeverstedt ... 18 F 10
Westerbur ... 17 F 6
Westerburg ... 27 G 8
Westerburg ... 61 O 7
Westerdeichstrich ... 7 D 10
Westeregeln ... 42 K 18
Westerems ... 16 F 3
Westerende ... 17 F 6
Westerende Kirchloog ... 17 F 6
Westerengel ... 53 M 16
Westeresch ... 32 G 12
Westerfeld ... 74 P 9
Westergellersen ... 30 G 14
Westerhausen ... 53 K 17
Westerhausen ... 59 N 5
Westerhausen (Kreis Osnabrück-Land) ... 37 J 8
Westerheide ... 4 A 9
Westerheim (Alb-Donau-Kreis) ... 94 U 12
Westerheim (Kreis Unterallgäu) ... 103 V 14
Westerhever ... 7 C 10
Westerhof ... 52 K 14
Westerholt ... 17 F 6
Westerholt ... 47 L 5
Westerholz (Kreis Rotenburg) ... 29 G 12
Westerholz (Kreis Schleswig-Flensburg) ... 5 B 13
Westerhorn ... 19 E 13
Westerhüsen ... 42 J 19
Westerkappeln ... 37 J 7
Westerland ... 4 B 8
Westerland (Flughafen) ... 4 B 9
Westerloh ... 27 H 6
Westerloh ... 50 K 9
Westerlohmühlen ... 27 H 6
Westerloy ... 17 G 7
Westermarkelsdorf ... 10 C 17
Westermoor (Gemeinde) ... 8 E 12
Westermühle ... 4 C 9
Westermühlen ... 8 D 12
Westernach ... 103 V 15
Westernbödefeld ... 50 M 9
Westerngrund ... 75 P 11
Westernhausen ... 85 R 12
Westerode (Kreis Göttingen) ... 52 L 14
Westerode (Kreis Goslar) ... 41 K 15
Westerrade ... 9 E 15
Westerrönfeld ... 8 D 12
Westersander ... 17 F 6
Westerscheps ... 27 G 7
Westerschütting ... 4 C 9
Westersode ... 19 E 11
Westerstede ... 17 G 7
Westerstetten ... 95 U 13
Westertilli ... 4 C 9
Westertimke ... 19 G 11
Westervesede ... 30 G 12
Westerwald ... 61 O 6
Westerwalsede ... 29 G 12
Westerweyhe ... 31 G 15
Westerwiehe ... 50 K 9
Westerwinkel (Herbern) ... 49 K 6
Westewitz ... 67 M 23
Westfälisches Freilichtmuseum (Detmold) ... 50 K 10
Westfeld (Hochsauerlandkreis) ... 62 M 9
Westfeld (Kreis Hildesheim) ... 40 J 13
Westgartshausen ... 95 S 14
Westgroßefehn ... 17 F 6
Westhausen (Kreis Gotha) ... 64 M 16
Westhausen (Kreis Hildburghausen) ... 76 P 15
Westhausen (Ostalbkreis) ... 95 T 14
Westheim (Hochsauerlandkreis) ... 50 L 10
Westheim (Kreis Germersheim) ... 84 S 8
Westheim (Kreis Kitzingen) ... 86 Q 14
Westheim (Kreis Neustadt a. d. A.-Bad W.) ... 86 R 15
Westheim (Kreis Weißenburg-Gunzenhausen) ... 96 S 15
Westheim (Rosengarten-) ... 94 S 13
Westheim b. Haßfurt ... 76 Q 15
Westhofen ... 83 Q 8
Westkilver ... 38 J 9
Westkirchen ... 37 K 8
Westladbergen ... 37 J 7
Westliche Karwendelspitze ... 112 X 17
Westönnen ... 49 L 7
Westoverledingen ... 27 G 6
Westre ... 4 B 10
Westrhauderfehn ... 27 G 6
Westrich ... 82 S 6
Westrittrum ... 28 H 8
Westrum (Kreis Emsland) ... 27 H 6
Westrum (Kreis Friesland) ... 17 F 7

WIESBADEN

An den Quellen ... BY 3
Bahnhofstr. ... BZ
Burgstr. ... BY 4
Friedrichstr. ... BY 9
Goldgasse ... BY 5
Grabenstr. ... BY 6
Kaiser-Friedrich-Pl. ... BY 7
Kirchgasse ... BYZ
Langgasse ... BY 8
Luisenstr. ... BYZ
Marktstr. ... BY 10
Mauergasse ... BY 12
Michelsberg ... BY 13
Moritzstr. ... BZ
Mühlgasse ... BY 15
Neugasse ... BY 16
Prinzessin-Elisabeth-Str. ... BY 17
Wagemannstr. ... BY 20
Webergasse ... BY 21
Wilhelmstr. ... BY

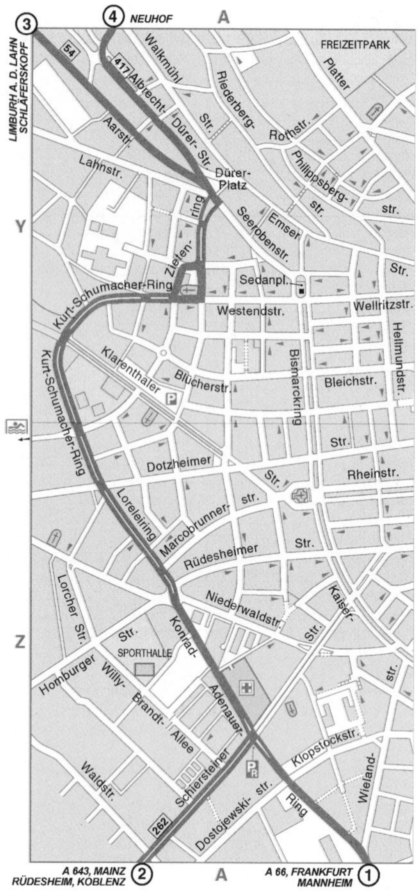

NEUHOF
A
FREIZEITPARK
LIMBURH A. D. LAHN SCHLÄFERSKOPF
Walkmühl
Albrecht-Dürer-Str.
Riederberg-
Rothstr.
Philippsberg-
Lahnstr.
Aarstr.
Dürer-Platz
Emser
Seerobenstr.
Y
Zieten-
Kurt-Schumacher-Ring
Sedanpl.
Westendstr.
Wellritzstr.
Hellmundstr.
Klarenthaler
Blücherstr.
Bismarckring
Bleichstr.
Kurt-Schumacher-Ring
Dotzheimer
Rheinstr.
Loreleiring
Marcobrunner-
Rüdesheimer
Lorcher Str.
Niederwaldstr.
Kaiser-
Z
SPORTHALLE
Homburger
Konrad-
Adenauer-
Willy-Brandt-Allee
Klopstockstr.
Waldstr.
Schiersteiner
Dostojewski-str.
Wieland-
Ring
A 643, MAINZ RÜDESHEIM, KOBLENZ
A 66, FRANKFURT MANNHEIM

Westrup ... 38 I 9
Westuffeln ... 51 L 11
Wesuwe ... 26 H 5
Wesuwermoor ... 26 H 5
Weteritz ... 41 I 18
Wethau ... 66 M 19
Wethen ... 51 L 11
Wetschen ... 28 I 9
Wettelrode ... 53 L 17
Wettelsheim ... 96 T 16
Wetten ... 46 L 2
Wettenberg ... 62 O 9
Wettenbostel ... 30 G 14
Wettenhausen ... 103 U 15
Wetter (Hessen) ... 62 N 10
Wetter (Ruhr) ... 47 L 6
Wetterau ... 74 O 10
Wetterburg ... 50 L 11
Wetterfeld ... 62 O 10
Wetterfeld ... 89 S 21
Wettersteingebirge ... 112 X 17
Wettersteinkopf ... 112 X 17
Wetterzeube ... 66 M 20
Wettesingen ... 51 L 11
Wettin ... 54 L 19
Wettmar ... 40 I 13
Wettmershagen ... 41 I 15
Wettringen ... 36 J 5
Wettringen (Kreis Ansbach) ... 86 S 14
Wettringen (Kreis Schweinfurt) ... 76 P 15
Wettrup ... 27 I 6
Wettstetten ... 96 T 18
Wetzell ... 91 S 22
Wetzdorf ... 66 M 19
Wetzen ... 30 G 14
Wetzenow ... 25 F 26
Wetzerdorf ... 54 M 18
Wetzhausen ... 76 P 15
Wetzlar ... 62 O 9
Weuspert ... 49 M 8
Wevelinghoven ... 58 M 3
Wewelsburg ... 50 L 9
Wewelsfleth ... 19 E 12
Wewer ... 50 K 10
Wey ... 48 M 3
Weyarn ... 105 W 19
Weyer (Kreis Euskirchen) ... 60 O 3
Weyer (Kreis Limburg-Weilburg) ... 73 O 8
Weyer (Rhein-Lahn-Kreis) ... 73 P 7
Weyerbusch ... 59 N 6
Weyhausen (Kreis Celle) ... 31 H 15
Weyhausen (Kreis Gifhorn) ... 41 I 16
Weyhe ... 29 H 10
Weyhers ... 75 O 13
Wibbecke ... 51 L 13
Wiblingen ... 103 U 13
Wiblingwerde ... 49 M 6
Wichdorf ... 51 M 11
Wichmannsdorf ... 25 G 24
Wichmannshausen ... 64 M 13
Wichsenstein ... 87 Q 17
Wichte ... 63 M 12
Wichtenbeck ... 31 H 14
Wichterich ... 58 N 4
Wickede (Dortmund-) ... 49 L 6
Wickede (Ruhr) ... 49 L 7
Wickendorf ... 22 E 18
Wickendorf ... 77 O 18
Wickenrode ... 51 M 13
Wicker ... 74 P 9
Wickerode ... 53 L 17
Wickersrode ... 63 M 13
Wickerstedt ... 65 M 18
Wicklesgreuth ... 86 S 16
Wickrath ... 58 M 3
Widdern ... 85 S 12
Widdersdorf ... 59 N 4
Widdershausen ... 64 N 14
Widdig ... 59 N 5
Wiebeler ... 50 K 9
Wiebelsbach ... 84 Q 10
Wiebelsheim ... 71 P 6
Wiebelskirchen ... 81 R 5
Wieblingen ... 84 R 9
Wieblitz-Eversdorf ... 31 H 17
Wiechendorf ... 40 I 13
Wiechs ... 101 W 9
Wieck ... 13 D 24
Wieck a. Darß ... 11 C 21
Wieckenberg ... 30 I 13
Wied ... 61 N 7
Wieda ... 52 L 15
Wiedau ... 30 G 12
Wiedelah ... 41 K 15
Wiedemar ... 54 L 20
Wieden ... 100 W 7
Wiedenbrück ... 50 K 8
Wiedenbrügge ... 39 I 11
Wiedener Eck ... 100 W 7
Wiedenest ... 61 M 7
Wiedenrode ... 40 I 14
Wiedensahl ... 39 I 11
Wiedenzhausen ... 104 V 17
Wiederau (Kreis Elbe-Elster) ... 55 L 23
Wiederau (Kreis Leipziger Land) ... 66 M 20
Wiederau (Kreis Mittweida) ... 67 N 22
Wiedergeltingen ... 104 V 16
Wiederitzsch (Leipzig) ... 54 L 21
Wiedersbach ... 86 S 15
Wiedersbach (Kreis Hildburghausen) ... 77 O 16
Wiederstedt ... 53 K 18
Wiednitz ... 56 L 26
Wiefels ... 17 F 7
Wiefelstede ... 17 G 8
Wiegersen ... 19 F 12
Wiegleben ... 64 M 15
Wieglitz ... 41 I 17
Wiehe ... 53 M 18
Wiehekrug ... 5 B 11
Wiehengebirge ... 37 J 8
Wiehl ... 59 N 6
Wiehltal-Stausee ... 61 N 7
Wiehre ... 100 W 7
Wiek ... 13 C 23
Wieker Bodden ... 13 C 23
Wielen (Kreis Grafschaft-Bentheim) ... 26 I 4
Wielen (Kreis Plön) ... 9 D 15
Wielenbach ... 104 W 17
Wiemeringhausen ... 50 M 9
Wiemersdorf ... 8 E 13
Wiemerstedt ... 7 D 11
Wienbergen ... 29 H 11
Wiendorf ... 11 E 20
Wienhausen ... 30 I 14
Wienrode ... 53 K 16
Wiensen ... 51 L 12
Wiepenkathen ... 19 F 12
Wiepersdorf (Kreis Elbe-Elster) ... 55 K 23
Wiepersdorf (Kreis Teltow-Fläming) ... 44 K 23

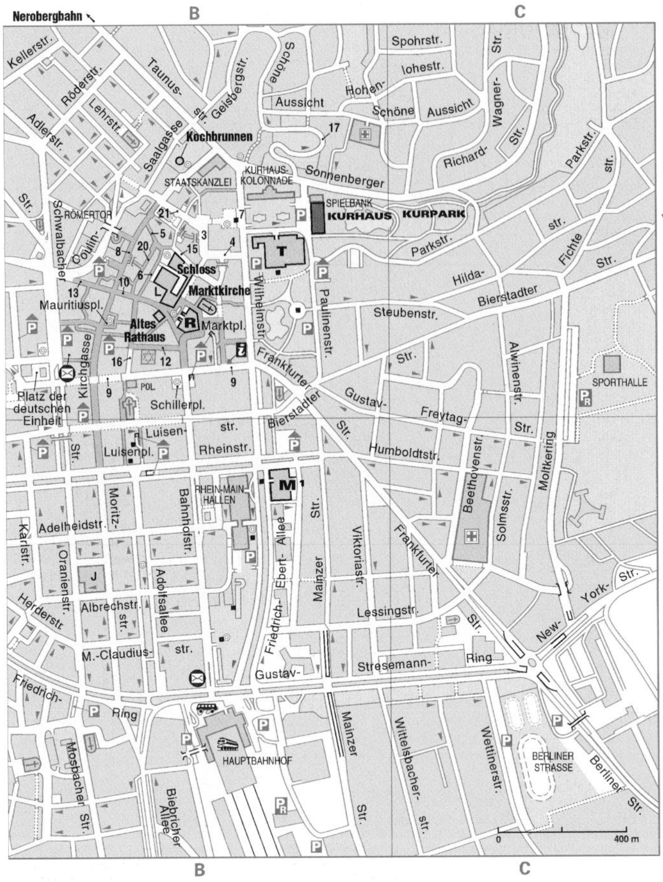
Nerobergbahn
B
C
Y
Z
Kellerstr.
Röderstr.
Taunusstr.
Geisbergstr.
Schöne Aussicht
Spohrstr.
Lohestr.
Hohenlohestr.
Wagnerstr.
Adlerstr.
Lehrstr.
Saalgasse
Kochbrunnen
Sonnenberger Str.
Richard-Wagner-Str.
Parkstr.
KURHAUS-KOLONNADE
STAATSKANZLEI
SPIELBANK
KURHAUS
KURPARK
RÖMERTOR
Schwalbacher Str.
Coulinstr.
Schloss
Marktkirche
Altes Rathaus
Marktpl.
Mauritiuspl.
Wilhelmstr.
Paulinenstr.
Bierstadter Str.
Hildastr.
Fichtestr.
Steubenstr.
Kirchgasse
POL.
Platz der deutschen Einheit
Schillerpl.
Luisenstr.
Luisenpl.
Rheinstr.
Frankfurter Str.
Gustav-Freytag-Str.
Humboldtstr.
Alwinenstr.
SPORTHALLE
Beethovenstr.
Moltkering
Solmsstr.
RHEIN-MAIN-HALLEN
Moritzstr.
Bahnhofstr.
Adelheidstr.
Karlstr.
Oranienstr.
Adolfsallee
Friedrich-Ebert-Allee
Mainzer Str.
Viktoriastr.
Albrechtstr.
Herderstr.
M.-Claudius-Str.
Lessingstr.
New-York-Str.
Gustav-Stresemann-Ring
Friedrich-Ring
HAUPTBAHNHOF
Mosbacher Str.
Biebricher Allee
Wittelsbacherstr.
Wettinerstr.
BERLINER STRASSE
Berliner Str.
0
400 m

Wiepke 32 I 17
Wiepkenhagen 11 D 21
Wiera 63 N 11
Wieren 31 H 15
Wiernsheim 93 T 10
Wiersdorf 19 G 11
Wiersen 39 J 11
Wiershausen *(Kreis Göttingen)* 51 L 13
Wiershausen *(Kreis Northeim)* 52 K 14
Wiershop 20 F 15
Wierstorf 31 H 15
Wies 112 W 16
Wies *(Stadt)* 108 W 7
Wiesa *(Kreis Annaberg)* 67 O 23
Wiesa *(Niederschlesischer Oberlausitzkr)* 69 M 28
Wiesau 79 Q 20
Wiesbach 106 U 21
Wiesbach *(Kreis Neunkirchen)* 81 R 4
Wiesbach *(Kreis Pirmasens)* 81 R 6
Wiesbaden 73 P 8
Wiesbaum 70 O 4
Wiescherhöfen 49 L 7
Wiese 100 W 7
Wiesede 17 F 7
Wiesederfehn 17 F 7
Wiesedermeer 17 F 7
Wiesemscheid 71 O 4
Wiesen *(Kreis Aschaffenburg)* 75 P 12
Wiesen *(Kreis Lichtenfels)* 77 P 16
Wiesenau 45 J 27
Wiesenbach *(Kreis Aichach-Friedberg)* 96 U 17
Wiesenbach *(Kreis Schwäbisch-Hall)* 86 S 14
Wiesenbach *(Rhein-Neckar-Kreis)* 84 R 10
Wiesenbad 67 O 23
Wiesenbronn 86 Q 14
Wiesenburg *(Kreis Potsdam-Mittelmark)* 43 J 21
Wiesenburg *(Kreis Zwickauer Land)* 67 O 21
Wiesenena 54 L 20
Wiesenfeld *(Kreis Frankenberg)* 62 M 10
Wiesenfeld *(Kreis Main-Spessart)* 75 Q 13
Wiesenfeld b. Coburg 77 P 16
Wiesenfelden 90 S 21
Wiesenhagen 44 J 23
Wiesens 17 F 6
Wiesensee 61 O 8
Wiesensteig 94 U 12
Wiesenstetten 101 U 10
Wiesent 90 S 21
Wiesental 84 S 9
Wiesenthal 64 N 14
Wiesenthau 87 Q 17
Wiesentheid 86 Q 15
Wiesenttal *(Gemeinde)* 87 Q 17
Wieserode 53 K 18
Wieseth 95 S 15
Wiesing 91 S 22
Wieskau 54 L 19
Wieslautern 92 S 7
Wieslet 108 W 7
Wiesloch 84 S 10
Wiesmoor *(Stadt)* 17 F 7
Wiesmühl 106 V 21
Wiesmühl b. Tittmoning 106 V 22
Wieste 27 H 6
Wiesthal 75 P 12
Wietersheim 39 I 10
Wietingsmoor 29 H 9
Wietmarschen 26 I 5
Wietmarscher Twist 26 I 5
Wietstock *(Kreis Ostvorpommern)* 25 E 25
Wietstock *(Kreis Teltow-Fläming)* 44 J 23
Wietze 30 I 13
Wietzen 29 H 11
Wietzenbruch *(Dorf)* 30 I 14
Wietzendorf 30 H 13
Wietzetze 31 G 16
Wiggensbach 111 W 14
Wilberhofen 59 N 6
Wilbrenning 37 K 6
Wilburgstetten 95 S 15
Wildau 44 J 24
Wildau-Wentdorf 44 K 24
Wildbad i. Schwarzwald 93 T 9
Wildbad-Kreuth 113 X 19
Wildberg 93 U 10
Wildberg *(Kreis Demmin)* 24 F 23
Wildberg *(Kreis Ostprignitz-Ruppin)* 33 H 21
Wildbergerhütte 61 N 7
Wilde Weißeritz 68 N 24
Wildeck 64 N 13
Wildemann 52 K 14
Wilden 61 N 8
Wildenau *(Göltzschtalkreis)* 66 O 21
Wildenau *(Kreis Elbe-Elster)* 55 K 23
Wildenau *(Kreis Tirschenreuth)* 89 Q 20
Wildenberg 97 T 19
Wildenbörten 66 N 20
Wildenbruch 43 J 23
Wildenfels 67 N 21
Wildenfels 87 R 18
Wildenhain *(Kreis Riesa-Großenhain)* 56 M 24
Wildenhain *(Kreis Torgau-Oschatz)* 55 L 22
Wildenheid 77 O 17
Wildenranna 99 U 25
Wildenrath 58 M 2
Wildenreuth 88 Q 20
Wildensee 85 Q 12
Wildensorg 77 Q 16
Wildenstein 95 S 14
Wildenstein *(Burg)* 101 V 10
Wildenthal 79 O 21
Wildentierbach 86 R 13
Wildenwart 106 W 20
Wildeshausen 28 H 9
Wildeshauser Geeste (Naturpark) 29 H 9
Wildetaube 66 N 20
Wildewiese 49 M 7
Wildflecken 75 O 13
Wildgehege Hundshaupten 87 Q 17
Wildgrube 56 L 24
Wildpark Schloß Tambach 77 P 16
Wildpoldsried 111 W 15
Wildschütz 55 L 22
Wildsee 93 T 9
Wildsteig 112 W 16
Wildstein 89 R 21
Wildthurn 98 U 22
Wilferdingen 93 T 9
Wilflingen *(Kreis Biberach a. d. Riß)* 102 V 12
Wilflingen *(Kreis Rottweil)* 101 V 10
Wilgartswiesen 83 S 7
Wilgersdorf 61 N 8
Wilhams 111 X 14
Wilhelmsburg 25 F 25
Wilhelmsdorf 74 O 9
Wilhelmsdorf *(Kreis Fürth)* 86 R 16
Wilhelmsdorf *(Kreis Ravensburg)* 102 W 12
Wilhelmsfehn II 17 F 7
Wilhelmsfeld 84 R 10
Wilhelmshagen 44 I 25
Wilhelmshausen 51 L 12
Wilhelmshaven 17 F 8
Wilhelmshöhe *(Kassel)* 51 M 12
Wilhelmshof 25 E 25
Wilhelmshorst 43 J 23
Wilhelmstein *(Steinhude)* 39 I 11
Wilhelmsthal 77 P 18
Wilhelmsthal *(Calden)* 51 L 12
Wilhemsburg *(Hamburg)* 19 F 13
Wilhermsdorf 86 R 16
Wilkau-Haßlau 67 N 21
Willanzheim 86 Q 14
Willebadessen 50 L 11
Willen 17 F 7
Willenhofen 97 S 19
Willenscharen 8 D 13
Willersdorf 62 M 10
Willersdorf 87 Q 16
Willersdorf *(Saale-Orla-Kreis)* 78 O 19
Willershausen *(Kreis Northeim)* 52 K 14
Willershausen *(Werra-Meißner-Kreis)* 64 M 14
Willershusen 13 D 23
Willerstedt 65 M 18
Willhof 89 R 20
Willich 48 M 3
Willing 105 W 19
Willingen 50 M 9
Willingrade 9 D 14
Willingshausen 63 N 11
Willmars 76 O 14
Willmering 89 S 22
Willmersdorf *(Kreis Barnim)* 45 I 25
Willmersdorf *(Stadtkreis Cottbus)* 57 K 27
Willmersdorf-Ströbitz 57 K 26
Willmsfeld 17 F 6
Willofs 63 N 12
Willofs 103 W 15
Willroth 61 O 6
Willsbach 94 S 12
Willstätt 92 U 7
Willwerath 70 P 3
Wilmersdorf *(b. Bad Saarow-Pieskow)* 45 J 26
Wilmersdorf *(b. Frankfurt)* 34 I 26
Wilmersdorf *(Kreis Prignitz)* 33 G 20
Wilmersdorf *(Kreis Uckermark)* 35 G 25
Wilnsdorf 61 N 8
Wils *(Naab)* 88 R 19
Wilschdorf 68 M 26
Wilsche 40 I 15
Wilsdruff 68 M 24
Wilsede 30 G 13
Wilseder Berg 30 G 13
Wilsen 23 F 20
Wilsickow 25 F 25
Wilsingen 102 V 11
Wilsleben 53 K 18
Wilstedt *(Kreis Rotenburg)* 29 G 11
Wilstedt *(Kreis Stormarn)* 20 E 14
Wilster 7 E 12
Wilsum 26 I 4
Wilthen 69 M 27
Wilting 89 S 21
Wiltingen 80 R 3
Wimmelburg 53 L 18
Wimmer 38 J 9
Wimmersbüll 4 B 10
Wimsheim 93 T 10
Wincheringen 80 R 3
Windach 104 V 17
Windach-Speicher 104 V 17
Windberge 42 I 19
Windbergen 7 D 11
Windeberg 52 M 15
Windeck 59 N 6
Windecken 74 P 10
Windehausen 53 L 16
Windelsbach 86 R 14
Winden *(Hochtaunuskreis)* 74 O 9
Winden *(Kreis Ansbach)* 86 S 15
Winden *(Kreis Düren)* 58 N 3
Winden *(Kreis Eichstätt)* 97 T 18
Winden *(Kreis Germersheim)* 92 S 8
Winden *(Rhein-Lahn-Kreis)* 73 O 7
Winden i. Elztal 100 V 8
Windesheim 73 Q 7
Windflöte 38 K 9
Windhagen *(Kreis Neuwied)* 60 O 6
Windhagen *(Oberbergischer Kreis)* 59 M 6
Windhausen 52 K 14
Windhausen *(Kreis Olpe)* 61 M 7
Windhausen *(Vogelsbergkreis)* 63 O 11
Windheim 39 I 11
Windheim 77 O 18
Windischbergerdorf 89 S 22
Windischbuch 85 R 12
Windischenbach 85 R 12
Windischenlaibach 78 Q 19
Windischeschenbach 88 Q 20
Windischhausen 96 T 16
Windischholzhausen 65 N 17
Windischletten 77 Q 16
Windischleuba 66 M 21
Windorf 99 U 23
Windsbach 87 S 16
Windschläg 92 U 7
Windshausen *(Kreis Rhön-Grabfeld)* 76 O 14
Windshausen *(Kreis Rosenheim)* 113 W 20
Windten 105 U 20
Wingerode 52 L 14
Wingeshausen 62 M 8
Wingst 18 E 11
Winhöring 106 V 21
Winkel 113 X 18
Winkel 84 Q 10
Winkel *(Kreis Gifhorn)* 41 I 15
Winkel *(Kreis Sangerhausen)* 53 L 18
Winkeldorf 29 G 11
Winkelhaid 87 R 17
Winkels 76 P 14
Winkelsett 28 H 9
Winkelsetten 37 J 8
Winkelshütten 38 J 8
Winkelstedt 32 H 17
Winkhausen 62 M 9
Winkl 114 W 22
Winklarn 89 R 21
Winklmoos 114 X 21
Winklsaß 97 T 20
Winkum 27 H 7
Winnefeld 51 K 12
Winnekendonk 46 L 2
Winnemark 5 C 13
Winnenden 94 T 12
Winnert 5 C 11
Winnigstedt 41 J 16
Winningen 53 K 18
Winningen 71 P 6
Winnweiler 83 R 7
Winseldorf 8 E 12
Winsen 20 F 14
Winsen (Aller) 30 H 13
Winsener Marsch 20 F 14
Winterbach 81 R 5
Winterbach *(Kreis Günzburg)* 103 U 15
Winterbach *(Rems-Murr-Kreis)* 94 T 12
Winterberg 50 M 9
Winterborn *(Donnersbergkreis)* 83 Q 7
Winterborn *(Oberbergischer Kreis)* 61 N 6
Winterburg 73 Q 6
Winterfeld 32 H 17
Winterhausen 86 Q 14
Winterkasten 84 Q 10
Winterlingen 102 V 11
Wintermoor 30 G 13
Winternam 46 L 3
Winterrieden 103 V 14
Wintersbach 75 Q 11
Winterscheid *(Kreis Bitburg-Prüm)* 70 P 2
Winterscheid *(Rhein-Sieg-Kreis)* 59 N 6
Wintersdorf 66 M 21
Wintersdorf 80 Q 3
Wintersdorf 92 T 8
Winterspelt 70 P 2
Winterspüren 101 W 11
Winterstein 64 N 15
Winterstettendorf 102 W 13
Wintrich 72 Q 4
Wintzingerode 52 L 14
Winzeln 83 S 6
Winzeln 101 U 9
Winzenburg 40 K 13
Winzenheim 73 Q 7
Winzer 98 T 23
Winzerhausen 94 S 11
Winzingen 94 T 13
Winzlar 39 I 11
Wipfeld 76 Q 14
Wipfra 65 N 17
Wipfratal 65 N 17
Wippenhausen 105 U 19
Wipper 59 M 6
Wipper *(Bach z. Saale)* 53 L 17
Wipper *(Bach z. Unstrut)* 52 L 16
Wipperdorf 52 L 15
Wipperfeld 59 M 5
Wipperfürth 59 M 6
Wippershain 63 N 13
Wippingen 27 H 6
Wippingen 103 U 13
Wippra 53 L 17
Wipshausen 40 I 17
Wirbelau 73 O 8
Wirbenz 78 Q 19
Wirdum 16 F 5
Wirft 71 O 4
Wirfus 71 P 5
Wirges 73 O 7
Wirl 32 H 18
Wirme 61 M 8
Wirmighausen 50 L 10
Wirmsthal 76 P 14
Wirsberg 77 P 18
Wirtheim 75 P 11
Wirzenborn 73 O 7
Wisch 9 C 15
Wischhafen 19 E 11
Wisenta 78 O 19
Wismar 22 E 18
Wismarbucht 10 E 18
Wisper 73 P 7
Wissel 46 K 2
Wisselsdorf 98 T 22
Wisselsheim 74 O 10
Wisselsing 98 T 22
Wissen 61 N 7
Wissenbach 62 N 8
Wissersheim 58 N 4
Wissingen 37 J 8
Wißmar 62 O 10
Wistedt *(Kreis Harburg)* 19 G 13
Wistedt *(Kreis Rotenburg)* 19 G 11
Wiswedel 31 I 16
Witsum 4 B 9
Wittbek 5 C 11
Wittbrietzen 43 J 22
Wittdün 4 C 9
Wittelshofen 95 S 15
Witten 47 L 6
Wittenbeck 11 D 19
Wittenberg 55 K 21
Wittenberg 37 I 8
Wittenberge 32 G 19
Wittenberge 27 G 7
Wittenbergen 8 E 13
Wittenbergerpassau 9 D 15
Wittenborn *(Kreis Bad Segeberg)* 9 E 14
Wittenborn *(Kreis Mecklenburg-Strelitz)* 25 F 24
Wittenburg 21 F 17
Wittendorf 101 U 9
Wittenförden 21 F 17
Wittenhagen 13 D 23
Wittenhofen 110 W 12

Wittenmoor 42 I 19
Wittenschwand 108 W 8
Wittensee 8 C 13
Wittenweier 100 V 7
Wittenwurth 7 D 11
Witterda 65 M 16
Witterschlick *(Bonn)* 59 N 5
Wittershausen *(Kreis Bad Kissingen)* 76 P 13
Wittershausen *(Kreis Rottweil)* 101 V 9
Wittesheim 96 T 16
Wittgenborn 75 P 11
Wittgendorf *(Kreis Löbau-Zittau)* 69 N 28
Wittgendorf *(Kreis Saalfeld-Rudolstadt)* 65 O 17
Wittgensdorf 67 N 22
Wittgensteiner Land 62 N 9
Wittibreut 106 V 22
Wittichenau 57 L 26
Wittighausen 85 R 13
Wittingen 31 H 16
Wittislingen 95 U 15
Wittlaer 48 M 4
Wittlich 72 Q 4
Wittlingen *(Kreis Lörrach)* 108 X 6
Wittlingen *(Kreis Reutlingen)* 102 U 12
Wittloge 39 I 10
Wittlohe 29 H 12
Wittmannsdorf-Bückchen 45 J 26
Wittmar 41 J 15
Wittmund 17 F 7
Wittnau 100 W 7
Wittorf *(Kreis Lüneburg)* 20 F 15
Wittorf *(Kreis Rotenburg)* 30 G 12
Wittorf (Neumünster-) 9 D 13
Wittow 13 C 23
Wittstedt 18 F 10
Wittstock 33 G 21
Wittstocker Heide 23 G 21
Witzeeze 21 F 15
Witzenhausen 51 L 13
Witzhave 20 F 15
Witzhelden 59 M 5
Witzighausen 103 V 14
Witzin 23 E 19
Witzke 33 H 21
Witzlarner Forst 88 S 20
Witzleben 65 N 17
Witzmannsberg *(Kreis Coburg)* 77 P 16
Witzmannsberg *(Kreis Passau)* 99 T 24
Witznau 108 W 8
Witzwort 7 C 10
Wixhausen 74 Q 9
Wobbenbüll 4 C 10
Woblitzsee 24 G 23
Wochern 80 R 3
Woddow 25 F 26
Wodenhof 21 F 17
Wöbbel 39 K 11
Wöbbelin 22 F 18
Wöbs 9 D 15
Wöhle 40 J 14
Wöhlsdorf 66 N 19
Wöhrden 7 D 11
Wölbattendorf 78 P 19
Wölferode 62 N 10
Wölfershausen 64 N 13
Wölfersheim 74 O 10
Wölfis 65 N 16
Wölkau 54 L 21
Wölkendorf 77 P 17
Wölkisch 68 M 24
Wöllmarshausen 52 L 14
Wöllnau 55 L 22
Wöllstadt 74 P 10
Wöllstein 73 Q 7
Wölpinghausen 39 I 11
Wölsickendorf-Wollenberg 35 H 25
Wöltingerode 41 K 15
Wörblitz 55 L 22
Wörbzig 54 K 19
Wörderfeld 39 K 11
Wörleschwang 103 U 15
Wörlitz 54 K 21
Wörmlitz 42 J 19
Wörnitz 86 S 14
Wörnitzstein 96 T 16
Wörnsmühl 113 W 19
Wörpe 29 G 11
Wörpen 43 K 21
Wörrstadt 73 Q 8
Wörsdorf 73 P 8
Wört 95 S 14
Wörth *(Kreis Erding)* 105 V 19
Wörth *(Kreis Weilheim-Schongau)* 112 W 17
Wörth a. d. Donau 90 S 21
Wörth a. Main 85 Q 11
Wörth a. Rhein 93 S 8
Wörth an der Isar 98 U 21
Wörthsee *(Gemeinde)* 104 V 17
Wöschbach 93 S 9
Wössingen 93 S 9
Wöstendöllen 28 H 9
Wötzelsdorf 77 P 18
Woez 21 F 17
Woffelsbach 70 O 3
Woffleben 52 L 16
Woggersin 24 F 23
Wohlau 55 L 23
Wohld 27 I 8
Wohlde 7 C 11
Wohldorf-Ohlstedt 20 E 14
Wohlenbeck 19 F 11
Wohlenberg *(Kreis Nordwest Mecklenburg)* 10 E 17
Wohlenberg *(Kreis Stendal)* 32 H 18
Wohlenberger Wiek 10 E 17
Wohlenrode 31 I 15
Wohlerst 19 F 12
Wohlfahrt 59 N 6
Wohlmirstedt 53 M 18
Wohlmuthausen 85 S 12
Wohlstreck 29 H 9
Wohltorf 20 F 14
Wohnbach 74 O 10
Wohnfeld 63 O 11
Wohnsgehaig 77 Q 18
Wohnste 19 F 12
Wohra 62 N 10
Wohratal 62 N 10
Wokuhl 24 G 23
Wolbeck 37 K 7
Wolde 24 E 23
Woldegk 24 F 24
Wolfach 100 V 8
Wolfartsweier 93 T 9
Wolfegg 102 W 13
Wolfen 54 L 20
Wolfenbüttel 41 J 15
Wolfenhausen 74 O 8
Wolfenhausen 93 U 10
Wolferborn 75 P 11
Wolferding 106 U 21
Wolferode 53 L 18
Wolfersdorf *(Kreis Cham)* 91 S 22
Wolfersdorf *(Kreis Freising)* 105 U 19
Wolfersdorf *(Kreis Greiz)* 66 N 20
Wolfersdorf *(Kreis Regensburg)* 90 S 20
Wolfersdorf *(Saale-Holzland-Kreis)* 66 N 19
Wolfersgrün *(Kreis Kronach)* 77 P 18
Wolfersgrün *(Kreis Zwickauer Land)* 67 O 21
Wolferstadt 96 T 16
Wolferstedt 53 L 18
Wolfersweiler 81 R 5
Wolfertschwenden 103 W 14
Wolfgang 74 P 10
Wolfhagen 51 M 11
Wolfmannshausen 76 O 15
Wolframs-Eschenbach 86 S 16
Wolfratshausen 104 W 18
Wolfring 88 R 20
Wolfsbach *(Kreis Amberg-Sulzbach)* 88 R 19
Wolfsbach *(Kreis Landshut)* 97 U 20
Wolfsbach *(Stadtkreis Bayreuth)* 77 Q 18
Wolfsbehringen 64 M 15
Wolfsberg 87 Q 17
Wolfsberg *(Ilm-Kreis)* 65 N 17
Wolfsberg *(Kreis Sangerhausen)* 53 L 17
Wolfsbuch 97 T 18
Wolfsburg 41 I 16
Wolfsburg-Unkeroda 64 N 14
Wolfschlugen 94 U 11
Wolfsegg 90 S 19
Wolfsfeld 88 R 19
Wolfshagen 40 K 14
Wolfshagen *(Kreis Nordvorpommern)* 12 D 22
Wolfshagen *(Kreis Prignitz)* 32 G 20
Wolfshagen *(Kreis Uckermark)* 25 F 24
Wolfshausen 62 N 10
Wolfsheim 73 Q 8
Wolfskehlen 74 Q 9
Wolfskrug 5 C 12
Wolfsruh 34 G 23
Wolfstein 81 R 6
Wolfsteiner Ohe 99 T 24
Wolfterode 64 M 14
Wolgast 15 D 25
Wolkenburg-Kaufungen 67 N 22
Wolkenstein 67 O 23
Wolkersdorf 87 R 17
Wolketsweiler 110 W 12
Wolkow 24 F 23
Wolkramshausen 52 L 16
Wollbach 76 O 14
Wollbrandshausen 52 L 14
Wollenberg 35 H 26
Wollenhagen 32 I 18
Wollershausen 52 L 14
Wollersheim 58 N 3
Wolletz 35 G 25
Wollin *(Kreis Potsdam-Mittelmark)* 43 J 21
Wollin *(Kreis Uckermark)* 25 G 26
Wollin b. Penkum 25 G 26
Wollingst 18 F 10
Wollmar 62 N 10
Wollmatingen 110 W 11
Wollmerath 71 P 4
Wollomoos 104 U 17
Wollrode 51 M 12
Wollschow 25 F 26
Wolmersdorf 7 D 11
Wolmirsleben 42 K 18
Wolmirstedt 42 J 18
Wolnzach 97 U 18
Wolpadingen 108 W 8
Wolpertshausen 85 S 13
Wolpertswende 102 W 12
Wolsdorf 41 J 16
Wolsfeld 80 Q 3
Wolsier 33 H 20
Wolterdingen 30 G 13
Wolterdingen 101 W 9
Wolteritz 54 L 20
Woltersdorf *(Kreis Herzogtum Lauenburg)* 21 F 15
Woltersdorf *(Kreis Jerichower Land)* 42 J 19
Woltersdorf *(Kreis Lüchow-Dannenberg)* 32 H 17
Woltersdorf *(Kreis Oder-Spree)* 44 I 25
Woltersdorf *(Kreis Teltow-Fläming)* 44 J 23
Woltersdorf *(Kreis Uckermark)* 35 G 26
Woltershausen 40 K 13
Wolterslage 32 H 19
Wolthausen 30 H 13
Woltorf 40 J 14
Woltow 11 E 21
Woltringhausen 29 I 10
Woltrup 27 I 7
Woltwiesche 40 J 14
Woltzeten 16 F 5
Wolzig 44 J 25
Wolziger See 44 J 25
Wondreb 79 Q 21
Wonfurt 76 P 15
Wonneberg 106 W 22
Wonsees 77 Q 17
Wonsheim 83 Q 7
Woosmer 31 G 17
Wootz 32 G 18
Woppenroth 72 Q 6
Woppmannsdorf 90 S 21
Worbis 52 L 15
Worblingen 109 W 10
Worfelden 74 Q 9
Worin 45 I 26
Woringen 103 W 14
Workerszell 96 T 17
Wormbach 62 M 8
Wormeln 51 L 11
Wormersdorf 60 O 4
Wormlage 56 L 25
Worms 84 R 9
Wormsdorf 41 J 17
Wormstedt 65 M 18

WÜRZBURG

Augustinerstr. Z
Bahnhofstr. Y 5
Balthasar-Neumann-Promenade Z 6
Barbarossapl. Y 7
Domstr. Z
Eichhornstr. Y
Hofstallstr. Y 13
Juliuspromenade Y 15
Kaiserstr. Y 16
Kürschnerhof YZ 23
Marienpl. Y 27
Marktpl. Y 29
Peterstr. Z 35
Schönbornstr. Y 42
Semmelstr. Y 46
Spiegelstr. Y 50
Textorstr. Y 52
Theaterstr. YZ
Wirsbergstr. Z 64

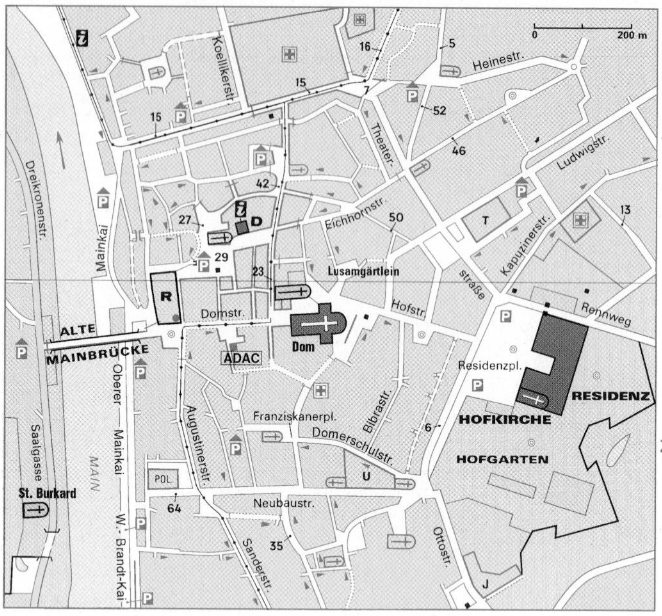

Worndorf 101 W 10
Worphausen 29 G 10
Worpswede 29 G 10
Worringen 59 M 4
Worth 20 F 15
Woserin 23 E 20
Woseriner See 23 F 20
Wotenick 14 E 22
Wotenitz 21 E 17
Woterfitzsee 24 F 22
Wrangelsburg 15 D 24
Wredenhagen 23 G 21
Wremen 18 F 9
Wrestedt 31 H 15
Wrexen 50 L 10
Wriedel 30 G 14
Wriezen 35 H 26
Wrisbergholzen 40 J 13
Wrisser Hammrich 17 F 6
Wrist 8 E 13
Wrixum 4 B 9
Wrohe 9 D 13
Wrohm 8 D 12
Wuchzenhofen 103 W 14
Wülfershausen 76 P 13
Wülfershausen *(Ilm-Kreis)* 65 N 17
Wülfershausen a. d. Saale 76 P 15
Wülfingen 40 J 13
Wülfinghausen 40 J 12
Wülfrath 48 M 5
Wülfte 50 L 9
Wülknitz *(Kreis Köthen)* 54 K 19
Wülknitz *(Kreis Riesa-Großenhain)* 56 L 24
Wüllen 36 J 4
Wüllersleben 65 N 17
Wülperode 41 K 15
Wümbach 65 N 16
Wümme 19 G 13
Wünnenberg 50 L 10
Wünsch 54 L 19
Wünschendorf 68 M 25
Wünschendorf (Elster) 66 N 20
Wünschensuhl 64 N 14
Wünsdorf 44 J 24
Würchwitz 66 M 20
Würding 107 U 24
Würdinghausen 61 M 8
Würgassen 51 L 12
Würgau 77 Q 17
Würgendorf 61 N 8
Würges 74 P 8
Würm *(Stadt)* 93 T 10
Würrich 72 Q 5
Würselen 58 N 2
Würtingen 102 U 12
Würzbach 93 T 9
Würzberg 84 R 11
Würzburg 85 Q 13
Wüschheim 71 P 6
Wüst Eldena 13 D 23
Wüstegarten 63 M 11
Wüsten 39 J 10
Wüstenbrand 67 N 22
Wüsteney 14 D 23
Wüstenfelde 14 E 23
Wüstenjerichow 42 J 20
Wüstenrot 94 S 12
Wüstensachsen 76 O 14
Wüstenselbitz 78 P 19
Wüstenstein 77 Q 17
Wüstenzell 85 Q 12
Wüstermarke 56 K 24
Wüstfeld 63 N 13
Wüstheuterode 52 M 14
Wüsting 28 G 9
Wüstmark 22 F 18
Wuhnitz 55 M 23
Wulfelade 30 I 12
Wulfen 54 K 19
Wulfen 47 K 5
Wulferdingsen 39 J 10
Wulfersdorf 23 G 21
Wulferstedt 41 J 17
Wulfhorst 50 K 9
Wulfsdorf 9 D 15
Wulfsdorf (Lübeck-) 21 E 16
Wulfsen 20 G 14
Wulfskuhl 21 F 17
Wulfsmoor 8 E 13
Wulfsode 30 G 14
Wulfstorf 31 G 15
Wulften 52 L 14
Wulften 37 J 8
Wulkau 32 H 20
Wulkenzin 24 F 23
Wulkow *(b. Frankfurt)* 45 I 27
Wulkow *(b. Kyritz)* 33 H 21
Wulkow *(b. Neuruppin)* 33 H 22
Wulkow *(b. Seelow)* 35 I 26
Wulmeringhausen 50 M 9
Wulmstorf 29 H 11
Wulsbüttel 18 G 10
Wulsdorf 18 F 9
Wunderbüttel 31 H 16
Wundersleben 65 M 17
Wunderthausen 62 M 9
Wunsiedel 78 P 20
Wunstorf 39 I 12
Wupper-Stausee 48 M 5
Wuppertal 48 M 5
Wurgwitz 68 M 24
Wurlitz 78 P 19
Wurmannsquick 106 U 22
Wurmberg 52 K 15
Wurmberg 93 T 10
Wurmlingen *(Kreis Tübingen)* 93 U 10
Wurmlingen *(Kreis Tuttlingen)* 101 V 10
Wurmsham 106 U 21
Wurz 89 Q 20
Wurzacher Ried 103 W 13
Wurzbach 77 O 18
Wurzeldeich 16 F 5
Wurzen 55 L 22
Wusse 13 C 23
Wussentin 24 E 24
Wust 42 I 20
Wusterhausen 33 H 21
Wusterhusen 13 D 24
Wustermark 43 I 22
Wusterwitz 43 I 21
Wustrau-Altfriesack 33 H 22
Wustrow 24 G 18
Wustrow *(Kreis Bad Doberan)* 10 D 18
Wustrow *(Kreis Lüchow-Dannenberg)* 31 H 17
Wustrow *(Kreis Mecklenburg-Strelitz)* 24 G 22
Wustrow *(Kreis Nordvorpommern)* 11 C 21
Wustweiler 81 R 5
Wutach 101 W 9
Wutha-Farnroda 64 N 15
Wuthenow 33 H 22
Wutike 33 G 21
Wutöschingen 109 X 9
Wybelsum 16 F 5
Wyhl 100 V 6
Wyk a. Föhr 4 B 9
Wyler 46 K 2
Wymeer 26 G 5

X-Y

Xanten 46 L 3
Yach 100 V 8
Yburg 92 T 8

Z

Zaasch 54 L 20
Zaatzke 33 G 21
Zabakuck 42 I 20
Zabelsdorf 34 G 23
Zabeltitz 56 L 24
Zabenstedt 54 L 19

Zaberfeld 93 S 10
Zabitz 54 K 19
Zachenberg 91 T 23
Zachow 43 I 22
Zadelsdorf 66 N 19
Zadrau 31 G 17
Zähringen 100 V 7
Zahmen 75 O 12
Zahna 43 K 22
Zahren 23 F 20
Zahrenholz 31 I 15
Zahrensdorf *(Kreis Ludwigslust)* 21 F 16
Zahrensdorf *(Kreis Parchim)* 22 E 19
Zahrensen 30 G 13
Zainingen 94 U 12
Zaisenhausen *(Hohenlohekreis)* 85 R 13
Zaisenhausen *(Kreis Karlsruhe)* 93 S 10
Zaisersweiher 93 S 10
Zaisertshofen 103 V 15
Zaitzkofen 97 T 20
Zallmsdorf 43 K 22
Zandt *(Kreis Cham)* 89 S 22
Zandt *(Kreis Eichstätt)* 97 T 18
Zang 95 T 14
Zangberg 106 V 21
Zangenstein 89 R 20
Zankenhausen 104 V 17
Zapel *(Kreis Ludwigslust)* 21 F 17
Zapel *(Kreis Parchim)* 22 F 19
Zapfendorf 77 P 16
Zappendorf 54 L 19
Zarchlin 23 F 20
Zarenthien 31 G 16
Zarnekau 9 D 16
Zarnekow 14 E 22
Zarnewanz 11 D 21
Zarow 25 E 25
Zarpen 21 E 15
Zarrendorf 13 D 23
Zarrentin 21 F 16
Zaschwitz 54 L 19
Zasenbeck 31 H 16
Zastler 100 W 7
Zauche 43 J 22
Zauchwitz 43 J 23
Zaue 45 J 26
Zavelstein 93 T 10
Zebelin 31 H 17
Zecherin 25 E 25
Zechin 35 I 27
Zechlinerhütte 33 G 22
Zeckendorf 77 Q 17
Zeckerin 56 K 24
Zedlitz 66 N 20
Zedtlitz 67 M 21
Zedtwitz 78 O 19
Zeesen 44 J 24
Zeestow 34 I 22
Zeetze 31 G 16
Zehbitz 54 K 20
Zehdenick 34 H 24
Zehlendorf *(Berlin)* 44 I 23
Zehlendorf *(Kreis Oberhavel)* 34 H 24
Zehma 66 N 21
Zehna 23 E 20
Zeholfing 98 T 22
Zehren 68 M 24
Zehrengraben 32 H 18
Zeil am Main 76 P 15
Zeilarn 106 V 22
Zeilfeld 76 O 15
Zeilitzheim 76 Q 14
Zeilsheim 74 P 9
Zeiskam 83 S 8
Zeißholz 56 L 26
Zeißig 57 L 26
Zeithain 55 M 24
Zeitlarn 90 S 20
Zeitlofs 75 P 13
Zeitz 66 M 20
Zell *(Kreis Bergstraße)* 84 Q 9
Zell *(Kreis Biberach a. d. Riß)* 102 V 12
Zell *(Kreis Hof)* 78 P 19
Zell *(Kreis Neuburg-Schrobenhausen)* 96 T 17
Zell *(Kreis Neumarkt i. d. Oberpfalz)* 97 T 18
Zell *(Kreis Pfaffenhofen a. d. Ilm)* 97 T 18
Zell *(Kreis Regen)* 99 T 23
Zell *(Kreis Rottal-Inn)* 98 U 22
Zell *(Kreis Schweinfurt)* 76 P 14
Zell *(Kreis Unterallgäu)* 103 W 14
Zell *(Odenwaldkreis)* 84 Q 10
Zell *(Vogelsbergkreis)* 63 N 11
Zell (Mosel) 71 P 5
Zell a. Ebersberg 76 Q 15
Zell a. Harmersbach 100 U 8
Zell am Main 85 Q 13
Zell i. Wiesental 108 W 7
Zell-Weierbach 92 U 7
Zella 64 N 14
Zella-Mehlis 64 O 16
Zellendorf 43 K 23
Zellerfeld 52 K 15
Zellersee 109 W 10
Zellertal 83 R 8
Zellhausen 74 P 10
Zellingen 75 Q 13
Zeltingen-Rachtig 72 Q 5
Zelz 57 L 28
Zembschen 66 M 20
Zemitz 15 E 25
Zemmer 72 Q 4
Zemnick 55 K 22
Zempin 15 D 25
Zempow 33 G 22
Zenching 89 S 22
Zendscheid 70 P 3
Zenn 86 R 15
Zennern 63 M 11
Zentbechhofen 87 Q 16
Zenting 99 T 23
Zepelin 23 E 20
Zepernick 34 I 24
Zepfenhan 101 V 10
Zepkow 23 G 21
Zeppelinheim *(Frankfurt)* 74 P 9
Zeppenfeld 61 N 8
Zeppernick 42 J 20
Zerben 42 I 19
Zerbst 42 K 20
Zerf 80 R 4
Zermützel 33 G 22
Zernien 31 G 16
Zernikow 34 G 23
Zernin 23 E 19
Zernitz *(Kreis Anhalt-Zerbst)* 42 J 20
Zernitz *(Kreis Ostprignitz-Ruppin)* 33 H 21
Zernsdorf 44 J 25
Zerpenschleuse 34 H 24
Zerrenthin 25 F 26
Zesch 44 J 24
Zetel 17 F 7
Zethau 68 N 24
Zethlingen 32 H 17
Zettemin 24 F 22
Zetteritz 67 M 22
Zettlitz *(b. Gefrees)* 78 P 19
Zettlitz *(b. Rugendorf)* 77 P 18
Zettlitz *(Kreis Mittweida)* 67 M 22
Zetzscha 66 M 21
Zeuchfeld 54 M 19
Zeuden 43 J 22
Zeulenroda 66 O 19
Zeutern 84 S 10
Zeuthen 44 I 24
Zeutsch 65 N 18
Zeuzleben 76 Q 14
Zeven 19 G 11
Zewen 80 Q 3
Zeyern 77 P 18
Zicherie 31 I 16
Zichow 35 G 26
Zichtau 32 I 17
Zichtauer Forst 41 I 17
Zicker 13 D 24
Zickeritz 54 L 19
Zickhusen 22 E 18
Zidderich 23 F 20
Zieckau 44 K 24
Ziegelbach 102 W 13
Ziegelhausen 84 R 10
Ziegelheim 67 N 21
Ziegelroda 53 M 18
Ziegendorf 22 G 19
Ziegenhagen 51 L 13
Ziegenhagen *(Kreis Stendal)* 32 H 19
Ziegenhain 67 M 23
Ziegenhardt 59 N 6
Ziegenhelle 62 M 9
Ziegenrück 66 O 18
Ziegra-Knobelsdorf 67 M 23
Zieko 43 K 21
Zielitz 42 J 19
Zielow 23 F 22
Ziemendorf 32 H 18
Ziemetshausen 103 V 15
Zienitz 31 G 16
Zienken 100 W 6
Ziepel *(Altmarkkreis Salzwedel)* 41 I 18
Ziepel *(Kreis Jerichower Land)* 42 J 19
Zierau 32 H 17
Zierenberg 51 L 11
Zierke 24 F 23
Zierker See 24 F 23
Zierolshofen 92 U 7
Zierow 10 E 18
Ziertheim 95 U 15
Zierzow 22 G 19
Ziesar 43 J 20
Ziese 15 D 24
Ziesendorf 11 E 20
Zieslübbe 22 F 19
Ziethe 54 K 19
Ziethen *(Kreis Herzogtum Lauenburg)* 21 E 16
Ziethen *(Kreis Ostvorpommern)* 15 E 25
Zillbach 64 N 14
Zillhausen 101 V 10
Zilly 41 K 16
Zilsdorf 70 P 4
Ziltendorf 45 J 27
Zimmerau 76 P 15
Zimmern *(Kreis Rottal-Inn)* 106 U 22
Zimmern *(Kreis Tuttlingen)* 101 W 10
Zimmern *(Main-Tauber-Kreis)* 85 R 13
Zimmern *(Neckar-Odenwald-Kreis)* 85 R 12
Zimmern *(Saale-Holzland-Kreis)* 65 M 18
Zimmern *(Unstrut-Hainich-Kreis)* 64 M 15
Zimmern ob Rottweil 101 V 9
Zimmern u. d. Burg 101 V 10
Zimmernsupra 65 N 16
Zimmersrode 63 M 11
Zingsheim 60 O 4
Zingst *(Gemeinde)* 12 C 22
Zinna 55 L 22
Zinndorf 44 I 25
Zinnitz 56 K 25
Zinnkopf 114 W 22
Zinnowitz 15 D 25
Zinnwald-Georgenfeld 68 N 25
Zinst 78 Q 19
Zinzenzell 90 S 21
Zinzow 24 E 24
Zipplingen 95 T 15
Zips 87 Q 18
Zirchow 15 E 26
Zirgesheim 96 T 16
Zirkow 13 C 24
Zirndorf 87 R 16
Zirtow 24 G 22
Zirzow 24 F 23
Zislow 23 F 20
Zittau 69 N 28
Zittauer Gebirge 69 N 27
Zitz 43 J 20
Zixdorf 43 J 22
Zizenhausen 101 W 11
Zobbenitz 42 I 18
Zobersdorf 56 L 24
Zodel 69 M 29
Zöbingen 95 T 15
Zöblitz 67 O 23
Zölkow 22 F 19
Zörbig 54 L 20
Zörnigall 55 K 22
Zöschen 54 L 20
Zöschingen 95 T 14
Zöschlingsweiler 95 U 15
Zogenweiler 102 W 12
Zoghaus 66 O 20
Zolkendorf 24 E 23
Zollchow *(Kreis Havelland)* 42 I 20
Zollchow *(Kreis Uckermark)* 25 G 25
Zollgrün 78 O 19
Zollhaus 73 P 8
Zollhaus 101 W 9
Zolling 105 U 19
Zons 59 M 4
Zootzen *(Kreis Havelland)* 33 H 21
Zootzen *(Kreis Ostprignitz-Ruppin)* 33 G 21
Zorbau 66 M 20
Zorge 52 L 15
Zorn 73 P 7
Zorneding 105 V 19
Zornheim 73 Q 8
Zossen 44 J 24
Zotzenbach 84 R 10
Zoznegg 101 W 11
Zschadraß 67 M 22
Zschaitz-Ottewig 67 M 23
Zschepplin 55 L 21
Zscherben 54 L 19
Zscherndorf 54 L 20
Zschernitz 54 L 20
Zschertnitz *(Dresden)* 68 M 25
Zschochau 55 M 23
Zschocken 67 N 22
Zschopau 67 N 23
Zschoppach 55 M 22
Zschorlau 67 O 21
Zschornau-Schiedel 56 M 26
Zschornewitz 54 K 21
Zschortau 54 L 21
Zuchau 54 K 19
Zuchering 96 T 18
Zudar 13 D 24
Zühlen 33 G 22
Zühlsdorf 34 H 24
Zülichendorf 43 J 23
Züllsdorf 55 L 23
Zülpich 58 N 3
Zündorf *(Köln)* 59 N 5
Züntersbach 75 P 13
Züschen *(Hochsauerlandkreis)* 62 M 9
Züschen *(Schwalm-Eder-Kreis)* 63 M 11
Züsedom 25 F 26
Züsow 10 E 19
Züssow 14 E 24
Züttlingen 85 S 11
Zützen *(Kreis Dahme-Spreewald)* 44 K 24
Zützen *(Kreis Uckermark)* 35 G 26
Zuffenhausen 94 T 11
Zug 68 N 24
Zugspitze 112 X 16
Zumhof 90 S 21
Zunsweier 100 U 7
Zurow 22 E 18
Zurstraße 49 M 6
Zusam 103 V 15
Zusamaltheim 95 U 15
Zusamzell 95 U 15
Zusmarshausen 103 U 15
Zußdorf 102 W 12
Zuzenhausen 84 S 10
Zwackau 66 N 19
Zweckel 47 L 4
Zweedorf *(Kreis Bad Doberan)* 10 D 19
Zweedorf *(Kreis Ludwigslust)* 21 F 15
Zwehren 51 M 12
Zweibrücken 82 S 6
Zweifall 58 N 2
Zweiflingen 85 S 12
Zweigkanal Hildesheim 40 J 13
Zweimen 54 L 20
Zwenkau 54 M 20
Zwerenberg 93 U 9
Zwergen 51 L 11
Zwesten 63 M 11
Zwethau 55 L 23
Zwickau 67 N 21
Zwickauer Mulde 67 O 21
Zwickgabel 93 U 8
Zwiedorf 24 E 23
Zwiefalten 102 V 12
Zwiefaltendorf 102 V 12
Zwiesel 91 S 23
Zwieselberg *(Dorf)* 101 U 9
Zwieslerwaldhaus 91 S 23
Zwillbrock 36 J 4
Zwinge 52 L 15
Zwingenberg *(Kreis Bergstraße)* 84 Q 9
Zwingenberg *(Neckar-Odenwald-Kreis)* 84 R 11
Zwischenahner Meer 27 G 7
Zwochau 54 L 20
Zwönitz 67 O 22
Zwota 79 O 21
Zyfflich 46 K 2

ANTWERPEN

Amsterdamstr. . . . DT 4
Ankerrui . . . . DT 6
Ballaerst. . . . DV 12
Borsbeekbrug . . . . EX 16
Brialmontlei . . . . DV 21
Britselei . . . . DV 22
Broederminstr. . . . CV 24
Brouwersvliet . . . . DT 25
Brusselstr. . . . CV 27
Carnotstr. . . . EU
Cassiersstr. . . . DT 31
Charlottalei . . . . DV 33
Cockerillkaai . . . . CV 36
Cogels-Osylei . . . . EV 37
Cuperusstr. . . . EV 38
Dambruggestr. . . . ETU 39
de Gerlachekaai . . . . CV 67
de Keyserlei . . . . DU 103
Diksmuidelaan . . . . EX 43
Emiel Banningstr. . . . CV 51
Emiel Vloorsstr. . . . CX 52
Erwtenstr. . . . ET 55
Falconpl. . . . DT 58
Franklin Rooseveltpl. . . . DU 60
Gemeentestr. . . . DU 63
Gen. Armstrongweg . . . . CX 64
Gen. van Merlenstr. . . . EV 65
Gerard Le Grellelaan . . . . DX 66
Gillisplaats . . . . CV 69
Gitschotellei . . . . EX 70
Graaf van Egmontstr. . . . CV 72
Haantjeslei . . . . CDV 79
Halenstr. . . . ET 81
Hessenpl. . . . DT 84
Jan de Voslei . . . . CX 90
Jan van Gentstr. . . . CV 91
Jezusstr. . . . DU 96
Justitiestr. . . . DV 97
Kasteelpleinstr. . . . DV 102
Kloosterstr. . . . CU 105
Kol. Silvertopstr. . . . CX 106
Koningin Astridpl. . . . DEU 109
Koningin Elisabethlei . . . . DX 110
Korte Winkelstr. . . . DTU 114
Lambermontplaats . . . . CV 116
Lange Winkelstr. . . . DT 118
Leopold de Waelpl. . . . CV 120
Leopold de Waelstr. . . . CV 121
Leysstr. . . . DU 123
Londenstr. . . . DT 124
Maria Henriettalei . . . . DV 125
Marnixplaats . . . . CV 129
Mercatorstr. . . . DEV 130
Namenstr. . . . CV 133
Offerandestr. . . . EU 136
Ommeganckstr. . . . EU 138
Orteliuskaai . . . . DT 141
Osystr. . . . DU 142
Oude Leeuwenrui . . . . DT 148
Pelikaanstr. . . . DU 151
Plantinkaai . . . . CU 153
Ploegstr. . . . EU 154
Posthofbrug . . . . EX 157
Prins Albertlei . . . . DX 159
Provinciestr. . . . EUV 162
Pyckestr. . . . CX 163
Quellinstr. . . . DU 165
Quinten Matsijslei . . . . DUV 166
Rolwagenstr. . . . EV 171
Schijnpoortweg . . . . ET 174
Simonsstr. . . . DEV 178
Sint-Bernardsesteenweg . . . . CX 180
Sint-Gummarusstr. . . . DT 181
Sint-Janspl. . . . DT 183
Sint-Jozefsstr. . . . DV 186
Sint-Michielskaai . . . . CU 187
Turnhoutsebaan (BORGERHOUT) . . . . EU
van Aerdtstr. . . . DT 3
van Breestr. . . . DV 19
van den Nestlei . . . . EV 135
van Schoonhovestr. . . . DEU 175
Viaduct Dam . . . . ET 202
Viséstr. . . . ET 204
Volksstr. . . . CV 207
Vondelstr. . . . DT 208
Waterloostr. . . . EV 218

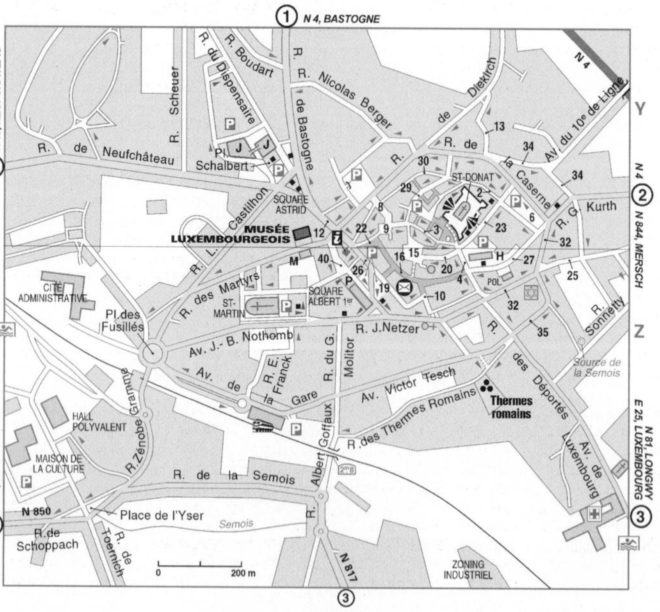

A

Aaigem . . . 131 F 9
Aalbeke . . . 130 D 9
Aalst (=Alost) . . . 127 G 9
Aalter . . . 126 E 8
Aarschot . . . 128 I 9
Aarsele . . . 126 E 9
Aartrijke . . . 126 D 8
Aartselaar . . . 127 H 8
Abeek . . . 110 K 8
Abeele (L') . . . 130 C 9
Achel . . . 128 K 8
Achêne . . . 135 J 11
Achterbos . . . 128 J 8
Achterbroek . . . 127 H 7
Acoz . . . 131 H 10
Adegem . . . 127 E 8
Adinkerke . . . 126 B 8
Affligem . . . 131 G 9
Agimont . . . 135 I 11
Aische . . . 132 I 10
Aisne . . . 133 K 11
Aisne . . . 133 K 10
Albert Kanaal / Canal Albert . . . 127 I 8
Albertstrand . . . 126 D 7
Alden-Biesen . . . 132 K 9
Alken . . . 132 J 9
Alle . . . 135 I 12
Alsemberg . . . 131 H 9
Alveringem . . . 126 C 8
Amay . . . 132 J 10
Ambly . . . 135 J 11
Amel (=Amblève) . . . 133 M 10
Amonines . . . 137 K 11
Amougies . . . 131 E 9
Ampsin . . . 132 J 10
Andenne . . . 132 J 10
Anderlecht . . . 131 G 9
Anderlues . . . 131 G 10
Andler . . . 133 M 11
Andrimont . . . 133 L 10
Angre . . . 131 F 10
Anhée . . . 135 I 11
Anlier . . . 137 K 12
Anlier (Forêt d') . . . 137 L 12
Anloy . . . 135 J 12
Annevoie-Rouillon . . . 132 I 10
Ans . . . 132 K 10
Anseremme . . . 135 I 11
Anserœul . . . 131 E 9
Anthée . . . 135 I 11
Anthisnes . . . 132 K 10
Antoing . . . 130 E 10
Antwerpen (=Anvers) . . . 127 H 8
Antwerpen Provincie . . . 110 I 8
Antwerpen-Deurne Aéroport . . . 127 H 8
Antwerpen naar Turnhout (Kanaal van) . . . 127 H 8
Anvaing . . . 131 E 9
Anzegem . . . 131 E 9
Arbre . . . 132 I 10
Arbrefontaine . . . 137 L 11

ARLON

Bastion (R. du) . . . Y 2
Capucins (R. des) . . . Y 3
Carmes (R. des) . . . Z 4
Chasseurs-Ardennais (Pl. des) . . Y 6
Didier (Pl.) . . . Y 8
Diekrich (R. de) . . . Y
Dr Hollenfeltz (Pl.) . . . Y 9
Etienne-Lenoir (R.) . . . Z 10
Faubourgs (R. des) . . . Y 12
Frassem (R. de) . . . Y 13
Grand'Place . . . YZ 15
Grand'Rue . . . Z 16
Léopold (Pl.) . . . Z 19
Marché aux Légumes . . . YZ 22
Marché au Beurre (R. du) . . . Z 20
Marquisat (R. du) . . . Y 23
Michel-Hamelius (R.) . . . Z 25
Palais de Justice . . . Z 26
Paul-Reuter (R.) . . . Z 27
Porte Neuve (R. de la) . . . Y 29
Remparts (R. des) . . . Y 30
Saint-Jean (R.) . . . YZ 32
Seymerich (R. de) . . . Y 34
Synagogue (R. de la) . . . Z 35
25-Août (R. du) . . . Z 40

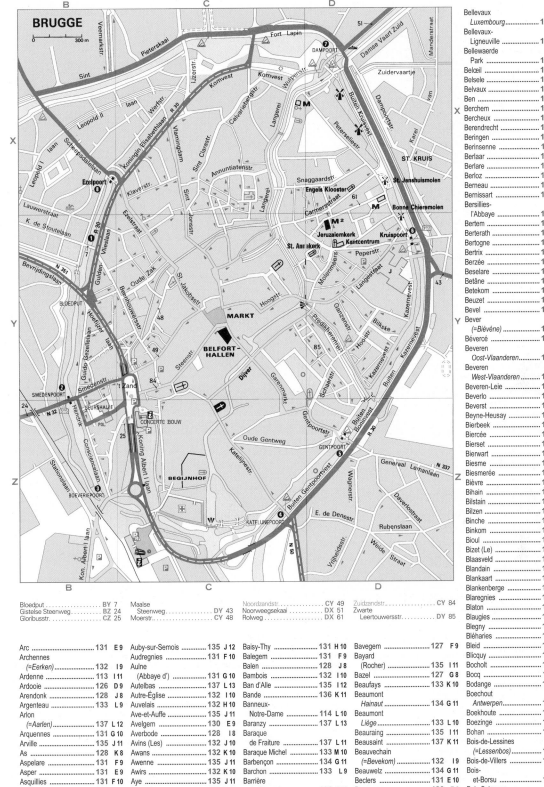

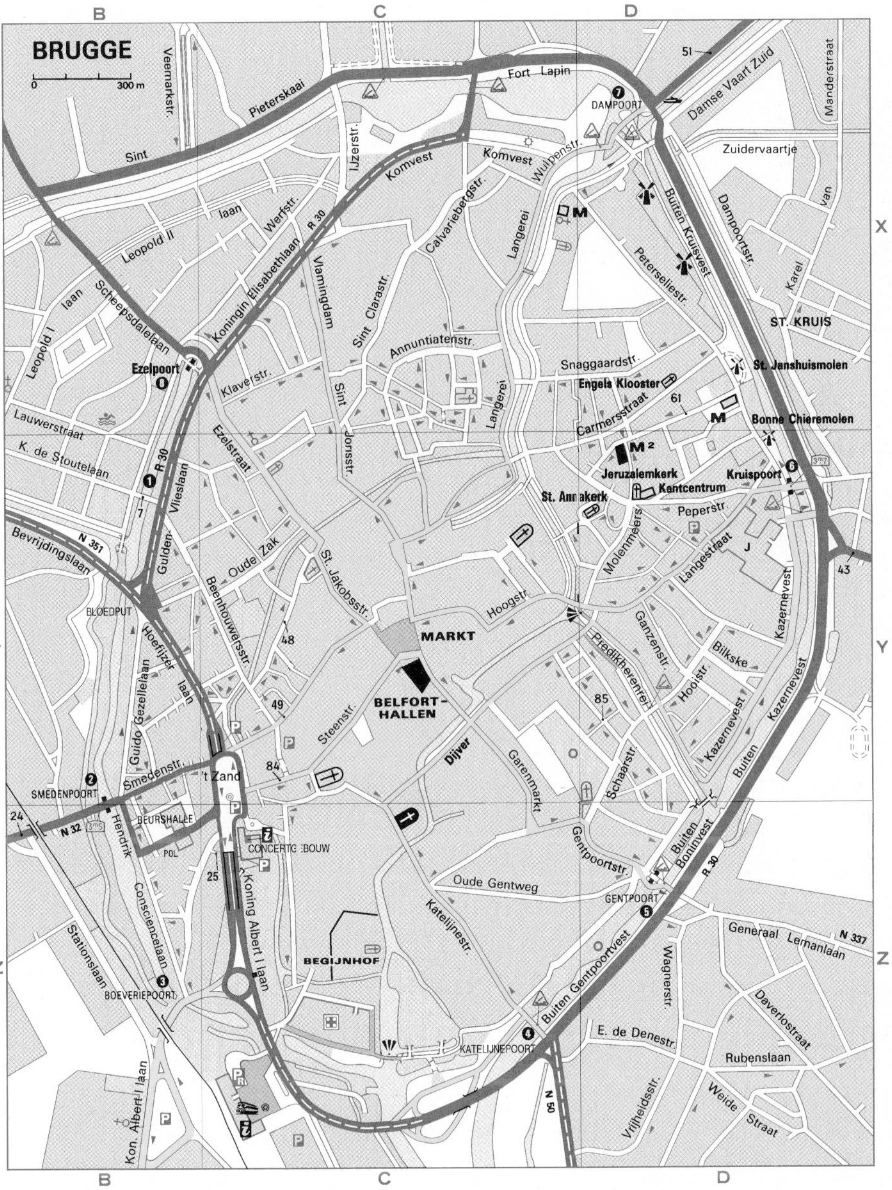

Bloedput BY 7	Noordzandstr. CY 49
Gistelse Steenweg BZ 24	Noorweegsekaai DX 51
Gloribusstr. CZ 25	Rolweg DX 61
Maalse Steenweg DY 43	Zuidzandstr. CY 84
Moerstr. CY 48	Zwarte Leertouwersstr. DY 85

Arc 131 E 9
Archennes (=*Eerken*) 132 I 9
Ardenne 113 I 11
Ardooie 126 D 9
Arendonk 128 J 8
Argenteau 133 L 9
Arlon (=*Aarlen*) 137 L 12
Arquennes 131 G 10
Arville 135 J 11
As 128 K 8
Aspelare 131 F 9
Asper 131 E 9
Asquillies 131 F 10
Asse 131 G 9
Assebroek 126 D 8
Assenede 127 F 8
Assenois 136 K 12
Assent 128 J 9
Assesse 132 J 10
Astenet 133 M 9
Ath (=*Aat*) 131 F 10
Athus 137 L 13
Attert 137 L 12
Attre 131 F 10
Aubange 137 L 13
Aubechies 131 F 10
Aubel 133 L 9
Aublain 135 H 11
Auby-sur-Semois 135 J 12
Audregnies 131 F 10
Aulne (Abbaye d') 131 G 10
Autelbas 137 L 13
Autre-Église 132 I 10
Auvelais 132 H 10
Ave-et-Auffe 135 J 11
Avelgem 130 E 9
Averbode 128 I 8
Avins (Les) 132 J 10
Awans 132 K 10
Awenne 135 J 11
Awirs 132 K 10
Aye 135 J 11
Ayeneux 133 L 10
Aywaille 133 L 10

B

Baaigem 131 F 9
Baal 128 I 8
Baardegem 127 G 9
Baarle-Hertog 128 I 7
Baarle-Nassau 128 I 7
Baasrode 127 G 8
Bachte-Maria-Leerne 127 E 8
Baelen 133 L 10
Baileux 135 H 11
Baillonville 135 K 11
Baisieux 131 F 10
Baisy-Thy 131 H 10
Balegem 131 F 9
Balen 128 J 8
Bambois 132 I 10
Ban d'Alle 135 I 12
Bande 136 K 11
Banneux-Notre-Dame 114 L 10
Baranzy 137 L 13
Baraque de Fraiture 137 L 11
Baraque Michel 133 M 10
Barbençon 134 G 11
Barchon 133 L 9
Barrière de Champlon 136 K 11
Barry 131 E 10
Barvaux-Condroz 132 J 11
Bas-Oha 132 J 10
Basècles 131 E 10
Basse-Bodeux 133 L 10
Bassenge 133 K 9
Bassevelde 127 F 8
Bassilly 131 F 9
Bastogne (=*Bastenaken*) 137 L 11
Battice 133 L 10
Baudour 131 F 10
Bauffe 131 F 10
Baugnies 131 E 10
Baulers 131 H 10
Bavegem 127 F 9
Bayard (Rocher) 135 I 11
Bazel 127 G 8
Beaufays 133 K 10
Beaumont *Hainaut* 134 G 11
Beaumont *Liège* 133 L 10
Beauraing 135 I 11
Beausaint 137 K 11
Beauvechain (=*Bevekom*) 132 I 9
Beauwelz 134 G 11
Beclers 131 E 10
Beernem 126 E 8
Beerse 128 I 8
Beersel 131 G 9
Beerst 126 C 8
Beervelde 127 F 8
Beerzel 128 I 8
Beffe 136 K 11
Begijnendijk 128 I 8
Beho 137 L 11
Bekkevoort 128 I 9
Belgrade 132 I 10
Belle Maison 132 J 10
Bellefontaine 136 K 13
Bellegem 130 D 9
Bellem 127 E 8
Bellevaux 133 M 10
Bellevaux *Luxembourg* 135 J 12
Bellevaux-Ligneuville 133 M 10
Bellewaerde Park 130 C 9
Belœil 131 F 10
Belsele 127 G 8
Belvaux 135 J 11
Ben 132 J 10
Berchem 127 H 8
Bercheux 137 K 12
Berendrecht 127 G 7
Beringen 128 J 8
Berinsenne 114 L 10
Berlaar 128 H 8
Berlare 127 G 8
Berloz 132 J 9
Berneau 133 L 9
Bernissart 131 E 10
Bersillies-l'Abbaye 134 G 11
Bertem 132 H 9
Berterath 133 N 10
Bertogne 137 L 11
Bertrix 135 J 12
Berzée 135 H 11
Beselare 130 D 9
Betâne 133 L 10
Betekom 128 I 9
Beuzet 132 I 10
Bevel 128 I 8
Bever (=*Biévène*) 131 F 9
Bévercé 133 M 10
Beveren *Oost-Vlaanderen* 127 G 8
Beveren *West-Vlaanderen* 126 D 9
Beveren-Leie 130 D 9
Beverlo 128 J 8
Beverst 132 K 9
Beyne-Heusay 133 K 10
Bierbeek 132 I 9
Biercée 134 G 11
Bierset 132 K 10
Bierwart 132 J 10
Biesme 135 H 10
Biesmerée 135 I 11
Bièvre 135 J 12
Bihain 137 L 11
Bilstain 133 L 10
Bilzen 132 K 9
Binche 131 G 10
Binkom 132 I 9
Bioul 135 I 11
Bizet (Le) 130 C 9
Blaasveld 127 H 8
Blandain 130 D 10
Blankaart 126 C 9
Blankenberge 126 D 8
Blaregnies 131 F 10
Blaton 131 E 10
Blaugies 131 F 10
Blegny 133 L 9
Bléharies 130 E 10
Bleid 137 K 13
Blicquy 131 F 10
Bocholt 128 K 8
Bocq 113 I 11
Bodange 137 L 12
Boechout *Antwerpen* 127 H 8
Boekhoute 127 F 8
Boezinge 130 C 9
Bohan 135 I 12
Bois-de-Lessines (=*Lessenbos*) 131 F 9
Bois-de-Villers 132 I 10
Bois-et-Borsu 132 K 10
Bois-Seigneur-Isaac 131 G 10
Bokrijk 128 K 9
Bolderberg 128 J 9
Bomal-sur-Ourthe 132 K 10
Bon-Secours 131 E 10
Boncelles 132 K 10
Bonheiden 127 H 8
Bonlez 132 I 9
Bonne Espérance (Abbaye de) 131 G 10
Bonnert 137 L 12
Bonneville 132 J 10
Bons Villers (Les) 131 H 10
Booischot 128 I 8
Boom 127 H 8
Boorsem 128 L 9
Boortmeerbeek 127 H 9
Borchtlombeek 131 G 9
Borgerhout 127 H 8
Borgloon (=*Looz*) 132 K 9
Borlo 132 J 9
Borlon 132 K 10
Born 133 M 10
Bornem 127 G 8
Bornival 131 G 10
Bosbeek 110 K 8
Botassart 135 J 12
Botrange (Signal de) 133 M 10
Bottelare 127 F 9
Boudewijn Kanaal 108 D 8
Bouge 132 I 10
Bouillon 135 J 12
Bourcy 137 L 11
Bourdon 135 K 11
Bourlers 135 H 11
Bourseigne-Neuve 135 I 11
Bourseigne-Vieille 135 I 11
Boussu 131 F 10
Boussu-en-Fagne 135 H 11
Boussu-lez-Walcourt 135 H 11
Bousval 131 H 10
Boutersem 132 I 9
Bouvignes-sur-Meuse 135 I 11
Bouvignies 131 F 10
Bouwel 128 I 8
Bovigny 137 L 11
Bra 133 L 11
Brabant-Wallon *Province* 109 I 9
Braibant 135 J 11
Braine-l'Alleud (=*Eigenbrakel*) 131 H 9
Braine-le-Château (=*Kasteelbrakel*) 131 G 9
Braine-le-Comte 131 G 10
Braives 132 J 10
Brakel 131 F 9
Braken 127 H 7
Branchon 132 I 10
Bras 136 K 12
Brasmenil 131 E 10
Brasschaat 127 H 8
Bray 131 G 10
Brecht 128 H 7
Bredene 126 C 8
Bredene-aan-Zee 126 C 8
Bree 128 K 8
Breendonk 109 G 8
Broechem 127 H 8
Broekom 132 J 9
Brugelette 131 F 10
Brugge (=*Bruges*) 126 D 8
Brûly 135 H 12
Brûly-de-Pesche 135 H 11
Brunehaut 130 E 10
Brussegem 131 G 9
Bruxelles / Brussel 131 H 9
Bruxelles-Brussel-National *Aéroport* 131 H 9
Bruyelle 130 E 10
Bruyère (La) 132 I 10
Budingen 132 J 9
Buggenhout 127 G 8
Buissenal 131 E 10
Buissonville 135 J 11
Buizingen 131 G 9
Buken 132 H 9
Bulles (Les) 136 K 12
Büllingen (=*Bullange*) 133 M 10
Bunsbeek 132 I 9
Burdinne 132 J 10
Bure 135 J 11
Burg-Reuland 137 M 11
Burst 131 F 9
Bury 131 E 10
Bütgenbach 133 M 10
Buvrinnes 131 G 10
Buzenol 137 K 13

A B C D E F G H I J K L M N O P Q R S T U V W X Y Z

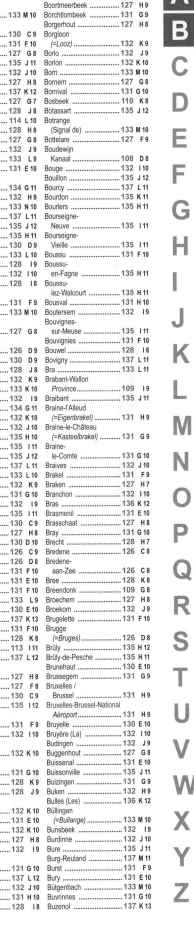

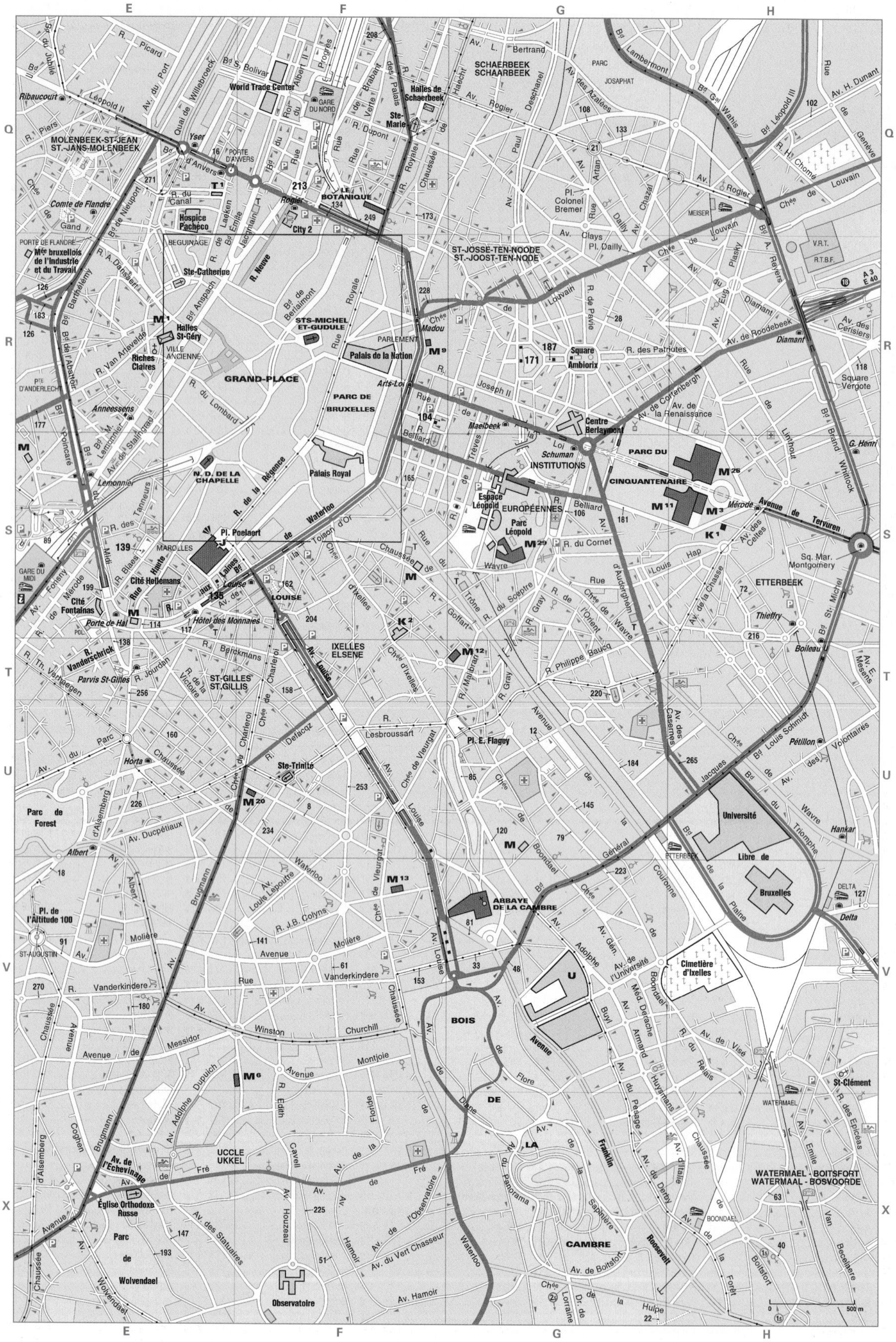

BRUXELLES/ BRUSSEL

Abattoir (Bd de l')	ER	
Américaine (R.)	FU	8
Auguste Rodin (Av.)	GU	12
Baudouin (Bd)	EQ	16
Besme (Av.)	EV	18
Bienfaiteurs (Pl. des)	GQ	21
Boondael (Drève de)	GX	22
Brabançonne (Av. de la)	GR	28
Cambre (Bd de la)	GV	33
Coccinelles (Av. des)	HX	40
Congo (Av. du)	GV	48
Copernic (R.)	FX	51
Dodonée (R.)	FV	61
Dries	HX	63
Édouard de Thibault (Av.)	HS	72
Émile de Beco (Av.)	GU	79
Émile De Mot (Av.)	GV	81
Éperons d'Or (Av. des)	GU	85
Europe (Esplanade de l')	ES	89
Everard (Av.)	EV	91
Frans Courtens (Av.)	HQ	102
Frère Orban (Square)	FR	104
Froissart (R.)	GS	106
Général Eisenhower (Av.)	GQ	108
Hal (Porte de)	ES	114
Henri Jaspar (Av.)	ES	117
Herbert Hoover (Av.)	HR	118
Hippodrome (Av. de l')	GU	120
Industrie (Quai de l')	ER	126
Invalides (Bd des)	HV	127
Jan Stobbaerts (Av.)	GQ	133
Jardin Botanique (Bd du)	FQ	134
Jean Volders (Av.)	EST	138
Jeu de Balle (Pl. du)	ES	139
Joseph Stallaert (R.)	FV	141
Juliette Wytsman (R.)	GU	145
Kamerdelle (Av.)	EX	147
Legrand (Av.)	FV	153
Livourne (R. de)	FT	158
Louise (Galerie)	FS	162
Louis Morichar (Pl.)	EU	160
Luxembourg (R. du)	FS	165
Marie-Louise (Square)	GR	171
Méridien (R. du)	FQ	173
Mutualité (R. de la)	EV	180
Nerviens (Av. des)	GS	181
Nouvelle (Av.)	GU	184
Palmerston (Av.)	GR	187
Paul Stroobant (Av.)	EX	193
Porte de Hal (Av. de la)	ES	199
Prince Royal (R. du)	FS	204
Rogier (Pl. Charles)	FQ	213
Roi Vainqueur (Pl. du)	HS	216
Saint-Antoine (Pl.)	GT	220
Saisons (Av. des)	GV	223
Saturne (Av. de)	FX	225
Savoie (R. de)	EU	226
Scailquin (R.)	FR	228
Tabellion (R. du)	FU	234
Victoria Régina (Av.)	FQ	249
Washington (R.)	FU	253
2ème Régiment de Lanciers (Av. du)	HU	265
9ème de Ligne (Bd du)	EQ	271

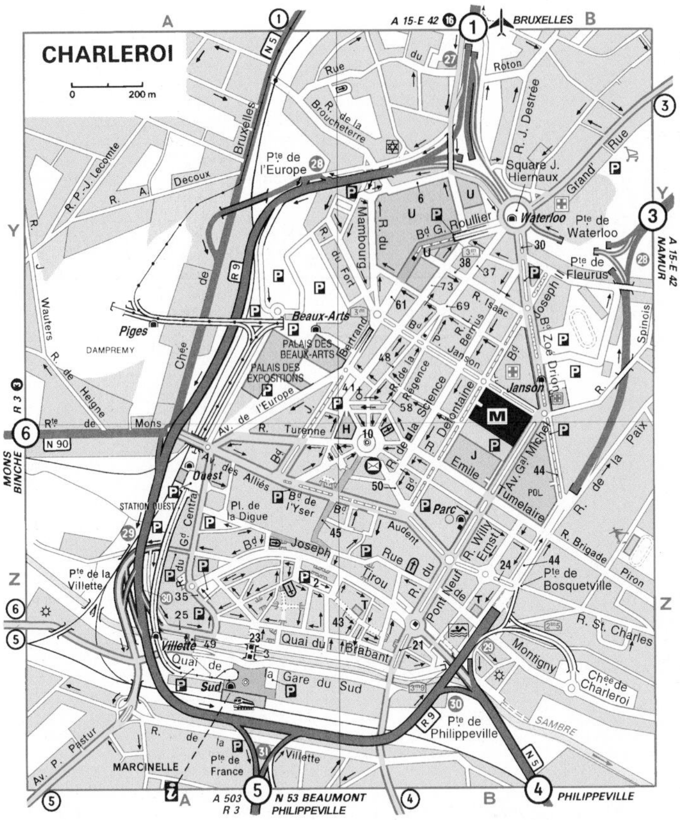
CHARLEROI
0 200 m
BRUXELLES
A 15-E 42
NAMUR
PHILIPPEVILLE
N 53 BEAUMONT PHILIPPEVILLE
A 503 R 3
MONS BINCHE
N 90
MARCINELLE
DAMPREMY
SAMBRE
Waterloo
Beaux-Arts
PALAIS DES BEAUX-ARTS
PALAIS DES EXPOSITIONS
Janson
Ouest
Sud
Villette
Parc
Pigés
STATION OUEST
Pte de l'Europe
Pte de Waterloo
Pte de Fleurus
Pte de la Villette
Pte de Philippeville
Pte de France
Square J. Hiernaux
R. Turenne
Quai de Brabant
Gare du Sud
Bd Joseph II
Pl. de la Digue
Av. de l'Europe
Rte de Mons
Chée de Charleroi
Av. P. Pastur

Albert-1er (Pl.) ..... AZ 2
Baudouin (Pont) ..... AZ 3
Charles-II (Pl.) ..... BZ 10
Écluse (R. de l') ..... BZ 21
Émile-Buisset (Pl.) ..... AZ 23
Émile-Devreux (Bd) ..... BZ 24
Flandre (Quai de) ..... AZ 25
Fr.-Dewandre (Bd) ..... BY 30
Jean-Monnet (R.) ..... AZ 35
Joseph-Hénin (Bd) ..... BY 37
Lebeau (R.) ..... BY 38
Manège (Pl. du) ..... BY 41
Marcinelle (R. de) ..... BZ 43
Mayence (Bd P.) ..... BZ 44
Montagne (R. de la) ..... ABZ 45
Neuve (R.) ..... BY 48
Olof-Palme (Pont) ..... AZ 49
Orléans (R. d') ..... BZ 50
Régence (R. de la) ..... BY 58
Solvay (Bd) ..... BY 61
Waterloo (Av. de) ..... BY 69
Zenobe-Gramme (R.) ..... BY 73

C

Caillou (Musée du) ..... 131 H 10
Callenelle ..... 131 E 10
Cambron-Casteau ..... 131 F 10
Cambron-St. Vincent ..... 131 F 10
Carlsbourg ..... 135 J 12
Casteau ..... 131 G 10
Cedrogne (Bois de) ..... 137 L 11
Celles *Gendron-* ..... 135 J 11
Celles *lez Tournai* ..... 130 E 9
Celles *lez Waremme* ..... 132 J 10
Cerfontaine ..... 135 H 11
Céroux-Mousty ..... 131 H 10
Chaineux ..... 133 L 10
Champion ..... 132 I 10
Champlon ..... 136 K 11
Chantemelle ..... 137 L 13
Chapelle-lez-Herlaimont ..... 131 G 10
Chapon-Seraing ..... 132 J 10
Charleroi ..... 131 H 10
Charneux ..... 133 L 9
Chassepierre ..... 136 J 12
Chastre ..... 132 H 10
Chastrès ..... 135 H 11
Châtelet ..... 131 H 10
Châtillon ..... 137 L 13
Chaudfontaine ..... 133 K 10
Chaumont-Gistoux ..... 132 I 9
Chaussée-Notre-Dame ..... 131 G 10
Chenogne ..... 137 K 12
Cherain ..... 137 L 11
Chevetogne ..... 135 J 11
Chevron ..... 133 L 10
Chièvres ..... 131 F 10
Chimay ..... 135 G 11
Chimay (Bois de) ..... 135 G 11
Chiny ..... 135 K 12
Chiny (Forêt de) ..... 136 K 12
Ciergnon ..... 135 J 11
Ciney ..... 135 J 11
Ciplet ..... 132 J 10
Ciply ..... 131 F 10
Clavier ..... 132 K 10
Clermont ..... 133 L 10
Clermont *sur Meuse* ..... 133 K 10
Clermont *Walcourt* ..... 135 G 11
Cobreville ..... 137 K 12
Colfontaine ..... 131 F 10
Comblain-au-Pont ..... 133 K 10
Comblain-Fairon ..... 132 K 10
Comblain-la-Tour ..... 133 K 10
Comines-Warneton *(=Komen-Waasten)* ..... 130 D 9
Commanster ..... 137 M 11
Condroz ..... 113 J 10
Coo ..... 133 L 10
Corbion ..... 135 J 12
Cordes ..... 131 E 9
Corenne ..... 135 I 11
Corroy-le-Château ..... 132 H 10
Corroy-le-Grand ..... 132 I 10
Cortil-Noirmont ..... 132 H 10
Cortil-Wodon ..... 132 I 10
Cour ..... 135 H 11
Courcelles ..... 131 H 10
Courrière ..... 132 I 10
Court-St. Etienne ..... 131 H 10
Couthuin ..... 132 J 10
Coutisse ..... 132 J 10
Couvin ..... 135 H 11
Couvin (Bois de) ..... 135 H 11
Crèvecœur (Château de) ..... 135 I 11
Crisnée ..... 132 K 9
Crombach ..... 137 M 11
Crupet ..... 132 I 10
Cuesmes ..... 131 F 10
Cugnon ..... 135 J 12
Cul-des-Sarts ..... 135 H 12
Custinne ..... 135 J 11

D

Dadizele ..... 130 D 9
Dailly ..... 135 H 11
Dalhem ..... 133 L 9
Damme ..... 126 D 8
Dampicourt ..... 136 K 13
Daussois ..... 135 H 11
Dave ..... 132 I 10
Daverdisse ..... 135 J 11
Deerlijk ..... 130 E 9
Deftinge ..... 131 F 9
Deiffelt ..... 137 M 11
Deinze ..... 127 E 9
Demer ..... 128 K 9
Denderhoutem ..... 131 G 9
Denderleeuw ..... 131 G 9
Dendermonde *(=Termonde)* ..... 127 G 8
Denderwindeke ..... 131 G 9
Dendre / Dender ..... 131 F 10
Denée ..... 135 I 11
Dentergem ..... 126 E 9
Dergneau ..... 131 E 9
Dessel ..... 128 J 8
Desselgem ..... 130 E 9
Destelbergen ..... 127 F 8
Deurle ..... 127 E 8
Deurne *Vlaams-Brabant* ..... 128 J 8
Deurne *Antwerpen* ..... 127 H 8
Deutsch-Belgischer Naturpark ..... 137 M 10
Deux-Acren ..... 131 F 9
Dhuy ..... 132 I 10
Diegem ..... 131 H 9
Diepenbeek ..... 132 K 9
Diest ..... 128 J 9
Dijle / Dyle ..... 128 H 10
Dikkebus ..... 130 C 9
Diksmuide *(=Dixmude)* ..... 126 C 8
Dilbeek ..... 131 G 9
Dilsen ..... 128 L 8
Dinant ..... 135 I 11
Dion-le-Mont ..... 132 H 9
Dion-le-Val ..... 132 H 9
Dison ..... 133 L 10
Dochamps ..... 137 K 11
Doel ..... 127 G 8
Doest (Ter) ..... 126 D 8
Dohan ..... 135 J 12
Doische ..... 135 I 11
Dolembreux ..... 133 K 10
Dommel ..... 110 K 8
Donceel ..... 132 J 10
Dongelberg ..... 132 I 9
Donkmeer ..... 127 F 8
Dorinne ..... 135 I 11
Dottignies *(=Dottenijs)* ..... 130 D 9
Dour ..... 131 F 10
Dourbes ..... 135 H 11
Drongen ..... 127 E 8
Dudzele ..... 126 D 8
Duffel ..... 127 H 8
Duinbergen ..... 126 D 7
Duisburg ..... 131 H 9
Durbuy ..... 132 K 10
Durme ..... 127 G 8
Durnal ..... 132 I 10
Dworp ..... 131 G 9

E

Eau Blanche ..... 113 H 11
Eau d'Heure ..... 113 H 11
Eau d'Heure (Barrages de l') ..... 135 H 11
Eau Noire ..... 113 H 11
Ebly ..... 137 K 12
Ecaussinnes-d'Enghien ..... 131 G 10
Ecaussinnes-Lalaing ..... 131 G 10
Edegem ..... 127 H 8
Eeklo ..... 127 E 8
Eel ..... 128 J 7
Eernegem ..... 126 D 8
Egem ..... 126 D 8
Éghezée ..... 132 I 10
Einde ..... 132 I 9
Eindhout ..... 128 I 8
Eine ..... 131 E 9
Eisden ..... 128 L 9
Eisderbos ..... 110 L 9
Eke ..... 127 E 9
Ekeren ..... 127 H 8
Eksaarde ..... 127 F 8
Eksel ..... 128 K 8
Elen ..... 129 L 8
Elewijt ..... 127 H 9
Ellemelle ..... 132 K 10
Ellezelles *(=Elzele)* ..... 131 F 9
Ellignies-Ste. Anne ..... 131 F 10
Elouges ..... 131 F 10
Elsenborn ..... 133 M 10
Elverdinge ..... 130 C 9
Elversele ..... 127 G 8
Emael ..... 133 K 9
Emblem ..... 127 H 8
Emines ..... 132 I 10
Emptinne ..... 135 J 11
Enclus (Mont de l') ..... 109 E 9
Enghien *(=Edingen)* ..... 131 G 9
Engis ..... 132 K 10
Ensival ..... 133 L 10
Eppegem ..... 127 H 9
Eprave ..... 135 J 11
Erbisœul ..... 131 F 10
Erembodegem ..... 131 G 9
Erezée ..... 137 K 11
Ermeton-sur-Biert ..... 135 I 11
Erneuville ..... 137 K 11
Ernonheid ..... 133 L 10
Erpe-Mere ..... 131 F 9
Erpion ..... 135 H 11
Erps-Kwerps ..... 131 H 9
Erquelinnes ..... 134 G 11
Ertvelde ..... 127 F 8
Escaillère (L') ..... 135 H 12
Escanaffles ..... 130 E 9
Escaut / Schelde ..... 130 E 10
Esen ..... 126 C 8
Esneux ..... 132 K 10
Esplechin ..... 130 D 10
Essen ..... 127 H 7
Essene ..... 131 G 9
Estaimbourg ..... 130 D 9
Estaimpuis ..... 130 D 9
Estinnes-au-Mont ..... 131 G 10
Etalle ..... 137 K 12
Éthe ..... 137 K 13
Etikhove ..... 131 E 9
Eugies ..... 131 F 10
Eupen ..... 133 M 10
Euro Space Center ..... 135 J 11
Evelette ..... 132 J 10
Everbeek ..... 131 F 9
Evergem ..... 127 F 8
Eynatten ..... 133 M 9

F

Fagne ..... 112 G 11
Fagnolle ..... 135 H 11
Faimes ..... 132 J 10
Falaën ..... 135 I 11
Falemprise ..... 135 H 11
Falisolle ..... 132 H 10
Fallais ..... 132 J 10
Falmagne ..... 135 I 11
Falmignoul ..... 135 I 11
Famenne ..... 113 J 11
Familleureux ..... 131 G 10
Fanzel ..... 133 K 11
Farciennes ..... 131 H 10
Faulx-les-Tombes ..... 132 J 10
Fauvillers ..... 137 K 12
Faymonville ..... 133 M 10
Fays-les-Veneurs ..... 135 J 12
Fayt-le-Franc ..... 131 F 10
Felenne ..... 135 I 11
Feluy ..... 131 G 10
Fernelmont ..... 132 I 10
Ferrières ..... 133 K 10
Feschaux ..... 135 I 11
Fexhe-le-Haut-Clocher ..... 132 K 9
Fexhe-Slins ..... 132 K 9
Flamierge ..... 137 K 11
Flavion ..... 135 I 11
Flawinne ..... 132 I 10
Flémalle ..... 132 K 10
Fléron ..... 133 L 10
Fleurus ..... 131 H 10
Flobecq *(=Vloesberg)* ..... 131 F 9
Flône ..... 132 K 9
Florée ..... 132 J 10
Floreffe ..... 132 I 10
Florennes ..... 135 H 11
Florenville ..... 136 J 12
Focant ..... 135 J 11
Fontaine-l'Évêque ..... 131 G 10
Fontaine-Valmont ..... 134 G 11
Fontenelle ..... 135 H 11
Fontenoille ..... 136 J 12
Forchies-la-Marche ..... 131 G 10
Forge-Philippe ..... 134 G 12
Forges ..... 135 G 11
Forges Jean Petit ..... 135 H 12
Forrières ..... 135 J 11
Forville ..... 132 J 10
Fosse ..... 133 L 10
Fossés (Les) ..... 136 K 12
Fosses-la-Ville ..... 132 I 10
Fouches ..... 137 L 12
Fourneau-St. Michel ..... 135 K 11
Foy-Notre-Dame ..... 135 I 11
Frahan ..... 135 J 12
Fraipont ..... 133 L 10
Fraire ..... 135 H 11
Fraiture ..... 132 K 10
Frameries ..... 131 F 10
Framont ..... 135 J 12
Franc-Waret ..... 132 I 10
Franchimont ..... 135 H 11
Franchimont (Ruines de) ..... 133 L 10
Francorchamps ..... 133 L 10
Franière ..... 132 I 10
Frasnes ..... 135 H 11
Frasnes-lez-Gosselies ..... 131 H 10
Frasnes-lez-Anvaing ..... 131 E 9
Frênes (Rochers de) ..... 132 I 10
Freux-Suzeran ..... 136 K 12
Freyir (Forêt de) ..... 136 K 11
Freÿr ..... 135 I 11
Froidchapelle ..... 135 G 11
Fronville ..... 136 K 11
Fumal ..... 132 J 10
Furfooz ..... 135 I 11
Furnaux ..... 135 I 11

G

Gaasbeek ..... 131 G 9
Galmaarden ..... 131 F 9
Ganshoren ..... 131 G 9
Gaume ..... 115 K 13
Gaurain-Ramecroix ..... 131 E 10
Gavere ..... 131 E 9
Gedinne ..... 135 I 12
Geel ..... 128 I 8
Geer ..... 132 J 9
Geer *Rivière* ..... 110 K 9
Geet ..... 132 J 9
Geetbets ..... 132 J 9
Gelbressée ..... 132 I 10
Gellik ..... 133 K 9
Gelmen ..... 132 J 9
Gelrode ..... 128 I 9
Geluveld ..... 130 D 9
Geluwe ..... 130 D 9
Gembes ..... 135 J 12
Gembloux ..... 132 I 10
Gemmenich ..... 133 M 9
Genappe ..... 131 H 10
Genk ..... 128 K 9
Genly ..... 131 F 10
Gent *(=Gand)* ..... 127 F 8
Gentinnes ..... 132 H 10
Genval ..... 131 H 9
Geraardsbergen *(=Grammont)* ..... 131 F 9
Gérompont ..... 132 I 10
Gérouville ..... 136 K 13
Gerpinnes ..... 135 H 10
Gesves ..... 132 J 10
Getzbach ..... 111 M 10
Ghislenghien ..... 131 F 10
Ghlin ..... 131 F 10
Gierle ..... 128 I 8
Gijverinkhove ..... 126 C 9
Gijzegem ..... 127 G 9
Gileppe (Barrage de la) ..... 133 L 10
Gimnée ..... 135 I 11
Gingelom ..... 132 J 9
Ginste ..... 126 E 9
Gistel ..... 126 C 8
Gits ..... 126 D 9
Givroulle ..... 137 K 11
Givry ..... 131 G 10
Glabais ..... 131 H 10
Glabbeek ..... 132 I 9
Glanerie (La) ..... 130 D 10
Gleize (La) ..... 133 L 10
Glimes ..... 132 I 9
Glons *(=Glaaien)* ..... 132 K 9
Gochenée ..... 135 I 11
Godarville ..... 131 G 10
Godinne ..... 132 I 10
Goé ..... 133 L 10
Gœgnies-Chaussée ..... 134 F 10
Goesnes ..... 132 J 10
Gomzé ..... 133 L 10
Gondregnies ..... 131 F 10
Gonrieux ..... 135 H 11
Gooik ..... 131 G 9
Gosselies ..... 131 H 10
Gougnies ..... 131 H 10
Gouvy ..... 137 L 11
Gouy-lez-Piéton ..... 131 G 10
Gozée ..... 135 H 10

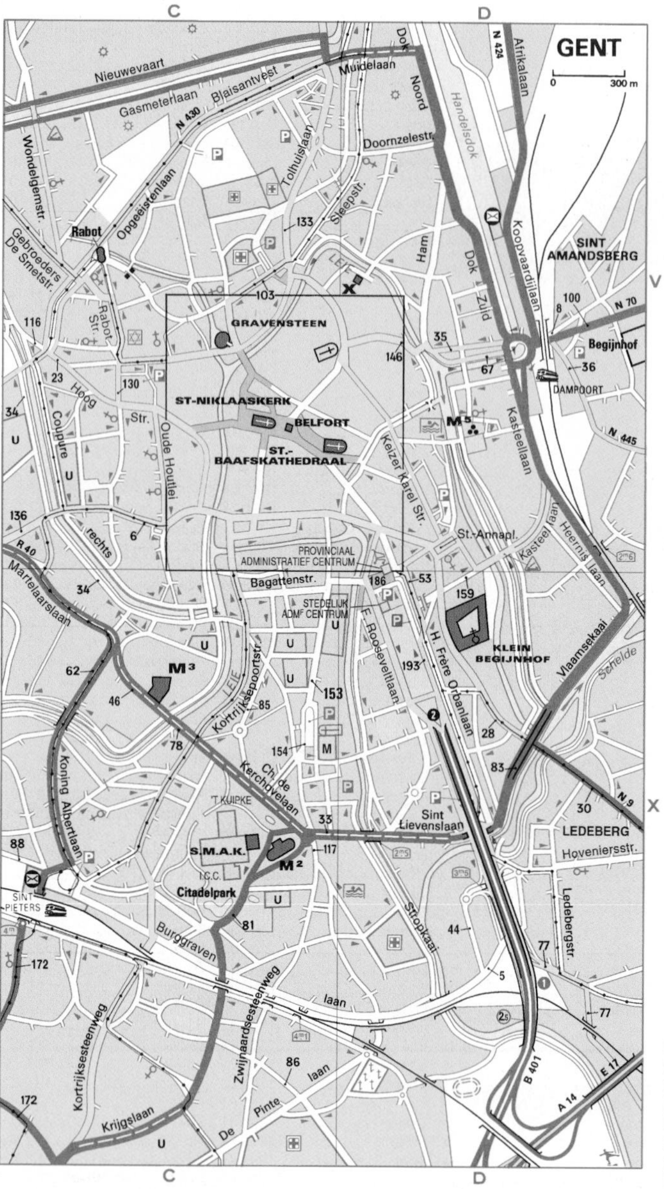

Annonciadenstr. CV 6
Antwerpenpl. DV 8
A. Heyndrickxlaan DX 5
Brugsepoortstr. CV 23
Brusselsepoortstr. DX 28
Brusselsesteenweg DX 30
Citadellaan CDX 33
Coupure links CVX 34
Dampoortstr. DV 35
Dendermondsesteenweg DV 36
Gaston Crommenlaan DX 44
Godshuizenlaan CX 46
Graaf van Vlaanderenpl. DX 53
Groot Brittanniëlaan CX 62
Hagelandkaai DV 67
Hundelgemse steenweg DX 77
IJzerlaan CX 78
Joz. Wauterstr. CX 81
Keizervest DX 83
Koekoeklaan CX 86
Koningin Fabiolalaan CX 88
K. van Hulthemstr. CX 85
Land van Waaslaan DV 100
Lange Steenstr. CV 103
Noordstr. CV 116
Normaalschoolstr. CX 117
Peperstr. CV 130
Rodelijvekensstr. CV 133
Rozemarijnstr. CV 136
Sint-Joriskaai DV 146
Sint-Pietersnieuwstr. CX 153
Sint-Pieterspl. CX 154
Tweebruggenstr. DVX 159
Voskenslaan CX 172
Woodrow Wilsonpl. DX 186
Zuidparklaan DX 193

Grâce-Hollogne 132 K 10
Graide 135 J 12
Grand-Halleux 133 L 11
Grand-Leez 132 I 10
Grand-Reng 134 G 11
Grand-Rosière-
Hottomont 132 I 10
Grandcourt 137 K 13
Grande Gette /
Grote Gete 132 I 9
Grand-Hallet 132 J 9
Grandhan 132 K 11
Grandmenil 137 K 11
Grandrieu 134 G 11
Grandvoir 135 K 12
Grapfontaine 136 K 12
Graty 131 F 10
Gravenvoeren ('s)
(=Fouron-le-Comte) 133 L 9
Grembergen 127 G 8
Grez-Doiceau
(=Graven) 132 I 9
Grimbergen 127 H 9
Grobbendonk 128 I 8
Groenendaal
(=Groenendael) 132 H 9
Grootbos 110 J 8
Grosage 131 F 10
Grote-Barreel (De) 128 K 8
Grote-Brogel 128 K 8
Grote Geule 109 G 8
Grote Nete 110 J 8
Grüfflingen 137 M 11
Gruitrode 128 K 8
Grune 135 K 11
Grupont 135 J 11
Guigoven 132 K 9
Gullegem 130 D 9

H

Haacht 128 H 9
Haaltert 131 G 9
Haan (De) 126 D 8
Haasdonk 127 G 8
Haasrode 132 I 9
Habay-
la-Neuve 137 K 12
Habay-
la-Vieille 137 K 12
Habergy 137 L 13
Haccourt 133 L 9
Hageland 110 I 9
Haillot 132 J 10
Hainaut
Province 112 E 10
Haine-St. Paul 131 G 10
Hakendover 132 I 9
Halanzy 137 L 13
Halen 128 J 9
Hallaar 128 I 8
Halle
Antwerpen 128 H 8
Halle
(=Hal Brabant) 131 G 9
Halle-Booienhoven 132 J 9
Halleux 136 K 11
Halma 135 J 11
Haltinne 132 J 10
Ham 128 J 8
Ham-sur-Heure 135 H 11
Hamipré 136 K 12
Hamme
Oost-Vlaanderen 127 G 8
Hamme-Mille 132 I 9
Hamoir 132 K 10
Hamois 132 J 10
Hamont 128 K 8
Hampteau 136 K 11
Ham-
sur-Sambre 132 I 10
Han
(Grotte de) 135 J 11
Han-
sur-Lesse 135 J 11
Handzame 126 D 8
Haneffe 132 J 10
Hannut 132 J 9
Hanret 132 I 10
Hansbeke 127 E 8
Hantes-Wihéries 134 G 11
Hanzinelle 135 H 11
Hanzinne 135 H 11
Harelbeke 130 D 9
Hargimont 135 J 11
Harmignies 131 G 10
Harnoncourt 136 K 13
Harre 133 K 10
Harsin 135 K 11
Harzé 133 L 10
Hasselt 128 J 9
Hastière-
Lavaux 135 I 11
Hastière-
par-delà 135 I 11
Hatrival 135 K 11
Haulchin 131 G 10
Hauset 133 M 9
Haut-Fays 135 J 11
Haut-le-Wastia 135 I 11
Haute-Bodeux 133 L 10
Haute Desnié 133 L 10
Hautes Fagnes 133 M 10
Hautes Fagnes Eifel
(Parc naturel) 133 M 10
Hautrage 131 F 10
Havay 131 F 10
Havelange 132 J 10
Haversin 135 J 11
Havré 131 G 10
Hayons (Les) 135 J 12
Hechtel 128 K 8
Heer 135 I 11
Heers 132 J 9
Heestert 130 E 9
Heikruis 131 G 9
Heinsch 137 L 12
Heinstert 137 L 12
Heist 126 D 7
Heist-
op-den-Berg 128 I 8
Hekelgem 131 G 9
Heks 132 K 9
Helchteren 128 K 8
Heldergem 131 F 9
Hélécine 132 I 9
Hemiksem 127 H 8
Hemptinne 132 I 10
Hennuyères 131 G 10
Henri-Chapelle 133 L 9
Henripont 131 G 10
Hensies 131 F 10
Heppen 128 J 8
Heppenbach 133 M 10
Herbaimont 137 K 11
Herbesthal 133 L 10
Herbeumont 135 J 12
Herbeumont
(Forêt d') 135 J 12
Herchies 131 F 10
Herderen 132 K 9
Herenelderen ('s) 132 K 9
Herent 132 I 9
Herentals 128 I 8
Herenthout 128 I 8
Herfelingen 131 G 9
Hergenrath 133 M 9
Herinnes 130 E 9
Herk 110 J 9
Herk-de-Stad 128 J 9
Herlinval 137 K 11
Hermalle-
sous-Argenteau 133 L 9
Hermalle-
sous-Huy 132 K 10
Hermeton 113 H 11
Herne 131 G 9
Héron 132 J 10
Herresbach 133 M 11
Herseaux 130 D 9
Herselt 128 I 8
Herstal 133 K 9
Herstappe 132 K 9
Hertogenwald 133 M 10
Hertsberge 126 D 8
Herve 133 L 10
Herzele 131 F 9
Hesbaye 113 J 10
Heultje 128 I 8
Heure 135 J 11
Heusden 128 J 8
Heusy 133 L 10
Heuvelland 130 C 9
Hever 127 H 9
Heverlee 132 I 9
Heyd 133 K 10
Hingene 127 G 8
Hingeon 132 J 10
Hives 137 K 11
Hoboken 127 H 8
Hockai 133 L 10
Hodeige 132 K 9
Hodinfosse
(Bois de) 114 L 11
Hodister 136 K 11
Hody 132 K 10
Hoegaarden 132 I 9
Hoègne 114 L 10
Hoeilaart 131 H 9
Hoepertingen 132 J 9
Hoeselt 132 K 9
Hoevenen 127 H 8
Höfen (Forêt de) 114 M 10
Hofstade
Oost-Vlaanderen 127 G 9
Hofstade
Vlaams-Brabant 127 H 9
Hogne 135 J 11
Hohes Venn 114 M 11
Hollain 130 E 10
Hollange 137 L 12
Hollebeke 130 C 9
Hollogne 132 J 9
Holsbeek 132 I 9
Hombeek 127 H 8
Hombourg 133 L 9
Hompré 137 L 12
Hondelange 137 L 13
Honnay 135 J 11
Honnelles 134 F 10
Honsfeld 133 M 10
Hooglede 126 D 9
Hoogstade 126 C 9
Hoogstraten 128 I 7
Horion 132 K 10
Hornu 131 F 10
Horrues 131 G 10
Horst 128 I 9
Hotton 136 K 11
Hotton
(Grottes de) 136 K 11
Houdeng-
Aimeries 131 G 10
Houdremont 135 I 12
Houffalize 137 L 11
Houille 113 I 11
Houppe (La) 131 F 9
Hour 135 J 11
Houtain-
le-Val 131 H 10
Houtain-
St. Siméon 133 K 9
Houtaing 131 F 10
Houtem 126 B 8
Houthalen-
Helchteren 128 K 8
Houthem 130 C 9
Houthulst 126 C 9
Houtvenne 128 I 8
Houwaart 128 I 9
Houyet 135 J 11
Hoves 131 G 9
Huccorgne 132 J 10
Huise 131 E 9
Huissignies 131 F 10
Huizingen 131 G 9
Huldenberg 131 H 9
Hulpe (La)
(=Terhulpen) 131 H 9
Hulshout 128 I 8
Hulsonniaux 135 I 11
Humain 135 J 11
Humbeek 127 H 9
Hundelgem 131 F 9
Huppaye 132 I 9

HASSELT

Badderijstr. Y 2
Botermarkt Y 7
Demerstr. Y
de Schiervellaan Z 43
Diesterstr. YZ 8
Dorpstr. Y 10
Grote Markt Z
Havermarkt Z 18
Hoogstr. Y 22
Kapelstr. Z 23
Kempische
Steenweg Y 24
Kolonel Dusartpl. Y 26
Koningin Astridlaan Y 30
Koning Albertstr. Z 27
Koning Boudewijnlaan Y 28
Kunstlaan Z 32
Lombaardstr. Y 34
Maastrichtersteenweg Y 35
Maastrichterstr. YZ 36
Ridder
Portmanstr. Z 39
St-Jozefstr. Z 44
Windmolenstr. Z 50
Zuivelmarkt Y 51

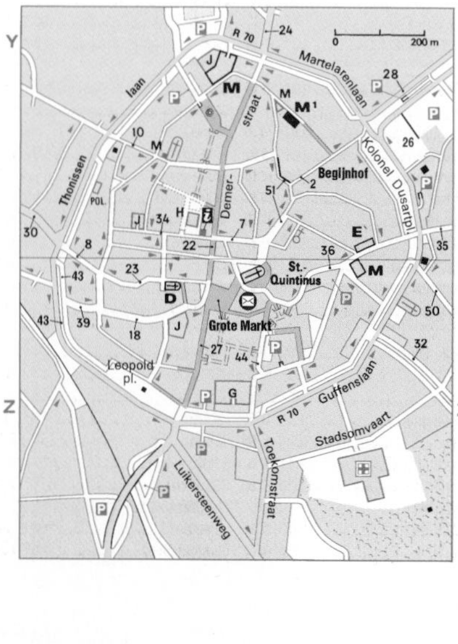

Huy
(=*Hoei*) .... 132 J 10

I

Ichtegem .... 126 D 8
Ieper
(=*Ypres*) .... 130 C 9
Ijse .... 109 H 9
Ijzer .... 126 C 9
Incourt .... 132 I 9
Ingelmunster .... 130 D 9
Ingooigem .... 130 E 9
Isières .... 131 F 10
Itegem .... 128 I 8
Ittre .... 131 G 10
Ivoz-
Ramet .... 132 K 10
Izegem .... 130 D 9
Izel .... 136 K 12
Izenberge .... 126 B 8
Izier .... 133 K 10

J

Jabbeke .... 126 D 8
Jalhay .... 133 L 10
Jamagne .... 135 H 11
Jambes .... 132 I 10
Jamioulx .... 131 H 10
Jamoigne .... 136 K 12
Jandrain .... 132 I 9
Jannée .... 135 J 11
Jauche .... 132 I 9
Jehanster .... 133 L 10
Jehay .... 132 J 10
Jehonville .... 135 J 12
Jemappes .... 131 F 10
Jemelle .... 135 J 11
Jemeppe
sur Meuse .... 132 K 10
Jemeppe-
sur-Sambre .... 132 I 10
Jeneffe
en Condroz .... 132 J 10
Jeneffe
en Hesbaye .... 132 K 10
Jenneret .... 132 K 10
Jeuk
(=*Goyer*) .... 132 J 9
Jezus-Eik
(=*Notre-Dame-au-Bois*) . 131 H 9
Jodoigne
(=*Geldenaken*) .... 132 I 9
Jonkershove .... 126 C 9
Julémont .... 133 L 9
Jupille .... 133 K 10
Juprelle .... 132 K 9
Jurbise .... 131 F 10
Juseret .... 137 K 12

K

Kaaskerke .... 126 C 8
Kachtem .... 130 D 9
Kalken .... 127 F 8
Kallo .... 127 G 8
Kalmthout .... 127 H 7
Kampenhout .... 127 H 9
Kanegem .... 126 E 8
Kanne .... 133 L 9
Kapelle-
op-den-Bos .... 127 H 8
Kapellen .... 127 H 8
Kaprijke .... 127 E 8
Kaster .... 131 E 9
Kasterlee .... 128 I 8
Kaulille .... 128 K 8
Keerbergen .... 128 H 8
Kelmis
(=*La Calamine*) .... 133 M 9
Kemmel .... 130 C 9
Kemmelbeek .... 108 C 9
Kemmelberg .... 130 C 9
Kemzeke .... 127 G 8
Kerkbrugge .... 127 F 8
Kerkhoven .... 128 J 8
Kermt .... 128 J 9
Kerniel .... 132 K 9
Kessel .... 132 H 8
Kessel-Lo .... 132 H 9
Kessenich .... 129 L 8
Kettenis .... 133 M 10
Kieldrecht .... 127 G 8
Kinrooi .... 128 L 8
Klein Vorst .... 128 J 8
Kleine-Brogel .... 128 K 8
Kleine Gete /
Petite Gette .... 132 I 9
Kleine Nete .... 110 I 8

Klemskerke .... 126 D 8
Klerken .... 126 C 9
Klinge (De) .... 127 G 8
Kluisberg .... 131 E 9
Kluisbergen .... 131 E 9
Kluizen .... 127 F 8
Knesselare .... 126 E 8
Knokke-Heist .... 126 D 7
Koekelare .... 126 C 8
Koersel .... 128 J 8
Koewacht .... 127 F 8
Koksijde .... 126 B 8
Koksijde-Bad .... 126 B 8
Koloniën (De) .... 128 K 8
Koningshooikt .... 131 H 8
Kontich .... 127 H 8
Koolskamp .... 126 D 8
Korbeek-Lo .... 132 I 9
Kortemark .... 126 D 8
Kortenaken .... 132 J 9
Kortenberg .... 131 H 9
Kortenbos .... 132 J 9
Kortessem .... 132 K 9
Kortrijk
(=*Courtrai*) .... 130 D 9
Kortrijk-Dutsel .... 132 I 9
Kozen .... 132 J 9
Kraainem .... 131 H 9
Krombeke .... 130 C 9
Kruibeke .... 127 G 8
Kruishoutem .... 131 E 9
Kruisstraat .... 127 F 8
Kumtich .... 132 I 9
Kuringen .... 128 J 9
Kuurne .... 130 D 9
Kwaadmechelen .... 128 J 8
Kwatrecht .... 127 F 9

L

Laakdal .... 128 I 8
Laarne .... 127 F 8
Lacuisine .... 136 J 12
Lahamaide .... 131 F 9
Lambermont .... 136 J 12
Lambermont
Liège .... 133 L 10
Lambusart .... 131 H 10
Lamorteau .... 136 K 13
Lampernisse .... 126 C 8
Lanaken .... 133 K 9
Lanaye
(=*Ternaaien*) .... 133 L 9
Landelies .... 131 H 10
Landen .... 132 J 9
Laneffe .... 135 H 11
Laneuville .... 136 K 12
Langdorp .... 128 I 9
Langemark-
Poelkapelle .... 130 C 9
Langlire .... 137 L 11
Lapscheure .... 126 E 8
Lasne .... 131 H 9
Lasne /
Laan *Rivière* .... 131 H 9
Latour .... 137 K 13
Lauw
(=*Lowaige*) .... 132 K 9
Lauwe .... 130 D 9
Lavacherie .... 136 K 11
Lavaux-
Ste. Anne .... 135 J 11
Lebbeke .... 127 G 9
Lede .... 127 F 9
Ledegem .... 130 D 9
Leefdaal .... 131 H 9
Leerbeek .... 131 G 9
Leernes .... 131 H 10
Leers-
et-Fosteau .... 134 G 11
Leers-Nord .... 130 D 9
Leest .... 127 H 8
Leffinge .... 126 C 8
Léglise .... 137 K 12
Leie / Lys .... 130 C 9
Leignon .... 135 J 11
Leisele .... 126 B 9
Leke .... 126 C 8
Lembeek .... 131 G 9
Lembeke .... 127 E 8
Lendelede .... 130 D 9
Lennik .... 131 G 9
Lens .... 131 F 10
Lens-
St. Servais .... 132 J 10
Leopold
Kanaal .... 109 E 8
Leopoldsburg .... 128 J 8

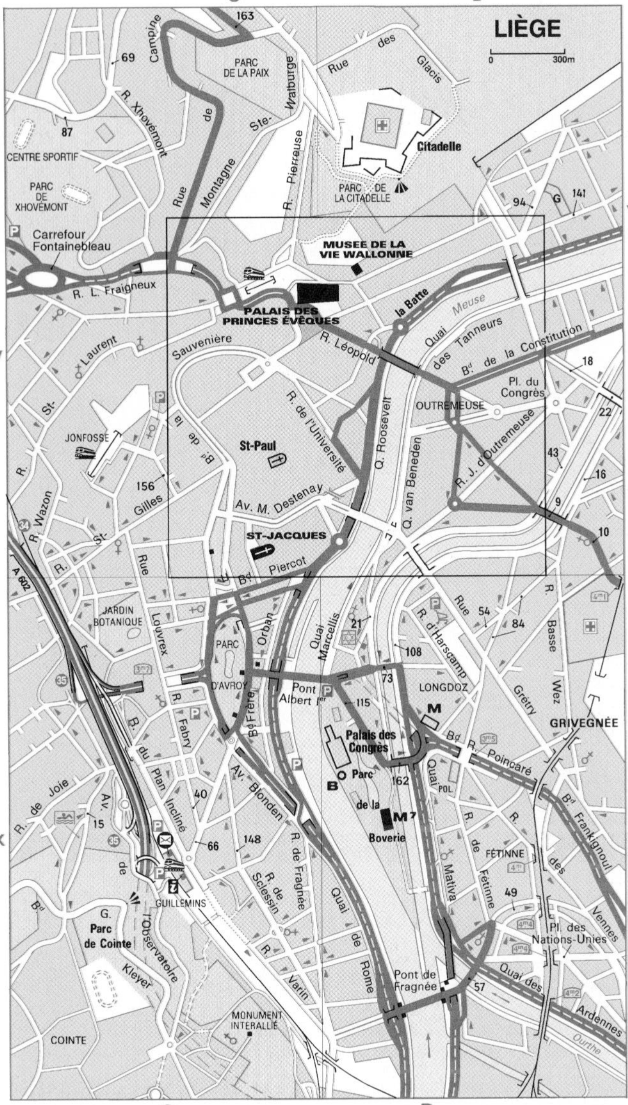
LIÈGE
0
300m
C
D
W
X
PARC DE LA PAIX
Citadelle
PARC DE LA CITADELLE
PARC DE XHOVEMONT
CENTRE SPORTIF
Carrefour Fontainebleau
MUSEE DE LA VIE WALLONNE
PALAIS DES PRINCES ÉVÊQUES
St-Paul
ST-JACQUES
JONFOSSE
JARDIN BOTANIQUE
PARC D'AVROY
OUTREMEUSE
LONGDOZ
GRIVEGNÉE
Palais des Congrès
Parc de la Boverie
FÉTINNE
Pl. des Nations-Unies
Pont de Fragnée
Parc de Cointe
GUILLEMINS
MONUMENT INTERALLIÉ
COINTE
La Batte
Sauvenière
Av. M. Destenay
Pierreuse
Rue Montagne de Ste-Walburge
Q. Roosevelt
Q. van Beneden
Quai des Tanneurs
Bd de la Constitution
Pl. du Congrès
Av. Blonden
R. de Fragnée
Quai de Rome
Quai des Ardennes
Ourthe
Meuse

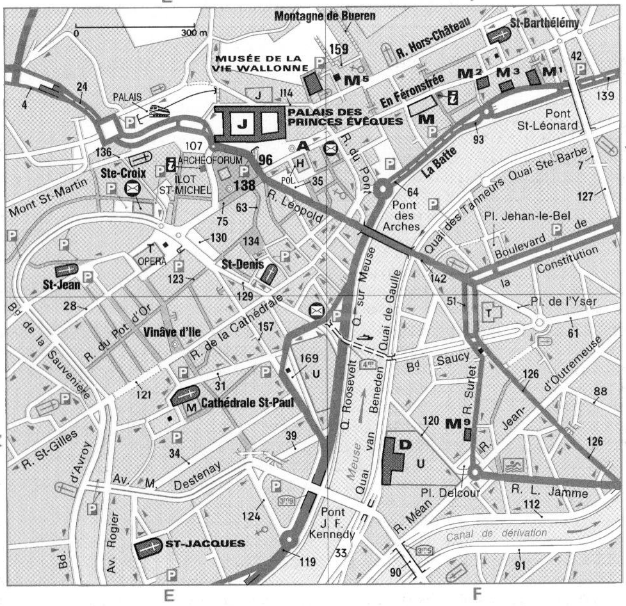
E
F
Y
Z
0
300 m
Montagne de Bueren
St-Barthélémy
MUSÉE DE LA VIE WALLONNE
R. Hors-Château
En Féronstrée
PALAIS DES PRINCES ÉVÊQUES
Pont St-Léonard
ARCHEOFORUM
Ste-Croix
ILOT ST-MICHEL
R. Léopold
La Batte
Quai des Tanneurs
Pont des Arches
Pl. Jehan-le-Bel
Boulevard de la Constitution
OPERA
St-Denis
St-Jean
Vinâve d'Ile
R. de la Cathédrale
Pl. de l'Yser
Cathédrale St-Paul
Pl. Delcour
R. L. Jamme
Canal de dérivation
Pont J. F. Kennedy
ST-JACQUES
Av. M. Destenay
Mont St-Martin
Meuse

Académie (R. de l') .... EY 4
Adolphe-Maréchal (R.) .... FY 7
Amercœur (Pont d') .... DW 9
Amercœur (R. d') .... DW 10
Bois-l'Evêque (R.) .... CX 15
Bonaparte (Quai) .... DW 16
Bonnes Villes (R. des) .... DW 18
Boverie (Quai de la) .... DX 21
Bressoux (Pont de) .... DW 22
Casquette (R. de la) .... EYZ 28
Cathédrale (R. de la) .... EZ
Charles-Magnette (R.) .... EZ 31
Churchill (Quai) .... FZ 33
Clarisses (R. des) .... EZ 34
Commissaire Maigret (Pl. du) .... EY 35
Croisiers (R. des) .... EZ 39
Dartois (R.) .... CX 40
Déportés (Pl. des) .... FY 42
Dérivation (Quai de la) .... DW 43
Emile-de-Laveleye (Bd.) .... DX 49
En Féronstrée .... FY
Est (Bd de l') .... FYZ 51
Fer (R. du) .... DX 54
Fétinne (Pont de) .... DX 57
Gérardrie (R.) .... EY 63
Goffe (Quai de la) .... FY 64
Guillemins (R. des) .... CX 66
Hauteurs (Bd des) .... CW 69
Huy (Pont de) .... DX 73
Joffre (R.) .... EY 75
Lairesse (R.) .... DX 84
Léon-Philippet (Bd) .... CW 87
Léopold (R.) .... EFY
Liberté (R. de la) .... FZ 88
Longdoz (Pont de) .... FZ 90
Longdoz (Quai de) .... FZ 91
Maastricht (Quai de) .... FY 93
Maghin (R.) .... DW 94
Marché (Pl. du) .... EY 96
Notger (Square) .... EY 107
Orban (Quai) .... DX 108
Ourthe (Quai de l') .... FZ 112
Palais (R. du) .... EY 114
Parc (R. du) .... DX 115
Paul van Hoegaerden (Quai) .... EZ 119
Pitteurs (R. des) .... FZ 120
Pont d'Avroy (R.) .... EZ 121
Pont d'Ile .... EY 123
Prémontrés (R. des) .... EZ 124
Puits en Sock (R.) .... FZ 126
Ransonnet (R.) .... FY 127
Régence (R. de la) .... EYZ 129
Rép. Française (Pl.) .... EY 130
Saint-Etienne (Place) .... EY 134
Saint-Gilles (R.) .... EZ
Saint-Hubert (R.) .... EY 136
Saint-Lambert (Pl.) .... EY 138
Saint-Léonard (Quai) .... FY 139
Saint-Léonard (R.) .... DW 141
Saint-Pholien (R. et Pl.) .... FY 142
Serbie (R. de) .... CX 148
Trappé (R.) .... CW 156
Université (R. de l') .... EZ 157
Ursulines (Imp. des) .... FY 159
Vennes (Pont des) .... DX 162
Victor-Hugo (Av.) .... CW 163
Vinâve d'Ile .... EZ
20-Août (Pl. du) .... EZ 169

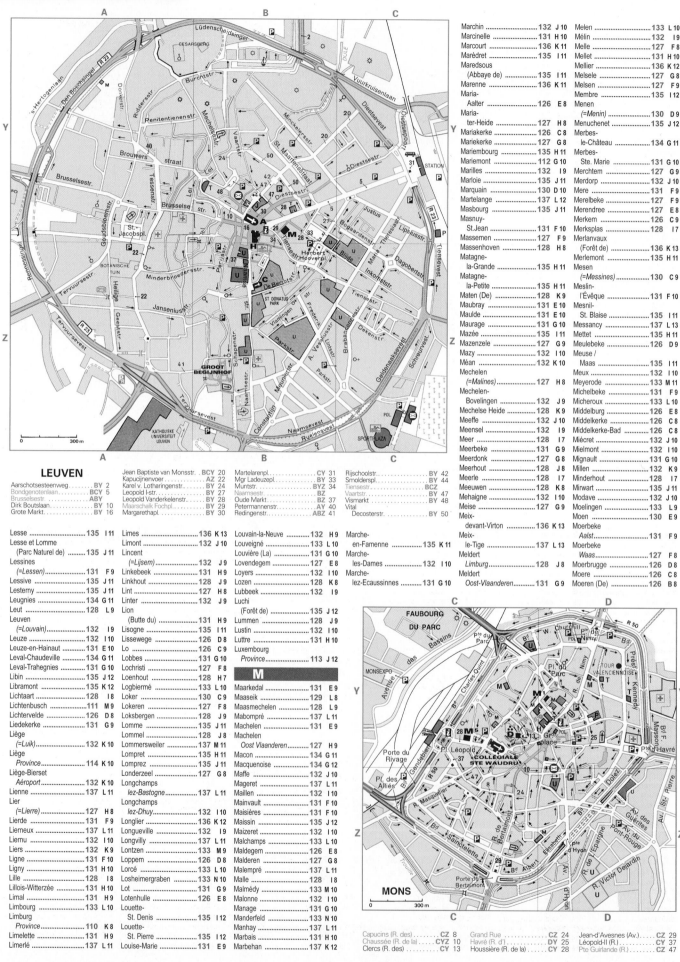

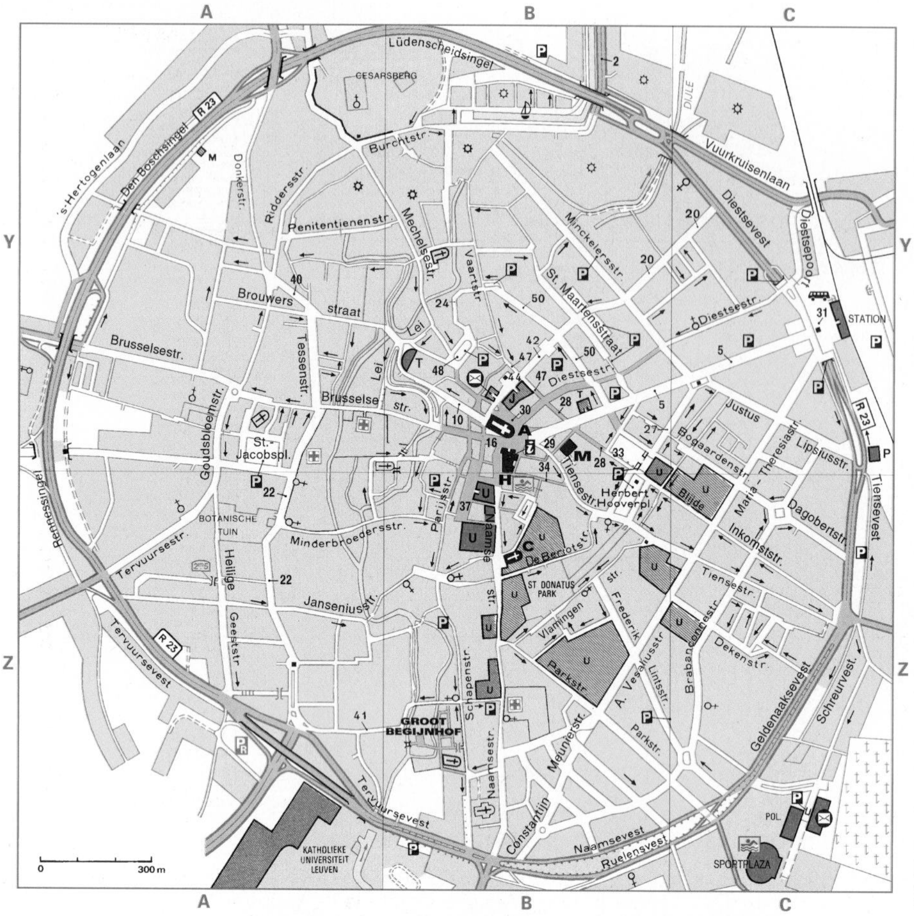

LEUVEN

Aarschotsesteenweg .... BY 2
Bondgenotenlaan .... BCY 5
Brusselsestr. .... ABY
Dirk Boutslaan .... BY 10
Grote Markt .... BY 16
Jean Baptiste van Monsstr. . BCY 20
Kapucijnenvoer .... AZ 22
Karel v. Lotharingenstr. .... BY 24
Leopold I-str. .... BY 27
Leopold Vanderkelenstr. ...... BY 28
Maarschalk Fochpl. .... BY 29
Margarethapl. .... BY 30
Martelarenpl. .... CY 31
Mgr Ladeuzepl. .... BY 33
Muntstr. .... BYZ 34
Naamsestr. .... BZ
Oude Markt .... BZ 37
Petermannenstr. .... AY 40
Redingenstr. .... ABZ 41
Rijschoolstr. .... BY 42
Smolderspl. .... BY 44
Tiensestr. .... BCZ
Vaartstr. .... BY 47
Vismarkt .... BY 48
Vital Decosterstr. .... BY 50

Lesse .... 135 I 11
Lesse et Lomme (Parc Naturel de) .... 135 J 11
Lessines (=Lessen) .... 131 F 9
Lessive .... 135 J 11
Lesterny .... 135 J 11
Leugnies .... 134 G 11
Leut .... 128 L 9
Leuven (=Louvain) .... 132 I 9
Leuze .... 132 I 10
Leuze-en-Hainaut .... 131 E 10
Leval-Chaudeville .... 134 G 11
Leval-Trahegnies .... 131 G 10
Libin .... 135 J 12
Libramont .... 135 K 12
Lichtaart .... 128 I 8
Lichtenbusch .... 111 M 9
Lichtervelde .... 126 D 8
Liedekerke .... 131 G 9
Liège (=Luik) .... 132 K 10
Liège *Province* .... 114 K 10
Liège-Bierset *Aéroport* .... 132 K 10
Lienne .... 137 L 11
Lier (=Lierre) .... 127 H 8
Lierde .... 131 F 9
Lierneux .... 137 L 11
Liernu .... 132 I 10
Liers .... 132 K 9
Ligne .... 131 F 10
Ligny .... 131 H 10
Lille .... 128 I 8
Lillois-Witterzée .... 131 H 10
Limal .... 131 H 9
Limbourg .... 133 L 10
Limburg *Province* .... 110 K 8
Limelette .... 131 H 9
Limerlé .... 137 L 11
Limes .... 136 K 13
Limont .... 132 J 10
Lincent (=Lijsem) .... 132 J 9
Linkebeek .... 131 H 9
Linkhout .... 128 J 9
Lint .... 127 H 8
Linter .... 132 J 9
Lion (Butte du) .... 131 H 9
Lisogne .... 135 I 11
Lissewege .... 126 D 8
Lo .... 126 C 9
Lobbes .... 131 G 10
Lochristi .... 127 F 8
Loenhout .... 128 H 7
Logbiermé .... 133 L 10
Loker .... 130 C 9
Lokeren .... 127 F 8
Loksbergen .... 128 J 9
Lomme .... 135 J 11
Lommel .... 128 J 8
Lommersweiler .... 137 M 11
Lompret .... 135 H 11
Lomprez .... 135 J 11
Londerzeel .... 127 G 8
Longchamps lez-Bastogne .... 137 L 11
Longchamps lez-Dhuy .... 132 I 10
Longlier .... 136 K 12
Longueville .... 132 I 9
Longvilly .... 137 L 11
Lontzen .... 133 M 9
Loppem .... 126 D 8
Lorcé .... 133 L 10
Losheimergraben .... 133 N 10
Lot .... 131 G 9
Lotenhulle .... 126 E 8
Louette-St. Denis .... 135 I 12
Louette-St. Pierre .... 135 I 12
Louise-Marie .... 131 E 9
Louvain-la-Neuve .... 132 H 9
Louveigné .... 133 L 10
Louvière (La) .... 131 G 10
Lovendegem .... 127 E 8
Loyers .... 132 I 10
Lozen .... 128 K 8
Lubbeek .... 132 I 9
Luchi (Forêt de) .... 135 J 12
Lummen .... 128 J 9
Lustin .... 132 I 10
Luttre .... 131 H 10
Luxembourg *Province* .... 113 J 12

M

Maarkedal .... 131 E 9
Maaseik .... 129 L 8
Maasmechelen .... 128 L 9
Mabompré .... 137 L 11
Machelen .... 131 E 9
Machelen *Oost Vlaanderen* .... 127 H 9
Macon .... 134 G 11
Macquenoise .... 134 G 12
Maffe .... 132 J 10
Mageret .... 137 L 11
Maillen .... 132 I 10
Mainvault .... 131 F 10
Maisières .... 131 F 10
Maissin .... 135 J 12
Maizeret .... 132 I 10
Malchamps .... 133 L 10
Maldegem .... 126 E 8
Malderen .... 127 G 8
Malempré .... 137 L 11
Malle .... 128 I 8
Malmédy .... 133 M 10
Malonne .... 132 I 10
Manage .... 131 G 10
Manderfeld .... 133 N 10
Manhay .... 137 L 11
Marbais .... 131 H 10
Marbehan .... 137 K 12
Marche-en-Famenne .... 135 K 11
Marche-les-Dames .... 132 I 10
Marche-lez-Ecaussinnes .... 131 G 10
Marchin .... 132 J 10
Marcinelle .... 131 H 10
Marcourt .... 136 K 11
Marèdret .... 135 I 11
Maredsous (Abbaye de) .... 135 I 11
Marenne .... 136 K 11
Maria-Aalter .... 126 E 8
Maria-ter-Heide .... 127 H 8
Mariakerke .... 126 C 8
Mariekerke .... 127 G 8
Mariembourg .... 135 H 11
Mariemont .... 112 G 10
Marilles .... 132 I 9
Marloie .... 135 J 11
Marquain .... 130 D 10
Martelange .... 137 L 12
Masbourg .... 135 J 11
Masnuy-St.Jean .... 131 F 10
Massemen .... 127 F 9
Massenhoven .... 128 H 8
Matagne-la-Grande .... 135 H 11
Matagne-la-Petite .... 135 H 11
Maten (De) .... 128 K 9
Maubray .... 131 E 10
Maulde .... 131 E 10
Maurage .... 131 G 10
Mazée .... 135 I 11
Mazenzele .... 127 G 9
Mazy .... 132 I 10
Méan .... 132 K 10
Mechelen (=Malines) .... 127 H 8
Mechelen-Bovelingen .... 132 J 9
Mechelse Heide .... 128 K 9
Meeffe .... 132 J 10
Meensel .... 132 I 9
Meer .... 128 I 7
Meerbeke .... 131 G 9
Meerdonk .... 127 G 8
Meerhout .... 128 J 8
Meerle .... 128 I 7
Meeuwen .... 128 K 8
Mehaigne .... 132 I 10
Meise .... 127 G 9
Meix-devant-Virton .... 136 K 13
Meix-le-Tige .... 137 L 13
Meldert *Limburg* .... 128 J 8
Meldert *Oost-Vlaanderen* .... 131 G 9
Melen .... 133 L 10
Mélin .... 132 I 9
Melle .... 127 F 8
Mellet .... 131 H 10
Mellier .... 136 K 12
Melsele .... 127 G 8
Melsen .... 127 F 9
Membre .... 135 I 12
Menen (=Menin) .... 130 D 9
Menuchenet .... 135 J 12
Merbes-le-Château .... 134 G 11
Merbes-Ste. Marie .... 131 G 10
Merchtem .... 127 G 9
Merdorp .... 132 J 10
Mere .... 131 F 9
Merelbeke .... 127 F 9
Merendree .... 127 E 8
Merkem .... 126 C 9
Merksplas .... 128 I 7
Merlanvaux (Forêt de) .... 136 K 13
Merlemont .... 135 H 11
Mesen (=Messines) .... 130 C 9
Meslin-l'Évêque .... 131 F 10
Mesnil-St. Blaise .... 135 I 11
Messancy .... 137 L 13
Mettet .... 135 H 11
Meulebeke .... 126 D 9
Meuse / Maas .... 135 I 11
Meux .... 132 I 10
Meyerode .... 133 M 11
Michelbeke .... 131 F 9
Micheroux .... 133 L 10
Middelburg .... 126 E 8
Middelkerke .... 126 C 8
Middelkerke-Bad .... 126 C 8
Miécret .... 132 J 10
Mielmont .... 132 I 10
Mignault .... 131 G 10
Millen .... 132 K 9
Minderhout .... 128 I 7
Mirwart .... 135 J 11
Modave .... 132 J 10
Moelingen .... 133 L 9
Moen .... 130 E 9
Moerbeke *Aalst* .... 131 F 9
Moerbeke *Waas* .... 127 F 8
Moerbrugge .... 126 D 8
Moere .... 126 C 8
Moeren (De) .... 126 B 8

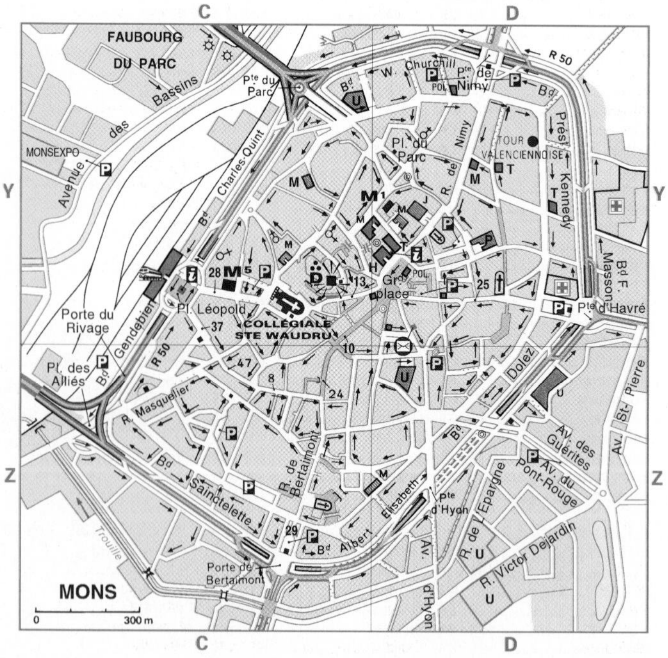

Capucins (R. des) .... CZ 8
Chaussée (R. de la) ..... CYZ 10
Clercs (R. des) .... CY 13
Grand Rue .... CZ 24
Havré (R. d') .... DY 25
Houssière (R. de la) ...... CY 28
Jean-d'Avesnes (Av.) ..... CZ 29
Léopold-II (R.) .... CY 37
Pte Guirlande (R.) .... CZ 47

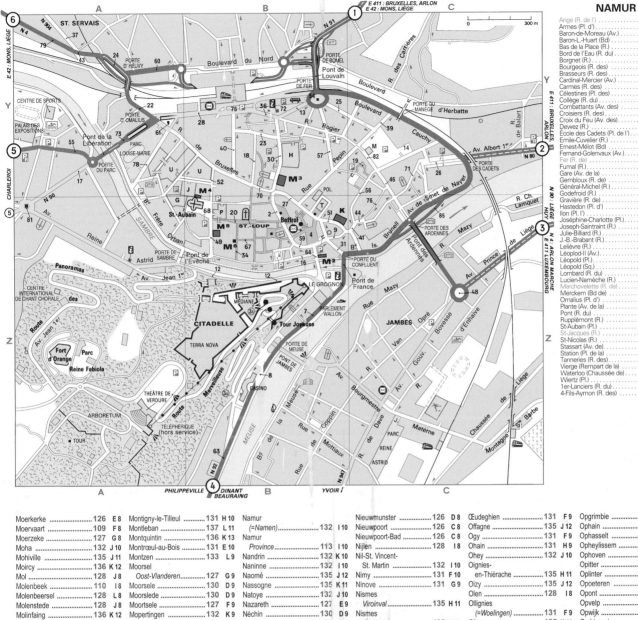

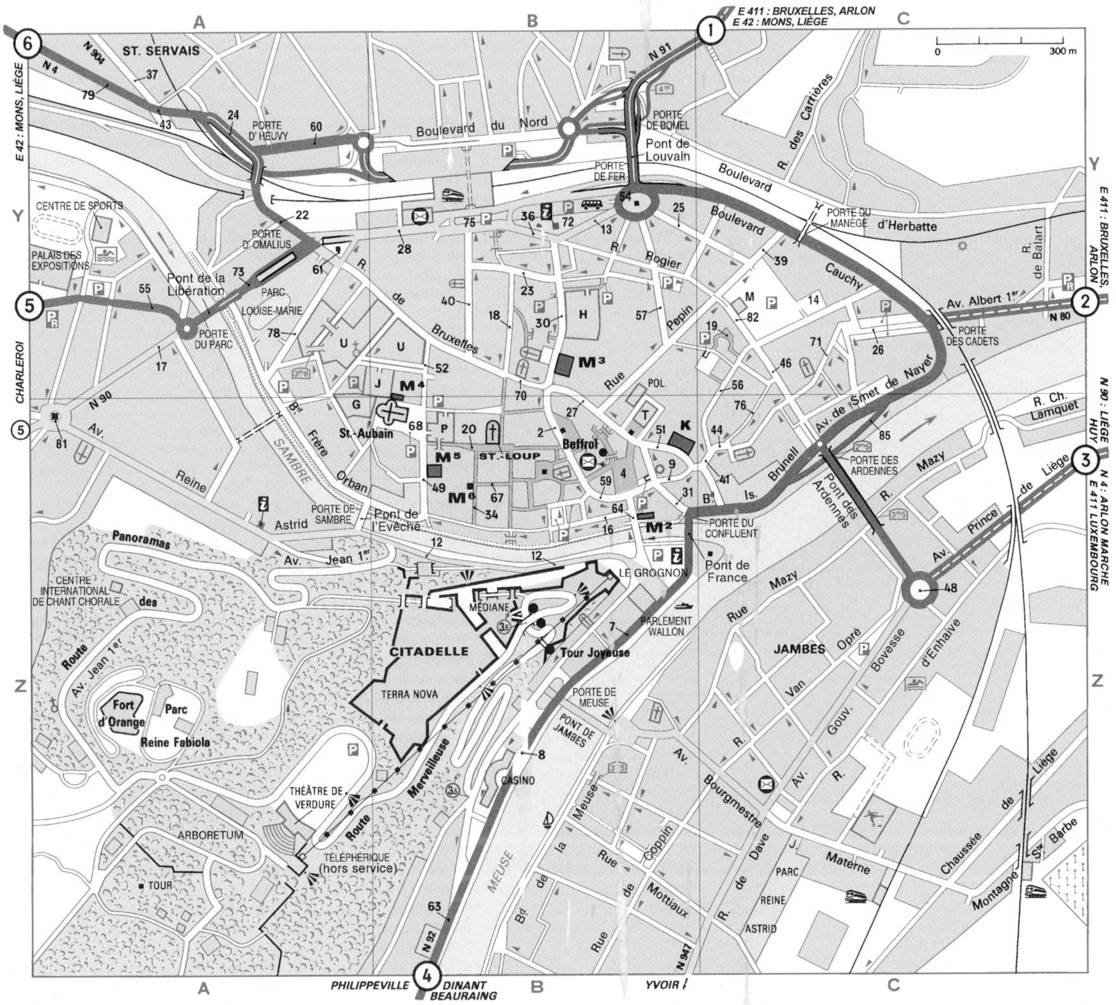
E 411 : BRUXELLES, ARLON
E 42 : MONS, LIÈGE
0
300 m
ST. SERVAIS
E 42 : MONS, LIÈGE
CHARLEROI
Boulevard du Nord
PORTE DE BOMEL
Pont de Louvain
PORTE DE FER
PORTE D'HEUVY
PORTE D'OMALIUS
CENTRE DE SPORTS
PALAIS DES EXPOSITIONS
Pont de la Libération
PARC LOUISE-MARIE
PORTE DU PARC
R. des Carrières
Boulevard
PORTE DU MANÈGE
d'Herbatte
Cauchy
Av. Albert 1er
PORTE DES CADETS
E 411 : BRUXELLES, ARLON
N 90 : LIÈGE HUY
N 4 : ARLON MARCHE
E 411 LUXEMBOURG
Rogier
Pepin
Rue
Bruxelles
Beffroi
ST.-LOUP
St.-Aubain
Av. de Smet de Nayer
R. Ch. Lamquet
PORTE DES ARDENNES
Pont des Ardennes
Mazy
Av. Prince de Liège
Reine
Astrid
PORTE DE SAMBRE
Pont de l'Evêché
Panoramas
Av. Jean 1er
CENTRE INTERNATIONAL DE CHANT CHORALE
LE GROGNON
Pont de France
PORTE DU CONFLUENT
MÉDIANE
CITADELLE
Tour Joyeuse
PARLEMENT WALLON
TERRA NOVA
PORTE DE MEUSE
PONT DE JAMBES
JAMBES
Fort d'Orange
Parc Reine Fabiola
Route Merveilleuse
CASINO
THÉÂTRE DE VERDURE
ARBORETUM
TÉLÉPHÉRIQUE (hors service)
TOUR
MEUSE
Rue de Dave
Av. Bourgmestre
J. Materne
Chaussée de Liège
Montagne Ste Barbe
PARC REINE ASTRID
PHILIPPEVILLE
DINANT
BEAURAING
YVOIR
A
B
C
Y
Z

NAMUR

Ange (R. de l') BZ 2
Armes (Pl. d') BZ 4
Baron-de-Moreau (Av.) BZ 8
Baron-L.-Huart (Bd) BZ 7
Bas de la Place (R.) BZ 9
Bord de l'Eau (R. du) BZ 12
Borgnet (R.) BY 13
Bourgeois (R. des) CY 14
Brasseurs (R. des) BZ 16
Cardinal-Mercier (Av.) AY 17
Carmes (R. des) BY 18
Célestines (Pl. des) CY 19
Collège (R. du) BZ 20
Combattants (Av. des) AY 22
Croisiers (R. des) BY 23
Croix du Feu (Av. des) AY 24
Dewez (R.) BCY 25
École des Cadets (Pl. de l') CY 26
Emile-Cuvelier (R.) BYZ 27
Ernest-Mélot (Bd) BY 28
Fernand-Golenvaux (Av.) BZ 31
Fer (R. de) BY 30
Fumal (R.) BZ 34
Gare (Av. de la) BY 36
Gembloux (R. de) AY 37
Général-Michel (R.) CY 39
Godefroid (R.) BY 40
Gravière (R. de) CZ 41
Hastedon (Pl. d') AY 43
Ilon (Pl. l') CZ 44
Joséphine-Charlotte (Pl.) CZ 48
Joseph-Saintraint (R.) BZ 49
Julie-Billiard (R.) BZ 51
J.-B.-Brabant (R.) CY 46
Lelièvre (R.) BY 52
Léoplod-II (Av.) AY 55
Léopold (Pl.) BY 54
Léopold (Sq.) BY 72
Lombard (R. du) CYZ 56
Lucien-Namèche (R.) BY 57
Marchovelette (R. de) BZ 59
Merckem (Bd de) AY 60
Omalius (Pl. d') AY 61
Plante (Av. de la) BZ 63
Pont (R. du) BZ 64
Rupplémont (R.) BZ 67
St-Aubain (Pl.) BZ 68
St-Jacques (R.) BY 70
St-Nicolas (R.) CY 71
Stassart (Av. de) AY 73
Station (Pl. de la) BY 75
Tanneries (R. des) CYZ 76
Vierge (Rempart de la) AY 78
Waterloo (Chaussée de) AY 79
Wiertz (Pl.) AZ 81
1er-Lanciers (R. du) CY 82
4-Fils-Aymon (R. des) CZ 85

Moerkerke 126 E 8
Moervaart 109 F 8
Moerzeke 127 G 8
Moha 132 J 10
Mohiville 135 J 11
Moircy 136 K 12
Mol 128 J 8
Molenbeek 110 I 8
Molenbeersel 128 L 8
Molenstede 128 J 8
Molinfaing 136 K 12
Mollem 131 G 9
Momalle 132 K 9
Mombeek 110 K 9
Momignies 134 G 11
Monceau-
en-Ardenne 135 I 12
Monceau-
Imbrechies 134 G 11
Mons
(=Bergen) 131 F 10
Mont
lez-Houffalize 137 L 11
Mont
sur-Meuse 132 I 10
Mont-
de-l'Enclus 131 E 9
Mont-
Gauthier 135 J 11
Mont-
St. Guibert 132 H 10
Mont-
Ste. Geneviève 131 G 10
Montaigle
(Château de) 135 I 11
Montauban 137 K 13
Montbliart 134 G 11
Montenaken 132 J 9
Montignies-
lez-Lens 131 F 10
Montignies-
St-Christophe 134 G 11
Montignies-
sur-Roc 131 F 10
Montigny-le-Tilleul 131 H 10
Montleban 137 L 11
Montquintin 136 K 13
Montrœul-au-Bois 131 E 10
Montzen 133 L 9
Moorsel
Oost-Vlanderen 127 G 9
Moorsele 130 D 9
Moorslede 130 D 9
Moortsele 127 F 9
Mopertingen 132 K 9
Moresnet 133 L 9
Morhet 137 K 12
Morialmé 135 H 11
Morkhoven 128 I 8
Morlanwelz 131 G 10
Mormont
près d'Erezée 133 K 11
Mormont
près d'Houffalize 137 L 11
Mortehan 135 J 12
Mortsel 127 H 8
Morville 135 I 11
Moulbaix 131 F 10
Mourcourt 130 E 10
Mouscron
(=Moeskroen) 130 D 9
Moustier 131 E 10
Moxhe 132 J 10
Munkzwalm 131 F 9
Muno 136 J 12
Muno
(Forêt de) 135 J 12
Munsterbilzen 132 K 9
Musson 137 L 13
Mussy-la-Ville 137 K 13
My 133 K 10

N

Naast 131 G 10
Nadrin 137 L 11
Nafraiture 135 I 12
Nalinnes 135 H 11
Namêche 132 I 10
Namur
(=Namen) 132 I 10
Namur
Province 113 I 10
Nandrin 132 K 10
Naninne 132 I 10
Naomé 135 J 12
Nassogne 135 K 11
Natoye 132 J 10
Nazareth 127 E 9
Néchin 130 D 9
Nederzwalm 131 F 9
Neerharen 133 L 9
Neerheylissem 132 I 9
Neerijse 132 H 9
Neerlinter 132 J 9
Neeroeteren 128 L 8
Neerpelt 128 K 8
Neerwinden 132 J 9
Neigem 131 G 9
Nete 127 H 8
Nethen 132 I 9
Neudort 133 M 9
Neufchâteau
Liège 133 L 9
Neufchâteau
Luxembourg 136 K 12
Neufchâteau
(Forêt de) 136 K 12
Neufmaison 131 F 10
Neufvilles 131 G 10
Neupré 132 K 10
Neuville 135 H 11
Neuville-
en-Condroz 132 K 10
Nevele 127 E 8
Niel 127 G 8
Nieuwenhove 131 F 9
Nieuwenrode 127 H 9
Nieuwerkerken 132 J 9
Nieuwkerke
(=Neuve-Église) 130 C 9
Nieuwkerken-Waas 127 G 8
Nieuwmoer 127 H 7
Nieuwmunster 126 D 8
Nieuwpoort 126 C 8
Nieuwpoort-Bad 126 C 8
Nijlen 128 I 8
Nil-St. Vincent-
St. Martin 132 I 10
Nimy 131 F 10
Ninove 131 G 9
Nismes
Viroinval 135 H 11
Nismes
(Forêt de) 135 H 11
Nisramont 137 K 11
Nivelles
(=Nijvel) 131 H 10
Nobressart 137 L 12
Noduwez 132 I 9
Noirefontaine 135 J 12
Noiseux 135 K 11
Nokere 131 E 9
Nollevaux 135 J 12
Noncèveux 133 L 10
Noorderwijk 128 I 8
Nossegem 131 H 9
Notre-Dame
de Scourmont 135 H 12
Noville
Liège 132 K 10
Noville
Luxembourg 137 L 11
Noville-les-Bois 132 I 10
Nukerke 131 E 9
Ny 136 K 11

O

Obourg 131 G 10
Ochamps 135 J 12
Ocquier 132 K 10
Odeigne 137 L 11
Oedelem 126 E 8
Oekene 130 D 9
Oelegem 127 H 8
Oeselgem 130 E 9
Oetingen 131 G 9
Œudeghien 131 F 9
Offagne 135 J 12
Ogy 131 F 9
Ohain 131 H 9
Ohey 132 J 10
Oignies-
en-Thiérache 135 H 11
Oizy 135 J 12
Olen 128 I 8
Ollignies
(=Woelingen) 131 F 9
Olloy 135 H 11
Olmen 128 J 8
Olne 133 L 10
Olsene 130 E 9
Ombret-Rawsa 132 K 10
Ommer Wald 114 M 11
Onhaye 135 I 11
Onkerzele 131 F 9
O.L.V. Lombeek 131 G 9
O.L.V. Olen 128 I 8
Ooidonk 127 E 8
Ooigem 130 E 9
Oombergen 131 F 9
Oordegem 127 F 9
Oost-Vlaanderen
Provincie 109 E 8
Oostakker 127 F 8
Oostduinkerke 126 C 8
Oostduinkerke-Bad 126 C 8
Oosteeklo 127 F 8
Oostende
(=Ostende) 126 C 8
Oosterlo 128 I 8
Oosterzele 127 F 9
Oostham 128 J 8
Oostkamp 126 D 8
Oostkerke 126 D 8
Oostmalle 128 I 8
Oostnieuwkerke 130 D 9
Oostrozebeke 130 E 9
Oostvleteren 130 C 9
Oostwinkel 127 E 8
Opglabbeek 128 K 8
Opgrimbie 128 L 9
Ophain 131 H 9
Ophasselt 131 F 9
Opheylissem 132 I 9
Ophoven 129 L 8
Opitter 128 K 8
Oplinter 132 I 9
Opoeteren 128 K 8
Opont 135 J 12
Opvelp 132 I 9
Opwijk 127 G 9
Orchimont 135 I 12
Oret 135 H 11
Oreye
(=Oerle) 132 K 9
Orgeo 135 J 12
Orp-Jauche 132 I 9
Orp-le-Grand 132 I 9
Orroir 131 E 9
Orsmaal-
Gussenhoven 132 J 9
Ortheuville 136 K 11
Ortho 137 K 11
Orval
(Abbaye d') 136 K 13
Orval
(Forêt d') 136 K 12
Ossogne 132 J 10
Ostiches 131 F 9
Oteppe 132 J 10
Othée
(=Elch) 132 K 9
Ottenburg 132 H 9
Ottignies 131 H 9
Oud-Heverlee 132 H 9
Oud-Turnhout 128 I 8
Oudegem 127 G 8
Oudekapelle 126 C 8
Oudenaarde
(=Audenarde) 131 E 9
Oudenburg 126 D 8
Oudler 137 M 11
Ouffet 132 K 10
Oupeye 133 K 9

OOSTENDE

Adolf Buylstr. CY 2
Alfons Pieterslaan CZ
Edith Cavellstr. CZ 4
Ernest Feyspl. CZ 6
Filip Van Maestrichtpl. CZ 8
Graaf de Smet de Naeyerlaan CZ 9
Groentemarkt CY 10
Hendrik Serruyslaan CZ 13
Kanunnik Dr Louis Colensstr. CZ 14
Kapellestr. CZ
Koninginnelaan CZ 18
Nieuwpoortsesteenweg CZ 22
Oesterbankstr. CZ 24
Sir Winston Churchill Kaai CY 27
Stockholmstr. CZ 28
Vlaanderenstr. CY 30
Wapenpl. CY 32
Warschaustr. CZ 33
Wellingtonstr. CZ 35
Wittenonnenstr. CZ 36

RAMSGATE
C
Y
Z
0
300 m
NOORDZEE
HAVENGEUL
Weststaketsel
Promenade
Albert I-
Casino-Kursaal
Badplaats
Noordzeeaquarium
Visserskaai
Visserspl.
Kaaistraat
Amandine
Mercator
Leopold I-Pl
LEOPOLD PARK
Janssenslaan
Beernaertstr.
Vindictive
Euphrosina
Pieterslaan
ADMINISTRATIEF CENTRUM
Lijndraaiers
Petit Paris
Verenigde Natieslaan

Our 113 J 12
Ouren 137 M 11
Ourt 136 K 12
Ourthe 137 K 11
Ourthe
Occidentale 137 K 12
Ourthe
Orientale 137 L 11
Outgaarden 132 I 9
Ouwegem 131 E 9
Overboelare 131 F 9
Overijse 131 H 9
Overmere 127 F 8
Overpelt 128 K 8
Overrepen 132 K 9

P

Paal
Limburg 128 J 8
Paal
Oost-Vlaanderen 127 G 8
Pailhe 132 J 10
Paliseul 135 J 12
Panne (De) 126 B 8
Papignies
Papegem 131 F 9
Paradis
(Défilé du) 136 J 12
Parike 131 F 9
Passendale 130 D 9
Pâturages 131 F 10
Pays (Bois du) 137 K 11
Pecq 130 E 9
Peer 128 K 8
Peissant 131 G 10
Pepingen 131 G 9
Pepinster 133 L 10
Péronnes 131 G 10
Péruwelz 131 E 10
Pervijze 126 C 8
Perwez
en-Condroz 132 J 10
Perwez
en-Hesbaye 132 I 10
Pesche 135 H 11
Pessoux 135 J 11
Petegem 131 E 9
Petegem-
aan-de-Leie 127 E 9
Petigny 135 H 11
Petit Rechain 133 L 10
Petit-Rœulx-
lez-Braine 131 G 10
Petit-Rœulx-
lez-Nivelles 131 G 10
Petit-Thier 137 L 11
Petite Chapelle 135 H 12
Petite Dendre 131 E 10
Petithan 132 K 10
Philippeville 135 H 11
Piéton 131 G 10
Pilarde 134 G 11
Pin 136 K 12
Pinte (De) 127 E 9
Pipaix 131 E 10
Pittem 126 D 9
Plainevaux 132 K 10
Plancenoit 131 H 10
Plein Fayi 133 L 10
Ploegsteert 130 C 9
Plombières 133 L 9
Poederlee 128 I 8
Poelkapelle 130 C 9
Poilvache
(Château de) 135 I 11
Poix-St-Hubert 135 J 11
Polleur 133 L 10
Pollinkhove 126 C 9
Pommerœul 131 F 10
Pondrôme 135 J 11
Pont de Bonne 132 J 10
Pont-à-Celles 131 H 10
Pont-de-Loup 131 H 10
Poperinge 130 C 9
Poppel 128 J 7
Porcheresse
en Ardenne 135 J 12
Porcheresse
en Condroz 132 J 10
Postel (Abdij) 128 J 8
Pottes 130 E 9
Poulseur 133 K 10
Poupehan 135 J 12
Pousset 132 J 9
Prayon 133 L 10
Presgaux 135 H 11
Presles 131 H 10
Profondeville 132 I 10
Prosper 127 G 8
Proven 130 B 9
Pulle 128 I 8
Purnode 135 I 11
Pussemange 135 I 12
Putkapel 132 I 9
Putte
bij Mechelen 128 H 8
Putte
bij Stabroek 127 H 7
Putte (Ten) 126 C 8
Puurs 127 G 8

Q

Quaregnon 131 F 10
Quartes 131 E 10
Quatre Bras (Les) 131 H 10
4 Chemins (Les) 113 J 12
Quenast 131 G 9
Quevaucamps 131 F 10
Quévy 131 G 10
Quévy-le-Grand 131 F 10
Quiévrain 131 F 10

R

Rachecourt 137 L 13
Raeren 133 M 9
Raerenerwald 114 M 10
Ragnies 134 G 11
Rahier 133 L 10
Ramegnies-Chin 130 E 10
Ramillies 132 I 10
Ramsel 128 I 8
Ramskapelle 126 C 8
Rance 134 G 11
Rance (Forêt de) 112 G 11
Ransberg 132 J 9
Ranst 127 H 8
Rauw 128 J 8
Ravels 128 I 7
Rebecq 131 G 10
Recht 133 M 10
Recogne 135 K 12
Redu 135 J 11
Reet 127 H 8
Regniessart 135 H 11
Reid (La) 133 L 10
Reinhardstein 133 M 10
Rekem 128 L 9
Rekkem 130 D 9
Remagne 136 K 12
Remersdaal 133 L 9
Remicourt 132 J 9
Rendeux 136 K 11
Reninge 126 C 9
Reningelst 130 C 9
Renlies 134 G 11
Ressaix 131 G 10
Resteigne 135 J 11
Retie 128 J 8
Rettigny 137 L 11
Rhisnes 132 I 10
Riemst 133 K 9
Rienne 135 I 12
Rièzes 135 H 12
Rijkevorsel 128 I 7
Rijkhoven 132 K 9
Rijmenam 127 H 8
Rillaar 128 I 9
Rivière 132 I 10
Rixensart 131 H 9
Robechies 134 G 11
Robelmont 136 K 13
Robertville 133 M 10
Roche-en-Ardenne (La) 137 K 11
Rochefort 135 J 11
Rochefort (Grotte de) 135 J 11
Rochehaut 135 J 12
Rocherath 133 M 10
Rocherather Wald 114 M 10
Rocourt 132 K 9
Rodt 137 M 11
Roesbrugge-Haringe 130 B 9
Roeselare
(=Roulers) 130 D 9
Rœulx (Le) 131 G 10
Rogery 137 L 11
Roisin 134 F 10
Roksem 126 D 8
Rollegem-Kapelle 130 D 9
Roly 135 H 11
Romedenne 135 I 11
Romerée 135 I 11
Ronchamp 136 K 11
Rongy 130 E 10
Ronquières 131 G 10
Ronse *(=Renaix)* 131 E 9
Roosdaal 131 G 9
Rosée 135 I 11
Rosières 131 H 9
Rosoux-Crenwick 132 J 9
Rosseignies 131 G 10
Rossignol 136 K 12
Rotem 128 L 8
Rotheux-Rimière 132 K 10
Rotselaar 128 I 9
Rouveroy 131 G 10
Rouvroy 136 K 13
Roy 136 K 11
Ruddervoorde 126 D 8
Ruette 137 K 13
Ruisbroek 127 G 9
Ruisbroek 131 G 8
Ruiselede 126 E 8
Rulles 137 K 12
Rulles (Forêt de) 114 K 12
Rulles (Rivière) 114 L 12
Rumbeke 130 D 9
Rumes 130 D 10
Rumillies 130 E 10
Rummen 132 J 9
Rumst 127 H 8
Rupel 127 H 8
Rupelmonde 127 G 8
Rutten *(=Russon)* 132 K 9

S

St. Aubert (Mont) 112 E 10
St. Aubin 135 H 11
St. Denis
Namur 132 I 10
St. Georges-
sur-Meuse 132 K 10
St. Gérard 132 I 10
St. Ghislain 131 F 10
St. Hubert 135 K 11
St. Léger 137 K 13
St. Marc 132 I 10
St. Mard 137 K 13
St. Maur 130 E 10
St. Médard 135 K 12
St. Remacle (Bois de) 113 J 11
St. Sauveur 131 E 9
St. Séverin 132 K 10
St. Symphorien 131 G 10
St. Vincent 136 K 12
Ste. Cécile 136 J 12
Ste. Marie 137 K 12
Ste. Marie-Chevigny 136 K 12
Ste. Ode 136 K 11
Saintes
(=St.-Renelde) 131 G 9
Saive 133 L 10
Salles 134 G 11
Salm 133 L 10
Salmchâteau 137 L 11
Sambreville 132 H 10
Samrée 137 K 11
Samson 113 J 10
Sankt Vith 137 M 11
Sars-la-Bruyère 131 F 10
Sart
près de Lierneux 133 L 11
Sart
près de Spa 133 L 10
Sart-Bernard 132 I 10
Sart-Custinne 135 I 11
Sart-Dames-Avelines 131 H 10
Sart-Eustache 132 H 10
Sart-Risbart 132 I 9
Sart-St. Laurent 132 I 10
Sautin 134 G 11
Sautour 135 H 11
Schaltin 132 J 10
Scheldewindeke 131 F 9
Schelle 127 G 8
Schellebelle 127 F 8
Schendelbeke 131 F 9
Schepdaal 131 G 9
Scherpenheuvel
(=Montaigu) 128 I 9
Schilde 127 H 8
Schoenberg 137 M 11
Schoonaarde 127 G 8
Schorisse 131 F 9
Schoten 127 H 8
Schriek 128 I 8
Schuiferskapelle 126 E 8
Schulen 128 J 9
Sclayn 132 J 10
Scy 135 J 11
Seilles 132 J 10
Selange 137 L 13
Seloignes 134 G 11
Semois 135 K 13
Seneffe 131 G 10
Sensenruth 135 J 12
Seny 132 K 10
Senzeille 135 H 11
Seraing 132 K 10
Seraing-
le-Château 132 J 10
Serinchamps 135 J 11
Serskamp 127 F 9
Sevri (Bois de) 113 I 11
Sibret 137 K 12
Sijsele 126 D 8
Silenrieux 135 H 11
Silly 131 F 10
Sinaai 127 G 8
Sinsin 135 J 11
St.-Agatha-Rode 132 H 9
St.-Amands 127 G 8
St.-Andries 126 D 8
St.-Antelinks 131 F 9
St.-Denijs 130 E 9
St.-Denijs-Boekel 131 F 9
St.-Denijs-Westrem 127 E 8
St.-Eloois-Vijve 130 E 9
St.-Eloois-Winkel 130 D 9
St.-Genesius-Rode
(=Rhode St. Genèse) 131 H 9
St.-Gillis
bij Dendermonde 127 G 8
St.-Gillis-Waas 127 G 8
St.-Huibrechts-Lille 128 K 8
St.-Idesbald 108 B 8
St.-Jan-in-Eremo 127 E 8
St.-Job-in-'t-Goor 127 H 8
St.-Joris 126 E 8
St.-Joris-Weert 132 H 9
St.-Joris-Winge 132 I 9
St.-Katelijne-Waver 127 H 8
St.-Katherina
-Lombeek 131 G 9
St.-Kruis 126 D 8
St.-Kwintens-Lennik 131 G 9
St.-Lambrechts-Herk 132 J 9
St.-Laureins 127 E 8
St.-Lenaarts 128 I 7
St.-Lievens-Esse 131 F 9
St.-Lievens-Houtem 131 F 9
St.-Margriete 127 E 8
St.-Maria-Horebeke 131 F 9
St.-Maria-Lierde 131 F 9
St.-Maria-Oudenhove 131 F 9
St.-Martens-Latem 127 E 8
St.-Martens-Lennik 131 G 9
St.-Martens-Lierde 131 F 9
St.-Martens-Voeren
(=Fouron-St. Martin) 133 L 9
St.-Michiels 126 D 8
St.-Niklaas
(=St. Nicolas) 127 G 8
St.-Pauwels 127 G 8
St.-Pieters-Kapelle
aan-den-Ijzer 126 C 8
St.-Pieters-Kapelle
bij-Edingen 131 F 9
St.-Pieters-Leeuw 131 G 9
St.-Truiden
(=St. Trond) 132 J 9
Sirault 131 F 10
Sivry 137 G 11
6 Ourthes
(Belvédère des) 137 K 11
Sledderlo 128 K 9
Sleidinge 127 F 8
Slijpe 126 C 8
Sluis 128 J 8
Smeermaas 133 L 9
Smuid 135 J 11
Snaaskerke 126 C 8
Snellegem 126 D 8
Soheit-Tinlot 132 K 10
Soignes (Forêt de) /
Zoniënwoud 109 H 9
Soignies
(=Zinnik) 131 G 10
Soiron 133 L 10
Solre-St. Géry 134 G 11
Solre-sur-Sambre 134 G 11
Solwaster 133 L 10
Sombreffe 132 H 10
Somme-Leuze 132 K 10
Sommethonne 136 K 13
Sommière 135 I 11
Somzée 135 H 11
Sorée 132 J 10
Sorinne-la-Longue 132 J 10
Sorinnes 135 I 11
Sosoye 135 I 11
Sougné-
Remouchamps 133 L 10
Soumagne 133 L 10
Soumoy 135 H 11
Sovet 135 J 11
Soy 136 K 11
Spa 133 L 10
Spa-Francorchamps
Circuit de 133 L 10
Spiennes 131 F 10
Spiere
(=Espierres) 130 E 9
Spontin 135 J 11
Spouwen 132 K 9
Sprimont 133 L 10
Spy 132 I 10
Stabroek 127 H 8
Staden 126 D 9
Stalhille 126 D 8
Stambruges 131 F 10
Stave 135 H 11
Stavele 130 C 9
Stavelot 133 L 10
Steendorp 127 G 8
Steenhuffel 127 G 9
Steenkerque 131 G 10
Steenokkerzeel 131 H 9
Steinebrück 137 M 11
Stekene 127 G 8
Stembert 133 L 10
Ster 133 L 10
Sterrebeek 131 H 9
Stevoort 132 J 9
Stokkem 128 L 8
Stoumont 133 L 10
Straimont 136 K 12

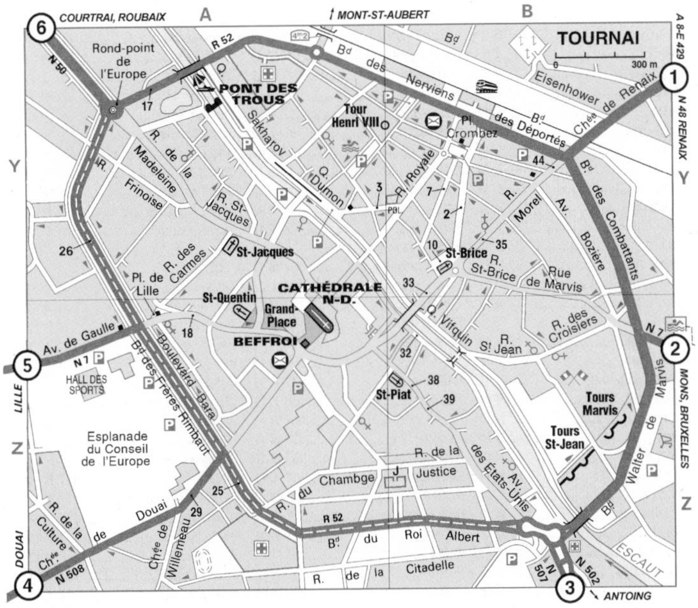
TOURNAI
COURTRAI, ROUBAIX
MONT-ST-AUBERT
A 8-E 429
N 48 RENAIX
MONS, BRUXELLES
ANTOING
DOUAI
LILLE
Rond-point de l'Europe
PONT DES TROUS
Tour Henri VIII
CATHÉDRALE N.-D.
BEFFROI
St-Jacques
St-Quentin
St-Brice
St-Piat
Grand-Place
Tours Marvis
Tours St-Jean
HALL DES SPORTS
Esplanade du Conseil de l'Europe
ESCAUT

Athénée (R. de l') BY 2
Becquerelle (R. du) AY 3
Childeric (R.) BY 7
Clovis (Pl.) BY 10
Delwart (Bd) AY 17
Dorez (R.) AZ 18
Lalaing (Bd) AZ 25
Léopold (Bd) AY 26
Montgomery (Av.) AZ 29
Poissonsceaux
(Quai des) BZ 32
Pont (R. de) BYZ 33
Quesnoy (R. du) BY 35
Royale (R.) BY
Sainte-Catherine
(R.) BZ 39
Saint-Piat (R.) BZ 38
Volontaires (R. des) BY 44

Strée *en Condroz* 132 J 10
Strée *sous Thuin* 135 G 11
Strépy-
Bracquegnies 131 G 10
Strombeek-Bever 131 H 9
Suarlée 132 I 10
Sugny 135 I 12
Sûre 137 K 12
Surice 135 I 11
Suxy 136 K 12
Sy 114 K 10

T

Tailles 137 L 11
Taintignies 130 E 10
Tamines 132 H 10
Tarcienne 135 H 11
Tavier 132 K 10
Taviers 132 I 10
Tavigny 137 L 11
Tellin 135 J 11
Templeuve 130 D 10
Temse
(*=Tamise*) 127 G 8
Ten Aard 128 I 8
Tenneville 136 K 11
Ternat 131 G 9
Tertre 131 F 10
Tervuren 131 H 9
Terwagne 132 K 10
Tessenderlo 128 J 8
Teuven 133 L 9
Theux 133 L 10
Thieu 131 G 10
Thieusies 131 G 10
Thiméon 131 H 10
Thimister-Clermont 133 L 10
Thirimont 134 G 11
Thisnes 132 J 9
Thommen 137 M 11
Thon 132 J 10
Thorembais-
St. Trond 132 I 10
Thoricourt 131 F 10
Thuillies 135 H 11
Thuin 134 G 10
Thulin 131 F 10
Thy-le-Château 135 H 11
Tiège 133 L 10
Tiegem 130 E 9
Tielen 128 I 8
Tielrode 127 G 8
Tielt *Brabant* 110 I 9
Tielt
West-Vlaanderen 126 E 8
Tielt-Winge 128 I 9
Tienen
(*=Tirlemont*) 132 I 9
Tihange 132 J 10
Tildonk 128 H 9
Tilff 133 K 10
Tillet 136 K 11
Tillier 132 I 10
Tilly 131 H 10
Tinlot 132 K 10
Tintange 137 L 12
Tintigny 136 K 12
Tisselt 127 H 8
Tohogne 132 K 10
Tollembeek 131 G 9
Tombeau du Géant 135 J 12
Tombeek 131 H 9
Tongeren
(*=Tongres*) 132 K 9
Tongerlo 128 I 8
Tongre-Notre-Dame 131 F 10
Tongrinne 132 H 10
Tontelange 137 L 12
Torgny 136 K 13
Torhout 126 D 8
Tourinnes-
St. Lambert 132 I 10
Tournai
(*=Doornik*) 130 E 10
Tournay 136 K 12
Tourpes 131 E 10
Transinne 135 J 12
Trazegnies 131 H 10
Treignes 135 H 11
Tremelo 128 I 9
Trimbleu (Le) 133 L 9
Trognée 132 J 9
Trois-Ponts 133 L 10
Trooz 133 L 10
Tubize (*=Tubeke*) 131 G 9
Turnhout 128 I 8

U

Uccle / Ukkel 131 H 9
Udange 137 L 13
Uitbergen 127 F 8
Ulbeek 132 J 9
Ursel 127 E 8

V

Vance 137 K 12
Varsenare 126 D 8
Vaucelles 135 I 11
Vaulx 130 E 10
Vaux-Chavanne 137 L 11
Vaux-et-Borset 132 J 10
Vaux-sur-Rosières 137 K 12
Vaux-sur-Sûre 137 K 12
Veerle 128 I 8
Velaine 132 H 10
Velaines 131 E 9
Veldegem 126 D 8
Veldwezelt 133 K 9
Vellereille-les-Brayeux 131 G 10
Velm 132 J 9
Veltem-Beisem 132 H 9
Vencimont 135 I 11
Vergnies 135 G 11
Verlaine 132 J 10
Verlée 132 J 10
Verrebroek 127 G 8
Verviers 133 L 10
Vesdre 133 M 10
Vesdre
(Barrage de la) 133 M 10
Vesqueville 136 K 11
Veurne
(*=Furnes*) 126 C 8
Vêves 135 I 11
Vezin 132 J 10
Vezon 131 E 10
Viane 131 F 9
Vichte 130 E 9
Vielsalm 137 L 11
Viemme 132 J 10
Vierre 113 K 12
Vierset-Barse 132 J 10
Vierves-sur-Viroin 135 H 11
Viesville 131 H 10
Vieux-Waleffe 132 J 10
Vieux-Genappe 131 H 10
Vieuxville 132 K 10
Villance 135 J 12
Ville-sur-Haine 131 G 10
Villers-Deux-Églises 135 H 11
Villers-devant-Orval 136 J 13
Villers-en-Fagne 135 H 11
Villers-la-Bonne-Eau 137 L 12
Villers-la-Loue 136 K 13
Villers-la-Ville 131 H 10
Villers-le-Bouillet 132 J 10
Villers-le-Gambon 135 H 11
Villers-le-Temple 132 K 10
Villers-Perwin 131 H 10
Villers-St. Amand 131 F 10
Villers-St. Ghislain 131 G 10
Villers-sur-Lesse 135 J 11
Villers-sur-Semois 137 K 12
Villers-l'Évêque 132 K 9
Vilvoorde
(*=Vilvorde*) 131 H 9
Vinalmont 132 J 10
Vinkt 127 E 8
Virelles 135 G 11
Virelles (Étang de) 135 H 11
Virginal-Samme 131 G 10
Viroin 113 I 11
Viroinval 135 H 11
Virton 137 K 13
Visé
(*=Wezet*) 133 L 9
Vitrival 132 H 10
Vivy 135 J 12
Vlaams-Brabant
Provincie 109 G 9
Vladslo 126 C 8
Vlamertinge 130 C 9
Vlasmeer 128 K 8
Vlessart 137 K 12
Vleteren 130 C 9
Vlezenbeek 131 G 9
Vliermaal 132 K 9
Vliermaalroot 132 K 9
Vlierzele 131 F 9
Vlijtingen 132 K 9
Vlimmeren 128 I 8
Vlissegem 126 D 8
Vodecée 135 H 11
Vodelée 135 I 11
Voer 109 H 9
Voeren
(*=Fourons*) 133 L 9
Vollezele 131 G 9
Vonêche 135 I 11
Voorde 131 F 9
Voorheide 128 J 7
Vorselaar 128 I 8
Vorst 128 J 8
Vosselaar 128 I 8
Vrasene 127 G 8
Vreren 132 K 9
Vresse-sur-Semois 135 I 12
Vroenhoven 133 K 9
Vyle-et-Tharoul 132 J 10

W

Waanrode 132 J 9
Waardamme 126 D 8
Waarloos 127 H 8
Waarmaarde 131 E 9
Waarschoot 127 E 8
Waasmunster 127 G 8
Wachtebeke 127 F 8
Waha 135 K 11
Wahlerscheid 114 M 10
Waillet 135 J 11
Waimes 133 M 10
Wakken 130 E 9
Walcourt 135 H 11
Walhain 132 I 10
Walhorn 133 M 9
Walshoutem
(*=Houtain-l'Évêque*) 132 J 9
Walzin 135 I 11
Wandre 133 L 10
Wanfercée-Baulet 131 H 10
Wanlin 135 J 11
Wanne 133 L 10
Wannegem-Lede 131 E 9
Wanze 132 J 10
Waransart (Bois de) 135 K 12
Warche 114 M 10
Warcoing 130 E 9
Wardin 137 L 12
Waregem 130 E 9
Waremme
(*=Borgworm*) 132 J 9
Warnant 132 J 10
Warneton
(*=Waasten*) 130 C 9
Warsage
(*=Weerst*) 133 L 9
Warzée 132 K 10
Wasmes 131 F 10
Wasseiges 132 J 10
Waterland Oudeman 127 E 8
Waterloo 131 H 9
Waterschei 128 K 8
Watervliet 127 E 8
Watou 130 B 9
Wattripont 131 E 9
Waulsort 135 I 11
Wavre (*=Waver*) 132 H 9
Waveille 135 J 11
Wechelderzande 128 I 8
Weelde 128 I 7
Weelde Station 128 I 7
Weerde 127 H 9
Weert 127 G 8
Weillen 135 I 11
Welkenraedt 133 L 10
Wellen 132 K 9
Wellin 135 J 11
Wemmel 131 G 9
Wenduine 126 D 8
Wépion 132 I 10
Werbomont 133 L 10
Werchter 128 I 9
Wéris 132 K 11
Werken 126 C 8
Wervik 130 D 9
Wespelaar 128 H 9
West-Vlaanderen
Provincie 108 C 8
Westende 126 C 8
Westende-Bad 126 C 8
Westerlo 128 I 8
Westkapelle 126 D 8
Westkerke 126 D 8
Westvleteren 130 C 9
Westmalle 128 I 8
Westmeerbeek 128 I 8
Westouter 130 C 9
Westrozebeke 130 D 9
Wetteren 127 F 8
Wevelgem 130 D 9
Weweler 137 M 11
Weywertz 133 M 10
Wez-Velvain 130 E 10
Wezel 128 J 8
Wezemaal 128 I 9
Wezembeek-Oppem 131 H 9
Wibrin 137 L 11
Wichelen 127 F 8
Wiekevorst 128 I 8
Wielsbeke 130 E 9
Wiemesmeer 128 K 9
Wierde 132 I 10
Wiers 131 E 10
Wiesme 135 I 11
Wieze 127 G 9
Wihéries 131 F 10
Wijchmaal 128 K 8
Wijer 132 J 9
Wijnegem 127 H 8
Wijtschate 130 C 9
Wildert 127 H 7
Willebroek 127 H 8
Willerzie 135 I 12
Wilogne 137 L 11
Wilrijk 127 H 8
Wilsele 132 I 9
Wimmertingen 132 K 9
Winenne 135 I 11
Wingene 126 D 8
Wintam 127 G 8
Winterslag 128 K 9
Wirtzfeld 133 M 10
Witry 137 K 12
Wodecq 131 F 9
Woesten 130 C 9
Wolkrange 137 L 13
Woluwe-St. Lambert /
St.-Lambrechts-Woluwe 131 H 9
Wolvenhoek 131 F 9
Wolvertem 127 G 9
Wommelgem 127 H 8
Wontergem 126 E 8
Wortegem 131 E 9
Wortel 128 I 7
Woumen 126 C 8
Wulveringem 126 B 8
Wuustwezel 127 H 7

X

Xhoffraix 133 M 10
Xhoris 133 K 10

Y

Yernée 132 K 10
Yves-Gomezée 135 H 11
Yvoir 135 I 11

Z

Zaffelare 127 F 8
Zandbergen 131 F 9
Zandhoven 128 H 8
Zandvliet 127 G 7
Zandvoorde
bij-Ieper 130 C 9
Zandvoorde
bij-Oostende 126 C 8
Zarren 126 C 8
Zaventem 131 H 9
Zedelgem 126 D 8
Zeebrugge 126 D 7
Zele 127 G 8
Zellik 131 G 9
Zelzate 127 F 8
Zemst 127 H 9
Zenne 127 H 8
Zepperen 132 J 9
Zevekote 126 C 8
Zeveneken 127 F 8
Zevenkerken 126 D 8
Zichem 128 I 8
Zichen 133 K 9
Zillebeke 130 C 9
Zingem 131 E 9
Zittaart 128 J 8
Zoerle-Parwijs 128 I 8
Zoersel 128 I 8
Zolder
Circuit de 128 J 9
Zomergem 127 E 8
Zonhoven 128 K 9
Zonnebeke 130 C 9
Zottegem 131 F 9
Zoute (Het) 126 D 7
Zoutleeuw
(*=Léau*) 132 J 9
Zuid-Willemsvaart 128 K 8
Zuidschote 130 C 9
Zuienkerke 126 D 8
Zulte 130 E 9
Zutendaal 128 K 9
Zwaanaarde 127 G 8
Zwalm 131 F 9
Zwartberg 128 K 8
Zwarte Beek 110 J 8
Zwevegem 130 E 9
Zwevezele 126 D 8
Zwijnaarde 127 F 8
Zwijndrecht 127 H 8
Zwin (Het) 126 E 7

Ahn 137 N 13
Altlinster 137 M 12
Alzette (*Rivière*) 137 M 13
Ansembourg 137 M 12
Arsdorf 137 L 12
Asselborn 137 L 11
Bascharage 137 L 13
Bastendorf 137 M 12
Bavigne 137 L 12
Beaufort 137 M 12
Bech 137 N 12
Bech-Kleinmacher 137 N 13
Beckerich 137 L 12
Belvaux 137 L 13
Berbourg 137 N 12
Berdorf 137 N 12
Berg 137 M 12
Bertrange 137 M 13
Bettborn 137 L 12
Bettembourg 137 M 13
Bettendorf 137 M 12
Beyren 137 N 13
Bigonville 137 L 12
Binsfeld 137 M 11
Bissen 137 M 12
Bivels 137 M 12
Biwer 137 N 12
Bœvange 137 L 11
Bœvange-sur-Attert 137 M 12
Bollendorf-Pont 137 N 12
Born-sur-Sûre 137 N 12
Boulaide 137 L 12
Bour 137 M 12
Bourglinster 137 M 12
Bourscheid 137 M 12
Bous 137 M 13
Brandenbourg 137 M 12
Brouch 137 M 12
Büderscheid 137 L 12
Burmerange 137 M 13
Canach 137 M 13
Capellen 137 L 13
Christnach 137 M 12
Clémency 137 L 13
Clervaux 137 M 11
Clervé (*Rivière*) 137 L 11
Consdorf 137 N 12
Consthum 137 M 12
Contern 137 M 13
Cruchten 137 M 12
Dalheim 137 M 13
Deutsch-Luxemb. Naturpark 137 M 11
Diekirch 137 M 12
Differdange 137 L 13
Dillingen 137 M 12
Dippach 137 L 13
Drauffelt 137 M 11
Dudelange 137 M 13
Echternach 137 N 12
Ehnen 137 N 13
Eisch (*Rivière*) 137 M 12
Eischen 137 L 12
Ell 137 L 12
Ermsdorf 137 M 12
Erpeldange 137 M 12
Esch-sur-Alzette 137 L 13
Esch-sur-Sûre 137 L 12
Eschdorf 137 L 12
Eschweiler 137 L 12
Ettelbruck 137 M 12
Feulen 137 M 12
Fischbach 137 M 12
Flaxweiler 137 N 13
Folschette 137 L 12
Fouhren 137 M 12
Frisange 137 M 13
Gaichel 137 L 12
Garnich 137 L 13
Göbelsmühle 137 M 12
Godbrange 137 M 12
Gonderange 137 M 12
Greiveldange 137 N 13
Grëngewald 137 M 12
Grenglay 137 M 12
Grevenmacher 137 N 12
Grosbous 137 L 12
Grundhof 137 M 12
Gutland 137 M 13
Hachiville 137 L 11
Haller 137 M 12
Hamm 137 M 13
Harlange 137 L 12
Haut-Martelange 137 L 12
Hautbellain 137 L 11
Heffingen 137 M 12
Heiderscheid 137 L 12
Heinerscheid 137 M 11
Herborn 137 N 12
Herrenberg 137 M 12
Hespérange 137 M 13
Hobscheid 137 L 12
Hochfels 137 L 12
Hollenfels 137 M 12
Hoscheid 137 M 12
Hosingen 137 M 11
Huldange 137 M 11
Insenborn 137 L 12
Junglinster 137 M 12
Kaundorf 137 L 12
Kautenbach 137 M 12
Kayl 137 M 13
Kehlen 137 M 12
Kleinbettingen 137 L 13
Kœrich 137 L 12
Kopstal 137 M 13
Larochette 137 M 12
Leudelange 137 M 13
Lintgen 137 M 12
Lipperscheid 137 M 12
Lorentzweiler 137 M 12
Loup (Gorge du) 137 N 12
Luxembourg 137 M 13
Luxembourg-Findel (*Aéroport*) 137 M 13
Machtum 137 N 13
Mamer 137 M 13
Manternach 137 N 12
Marnach 137 M 11
Medernach 137 M 12
Mersch 137 M 12
Mertert 137 N 12
Mertzig 137 M 12
Mompach 137 N 12
Mondercange 137 L 13
Mondorf-les-Bains 137 M 13
Moselle (*Rivière*) 137 N 13
Moutfort 137 M 13
Mullerthal 137 M 12
Mullerthal (*Localité*) 137 M 12
Neunhausen 137 L 12
Niederanven 137 M 13
Noerdange 137 L 12
Nommern 137 M 12
Oberdonven 137 N 13
Oberpallen 137 L 12
Oberwampach 137 L 11
Oesling 137 L 12
Osweiler 137 N 12
Perlé 137 L 12
Pétange 137 L 13
Petite Suisse Luxembourgeoise 137 M 12
Pommerloch 137 L 12
Putscheid 137 M 12
Rambrouch 137 L 12
Reckange-sur-Mess 137 M 13
Redange 137 L 12
Reisdorf 137 M 12
Remerschen 137 N 13
Remich 137 N 13
Reuland 137 M 12
Rodange 137 L 13
Rodenbourg 137 M 12
Rodershausen 137 M 11
Roeser 137 M 13
Roodt-sur-Syre 137 M 13
Rosport 137 N 12
Rumelange 137 M 13
Saeul 137 L 12
St. Nicolas (Mont) 137 M 12
Sandweiler 137 M 13
Sanem 137 L 13
Scheidgen 137 N 12
Schengen 137 N 13
Schieren 137 M 12
Schifflange 137 M 13
Schouweiler 137 L 13
Schuttrange 137 M 13
Schwebsange 137 N 13
Septfontaines 137 L 12
Soleuvre (Mont) 137 L 13
Stadtbredimus 137 N 13
Steinfort 137 L 13
Steinsel 137 M 12
Stolzembourg 137 M 12
Sûre (*Rivière*) 137 L 12
Troine 137 L 11
Troisvierges 137 M 11
Tuntange 137 M 12
Useldange 137 L 12
Vianden 137 M 12
Vichten 137 L 12
Walferdange 137 M 13
Wasserbillig 137 N 12
Wecker 137 N 12
Weicherdange 137 L 11
Weiler-la-Tour 137 M 13
Weilerbach 137 N 12
Weiswampach 137 M 11
Wellenstein 137 N 13
Welscheid 137 M 12
Wemperhaardt 137 M 11
Wiltz 137 L 12
Wiltz (*Rivière*) 137 L 12
Wilwerdange 137 M 11
Wilwerwiltz 137 M 12
Winseler 137 L 12
Woltz (*Rivière*) 137 M 11
Wormeldange 137 N 13

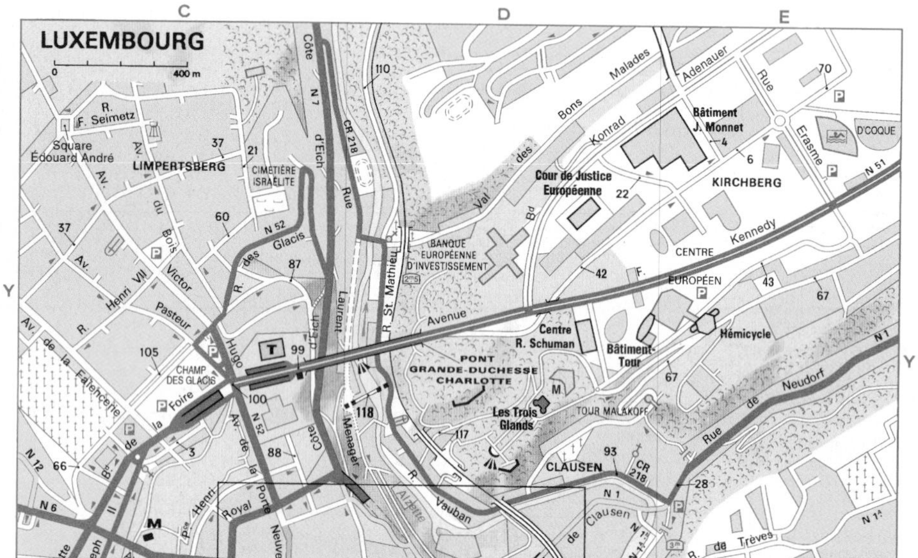
LUXEMBOURG
0
400 m
LIMPERTSBERG
KIRCHBERG
Cour de Justice Européenne
Bâtiment J. Monnet
BANQUE EUROPÉENNE D'INVESTISSEMENT
CENTRE EUROPÉEN
Hémicycle
Centre R. Schuman
Bâtiment Tour
PONT GRANDE-DUCHESSE CHARLOTTE
Les Trois Glands
TOUR MALAKOFF
CLAUSEN
CIMETIÈRE ISRAÉLITE
CHAMP DES GLACIS
Square Édouard André
D'COQUE

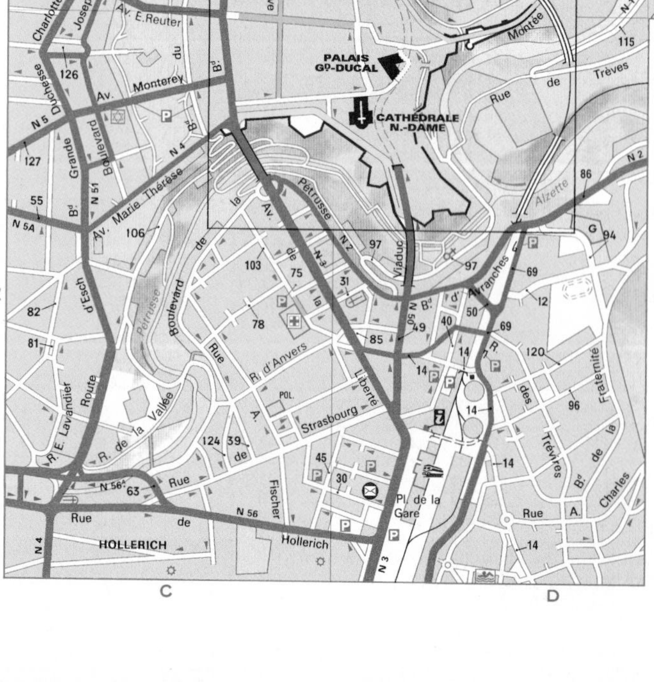
PALAIS Gd-DUCAL
CATHÉDRALE N.-DAME
HOLLERICH
Pl. de la Gare

Adames (R.) CY 3
Albert-Wehrer (R.) EY 4
Alcide-de-Gasperi (R.) EY 6
Aldringen (R.) F 7
Athénée (R. de l'Ancien) F 9
Auguste-Lumière (R.) DZ 12
Bains (R. des) F 13
Bonnevoie (R. de) DZ 14
Boucherie (R. de la) G 15
Bruxelles (Pl. de) F 16
Capucins (R. des) F
Cerisiers (R. des) CY 21
Charles-Léon-Hammes (R.) DY 22
Chimay (R.) F 24
Clairefontaine (Pl.) FG 27
Clausen (R. de) EY 28
Commerce (R. du) CDZ 30
Curé (R. du) F
Dicks (R.) CDZ 31
Eau (R. de l') G 33
Ermesinde (R.) CY 37
Etats-Unis (R. des) CZ 39
Fort Neipperg (R. du) DZ 40
Fort Niedergrünewald (R. du) DY 42
Fort Thüngen (R. du) EY 43
Fort Wedell (R. du) CDZ 45
Fossé (R. du) F 46
Franklin-Roosevelt (Bd) F 48
Gare (Av. de la) DZ 49
Gaulle (Av. du Gén.-de) DZ 50
Grand-Rue F
Guillaume-Schneider (R.) CY 60
Guillaume (Av.) CZ 55
Jean-Baptiste-Merkels (R.) CZ 63
Jean-Ulveling (Bd) FG 64
Jules-Wilhem (R.) EY 67
J. P.-Probst (R.) CY 66
Laboratoire (R. du) DZ 69
Léon-Hengen (R.) EY 70
Liberté (Av. de la) CDZ
Marché aux Herbes (R. du) FG 73
Marché (Pl. du) G 72
Martyrs (Pl. des) CZ 75
Michel-Rodange (R.) CZ 78
Münster (R.) G 79
Nancy (Pl. de) CZ 81
Nassau (R. de) CZ 82
Notre-Dame (R.) F 84
Paris (Pl. de) DZ 85
Patton (Bd du Général) DZ 86
Paul-Eyschen (R.) CY 87
Pescatore (Av.) CY 88
Pfaffenthal (Montée de) FG 90
Philippe-II (R.) F 91
Pierre-de-Mansfeld (Allée) DY 93
Pierre-et-Marie-Curie (R.) DZ 94
Pierre-Hentges (R.) DZ 96
Porte Neuve (Av. de la) CY
Prague (R. de) DZ 97
Robert-Schuman (Bd) CY 99
Robert-Schuman (Rond-Point) CY 100
Sainte-Zithe (R.) CZ 103
Scheffer (Allée) CY 105
Semois (R. de la) CZ 106
Sigefroi (R.) G 108
Sosthène Weis (R.) G 109
Stavelot (R. de) DY 110
Strasbourg (R. de) CDZ
Théâtre (Pl. du) F 114
Tour Jacob (Av. de la) DEY 115
Trois Glands (R. des) DY 117
Vauban (Pont) DY 118
Verger (R. du) DZ 120
Victor-Thorn (Bd) G 121
Willy-Georgen (R.) F 123
Wilson (R.) CZ 124
Winston-Churchill (Pl.) CZ 126
10-Septembre (Av. du) CZ 127

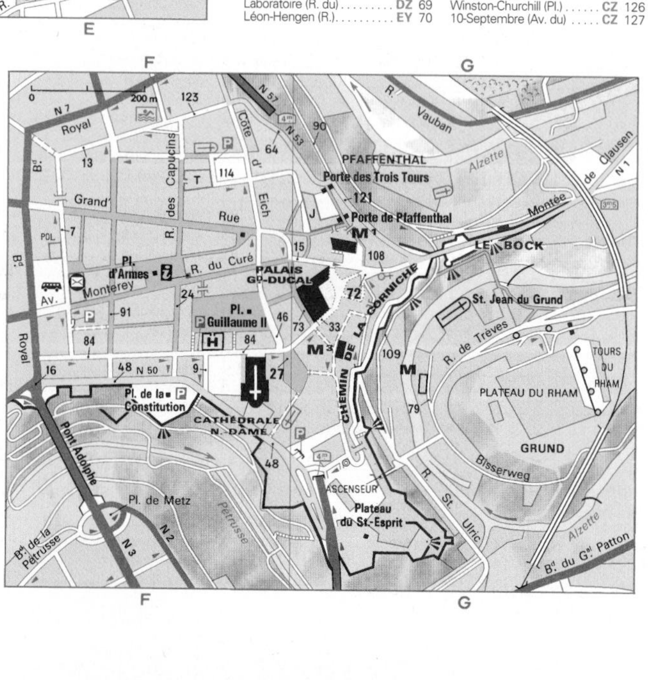
200 m
PFAFFENTHAL
Porte des Trois Tours
Porte de Pfaffenthal
LE BOCK
PALAIS Gd-DUCAL
Pl. d'Armes
Pl. Guillaume II
CATHÉDRALE N.-DAME
Pl. de la Constitution
CHEMIN DE LA CORNICHE
St. Jean du Grund
PLATEAU DU RHAM
TOURS DU RHAM
GRUND
ASCENSEUR
Plateau du St.-Esprit
Pl. de Metz
Pont Adolphe
Bd du Gal Patton

A

Aa .... 128 K 7
Aa of Weerijs .... 128 I 7
Aagtekerke .... 127 E 7
Aalburg .... 106 J 6
Aalden .... 119 O 3
Aalsmeer .... 122 I 5
Aalst (*Gelderland*) .... 128 J 6
Aalst (*Noord-Brabant*) .... 128 K 7
Aalten .... 124 N 6
Aar (Ter) .... 122 I 5
Aardenburg .... 126 E 8
Aarkanaal .... 122 I 5
Aarle-Rixtel .... 128 K 7
Abbekerk .... 118 J 3
Abbenes .... 122 H 5
Abcoude .... 123 I 5
Absdale .... 127 G 8
Achlum .... 118 K 2
Acht .... 110 K 7
Achterveld .... 123 K 5
Achthuizen .... 127 G 6
Achtkarspelen .... 103 M 2
Achtmaal .... 127 H 7
Adorp .... 119 N 2
Aduard .... 119 N 2
Aerdenhout .... 122 H 4
Afferden (*Gelderland*) .... 123 K 6
Afferden (*Limburg*) .... 129 M 7
Afsluitdijk .... 118 J 3
Akersloot .... 122 I 4
Akkrum .... 119 L 2
Akmarijp .... 119 L 2
Albergen .... 125 O 4
Alblasserdam .... 122 I 6
Alblasserwaard .... 123 I 6
Aldeboarn .... 119 L 2
Aldtsjerk (Oudkerk) .... 119 L 2
Alem .... 128 K 6
Alkmaar .... 122 I 4
Alkmaardermeer .... 122 H 4
Allingawier .... 118 K 2
Almelo .... 125 N 4
Almelo-Nordhorn (Kanaal) .... 125 O 4
Almen .... 124 M 5
Almere .... 123 J 4
Almere-Buiten .... 123 J 4
Almere-Hout .... 123 J 4
Almere-Haven .... 123 J 4
Almere-Stad .... 123 J 4
Almkerk .... 128 I 6
Alphen .... 123 K 6
Alphen aan den Rijn .... 122 I 5
Alphen en Riel .... 128 I 7
Alphen-Oosterwijk .... 128 I 7
Altena (Land van) .... 128 I 6
Alteveer (*Drenthe*) .... 120 N 3
Alteveer (*Groningen*) .... 121 O 2
Altforst .... 123 K 6
Altweerterheide .... 128 L 8
Alverna .... 128 L 6
Ameide .... 123 I 6
Ameland .... 119 L 1
Amer .... 128 I 6
America .... 129 L 7
Amerongen .... 123 K 5
Amersfoort .... 123 K 5
Ammerstol .... 123 I 6
Ammerzoden .... 128 J 6
Amstel .... 123 I 5
Amstelmeer .... 118 I 3
Amstelveen .... 123 I 5
Amstenrade .... 129 L 9
Amsterdam .... 123 J 4
Amsterdam Rijnkanaal .... 123 K 6
Amsterdam-Schiphol (*Luchthaven*) .... 122 I 5
Amsterdam Zuidoost .... 123 I 5
Andel .... 128 J 6
Andel (Den) .... 119 N 1
Andelst .... 123 L 6
Anderen .... 119 O 2
Andijk .... 118 J 3
Ane .... 125 N 4
Angeren .... 124 L 6
Angerlo .... 124 M 6
Anjum .... 119 M 1
Anloo .... 119 O 2
Anna Jacobapolder .... 127 G 7
Anna Paulowna .... 118 I 3
Annen .... 119 O 2
Ansen .... 119 N 3
Apel (Ter) .... 121 P 3
Apeldoorn .... 124 L 5
Apeldoornskanaal .... 124 M 5
Apelkanaal (Ter) .... 121 P 3
Appelscha .... 119 N 3
Appeltern .... 123 K 6
Appingedam .... 121 O 2
Arcen .... 129 M 7
Archemerberg .... 124 N 4
Arkel .... 123 I 6
Arnemuiden .... 127 F 7
Arnhem .... 123 L 6
Arum .... 118 K 2
Asch .... 123 J 6
Asperen .... 123 J 6
Asselt .... 129 M 8
Assen .... 119 N 3
Assendelft .... 122 I 4
Asten .... 128 L 7
Augustinusga .... 119 M 2

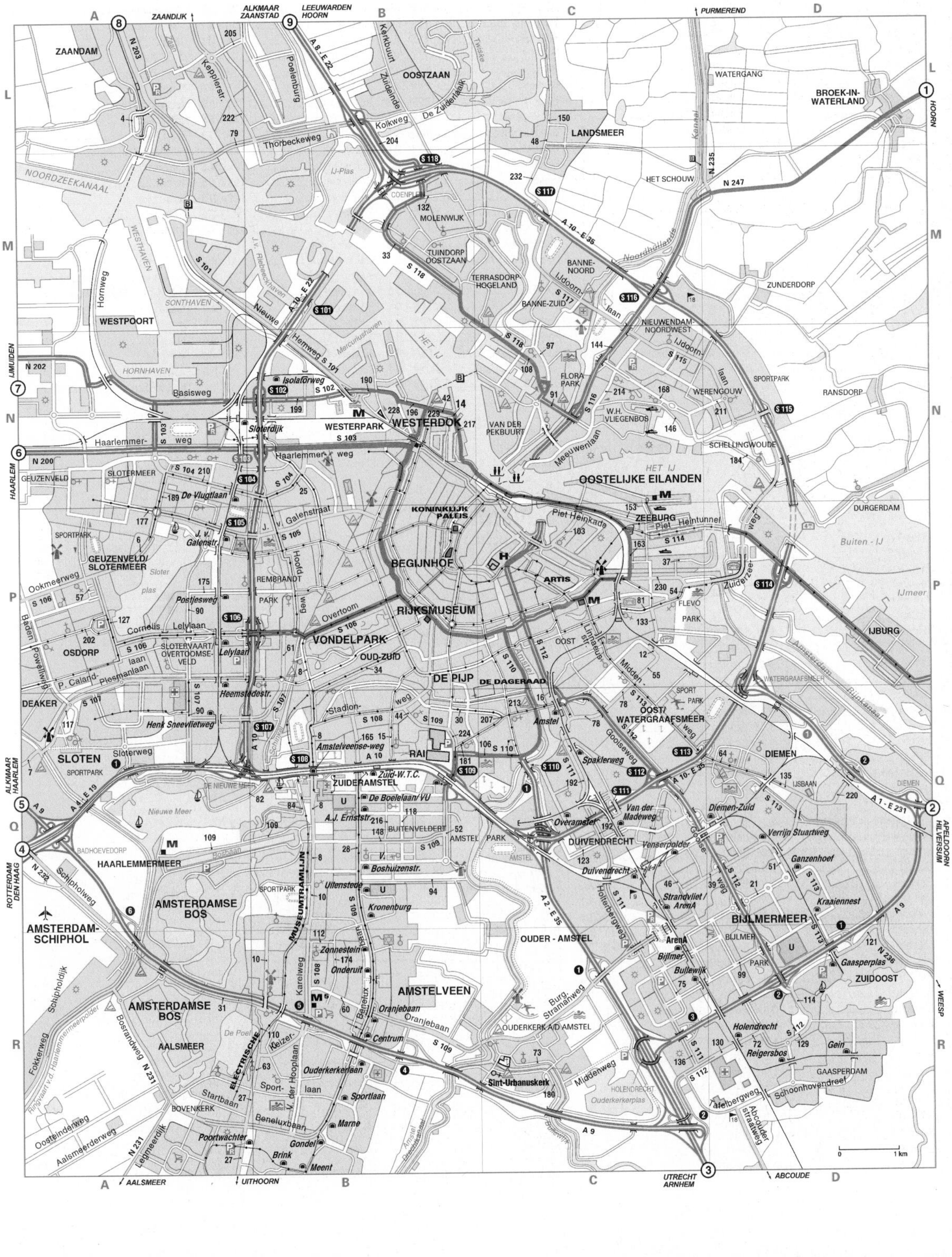

AMSTELVEEN

Amsterdamseweg .... BQR 10
Bovenkerkerweg .... ABR 27
Burg. Colijnweg .... AR 31
Handweg .... BR 63
Laan Nieuwer Amstel .... BR 110
Laan Walcheren .... BQR 112
Mr. G. Groen v. Prinstererlaan. .... BR 60
Rembrandtweg .... BR 174

AMSTERDAM

Amstelveenseweg .... BPQ 8
Archimedesweg .... CP 12
Barentszpl. .... BN 14
Beethovenstr. .... BQ 15
Berlagebrug .... CQ 16
Bijlmerdreef .... DQ 21
Bos en Lommerweg .... BN 25
Buitenveldertselaan .... BQ 28
Burg. de Vlugtlaan .... AN 210
Burg. Röellstr. .... AP 177
Churchilllaan .... BQ 30
Cornelis Douwesweg .... BM 33
Cornelis Krusemanstr. .... BP 34
Cruquiusweg .... CP 37
Daalwijkdreef .... DQ 39
Dolingadreef .... CQ 46
Elsrijkdreef .... DQ 51
Europaboulevard .... BQ 52
Flevoweg .... CP 54
Galileiplantsoen .... CP 55
Geerbaan .... AP 57
Haarlemmermeerstr. .... BP 61
Holendrechtdreef .... DR 72
Hondsrugweg .... CR 75
Hugo-de-Vrieslaan .... CQ 78
Insulindeweg .... CP 81
Jaagpad .... ABQ 82
Jachthavenweg .... BQ 84
Johan-Huizingalaan .... APQ 90
Johan-van-Hasseltweg .... CN 91
Kalfjeslaan .... BQ 94
Kamperfoelieweg .... CN 97
Karspeldreef .... DR 99
Kattenburgerstr. .... CP 103
Klaprozenweg .... CN 108
Koenenkade .... ABQ 109
Langbroekdreef .... DR 114
Langsomlaan .... AQ 117
Loosdrechtdreef .... DR 121
Meerkerkdreef .... DR 129
Meer en Vaart .... AP 127
Meibergdreef .... DR 130
Molenaarsweg .... BM 132
Molukkenstr. .... CP 133
Muntbergweg .... CR 136
Nieuwendammerdijk .... CN 146
Nieuwe Leeuwarderweg .... CN 144
Noordzeeweg .... AN 151
Oostelijke Handelskade .... CP 153
Panamalaan .... CP 163
Parnassusweg .... BQ 165
President-Allendelaan .... AP 6
President-Kennedylaan .... CQ 106
Purmerweg .... CN 168
Robert-Fruinlaan .... AP 175
Rooseveltlaan .... BQ 181
Schellingwouderdijk .... DN 184
Slotermeerlaan .... AN 189
Spaarndammerdijk .... BN 190
Spaklerweg .... CQ 192
Tasmanstr. .... BN 196
Transformatorweg .... BN 199
Tussen Meer .... AP 202
Van Diemenstr. .... BN 42
Van Leijenberghlaan .... BQ 118
Van Nijenrodeweg .... BQ 148
Van Weldammelaan .... BQ 216
Verlengde Stellinweg .... BL 204
Victoriepl. .... CQ 207
Volendammerweg .... DN 211
Vrijheidslaan .... CQ 213
Waddenweg .... CN 214
Warmoesstr. .... LX 215
Westerdoksdijk .... BN 217
Zaanstr. .... BN 228
Zandhoek .... BN 229
Zeeburgerdijk .... CP 230

DIEMEN

Hartveldseweg .... DQ 64
Muiderstraatweg .... DQ 135
Weteringweg .... DQ 220

HAARLEMMERMEER

Burg. Amersfoortlaan .... AQ 7

LANDSMEER

Dorpsstr. .... CL 48
Noordeinde .... CL 150
Zuideinde .... CM 232

OUDER-AMSTEL

Holendrechterweg .... CR 73
Rondehoep-Oost .... CR 180
Van der Madeweg .... CQ 123

ZAANSTAD

Albert-Heijnweg .... AL 4
Den Huylweg .... AL 79
Vermiljoenweg .... AL 205
Wibautstr. .... AL 222

ARNHEM

Apeldoornsestr. .... DY 3
Boulevard
Heuvelink .... DZ 8
Bouriciusstr. .... CY 9
Eusebiusbinnensingel .... DZ 16
Ir. J. P.
Muylwijkstr. .... DZ 25
Jansbinnensingel .... CZ 28
Janspl. .... CZ 30
Jansstr. .... CZ 31
Ketelstr. .... CDZ 34
Looierstr. .... DZ 39
Oranjewachtstr. .... DZ 48
Rijnstr. .... CZ
Roggestr. .... DZ 55
Velperbinnensingel .... DZ 60
Velperbuitensingel .... DZ 61
Vijzelstr. .... CZ 63
Walburgstr. .... DZ 66

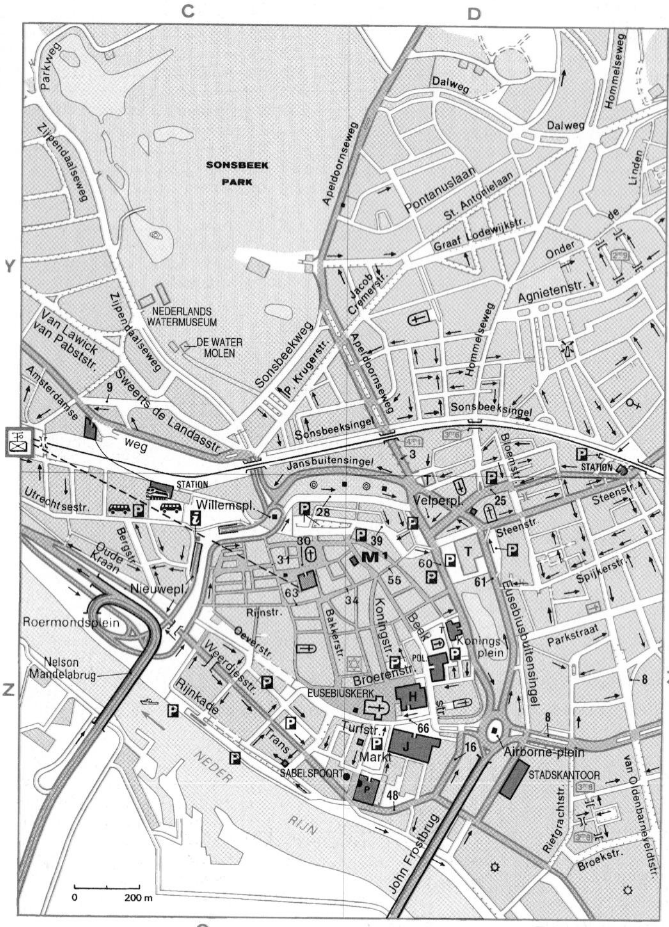

Avenhorn 123 I4
Axel 127 F8
Azewijn 124 M6

B

Baak 124 M5
Baambrugge 106 I5
Baard 119 L2
Baarland 127 F7
Baarlo 129 M8
Baarn 123 J5
Babberich 124 M6
Badhoevedorp 122 I4
Baexem 129 L8
Baflo 119 N1
Bakel 128 L7
Bakhuizen 118 K3
Bakkeveen 119 M2
Balgoij 128 L6
Balinge 119 N3
Balk 118 K3
Balkbrug 124 N4
Ballum 119 L1
Bant 103 L3
Barchem 124 N5
Barendrecht 122 H6
Barger-
Compascuum 121 P3
Barger-Oosterveld 121 O3
Barneveld 123 K5
Barsingerhorn 118 I3
Batenburg 123 K6
Bath 127 G7
Bathmen 124 M5
Beckum 125 O5
Bedum 119 N2
Beegden 129 L8
Beek
(bij 's-Heerenberg) 124 M6
Beek
(bij Nijmegen) 124 L6
Beek
(Limburg) 129 L9
Beek en Donk 128 K7
Beekbergen 124 L5
Beemster 106 I4
Beers 129 L6
Beerta 121 P2
Beerze 124 J7
Beesd 123 J6
Beesel 129 M8
Beetgumermolen 119 L2
Beetsterzwaag 119 M2
Beijerland 127 G6
Beilen 119 N3
Belfeld 129 M8
Bellingwedde 104 P2
Bellingwolde 121 P2
Belt
Schutsloot 120 M3
Belterwijde 120 M3
Beltrum 124 N5
Bemelen 133 L9
Bemmel 123 L6
Beneden
Merwede 128 I6
Beneden-
Leeuwen 123 K6
Bennebroek 122 H5
Bennekom 123 L5
Benschop 123 I5
Bentelo 125 O5
Benthuizen 122 H5
Berg 129 L8
Berg
en Terblijt 133 L9
Berg
en Dal 123 L6
Bergambacht 123 I6
Bergeijk 128 K8
Bergen
(Limburg) 129 M7
Bergen
(Noord-Holland) 122 I3
Bergen
aan Zee 122 H4
Bergen
op Zoom 127 G7
Bergentheim 124 N4
Bergh 107 M6
Bergharen 123 L6
Berghem 128 K6
Bergschenhoek 122 H6
Bergse Maas 128 I6
Beringe 129 L7
Berkel 122 N5
Berkel
en Rodenrijs 122 H6
Berkel-
Enschot 128 J7
Berkenwoude 122 I6
Berkhout 123 J4
Berkum 124 M4
Berlicum 128 K7
Berlikum 118 K2
Best 128 K7
Beugen 129 L6
Beulakerwijde 120 M3
Beuningen 123 L6
Beusichem 123 J6
Beverwijk 122 H4
Biddinghuizen 123 L4
Bierum 121 O1
Biervliet 127 F8
Biesbosch
(Nationaal Park De) 128 I6
Biezelinge 127 F7
Biggekerke 127 E7
Bildt (Het) 103 K2
Bilt (De) 123 J5
Bilthoven 123 J5
Bingelrade 129 L9
Bladel 128 J7
Blankenham 119 L3
Blaricum 123 J5
Blauwe Hand 103 M3
Blauwhuis 118 K2
Bleiswijk 122 H5
Blerick 129 M7
Bleskensgraaf 123 I6
Blesse (De) 119 M3
Blije 119 L1
Blijham 121 P2
Blitterswijck 129 M7
Bloemendaal 122 H4
Bloemendaal
aan Zee 122 H4
Blokzijl 119 L3
Boarnsterhim 103 L2
Boazum 119 L2
Bocholtz 133 M9
Bodegraven 122 I5
Boekel 128 L7
Boekelo 125 O5
Boelenslaan 119 M2
Boer (Ten) 119 O2
Boerakker 119 M2
Boerdonk 128 K7
Boijl 119 M3
Boksum 119 L2
Bolsward 118 K2
Bommel (Den) 127 G6
Bommelerwaard 128 J6
Boornbergum 119 M2
Borculo 124 N5
Borger 119 O3
Borkel 128 K8
Born 129 L8
Borndiep 118 K1
Borne 125 O5
Bornerbroek 125 N5
Borssele 127 F7
Bosch
en Duin 123 J5
Boschplaat (De) 118 K1
Boskamp 124 M4
Boskoop 122 I5
Bosschenhoofd 127 H7
Boterdiep 119 N2
Boukoul 129 M8
Bourtange 121 P2
Boven-
Hardinxveld 128 I6
Boven-
Leeuwen 123 K6
Boven Pekela 104 O2
Bovenkarspel 123 J3
Bovensmilde 119 N3
Boxmeer 129 L7
Boxtel 128 J7
Braassemermeer 122 H5
Brakel 128 J6
Brantgum 119 L1
Breda 128 I7
Bredevoort 125 N6
Bredeweg 129 L6
Breezand 118 I3
Breezanddijk 118 J2
Breskens 127 E7
Breugel 128 K7
Breukelen 123 J5
Breukeleveen 123 J5
Brielle 122 G6
Brielse Meer 122 G6
Broek
in Waterland 123 I4
Broek
op Langedijk 122 I3
Broekhuizen 129 M7
Broekhuizenvorst 129 M7
Broekland 124 M4
Bronkhorst 124 M5
Brouwersdam 127 F6
Brouwershaven 127 F6
Brouwershavense Gat 127 F6
Brouwhuis 128 L7
Bruinisse 127 G7
Brummen 124 M5
Brunssum 129 L9
Bruntinge 119 N3
Buchten 129 L8
Budel 128 K8
Budel-
Schoot 128 K8
Buinen 121 O3
Buinerveen 121 O3
Buitenpost 119 M2
Bunde 133 L9
Bunnik 123 J5
Bunschoten 123 K5
Burdaard 119 L2
Buren
(Fryslân) 119 L1
Buren
(Gelderland) 123 K6
Burg (Den) 118 I2
Burgervlotbrug 118 I3
Burgh 127 F6
Burgum 119 L2
Burgumer Mar 119 M2
Burum 119 M2
Bussum 123 J5
Buurmalsen 123 J6
Buurse 125 O5
Buurserbeek 125 O5

C

Cabauw 123 I6
Cadier
en Keer 133 L9
Cadzand 126 E7
Cadzand-Bad 126 E7
Callantsoog 118 I3
Camperduin 122 H3
Capelle
aan den IJssel 122 H6
Castenray 129 M7
Casteren 128 J7
Castricum 122 H4
Castricum
aan Zee 122 H4
Chaam 128 I7
Circuit
van Zandvoort 122 H4
Clinge 127 G8
Cocksdorp (De) 118 I2
Coentunnel 123 I4
Coevorden 121 O4
Colijnsplaat 127 F7
Cothen 123 J6
Creil 119 K3
Cromstrijen 105 H6
Cromvoirt 128 J7
Cruquius 122 H5
Cuijk 129 L6
Culemborg 123 J6

D

Daarle 124 N4
Daarlerveen 124 N4
Dalen 119 O3
Dalerpeel 121 N3
Dalfsen 124 M4
Damsterdiep 119 O2
Damwâld 119 L2
Dantumadiel 103 M2
Dedemsvaart 124 N4
Deelen 123 L5
Deest 123 L6

BREDA

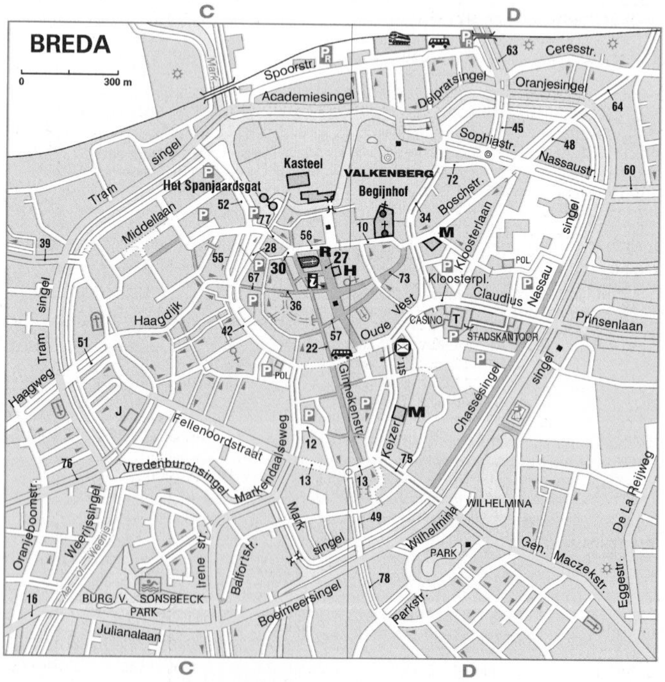

Catharinastr. .... CD 10
Concordiastr. .... C 12
Dr Struyckenstr. .... C 16
Eindstraat .... C 22
Ginnekenstr. .... CD
Grote Markt .... C 27
Haven .... C 28
Havermarkt .... C 30
J. F. Kennedylaan .... D 34
Lange Brugstr. .... C 36
Lunetstr. .... C 39
Markendaalseweg .... C 42
Mauritsstr. .... D 45
Nieuwe Boschstr. .... D 48
Nieuwe
Ginnekenstr. .... CD 49
Nieuwe Haagdijk .... C 51
Nieuwe Prinsenkade .... C 52
Prinsenkade .... C 55
Reigerstr. .... C 56
Ridderstr. .... C 57
Sint-Ignatiusstr. .... D 60
Terheijdenstr. .... D 63
Teteringenstr. .... D 64
Tolbrugstr. .... C 67
Valkenstr. .... D 72
van Coothpl. .... CD 73
Veemarktstr. .... D 73
Vierwindenstr. .... D 75
Vincent
van Goghstr. .... C 76
Vismarktstr. .... C 77
Wilhelminastr. .... D 78

Deil 123 J6
Deinum 119 L2
Delden 125 O5
Delfstrahuizen 119 L3
Delft 122 H5
Delftse Schie 122 H6
Delfzijl 121 O1
Denekamp 125 P4
Deurne 129 L7
Deurningen 107 O5
Deursen-
Dennenburg 128 K6
Deventer 124 M5
Didam 124 M6
Diemen 123 I4
Diepenheim 124 N5
Diepenveen 124 M5
Dieren 124 M5
Diessen 128 J7
Diever 119 M3
Dieverbrug 119 N3
Diffelen 124 N4
Dinkel 125 P4
Dintel 127 H7
Dinteloord 127 H7
Dinxperlo 124 N6
Dirkshorn 118 I3
Dirksland 127 G6
Dodewaard 123 K6
Doesburg 124 M5
Doetinchem 124 M6
Doezum 119 M2
Dokkum 119 L2
Dokkumer Djip 119 L2
Dokkumer Ie 119 M2
Dolder (Den) 123 J5
Dollard 121 P2
Domburg 127 E7
Dommel 128 K7
Dommelen 128 K7
Donderen 119 N2
Dongen 128 I7
Dongeradeel 103 M2
Dongjum 118 K2
Donkerbroek 119 M2
Doorn 123 K5
Doornenburg 124 M6
Doornspijk 123 L4
Doorwerth 123 L6
Dordrecht 128 I6
Dordtse Kil 127 H6
Dorst 128 I7
Drachten 119 M2
Drachtstercompagnie 119 M2
Drechterland 102 J3
Dreischor 127 F6
Drempt 124 M5
Drenthe
(*Provincie*) 103 N3
Drentse Hoofdvaart 119 N3
Dreumel 123 K6
Driebergen-
Rijsenburg 123 J5
Drieborg 121 P2
Driebruggen 123 I5
Driehuis 122 H4
Driel 123 L6
Drielandenpunt 133 M9
Driewegen 127 M2
Driezum 119 E7
Drijber 119 N3
Drimmelen 128 I6
Drogeham 119 M2
Drongelen 128 J6
Dronrijp 118 K2
Dronten 123 L4
Drontermeer 123 L4
Drouwen 121 O3
Drunen 128 J6
Druten 123 K6
Dubbeldam 128 I6
Duiveland 127 F7
Duiven 124 M6
Duivendrecht 123 I5
Duizel 128 J7
Dungen (Den) 128 K7
Durgerdam 123 I4
Dussen 128 I6
Dwingeloo 119 N3

E

Earnewâld
(Eernewoude) 119 L2
Eastermar 119 M2
Easterwierrum 119 L2
Echt 129 L8
Echteld 123 K6
Echten 119 N3
Echtenerbrug 119 L3
Eck en Wiel 123 K6
Edam 123 J4
Ede 123 L5
Ederveen 123 K5
Ee 119 M2
Eede 126 E8
Eefde 124 M5
Eelde 119 N2
Eem 123 J5
Eembrugge 123 J5
Eemmeer 106 J5
Eemnes 123 J5
Eems 121 O1
Eemshaven 119 O1
Eemskanaal 119 O2
Eemsmond 103 N1
Een 119 N2
Eenrum 119 N1
Eerbeek 124 M5
Eersel 128 J7
Eethen 128 J6
Eext 119 O2
Egmond
aan den Hoef 122 H4
Egmond
aan Zee 122 H4
Egmond-Binnen 122 H4
Eibergen 125 N5
Eijerlandse
Gat 118 I2
Eijerlandse
Polder 118 I2
Eijerlandse
Duinen (De) 118 I2
Eijs 133 L9
Eijsden 133 L9
Eindhoven 128 K7
Eindhoven
(*Luchthaven*) 128 K7
Ekehaar 119 N3
Elahuizen 118 K3
Elburg 123 L4
Elden 123 L6
Elim 120 N3
Ell 129 L8
Ellecom 124 M5
Ellewoutsdijk 127 F7
Elp 119 N3
Elshout 128 J6
Elsloo
(*Fryslân*) 119 M3
Elsloo
(*Limburg*) 129 L9
Elspeet 123 L5
Elst
(*Gelderland*) 123 L6
Elst
(*Utrecht*) 123 K6
Emmeloord 120 L3
Emmen 121 O3
Emmer-
Compascuum 121 P3
Emmer-
Erfscheidenveen 121 O3
Empe 124 M5
Empel 128 K6
Emst 124 L5
Engelbert 119 N2
Engelen 128 J6
Engelsmanplaat 119 M1
Engwierum 119 M2
Enkhuizen 123 J3
Ens 123 L4
Enschede 125 O5
Enter 124 N5
Enumatil 119 N2
Epe 124 L4
Epen 133 L9
Epse 124 M5
Erica 121 O3
Erm 121 O3
Ermelo 123 K5
Erp 128 K7
Esbeek 128 J7
Esch 128 J7
Escharen 128 L6
Espel 119 K3
Est 123 J6
Etten-Leur 127 H7
Europoort 122 G6
Eursinge 119 N3
Everdingen 123 J6
Ewijk 123 L6
Exloo 121 O3
Exmorra 118 K2
Eygelshoven 133 M9
Ezinge 119 N2

F

Farmsum 121 O2
Feanwâlden 119 L2
Ferwerderadell 103 L1
Ferwert 119 L1
Ferwoude 118 K2
Fijnaart 127 H7
Finsterwolde 121 P2
Fleringen 125 O4
Flevoland
(*Provincie*) 106 K4
Fluezen (De) 118 K3
Fluitenberg 119 N3
Foxhol 119 O2
Franeker 118 K2
Frederiksoord 119 M3
Frieschepalen 119 M2
Friesewad 119 L1
Friese Zeegat 119 M1
Fryslân
(*Provincie*) 103 L2

G

Gaanderen 124 N6
Gaast 118 K2
Gaasterlân-
Sleat 103 K3
Gaasterland 118 K3
Gaastmeer 118 K3
Gameren 128 J6
Garderen 123 L5
Garmerwolde 119 N2
Garnwerd 119 N2
Garrelsweer 119 O2
Garsthuizen 119 O1
Garyp 119 L2
Gassel 128 L6
Gasselte 119 O3
Gasselternijveen 121 O3
Gasteren 119 N2
Geerdijk 124 N4
Geersdijk 127 F7
Geertruidenberg 128 I6
Geervliet 122 G6
Gees 119 O3
Geesteren
(*Gelderland*) 124 N5
Geesteren
(*Overijssel*) 125 O4
Geffen 128 K6
Gelderland
(*Provincie*) 106 L5
Geldermalsen 123 J6
Gelderse Buurt 118 I3
Geldrop 128 K7
Geleen 129 L9
Gellicum 123 J6
Gelselaar 124 N5
Gemert 128 L7
Gemonde 128 K7
Genderen 128 J6
Gendringen 124 N6
Gendt 124 L6
Genemuiden 124 M4
Gennep 129 L6
Ginnum 119 L2
Gerkesklooster 119 M2
Gerwen 128 K7
Geul (De) 118 I2
Geulle 128 L9
Geysteren 129 M7
Giesbeek 124 M6
Giessen 128 J6
Giessenburg 123 I6
Giessenlanden 106 I6
Gieten 119 O2
Gieterveen 121 O2
Giethoorn 119 M3
Gilze 128 I7
Gilze
en Rijen 106 I7
Ginneken 128 I7
Glane 125 P5
Glanerbrug 125 O5
Glimmen 119 N2
Godlinze 119 O1
Goedereede 127 F6
Goeree 127 F6
Goes 127 F7
Goirle 128 J7
Gooi ('t) 123 J5
Gooimeer 123 J5
Goor 124 N5
Gorinchem 123 I6

GRONINGEN

A-Kerkhof Z 3
A-Str. Z 4
Brugstr. Z 9
de Brink Z 7
Eeldersingel Z 10
Eendrachtskade N. Z. Z 8
Eendrachtskade Z. Z. Z 12
Emmaviaduct Z 13
Gedempte Zuiderdiep Z 18
Grote Markt Z
Herestr. Z
Lopende Diep Y 33
Martinikerkhof YZ 34
Noorderhaven N. Z. Y 37
Noorderhaven Z. Z. Z 39
Oosterstr. Z
Ossenmarkt Y 43
Oude Boteringestr. Z 45
Oude Ebbingestr. Y 46
Paterswoldseweg Z 49
Rademarkt Z 55
Radesingel Z 57
Schuitendiep Z 58
St-Jansstr. Z 60
Spilsluizen Y 63
Verlengde
Oosterstr. Z 66
Vismarkt Z 67
Westerhaven Z 70
Westersingel Z 72
Zuiderpark Z 76

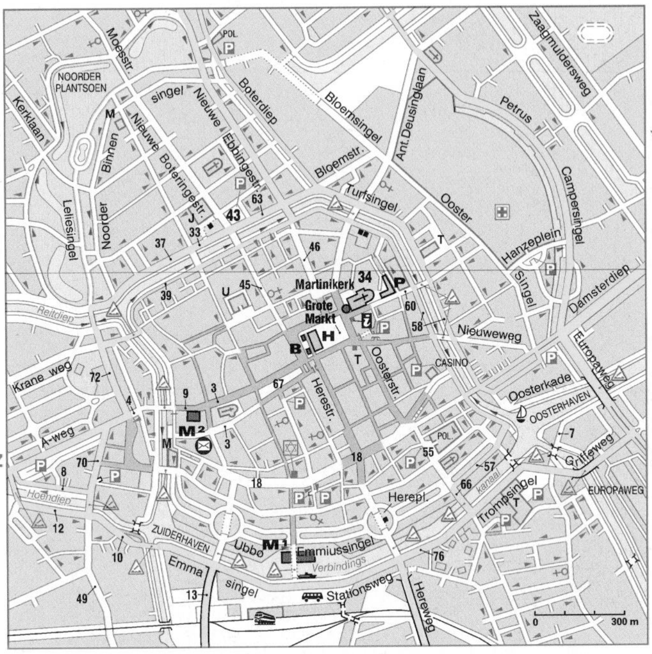
Y
Z
Moesstr.
NOORDER PLANTSOEN
Kerklaan
singel
Nieuwe Ebbingestr.
Boterdiep
Bloemsingel
Ant. Deusinglaan
Petrus
Zaagmuldersweg
Binnen
Nieuwe Boteringestr.
Bloemstr.
Turfsingel
Ooster
Campersingel
Leliesingel
Noorder
Hanzeplein
Singel
Damsterdiep
Martinikerk
Grote Markt
Reitdiep
Nieuweweg
Europaweg
CASINO
Krane weg
A-weg
Herestr.
Oosterstr.
Oosterkade
OOSTERHAVEN
Griffeweg
EUROPAWEG
Hoendiep
ZUIDERHAVEN
Ubbo
Emmaviaduct
Emmasingel
Verbindingsk.
Herepl.
Trompsingel
Stationsweg
Hereweg
0
300 m

Gorishoek 127 G7
Gorredijk 119 M3
Gorssel 124 M5
Gouda 122 I5
Gouderak 122 I6
Goudriaan 123 I6
Goudswaard 127 G6
Goutum 119 L2
Gouwe 118 I5
Gouwzee 123 J4
Graafschap 124 N5
Graafstroom 106 I6
Graauw 127 G8
Grafhorst 123 L4
Graft 123 I4
Gramsbergen 125 O4
Grashoek 129 L7
Grathem 129 L8
Grave 128 L6
Graveland ('s-) 123 J5
Gravendeel ('s-) 127 H6
Gravenhage ('s-) =
Den Haag 105 G5
Gravenmoer ('s-) 128 I7
Gravenpolder ('s-) 127 F7
Gravenzande ('s-) 122 G5
Grevelingendam 127 G6
Grevelingenmeer 127 F6
Grevenbicht 129 L8
Griend J2
Griendtsveen 129 L7
Grijpskerk 119 M2
Grijpskerke 127 E7
Groede 127 E7
Groenlo 125 N5
Groesbeek 129 L6
Groet 122 I3
Grolloo 119 O3
Groningen 119 N2
Groningen
(*Provincie*) 104 O2
Groningerwad 119 N1
Gronsveld 133 L9
Groot Ammers 123 I6
Groote Keeten 118 I3
Groote Peel
(Nationaal Park De) 129 L7
Grootebroek 123 J3
Grootegast 119 M2
Grootschermer 123 I4
Grou 119 L3
Grubbenvorst 129 L2
Grutte Brekken 119 M7
Gulpen 133 L9
Gytsjerk 119 L2

H

Haaften 128 J6
Haag (Den) =
's-Gravenhage 122 G5
Haaksbergen 125 O5
Haalderen 124 L6
Haamstede 127 F6
Haar
(Kasteel De) 123 I5
Haaren 128 J7
Haarle 124 N4
Haarlem 122 H4
Haarlemmerliede 122 I4
Haarlemmermeerpolder 122 H5
Haarlemmermeerpolder
(Ringvaart van de) 106 I5
Haarlerberg 124 N4
Haarlo 124 N5
Haarsteeg 128 J6
Haarzuilens 123 I5
Haastrecht 122 I6
Haelen 129 L8
Hagestein 123 J6
Hall 124 M5
Halle 124 N6
Hallum 119 L2
Halsteren 127 G7
Ham (Den)
(*Groningen*) 119 N2
Ham (Den) (
Overijssel) 124 N4
Handel 128 L7
Hank 128 I6
Hansweert 127 G7
Hantumhuizen 119 L1
Hapert 128 J7
Haps 129 L6
Harde ('t) 123 L4
Hardenberg 124 N4
Hardersluis 123 K4
Harderwijk 123 K4
Hardinxveld-
Giessendam 128 I6
Haren
(*Groningen*) 119 N2
Haren
(*Noord-Brabant*) 128 K6
Harenkarspel 102 I3
Harfsen 124 M5
Haringvliet 127 G6
Haringvlietbrug 127 H6
Haringvlietdam 122 G6
Harkema 119 M2
Harkstede 119 O2
Harlingen 118 K2
Harmelen 123 I5
Harreveld 124 N6
Harskamp 123 L5
Hasselt 124 M4
Hattem 124 M4
Haule 119 M2
Haulerwijk 119 N2
Havelte 119 M3
Havelterberg 119 M3
Hazerswoude-
Rijndijk 122 H5
Hazerswoude-
Dorp 122 H5
Hedel 128 J6
Heeg 118 K3
Heel 129 L8
Heelsum 123 L5
Heemse 124 N4
Heemskerk 122 I4
Heemstede 122 H4
Heen (De) 127 G7
Heenvliet 122 G6
Heer Arendskerke ('s-) 127 F7
Heer
Hendrikskinderen ('s-) 127 F7
Heerde 124 M4
Heerenberg ('s-) 124 M6
Heerenhoek ('s-) 127 F7
Heerenveen 119 L3
Heerewaarden 123 K6
Heerhugowaard 123 I3
Heerjansdam 122 H6
Heerlen 133 L9
Heesch 128 K6
Heeswijk-Dinther 128 K7
Heeten 124 M4
Heeze 128 K7
Hegebeintum 119 L1
Hei-en Boeicop 123 J6
Heibloem 129 L8
Heijen 129 L6
Heikant 127 G8
Heiligerlee 121 P2
Heiloo 122 I4
Heinenoord 127 H6

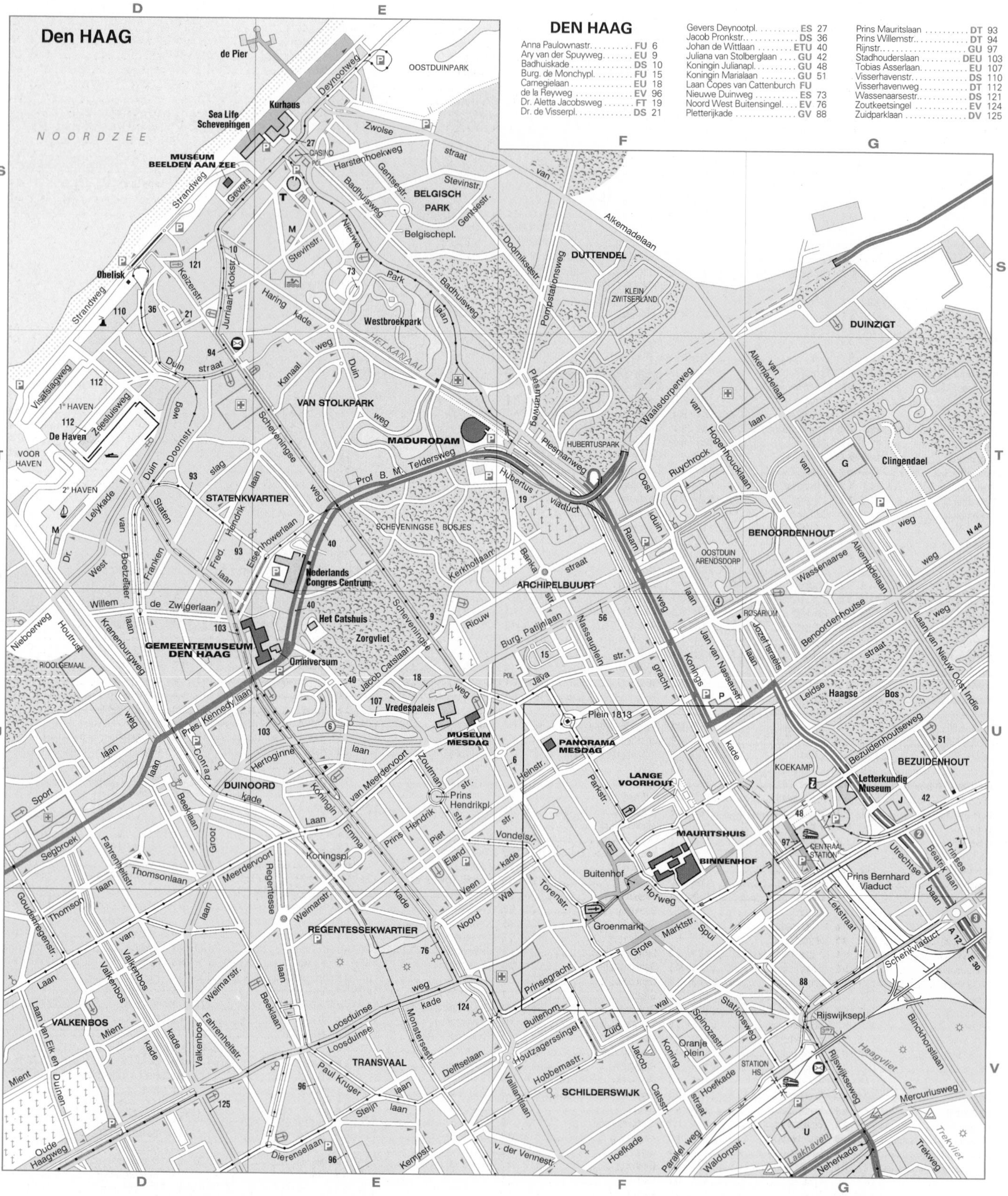
Den HAAG
DEN HAAG
Anna Paulownastr. .... FU 6
Ary van der Spuyweg .... EU 9
Badhuiskade .... DS 10
Burg. de Monchypl. .... FU 15
Carnegielaan .... EU 18
de la Reyweg .... EV 96
Dr. Aletta Jacobsweg .... FT 19
Dr. de Visserpl. .... DS 21
Gevers Deynootpl. .... ES 27
Jacob Pronkstr. .... DS 36
Johan de Wittlaan .... ETU 40
Juliana van Stolberglaan .... GU 42
Koningin Julianapl. .... GU 48
Koningin Marialaan .... GU 51
Laan Copes van Cattenburch FU
Nieuwe Duinweg .... ES 73
Noord West Buitensingel. .... EV 76
Pletterijkade .... GV 88
Prins Mauritslaan .... DT 93
Prins Willemstr. .... DT 94
Rijnstr. .... GU 97
Stadhouderslaan .... DEU 103
Tobias Asserlaan. .... EU 107
Visserhavenstr. .... DS 110
Visserhavenweg .... DT 112
Wassenaarsestr. .... DS 121
Zoutkeetsingel .... EV 124
Zuidparklaan .... DV 125
de Pier
Kurhaus
Sea Life Scheveningen
NOORDZEE
MUSEUM BEELDEN AAN ZEE
OOSTDUINPARK
BELGISCH PARK
Belgischepl.
Westbroekpark
DUTTENDEL
KLEIN ZWITSERLAND
DUINZIGT
VAN STOLKPARK
MADURODAM
HUBERTUSPARK
Clingendael
STATENKWARTIER
SCHEVENINGSE BOSJES
BENOORDENHOUT
Nederlands Congres Centrum
ARCHIPELBUURT
Het Catshuis
Zorgvliet
GEMEENTEMUSEUM DEN HAAG
Omniversum
Vredespaleis
MUSEUM MESDAG
Plein 1813
PANORAMA MESDAG
Haagse Bos
BEZUIDENHOUT
LANGE VOORHOUT
Letterkundig Museum
DUINOORD
Prins Hendrikpl.
MAURITSHUIS
BINNENHOF
CENTRAAL STATION
Prins Bernhard Viaduct
Buitenhof
Groenmarkt
REGENTESSEKWARTIER
VALKENBOS
TRANSVAAL
SCHILDERSWIJK
Rijswijksepl.
Oranje plein
STATION HS.
Obelisk
De Haven
VOOR HAVEN
Koningspl.
ROSARIUM
OOSTDUIN ARENDSDORP
KOEKAMP

Heinkenszand .... 127 F 7
Heino .... 124 M 4
Hekelingen .... 127 H 6
Helden .... 129 L 8
Helder (Den) .... 118 I 3
Helenaveen .... 129 L 7
Hellendoorn .... 124 N 4
Hellendoornseberg .... 124 N 4
Hellevoetsluis .... 127 G 6
Helmond .... 128 L 7
Helvoirt .... 128 J 7
Hem .... 123 J 4
Hemelum .... 118 K 3
Hendrik-Ido-Ambacht .... 122 H 6
Hengelo
(Gelderland) .... 124 M 5
Hengelo
(Overijssel) .... 125 O 5
Hengevelde .... 125 N 5
Hengstdijk .... 127 G 7
Hensbroek .... 123 I 4
Herikerberg .... 124 N 5
Herkenbosch .... 129 M 8
Herkingen .... 127 G 6
Herpen .... 128 K 6
Herten .... 129 L 8
Hertogenbosch ('s-) .... 128 J 6
Herwen .... 124 M 6
Herwijnen .... 123 J 6
Heteren .... 123 L 6
Heukelum .... 123 J 6
Heumen .... 129 L 6
Heusden
(bij Asten) .... 128 L 7
Heusden
(bij Drunen) .... 128 J 6
Heythuysen .... 129 L 8
Hierden .... 123 L 4
Hijken .... 119 N 3
Hijkersmilde .... 119 N 3
Hillegersberg .... 122 H 6
Hillegom .... 122 H 5
Hilvarenbeek .... 128 J 7
Hilversum .... 123 J 5
Hindeloopen .... 118 K 3
Hippolytushoef .... 118 I 3
Hitzum .... 118 K 2
Hoedekenskerke .... 127 F 7
Hoek .... 127 F 8
Hoek van Holland .... 122 G 6
Hoekse Waard .... 127 H 6
Hoenderloo .... 123 L 5
Hoensbroek .... 129 L 9
Hoevelaken .... 123 K 5
Hoeven .... 127 H 7
Hoge Vaart .... 123 L 4
Hoge Veluwe
(Nationaal Park De) ...... 123 L 5
Hole (Ter) .... 127 G 8
Hollands
Diep .... 127 H 6
Hollandsche
Rading .... 123 J 5
Hollandscheveld .... 119 N 3
Hollandse Brug .... 123 J 5
Hollandse
IJssel .... 123 H 6
Hollum .... 118 K 1
Holten .... 124 N 5
Holterberg .... 124 N 5
Holtum .... 129 L 8
Holwerd .... 119 L 1
Holwierde .... 121 O 1
Hommerts .... 119 K 3
Hondsbosse
Zeewering .... 118 H 3
Hondshaltermeer .... 121 O 2
Hondsrug .... 121 O 2

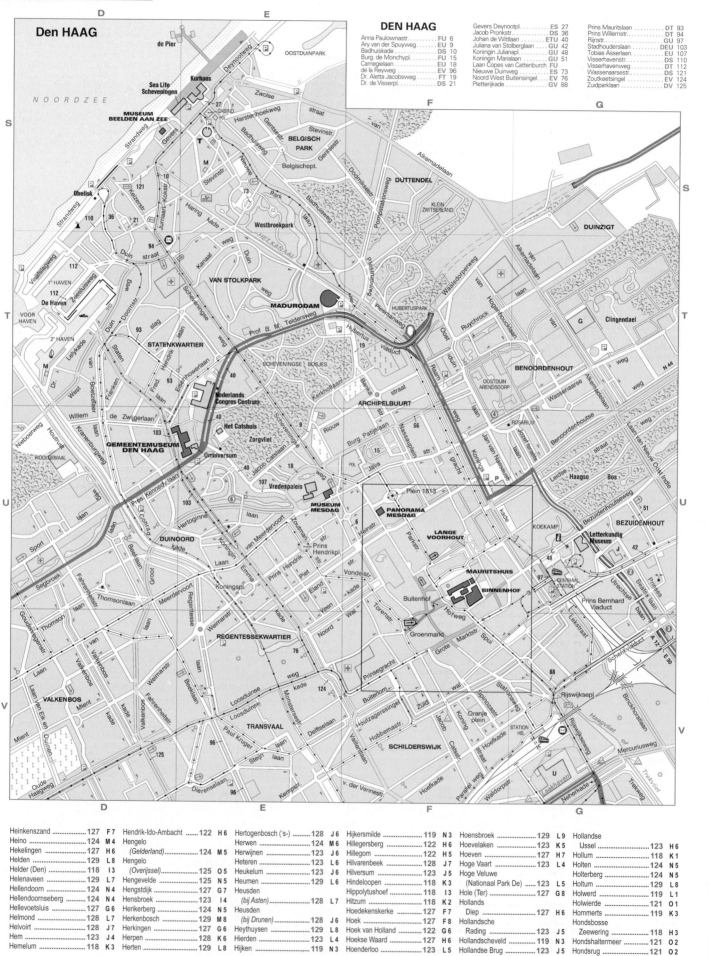

HAARLEM

Anegang ..... BCY
Bakenessergracht ..... CY 6
Barrevoetestr. ..... BY 7
Barteljorisstr. ..... BY 9
Botermarkt ..... BYZ 13
Damstr. ..... CY 18
Donkere Spaarne ..... CY 19
Frans Halsstr. ..... CX 25
Friese Varkenmarkt ..... CXY 27
Gasthuisvest ..... BZ 28
Ged. Voldersgracht ..... BY 30
Gierstr. ..... BZ 31
Groot Heiligland ..... BZ 33
Grote Houtstr. ..... BYZ
Hagestr. ..... CZ 34
Hoogstr. ..... CZ 39
Jacobijnestr. ..... BY 40
Keizerstr. ..... BY 45
Klokhuispl. ..... CY 48
Koningstr. ..... BY 49
Kruisstr. ..... BY
Nassaustr. ..... BY 54
Nieuwe Groenmarkt ..... BY 55
Ostadestr. ..... BX 57
Oude Groenmarkt ..... BCY 58
Smedestr. ..... BY 66
Spaarndamseweg ..... CX 67
Spaarnwouderstr. ..... CZ 69
Tuchthuisstr. ..... BZ 72
Verwulft ..... BYZ 75
Zijlsingel ..... BY 79
Zijlstr. ..... BY

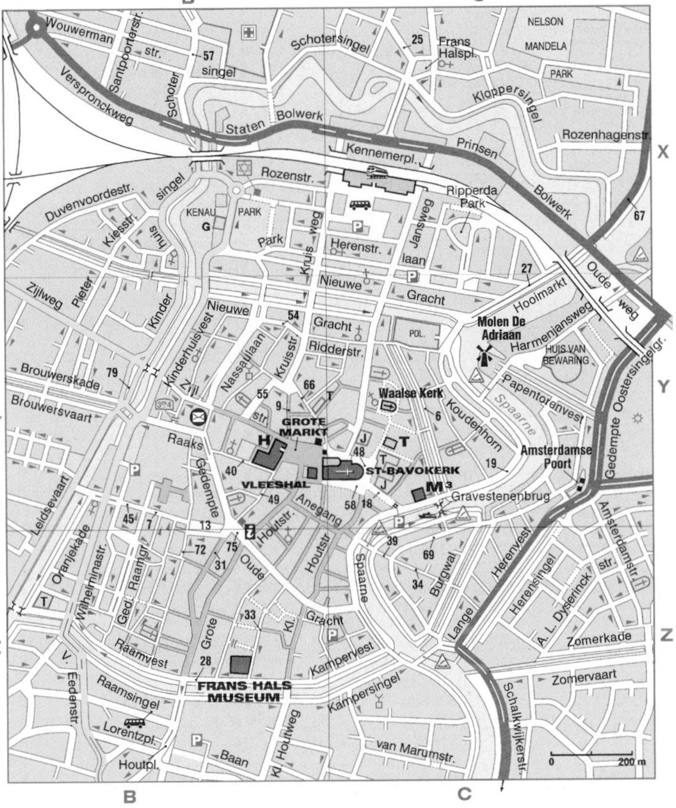

Honselersdijk ..... 122 G 5
Hoofddorp ..... 122 I 5
Hoofdplaat ..... 127 F 7
Hoog Soeren ..... 123 L 5
Hooge Hexel ..... 124 N 4
Hooge Mierde ..... 128 J 7
Hooge Zwaluwe ..... 128 I 6
Hoogeloon ..... 128 J 7
Hoogerheide ..... 127 G 7
Hoogersmilde ..... 119 N 3
Hoogeveen ..... 119 N 3
Hoogeveense Vaart (Verlengde) ..... 104 O 3
Hoogezand Sappemeer ..... 119 O 2
Hooghalen ..... 119 N 3
Hoogkarspel ..... 123 J 3
Hoogkerk ..... 119 N 2
Hoogland ..... 123 K 5
Hoogmade ..... 122 H 5
Hoogvliet ..... 122 H 6
Hoogwoud ..... 123 I 3
Hoorn *(Fryslân)* ..... 118 K 1
Hoorn *(Noord-Holland)* ..... 123 J 4
Hoorn (Den) ..... 118 I 2
Hoornaar ..... 123 I 6
Hoornsterzwaag ..... 119 M 3
Horn ..... 129 L 8
Horn (Den) ..... 119 N 2
Hornhuizen ..... 119 N 1
Horntje ('t) ..... 118 I 2
Horssen ..... 123 K 6
Horst *(Gelderland)* ..... 123 K 5
Horst *(Limburg)* ..... 129 M 7
Hout ('t) ..... 128 K 7
Houtakker ..... 128 J 7
Houten ..... 123 J 5
Houtribsluizen ..... 123 K 4
Houwerzijl ..... 119 N 1
Huijbergen ..... 127 H 7
Huisduinen ..... 118 I 3
Huissen ..... 124 L 6
Huizen ..... 123 J 5
Hulsberg ..... 133 L 9
Hulsel ..... 128 J 7
Hulst ..... 127 G 8
Hulten ..... 128 I 7
Hummelo ..... 124 M 5
Hunsel ..... 129 L 8
Hunze ..... 119 O 2
Hurdegaryp ..... 119 L 2

I

Idskenhuizen ..... 119 L 3
IJ-Tunnel ..... 123 I 4
IJhorst ..... 120 M 4
IJlst ..... 118 K 2
IJmeer ..... 123 J 4
IJmuiden ..... 122 H 4
IJssel ..... 124 M 5
IJsselmeer ..... 118 J 3
IJsselmuiden ..... 123 L 4
IJsselstein ..... 123 J 5
IJzendijke ..... 127 E 8
Ilpendam ..... 123 I 4
Itens ..... 118 K 2
Itteren ..... 133 L 9
Ittersum ..... 124 M 4
Ittervoort ..... 129 L 8

J

Jaarsveld ..... 123 I 6
Jelsum ..... 119 L 2
Jipsinghuizen ..... 121 P 3
Jirnsum ..... 119 L 2
Jisp ..... 123 I 4
Jistrum ..... 119 M 2
Jorwert ..... 119 L 2
Joure ..... 119 L 3
Jubbega ..... 119 M 3
Jubbega Derde-Sluis ..... 103 M 2
Julianadorp ..... 118 I 3
Julianakanaal ..... 129 L 9

K

Kaag ..... 122 H 5
Kaart ..... 118 J 1
Kaatsheuvel ..... 128 J 7
Kagerplassen ..... 122 H 5
Kamerik ..... 123 I 5
Kampen ..... 123 L 4
Kamperland ..... 127 F 7
Kantens ..... 119 N 1
Kapelle ..... 127 F 7
Kats ..... 127 F 7
Kattendijke ..... 127 F 7
Katwijk ..... 129 L 6
Katwijk aan den Rijn ..... 122 H 5
Katwijk aan Zee ..... 122 H 5
Kedichem ..... 123 J 6
Keeten Mastgat ..... 127 G 7
Keijenborg ..... 124 M 5
Kekerdom ..... 124 M 6
Kerkbuurt ..... 106 J 4
Kerkdriel ..... 128 K 6
Kerkenveld ..... 120 N 3
Kerkrade ..... 133 M 9
Kerkwerve ..... 127 F 6
Kerkwijk ..... 128 J 6
Kessel ..... 129 M 8
Kesteren ..... 123 K 6
Ketelbrug ..... 123 K 4
Ketelhaven ..... 123 L 4
Ketelmeer ..... 123 L 4
Keukenhof ..... 122 H 5
Kiel (De) ..... 119 O 3
Kiel-Windeweer ..... 119 O 2
Kijkduin ..... 122 G 5
Kilder ..... 124 M 6
Kinderdijk ..... 122 H 6
Klaaswaal ..... 127 H 6
Klarenbeek ..... 124 M 5
Klazienaveen ..... 121 O 3
Klijndijk ..... 121 O 3
Klimmen ..... 133 L 9
Klomp (De) ..... 123 K 5
Kloosterburen ..... 119 N 1
Kloosterhaar ..... 125 O 4
Kloosterzande ..... 127 G 7
Klundert ..... 127 H 7
Knegsel ..... 128 K 7
Knijpe (De) ..... 119 L 3
Kockengen ..... 123 I 5
Koedijk ..... 122 I 3
Koekange ..... 120 M 3
Koewacht ..... 127 F 8
Kolham ..... 119 O 2
Kolhorn ..... 118 I 3
Kollum ..... 119 M 2
Kollumerland c.a. ..... 103 M 2
Kollumerpomp ..... 119 M 2
Kollumerzwaag ..... 119 M 2
Kommerzijl ..... 119 M 2
Koningsbosch ..... 129 L 8
Koog aan de Zaan ..... 122 I 4
Koog (De) ..... 118 I 2
Kootwijk ..... 123 L 5
Kootwijkerbroek ..... 123 L 5
Kop van 't Land ..... 128 I 6
Kopstukken ..... 121 P 3
Korendijk ..... 105 G 6
Kornhorn ..... 119 M 2
Kortenhoef ..... 123 J 5
Kortgene ..... 127 F 7
Kotten ..... 125 O 6
Koudekerk aan den Rijn ..... 122 H 5
Koudekerke ..... 127 E 7
Koudum ..... 118 K 3
Krabbendijke ..... 127 G 7
Kraggenburg ..... 120 L 4
Krammer ..... 127 G 7
Krewerd ..... 121 O 1
Krim (De) ..... 120 N 4
Krimpen aan de Lek ..... 122 H 6
Krimpen aan den IJssel ..... 122 H 6
Krimpenerwaard ..... 122 I 6
Kröller-Müller-Museum ..... 123 L 5
Kromme Mijdrecht ..... 123 I 5
Kromme Rijn ..... 123 J 5
Krommenie ..... 122 I 4
Kropswolde ..... 119 O 2
Kruiningen ..... 127 G 7
Kruisland ..... 127 H 7
Kudelstaart ..... 122 I 5
Kûfurd (De) ..... 119 L 3
Kuinre ..... 119 L 3
Kwadendamme ..... 127 F 7

L

Laag-Keppel ..... 124 M 6
Laag-Soeren ..... 124 M 5
Lage Mierde ..... 128 J 7
Lage Vaart ..... 123 K 4
Lage Vuursche ..... 123 J 5
Lage Zwaluwe ..... 128 I 6
Lamswaarde ..... 127 G 7
Landgraaf ..... 129 M 9
Landsmeer ..... 123 I 4
Langbroek ..... 123 J 5
Langedijk ..... 122 I 3
Langelo ..... 119 N 2
Langeraar ..... 122 I 5
Langerak ..... 123 I 6
Langeveen ..... 125 O 4
Langezwaag ..... 119 M 3
Langweer ..... 119 L 3
Laren *(Gelderland)* ..... 124 N 5
Laren *(Noord-Holland)* ..... 123 J 5
Lattrop ..... 125 O 4
Lauwersmeer ..... 119 M 1
Lauwersoog ..... 119 M 1
Leek ..... 119 N 2
Leende ..... 128 K 7
Leens ..... 119 N 1
Leerbroek ..... 123 J 6
Leerdam ..... 123 J 6
Leermens ..... 119 O 1
Leersum ..... 123 K 5
Leeuwarden ..... 119 L 2
Leeuwarderadeel ..... 103 L 2
Leeuwte ..... 120 L 3
Leiden ..... 122 H 5
Leiderdorp ..... 122 H 5
Leidschendam ..... 122 H 5
Leien (De) ..... 119 M 2
Leimuiden ..... 122 I 5
Lek ..... 122 I 6
Lekkerkerk ..... 122 I 6
Lekkum ..... 119 L 2
Lelystad ..... 123 K 4
Lelystad Haven ..... 123 K 4
Lemele ..... 124 N 4
Lemelerberg ..... 124 N 4
Lemelerveld ..... 124 N 4
Lemmer ..... 119 L 3
Lemsterland ..... 103 K 3
Lent ..... 123 L 6
Lepelstraat ..... 127 G 7
Lettele ..... 124 M 5
Leunen ..... 129 L 7
Leusden ..... 123 K 5
Leusden-Zuid ..... 123 K 5
Leuth ..... 124 L 6
Leuvenum ..... 123 L 5
Lewedorp ..... 127 F 7
Lexmond ..... 123 J 6
Lhee ..... 119 N 3
Lichtenvoorde ..... 124 N 6
Liempde ..... 128 K 7
Lienden ..... 123 K 6
Lier (De) ..... 122 G 6
Lierop ..... 128 L 7
Lies ..... 118 J 1
Lieshout ..... 128 K 7
Liessel ..... 129 L 7
Liesveld ..... 106 I 6
Lievelde ..... 124 N 5
Lieveren ..... 119 N 2
Lijmers ..... 124 M 6
Limbricht ..... 129 L 8
Limburg *(Provincie)* ..... 111 L 8
Limmen ..... 122 I 4
Linge ..... 123 L 6
Lingewaal ..... 106 J 6
Linne ..... 129 L 8
Linschoten ..... 123 I 5
Lippenhuizen ..... 119 M 2
Lisse ..... 122 H 5
Lith ..... 128 K 6
Lithoijen ..... 128 K 6
Littenseradiel ..... 103 K 2
Lobith ..... 124 M 6
Lochem ..... 124 N 5
Lochemseberg ..... 124 N 5
Loenen *(Gelderland)* ..... 124 M 5
Loenen *(Utrecht)* ..... 123 J 5

LEEUWARDEN

Blokhuispl. ..... CZ 4
de Brol ..... CZ 6
Druifstreek ..... CZ 9
Groningerstraatweg ..... CY 13
Harlingersingel ..... BY 15
Harlingerstraatweg ..... BY 16
Hoeksterend ..... CY 18
Kleine Kerkstr. ..... BY 21
Monnikemuurstr. ..... CY 22
Naauw ..... CZ 24
Nieuwestad ..... BZ
Nieuwe Kade ..... CY 25
Over de Kelders ..... CYZ 27
Peperstr. ..... CZ 28
Prins Hendrikstr. ..... BZ 31
Schoenmakersperk ..... BY 34
St-Jacobsstr. ..... CY 36
Sophialaan ..... BZ 37
Speelmansstr. ..... CY 39
Tesselschadestr. ..... BZ 42
Torenstr. ..... BY 43
Tuinen ..... CY 44
Turfmarkt ..... CY 45
Tweebaksmarkt ..... CZ 46
Voorstreek ..... CY
Waagpl. ..... CZ 48
Westerplantage ..... BYZ 49
Wirdumerdijk ..... CZ 53
W. Lodewijkstr. ..... CZ 51

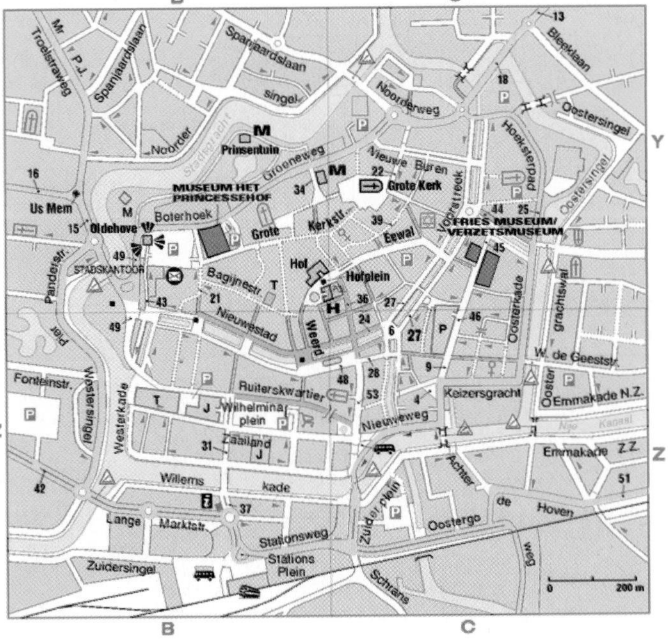

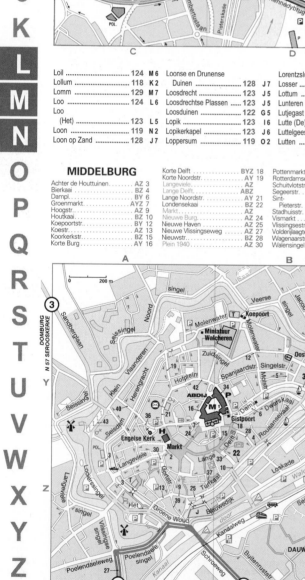

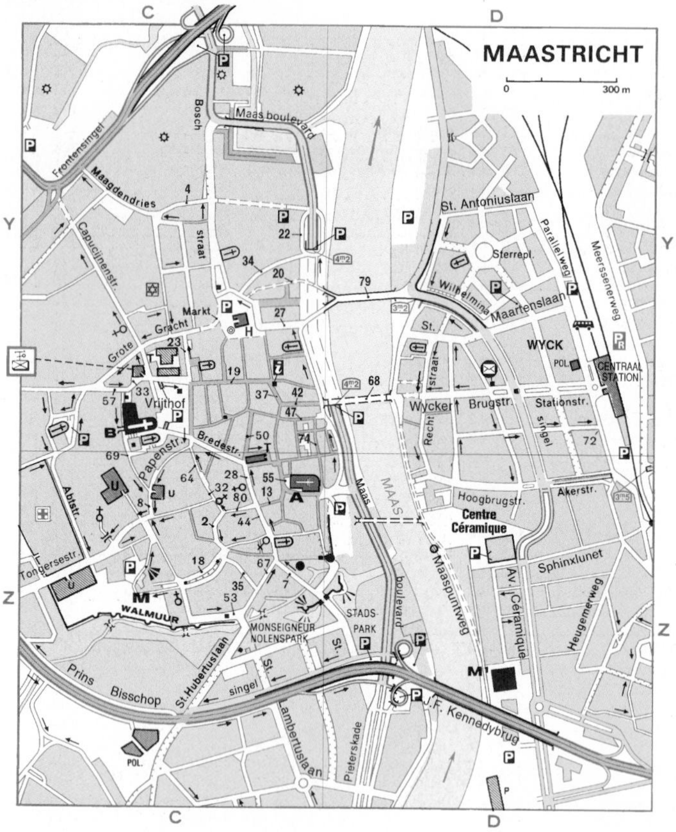

- Achter de Molens CZ 3
- A. D. Barakken CY 4
- Begijnenstr. CZ 7
- Bouillonstr. CZ 8
- Cortenstr. CZ 13
- Grote Looiersstr. CZ 18
- Grote Staat CY 19
- Gubbelstr. CY 20
- Helmstr. CY 23
- Hoenderstr. CY 27
- Hondstr. CZ 28
- Kapoenstr. CZ 32
- Keizer Karelpl. CY 33
- Kleine Gracht CY 34
- Kleine Looiersstr. CZ 35
- Kleine Staat CY 37
- Maastr. Brugstr. CY 42
- Maastr. Heidenstr. CZ 44
- Maastr. Smedenstr. CY 47
- Minckelerstr. CY 50
- Nieuwenhofstr. CZ 53
- Onze Lieve Vrouwepl. CZ 55
- Oude Tweebergenpoort CY 57
- St-Jacobstr. CY 64
- St-Pieterstr. CZ 67
- St-Servaasbrug DY 68
- St-Servaasklooster CZ 69
- Spoorweglaan DY 72
- Stokstr. CY 74
- van Hasseltkade CY 22
- Wilhelminabrug DY 79
- Witmakersstr. CZ 80
- Wycker Brugstr. DY

- Loil 124 M 6
- Lollum 118 K 2
- Lomm 129 M 7
- Loo 124 L 6
- Loo (Het) 123 L 5
- Loon 119 N 2
- Loon op Zand 128 J 7
- Loonse en Drunense Duinen 128 J 7
- Loosdrecht 123 J 5
- Loosdrechtse Plassen 123 J 5
- Loosduinen 122 G 5
- Lopik 123 I 6
- Lopikerkapel 123 J 6
- Loppersum 119 O 2
- Lorentzsluizen 118 J 2
- Losser 125 P 5
- Lottum 129 M 7
- Lunteren 123 K 5
- Lutjegast 119 M 2
- Lutte (De) 125 O 5
- Luttelgeest 119 L 3
- Lutten 124 N 4
- Luttenberg 124 N 4
- Luyksgestel 128 J 8

M

- Maarheeze 128 K 8
- Maarn 123 K 5
- Maarsbergen 123 K 5
- Maarssen 123 J 5
- Maartensdijk 123 J 5
- Maas 133 J 6
- Maas en Waal (Land van) 123 K 6
- Maas Land 128 K 6
- Maas-Schwalm-Nette (Grenspark) 129 L 8
- Maas-Waalkanaal 129 L 6
- Maasbommel 123 K 6
- Maasbracht 129 L 8
- Maasbree 129 M 7
- Maasdam 127 H 6
- Maasdijk 122 G 6
- Maasdriel 106 K 6
- Maashees 129 M 7
- Maasland 122 G 6
- Maassluis 122 G 6
- Maastricht 133 L 9
- Maastricht (*Luchthaven*) 129 L 9
- Maasvlakte 122 G 6
- Made 128 I 6
- Makkinga 119 M 3
- Makkum 118 K 2
- Malden 129 L 6
- Mantgum 119 L 2
- Mantinge 119 N 3
- Maren 106 K 6
- Margraten 133 L 9
- Mariaheide 128 K 7
- Mariahoop 129 L 8
- Mariahout 128 K 7
- Mariaparochie 125 O 4
- Mariënberg 124 N 4
- Mariënvelde 124 N 5
- Mark 128 H 7
- Markelo 124 N 5
- Marken 123 J 4
- Markermeer 123 J 4
- Markerwaarddijk 123 K 4
- Marknesse 120 L 3
- Marrum 119 L 2
- Marsdiep 118 I 3
- Marssum 119 L 2
- Marum 119 M 2
- Mastenbroek 124 M 4
- Mastenbroek (Polder) 124 M 4
- Maurik 123 K 6
- Mechelen 133 L 9
- Medemblik 118 J 3
- Meeden 121 O 2
- Meedhuizen 121 O 2
- Meerkerk 123 I 6
- Meerlo 129 M 7
- Meern (De) 123 J 5
- Meerssen 133 L 9
- Meeuwen 128 J 6
- Megchelen 124 N 6
- Megen 123 K 6
- Meije 123 I 5
- Meijel 129 L 7
- Melderslo 129 M 7
- Melick 129 M 8
- Meliskerke 127 E 7
- Melissant 127 G 6
- Menaldum 119 K 2
- Menaldumadeel 103 K 2
- Menkemaborg 119 O 1
- Mensingeweer 119 N 1
- Meppel 120 M 3
- Meppelerdiep 120 M 4
- Meppen 119 O 3
- Merselo 129 L 7
- Merwedekanaal 123 J 6
- Meteren 123 J 6
- Meterik 129 M 7
- Metslawier 119 M 1
- Middachten 124 M 5
- Middelaar 129 L 6
- Middelbeers 128 J 7
- Middelburg 127 E 7
- Middelharnis 127 G 6
- Middelstum 119 N 1
- Middenbeemster 123 I 4
- Middenmeer 118 I 3
- Midlaren 119 O 2
- Midlum 118 K 2
- Midsland 118 J 1
- Midwolda 121 P 2
- Midwolde 119 N 2
- Midwoud 123 J 3
- Mierlo 128 K 7
- Mijdrecht 123 I 5
- Mijnsheerenland 127 H 6
- Mildam 119 L 3
- Milheeze 128 L 7
- Mill 128 L 6
- Millingen aan de Rijn 124 M 6
- Milsbeek 129 L 6
- Minnertsga 118 K 2
- Moddergat 119 M 1
- Moerdijk 127 H 6
- Moerdijkbruggen 127 H 6
- Moergestel 128 J 7
- Moerkapelle 122 H 5
- Moermond 127 F 6
- Molenaarsgraaf 123 I 6
- Molenhoek 129 L 6
- Molenschot 128 I 7
- Molkwerum 118 K 3
- Monnickendam 123 J 4
- Monster 122 G 5
- Montferland 124 M 6
- Montfoort 123 I 5
- Montfort 129 L 8
- Mook 129 L 6
- Mookhoek 127 H 6
- Moordrecht 122 I 6
- Mortel 128 L 7
- Muiden 123 J 5
- Muiderberg 123 J 5
- Munnekeburen 119 L 3
- Munnekezijl 119 M 2
- Muntendam 121 O 2
- Mussel 121 P 3
- Musselkanaal 121 O 3
- Musselkanaal (*Plaats*) 104 P 3
- Muy (De) 118 I 2

N

- Naaldwijk 122 G 6
- Naarden 123 J 5
- Nagele 120 L 4
- Neder Rijn 123 K 6
- Nederasselt 128 L 6
- Nederhemert 128 J 6
- Nederhorst den Berg 123 J 5
- Nederweert 128 L 8
- Nederwetten 128 K 7
- Neede 125 N 5
- Neer 129 L 8
- Neerijnen 106 J 6
- Neeritter 129 L 8
- Neerkant 129 L 7
- Nes (*bij Dokkum*) 119 M 1
- Nes (*op Ameland*) 119 L 1
- Netersel 128 J 7
- Netterden 124 M 6
- Nibbixwoud 123 J 3
- Niekerk 119 N 2
- Nienoord 119 N 2
- Nieuw Amsterdam 121 O 3
- Nieuw Balinge 119 N 3
- Nieuw-Beerta 121 P 2
- Nieuw-Beijerland 127 H 6
- Nieuw-Bergen 129 M 7
- Nieuw Buinen 121 O 3
- Nieuw Den Helder 118 I 3
- Nieuw Dordrecht 121 O 3
- Nieuw en St.Joosland 127 E 7
- Nieuw Heeten 124 N 5
- Nieuw Lekkerland 122 I 6
- Nieuw Milligen 123 L 5
- Nieuw-Namen 127 G 8
- Nieuw-Roden 119 N 2
- Nieuw-Scheemda 121 O 2
- Nieuw-Schoonebeek 121 O 4
- Nieuw-Vennep 122 H 5
- Nieuw-Vossemeer 127 G 7
- Nieuw Weerdinge 121 O 3
- Nieuwdorp 127 F 7
- Nieuwe Maas 122 H 6
- Nieuwe Merwede 128 I 6
- Nieuwe-Niedorp 118 I 3
- Nieuwe Pekela 121 O 2
- Nieuwe Tonge 127 G 6
- Nieuwe Waterweg 122 G 6
- Nieuwegein 123 J 5
- Nieuwendijk 128 I 6
- Nieuwenhoorn 122 G 6
- Nieuwer-ter-Aa 123 I 5
- Nieuwerbrug 123 I 5
- Nieuwerkerk 127 G 7
- Nieuwerkerk aan den IJssel 122 H 6
- Nieuweroord 119 N 3
- Nieuweschans 121 P 2
- Nieuwkoop 122 I 5
- Nieuwkoopse Plassen 123 I 5
- Nieuwkuijk 128 J 6
- Nieuwland (*Zuid-Holland*) 123 J 6
- Nieuwlande 120 N 3
- Nieuwleusen 124 M 4
- Nieuwolda 121 O 2
- Nieuwpoort 123 I 6
- Nieuwstadt 129 L 8
- Nieuwveen 122 I 5
- Nieuwvliet 126 E 7
- Niew-Loosdrecht 123 J 5
- Niezijl 119 N 2
- Niftrik 128 L 6
- Nigtevecht 123 J 5
- Nij Beets 119 M 2
- Nijbroek 124 M 5
- Nijefurd 102 K 3
- Nijega 119 M 2
- Nijemirdum 118 K 3
- Nijeveen 119 M 3
- Nijkerk 123 K 5
- Nijland 118 K 2
- Nijmegen 123 L 6
- Nijnsel 128 K 7
- Nijswiller 133 L 9
- Nijverdal 124 N 4
- Nispen 127 H 7
- Nisse 127 F 7
- Nistelrode 128 K 6
- Noardburgum 119 M 2
- Noorbeek 133 L 9
- Noord 122 H 6
- Noord Beveland 127 F 7
- Noord-Brabant (*Provincie*) 109 H 7
- Noord-Holland (*Provincie*) 106 I 4
- Noord-Oost-Polder 119 L 3
- Noord Willemskanaal 119 N 2
- Noordbroek 121 O 2
- Noordeinde (*Overijssel*) 119 M 3
- Noordeinde (*Zuid-Holland*) 122 I 5
- Noordeinde (*Gelderland*) 123 L 4
- Noordeloos 123 I 6
- Noorden 123 I 5
- Noorder-Koggenland 102 J 3
- Noorderhaaks 118 H 3
- Noordervaart 129 L 8
- Noordgouwe 127 F 6
- Noordhollandskanaal 118 I 4
- Noordhorn 119 N 2
- Noordlaren 119 O 2
- Noordscheschut 119 N 3
- Noordsleen 121 O 3
- Noordwijk 119 M 2
- Noordwijk aan Zee 122 H 5
- Noordwijk-Binnen 122 H 5
- Noordwijkerhout 122 H 5
- Noordwolde 119 M 3
- Noordzeekanaal 122 I 4
- Nootdorp 122 H 5
- Norg 119 N 2
- Nuenen 128 K 7
- Nul (Den) 124 M 4

MIDDELBURG

- Achter de Houttuinen AZ 3
- Bierkaai BZ 4
- Dampl. BY 6
- Groenmarkt AYZ 7
- Hoogstr. AZ 9
- Houtkaai BZ 10
- Koepoortstr. BY 12
- Koestr. AZ 13
- Koorkerkstr. BZ 15
- Korte Burg AY 16
- Korte Delft BYZ 18
- Korte Noordstr. AY 19
- Langeviele AZ
- Lange Delft ABZ
- Lange Noordstr. AY 21
- Londensekaai BZ 22
- Markt AZ
- Nieuwe Burg AZ 24
- Nieuwe Haven AZ 25
- Nieuwe Vlissingseweg AZ 27
- Nieuwstr. BZ 28
- Plein 1940 AZ 30
- Pottenmarkt AZ 2
- Rotterdamsekaai BY 31
- Schuitvlotstr. BY 5
- Segeerstr. BZ 33
- Sint-Pieterstr. BY 34
- Stadhuisstr. AY 36
- Vismarkt ABZ 37
- Vlissingsestr. AZ 39
- Volderijlaagte AY 40
- Wagenaarstr. AY 42
- Walensingel AYZ 43

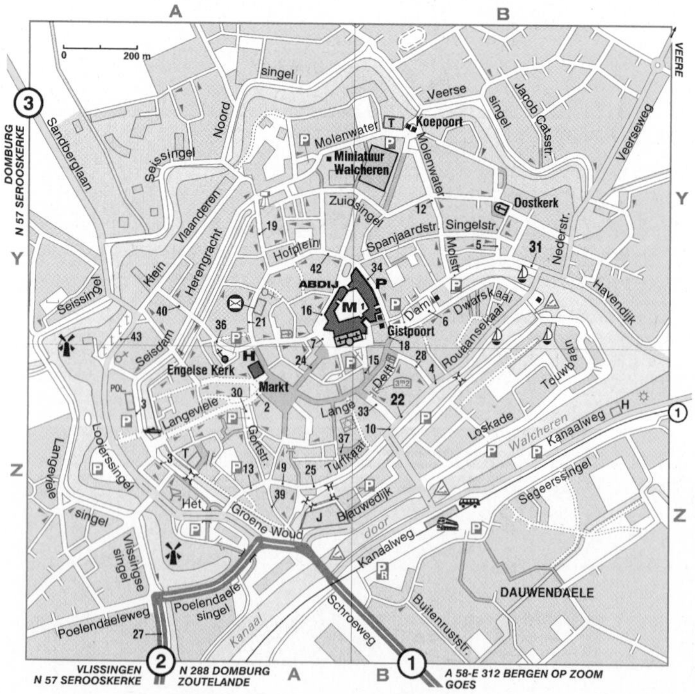

NIJMEGEN

Augustinenstr. . . . . B 4
Barbarossastr. . . . . C 6
Bisschop Hamerstr. . . . . . B 10
Bloemerstr. . . . . B
Broerstr. . . . . B
Burchstr. C
Ganzenheuvel . . . . B 2
Gerard Noodstr. . . . . C 15
Graadt Roggenstr. . . . . C 16
Groesbeekseweg . . . . B 18
Grotestr. . . . . C 21
Grote Markt. . . . . B 19
in de Betouwstr. . . . . B 9
Julianapl. . . . . C 28
Keizer Traianuspl. . . . . C 30
Kelfkensbos . . . . C 31
Kitty de Wijzepl. . . . . B 8
Lange Hezelstr. . . . . B
Marienburgsestr. . . . . C 34
Molenstr. . . . . B
Mr Franckenstr. . . . . C 35
Nassausingel . . . . B 37
Nonnenstr. . . . . B 40
Passage Molenpoort . . . . B 45
Plein 1944 . . . . B
Prins Bernhardstr. . . . . C 46
Prins Hendrikstr. . . . . C 48
Regulierstr. . . . . B 49
Stationspl. . . . . B 55
Stikke Hezelstr. . . . . B 57
Tunnelweg. . . . . B 60
Tweede Walstr. . . . . B 61
van Berchenstr. . . . . B 7
van Broeckhuysenstr. . . . . C 12
van Demerbroeckstr. . . . . B 13
van Oldenbarneveltstr. . . . B 42
van Schevichavenstr. . . . . C 51
van Triestr. . . . . B 58
Wilhelminasingel . . . . B 64
Ziekerstr. . . . . BC

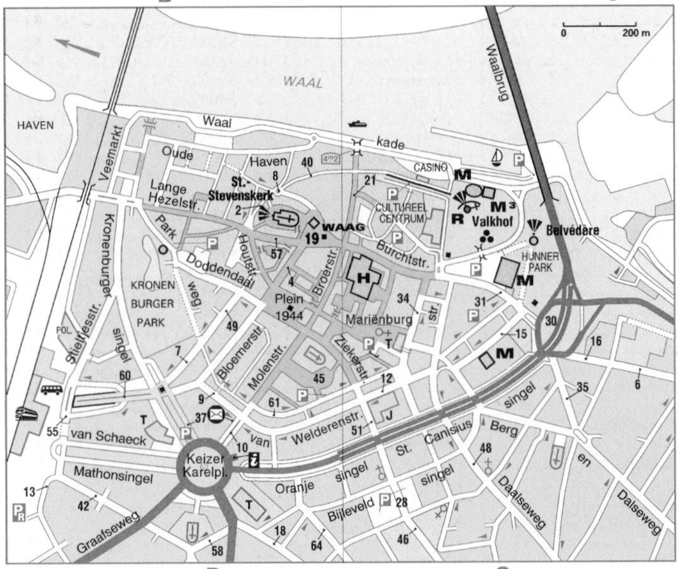

B
C
WAAL
Waalbrug
HAVEN
Waal
kade
Veemarkt
Oude
Haven
Lange Hezelstr.
St.-Stevenskerk
CASINO
CULTUREEL CENTRUM
Valkhof
Belvédère
WAAG
Burchtstr.
Kronenburger
Park
Doddendaal
HUNNER PARK
KRONENBURGER PARK
Plein 1944
Marienburg
Bloemerstr.
Molenstr.
Ziekerstr.
singel
Welderenstr.
Canisius
Berg
van Schaeck
Keizer Karelpl.
Mathonsingel
Oranje
singel
Bijleveld
Daalseweg
Dalseweg
Graafseweg
200 m

Nuland ....128 K 6
Numansdorp ....127 H 6
Nunspeet ....123 L 4
Nuth ....129 L 9

O

Obdam ....123 I 3
Ochten ....123 K 6
Odijk ....123 J 5
Odiliapeel ....128 L 7
Odoorn ....121 O 3
Oeffelt ....129 L 6
Oegstgeest ....122 H 5
Oene ....124 M 4
Oerle ....128 K 7
Oesterdam ....127 G 7
Oever (Den) ....118 J 3
Ohé en Laak ....129 L 8
Oijen ....123 K 6
Oirsbeek ....129 L 9
Oirschot ....128 J 7
Oisterwijk ....128 J 7
Olburgen ....124 M 5
Oldeberkoop ....119 M 3
Oldebroek ....123 L 4
Oldeholtpade ....119 M 3
Oldehove ....119 N 2
Oldemarkt ....119 L 3
Oldenzaal ....125 O 5
Oldenzijl ....119 O 1
Olland ....128 K 7
Olst ....124 M 4
Ommel ....128 L 7
Ommelanderwijk ....121 O 2
Ommen ....124 N 4
Ommeren ....123 K 6
Ommerkanaal ....120 N 4
Onderbanken ....111 L 9
Onderdendam ....119 N 1
Onderdijk ....118 J 3
Onnen ....119 N 2
Onstwedde ....121 P 2
Ooij ....124 L 6
Ooltgensplaat ....127 H 6
Oost-Graftdijk ....123 I 4
Oost-Souburg ....127 E 7
Oost-Vlieland ....118 J 2
Oostburg ....127 E 8
Oosteind ....128 I 7
Oosteinde ....119 M 3
Oostelbeers ....128 J 7
Oostelijk-Flevoland ....123 K 4
Oostendorp ....123 L 4
Oosterbeek ....123 L 6
Oosterbierum ....118 K 2
Oosterbroek ....104 O 2
Oosterend
(bij Wommels).......................118 K 2
Oosterend
(op Terschelling)...................118 K 1

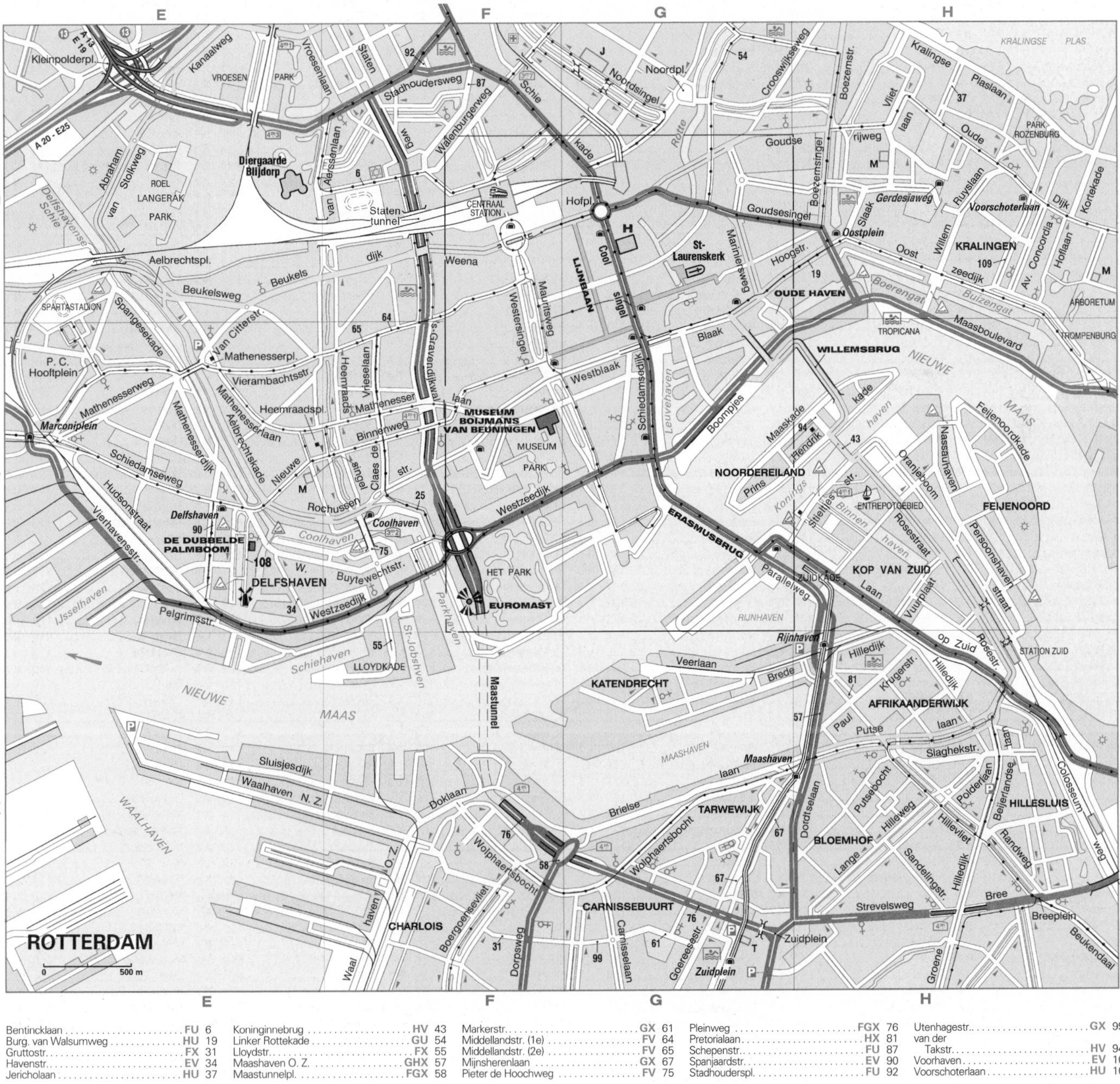

E
F
G
H
U
V
X
ROTTERDAM
500 m
Kleinpolderpl.
Kanaalweg
VROESEN PARK
Stadhoudersweg
Diergaarde Blijdorp
ROEL LANGERAK PARK
Statentunnel
CENTRAAL STATION
Hofpl.
Noordsingel
Noordpl.
Crooswijksesingel
Kralingse Plas
Goudsesingel
St.-Laurenskerk
Aelbrechtspl.
Beukelsweg
SPARTASTADION
P. C. Hooftplein
Weena
Coolsingel
LIJNBAAN
OUDE HAVEN
Oostplein
KRALINGEN
Gerdesiaweg
Voorschoterlaan
ARBORETUM
TROPICANA
Maasboulevard
TROMPENBURG
Blaak
WILLEMSBRUG
Mathenesserpl.
Marconiplein
MUSEUM BOIJMANS VAN BEUNINGEN
Westzeedijk
Boompjes
NOORDEREILAND
FEIJENOORD
Delfshaven
DE DUBBELDE PALMBOOM
DELFSHAVEN
Coolhaven
HET PARK
EUROMAST
ERASMUSBRUG
ENTREPOTGEBIED
KOP VAN ZUID
Rijnhaven
STATION ZUID
Pelgrimsstr.
Schiehaven
LLOYDKADE
NIEUWE MAAS
Maastunnel
KATENDRECHT
AFRIKAANDERWIJK
Maashaven
Waalhaven N. Z.
WAALHAVEN
TARWEWIJK
BLOEMHOF
HILLESLUIS
CARNISSEBUURT
CHARLOIS
Zuidplein
Strevelsweg
Breeplein
Beukendaal

Bentincklaan . . . . FU 6
Burg. van Walsumweg . . . . HU 19
Gruttostr. . . . . FX 31
Havenstr. . . . . EV 34
Jericholaan . . . . HU 37
Koninginnebrug . . . . HV 43
Linker Rottekade . . . . GU 54
Lloydstr. . . . . FX 55
Maashaven O. Z. . . . . GHX 57
Maastunnelpl. FGX 58
Markerstr. . . . . GX 61
Middellandstr. (1e) . . . . FV 64
Middellandstr. (2e) . . . . FV 65
Mijnsherenlaan . . . . GX 67
Pieter de Hoochweg . . . . FV 75
Pleinweg . . . . FGX 76
Pretorialaan . . . . HX 81
Schepenstr. . . . . FU 87
Spanjaardstr. . . . . EV 90
Stadhouderspl. . . . . FU 92
Utenhagestr. . . . . GX 99
van der Takstr. . . . . HV 94
Voorhaven . . . . EV 108
Voorschoterlaan . . . . HU 109

Oosterend *(op Texel)* 118 I2
Oosterhesselen 119 O3
Oosterhout *(Noord-Brabant)* 128 I7
Oosterhout-Nijmegen *(Gelderland)* 123 L6
Oosterkwelder 119 M1
Oosterland *(Duiveland)* 127 G7
Oosterland *(Noord-Holland)* 118 J3
Oosterleek 123 J4
Oosternijkerk 119 M1
Oosterschelde 127 F7
Oosterscheldedam (Stormvloedkering) 127 F7
Oosterwierum 119 L2
Oosterwolde *(Fryslân)* 119 M3
Oosterwolde *(Gelderland)* 123 L4
Oosthem 118 K2
Oosthuizen 123 J4
Oostkapelle 127 E7
Oostmahorn 119 M1
Oostrum 129 M7
Ooststellingwerf 103 M3
Oostvaardersdijk 123 J4
Oostvaardersplassen 123 J4
Oostvoorne 122 G6
Oostwold *(bij Hoogkerk)* 119 N2
Oostwold *(bij Winschofen)* 121 P2
Oostzaan 123 I4
Ootmarsum 125 O4
Opeinde 119 M2
Opende 119 M2
Ophemert 123 K6
Opheusden 123 K6
Oploo 129 L7
Opmeer 123 I3
Oppenhuizen 119 L2
Opperdoes 118 J3
Opsterland 103 M2
Oranjekanaal 121 N3
Oranjewoud 119 L3
Orvelte 119 N3
Osdorp 123 I4
Ospel 129 L8
Ospeldijk 129 L8
Oss 128 K6
Osse (Den) 127 F6
Ossendrecht 127 H7
Ossenisse 127 F7
Ossenzijl 119 L3
Oterleek 123 I4
Otterlo 123 L5
Ottersum 129 L6
Oud-Beijerland 122 H6
Oud Gastel 127 H7
Oud-Loosdrecht 123 J5
Oud-Reemst 123 L5
Oud-Sabbinge 127 F7
Oud-Vossemeer 127 G7
Oud-Wassenaar 122 H5
Oud-Zuilen 123 J5
Ouddorp 127 F6
Oude IJssel 124 M6
Oude Maas H6
Oude Pekela 121 P2
Oude Rijn 122 I5
Oude-Tonge 127 G6
Oude Venen 119 L2
Oude-Wetering 122 H5
Oudebildtzijl 119 L2
Oudega *(bij Drachten)* 119 M2
Oudega *(bij Koudum)* 118 K3
Oudega *(bij Sneek)* 118 K3
Oudehaske 119 L3
Oudehorne 119 M3
Oudemirdum 118 K3
Oudemolen *(Drenthe)* 119 N2
Oudemolen *(Noord-Brabant)* 127 H7
Oudenbosch 127 H7
Oudenhoorn 127 G6
Ouderkerk 122 H6
Ouderkerk aan de Amstel 123 I5
Oudeschans 121 P2
Oudeschild 118 I2
Oudewater 123 I5
Oudkarspel 122 I3
Oudleusen 124 M4
Oudorp 122 I4
Oudwoude 119 M2
Ouwerkerk 127 F7
Overberg 123 K5
Overdinkel 125 P5
Overflakkee 127 G6
Overijssel *(Provincie)* 107 N4
Overijssels Kanaal 124 N4
Overlangel 128 L6
Overloon 129 L7
Overschie 122 H6
Overschild 119 O2
Overslag 127 F8
Overveen 122 H4
Ovezande 127 F7

P

Pannerden 124 M6
Pannerdens Kanaal 124 L5
Panningen 129 L8
Papendrecht 128 I6
Papenvoort 119 O3
Parrega 118 K2
Paterswolde 119 N2
Peel (De) 106 L7
Peelland 128 K7
Peij 129 L8
Peize 119 N2
Pekel-Aa 121 O2
Pernis 122 H6
Pesse 119 N3
Petten 102 I3
Philippine 127 F8
Philipsdam 127 G6
Piaam 118 K2
Piershil 127 G6
Pieterburen 119 N1
Pijnacker 122 H5
Pikmar 119 L2
Pingjum 118 K2
Poeldijk 122 G5
Polsbroek 123 I6
Polsbroekerdam 123 I6
Poortugaal 122 H6
Poortvliet 127 G7
Poppenwier 119 L2
Popta 119 L2
Port Zélande 127 F6
Posbank 124 M5
Post (Ten) 119 O2
Posterholt 129 M8
Posthoorn 123 L4
Princenhage 128 I7
Prinsenbeek 128 I7
Prinses Margrietkanaal 119 L2
Punt (De) 119 N2
Punthorst 124 M4
Purmerend 123 I4
Purmerland 123 I4
Putte 127 H7
Putten *(Gelderland)* 123 K5
Putten *(Zuid-Holland)* 123 G6
Puttershoek 127 H6

R

Raalte 124 M4
Raam 128 L6
Raamsdonk 128 I6
Raamsdonksveer 128 I6
Raerd 119 L2
Randwijk 123 L6
Ravenstein 128 K6
Rechteren 124 M4
Reduzum 119 L2
Reek 128 L6
Reest 120 N4
Reeuwijk 122 I5
Reeuwijk Dorp 122 I5
Reeuwijkse Plassen 122 I5
Regge 124 N5
Reimerswaal 109 G7
Reitdiep 119 N2
Rekken 125 O5
Renesse 127 F6
Renkum 123 L6
Renswoude 123 K5
Retranchement 126 E7
Reusel 128 J7
Reusel (Rivier) 128 J7
Reutum 125 O4
Reuver 129 M8
Rheden 124 M5
Rheeze 124 N4
Rhenen 123 K6
Rhoon 122 H6
Richel 118 J2
Ridderkerk 122 H6
Ried 118 K2
Riel 128 J7
Riethoven 128 K7
Rif (Het) 119 M1
Rijen 128 I7
Rijkevoort 129 L7
Rijnsburg 122 H5
Rijnwaarden 107 M6
Rijp (De) 123 I4
Rijs 118 K3
Rijsbergen 128 I7
Rijsenhout 122 I5
Rijsoord 122 H6
Rijssen 124 N5
Rijswijk *(Gelderland)* 123 K6
Rijswijk *(Zuid-Holland)* 122 G5
Rilland 127 G7
Rimburg 129 M9
Rinsumageast 119 L2
Rips 129 L7
Ritthem 127 E7
Rockanje 122 G6
Roden 119 N2
Roderwolde 119 N2
Roelofarendsveen 122 H5
Roer 129 L8
Roermond 129 L8
Roggebotsluis 103 L4
Roggel 129 L8
Rolde 119 N3
Ronde Venen (De) 106 I5
Ronduite 120 M3
Roodeschool 119 O1
Roompot 127 F7
Roosendaal 127 H7
Roosteren 129 L8
Rosmalen 128 K6
Rossum *(Gelderland)* 128 K6
Rossum *(Overijssel)* 125 O4
Roswinkel 121 P3
Rottemeren 122 H5
Rotterdam 122 H6
Rotterdam *(Luchthaven)* 122 H6
Rottevalle 119 M2
Rottum *(Fryslân)* 119 L3
Rottum *(Groningen)* 119 N1
Rottumeroog 119 N1
Rottumerplaat 103 N1
Rouveen 124 M4
Rozenburg 122 G6
Rozendaal 124 L5
Rucphen 127 H7
Ruinen 119 N3
Ruinerwold 119 M3
Ruiten-Aa 121 P3
Ruiten-Aa Kanaal 121 P3
Ruitenveen 124 M4
Rutten 119 L3
Ruurlo 124 N5

S

Saaksum 119 N2
Saasveld 125 O5
Sambeek 129 L7
Santpoort 122 H4
Sas-van-Gent 127 F8
Sassenheim 122 H5
Sauwerd 119 N2
Schaarsbergen 123 L5
Schaft 128 K8
Schagen 118 I3
Schagerbrug 118 I3
Schaijk 128 K6
Schalkhaar 124 M5
Schalkwijk 123 J6
Scharendijke 127 F6
Scharnegoutum 119 L2
Scharsterbrug 119 L3
Scharwoude 123 J4
Scheemda 121 O2
Schelde 127 G7
Schelde-Rijnverbinding 127 G7
Schellingwoude 123 I4
Schellinkhout 123 J4
Schelluinen 123 I6
Schermer 102 I4
Schermerhorn 123 I4
Scherpenisse 127 G7
Scherpenzeel *(Fryslân)* 119 L3
Scherpenzeel *(Gelderland)* 123 K5
Scheveningen 122 G5
Schiedam 122 H6
Schiermonnikoog 119 M1
Schiermonnikoog (Eiland) 119 M1
Schijf 127 H7
Schijndel 128 K7
Schildmeer 119 O2
Schildwolde 119 O2
Schimmert 129 L9
Schin op Geul 133 L9
Schinnen 129 L9
Schinveld 129 L9
Schipbeek 124 N5
Schipborg 119 O2
Schipluiden 122 G6
Schokland 120 L4
Schoondijke 127 E7
Schoonebeek 121 O4
Schoonebeekerdiep 121 O4
Schoonhoven 123 I6
Schoonloo 119 O3
Schoonoord 119 O3
Schoonrewoerd 123 J6
Schoorl 122 I3
Schooten (De) 118 I3
Schouwen 127 F6
Schouwerzijl 119 N2
Schuddebeurs 127 F6
Schutsluis 119 M1
Sebaldeburen 119 M2
Sellingen 104 P3
Serooskerke *(Veere)* 127 E7
Serooskerke (Westerchouwen) 127 F6
Sevenum 129 M7
Sexbierum 118 K2
Sibculo 125 N4
Sibrandabuorren 119 L2
Siddeburen 121 O2
Siebengewald 129 M7
Sijbekarspel 123 I3
Silvolde 124 N6
Simpelveld 133 L9
Sinderen 124 N6
St. Anna ter Muiden 126 E8
St. Annaland 127 G7
St. Hubertus (Jachtslot) 123 L5
St. Kruis 127 E8
St. Maartensdijk 127 G7
St. Philipsland 127 G7
St. Willebrord 127 H7
St.-Annaparochie 119 K2
St.-Annen 119 O2
St.-Anthonis 129 L7
St.-Geertruid 133 L9
St.-Hubert 129 L6
St.-Isidorushoeve 125 O5
St.-Jacobiparochie 118 K2
St.-Jansklooster 120 M3
St.-Jansteen 127 G8
St.-Laurens 127 E7
St.-Maarten 118 I3
St.-Maartensvlotbrug 118 I3
St.-Michielsgestel 128 K7
St.-Nicolaasga 119 L3
St.-Odiliënberg 129 L9
St.-Oedenrode 128 K7
St.-Pancras 122 I4
St.-Pietersberg 133 L9
Sittard 129 L8
Six Flags *(Park)* 123 L4
Skarsterlân 103 L3
Slagharen 120 N4
Slagharen *(Attractiepark)* 124 N4
Sleen 121 O3
Sleeuwijk 128 I6
Slenaken 133 L9
Sliedrecht 128 I6
Slinge 125 O5
Slochteren 119 O2
Sloehaven 127 F7
Slootdorp 118 I3
Sloten *(Friesland)* 119 K3
Slotermeer 123 K3
Slufter (De) 118 I2
Sluis 126 E8
Sluiskil 127 F8
Smilde 119 N3
Sneek 119 L2
Snitser Mar 119 L2
Soerendonk 128 K8
Soest 123 J5
Soestdijk 123 J5
Soestduinen 123 J5
Soesterberg 123 J5
Someren 128 L7
Someren-Eind 128 L7
Someren-Heide 128 L7
Sommelsdijk 127 G6
Son 128 K7
Sondel 118 K3
Spaarndam 122 I4
Spakenburg 123 K5
Spanbroek 123 I3
Sparjebird 119 M2
Spaubeek 129 L9
Spekholzerheide 133 M9
Spier 119 N3
Spierdijk 123 I4
Spijk *(Gelderland)* 124 M6
Spijk *(Groningen)* 121 O1
Spijkenisse 122 G6
Spijkerboor 119 O2
Spoordonk 128 J7
Sprang-Capelle 128 J6
Sprundel 127 H7
Spui *(Zeeland)* 127 F8
Spui *(Zuid-Holland)* 127 G6
Stad aan 't Haringvliet 127 G6
Stade Broek 123 J3
Stadskanaal 121 O3
Stampersgat 127 H7
Standdaarbuiten 127 H7
Staphorst 120 M4
Stavenisse 127 G7
Stavoren 118 K3
Stedum 119 O2
Steeg (De) 124 M5
Steenbergen 127 G7
Steenbergse Vliet 127 G7
Steendam 121 O2
Steenderen 124 M5
Steensel 128 K7
Steenwijk 119 M3
Steenwijkerwold 119 M3
Steenwijksmoer 121 O3
Steggerda 119 M3
Stein 129 L9
Stellendam 127 G6
Sterksel 128 K7
Stevensbeek 129 L7
Stevensweert 129 L8
Stevinsluizen 118 J3
Steyl 129 M8
Stichtse Brug 123 J5
Stiens 119 L2
Stiphout 128 K7
Stolwijk 122 I6
Stompwijk 122 H5
Stramproy 128 L8
Streefkerk 122 I6
Streek (De) 123 J3
Strijbeek 128 I7
Strijen 127 H6
Strijenham 127 G7
Strijensas 127 H6
Stroe 123 L5
Stuifzand 119 N3
Sumar 119 M2
Surhuisterveen 119 M2
Susteren 129 L8
Swalmen 129 M8
Swartbroek 129 L8
Swifterbant 123 K4

T

Tankenberg 125 O5
Tegelen 129 M7
Terband 119 L3
Terborg 124 N6
Terheijden 128 I7
Terherne 119 L2
Terkaple 119 L2
Terlet 123 L5
Termunten 121 P2
Ternaard 119 L1
Terneuzen 127 F7
Terneuzen (Pas van) 127 F7
Terschelling 118 K1
Terschellingerwad 118 J2
Terschuur 123 K5
Terwolde 124 M5
Teteringen 128 I7
Teuge 124 M5
Texel 118 I2
Thesinge 119 N2
Tholen 127 G7
Tholen (Plaats) 127 G7
Thorn 129 L8
Tiel 123 K6
Tiengemeten 105 G6
Tienhoven 123 J5
Tienray 129 M7
Tystjerk 119 L2
Tijnje 119 L2
Tilburg 128 J7
Tilligte 125 O4
Tjalleberd 119 L3
Tjerkwerd 118 K2
Tjongerkanaal 119 M3
Tolbert 119 N2
Toldijk 124 M5
Tolkamer 124 M6
Tollebeek 120 L3
Tongelre 128 K7
Tongelreep 128 K8
Trekkersveld 106 K4
Tricht 123 J6
Tsjonger of De Kuunder (De) 119 L3
Tsjûkemar 119 L3
Tubbergen 125 O4
Tuk 119 M3
Tungelroy 128 L8
Turfvaart 127 H7
Tweede-Exloërmond 121 O3
Twello 124 M5
Twentekanaal 124 O5
Twickel 125 O5
Twijzel 119 M2
Twijzelerheide 119 M2
Twisk 118 J3
Tynaarlo 119 N2
Tytsjerksteradiel 103 M2
Tzum 118 K2
Tzummarum 118 K2

U

Ubachsberg 133 L9
Ubbergen 107 L6
Uddel 123 L5
Uden 128 K7
Udenhout 128 J7
Uffelte 119 M3
Ugchelen 123 L5
Uitdam 123 J4
Uitgeest 122 I4
Uithoorn 123 I5
Uithuizen 119 O1
Uithuizermeeden 119 O1
Uithuizerwad 119 N1
Ulestraten 129 L9
Ulft 124 N6
Ulicoten 128 I7
Ulrum 119 N1
Ulvenhout 128 I7
Ureterp 119 M2
Urk 120 L4
Urmond 129 L9
Ursem 123 I4
Usquert 119 N1
Usselo 125 O5
Utrecht 123 J5
Utrecht *(Provincie)* 106 J5

V

Vaals 133 M9
Vaart (De) 123 J4
Vaassen 124 L5
Valburg 123 L6
Valkenburg 122 H5
Valkenburg aan de Geul 133 L9
Valkenswaard 128 K7
Valthe 121 O3
Valthermond 121 O3
Van Harinxmakanaal 119 K2
Van Starkenborghkanaal 119 M2
Varik 123 K6
Varsen 124 N4
Varsseveld 124 N6

Vasse ....125 O 4
Vecht ....107 M 4
Veelerveen ....121 P 2
Veen ....128 J 6
Veendam ....121 O 2
Veenendaal ....123 K 5
Veenhuizen ....119 N 2
Veeningen ....120 N 3
Veenoord ....121 O 3
Veere ....127 F 7
Veerse
  Gatdam ....127 E 7
Veerse Meer ....127 E 7
Veessen ....124 M 4
Veghel ....128 K 7
Velddriel ....128 J 6
Velden ....129 M 7
Veldhoven ....128 K 7
Velp
  (Gelderland)....................128 L 6
Velp
  (Noord-Brabant)....................124 L 6
Velsen ....122 H 4
Velsertunnel ....122 H 4
Veluwe ....123 L 5
Veluwemeer ....123 K 5
Veluwezoom
  (Nationaal Park De) ......124 L 5
Venhorst ....128 L 7
Venhuizen ....123 J 4
Venlo ....129 M 7
Venray ....129 L 7
Vessem ....128 J 7
Veulen ....129 L 7
Vianen ....123 J 6
Vierhouten ....123 L 4
Vierlingsbeek ....129 M 7
Vijfhuizen ....122 I 4
Vijlen ....133 L 9
Vilsteren ....124 N 4
Vinkel ....128 K 6
Vinkeveen ....123 I 5
Vinkeveense Plassen ....123 I 5
Visvliet ....119 M 2
Vlaardingen ....122 H 6
Vlagtwedde ....121 P 2
Vledder ....119 M 3
Vleut ....128 K 7
Vleuten ....123 J 5
Vlieland ....118 I 2
Vlierden ....128 L 7
Vliestroom ....118 J 2
Vliet ....122 H 5
Vlijmen ....128 J 6
Vlissingen ....127 E 7
Vlist ....123 I 6
Vlist (Rivier) ....123 I 6
Vlodrop ....129 M 8
Voerendaal ....133 L 9
Vogelenzang ....122 H 5
Vogelwaarde ....127 F 8
Volendam ....123 J 4
Volkel ....128 K 7
Volkerak ....127 G 7
Volkerakdam ....127 H 6
Vollenhove ....120 L 3
Vollenhovermeer ....120 L 3
Voorburg ....122 H 5
Voorhout ....122 H 5
Voorne ....122 G 6
Voorne
  (Kanaal door) ....122 G 6
Voorschoten ....122 H 5
Voorst ....124 M 5
Voorthuizen ....123 K 5
Vorden ....124 M 5
Vorstenbosch ....128 K 7
Vragender ....125 N 6

UTRECHT

Achter de Dom .... BY 3
Achter St-Pieter .... BY 4
Agnietenstr. .... BZ 6
Badenpowellweg .... BZ 11
Bakkerbrug .... BY 12
Biltsestraatweg .... CX 15
Blauwkapelseweg .... BX 18
Bleekstr. .... BZ 21
Bosboomstr. .... CZ 22
Briljantlaan .... BZ 25
Catharijnebaan .... AY 31
Catharijnekade .... AX 33
Dav. van Mollemstr. .... AX 37
Dompl. .... BY 39
Domstr. .... BY 40
Duifstr. .... BX 43
Herculeslaan .... CZ 48
Jansbrug .... ABY 54
Janskerkhof .... BX 55
Johannes de Bekastr. .... BX 57
Kaatstr. .... AX 60
Kleinesingel .... BX 61
Koekoekstr. .... BX 63
Koningin Wilhelminalaan .... AZ 64
Korte Jansstr. .... BY 67
Korte Nieuwstr. .... BY 69
Kromme Nieuwegracht .... BY 70
Kruisstr. .... CX 72
Lange Jansstr. .... BX 73
Lange Smeestr. .... BY 75
Lange Viestr. .... AX 76
Ledig Erf .... BZ 78
Leidseveer .... AXY 79
Maliesingel .... BCYZ 82
Mariaplaats .... BY 84
Mecklenburglaan .... CYZ 87
Moreelsepark .... AY 90
Nachtegaalstr. .... CY
Neude .... BXY 91
Nicolaasstr. .... BZ 93
Oudegracht .... AXBZ
Oudkerkhof .... BY 97
Pausdam .... BY 100
Pieterskerkhof .... BY 103
Pieterstr. .... BY 2
Potterstr. .... BX 106
Predikherenkerkhof .... BX 108
Prins
  Hendriklaan .... CY 110
Servetstr. .... BY 115
Stadionlaan .... CZ 122
Stationspl. .... AY 123
Steenweg .... ABY 124
Twijnstr. .... BZ 128
Valkstr. .... BX 129
van Asch
  van Wijckskade .... BX 10
van Sijpesteijnkade .... AY 116
Venuslaan .... BCZ 130
Vismarkt .... BY 133
Voetiusstr. .... BY 135
Voorstr. .... BX
Vredenburg .... AY
Westpl. .... AY 141
Willem van Noortstr. .... BX 142
Wittevrouwenstr. .... BX 144
Wolvenpl. .... BX 145
Zuilenstr. .... BY 148

A
B
C
X
Y
Z
Draai weg
Adelaarstr.
Oudenoord
Amsterdamse straatweg
Heren weg
Weerdsluis
Weerd
Hopakker
Weerd singel
O. Z.
GRIFT PARK
Alexander
Numankade
Grift str.
Wittevrouwen
Bekkerstraat
F. C. Dondersstr.
Sartreweg
Biltstraat
Biltstr.
Breedstr.
Nieuwekade
Water-
POL.
OUDE
Daalsetunnel
Voorstr.
Drift
Janskerk
Nobelstr.
Vreden-burg
GRACHT
DOMTOREN
Pieterskerk
Hoog Catharijne
CENTRAAL STATION
Beatrixgebouw
Rijnkade
Catharijne singel
Haverstr.
Oude
Lange
Nieuwe
gracht
Hofpoort
MUSEUM CATHARIJNE-CONVENT
Springweg
CENTRAAL MUSEUM
Croeselaan
JAARSBEURS
Museumlaan
Prinsesselaan
Ramstr.
Mgr. v. d. Weteringstr.
Maliebaan
Nachtegaalstr.
Burgemeester Reigerstr.
v. Limburg Stirumstr.
Oudwijkerdwarsstr.
Koningslaan
Stadhouderslaan
WILHELMINA PARK
Oosterstr.
Homeruslaan
Nicolaasweg
RIETVELD SCHRÖDER HUIS
Rembrandt kade
Abstederdijk
Notebomenlaan
Adriaen van Ostadel.
Vossegatsel.
Tolsteegsingel
Ina Boutier-Bakkerlaan
Gansstr.
Rubenslaan
Tamboersdijk
Koningsweg
Vondel laan
Albatros- str.
Croesestraat
Balijelaan
Merwede kanaal
0
300 m

Vreeland 123 J5
Vries 119 N2
Vriescheloo 121 P2
Vriezenveen 124 N4
Vroomshoop 124 N4
Vrouwenparochie 119 L2
Vrouwenpolder 127 E7
Vught 128 J7

W

Waal 128 L6
Waal (De) 118 I2
Waalre 128 K7
Waalwijk 128 J6
Waarde 127 G7
Waardenburg 123 J6
Waarder 123 I5
Waardgronden 118 J2
Waardhuizen 128 J6
Wachtum 119 O3
Waddeneilanden 118 J1
Waddenzee 118 J2
Waddinxveen 122 H5
Wadenoijen 123 K6
Wadway 123 I3
Wagenberg 128 I7
Wagenborgen 121 O2
Wageningen 123 K6
Walcheren 127 E7
Walsoorden 127 G7
Wamel 123 K6
Wanneperveen 120 M3
Wanroij 129 L7
Wanssum 129 M7
Wapenveld 124 M4
Wapserveen 119 M3
Warffum 119 N1
Warfstermolen 119 M2
Warmenhuizen 122 I3
Warmond 122 H5
Warns 118 K3
Warnsveld 124 M5
Warten 119 L2
Waskemeer 119 M2
Waspik 128 I6
Wassenaar 122 H5
Wateren 119 M3
Wateringen 122 G5
WaterLand
Neeltje Jans 127 N1
Waterlandkerkje 127 E8
Wedde 121 P2
Weebosch 128 J8
Weerselo 125 O4
Weert 128 L8
Weesp 123 J5
Wehe-Den Hoorn 119 N1
Wehl 124 M6
Weidum 119 L2
Weiteveen 121 O3
Weiwerd 121 O2
Wekerom 123 L5
Welberg 127 H7
Well
(Gelderland) 128 J6
Well
(Limburg) 129 M7
Wellerlooi 129 M7
Wemeldinge 127 F7
Wenum 124 L5
Wergea 119 L2
Werkendam 128 I6
Werkhoven 123 J5
Wernhout 128 H7
Wervershoof 118 J3
Wesepe 124 M5
Wessem 129 L8
Wessem Nederweert
(Kanaal) 129 L8
West-Graftdijk 122 I4
West-Souburg 109 E7
West-Terschelling 118 J1
Westbeemster 123 I4
Westbroek 123 J5
Westdorpe 127 F8
Westeinder Plassen 122 I5
Westendorp 124 N6
Westenholte 124 M4
Wester-Koggenland 102 J4
Westerbeek 129 L7
Westerbork 119 N3
Westerbroek 119 O2
Westerduinen (De) 118 I2
Westereems 119 O1
Westereen (De) 119 M2
Westeremden 119 O1
Westerhaar-
Vriezenveensewijk 124 N4
Westerhoven 128 K8
Westerland 118 I3
Westerlee
(Groningen) 121 O2
Westerlee
(Zuid-Holland) 122 G6
Westerschelde 127 F7
Westervoort 124 L6
Westerwoldse Aa 121 P2
Westkapelle 126 E7
Westmaas 127 H6
Weststellingwerf 103 L3
Westvoorne 105 G6
Westwoud 123 J3
Westzaan 122 I4
Weurt 123 L6
Wezep 124 L4
Wezup 119 O3
Wezuperbrug 119 O3
Wichmond 124 M5
Wielingen 127 E7
Wierden 124 N4
Wieringen 102 I3
Wieringermeer Polder 118 J3
Wieringerwaard 118 I3
Wieringerwerf 118 J3
Wierum 119 M1
Wiesel 123 L5
Wijchen 128 L6
Wijckel 118 K3
Wijdenes 123 J4
Wijhe 124 M4
Wijk (De) 120 M3
Wijk aan Zee 122 H4
Wijk bij Duurstede 123 K6
Wijk en Aaslburg 128 J6
Wijlre 133 L9
Wijnjewoude 119 M2
Wijster 119 N3
Wijthmen 124 M4
Wildervank 121 O2
Wilgen (De) 119 M2
Wilhelminadorp 127 F7
Wilhelminaoord 119 M3
Willemsoord 119 M3
Willemstad 127 H6
Wilnis 123 I5
Wilp 124 M5
Wilp (De) 119 M2
Windesheim 124 M4
Winkel 118 I3
Winschoten 121 P2
Winschoterdiep 119 O2
Winssen 123 L6
Winsum
(Fryslân) 118 K2
Winsum
(Groningen) 119 N2
Wintelre 128 K7
Winterswijk 125 O6
Wirdum 119 L2
Wisch 107 N6
Wissenkerke 127 F7
Witmarsum 118 K2
Wittem 133 L9
Wiuwert 119 L2
Woensdrecht 127 G7
Woerden 123 I5
Wognum 123 J3
Woldberg 123 L4
Woldendorp 121 P2
Wolfheze 123 L5
Wolphaartsdijk 127 F7
Woltersum 119 O2
Wolvega 119 M3
Wommels 118 K2
Wons 118 K2
Workum 118 K3
Wormer 123 I4
Wormerveer 122 I4
Woubrugge 122 H5
Woudenberg 123 K5
Woudrichem 128 J6
Woudsend 118 K3
Wouw 127 H7
Wouwse Plantage 127 H7
Wûnseradiel 102 K2
Wymbritseradiel 103 K2
Wyns 119 L2
Wytgaard 119 L2

Y-Z

Yerseke 127 G7
Ysselsteyn 129 L7
Zaamslag 127 F8
Zaan 122 I4
Zaandam 123 I4
Zaandijk 123 I4
Zaanstad 122 I4
Zalk 124 M4
Zaltbommel 128 J6
Zand ('t) 118 I3
Zandkreekdam 127 F7
Zandloper (De) 118 I3
Zandt ('t) 119 O1
Zandvoort 122 H4
Zeddam 124 M6
Zederik 106 J6
Zeegse 119 N2
Zeeland 128 L6
Zeeland
(Provincie) 109 E7
Zeelandbrug 127 F7
Zeerijp 119 O1
Zeewang 102 J4
Zeewolde 123 K5
Zegge 127 H7
Zegveld 123 I5
Zeijen 119 N2
Zeilberg 129 L7
Zeist 123 J5
Zelhem 124 N5
Zenderen 125 O5
Zetten 123 L6
Zevenaar 124 M6
Zevenbergen 127 H7
Zevenbergschen
Hoek 128 I6
Zevenhuizen
(Groningen) 119 N2
Zevenhuizen
(Zuid-Holland) 122 H5
Zierikzee 127 F7
Zieuwent 124 N5
Zijderveld 123 J6
Zijdewind 118 I3
Zijpe 102 I3
Zijtaart 128 K7
Zilk (De) 122 H5
Zoelen 123 K6
Zoetermeer 122 H5
Zoeterwoude-Rijndijk 122 H5
Zonnemaire 127 F6
Zoutelande 127 E7
Zoutkamp 119 M1
Zuid-Beijerland 127 H6
Zuid Beveland 127 F7
Zuid-Holland
(Provincie) 105 H5
Zuid-Kennemerland
(Nationaal Park) 122 H4
Zuid-Willemsvaart 128 K8
Zuidbarge 121 O3
Zuidbroek 121 O2
Zuiddorpe 127 F8
Zuidelijk-
Flevoland 123 K4
Zuideropgaande 120 N3
Zuiderwoude 123 J4
Zuidhorn 119 N2
Zuidlaardermeer 119 O2
Zuidland 127 G6
Zuidlaren 119 O2
Zuidveen 119 M3
Zuidwolde
(Drenthe) 120 N3
Zuidwolde
(Groningen) 119 N2
Zuidzande 126 E7
Zuilichem 128 J6
Zunderdorp 123 I4
Zundert 128 H7
Zurich 118 K2
Zutphen 124 M5
Zwaag 123 J3
Zwaagdijk 102 J3
Zwammerdam 122 I5
Zwanenburg 122 I4
Zwanenwater ('t) 118 I3
Zwartemeer
(Drenthe) 121 P3
Zwartemeer
(Overijssel) 121 L4
Zwartewaal 122 G6
Zwartewater 107 M4
Zwartsluis 120 M4
Zweeloo 119 O3
Zwijndrecht 127 H6
Zwinderen 119 O3
Zwolle 124 M4

A

Aabach .... 141 I 3
Aadorf .... 142 K 3
Aarau .... 141 I 3
Aarberg .... 140 F 4
Aarburg .... 141 H 4
Aare .... 141 I 3
Aarekanal .... 140 F 4
Aareschlucht .... 146 I 5
Aargau
(*Kanton*) .... 117 I 3
Aarwangen .... 141 H 4
Abbaye (L') .... 144 C 6
Abländschen .... 145 F 6
Abtwil .... 141 J 4
Ächerlipass .... 141 J 5
Aclens .... 144 D 6
Acquarossa .... 147 K 6
Adelboden .... 145 G 6
Adligenswil .... 141 J 4
Adlikon .... 142 J 3
Adliswil .... 142 J 4
Aesch
(*Basel-Land*) .... 141 G 3
Aesch
(*Luzern*) .... 142 I 4
Aeschi bei Spiez .... 145 H 6
Affeltrangen .... 142 L 3
Affoltern a. Albis .... 141 J 4
Affoltern bei Zürich .... 142 J 3
Affoltern i. Emmental .... 141 H 4
Agarn .... 145 G 7
Agarone .... 147 K 7
Ägerisee .... 142 J 4
Agno .... 147 K 7
Aigle .... 145 E 7
Aire-la-Ville .... 144 C 7
Airolo .... 146 J 6
Alberswil .... 141 H 4
Albeuve .... 145 F 6
Albis .... 142 J 4
Albristhorn .... 145 G 6
Albrunpass .... 146 I 6
Albula .... 147 M 5
Albulapass .... 147 N 6
Aletschhorn .... 146 I 6
Allalinhorn .... 146 H 7
Allaman .... 144 D 6
Alle .... 140 F 3
Allschwil .... 141 G 3
Allweg .... 141 I 5
Alp Grüm .... 149 O 6
Alperschällihorn .... 147 L 6
Alpes *
(Vue des) .... 140 E 4
Alphubel .... 146 H 7
Alpnach .... 141 I 5
Alpnachstad .... 141 I 5
Alpstein .... 142 M 4
Alptal .... 142 K 4
Alt St. Johann .... 142 L 4
Altanca .... 146 K 6
Altbüron .... 141 H 4
Altdorf .... 148 J 5
Altendorf .... 142 K 4
Altenrhein .... 143 M 3
Alter Spittel .... 146 I 7
Alterswil .... 145 F 5
Altnau .... 142 L 3
Altstätten .... 142 M 3
Altstetten .... 141 J 3
Alvaneu .... 147 M 5
Alvra (Val d') .... 147 N 6
Ambri .... 146 K 6
Amburnex
(Combe des) .... 144 C 6
Amden .... 142 L 4
Aminona .... 145 G 6
Amlikon .... 142 L 3
Amriswil .... 142 L 3
Amsoldingen .... 145 G 5
Amsteg .... 146 J 5
Andeer .... 147 M 6
Andelfingen .... 142 K 3
Andermatt .... 146 J 6
Anières .... 144 C 7
Anniviers
(Val d') .... 145 G 7
Anzère .... 145 G 7
Appenzell .... 142 M 4
Appenzell Ausserrhoden
(*Kanton*) .... 118 L 3
Appenzell Innerrhoden
(*Kanton*) .... 118 M 3
Apples .... 144 D 6
Aquila .... 147 K 6
Aran .... 144 E 6
Arbedo-Castione .... 147 L 7
Arbon .... 142 M 3
Arch .... 141 G 4
Arconciel .... 145 F 5
Ardez .... 149 O 5
Ardon .... 145 F 7
Arenenberg .... 142 L 2
Areuse .... 140 E 5
Areuse
(Gorges de l') .... 116 E 5
Argentière
(Aiguille d') .... 145 F 8
Argovie =
Aargau .... 141 I 3
Arisdorf .... 141 H 3
Arlesheim .... 141 G 3
Arnegg .... 142 L 3
Arnex-sur-Orbe .... 144 D 5
Arni .... 141 J 4
Arogno .... 147 K 8
Arolla .... 145 G 7
Arosa .... 147 N 5
Aroser Rothorn .... 147 M 5
Arth .... 142 J 4
Arvigo .... 147 L 7
Arzier .... 144 C 6
Arzo .... 152 K 8
Ascona .... 146 K 7
Assens .... 144 D 6
Astano .... 146 K 7
Asuel .... 140 F 3
Attalens .... 145 E 6
Attinghausen .... 148 J 5
Attiswil .... 141 G 4
Au .... 143 M 3
Auberson (L') .... 140 D 5
Aubonne .... 144 D 6
Auboranges .... 145 E 6
Aubrig .... 142 K 4
Auenstein .... 141 I 3
Augio .... 147 L 6
Augst .... 141 H 3
Augstbordhorn .... 145 H 7
Augstenberg .... 149 O 5
Aumont .... 140 E 5
Ausserberg .... 146 H 7
Ausserferrera .... 147 M 6
Auvernier .... 140 E 5
Auw .... 141 J 4
Avants (Les) .... 145 E 6
Avegno Gordevio .... 146 K 7
Avenches .... 140 F 5
Averserrhein .... 147 M 6
Avry .... 145 F 5
Avry-devant-Pont .... 145 F 5
Avully .... 144 C 7
Axalp .... 122 I 5
Axenstrasse .... 148 J 5
Ayent .... 145 G 7
Ayer .... 145 G 7
Azmoos .... 142 M 4

B

Baar .... 142 J 4
Bäch .... 142 K 4
Bachsee .... 146 I 5
Bad Zurzach .... 141 I 3
Baden .... 141 I 3
Badus .... 146 J 6
Bagnes
(Vallée de) .... 145 F 7
Baldegger See .... 141 I 4
Bâle =
Basel .... 141 G 3
Balerna .... 152 L 8
Balfrin .... 146 H 7
Balgach .... 143 M 3
Ballaigues .... 144 D 5
Ballens .... 144 D 6
Ballwil .... 141 I 4
Balmhorn .... 145 H 6
Balsthal .... 141 H 4
Balterswil .... 142 K 3
Bannwil .... 141 H 4
Bärau .... 141 H 5
Bärentritt .... 147 N 5
Bäretswil .... 142 K 3
Bargen .... 142 J 2
Bäriswil .... 141 G 4
Barrhorn .... 145 H 7
Bärschwil .... 141 G 3
Basel .... 141 G 3
Basel-Land
(*Kanton*) .... 117 H 3
Basel-Stadt
(*Kanton*) .... 117 G 3
Bassecourt .... 140 F 3
Bassersdorf .... 142 J 3
Bassins .... 144 C 6
Bätterkinden .... 141 G 4
Bättlihorn .... 122 I 7
Bauen .... 148 J 5
Baulmes .... 140 D 5
Baulmes
(Mont de) .... 140 D 5
Bauma .... 142 K 3

A B C D E F G H I J K L M N O P Q R S T U V W X Y Z

BASEL

Aeschenvorstadt .... CYZ
Alemannengasse .... DY 3
Andreasplatz .... BY 5
Andreas-Heusler-
Strasse .... DZ 4
Augustinergasse .... BY 6
Bäumleingasse .... CY 9
Barfüsserplatz .... BY 7
Bernoullistrasse .... ABY 12
Brunngässlein .... CYZ 15
Centralbahnplatz .... BZ 16
Centralbahnstrasse .... BZ 18
Claraplatz CX
Drahtzugstrasse .... CX 19
Dufourstrasse .... CY 22
Eisengasse .... BY 24
Erdbeergraben .... BZ 25
Falknerstrasse .... BY 27
Fischmarktplatz .... BY 28
Freie Strasse .... BY
Gemsberg .... BY 31
Gerbergasse .... BY
Greifengasse .... BCY 33
Innere-Margarethen-
strasse .... BZ 43
Isteinerstrasse .... DX 45
Kannenfeldstrasse .... AX 46
Klingentalstrasse .... CX 48
Klosterberg .... BZ 49
Kohlenberg .... BY 51
Kohlenberggasse .... BY 52
Leonhardsgraben .... BY 55
Leonhardsstrasse .... BY 57
Lindenhofstrasse .... CZ 58
Luftgässlein .... CY 60
Marktgasse .... BY 61
Marktplatz .... BY
Marschalkenstrasse .... AZ 63
Messeplatz .... DX 64
Mühlenberg .... CDY 66
Münsterberg .... BY 69
Münsterplatz .... BY 70
Peter Merian-Strasse .... CZ 73
Riehentorstrasse .... CY 75
Rümelinsplatz .... BY 76
St. Alban-Graben .... CY 78
Schaffhauserrheinweg .... DY 81
Schneidergasse .... BY 82
Spalengraben .... BY 84
Spalenvorstadt .... BY 85
Stadthausgasse .... BY 87
Steinentorstrasse .... BZ 88
Steinenvorstadt .... BYZ
Streitgasse .... BY 90
Theaterstrasse .... BY 92
Unterer Heuberg .... BY 93
Wettsteinstrasse .... CY 94

Bavois 144 D 5
Bavona (Val) 146 J 6
Bayards (Les) 140 D 5
Bazenheid 142 L 3
Beatenberg 146 H 5
Beckenried 141 J 5
Bedano 147 K 7
Bedigliora 146 K 7
Bedretto 146 J 6
Bedretto (Val) 146 J 6
Beggingen 142 J 2
Begnins 144 C 6
Beinwil 141 J 4
Beinwil a. See 141 I 4
Belfaux 140 F 5
Bella Lui 145 G 6
Bellavista 152 L 8
Bellelay 140 F 4
Bellinzona 147 L 7
Bellwald 146 I 6
Belp 141 G 5
Benken (*Basel-Land*) 141 G 3
Benken (*St. Gallen*) 142 L 4
Benken (*Zürich*) 142 J 3
Bercher 144 E 5
Berg 142 L 3
Bergdietikon 141 J 3
Berglistock 146 I 6
Bergün / Bravuogn 147 N 6
Bergüner Stein 147 N 6
Berikon 141 J 3
Beringen 142 J 2
Bern 141 G 5
Bern-Belp (*Aéroport*) 141 G 5
Bern (*Kanton*) 121 H 6
Berne = Bern 141 G 5
Berneck 143 M 3
Bernex 144 C 7
Bernina (Passo del) 149 O 6
Bernina (Piz) 149 N 6
Beromünster 141 I 4
Berra (La) 145 F 5
Berschis 142 M 4
Betten 146 I 6
Bettens 144 D 6
Bettlach 140 G 4
Bettmeralp 146 I 6
Beurnevésin 140 F 3
Bevaix 140 E 5
Bever 147 N 6
Bévilard 140 F 4
Bex 145 F 7
Biasca 147 K 6
Biaufond 140 E 4
Biberbrugg 142 K 4
Biberist 141 G 4
Bidogno 147 K 7
Biel / Bienne 140 F 4
Bieler See 140 F 4
Bière 144 C 6
Bietschhorn 146 H 6
Bifertenstock 147 K 5
Bigenthal 141 G 5
Biglen 141 G 5
Bignasco 146 J 6
Bilten 142 L 4
Binn 146 I 6
Binningen 141 G 3
Bioggio 147 K 7
Bioux (Les) 144 C 6
Birchli 142 K 4
Birmensdorf 141 J 3
Bironico 147 K 7
Birr 141 I 3
Birri 141 J 4
Birs 117 G 3
Birse 140 F 4
Birsfelden 141 F 3
Bischofszell 142 L 3
Bisistal 148 K 5
Bissone 147 K 8
Bivio 147 M 6
Blanc de Cheilon (Mont) 145 G 8
Blas (Piz) 146 K 6
Blatten 146 H 6
Blatten bei Naters 146 H 6
Blausee 145 G 6
Blenio (Val) 147 K 6
Bles (Piz) 147 M 6
Blinnenhorn 146 I 6
Blitzingen 146 I 6
Blonay 145 E 6
Blumenstein 145 G 5
Bodio 147 K 6
Bogno 147 L 7
Bois (Les) 140 E 4
Boll 141 G 5
Bolligen 141 G 5
Boltigen 145 G 6
Bonaduz 147 M 5
Boncourt 140 F 3
Bonfol 140 F 3
Bönigen 146 H 5
Boniswil 141 I 4
Bonmont (Abbaye de) 144 C 6
Bordier 146 H 7
Bosco Luganese 147 K 7
Bosco / Gurin 146 J 7
Bösingen 140 F 5
Bosson (Becs de) 145 G 7
Bossonnens 145 E 6
Boswil 141 I 4
Bottens 144 E 6
Bottenwil 141 I 4
Bottighofen 142 L 3
Böttstein 141 I 3
Boudevilliers 140 E 4
Boudry 140 E 5
Bougy (Signal de) 144 D 6
Bouloz 145 E 6
Bourg-St. Pierre 145 F 8
Boussens 144 D 6
Bouveret 145 E 6
Bovernier 145 F 7
Bowil 141 H 5
Bözen 141 I 3
Bözingen 140 F 4
Brail 149 O 6
Bramois 145 G 7
Brassus (Le) 144 C 6
Brassus-Carroz 144 C 6
Braunau 142 L 3
Braunwald 148 K 5
Bré (Monte) 147 K 7
Bregaglia (Val) 147 M 6
Breil / Brigels 147 L 5
Breitenbach 141 G 3
Breithorn (*Lauterbrunner*) 146 H 6
Breithorn (*Lötschentaler*) 146 H 6
Breithorn (*Zermatter*) 145 H 8
Bremgarten (*Aargau*) 141 J 3
Brenets (Les) 140 E 4
Brenleire (Dent de) 145 F 6
Brenles 145 E 5
Brenno 147 K 6
Breno 146 K 7
Bretaye 145 F 7
Bretzwil 141 G 3
Breuleux (Les) 140 F 4
Brévine (La) 140 D 5
Breya (La) 145 F 7
Brienz (*Bern*) 146 I 5

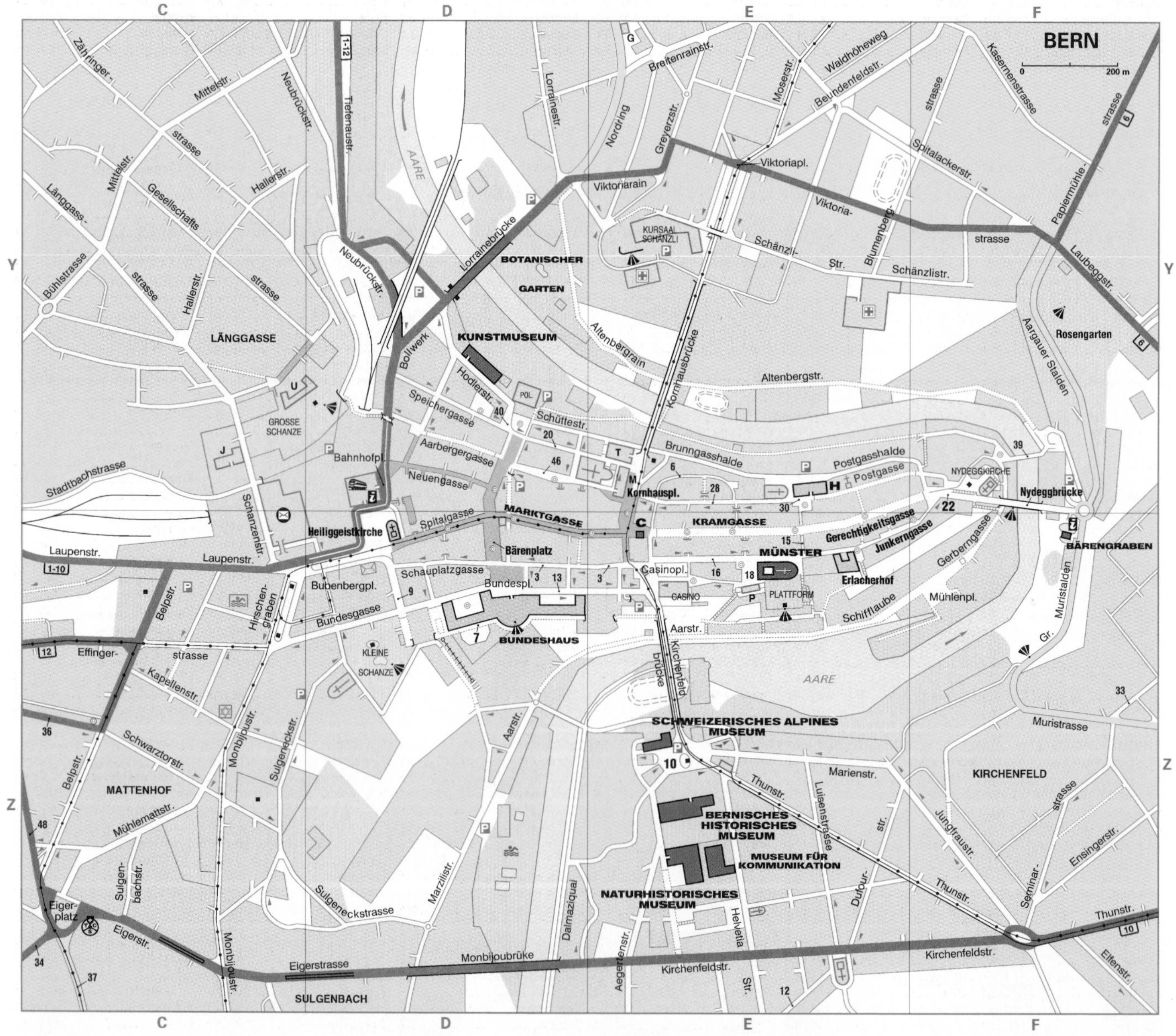

Amthausgasse DEZ 3
Bärenplatz DZ
Brunngasse EY 6
Bundesterrasse DZ 7
Christoffelgasse DZ 9
Helvetiaplatz EZ 10
Jubiläumsstrasse EZ 12
Kochergasse DEZ 13
Kramgasse EZ
Kreuzgasse EZ 15
Marktgasse DEZ
Münstergasse EZ 16
Münsterplatz EZ 18
Nägeligasse DY 20
Nydeggasse FY 22
Rathausgasse EY 28
Rathausplatz EY 30
Schosshaldenstrasse FZ 33
Schwarzenburgstrasse CZ 34
Schwarztorstrasse CZ 36
Seftigenstrasse CZ 37
Spitalgasse DZ
Untertorbrücke FY 39
Waisenhausplatz DY 40
Zeughausgasse DY 46
Zieglerstrasse CZ 48

Brienz (Graubünden) 147 M5
Brienzer Rothorn 146 I5
Brienzer See 146 H5
Brienzwiler 146 I5
Brig 146 H7
Brione 146 K7
Brione Sopra Minusio 146 K7
Brissago 146 K7
Brittnau 141 H4
Broc 145 F6
Bronschhofen 142 L3
Brot-Dessous 140 E5
Brot-Dessus 140 E5
Broye 145 E5
Brugg 141 I3
Brügg 140 F4
Bruggen 142 L3
Brülisau 142 M4
Brunegg 141 I3
Brünigpass 146 I5
Brunnadern 142 L3
Brunnen 148 J5
Brunni 142 K4
Brusino-Arsizio 152 K8
Brusio 149 O7
Bruson 145 F7
Brüttelen 140 F4
Brütten 142 J3
Bubendorf 141 H3
Bubikon 142 K4
Buch 142 K2
Buch a. Irchel 142 J3
Buch bei Frauenfeld 142 K3
Buchen im Prättigau 149 N5
Buchrain 141 J4
Buchs (*Aargau*) 141 I3
Buchs (*St. Gallen*) 142 M4
Buchs (*Zürich*) 141 J3
Büetigen 116 G4
Bühl 140 F4
Bühler 142 M3
Buin (Piz) 149 O5
Bülach 142 J3
Bulle 145 F6
Bümpliz 140 G5
Bundtels 140 F5
Buochs 141 J5
Bürchen 145 H7
Bure 140 F3
Büren a. A. 140 G4
Büren zum Hof 141 G4
Burg im Leimental 141 G3
Burgdorf 141 G4
Bürgenstock 141 J4
Bürglen (*Thurgau*) 142 L3
Bürglen (*Uri*) 148 K5
Büron 141 I4
Bursins 144 C6
Burtigny 144 C6
Büsserach 141 G3
Bussigny 144 D6
Bussy (*Neuchâtel*) 140 E5
Bussy (*Vaud*) 144 D6
Bütschwil 142 L3
Buttes 140 D5
Buttisholz 141 I4
Buus 141 H3

C

Cadeina dil Sighina 147 L5
Cademario 147 K7
Cadenazzo 147 K7
Cadlimo 146 K6
Cagiallo 147 K7
Calanca (Val) 147 L7
Calanda 148 M5
Calanda (Refuge) 148 M5
Calfeisen 147 L5
Calonico 146 K6
Cama 147 L7
Camedo 146 J7
Camoghè 147 L7
Campo 146 J7
Campo Blenio 147 K6
Campo Tencia (Refuge) 146 K6
Campo Tencia (Piz) 146 K6
Campo (Valle di) 146 J7
Campocologno 149 O7
Campsut 147 M6
Canfinal (Pass da) 149 N7
Canobbio 147 K7
Caprino 147 K8
Carena 147 L7
Carouge 144 C7
Carrouge 145 E6
Casaccia 147 M6
Caslano 147 K8
Cassimoi 147 L6
Cassonsgrat 148 L5
Castasegna 147 M6
Castello (Cima di) 147 N7
Castiel 147 M5
Castrisch 147 L5
Cavardiras (Refuge) 146 K5
Cavistrau 147 K5
Cazis 147 M5
Celerina / Schlarigna 147 N6
Ceneri (Monte) 147 K7
Cengalo (Piz) 147 M7
Centovalli 146 J7
Centrale (Piz) 146 J6
Cerentino 146 J7
Ceresio 122 L7
Cerneux-Péquignot (Le) 140 E4
Cernier 140 E4
Certoux 144 C7
Cervin / Cervino (Monte) / Matterhorn 145 G8
Cevio 146 J7
Châble (Le) 145 F7
Châbles 140 E5
Chabrey 140 E5
Chaillexon (Lac de) 116 E4
Chaiserstock 148 K5
Chalais 145 G7
Cham 141 J4
Chamoson 145 F7
Chamossaire (Le) 145 F6
Champagne 140 E5
Champéry 145 E7
Champex 145 F7
Champsec 145 F7
Champtauroz 145 E5
Champvent 144 D5
Chancy 144 B7
Chandolin 145 G7
Charbonnières (Les) 144 C6
Chardonne 145 E6
Charmey 145 F6
Charmoille 140 F3
Charrat 145 F7
Le Chasseral 140 F4
Le Chasseron 140 D5
Château-d'Oex 145 F6
Châtel-St. Denis 145 E6
Châtelard (Le) 145 E7
Châtillon 140 G4
Châtonnaye 145 E5
Chaumont 140 E4
Chaux-de-Fonds (La) 140 E4
Chaux-du-Milieu (La) 140 E4
Chavalatsch (Piz) 149 P6
Chavannes-de-Bogis 144 C6
Chavannes-des-Bois 144 C7
Chavannes-les-Forts 145 E6
Chavornay 144 D5
Chenalette (La) 150 F8
Chêne-Bourg 144 C7
Chénens 145 E5
Chermignon 145 G7
Cheseaux-sur-Lausanne 144 D6
Chesières 145 F7
Chessel 145 E6
Chevenez 140 F3
Cheville (Pas de) 145 F7
Chevroux 140 E5
Chexbres 145 E6
Cheyres 140 E5
Chiasso 152 L8
Chiggiogna 146 K6
Chiggiona 146 K6
Chillon 145 E6
Chippis 145 G7
Chrüzegg 142 L4
Chünetta 149 N6
Churfirsten 142 L4
Churwalden 147 M5
Cimetta 146 K7
Clarens 145 E6
Clariden (Refuge) 147 K5
Clariden 148 K5
Claro 147 L7
Cleuson (Lac de) 145 G7
Coaz 147 N6
Coffrane 140 E7
Coglio 146 K7
Coinsins 144 C6
Chur 147 M5
Coire = Chur 147 M5
Collombey 145 E7
Collon (*Mont*) 145 G8
Collonge-Bellerive 144 C7
Collonges 145 F7
Colombier (*Neuchâtel*) 140 E5
Colombier (*Vaud*) 144 D6
Comballaz (La) 145 F6
Combremont 145 E5
Concise 140 E5
Constance (Lac de) / Bodensee 142 M3
Conthey 145 F7
Coppet 144 C7
Corbassière (Glacier de) 145 F8
Corbeyrier 145 E6
Corbières 145 F6
Corcelles-le-Jorat 144 E6
Corcelles-près-Payerne 116 E5
Corcelles-s-Chavornay 144 D5
Corgémont 140 F4
Corno-Gries (Refuge) 146 J6
Cornol 140 F3
Corpataux 145 F5
Corserey 145 E5
Corsier 144 C7
Cortaillod 140 E5
Corvatsch (Piz) 147 N6
Cossonay 144 D6
Cottens (*Fribourg*) 145 F5
Cottens (*Vaud*) 144 D6
Courchapoix 141 G3
Courfaivre 140 F3
Courgenay 140 F3
Courgevaux 140 F5
Courrendlin 140 G3
Courroux 140 G3
Court 140 G4
Courtelary 140 F4
Courtemaîche 140 F3
Courtepin 140 F5
Courtételle 140 F3
Courtion 140 F5
Couvet 140 D5
Coux (Col de) 145 E7
Cramalina (Piz) 146 J7
Crans-près-Céligny 144 C6
Crans-sur-Sierre 145 G7
Crassier 144 C6
Crémines 141 G4
Cresciano 147 L7
Cressier 140 F4
Cresta 147 M6
Cresuz 145 F6
Crêt (Le) 145 E6
Creux du Van 140 E5
Crissier 144 D6
Cristallina (Refuge) 146 J6
Cristallina 146 J6
Croix (La) 120 E6
Croix (Col de la) 145 F7
Croix-de-Rozon 120 C7
Croy 144 D5
Cuarnens 144 D6
Cudrefin 140 F5
Cufercal (Refuge) 147 M6
Cugnasco-Gerra 147 K7
Cugy 144 D6
Culet (Croix de) 145 E7
Cully 144 E6
Cumbels 147 L5
Cunter 147 M6
Curaglia 147 K5
Cure (La) 144 C6
Cureglia 147 K7
Curnera (Lac da) 122 K6
Curtilles 145 E5

D

Dachsen 142 J2
Dagmersellen 141 H4
Dallenwil 141 J5
Dalpe 146 K6
Dammastock 146 J6
Damvant 140 E3
Dangio 147 K6
Dardagny 144 B7
Därligen 146 H6
Därstetten 145 G6
Daubensee 145 G6
Davos 147 N5
Degersheim 142 L3
Delémont 140 G3
Denezy 145 E5
Dent Blanche (Refuge) 145 G7
Dent de Lys 145 F6
Dent de Vaulion 116 D5
Dent Blanche 145 G7
Dent d'Hérens 145 G8
Dents Blanches (Les) 145 E7
Dents du Midi 145 E7
Derborence 145 F7
Derendingen 141 G4
Develier 140 F3
Diablerets (Refuge) 145 F6
Diablerets (Les) 145 F6
Diablerets (Les) (*Massif*) 145 F7
Diablons (Les) 145 H7
Diavolezza 149 N6
Diegten 141 H3
Dielsdorf 141 J3
Diemtigen 145 G6
Diemtigtal 145 G6
Diepoldsau 143 M3
Diessenhofen 142 K2
Dietikon 141 J3
Dietwil 141 J4
Dirinella 146 K7
Disentis / Mustér 147 K5
Dix (Refuge) 145 G7
Dix (Lac des) 145 G7
Doldenhorn 145 H6
La Dôle 144 C6
Dolent (Mont) 145 F8
Dom 146 H7
Domat / Ems 147 M5
Dombresson 140 E4
Domdidier 140 F5
Domhütte 145 H7
Domleschg 123 M5
Dompierre 140 F5
Donath 147 M6
Dongio 147 K6
Donneloye 144 E5
Doppleschwand 141 I4
Dorénaz 145 F7
Dorf 119 N5
Dorf bei Andelfingen 142 J3
Dornach 141 G3
Dossen (Refuge) 146 I6
Dottikon 141 I3
Döttingen 141 I3
Doubs 140 E4
Dranse 121 F7
Dreibündenstein 147 M5
Droit (Montagne du) 116 E4
Drusenfluh 149 N4
Duan (Piz) 147 M6
Dübendorf 142 J3
Düdingen 140 F5
Dufourspitze 146 H8
Dulliken 141 H3
Dully 144 C6
Dündenhorn 145 H6
Dürnten 142 K4
Dürrboden 149 N5
Dürrenboden 148 K5
Dürrenroth 141 H4
Düssi 146 K5
Dussnang 142 K3

E

Ebenalp 142 M4
Ebikon 141 J4
Ebnat-Kappel 142 L4
Echallens 144 D6
Echandens 144 D6
Ecrenaz (L') 140 D5
Ecublens 144 D6
Effingen 141 I3
Effretikon 142 K3
Egerkingen 141 H4
Egg bei Zürich 142 K4
Eggenwil 141 J3
Eggerstanden 142 M4
Eggishorn 146 I6
Eggiwil 141 H5
Eglisau 142 J3
Egnach 142 M3
Eich 141 I4
Eichberg 142 M3
Eigenthal 141 I4
Eiger 146 I6
Eiken 141 H3
Einigen 145 G5
Einsiedeln 142 K4
Eischoll 145 H7
Eisten 146 H7
Ela (Piz) 147 N6
Elgg 142 K3
Elikon 118 J3
Elikon a. d. Thur 142 K3
Elm 148 L5
Embrach 142 J3
Emme 141 G4
Emme (Kleine) 141 I4
Emmen 141 I4
Emmenbrücke 141 I4
Emmental 141 H5
Emmetten 148 J5
Emosson (Barrage d') 145 E7
Endingen 141 I3
Engelberg 146 J5
Engelburg 142 M3
Engelhorn 146 I5
Enges 140 F4
Engi 148 L5
Engstlenalp 146 I5
Engstlensee 146 J5
Engstligenfälle 145 G6
Engstligental 145 G6
Engwilen 142 L3
Enhaut (Pays d') 121 F6
En / Inn 119 O5
Ennenda 148 L4
Ennetbühl 142 L4
Ennetbürgen 141 J5
Enney 145 F6
Entlebuch 141 I5
Entremont (Vallée d') 145 F7
Envelier 141 G4
Epagny 145 F6
Epauvillers 140 F3
Ependes 144 D5
Epesses 144 E6
Eptingen 141 H3
Ergolz 141 H3
Eriswil 141 H4
Eriz 146 H5
Erlach 140 F4
Erlen 142 L3
Erlenbach 142 J4
Erlenbach im Simmental 145 G6
Ermatingen 142 L2
Ermensee 141 I4
Ernen 146 I6
Err (Piz d') 147 N6
Erschwil 141 G3
Erstfeld 146 J5
Eschenbach (*Luzern*) 141 I4
Eschenbach (*St. Gallen*) 142 K4
Eschenz 142 K3
Eschlikon 142 L3
Escholzmatt 141 H5
Essertes 145 E6
Essertines 144 D5
Estavayer-le-Lac 140 E5
Etivaz (L') 145 F6
Ettingen 141 G3
Ettiswil 141 I4
Etzel 142 K4
Etzgen 141 I3
Etziken 141 G4
Etzli (Refuge) 146 K5
Etzwilen 142 K3
Euseigne 145 G7
Euthal 142 K4
Evionnaz 145 E7
Evolène 145 G7
Evouettes (Les) 145 E6

F

Fahrwangen 141 I4
Fahy 140 E3
Faido 146 K6
Falera 147 L5
Fällanden 142 J3
Fanellahorn 147 L6
Fankhaus 141 H5
Faoug 140 F5
Färnigen 146 J5
Farvagny 145 F5
Faulensee 145 H5
Faulhorn 146 H5
Fehraltorf 142 K3
Felben 142 K3
Feldis / Veulden 147 M5
Felsberg 147 M5
Fenêtre de Durand 145 G8
Ferpècle 145 G7
Ferrera (Val) 147 M6
Ferret 145 F8
Ferret (Mont) 145 F8
Ferret (Val) 145 F8
Ferrière (La) 140 E4
Fétigny 145 E5
Feusisberg 142 K4
Feutersoey 145 F6
Fey 144 E5
Fideris 149 N5
Fiesch 146 I6
Fiescherhörner 146 I6
Figino 147 K8
Filisur 147 N5
Filzbach 142 L4
Findeln 145 H7
Finhaut 145 E7
Finsteraarhorn 146 I6
Finsterwald 141 I5
Fionnay 145 F7
First 146 I5
Fischenthal 142 K4
Fischingen 142 K3
Fislisbach 141 I3
Flaach 142 J3
Fläsch 148 M4
Flamatt 140 F5
Flawil 142 L3
Fleckistock 146 J5
Fletschhorn 146 I7
Fleurier 140 D5
Flims-Dorf 147 L5
Flims-Waldhaus 147 L5
Fluchthorn 149 O5
Flüelapass 149 N5
Flüelatal 149 N5
Flüelen 148 J5
Flüeli-Ranft 141 I5
Flüh 141 G3
Flühli 141 I5
Flums 142 L4
Flumserberg 142 L4
Fontaines 140 E4
Fontaines-s-Grandson 140 D5
Fontana (*Val Bavona*) 146 J6
Fontana (*Val Bedretto*) 146 J6
Fontenais 140 F3
Foopass 148 L5
Forch 142 J4
Forclaz (Col de la) 145 F7
Forel 145 E6
Fornasette 146 K8
Forno (Monte del) 147 N6
Fort (Mont) 145 F7
Fosano 146 K7
Fouly (La) 145 F8
Franches Montagnes 140 E4
Fräschels 140 F4
Frasco 146 K6

FRIBOURG

Alpes (Rte des) CY 3
Europe (Av. de l') CY 8
Gare (Av. de la) CY 9
Georges-Python (Pl.) CY 10
Grand-Fontaine (R. de la) CY 12
Hôpital (R. de l') CY 15
Industrie (R. de l') CZ 16
Lausanne (R. de) CY
Neuveville (R. de la) CY 24
Pérolles (Bd de) CZ
Planche Supérieure DY 26
Romont (R. de) CY 28
St-Jean (Pont de) DY 31
Samaritaine (R. de la) DY 30
Tavel (Rte de) DY 33
Tivoli (Av. de) CY 34

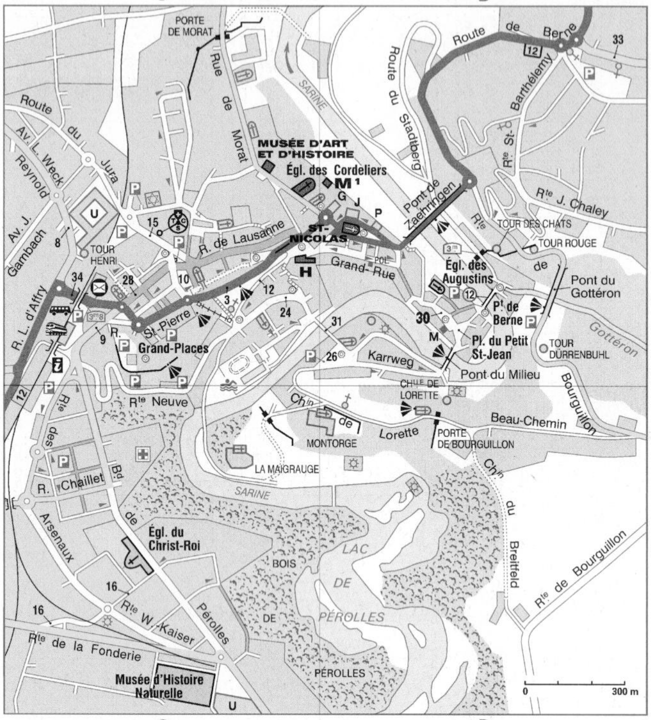

C
D
Y
Z
PORTE DE MORAT
Rue de Morat
Route du Stadtberg
Route de Berne
Rte St-Barthélemy
MUSÉE D'ART ET D'HISTOIRE
Égl. des Cordeliers
M 1
Route du Jura
Av. L. Weck Reynold
Av. J. Gambach
R. de Lausanne
ST-NICOLAS
Grand-Rue
Pont de Zaehringen
Rte J. Chaley
TOUR DES CHATS
TOUR ROUGE
TOUR HENRI
Égl. des Augustins
Pont du Gottéron
Pl. de Berne
Pl. du Petit St-Jean
Gottéron
TOUR DÜRRENBUHL
St-Pierre
Grand-Places
R. L. d'Affry
Karrweg
Pont du Milieu
Bourguillon
Rte Neuve
CH. DE LORETTE
Ch. de Lorette
Beau-Chemin
PORTE DE BOURGUILLON
MONTORGE
LA MAIGRAUGE
SARINE
R. Chaillet
Bd de Pérolles
Arsenaux
Égl. du Christ-Roi
BOIS DE PÉROLLES
LAC DE PÉROLLES
Ch. du Breitfeld
Rte de Bourguillon
Rte W. Kaiser
Rte de la Fonderie
Musée d'Histoire Naturelle
PÉROLLES
0
300 m

Fraubrunnen 141 G 4
Frauenfeld 142 K 3
Frauenkappelen 140 G 5
Frauenkirch 147 N 5
Freiburg = Fribourg 145 F 5
Frenkendorf 141 H 3
Fribourg 145 F 5
Fribourg (*Canton*) 121 F 5
Frick 141 I 3
Fridolins 147 K 5
Friedlisberg 141 J 3
Frieswil 140 F 5
Froideville 144 E 6
Fronalpstock 148 J 5
Fründen 145 H 6
Fruthwilen 142 L 3
Frutigen 145 G 6
Frutt 146 I 5
Ftan 149 O 5
Fuldera 149 P 6
Fully 145 F 7
Furkapass 146 J 6
Fusio 146 J 6

G

Gadmen 146 J 5
Gadmental 146 I 5
Gaggiolo 152 K 8
Gähwil 142 L 3
Gais 142 M 3
Galenstock 146 J 6
Gallina (Pizzo) 146 J 6
Galmiz 140 F 5
Gampel 145 H 7
Gampelen 140 F 4
Gams 142 M 4
Gandria 147 L 7
Gannaretsch (Piz) 146 K 6
Gänsbrunnen 141 G 4
Gansingen 141 I 3
Ganterschwil 142 L 3
Gantrisch 145 G 5
Garschina 149 N 4
Gattikon 142 J 4
Gelé (Mont) 145 F 7
Gelfingen 141 I 4
Gelgia 147 M 6
Gelgia 123 M 6
Gelmer 146 J 6
Gelmersee 146 I 6
Geltenalp 145 G 6
Gelterkinden 141 H 3
Gemmipass 145 G 6
Gempenach 140 F 5
Generoso (Monte) 152 L 8
Genève (*Aéroport*) 144 C 7
Genève (*Canton*) 120 C 7
Genevez (Les) 140 F 4
Genève 144 C 7
Genf = Genève 144 C 7
Genolier 144 C 6
Genthod 144 C 7
Gerlafingen 141 G 4
Geroldswil 141 J 3
Gerolfingen 140 F 4
Gerra Gambarogno 146 K 7
Gersau 148 J 5
Gerzensee 141 G 5
Geschinen 146 I 6
Gettnau 141 H 4
Giessbach 146 I 5
Giessbachfälle 146 I 5
Gifferhorn 145 G 6
Giffers 145 F 5
Gigerwald 148 M 5
Gilly 144 C 6
Gimel 144 C 6
Gingins 144 C 6
Giornico 147 K 6
Gipf-Oberfrick 141 H 3
Gisenhard 142 K 3
Gisikon 141 J 4
Giswil 146 I 5
Giubiasco 147 L 7
Giuv (Piz) 146 K 5
Givrine (Col de la) 144 C 6
Gland 144 C 6
Glâne 145 F 5
Glaris 147 N 5
Glaris = Glarus 142 L 4
Glarus 142 L 4
Glarus (*Kanton*) 118 L 4
Glattalp 148 K 5
Glattbrugg 142 J 3
Glattfelden 142 J 3
Glaubenbergpass 141 I 5
Glaubenbüelenpass 146 I 5
Gleckstein 146 I 6
Gletsch 146 J 6
Gletscher Ducan 147 N 5
Gletscherhorn 146 H 6
Glion 145 E 6
Glishorn 146 H 7
Glogghüs 146 I 5
Glovelier 140 F 3
Gnosca 147 L 7
Gœtheanum 141 G 3
Goldau 142 J 4
Goldiwil 145 H 5
Golino 146 K 7
Gollion 144 D 6
Gommiswald 142 L 4
Goms 122 I 6
Gondo 146 I 7
Gondoschlucht 146 I 7
Gonten 142 M 4
Goppenstein 145 H 6
Gordevio 146 K 7
Gordola 146 K 7
Gorduno 147 L 7
Gornergletscher 145 H 8
Gornergrat 145 H 8
Göschenen 146 J 6
Göscheneralpsee 146 J 6
Göschenertal 146 J 6
Gossau (*St. Gallen*) 142 L 3
Gossau (*Zürich*) 142 K 4
Gossliwil 141 G 4
Gotthardtunnel 146 J 6
Gottlieben 142 L 3
Goumoens-la-Ville 144 D 6
Gr. Windgällen 146 K 5
Graben 145 G 5
Grabs 142 M 4
Grächen 146 H 7
Grafenort 141 J 5
Grand Combin 145 F 8
Grand Saint-Bernard (Col du) 150 F 8
Grand Sidelhorn 146 I 6
Grandcour 140 E 5
Grande Dixence (Barrage de la) 145 G 7
Grand-Saconnex (Le) 144 C 7
Grandson 140 D 5
Granges 145 E 5
Grangettes 145 E 5
Gränichen 141 I 3
Graue Hörner 148 M 5
Gravesano 147 K 7
Greifensee 142 J 3
Greina (Passo della) 147 K 6
Grellingen 141 G 3
Grenchen 140 G 4
Greppen 141 J 4
Griesalp 145 H 6
Griespass 146 J 6
Grimentz 145 G 7
Grimisuat 145 G 7
Grimmialp 145 G 6
Grimselpass 146 I 6
Grimselsee 146 I 6
Grindelwald 146 I 6
Graubünden (*Kanton*) 118 L 5
Grisons = Graubünden 118 L 5
Grolley 140 F 5
Grône 145 G 7
Grono 147 L 7
Gross 142 K 4
Gross Litzner 149 O 5
Gross-Spannort 146 J 5
Grossaffoltern 140 G 4
Grossdietwil 141 H 4
Grosser Aletschfirn 146 H 6
Grosser Aletschgletscher 146 I 6
Grosser Mythen 142 K 4
Grosse Scheidegg 146 I 6
Grosshöchstetten 141 G 5
Grossteil 141 I 5
Grosswangen 141 I 4
Grub 142 M 3
Gruben 145 H 7
Grünhorn 146 I 6
Grüningen 142 K 4
Grüsch 149 M 5
Gruyère (Lac de la) 145 F 5
Gruyères 145 F 6
Gryon 145 F 7
Gspaltenhorn 146 H 6
Gspon 146 H 7
Gstaad 145 F 6
Gsteig 145 F 6
Gstein-Gabi 146 I 7
Guarda 149 O 5
Gudo 147 K 7
Gueuroz (Pont du) 145 F 7
Güferhorn 147 L 6
Guggisberg 145 F 5
Güglia / Julier 123 N 6
Gümligen 141 G 5
Gümmenen 140 F 5

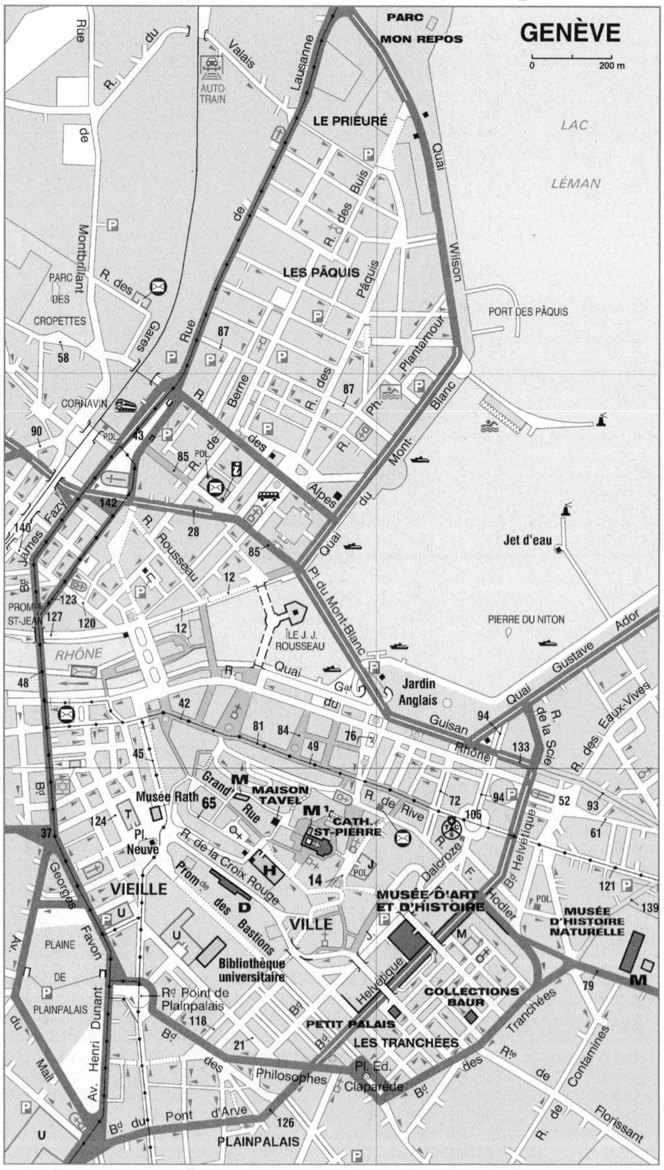

GENÈVE
0
200 m
F
G
X
Y
Z
PARC MON REPOS
LE PRIEURÉ
LAC
LÉMAN
Rue de Lausanne
Quai Wilson
AUTO TRAIN
Rue du Valais
Rue de Montbrillant
LES PÂQUIS
Rue des Pâquis
PARC DES CROPETTES
PORT DES PÂQUIS
Rue des Gares
Rue de Berne
R. des Alpes
Quai du Mont-Blanc
R. Plantamour
CORNAVIN
Jet d'eau
PIERRE DU NITON
Quai Gustave Ador
Bd James Fazy
R. Rousseau
Pt du Mont-Blanc
LE J. J. ROUSSEAU
RHÔNE
PROM. ST-JEAN
Quai Gal Guisan
Jardin Anglais
R. de la Scie
R. des Eaux-Vives
R. du Rhône
Grand Rue
MAISON TAVEL
Musée Rath
Pl. Neuve
CATH. ST-PIERRE
R. de Rive
R. de la Croix Rouge
Prom. des Bastions
VIEILLE VILLE
MUSÉE D'ART ET D'HISTOIRE
MUSÉE D'HISTOIRE NATURELLE
Bd Helvétique
R. Hodler
Bibliothèque universitaire
Bd Georges Favon
PLAINE DE PLAINPALAIS
Rd Point de Plainpalais
COLLECTIONS BAUR
PETIT PALAIS
LES TRANCHÉES
Bd des Philosophes
Pl. Ed. Claparède
Av. Henri Dunant
Av. du Mail
Bd du Pont d'Arve
PLAINPALAIS
R. de Contamines
R. de Florissant

Bel Air (Pl.) FY 10
Bergues (Quai des) FY 12
Bourg de Four (Pl. du) FZ 14
Candolle (R. de) FZ 21
Chantepoulet (R. de) FY 28
Cirque (Pl. du) FZ 37
Confédération (R. de la) FY 42
Cornavin (Pl. de) FY 43
Corraterie (R. de la) FY 45
Coulouvrenière (Pont de la) FY 48
Croix d'Or (R. de la) FY 49
Eaux Vives (Pl. des) GZ 52
Fort-Barreau (R. du) FX 58
Frontenex (Av. de) GZ 61
Granges (R. des) FZ 65
Italie (R. d') GZ 72
Longemalle (Pl.) FY 76
Malagnou (Rte de) GZ 79
Marché (R. du) FY 81
Molard (Pl. du) FY 84
Monthoux (R. de) FXY 87
Mont-Blanc (R. du) FY 85
Pépinière (R. de la) FY 90
Pictet-de-Rochemont (Av.) GZ 93
Pierre-Fatio (R.) GYZ 94
Rhône (R. du) FGY
Rive (Rond-Point de) GZ 105
Rive (R. de) FGZ
St-Léger (R.) FZ 118
Temple (R. du) FY 120
Terrassière (R. de la) GZ 121
Terreaux du Temple (R. des) FY 123
Théâtre (Bd du) FZ 124
Tour (Bd de la) FZ 126
Turrettini (Quai) FY 127
Versonnex (R.) GY 133
Villereuse (R. de) GZ 139
Voltaire (R.) FY 140
22-Cantons (Pl. des) FY 142

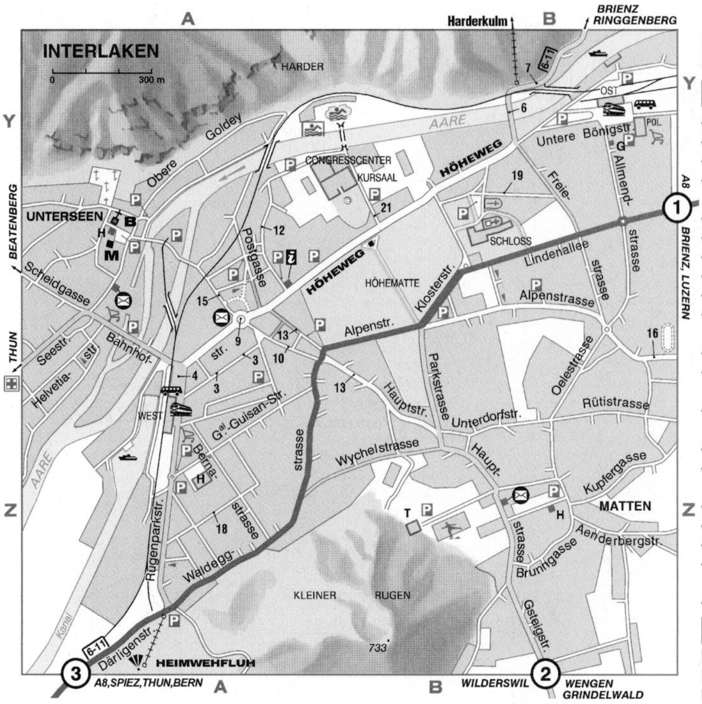

Aarmühlestrasse	AYZ 3	Centralstrasse	AY 10	Obere Bönigstrasse	BY 16
Bahnhofplatz	AZ 4	Harderstrasse	AY 12	Rothornstrasse	AZ 18
Beaurivage-Brücke	BY 6	Höheweg	ABY	Schlossstrasse	BY 19
Brienzstrasse	BY 7	Jungfraustrasse	AYZ 13	Strandbadstrasse	BY 21
Centralplatz	AY 9	Marktgasse	AY 15		

Gummfluh 145 F6
Günsberg 141 G4
Gunten 145 H5
Gurbrü 140 F5
Gurmels 140 F5
Gurten 140 G5
Gurtnellen 146 J5
Gutenswil 142 K3
Guttannen 146 I6
Güttingen 142 L3
Gwatt 145 G5
Gypsera 145 F5

H

Haag 142 M4
Habkern 146 H5
Hägendorf 141 H3
Hägglingen 141 I3
Hahnenmoos 145 G6
Haldenstein 148 M5
Hallau 141 J2
Hallwiler See 141 I4
Hämikon 141 I4
Handegg 146 I6
Handeggfall 146 I6
Härkingen 141 H4
Hasle 141 I5
Hasle bei Burgdorf 141 G4
Haslen *(Appenzell)* 142 M3
Haslen *(Glarus)* 148 L5
Hasliberg 146 I5
Haslital 146 I5
Hätzingen 148 L5
Haudères (Les) 145 G7
Hauenstein (Oberer) 141 H3
Hauenstein (Unterer) 141 H3
Hauptwil 142 L3
Hausen 142 J4
Häusernmoos 141 H4
Hausstock 148 L5
Haute-Nendaz 145 F7
Hauterive *(Fribourg)* 145 F5
Hauterive *(Neuchâtel)* 140 E4
Hauteville 145 F5
Hauts-Geneveys (Les) 140 E4
Hedingen 141 J4
Hefenhausen 142 L3
Hegnau 142 K3
Heidelberger H. 149 O5
Heiden 142 M3
Heiligenschwendi 145 H5
Heiligkreuz 141 I5
Heimberg 145 G5
Heimiswil 141 G4
Heinzenberg 123 M5
Heitenried 140 F5
Hellbühl 141 I4
Helsenhorn 146 I7
Hemberg 142 L4
Hemmental 142 J2
Henggart 142 K3
Henniez 145 E5
Herbetswil 141 G4
Herblingen 142 J2
Herdern 142 K3
Hérémence 145 G7
Hérémence (Val d') 145 G7
Hérens (Val d') 145 G7
Hergiswil 141 I5
Hergiswil b. Willisau 141 H4
Herisau 142 L3
Hermance 144 C7
Herrliberg 142 J4
Herznach 141 I3
Herzogenbuchsee 141 H4
Hessigkofen 141 G4
Hettlingen 142 K3
Hildisrieden 141 I4
Hilferenpass 141 H5
Hilterfingen 145 G5
Hindelbank 141 G4
Hinterberg 149 M5
Hinterrhein 147 L6
Hinterthal 148 K5
Hinwil 142 K4
Hittnau 142 K3
Hoch Ducan 147 N5
Hochdorf 141 I4
Hochwald 141 G3
Hochwang 149 M5
Hochybrig 148 K4
Hofen 142 K2
Hofstetten 141 G3
Hohenrain 141 I4
Hoher Kasten 142 M4
Hohfluh 146 I5
Hohgant 146 H5
Hohtürli 145 H6
Hollandia 146 H6
Höllochgrotte 148 K5
Hölstein 141 H3
Holzhäusern 141 J4
Hombrechtikon 142 K4
Homburg 142 L3
Honegg 146 H5
Hongrin (Lac de l') 145 F6
Horboden 145 G6
Horgen 142 J4
Hörhausen 142 K3
Horn 142 M3
Hörnli 142 K3
Hornussen 141 I3
Horw 141 I4
Hospental 146 J6
Hottwil 141 I3
Huémoz 145 F7
Huetstock 146 I5
Hüfi 146 K5
Hugelshofen 142 L3
Hulftegg 142 K3
Hundwil 142 L3
Hunzenschwil 141 I3
Hurden 142 K4
Hütten 142 K4
Hüttlingen 142 K3
Huttwil 141 H4
Hüttwilen 142 K3

I

Ibach 148 J4
Ibergeregg 148 K4
Iffigenalp 121 G6
Iffwil 141 G4
Ifwil 142 K3
Ilanz 147 L5
Illgau 148 K5
Illiez (Val d') 145 E7
Illnau 142 K3
Im Fang 145 F6
Immensee 141 J4
Indemini 146 K7
Inden 145 G6
Inn 119 P5
Innereriz 121 H5
Innerferrera 147 M6
Innerthal 142 K4
Innertkirchen 146 I5
Ins 140 F4
Interlaken 146 H5
Intragna 146 K7
Inwil 141 J4
Iragna 147 K7
Iseltwald 146 H5
Isenthal 148 J5
Isérables 145 F7
Isle (L') 144 D6
Isleten 148 J5
Islikon 142 K3
Isone 147 K7

J

Jassbach 141 H5
Jaun 145 F6
Jaunpass 145 F6
Javroz (Pont du) 145 F6
Jegenstorf 141 G4
Jenins 149 M4
Jochpass 146 J5
Jogne 145 F6
Jona 142 K4
Jorat (Mont) 144 E6
Joux (La) 145 E6
Joux (Lac de) 144 C6
Joux (Vallée de) 144 C6
Juf 147 M6
Julier (Piz) 147 N6
Julierpass 147 N6
Jungfrau 146 H6
Jungfraujoch 146 H6
Jürg. Jenatsch 147 N6
Jussy 144 C7

K

Kägiswil 141 I5
Kaiseraugst 141 H3
Kaiseregg 145 F6
Kaiserstuhl *(Aargau)* 141 J3
Kaiserstuhl *(Unterwalden)* 146 I5
Kaisten 141 I3
Kallnach 140 F4
Kaltbrunn 142 L4
Kander 145 H6
Kandergrund 145 H6
Kandersteg 145 G6
Kandertal 145 G6
Kappel 142 J4
Kappelen 140 F4
Kärpf 148 L5
Kastanienbaum 141 J4
Kehlenalp 146 J5
Kehrsatz 141 G5
Kempten 142 K3
Kemptthal 142 K3
Kerenzerberg 142 L4
Kerns 141 I5
Kerzers 140 F5
Kesch 147 N6
Kesch (Piz) 147 N6
Kesswil 142 L3
Kestenholz 141 H4
Kienberg 141 H3
Kiental 145 H6
Kiesen 141 G5
Kilchberg 142 J4
Kippel 145 H6
Kirchberg *(Bern)* 141 G4
Kirchberg *(St. Gallen)* 142 L3
Kirchbühl 141 I4
Kirchdorf 141 G5
Kirchenthurnen 141 G5
Kirchlindach 140 G4
Kistenpass 147 L5
Klausenpass 148 K5
Kleine Scheidegg 146 H6
Kleinlützel 141 G3
Kleinteil 146 I5
Klöntal 148 K4
Klöntaler See 148 K4
Klosters 149 N5
Klosters-Dorf 149 N5
Kloten 142 J3
Knutwil 141 I4
Koblenz 141 I3
Kollbrunn 142 K3
Kölliken 141 I3
Köniz 140 G5
Konkordia 146 I6
Konolfingen 141 G5
Koppigen 141 G4
Kradolf 142 L3
Krattigen 145 H6
Krauchthal 141 G4
Kreuzlingen 142 L3
Kreuzweg 145 H5
Kriegstetten 141 G4
Kriens 141 I4
Kriessern 143 M3
Kronberg 142 L4
Kronbühl 142 M3
Krönten 122 J5
Krummenau 142 L4
Küblis 149 N5
Kulm 141 J4
Kunkelspass 148 M5
Künten 141 J3
Küsnacht 142 J4
Küssnacht 141 J4
Küttigen 141 I3
Kyburg 142 K3

L

Laax 147 L5
Lachen 142 K4
Laconnex 144 C7
Lad (Piz) 149 P5
Lämmern 145 G6

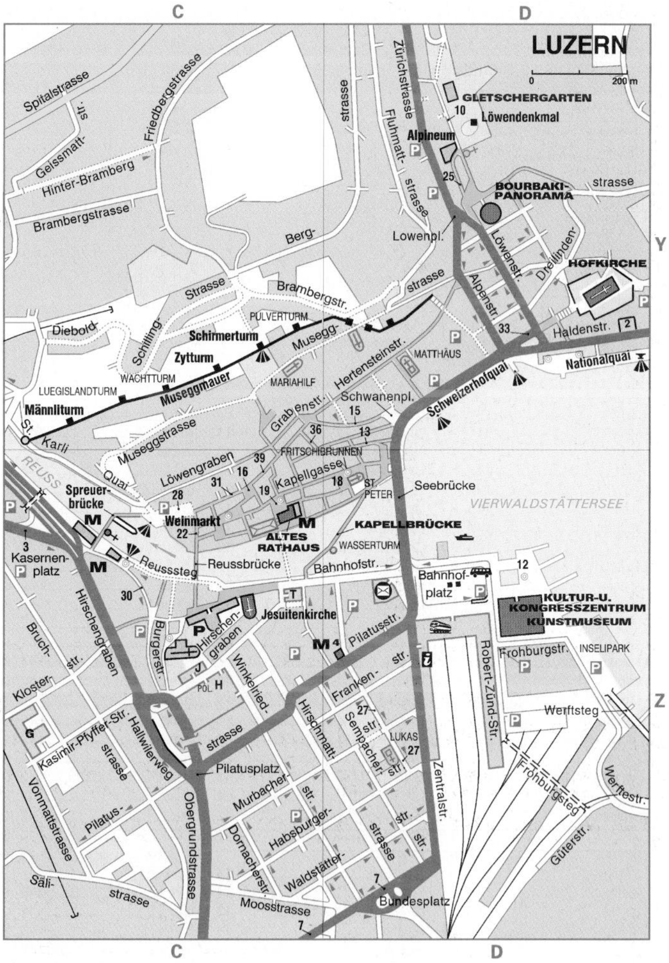

Baselstrasse	CZ 3	Kapellgasse	CDZ	Mühlenplatz	CZ 28
Bundesstrasse	CDZ 7	Kapellplatz	DZ 18	Pfistergasse	CZ 30
Denkmalstrasse	DY 10	Kornmarkt	CZ 19	Pilatusstrasse	CDZ
Europaplatz	DZ 12	Kornmarktgasse	CZ 21	Rössligasse	CZ 31
Gerbergasse	DY 13	Kramgasse	CZ 22	St. Leodegar Strasse	DY 33
Grendel	DY 15	Löwengartenstrasse	DY 25	Theilinggasse	CY 36
Hirschenplatz	CZ 16	Morgartenstrasse	DZ 27	Weggisgasse	CZ 39

LAUSANNE

Acacias (Av. des) .... BY 3
Ale (R. de l') .... ABX 4
Alpes (Av. des) .... CY
Avant Poste (R. de l') .... CY 7
Beaulieu (Av. de) .... AX
Beauregard (Av.) .... AY 9
Beau Séjour (R.) .... BCY
Bellefontaine (R.) .... CY
Benjamin Constant (Av.) .... BCY 13
Bergières (Av. des) .... AX
Bessières (Pont) CX
Béthusy (Av. de) CX
Borde (R. de la) .... BX 16
Boston (Ch. de) .... AX 19
Bourg (R. de) .... BCX
Bugnon (R. du) CX
Calvaire (Ch. du) CX
Cèdres (Ch. des) .... AX
César Roux (R. du Dr.) CX
Charles-Monnard (R.) .... CY 22
Château (Pl. du) .... CX 23
Chauderon (Pl.) .... AX
Chauderon (Pont) .... AX
Cheneau de Bourg .... CX 24
Cité Derrière (R.) .... CX 27
Collonges (Av.) .... AX 28
Cour (Av. de) .... AY
Croix Rouges (Ch. des) ...... AX 30
Davel (Av.) .... BX
Échallens (Av. d') .... AX
Édouard-Dapples (Av.) ...... ABY
Eglantine (Av.) .... CY
Fleurettes (Ch. des) .... AY
Floréal (Av.) .... AY
Florimont (Av. de) .... CY
France (Av. de) .... AX
Gare (Av. de la) .... BCY
Gare (Pl. de la) .... ABY
Genève (R. de) .... ABX
Georgette (Av.) .... CY 33
Grancy (Bd de) .... ABY
Grand Chêne (R. du) .... BXY 36
Grand Pont .... BX
Haldimand (R.) .... BX
Harpe (Av. de la) .... AY
Jean-Jacques-Mercier (Av.) .. AX 37
Jomini (Av.) .... AX 39
Jules-Gonin (Av.) .... ABX
Jura (R. du) .... AX
Jurigoz (Av. de) .... CY 42
Juste-Olivier (Av.) .... CY
Langallerie (R. de) .... CX 45
Longeraie (Ch. de) .... CY 48
Louis-Ruchonnet (Av.) ..... AXY
Louve (R. de la) .... BX 49
Lucinge (Ch. de) .... CY
Madeleine (R.) .... BX 51
Marc-Dufour (Av.) .... AX 52
Marterey (R.) .... CX 55
Mauborget (R.) .... BX 57
Maupas (R. du) .... AX
Mercerie (R.) .... BX
Messidor (Ch.) .... CY
Midi (R. du) .... BY
Milan (Av. de) .... AY
Milan (Pl. de) .... AY
Montagibert (Av.) CX
Montbenon (Espl. de) .... AX
Montchoisi (Av. de) .... BY
Mont d'Or (Av. du) .... AY
Mont Tendre (Ch. du) .... AY 61
Mon Repos (Av.) .... CY
Morges (Av. de) .... AX
Mornex (Ch. de) .... ABY 66
Ouchy (Av. d') .... BY
Ours (Pl. de l') CX
Paix (R. de la) .... CY 69
Palud (Pl. de la) .... BX 70
Pépinet (Pl.) .... BX 72
Petit Chêne (R. du) .... BY
Petit Valentin (R. du) .... BX 73
Pierre-Decker (Av.) .... CX 75
Pierre-Viret (R.) .... BX 76
Pont (R. du) .... BX 78
Riant Mont (Av. de) .... BX 81
Riponne (Pl. de la) .... BX
Rond-Point (Av. du) .... AY 82

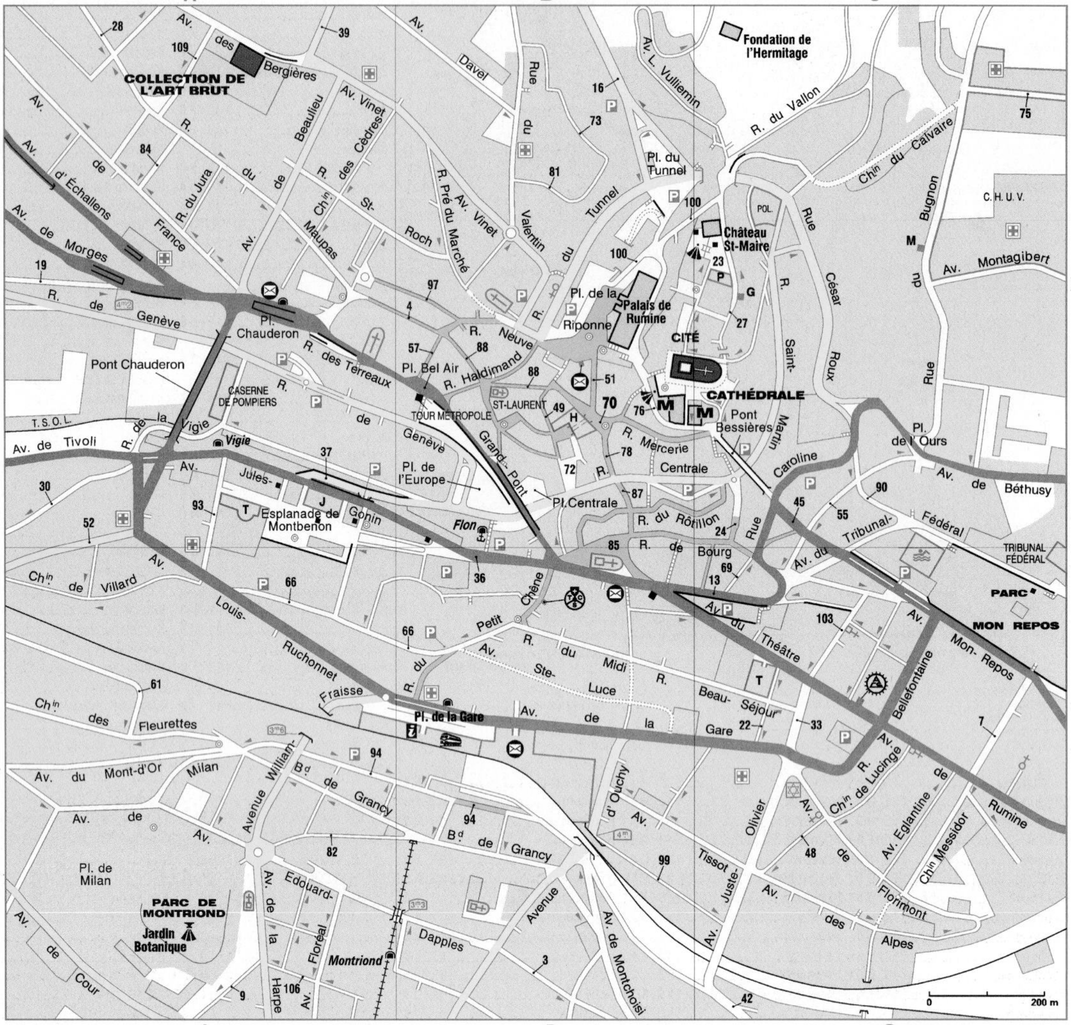

Rosiers (Ch. des) .... AX 84
Rôtillon (R. du) .... BCX
Rue Centrale .... BCX
Rue Neuve .... BX
Rumine (Av. de) .... CY
Sainte-Beuve (R.) .... CX 90
Ste-Luce (Av.) .... BY
St-François (Pl.) .... BX 85
St-François (R.) .... BX 87
St-Laurent (R.) .... BX 88
St-Martin (R.) CX
St-Roch (R.) .... ABX
Savoie (Av. de) .... AX 93
Simplon (R. du) .... ABY 94
Terreaux (R. des) .... AX
Théâtre (Av. du) .... CY
Tissot (Av. du Dr.) .... BCY
Tivoli (Av. de) .... AX
Tour (R. de la) .... ABX 97
Treyblanc (Ch. du) .... BCY 99
Tribunal-Fédéral (Av. du) CX
Tunnel (Pl. du) .... BX
Tunnel (Rte du) .... BX
Université (Av. de l') .... BCX 100
Valentin (R. du) .... BX
Vallon (R. du) CX
Vigie (R. de la) .... AX
Villamont (Av.) .... CY 103
Villard (Ch. de) .... AY
Vinet (Av.) .... ABX
Voltaire (R.) .... AY 106
Vulliemin (Av.) .... BCX
William-Fraisse (Av.) .... AY
24-Janvier (Av. du) .... AX 109

Lägeren .... 141 J 3
Lagginhorn .... 146 I 7
Lagrev
(Piz) .... 147 N 6
Lajoux .... 140 F 4
Lalden .... 146 H 7
Lamboing .... 140 F 4
Lancy .... 144 C 7
Landeron (Le) .... 140 F 4
Landquart .... 149 M 5
Landwasser .... 147 N 5
Langenbruck .... 141 H 3
Langendorf .... 141 G 4
Langenthal .... 141 H 4
Langnau
am Albis .... 142 J 4
Langnau
bei Reiden .... 141 H 4
Langnau
im Emmental .... 141 H 5
Langrickenbach .... 142 L 3
Languard
(Piz) .... 149 N 6
Langwies .... 147 N 5
Lantsch /
Lenz .... 147 M 5
Larmont
(Montagne du) .... 140 D 5
Latterbach .... 145 G 5
Lauenen .... 145 F 6
Lauerz .... 142 J 4
Lauerzer See .... 142 J 4
Läufelfingen .... 141 H 3
Laufen .... 141 G 3
Laufenburg .... 141 I 3
Laupen .... 140 F 5
Laupersdorf .... 141 G 4
Lauperswill .... 141 H 5
Lausanne .... 144 D 6
Lausen .... 141 H 3
Lauteraar .... 146 I 6
Lauteraarhorn .... 146 I 6
Lauterbrunnen .... 146 H 6
Lavertezzo .... 146 K 7
Lavey-Village .... 145 F 7
Lavin .... 149 O 5
Lavizzara
(Val) .... 146 J 6
Lavorgo .... 146 K 6
Lax .... 146 I 6
Leberen .... 141 G 4
Léchelles .... 140 F 5
Lécherette (La) .... 145 F 6
Legler .... 148 L 5
Leibstadt .... 141 I 3
Leissigen .... 145 H 6
Léman (Lac) .... 144 C 6
Lengnau .... 141 I 3
Lengnau
bei Biel .... 140 G 4
Lenk .... 145 G 6
Lens .... 145 G 7
Lenzburg .... 141 I 3
Lenzerheide /
Lai .... 147 M 5
Lenzerheidepass .... 147 M 5
Leontica .... 147 K 6
Leuggern .... 141 I 3
Leuk .... 145 G 7
Leukerbad .... 145 G 6
Leutschach .... 146 J 5
Leuzigen .... 141 G 4
Leventina
(Valle) .... 146 J 6
Levron (Le) .... 145 F 7
Leysin .... 145 F 6
Leytron .... 145 F 7
Lichtensteig .... 142 L 4
Liddes .... 145 F 8
Liebewil .... 140 G 5
Liebistorf .... 140 F 5
Lienz .... 142 M 4
Liestal .... 141 H 3
Lieu (Le) .... 144 C 6
Lignerolle .... 144 D 5
Lignières .... 140 F 4
Limmat .... 141 J 3
Limmernsee .... 147 L 5
Limpach .... 141 G 4
Linard (Piz) .... 149 O 5
Lindau .... 142 K 3
Linth .... 148 L 4
Linthal .... 148 K 5
Linthkanal .... 142 L 4
Lischana
(Piz) .... 149 P 5
Littau .... 141 I 4
Litzenberg .... 143 M 3
Litzirüti .... 147 N 5
Livigno
(Forcola di) .... 149 O 6
Löbbia .... 147 N 6
Locarno .... 146 K 7
Locle (Le) .... 140 E 4
Loco .... 146 K 7
Lodano .... 146 K 7
Lodrino .... 147 K 7
Loèche-les-B. =
Leukerbad .... 145 G 6
Lohn
(Graubünden) .... 147 M 6
Lohn
(Schaffhausen) .... 142 K 2
Lohner .... 145 G 6
Löhningen .... 142 J 2
Lömmenschwil .... 142 M 3
Lommis .... 142 K 3
Lonza .... 146 H 6
Losone .... 146 K 7
Lostallo .... 147 L 7
Lostorf .... 141 H 3
Lötschbergtunnel .... 145 H 6
Lötschenpass .... 145 H 6
Lötschental .... 146 H 6
Lotzwil .... 141 H 4
Lourtier .... 145 F 7
Lucelle .... 140 F 3
Lucens .... 145 E 5
Lucerne =
Luzern .... 141 I 4
Lucomagno (Passo del) /
Lukmanierpass .... 146 K 6

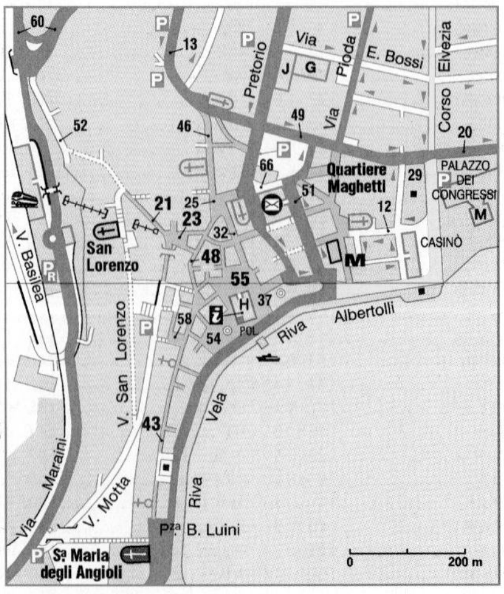

LUGANO

Canova (V.) .... Y 12
Cantonale (V.) .... Y 13
Cattaneo (Viale C.) .... Y 20
Cattedrale (V.) .... Y 21
Cioccaro (Pza) .... Y 23
Dante (Pza) .... Y 25
Indipendenza (Pza) .... Y 29
Luvini (V. G.) .... Y 32
Manzoni (Pza A.) .... Z 37
Nassa (V.) .... Z 43
Peri (V. P.) .... Y 46
Pessina (V.) .... Y 48
Pestalozzi (Cso) .... Y 49
Posta (V. della) .... Y 51
Regazzoni (V. P.) .... Y 52
Rezzonico (Pza R.) .... Z 54
Riforma (Pza della) .... YZ 55
San Carlo (Piazzetta) .... Z 58
San Gottardo (V.) .... Y 60
Verla (Contrada di) .... Y 66

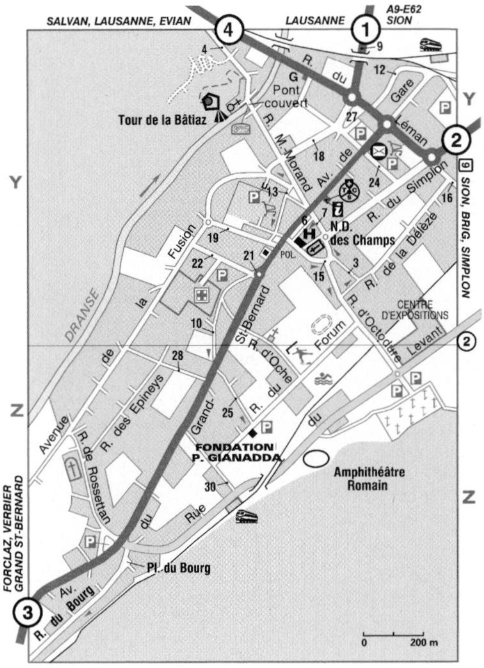

MARTIGNY

Alpes (R. des) .... Y 3
Bâtiaz (R. de la) .... Y 4
Centrale (Pl.) .... Y 6
Collège (R. du) .... Y 7
Fully (Av. de) .... Y 9
Grand St-Bernard (Av. du) .... Y
Hôpital (R. de l') .... Y 10
Maladière (R. de la) .... Y 12
Manoir (R. du) .... Y 13
Midi (Pl. du) .... Y 15
Neuvilles (Av. des) .... Y 16
Nord (R. du) .... Y 18
Petits Epineys (R. des) .... Y 19
Plaisance (Pl. de) .... Y 21
Plaisance (R. de) .... Y 22
Poste (R. de la) .... Y 24
Pré Borvey (R. de) .... Z 25
Rome (Pl. de) .... Y 27
St-Théodule (R.) .... Z 28
Surfrête (R. de) .... Z 30

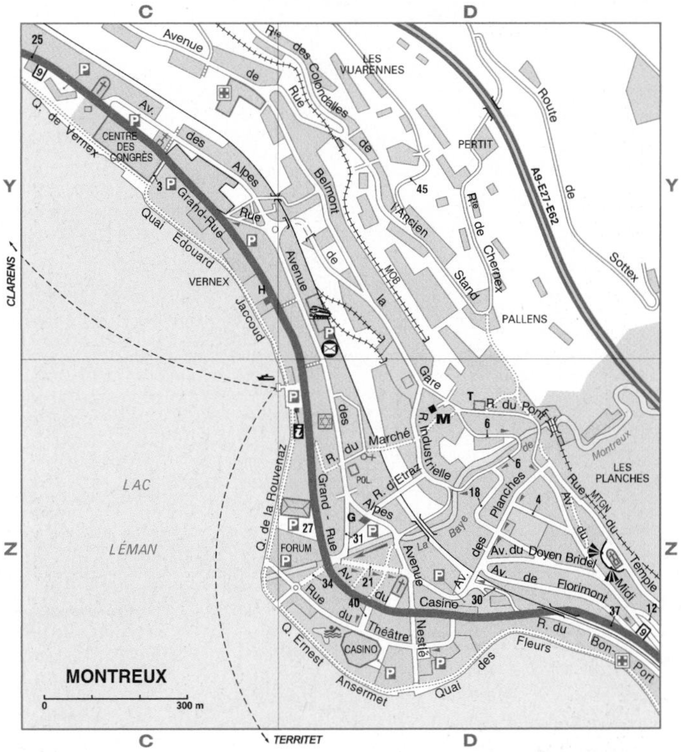

Alexandre-Emery (R.) .... CY 3
Amandiers (Av. des) .... DZ 4
Anciens Moulins (R. des) .... DZ 6
Chantemerle (Av. de) .... DZ 12
Corsaz (R. de la) .... DZ 18
Église Catholique (R. de l') .... DZ 21
Grand-Rue .... DYZ
Lac (R. du) .... CY 25
Marché (Pl. du) .... DZ 27
National (Ch. du) .... DZ 30
Paix (R. de la) .... DZ 31
Quai (R. du) .... DZ 34
Riviera (Av. de la) .... DZ 37
Strawinsky (R.) .... DZ 40
Vuarennes (Rte des) .... DY 45

Lüderenalp 141 H 4
Ludiano 147 K 6
Lueg 141 H 4
Lugano 147 K 7
Lugano (Lago di) 122 K 8
Lugano-Agno (*Aéroport*) 147 K 7
Lugnez 140 F 3
Lugnorre 140 F 5
Lully 144 C 7
Lumbrein 147 L 5
Lumnezia 147 L 5
Lungern 146 I 5
Lungernsee 146 I 5
Lunschania 147 L 6
Lurengo 146 K 6
Lüscherz 140 F 4
Luterbach 141 G 4
Lüterkofen 141 G 4
Luthern 141 H 4
Lütisburg 142 L 3
Lutry 144 E 6
Lützelflüh 141 H 4
Luzein 149 N 5
Luzern 141 I 4
Luzern (*Kanton*) 117 H 4
Luzzone (Lago di) 147 K 6
Lyss 140 F 4

M

Maderanertal 146 K 5
Madiswil 141 H 4
Madra 147 L 6
Madrisahorn 149 N 5
Madulain 149 N 6
Magadino 146 K 7
Magden 141 H 3
Mägenwil 141 I 3
Maggia 146 J 6
Maggia (Valle) 146 J 7
Magglingen / Macolin 140 F 4
Maienfeld 148 M 4
Maira 147 M 6
Maisprach 141 H 3
Maladers 147 M 5
Malans 149 M 5
Malbun (*St. Gallen*) 142 M 4
Malix 147 M 5
Malleray 140 F 4
Maloja 147 N 6
Maloja (Passo del) 147 N 6
Malters 141 I 4
Malvaglia 147 K 6
Mammern 142 K 3
Männedorf 142 K 4
Mannenbach 142 L 2
Mannens 145 E 5
Männlichen 146 H 6
Männlifluh 145 G 6
Maran 147 N 5
Marbach 141 H 5
Marchairuz (Col du) 144 C 6
Marchissy 144 C 6
Marécottes (Les) 145 F 7
Mariahilf 140 F 4
Marly 145 F 5
Marmorera 147 M 6
Marmorera (Lago da) 147 M 6
Marnand 145 E 5
Maroggia 152 K 8
Märstetten 142 L 3
Marthalen 142 J 3
Martigny 145 F 7
Martina 149 P 5
Martinsmad 148 L 5
Märwil 142 L 3
Maschwanden 141 J 4
Mase 145 G 7
Mastrils 148 M 5
Mathod 144 D 5
Matran 145 F 5
Matt 148 L 5
Matten 145 G 6
Mattertal 145 H 7
Mattmarksee 146 H 7
Mattwil 142 L 3
Matzendorf 141 G 4
Matzingen 142 K 3
Mauensee 141 I 4
Maur 142 K 3
Mauvoisin (Barrage de) 145 G 7
Mayens-de-Riddes 145 F 7
Medel (Piz) 147 K 6
Medel (Val) 146 K 6
Medels i. Rheinwald 147 L 6
Medelserschlucht 147 K 5
Meggen 141 J 4
Meiendörfli 146 J 5
Meiental 146 J 5
Meikirch 140 G 4
Meilen 142 J 4
Meiringen 146 I 5
Meisterschwanden 141 I 4
Melchnau 141 H 4
Melchsee 146 I 5
Melchtal 146 I 5
Melide 147 K 8
Mellingen 141 I 3
Mels 142 M 4
Mendrisio 152 L 8
Ménières 145 E 5
Menzberg 141 I 4
Menziken 141 I 4
Menzingen 142 J 4
Menznau 141 I 4
Merenschwand 141 J 4
Mergoscia 146 K 7
Meride 152 K 8
Merishausen 142 J 2
Merligen 145 H 5
Mervelier 141 G 3
Mesocco 147 L 6
Mesolcina (Valle) 147 L 7
Messen 141 G 4
Mettlen 142 L 3
Mettmenstetten 141 J 4
Metzerlen 141 G 3
Meudon 140 D 5
Mex 145 E 7
Meyrin 144 C 7
Mézières 145 E 6
Mezzovico 147 K 7
Miécourt 140 F 3
Mies 144 C 7
Miglieglia 147 K 7
Minusio 146 K 7
Miralago 149 O 7
Misery 140 F 5
Misox 147 L 6
Mitholz 145 H 6
Moesa 123 L 6
Mogelsberg 142 L 3
Möhlin 141 H 3
Moiry (*Vaud*) 144 D 6
Moiry (Lac de) 145 G 7
Molare 146 K 6
Moléson (le) 145 F 6
Moléson-sur-Gruyères 145 F 6
Mollendruz (Col du) 144 D 6
Mollens 145 G 7
Mollis 142 L 4
Molondin 145 E 5
Monbiel 149 N 5
Mönch 146 I 6
Mönchaltorf 142 K 3
Mont-Fort 145 F 7
Mont-la-Ville 144 D 6
Mont-Pèlerin 145 E 6
Mont Raimeux 141 G 4
Mont-s-Lausanne (Le) 144 D 6
Mont-s-Rolle 144 D 6
Montagny 140 E 5
Montagny-la-Ville 140 F 5
Montagny-près-Yverdon 140 D 5
Montana 145 G 7
Montbovon 145 F 6
Montcherand 144 D 5
Monte Carasso 147 K 7
Monte Laura 147 L 7
Monte Leone 146 I 7
Monte Moro-Pass 146 H 8
Monte Rosa 145 H 8
Monteggio 146 K 8
Montet 140 E 5
Montezillon 140 E 5
Montfaucon 140 F 4
Mönthal 141 I 3
Monthey 145 E 7
Montlingen 143 M 3
Montmollin 140 E 5
Montpreveyres 144 E 6
Montreux 145 E 6
Montricher 144 D 6
Montsalvens (Lac de) 145 F 6
Montsevelier 141 G 3
Montvoie 140 F 3
Moosleerau 141 I 4
Morcles 145 F 7
Morcote 152 K 8
Mörel 146 I 6
Morges 144 D 6
Morgins 145 E 7
Morlon 145 F 6
Morschach 148 J 5
Morteratsch (Piz) 147 N 6
Mosen 141 I 4
Mosnang 142 L 3
Mosses (Col des) 145 F 6
Mosses (Les) 145 F 6
Môtier 140 F 5
Môtiers 140 D 5
Motte (La) 140 F 3
Moudon 145 E 5
Moulin-Neuf 140 F 3
Mountet 145 G 7
Mouret (Le) 145 F 5
Moutier 140 G 4
Mugena 147 K 7
Muggio 152 L 8
Muhen 140 I 3
Mühleberg 140 F 5
Mühlehorn 142 L 4
Mühlethurnen 145 G 5
Mühlrüti 142 K 3
Mulegns 147 M 6
Mülenen 145 H 6
Mülital 140 F 5
Müllheim 142 L 3
Mülligen 141 I 3
Mümliswil 141 H 3
Mumpf 141 H 3
Münchenbuchsee 141 G 4
Münchenstein 141 G 3
Münchwilen 142 K 3
Mundin (Piz) 149 P 5
Münsingen 141 G 5
Münster 146 I 6
Münsterlingen 142 L 3
Müntschemier 140 F 5
Muolen 142 L 3
Muotathal 148 K 5
Muottas Muragl 147 N 6
Muraz (Collombey) 145 E 7
Muretto (Passo del) 147 N 6
Murg 142 L 4
Murgenthal 141 H 4
Murgsee 142 L 4
Muri (*Aargau*) 141 J 4
Muri bei Bern 141 G 5
Mürren 146 H 6
Murtaröl (Piz) 149 O 6
Murten 140 F 5
Murtensee 116 F 5
Mürtschenstock 142 L 4
Müstair 149 P 6
Müstair (Val) 149 P 6
Muttenz 141 G 3
Mutteristock 142 K 4
Muttler 149 P 5
Muttsee 148 L 5
Muveran (Grand) 145 F 7
Muzzano-Piodella 147 K 7

N

Näfels 142 L 4
Nair (Piz) 147 N 6
Nalps (Lac da) 146 K 6
Naters 146 H 7
Nax 145 G 7
Naye (Rochers de) 145 E 6
Nebikon 141 H 4
Neftenbach 142 K 3
Nendaz (Val de) 145 F 7
Nennigkofen 141 G 4
Nessental 146 I 5
Nesslau 142 L 4
Nesthorn 146 H 6
Netstal 142 L 4
Neu St. Johann 142 L 4
Neuchâtel (*Canton*) 116 E 4
Neuchâtel (Lac de) 140 E 5
Neudorf 141 I 4
Neuchâtel 140 E 5
Neuenburg = Neuchâtel 140 E 5
Neuendorf 141 H 4
Neuenhof 141 I 3
Neuenkirch 141 I 4
Neuhausen 142 J 2
Neukirch (*Egnach*) 142 M 3
Neukirch a.d. Thur 142 L 3
Neunkirch 142 J 2
Neuveville (La) 140 F 4
Neuwilen 142 L 3
Neyruz 145 F 5
Nidau 140 F 4
Niederbipp 141 H 4
Niederbüren 142 L 3
Niederglatt 142 J 3
Niedergösgen 141 H 3
Niederhelfenschwil 142 L 3
Niederhorn 145 H 5
Niedermuhlern 141 G 5
Niederrickenbach 141 J 5
Niederried 146 H 5
Niederscherli 140 G 5
Niederurnen 142 L 4
Niederwangen 140 G 5
Niederweningen 141 J 3
Niesen 145 G 6
Nods 140 F 4
Noirmont (Le) 120 C 6
Noirmont (Le) (*Bern*) 140 E 4
Noréaz 145 F 5
Nottwil 141 I 4
Novazzano 152 K 8
Nufenen 147 L 6
Nufenenpass 146 J 6
Nuglar-St. Pantaleon 141 H 3
Nunningen 141 G 3
Nürensdorf 142 J 3
Nyon 144 C 6

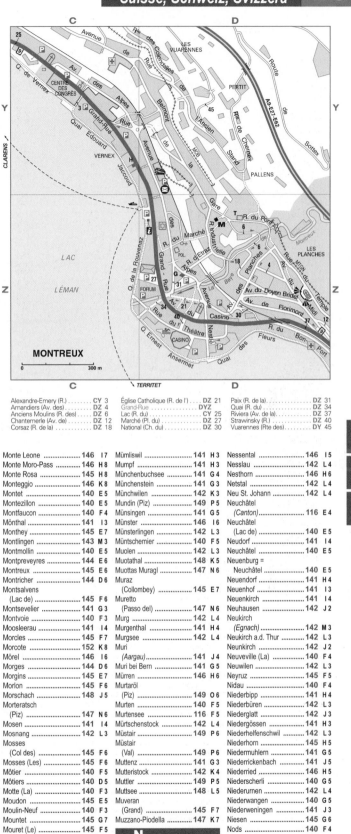

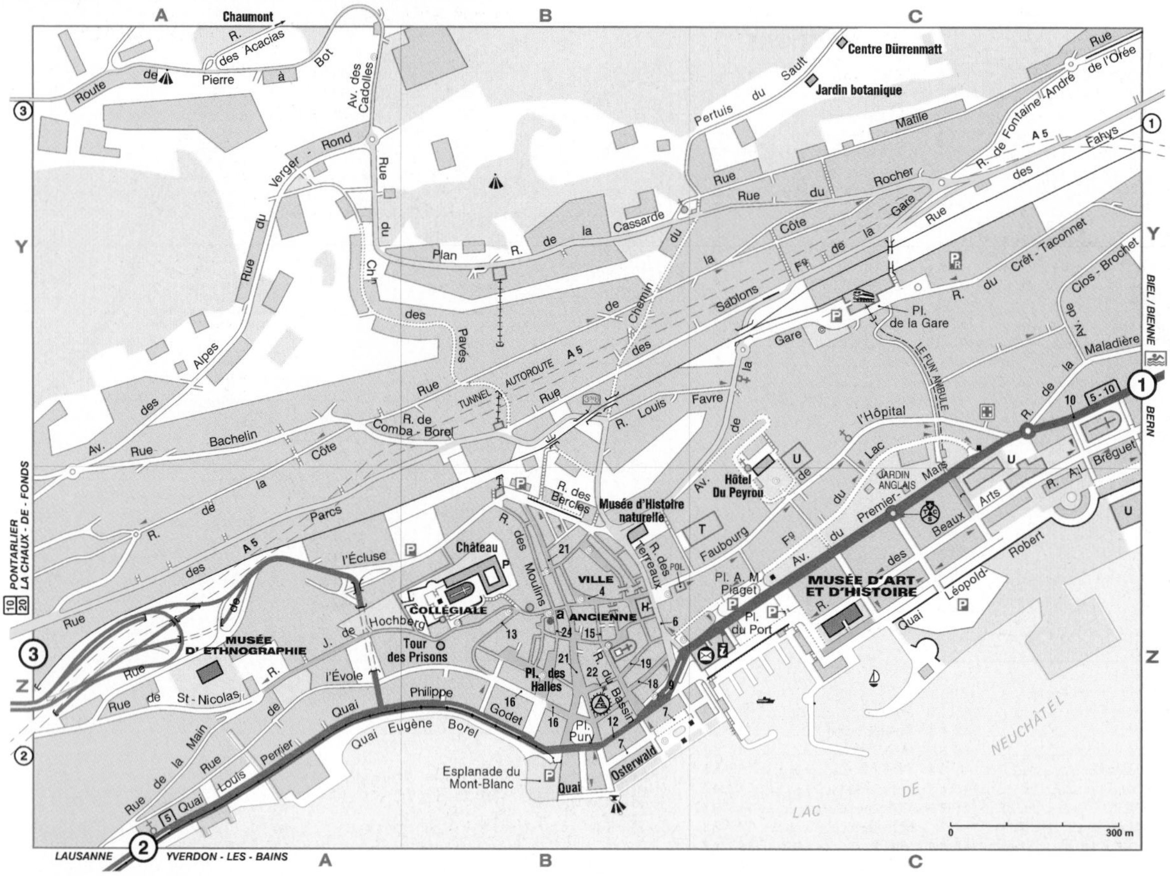

NEUCHÂTEL

Abraham-Louis-Breguet (R.) CZ
Acacias (R. des) AY
Alexis-Marie-Piaget (Pl.) CZ
Alpes (Av. des) AY
Auguste Bachelin (R.) AY
Bassin (R. du) BZ
Beaux-Arts (R. des) CZ
Bercles (R. des) BZ
Cadolles (Av. des) AY
Cassarde (R. de la) BY
Château (R. du) BZ 3
Clos Brochet (Av. de) CY
Comba Borel (R. de) AY
Côte (R. de la) ACY
Crêt Taconnet (R. du) CY
Ecluse (R. de l') AZ
Eugène-Borel (Quai) ABZ
Evole (R. de l') AZ
Fahys (R. des) CY
Fontaine André (R. de) CY
Gare (Av. de la) BCY
Gare (Fg de la) CY
Gare (Pl. de la) CY
Georges Auguste Matile (R.) CY
Halles (Pl. des) BZ
Hôpital (Fg de l') BCZ
Hôpital (R. de l') BZ 4
Hôtel-de-Ville (R. de l') BZ 6
Jeanne-de-Hochberg (R.) AZ
Lac (Fg du) CYZ
Léopold-Robert (Quai) CZ
Louis-Favre (R.) BCY
Louis-Perrier (Quai) AZ
Main (R. de la) AZ
Maladière (R. de la) CY
Moulins (R. des) BZ
Musée (R. du) BZ 7
Numa-Droz (Pl.) BZ 9
Orée (R. de l') CY
Osterwald (Quai) BZ
Parcs (R. des) AZ
Pavés (Ch. des) ABY
Pertuis du Sault (Ch. du) BCY
Philippe-Godet (Quai) ABZ
Pierre à Bot (Rte de) AY
Pierre à Mazel (R. de la) CY 10
Place d'Armes (R. de la) BZ 12
Plan (R. du) ABY
Pommier (R. du) BZ 13
Port (Pl. du) CZ
Poteaux (R. des) BZ 15
Premier Mars (Av. du) CZ
Promenade Noire (R.) BZ 16
Pury (Pl.) BZ
Rocher (R. du) CY
Sablons (R. des) BCY
St-Honoré (R.) BZ 18
St-Maurice (R.) BZ 19
St-Nicolas (R. de) AZ
Seyon (R. du) BZ 21
Terreaux (R. des) BZ
Treille (R. de la) BZ 22
Trésor (R. du) BZ 24
Verger Rond (R. du) AY

O

Oberaach 142 L 3
Oberaarhorn 146 I 6
Oberaarsee 146 I 6
Oberägeri 142 J 4
Oberalppass 146 K 6
Oberalpstock 146 K 5
Oberbalm 140 G 5
Oberbüren 142 L 3
Oberburg 141 G 4
Oberdiessbach 141 G 5
Oberdorf
  (Basel-Land) 141 H 3
Oberdorf
  (Solothurn) 141 G 4
Oberegg 143 M 3
Oberehrendingen 141 J 3
Oberei 145 H 5
Oberembrach 142 J 3
Oberems 145 H 7
Oberentfelden 141 I 3
Oberer
  Hauenstein 117 H 3
Obergesteln 146 I 6
Oberhalbstein 147 M 6
Oberhofen 145 H 5
Oberiberg 142 K 4
Oberneunforn 142 K 3
Oberönz 141 H 4
Oberrickenbach 141 J 5
Oberried
  (Bern) 145 G 6
Oberried am Brienzer See 121 H 5
Oberrieden 142 J 4
Oberriet 143 M 4
Obersaxen Meierhof 147 L 5
Oberschan 142 M 4
Obersee 142 K 4
Obersiggenthal 141 I 3
Oberstammheim 142 K 3
Oberstocken 145 G 5
Oberterzen 142 L 4
Oberuzwil 142 L 3
Obervaz / Vaz 123 M 5
Oberwald 146 J 6
Oberwil
  (Basel-Land) 141 G 3
Oberwil bei Zug 142 J 4
Oberwil i. Simmental 145 G 6
Obstalden 142 L 4
Ochlenberg 141 H 4
Oensingen 141 H 4
Oeschinensee 145 H 6
Oetwil 142 K 4
Ofenpass /
  Pass dal Fuorn 149 O 6
Oftringen 141 H 4
Ogens 144 E 5
Oldenhorn 145 F 7
Olivone 147 K 6
Ollon 145 E 7
Olten 141 H 3
Oltigen 140 F 5
Oltschibachfall 146 I 5
Onex 144 C 7
Onnens 140 E 5
Onsernone (Valle) 146 J 7
Orbe 144 D 5
Orbe (L') 144 C 6
Orient (L') 144 C 6
Origlio 147 K 7
Ormalingen 141 H 3
Oron-le-Châtel 145 E 6
Oron-la-Ville 145 F 7
Orpund 140 F 4
Orsalietta (Piz) 146 J 6
Orsières 145 F 7
Ortstock 148 K 5
Orvin 140 F 4
Orzens 144 E 5
Osco 146 K 6
Osogna 147 K 7
Otelfingen 141 J 3
Otemma (Glacier d') 145 G 8
Ottenbach 141 J 4
Ouchy 144 D 6
Oulens 144 D 6
Ovronnaz 145 F 7

P

Paccots (Les) 145 E 6
Paglia (Piz) 147 L 7
Palagnedra 146 J 7
Palézieux 145 E 6
Palü (Piz) 149 N 6
Pampigny 144 D 6
Panixerpass 148 L 5
Panossière 145 F 8
Pâquier (Le) 116 E 4
Paradisin (Piz) 149 O 6
Parpan 147 M 5
Parsenn 147 N 5
Pass Umbrail 149 P 6
Passwang 141 G 3
Payerne 140 E 5
Peccia 146 J 6
Pedrinate 152 L 8
Peist 147 N 5
Pèlerin (Mont) 145 E 6
Peney
  (Genève) 144 C 7
Peney-le-Jorat 144 E 6
Penthaz 144 D 6
Perroy 144 D 6
Péry-Reuchenette 140 F 4
Peseux 140 E 5
Petersgrat 146 H 6
Petit Combin 145 F 8
Pfäffiker See 142 K 3
Pfäffikon
  (Schwyz) 142 K 4
Pfäffikon
  (Zürich) 142 K 3
Pfaffnau 141 H 4
Pfungen 142 J 3
Pfyffe 145 G 5
Pfyn 142 K 3
Pia San Giacomo 147 L 6
Pianezzo 147 L 7
Piano 146 J 7
Piano di Peccia 146 J 6
Piansecco 146 J 6
Pichoux (Le) 140 F 4
Pichoux (Gorges du) 140 F 4
Pierre Avoi 145 F 7
Pierre Pertuis 140 F 4
Pieterlen 140 G 4
Pigniu 147 L 5
Pilatus 141 I 5
Pillon (Col du) 145 F 6
Piotta 146 K 6
Pischahorn 149 N 5
Pisoc (Piz) 149 O 5
Pitasch 147 L 5
Piz Curver 147 M 6
Piz Ot 147 N 6
Plaffeien 145 F 5
Plagne 140 F 4
Plaine (La) 144 B 7
Plan-Névé 145 F 7
Planchettes (Les) 140 E 4
Plans (Les) 145 F 7
Planura 147 K 5
Plasselb 145 F 5
Platta 147 K 6
Platta (Piz) 147 M 6
Plavna Dadaint (Piz) 149 O 5
Pléiades (Les) 145 E 6
Pleigne (La) 140 F 3
Pohlern 145 G 5
Poliez 144 D 6
Pomy 144 E 5
Pont (Le) 144 D 5
Pont-la-Ville 145 F 5
Ponte Brolla 146 K 7
Ponte Capriasca 147 K 7
Ponte Tresa 146 K 8
Pontirone 147 L 6
Pontresina 147 N 6
Ponts-de-Martel (Les) 140 E 5
Porrentruy 140 F 3
Porsel 145 E 6
Portalban 140 E 5
Portels 142 L 4
Poschiavo 149 O 7
Poschiavo (Val) 149 O 7
Posieux 145 F 5
Possens 144 E 6
Pra-Combère 145 G 6
Pragelpass 148 K 5
Pragg-Jenaz 149 N 5
Prahins 145 E 5
Pralong 145 G 7
Prangins 144 C 6
Prato-Sornico 146 J 6
Pratteln 141 H 3
Prättigau 149 N 5
Praz (La) 144 D 5
Praz-de-Fort 145 F 8
Preda 147 N 6
Prêles 140 F 4
Preonzo 147 K 7
Prese (Le) 149 O 7
Préverenges 144 D 6
Prévonloup 145 E 5
Prez 145 F 5
Prilly 144 D 6
Prosito 147 K 7
Provence 140 E 5
Pso. del Maloja 123 N 6
Puidoux 145 E 6
Pully 144 D 6
Punt-Chamues-ch. (La) 149 N 6
Punteglias 147 K 5

Q

Quarten 142 L 4
Quartino 147 K 7
Quatre-Cantons (Lac des) =
  Vierwaldstätter See 141 J 4
Quattervals (Piz) 149 O 6
Quinto 146 K 6

R

Rabius 147 K 5
Radelfingen 140 F 4
Rafz 142 J 3
Ragaz, Bad 148 M 4
Rain 141 I 4
Rambert 145 F 7
Ramosch 149 P 5
Ramsei 141 H 4
Ramsen 142 K 2
Rances 144 D 5
Randa 145 H 7
Randen 142 J 2
Rangiers (Les) 140 F 3
Rapperswil
  (St. Gallen) 142 K 4
Rapperswil
  (Bern) 140 G 4
Raron 145 H 7
Rasses (Les) 140 D 5
Räterschen 118 K 3
Rätikon 149 M 4
Rawilpass 145 G 6
Realp 146 J 6
Rebstein 143 M 3
Rechthalten 145 F 5
Reckingen 146 I 6
Réclère 140 E 3
Reconvilier 140 F 4
Regensberg 141 J 3
Regensdorf 141 J 3
Rehetobel 142 M 3
Reichenau 147 M 5
Reichenbach 145 H 6
Reichenbachfälle 146 I 5
Reichenburg 142 K 4
Reiden 141 H 4
Reidenbach 145 G 6
Reigoldswil 141 H 3
Reinach
  (Aargau) 141 I 4
Reinach *(Basel-Land)* 141 G 3
Reitnau 141 I 4
Rekingen 141 I 3
Remetschwil 141 I 3
Remigen 141 I 3
Renan 140 E 4
Renens 144 D 6
Rengg 141 I 4
Rennaz 145 E 6
Reuchenette 140 F 4
Reuss 117 I 3
Reute 143 M 3
Reuti 146 I 5
Reutigen 145 G 5
Rhäzuns 147 M 5
Rheinau 142 J 3
Rheineck 143 M 3
Rheinfall 142 J 2
Rheinfelden 141 H 3
Rheinheim 117 I 3
Rheinwald 123 L 6
Rheinwaldhorn 147 L 6
Rhône 146 I 6
Rhonegletscher 146 J 6
Riaz 145 F 6
Richisau 148 K 4
Richterswil 142 K 4
Ricken 142 L 4
Rickenbach bei Wil 142 L 3
Rickenbach
  (Luzern) 141 I 4
Riddes 145 F 7
Riederalp 146 I 6
Riedern 142 L 4
Riedholz 141 G 4
Riehen 141 G 3
Riemenstalden 148 K 5
Rietbad 142 L 4
Rietheim 141 I 3
Riffenmatt 145 G 5
Riggisberg 145 G 5
Rigi 141 J 4
Rigi Kaltbad 141 J 4
Rimpfischhorn 146 H 7
Rinderberg 145 G 6
Ringelspitz 148 M 5
Ringgenberg 146 H 5
Rippe (La) 144 C 6
Risch 141 J 4
Risoux (Mont) 144 C 6
Ritom (Lago) 146 K 6
Ritterpass 146 I 7
Ritzlihorn 146 I 6
Riva S. Vitale 152 K 8
Rivera 147 K 7
Roche (La) 145 F 5
Roche
  (Vaud) 145 E 6

Rochefort 140 E 5
Roches
(*Bern*) 140 G 4
Roches (Col de) 140 E 4
Rodels 147 M 5
Rodersdorf 141 G 3
Rodi 122 K 6
Rodond
(*Graubünden*) 147 L 6
Rofflaschlucht 147 M 6
Roggenburg 140 G 3
Roggwil 142 M 3
Rohr 141 H 3
Rohrbach 145 H 4
Rohrbach bei Huttwil 141 G 5
Rolle 144 D 6
Romainmôtier 144 D 5
Romanel-sur-Morges 144 D 6
Romanens 120 E 6
Romanshorn 142 M 3
Romont 145 E 5
Romoos 141 I 4
Rona 147 M 6
Ronco 146 K 7
Root 141 J 4
Rorbas 142 J 3
Rorschach 142 M 3
Rösa (La) 149 O 6
Röschenz 141 G 3
Roseg (Piz) 147 N 6
Rosenlaui 146 I 5
Rosenlauital 146 I 5
Rossa 147 L 6
Rossa (Cima) 147 L 6
Rossberg 142 J 4
Rossens 145 F 5
Rossinière 145 F 6
Rosso (Poncione) 147 K 7
Röthenbach 141 H 5
Rothenbrunnen 147 M 5
Rothenburg 141 I 4
Rothenfluh 117 H 3
Rothenthurm 142 K 4
Rothorn 145 H 7
Rothrist 141 H 4
Rotkreuz 141 J 4
Rotondo 146 J 6
Rotondo (Piz) 146 J 6
Rougemont 145 F 6
Rouges (Aiguilles) 145 G 7
Roveredo 147 L 7
Rovio 152 K 8
Rovray 145 E 5
Ruan (Grand Mont) 120 E 7
Rubigen 141 G 5
Rue 145 E 6
Rodels 147 M 5
Rüeggisberg 140 G 5
Rüegsau 141 H 4
Rüegsegg 141 H 5
Rueun 147 L 5
Rugghubel 141 J 5
Rümlang 142 J 3
Rümlingen 141 H 3
Rupperswil 141 I 3
Rüschegg-Gambach 145 G 5
Rüschlikon 142 J 4
Russein (Piz) 147 K 5
Russikon 142 K 3
Russo 146 J 7
Ruswil 141 I 4
Ruth (Dent de) 145 F 6
Rüti
(*Glarus*) 148 L 5
Rüti
(*Zürich*) 142 K 4
Rüti bei Riggisberg 145 G 5

S

Saane / Sarine 145 F 6
Saanen 145 F 6
Saanenmöser 145 F 6
Saas 149 N 5
Saas Almagell 146 H 7
Saas-Balen 146 H 7
Saas-Fee 146 H 7
Saas-Grund 146 H 7
Saastal 146 H 7
Sachseln 141 I 5
Safien-Platz 147 L 5
Safiental 147 L 6
Safierberg 147 L 6
La Sagne 116 E 4
Saignelégier 140 E 4
Saillon 145 F 7
St-Aubin-Sauges 140 E 5
St-Blaise 140 E 4
St-Brais 140 F 4
St-Cergue 144 C 6
St-Cierges 144 E 5
St-George 144 C 6
St-Gingolph 145 E 6
St-Imier 140 E 4
St-Légier 145 E 6
St-Léonard 145 G 7
St-Livres 144 D 6
St-Luc 145 G 7
St-Martin 145 E 6
St-Martin 145 G 7
St-Maurice 145 F 7
St-Pélagiberg 142 L 3
St-Pierre-de-Clages 145 F 7
St-Prex 144 D 6
St-Sulpice 144 D 6
St-Triphon 145 E 7
St-Ursanne 140 F 3
Ste Croix 140 D 5
S-chalambert (Piz) 149 P 5
S-chanf 149 N 6
S-charl 149 P 5
Saland 142 K 3
Salanfe (Lac de) 145 E 7
Salavaux 140 F 5
Salbit 146 J 5
Saleina 145 F 8
Salez 142 M 4
Salgesch 145 G 7
Salins 145 G 7
Salouf 147 M 6
Salvan 145 F 7
Salvenach 140 F 5
Sambuco (Lago) 146 J 6
Samedan 147 N 6
Samnaun 149 P 5
San Bernardino 147 L 6
S. Bernardino (Passo del) 147 L 6
S. Bernardo 146 K 7
S. Carlo
(*Poschiavo*) 149 O 6
S. Carlo
(*Val Bavona*) 146 J 6
S. Giacomo (Passo di) 146 J 6
S. Jorio (Passo di) 147 L 7
S. Nazzaro 146 K 7
S. Salvatore 147 K 8
S. Vittore 147 L 7
Sandhubel 147 N 5
Sandpass 147 K 5
Sanetsch (Col du) 145 F 7
Sangernboden 145 G 5
St. Antoni 140 F 5
St. Antönien 149 N 5
St. Gallen 142 M 3
St. Gall =
St. Gallen 142 M 3
St. Gallen (*Kanton*) 118 L 4
St. Gallen-Kappel 142 K 4

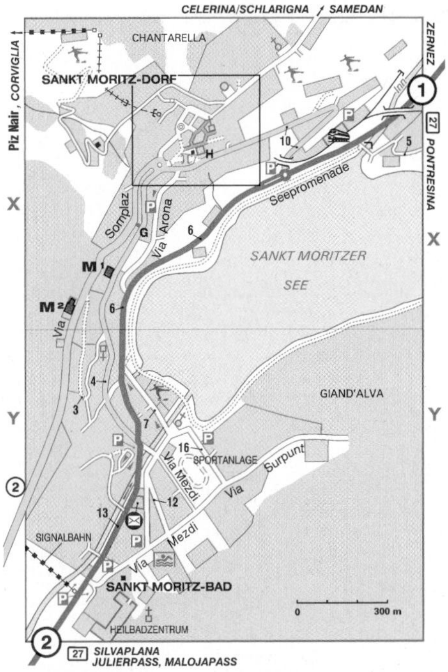

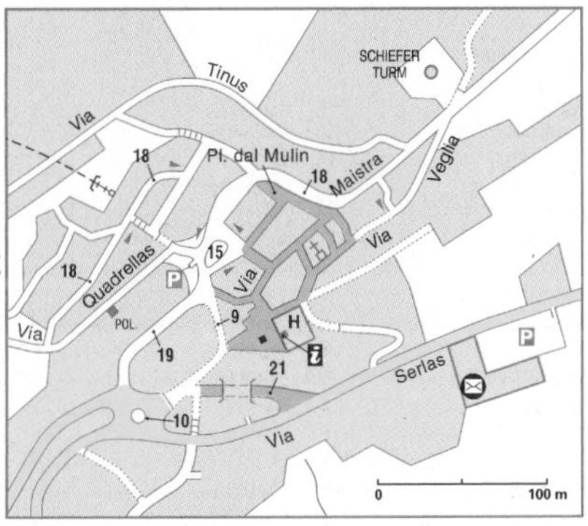

SANKT MORITZ

Arona (V.) X
Aruons (V.) XY 3
Bagn (V. dal) XY 4
Dim Lej (V.) X 5
Grevas (V.) XY 6
Ludains (V.) Y 7
Maistra (V.) Z
Mezdi (V.) Y
Mulin (Pl. dal) Z
Mulin (V.) Z 9
Posta Veglia (Pl. da la) Z 10
Quadrellas (V.) Z
Rosatsch (V.) Y 12
San Gian (V.) Y 13
Scoula (Pl. da) Z 15
Seepromenade XY
Sela (V.) Y 16
Serlas (V.) Z
Somplaz (V.) XY
Stredas (V.) Z 18
Surpunt (V.) Y
Tinus (V.) Z
Traunter Plazzas (V.) Z 19
Veglia (V.) Z
Vout (V.) Z 21

SANKT GALLEN

Bahnhofplatz B 3
Bankgasse B 4
Dierauerstrasse B 8
Engelgasse B 9
Frongartenstrasse B 12
Gallusplatz B 13
Gallusstrasse C 14
Hafnerstrasse C 17
Hinterlauben B 18
Kugelgasse C 19
Marktgasse BC
Neugasse B
Rotachstrasse C 24
Sonnenstrasse C 27
Unterer
Graben B 32
Untere Büschenstrasse C 31
Webergasse B 36

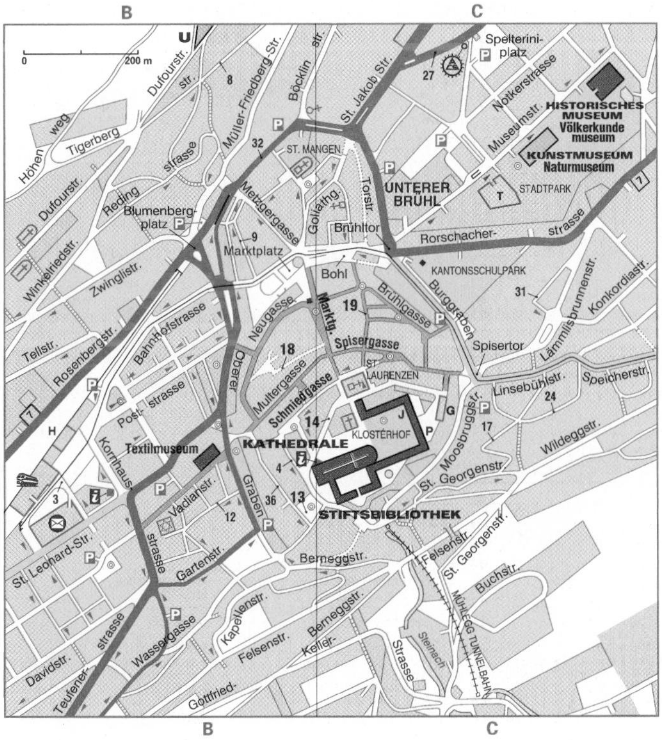

St. Gotthardpass /
S. Gottardo (Passo del) 146 J 6
St. Jakob-Gitschenen 148 J 5
St. Luzisteig 148 M 4
St. Margrethen 143 M 3
St. Moritz 147 N 6
St. Moritz-Bad 147 N 6
St. Niklaus bei Koppigen 141 G 4
St. Niklaus
(*Valais*) 145 H 7
St. Petersinsel 140 F 4
St. Peterzell 142 L 4
St. Stephan 145 G 6
St. Urban 141 H 4
St. Ursen 145 F 5
Sta Domenica 147 L 6
Sta Maria (Giogo di) 119 P 6
Sta Maria (Valle) 147 K 6
Sta Maria im M. 149 P 6
Sta Maria in Calanca 147 L 7
Säntis 142 M 4
Saoseo (Scima di) 149 O 6
Sapün 147 N 5
Sardona (Refuge) 148 L 5
Sardona (Piz) 148 L 5
Sargans 142 M 4
Sarmenstorf 141 I 4
Sarnen 141 I 5
Sarner See 141 I 5
Sarraz (Château de la) 144 D 6
Sarraz (La) 144 D 6
Satigny 144 C 7
Sattel 142 J 4
Sattelegg 142 K 4
Sattelhorn 146 H 6
Sauge (La) 140 F 5
Saulcy 140 F 4
Savagnier 140 E 4
Savièse 145 G 7
Savigny 144 E 6
Savognin 147 M 6
Sax 142 M 4
Saxeten 146 H 6
Saxon 145 F 7
Says 149 M 5
Scalettapass 149 N 5
Scalottas (Piz) 147 M 5
Schachen 141 I 4
Schaffhausen 142 J 2
Schaffhausen
(*Kanton*) 118 J 2
Schallenberg 141 H 5
Schanfigg 123 M 5
Schangnau 141 H 5
Schänis 142 L 4
Schärhorn 146 K 5
Schattdorf 148 K 5
Scheidegg 118 J 4
Scheltenpass 141 L 6
Schesaplana 143 N 4
Scheunenberg 140 G 4
Schiers 149 N 5
Schiffenensee 140 F 5
Schilthorn 146 H 6
Schin 147 M 5
Schinznach Bad 141 I 3
Schinznach Dorf 141 I 3
Schlappin 149 N 5
Schlatt 142 K 3
Schleitheim 142 J 2
Schleuis 147 L 5
Schlieren 141 J 3
Schmerikon 142 K 4
Schmiedrued 141 I 4
Schneisingen 141 J 3
Schnottwil 140 G 4
Schöftland 141 I 4
Schöllenen Schlucht 146 J 6
Schönbühl 141 G 4
Schönenberg a.d. Thur 142 L 3
Schönenberg
(*Zürich*) 142 J 4
Schönengrund 142 L 4
Schönenwerd 141 I 3
Schönried 145 F 6
Schons 147 M 6
Schötz 141 H 4
Schrattenflue 141 H 5
Schreckhorn 146 I 6
Schuders 149 N 5
Schüpbach 141 H 5
Schupfart 141 H 3
Schüpfen 140 G 4
Schüpfheim 141 I 5
Schutt 142 K 4
Schwägalp 142 L 4
Schwalmern 146 H 6
Schwanden i. Emmental 141 H 5
Schwanden
(*Glarus*) 148 L 5
Schwarenbach 145 G 6
Schwarzenberg 141 I 4
Schwarzenburg 140 G 5
Schwarzenegg 145 H 5
Schwarzhorn
(*Graubünden*) 149 N 5
Schwarzhorn
(*Valais*) 145 H 7
Schwarzsee 145 F 6
Schwarzsee
(*Fribourg*) 145 F 6
Schwarzsee
(*Valais*) 145 H 8
Schwefelbergbad 145 G 5
Schwellbrunn 142 L 3
Schwyz 148 J 4
Schwyz (*Kanton*) 118 K 4
Schynige Platte 146 H 6
Sciora 147 M 7
Scopi 146 K 6
Scuol /
Schuls 149 O 5
Sedrun 146 K 5
Seeberg 141 H 4
Seedorf
(*Bern*) 140 F 4
Seedorf
(*Uri*) 148 J 5
Seelisberg 148 J 5

A B C D E F G H I J K L M N O P Q R S T U V W X Y Z

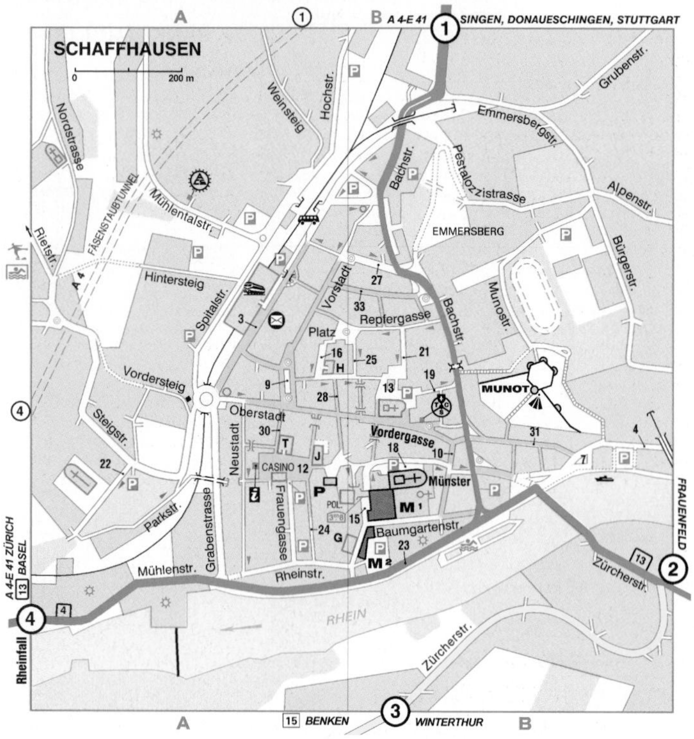

Bahnhofstrasse A 3	Klosterstrasse B 15	Safrangasse B 25
Fischerhäuserstrasse B 4	Krummgasse A 16	Schützengraben B 27
Freier Platz B 7	Münsterplatz B 18	Sporrengasse A 28
Fronwagplatz A 9	Pfarrhofgasse B 19	Tanne A 30
Goldsteinstrasse B 10	Pfrundhausgasse B 21	Unterstadt B 31
Herrenacker A 12	Promenadenstrasse A 22	Vordergasse AB
Kirchhofplatz B 13	Rheinuferstrasse B 23	Vorstadt A
	Rosengasse A 24	Webergasse B 33

Seen 142 K3
Seengen 141 I4
Seewen (Schwyz) 148 J4
Seewen (Solothurn) 141 G3
Seewis 149 M5
Seez 142 M4
Seftigen 145 G5
Segl (Lago da) 147 N6
Segnas (Piz) 148 L5
Segnaspass 148 L5
Selbsanft 147 K5
Selibüel 145 G5
Selma 147 L7
Selzach 141 G4
Sembrancher 145 F7
Sementina 147 K7
Semione 147 K6
Sempach 141 I4
Sempach-Station 141 I4
Sempacher See 141 I4
Sempione = Simplon 146 I7
Semsales 145 E6
Sennwald 142 M4
Sense 121 F5
Sent 149 P5
Sentier (Le) 144 C6
Seon 141 I3
Sépey (Le) 145 F6
Septimerpass 147 M6
Sernftal 148 L5
Sertig-Dörfli 147 N5
Sesvenna (Piz) 149 P5
Seuzach 142 K3
Sevelen 142 M4
Sewen 146 J5
Sezegnin 144 C7
Sezner (Piz) 147 L5
Siblingen 142 J2
Siders = Sierre 145 G7
Siebnen 142 K4
Siegershausen 142 L3
Sierre 145 G7
Sigigen 141 I4
Siglistorf 141 J3
Signau 141 H5
Sigriswil 145 H5
Sihl 142 J3
Sihlbrugg 142 J4
Sihlsee 142 K4
Silenen 146 K5
Sils 147 M5
Sils / Segl Baselgia 147 N6
Sils / Segl Maria 147 N6
Silvaplana 147 N6
Silvaplauna (Lago da) 149 N6
Silvrettagruppe 149 N5
Simme 145 G6
Simmental (Nieder- Ober-) 145 G6
Simplon 146 I7
Simplonpass 146 I7
Simplontunnel 146 I7
Sins 141 J4
Sirnach 142 L3
Siselen 140 F4
Sisikon 148 J5
Sissach 141 H3
Sion 145 G7
Sitten = Sion 145 G7
Sitter 142 M3
Siviriez 145 E6
Soazza 147 L6
Sobrio 147 K6
Soglio 147 M6
Sogn Gions 146 K6
Soleure = Solothurn 141 G4
Solothurn 141 G4
Solothurn (Kanton) 117 G4
Someo 146 J7
Somvix 147 K5
Sonceboz 140 F4
Sonlerto 146 J6
Sonloup (Col de) 145 E6
Sonnenhorn 146 J7
Sonogno 146 K6
Sontga Maria (Lago da) 122 K6
Sonvico 147 L7
Sonvilier 140 E4
Soral 144 C7
Sörenberg 146 I5
Sorens 145 F5
Sorne 116 F3
Sottens 145 E6
Soubey 140 F4
Soyhières 140 G3
Spannort 146 J5
Speer 142 L4
Speicher 142 M3
Spiez 145 H5
Spiringen 148 K5
Spittelrüti 118 K5
Spluga (Passo dello) / Splügenpass 147 L6
Splügen 147 M6
Spöl (Val dal) 149 O5
Spruga 146 J7
Staad 142 M3
Stabio 152 K8
Stadel 141 J3
Stäfa 142 K4
Stalden (Unterwalden) 117 I5
Stalden (Valais) 146 H7
Stallikon 142 J4
Stampa 147 M6
Stans 141 J5
Stanserhorn 141 J5
Stansstad 141 J5
Starkenbach 142 L4
Stätzerhorn 147 M5
Stechelberg 146 H6
Steckborn 142 K3
Steffisburg 145 G5
Steg 142 K3
Stein 142 M3
Stein (Aargau) 141 H3
Stein (St. Gallen) 142 L4
Stein am Rhein 142 K3
Steinen 142 J4
Steinhausen 141 J4
Steinhüshorn 146 I5
Steinibach 148 L5
Steinmaur 141 J3
Sternenberg 142 K3
Stettenbach 141 I4
Stierva 147 M6
Stilli 141 I3
Stöckalp 146 I5
Stockhorn (Bern) 145 G5
Stockhorn (Valais) 146 H8
Stoos 148 K5
Strada 149 P5
Strengelbach 141 H4
Studen bei Brügg 116 F4
Studen (Schwyz) 118 K4
Stüsslingen 141 H3
Suchet (Le) 144 D5
Sufers 147 M6
Sugiez 140 F5
Sugnens 144 E6
Suhr 141 I3
Suhre 141 I4
Sulgen 142 L3
Sullens 144 D6
Sulz 141 I3
Sulzfluh 149 N4
Sumiswald 141 H4
Sumvitg (Val) 147 K5
Sunnenberg 141 G3
Super Nendaz 145 F7
Surava 147 M6
Surenenpass 146 J5
Surettahorn 147 M6
Surlej 147 N6
Sursee 141 I4
Surselva 147 K5
Susanfe 145 E7
Susasca (Val) 149 N5
Susch 149 O5
Susten-Leuk 145 G7
Sustenhorn 146 J5
Sustenpass 146 J5
Sutz-Lattrigen 140 F4
Suze 140 F4

T

Tafers 140 F5
Tägerschen 142 L3
Tägerwilen 142 L3
Tälli 146 J5
Tamaro (Monte) 147 K7
Tambo (Piz) 147 L6
Taminaschlucht 148 M5
Taminatal 148 M5
Tamins 147 M5
Tannenbodenalp 142 L4
Tarasp 149 O5
Täsch 145 H7
Täsch (Refuge de) 146 H7
Tasna (Piz) 149 O5
Taubenlochschlucht 140 F4
Täuffelen 140 F4
Tavanasa 147 L5
Tavannes 140 F4
Taverne 147 K7
Tavetsch (Val) 146 K6
Tavrü (Piz) 149 O5
Tegerfelden 141 I3
Tegna 146 K7
Tellskapelle 148 J5
Tendre (Mont) 144 C6
Tenigerbad 147 K5
Tenna 147 M5
Tentlingen 145 F5
Terri (Refuge) 147 L6
Terri (Piz) 147 L6
Territet 120 E6
Tesserete 147 K7
Tête Noire (Défilé de) 145 E7
Tête Blanche 145 G8
Tête de Ran 140 E4
Teufen (Appenzell) 142 M3
Teufen (Zürich) 142 J3
Teufenthal 141 I4
Thal 143 M3
Thalheim (Aargau) 141 I3
Thalheim an der Thur 142 K3
Thalkirch 147 L6
Thalwil 142 J4
Thayngen 142 K2
Theodulpass 145 H8
Thielle 140 F4
Thierachern 145 G5
Thierrens 145 E5
Thörigen 141 H4
Thoune = Thun 145 G5
Thun 145 G5
Thundorf 142 K3
Thuner See 145 G5
Thur 142 J3
Thurgau (Kanton) 118 K3
Thurgovie = Thurgau 118 K3
Thusis 147 M5
Thyon-Les Collons 145 G7
Tessin = Ticino 122 K7
Ticino 122 K7
Ticino (Cantone) 122 K7
Tiefencastel 147 M6
Tiejerflue 147 N5
Tieralplistock 146 J6
Tierberg 146 J5
Tierbergli 146 J5
Tierfehd 148 K5
Timun (Piz) 147 M6
Tinizong 147 M6
Titlis 146 J5
Tödi 147 K5
Toffen 141 G5
Toggenburg 142 L3
Tomils / Tumegl 147 M5
Törbel 146 H7
Tornette (La) 145 F6
Torrone Alto 147 L6
Töss 142 K3
Tour (Aiguille du) 145 F8
Tour d'Aï 145 E6
Tour de Peilz (La) 120 E6
Tour-de-Trême (La) 145 F6
Tourne (La) 140 E5
Tracuit 145 H7
Trachselwald 141 H4
Tramelan 140 F4
Trasadingen 141 J2
Travers 140 E5
Travers (Val de) 140 D5
Treiten 140 F4
Trélex 144 C6
Tremola (Val) 146 J6

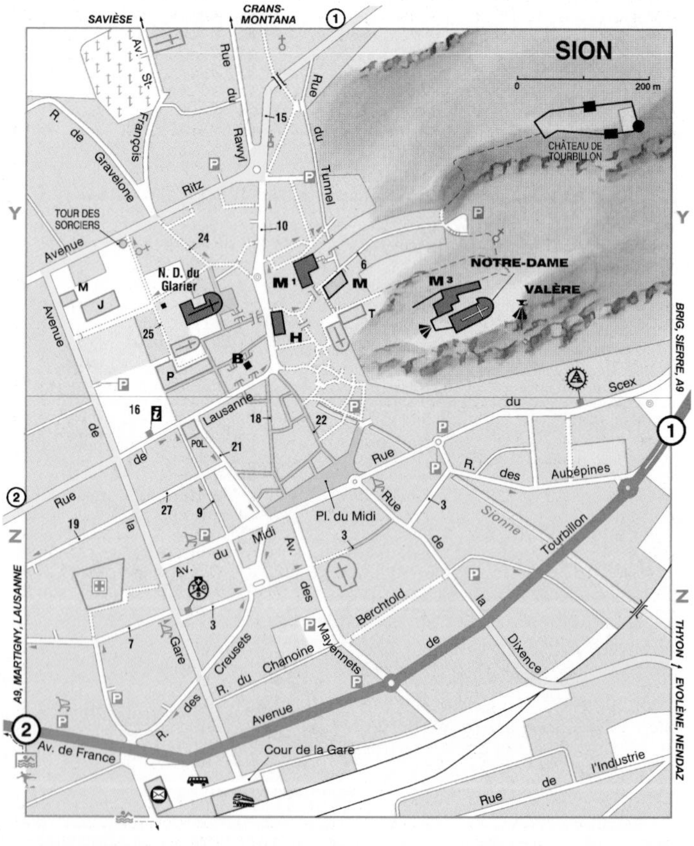

Aubépines (R. des) Z	Gravelone (R. de) Y	Remparts (R. des) Z 21
Cèdres (R. des) Z 3	Industrie (R. de l') Z	Rhône (R. du) Z 22
Chanoine-Berchtold (R. du) Z	Lausanne (R. de) YZ	Ritz (Av.) Y
Châteaux (R. des) Y 6	Loèche (R. de) Y 15	St-François (Av.) Y
Condémines (R. des) Z 7	Mayennets (Av. des) Z	Savièse (R. de) Y 24
Creusets (R. des) Z	Midi (Av. du) Z	Scex (R. du) YZ
Dent Blanche (R. de la) Z 9	Midi (Pl. du) Z	Tourbillon (Av. de) Z
Dixence (R. de la) Z	Planta (Pl. de la) YZ 16	Tour (R. de la) Y 25
France (Av. de) Z	Porte Neuve (R. de la) YZ 18	Tunnel (R. du) Y
Gare (Av. de la) YZ	Pratifori (Av. de) Z 19	Vergers (R. des) Z 27
Grand Pont (R. du) Y 10	Rawil (R.du) Y	

Trey 145 E5
Treyvaux 145 F5
Triengen 141 I4
Trient 145 E7
Trift 146 J5
Trimbach 141 H3
Trimmis 149 M5
Trin 147 M5
Trogen 142 M3
Troistorrents 145 E7
Trub 141 H5
Trübbach 142 M4
Trubschachen 141 H5
Trübsee 146 J5
Trüllikon 142 K3
Trümmelbachfälle 146 H6
Trun 147 K5
Trütlisbergpass 145 G6
Tschierva 147 N6
Tschamut 146 K6
Tschappina 147 M5
Tscheischhorn 147 M6
Tschiertschen 147 M5
Tschierv 149 P6
Tschlin 149 P5
Tschuggen 149 N5
Tseuzier (Lac de) 145 G6
Tüback 142 M3
Tuggen 142 K4
Turbenthal 142 K3
Turtmann (Refuge) 145 H7
Turtmanntal 145 H7
Twann 140 F4

U

Udligenswil 141 J4
Uerkheim 141 I4
Uesslingen 142 K3
Uetendorf 145 G5
Uetikon am See 142 K4
Uetliberg 141 J3
Uetliburg 142 L4
Uitikon 141 J3
Ulisbach 142 L4
Ulmiz 140 F5
Ulrichen 146 I6
Umiken 141 I3
Undervelier 140 F4
Unter-Engadin 149 O5
Unterägeri 142 J4
Unterbäch 145 H7
Unterengstringen 141 J3
Unterer Hauenstein 117 H3
Unteriberg 142 K4
Unterkulm 141 I4
Unterlunkhofen 141 J4
Unterschächen 148 K5
Unterschlatt 142 K3
Unterseen 146 H5
Untersiggenthal 141 I3
Unterstammhein 142 K3
Unterstock 146 I5
Untervaz 148 M5
Unterwalden
(*Nidwalden Kanton*) 122 J5
Unterwalden
(*Obwalden Kanton*) 117 I5
Unterwasser 142 L4
Urdorf 141 J3
Uri (*Kanton*) 122 J5
Uri-Rotstock 148 J5
Urnäsch 142 L4
Urnerboden 148 K5
Urner See 148 J5
Ursenbach 141 H4
Urseren 146 J6
Ursy 145 E6
Uster 142 K3
Uttwil 142 M3
Utzenstorf 141 G4
Utzigen 141 G5
Uznach 142 K4
Uzwil 142 L3

V

Vacallo 152 L8
Vadret da Morteratsch 149 N6
Vadret (Piz) 149 N5
Vadura 148 M5
Val Bernina 149 N6
Val Müstair 123 O6
Val Poschiavo 123 O6
Val Susasca 119 N5
Valangin 140 E4
Valbella 147 M5
Valbella
(*Val Calanca*) 147 L6
Valchava 149 P6
Valendas 147 L5
Valens 148 M5
Vallamand 140 F5
Vallamand-Dessous 140 F5
Valle Leventina 122 J6
Vallorbe 144 D5
Valmara 122 K7
Vals 147 L6
Valsainte (La) 145 F6
Valsertal 147 L6
Valsorey 145 F8
Vandoeuvres 144 C7
Vanil Noir 145 F6
Varuna (Piz) 149 N6
Vättis 148 M5
Vaud
(*Canton*) 120 D6
Vaulion 144 D5
Vaulion (Dent de) 144 D5
Vaulruz 145 E6
Vélan 145 F8
Vélan (Mont) 150 F8
Vendlincourt 140 F3
Vens 145 F7
Verbier 145 F7
Vercorin 145 G7
Vergeletto 146 J7
Vermala 145 G7
Vermes 141 G4
Vernamiège 145 G7
Vernayaz 145 F7
Vernier 144 C7
Vérossaz 145 E7
Verrières (Les) 140 D5
Vers l'Église 145 F6
Versam 147 L5
Versoix 144 C7
Verstanklahorn 149 O5
Verzasca (Val) 146 K7
Vétroz 145 F7
Vevey 145 E6
Vex 145 G7
Veyrier 144 C7
Veysonnaz 145 G7
Vial (Piz) 147 K6
Via Mala 147 M6
Vicques 140 G3
Vierwaldstätter See 141 J4
Vigezzo Centovalli 122 J7
Vignettes 145 G8
Villa 123 L5
Villarepos 140 F5
Villarlod 145 F5
Villars-Burquin 140 D5
Villars-le-Grand 140 E5
Villars-sous-Mont 145 F6
Villars-sur-Ollon 145 F7
Villaz-St-Pierre 145 E5
Villeneuve 145 E6
Villigen 141 I3
Villmergen 141 I3
Vilters 148 M4
Vinadi 149 P5
Vinelz 140 F4
Vionnaz 145 E7
Vira (Gambarogno) 146 K7
Visp 146 H7
Vispa 146 H7
Visperterminen 146 H7
Vissoie 145 G7
Vitznau 141 J4
Vogelsang 141 I4
Vogorno 146 K7
Vogorno (Piz di) 147 K7
Vollèges 145 F7
Vorab 148 L5
Voralp 146 J5
Voralp
(*St. Gallen*) 142 M4
Vorderrhein 147 K5
Vouvry 145 E6
Vrin 147 L6
Vuadens 145 E6
Vuarrens 144 D5
Vufflens-le-Château 144 D6
Vuippens 145 F6
Vuisternens-devant-Romont 145 E6
Vuisternens-en-Ogoz 145 F5
Vuitebœuf 140 D5
Vulpera 149 O5

W

Waadt / Vaud 120 D6
Wädenswil 142 K4
Wägitaler See 142 K4
Walchwil 142 J4
Wald 142 K4
Waldenburg 141 H3
Waldkirch 142 L3
Waldstatt 142 L3
Walensee 142 L4
Walenstadt 142 L4
Walenstadtberg 142 L4
Walkringen 141 G5
Wallbach 141 H3
Valais
(*Canton*) 121 G7
Wallis =
Valais 121 G7
Wallisellen 142 J3
Walperswil 140 F4
Waltensburg / Vuorz 147 L5
Waltenschwil 141 I4
Walzenhausen 143 M3
Wangen 142 K4
Wangen a. d. Aare 141 G4
Wängi 142 K3
Wangs 148 M4
Wannenhorn 146 I6
Wasen 141 H4
Wasenhorn 146 I7
Wassen 146 J5
Wasserauen 142 M4
Wattenwil 145 G5
Wattwil 142 L4
Wauwil 141 I4
Weesen 142 L4
Wegenstetten 141 H3
Weggis 141 J4
Weglosen 148 K4
Weiach 141 J3
Weier 141 H4
Weinfelden 142 L3
Weiningen 141 J3
Weissenbach 145 G6
Weissenstein 141 G4
Weissfluhgipfel 147 N5
Weissgrat 146 H8
Weisshorn 121 H7
Weisshorn
(*Graubünden*) 147 M5
Weisshorn (Refuge) 145 H7
Weissmies 146 I7
Weisstannental 148 L5
Weite 142 M4
Welschenrohr 141 G4
Wengen 146 H6
Wengi 140 G4
Werdenberg 142 M4
Werthenstein 141 I4
Wetterhorn 146 I6
Wettingen 141 I3
Wetzikon 142 K4
Wichtrach 141 G5
Widen 141 J3
Widnau 143 M3
Wiedlisbach 141 G4
Wiesen 147 N5
Wiesendangen 142 K3
Wiggen 141 H5
Wigoltingen 142 L3
Wil 142 L3
Wila 142 K3
Wilchingen 142 J3
Wildberg 142 K3
Wildegg 141 I3
Wilderswil 146 H6
Wildhaus 142 M4
Wildhorn 145 G6
Wildstrubel 145 G6
Wildstrubel (Refuge de) 145 G6
Willerzell 142 K4
Willisau 141 H4
Wimmis 145 G5
Windgällen 146 K5
Windisch 141 I3
Winikon 141 I4
Winterthur 142 K3
Winznau 141 H3
Wisshorn 149 N5
Wittnau 141 H3
Wohlen
(*Aargau*) 141 I3
Wohlen bei Bern 140 G5
Wohlensee 140 F5
Wolfenschiessen 141 J5
Wolfgang 147 N5
Wolfwil 141 H4
Wolhusen 141 I4
Worb 141 G5
Worben 140 F4
Wuppenau 142 L3
Würenlingen 141 I3
Würenlos 141 J3
Wynigen 141 G4

Y

Yens 144 D6
Yverdon-les-Bains 144 D5
Yvonand 140 E5
Yvorne 145 E6

Z

Zapport 147 L6
Zapporthorn 147 L6
Zäziwil 141 G5
Zeglingen 141 H3
Zeiningen 141 H3
Zell 141 H4
Zermatt 145 H7
Zernez 149 O5
Zervreila See 147 L6
Zetzwil 141 I4
Ziefen 141 H3
Zihlkanal 140 F4
Zihlschlacht 142 L3
Zillis 147 M6
Zinal 145 G7
Zinalrothorn 145 H7
Zizers 149 M5
Zmutt 145 H7
Zofingen 141 H4
Zollbrück 141 H5
Zollhaus 145 F5
Zollikofen 141 G4
Zollikon 142 J3
Zoug = Zug 142 J4
Zucchero (Monte) 146 K6
Zuchwil 141 G4
Zug 142 J4
Zug
(*Kanton*) 118 J4
Zügen 147 N5
Zuger See 141 J4
Zugerberg 142 J4
Zumikon 142 J3
Zuoz 149 N6
Zupo (Piz) 149 N6
Zürich 142 J3
Zürich
(*Kanton*) 118 J3
Zurich-Kloten
(*Aéroport*) 142 J3
Zürichsee 142 J4
Zuzwil (*Bern*) 141 G4
Zuzwil
(*St. Gallen*) 142 L3
Zweilütschinen 146 H6
Zweisimmen 145 G6
Zwingen 141 G3
Zwischbergen 146 I7

LIECHTENSTEIN

Balzers 142 M4
Bendern 142 M4
Malbun 143 M4
Nendeln 142 M4
Pfälzer-H. 143 M4
Ruggell 142 M4
Schaan 142 M4
Schaanwald 143 M4
Triesen 142 M4
Triesenberg 142 M4
Vaduz 142 M4

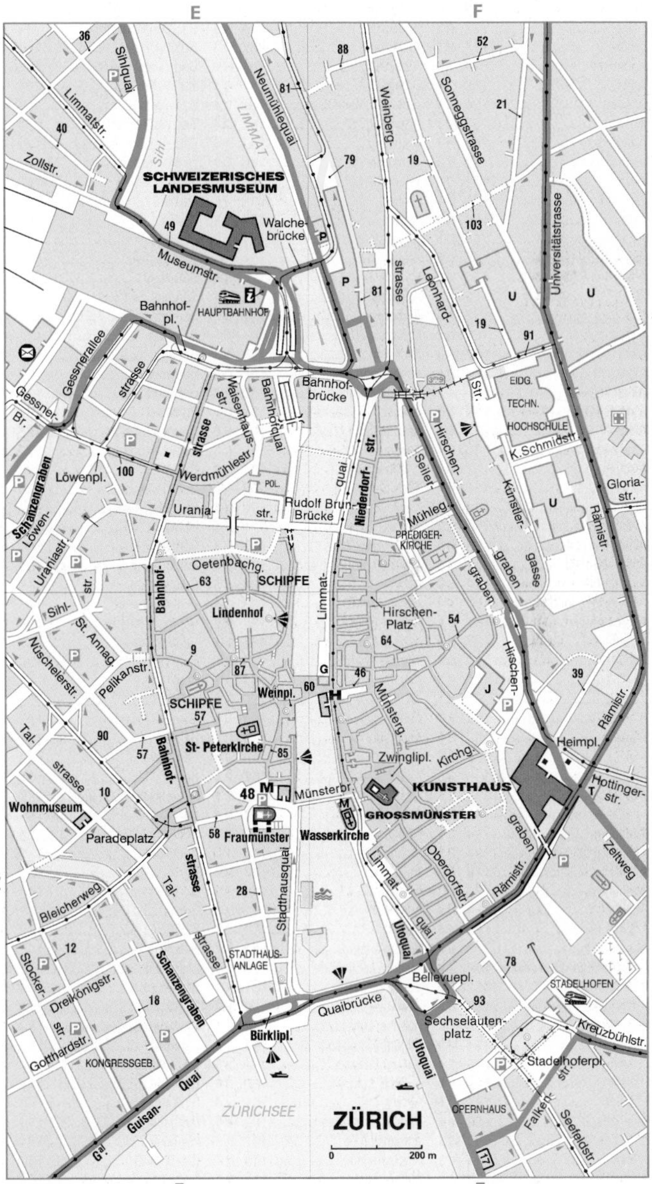

ZURICH

Augustinergasse	EZ	9
Bärengasse	EZ	10
Bahnhofstrasse	EYZ	
Beethovenstrasse	EZ	12
Bellevueplatz	FZ	
Claridenstrasse	EZ	18
Clausiusstrasse	FY	19
Culmannstrasse	FY	21
Fraumünsterstrasse	EZ	28
Hafnerstrasse	EY	36
Kantonsschulstrasse	FZ	39
Konradstrasse	EY	40
Limmatquai	FYZ	
Löwenstrasse	EY	
Marktgasse	FZ	46
Münsterhof	EZ	48
Museumstrasse	EY	49
Nelkenstrasse	FY	52
Neumarkt	FZ	54
Paradeplatz	EZ	
Poststrasse	EZ	58
Rathausbrücke	EFZ	60
Rennweg	EYZ	63
Rindermarkt	FZ	64
St. Peterstrasse	EZ	57
Stadelhoferstrasse	FZ	78
Stampfenbachplatz	FY	79
Stampfenbachstrasse	EFY	81
Storchengasse	EZ	85
Strehlgasse	EZ	87
Sumatrastrasse	FY	88
Talacker	EZ	90
Tannenstrasse	FY	91
Theaterstrasse	FZ	93
Uraniastrasse	EYZ	
Usteristrasse	EY	100
Weinbergfussweg	FY	103

A
Abern 161 K4
Abfaltersbach 170 J8
Absam 167 G7
Absdorf 158 T3
Abtei 171 P9
Abtenau 162 M6
Abtissendorf 172 S8
Abtsdorf 162 M5
Ach 161 K4
Ach 162 L4
Achau 165 V4
Achenbach 160 H6
Achenkirch 160 H6
Achenpaß 160 G6
Achensee 160 H6
Achental 160 H6
Achenwald 160 H6
Adameck-H. 162 M6
Aderklaa 159 V4
Adlwang 163 O5
Admont 163 P6
Adnet 161 L5
Aflenzer Seeberg 164 R6
Aflenz Kurort 164 R6
Afling 172 R7
Afritz 171 N8
Aggsbach 158 S4
Aggsbach Markt 158 S4
Aggstein 158 S4
Ahorn 157 O3
Ahornspitze 169 H7
Aich 162 N6
Aich 172 Q9
Aichdorf 172 Q7
Aigen 158 S2
Aigen 165 U6
Aigen im Ennstal 163 O6
Aigen im Mühlkreis 156 N3
Ainet 170 K8
Aist 157 P4
Aistersheim 162 N4
Alberndorf in der Riedmark 157 P3
Alberschwende 166 B6
Albrechtsberg an der Großen Krems 158 S3
Aldrans 167 G7
Alfenz 166 B7
Alkoven 157 O4
Alkus 170 K8
Alland 164 U4
Allentsgschwendt 158 S3
Allentsteig 158 R2
Allerheiligen 164 S6
Allerheiligen b. Wildon 172 S8
Allerheiligen im Mühlkreis 157 P4
Allgäuer Alpen 166 C6
Allhaming 163 O4
Allhartsberg 163 Q4
Alm 162 N5
Almsee 163 N5
Almwirt 164 R7
Alpbach 160 H6
Alpl 164 S6
Altach 166 A6
Altaussee 162 N6
Altausseersee 162 N6
Altenberg 164 S5
Altenberg bei Linz 157 P3
Altenburg 158 S3
Altenfelden 156 N3
Altenhof 156 N3
Altenmarkt 162 M6
Altenmarkt 173 U7
Altenmarkt an der Triesting 164 T4
Altenmarkt bei St. Gallen 163 P5
Altenmarkt i. Yspertal 158 R4
Altenwörth 158 T3
Altersberg 171 M8
Altheim 156 L4
Althofen 171 P8
Althofen 171 O7
Altlengbach 158 T4
Altlichtenwarth 159 W3
Altmanns 159 V3
Altmanns 158 R2
Altmelon 157 Q3
Altmünster 162 N5
Altpreau 159 V2
Altschwendt 156 N4
Am See 167 E8
Amagmach 166 B6
Amaliendorf 158 R2
Am Alpsteig 164 S6
Ameis 159 V2
Amesreith 157 P3
Amlach 170 K8
Ammer Sattel 167 E6
Ampflwang 162 M4
Amstetten 163 Q4
Andau 165 W5
Andelsbuch 166 B6
Andorf 156 M3
Andrichsfurth 156 M4
Angath 160 I6
Anger 164 T7
Angern 163 O6
Angern a. d. March 159 W3
Anif 161 L5
Ankogel 170 L7
Annaberg 164 S5
Annaberg im Lammertal 164 M6
Annenheim 171 N9
Anras 170 J8
Ansfelden 157 O4
Antau 165 V5
Anthering 161 L5
Antiesen 156 M4
Antiesenhofen 156 M3
Anton-Karg-H. 161 I6
Anzenbach 163 P5
Anzendorf 158 S4
Apetlon 165 W5
Arbesbach 157 Q3
Arbesthal 165 W4
Arbing 157 Q4
Ardagger Markt 157 Q4
Ardagger Stift 163 Q4
Ardning 163 P6
Arlbergpaß 166 C7
Arlbergtunnel 166 C7
Arnbach 169 J8
Arnfels 172 S8
Arnoldstein 171 N9
Arnreit 157 O3
Arriach 171 N8
Artstetten 158 R4
Arzberg 164 S7
Arzl 167 E7
Aschach 156 N3
Aschach an der Donau 157 O3
Aschach a. d. Steyr 163 P4
Aschach (Talsperre) 157 O3
Aschau 160 H6
Aschau *(Kitzbühel)* 161 I6
Aschau *(Mayrhofen)* 169 H7
Aschau *(Oberösterr.)* 162 M5
Aschau im Burgenland 165 U6
Aschbach 164 S5
Aschbach-Markt 163 Q4
Asitz-Kogel 161 K6
Aspach 161 L4
Aspang Markt 165 U6
Asparn 159 V3
Asperhofen 158 T4
Aspern 159 V4
Aspersdorf 158 U3
Assling 170 J8
Asten 157 P4
Attersee 162 M5
Attnang-Puchheim 162 N4
Atzbach 162 N4
Atzenbrugg 158 T4
Au 164 R6
Au 163 P6
Au *(Oberösterr.)* 162 M5
Au *(Tirol)* 167 E7
Au *(Vorarlberg)* 166 B7
Au am Leithagebirge 165 V5
Auerbach 161 K4
Auersthal 159 V3
Auf dem Hals 164 U5
Auf dem Straßegg 164 S6
Auf der Schanz 164 S6
Auffach 160 I6
Aurach 161 J6
Aurach am Hongar 162 N5
Aurachkirchen 162 N5
Aurolzmünster 156 M4
Äußere Einöde 171 N8
Äußere Kainisch 162 N6
Außerfern 167 E6
Außerfragant 170 L8
Außervillgraten 170 J8
Austria-H. 162 M6
Axamer Lizum 167 F7
Axams 167 F7

B
Baad 166 C7
Bach 166 D7
Bachmanning 162 N4
Bad Aussee 162 N6
Bad Bleiberg 171 N9
Bad Deutsch Altenburg 159 W4
Bad Dürrnberg 161 L6
Bad Fischau 165 U5
Bad Fusch 170 K7
Bad Gams 172 R8
Bad Gleichenberg 173 T8
Bad Goisern 162 M6
Bad Großpertholz 157 Q3
Bad Hall 163 O4
Bad Häring 160 I6
Bad Hofgastein 170 L7
Bad Innerlaterns 166 B7
Bad Ischl 162 M5
Bad Kleinkirchheim 171 N8
Bad-Kreuzen 157 Q4
Bad Leonfelden 157 O3
Bad Mitterndorf 163 N6
Bad Pirawarth 159 V3
Bad Radkersburg 173 T8
Bad St. Leonhard 171 O8
Bad St. Leonhard im Lavanttal 172 Q8
Bad Schallerbach 156 N4
Bad Schönau 165 U6
Bad Tatzmannsdorf 165 U6
Bad Vellach 172 P9
Bad Vöslau 165 U5
Bad Waltersdorf 173 U7
Bad Weißenbach 172 Q8
Bad Wimsbach-Neydharting 162 N4
Bad Zell 157 P3
Baden 165 U4
Badenthein 171 N8
Bad Gastein 170 L7
Bärenbad 169 I7
Bärenriß Sattel 164 R5
Bärental 171 O9
Bärnbach 172 R7
Bärndorf 163 P6
Bärnkopf 157 R3
Baierdorf 171 O7
Baierdorf bei Anger 164 T7
Bairisch Kölldorf 173 T8
Baldramsdorf 170 M8
Bangs 166 A7
Bannberg 170 K8
Bartholomäberg 166 B7
Barwies 167 E7
Baumgart 164 S5
Baumgarten an der March 159 W4
Baumgarten im Burgenland 165 V5
Baumgartenberg 157 Q4
Behamberg 163 P4
Berg *(Kärnten)* 170 L8
Berg *(Niederösterr.)* 159 X4
Berg bei Rohrbach 157 N3
Bergheim 161 L5
Berndorf 165 U5
Berndorf 172 R7
Berndorf bei Salzburg 161 K5
Bernhardsthal 159 W2
Bernkogel 170 L7
Bernstein 165 U6
Berwang 167 E6
Bettelwurfspitze 160 G6
Bezau 166 B6
Biberbach 163 Q4
Biberwier 167 E6
Bichlbach 167 E6
Bielerhöhe 166 C8
Bierbaum 173 U7
Bierbaum a. Kleebigl 158 T3
Bigerbach 167 E7
Bildstein 166 B6
Birkfeld 164 T6
Birkkarspitze 160 G6
Birnbaum 170 K8
Birnhorn 161 K6
Birnlücke 169 I7
Bisamberg 159 V4
Bischoffeld 163 Q7
Bischofshofen 161 L6
Bischofstetten 164 S4
Bizau 166 B6
Blattberg 167 E6
Bleiberg-Kreuth 171 M9
Bleiburg 172 Q9
Bleikogel 161 L6
Blindenmarkt 163 Q4
Blons 166 B7
Blosen 163 O6
Bludenz 166 B7
Blumau 165 U6
Blumau an der Wild 158 S2
Blumau i. Steiermark 173 U7
Bochumer H. 161 J6
Bockfließ 159 V3
Bocksdorf 173 U7
Boden 171 M8
Bodensdorf 171 N8
Bodensee 166 A6
Bodental 171 O9
Böckstein 170 L7
Bödele 166 B6
Bödmen 166 C7
Böheimkirchen 158 T4
Bonisdorf 173 U8
Bramberg 169 J7
Brand 164 T4
Brand *(Niederösterr.)* 157 R2
Brand *(Vorarlberg)* 166 B7
Brandberg 169 H7
Brandenberg 160 H6
Brandhof 164 R6
Brandnertal 166 B7
Brandwald 163 N6
Braunarlspitze 166 C7
Braunau 156 L4
Braz 166 B7
Bregenz 166 B6
Bregenzerach 166 B6
Bregenzerwald 166 B7
Breiteckkoppe 163 O6
Breitegg 160 I6
Breitenaich 157 N4
Breitenau *(Niederösterr.)* 165 U5
Breitenau *(Oberösterr.)* 163 O5
Breitenbach am Inn 160 H6
Breitenbrunn 164 T6
Breitenbrunn 165 W5
Breitenfurt 159 U4
Breitenhilm 172 S7
Breitenlee 159 V4
Breitenstein 164 T6
Breitenwaida 158 U3
Breitenwang 167 E6
Breitfuß 169 I7
Breithorn 161 K6
Breitsetten 159 W4
Brennerpaß 167 G7
Bretstein 163 P6
Bretsteingraben 163 O6
Brixen 160 I6
Brixlegg 160 H6
Bromberg 165 U5
Bruck am Ziller 160 H6
Bruck an der Großglocknerstraße 170 K7
Bruck an der Leitha 165 W4
Bruck an der Mur 164 R6
Brückl 172 P8
Bruckneudorf 165 W4
Bruderkogel 163 P6
Brunn 164 R6
Brunnalm 164 S6
Brunn am Gebirge 165 U4
Brunn an der Wild 158 S2
Brunnbach 163 P5
Brunnenthal 156 M3
Bschlabs 167 D7
Buch 166 B6
Buch bei Jenbach 160 H6
Buchboden 166 B7
Bucheben 170 K7
Buchkirchen 157 O4
Buchschachen 165 U7
Bucklige Welt 165 U6
Bürgeralpe 164 S5
Bürs 166 B7
Bürserberg 166 B7
Bundschuh 171 N7
Burg 165 V7
Burgau *(Salzburg)* 162 M5
Burgau *(Steiermark)* 173 U7
Burgauberg-Neudauberg 173 U7
Burgenland *(Land)* 165 U6
Burggrabenklamm 162 M5
Burgkirchen 161 L4
Burgschleinitz 158 T3

C
Carl von Stahl-Hs. 161 L6
Christkindl 163 P4
Coburger H. 167 E6
Cumberland 163 N5

D
Dachstein-Rieseneishöhle 162 N6
Dachsteingruppe 162 M6
Dalaas 166 B7
Damüls 166 B7
Damülser Mittagspitze 166 B7
Dechantskirchen 164 U6
Defereggental 169 I8
Defereggeralpen 170 I8
Defreggerhaus 169 J7
Dellach 170 L9
Dellach 171 M8
Dellach im Drautal 170 L8
Demeljoch 160 G6
Deutsch Hörschlag 157 P3
Deutsch Brodersdorf 165 V5
Deutsch Ehrensdorf 173 V7
Deutsch Feistritz 172 R7
Deutsch Goritz 173 T8
Deutsch Griffen 171 O8
Deutsch Haslau 165 W4
Deutsch Jahrndorf 165 W4
Deutsch Kaltenbrunn 173 U7
Deutschkreutz 165 V6
Deutschlandsberg 172 R8
Deutsch Schützen 173 V7
Deutsch Wagram 159 V4
Diedamskopf 166 C6
Dienten 161 L6
Dientner Sattel 161 L6
Diersbach 156 M3
Dietachdorf 163 P4
Dietersdorf am Gnasbach 173 T8
Dietmanns *(bei Gmünd)* 157 Q2
Dietmanns *(bei Waidhofen a.d.T.)* 158 S2
Dietmannsdorf b. Trieben 163 P6
Diex 172 P8
Dimbach 157 Q4
Dobermannsdorf 159 W3
Dobersberg 158 R2
Dobersdorf 173 U7
Dobl 172 S8
Döbling 159 U4
Dobra Stausee 158 S3
Dobratsch 171 M9
Döbriach 171 M8
Dölach 170 J8
Döllach 163 O6
Döllach 170 K8
Dolomiten H. 170 K8
Dölsach 170 K8
Donau 156 M3
Donaustadt 159 V4
Donawitz 164 R6
Donnersbach 163 O6
Donnersbachwald 163 O6
Donnerskirchen 165 V5
Doren 166 B6
Dorf 156 M4
Dorfgastein 170 L7
Dörfl im Burgenland 165 V6
Dorfstetten 157 Q4
Dornach 157 Q4
Dornbirn 166 B6
Douglass-H. 166 B7
Drasenhofen 159 V2
Draßburg 165 V5
Draßmarkt 165 V6
Dreiherrnspitze 172 I7
Dreistetten 165 U5
Dr. H. Hackel-H. 161 L6
Drobollach 171 N9
Drösing 159 W3
Drosendorf Stadt 158 S2
Droß 158 S3
Drossensperre 170 K7
Düns 166 B7
Dürnbach 165 V7
Dürnkrut 159 W3
Dürnstein *(Niederösterr.)* 158 S3
Dürnstein *(Steiermark)* 171 P7
Dürradmer 164 R5
Dürre Wand 164 T5
Dunkelsteinerwald 158 S4
Durchholzen 161 I6

E
Ebbs 160 I6
Ebelsberg 157 P4
Eben 160 H6
Eben im Pongau 162 M6
Ebenau 161 L5
Ebene 167 E7
Ebene Reichenau 171 N8
Ebenfurth 165 V5
Ebensee 162 N5
Ebenthal *(Kärnten)* 171 P9
Ebenthal *(Niederösterr.)* 159 W3
Eberau 173 V7
Ebergassing 165 V4
Eberndorf 172 P9
Eberschwang 162 M4
Ebersdorf *(Niederösterr.)* 158 R4
Ebersdorf *(Steiermark)* 173 T7
Eberstallzell 163 N4
Eberstein 172 P8
Ebnerhof 164 S5
Ebnit 166 B6
Ebreichsdorf 165 V5
Echsenbach 158 R2
Eckartsau 159 W4
Edel-H. 169 H7
Edelsbach 173 T8
Edelschrott 172 R7
Edelstal 159 W4
Edelweißspitze 170 K7
Edlach 164 T5
Edling 164 Q6
Edlitz 173 V7
Edlitz Markt 165 U6
Edmund-Graf-H. 166 D7
Eferding 157 O4
Egg 170 M9
Egg *(Vorarlberg)* 166 B6
Egg am Faakersee 171 N9
Eggelsberg 161 K4
Eggenberg 172 S7
Eggenburg 158 T3
Eggendorf 165 U5
Eggendorf am Walde 158 T3
Eggeralm 170 M9
Eggerding 156 M3
Eggern 158 R2
Eggersdorf 172 S7
Ehrenberger Klause 167 E6
Ehrenhausen 173 S8
Ehrenschachen 165 U6
Ehrwald 167 E6
Eibenstein 158 S2
Eibesbrunn 159 V3
Eibesthal 159 V3
Eibiswald 172 R8
Eichberg 164 T6
Eichenberg 166 B6
Eichenbrunn 159 V3
Eichgraben 158 T4
Eidenberg 157 O3
Eingenheimsiedlung 159 U4
Eisenberg 173 V7
Eisenerz 163 Q6
Eisenerzer Alpen 163 P6
Eisenhüttl 173 U7
Eisenkappel 172 P9
Eisenstadt 165 V5
Eisentratten 171 M8
Eisenwurzen 163 Q5
Eisgarn 158 R2
Eisriesenwelt 161 L6
Eitweg 172 Q8
Eitzing 156 M4
Eizendorf 157 Q4
Elbigenalp 166 D7
Elixhausen 161 L5
Ellbögen 167 G7
Ellmau 161 I6
Ellmauer Halt 161 I6
Elmen 167 D6
Els 158 S3
Elsbethen 161 L5
Elsenreith 158 R3
Eltendorf 173 U7
Embach 170 L7
Emmersdorf an der Donau 158 S4
Empersdorf 172 S8
Eng 160 G6
Engelhartstetten 159 W4
Engelhartszell 156 N3
Engelmannsbrunn 158 T3
Engelstein 157 Q3
Engerwitzdorf 157 P3
Enns 157 P4
Enns *(Bach)* 170 M7

A B C D E F G H I J K L M N O P Q R S T U V W X Y Z

Ennsdorf 157 P4
Ennstal 163 O6
Ennstaler Alpen 163 P6
Enzenkirchen 156 M3
Enzersdorf a. d. Fischa 165 V4
Enzersdorf im Thale 159 U3
Enzersfeld 159 V3
Enzesfeld 165 U5
Enzingerboden 170 J7
Erb 163 Q6
Erdberg 159 V3
Erdleiten 157 P3
Erfurter H. 160 H6
Erl 160 I5
Erlach 165 U5
Erlauf 158 R4
Erlaufsee 164 R5
Erlsbach 169 I8
Ernstbrunn 159 V3
Ernsthofen 163 P4
Erpfendorf 161 J6
Ertl 163 P5
Erzberg 163 Q6
Erzhzrzog Johann-Klause 160 H6
Eschelberg 157 O3
Eschenau 164 S4
Eschenau 158 R2
Eschenau im Hausrukkreis 156 N3
Eßling 159 V4
Esternberg 156 M3
Etmißl 164 R6
Etsdorf am Kamp 158 T3
Ettendorf 172 Q8
Etzen 157 R3
Etzersdorf 173 T7
Eugendorf 161 L5
Euratsfeld 163 Q4
Europabrücke 167 G7

F

Faak 171 N9
Faakersee 171 N9
Fachwerk 163 Q5
Faggenbach 167 E8
Faistenau 161 L5
Falken-H. 160 G6
Falkenstein 159 V2
Falkert 171 N8
Fallegg 172 R8
Farrenau-Bühel 163 N5
Faschina 166 B7
Favoriten 159 V4
Fehring 173 U8
Feichsen 164 R4
Feichten 167 E7
Feistritz 164 T6
Feistritz *(bei Bleiburg)* 172 Q9
Feistritz *(bei Friesach)* 171 O8
Feistritz am Wechsel 164 U6
Feistritz an der Drau 171 M8
Feistritz an der Gail 171 M9
Feistritz b. Knittelfeld 163 Q7
Feistritzer Stausee 171 O9
Feistritz im Rosental 171 O9
Feistritz Sattel 164 T6
Felbertal 170 J7
Felbertauerntunnel 170 J7
Feldaist 157 P3
Feld am See 171 N8
Feldbach 173 T8
Feldkirch 166 A7
Feldkirchen 172 S7
Feldkirchen an der Donau 157 O3
Feldkirchen
bei Mattighofen 161 L4
Feldkirchen in Kärnten 171 O8
Felixdorf 165 U5
Fell 171 M7
Fellach 171 N9
Fellbach 170 L8
Fellhorn 161 J6
Fels 158 T3
Fendels 167 E7
Ferlach 171 O9
Ferlacher Stausee 171 O9
Ferleiten 170 K7
Ferndorf 171 M8
Fernitz 172 S8
Fernpaß 167 E6
Fernstein 167 E6
Fernsteinsee 167 E6
Ferschnitz 163 Q4
Feßnach 171 P7
Festenburg 164 T6
Feuerkogel 162 N5
F.Fischer-H. 170 M7
Fieberbrunn 161 J6
Filzmoos 162 M6
Fimbertal 166 C8
Finkenberg 169 H7
Finkenstein 171 N9
Finstermünzpaß 166 D8
Finstertal Stausee 167 F7
Fischa 165 V5
Fischamend Markt 159 V4
Fischbach 164 S6
Fischbacheralpe 164 S6
Fisching 172 Q7
Fischlham 162 N4
Fiß 167 D7
Flachau 162 M6
Fladnitz 173 T8
Fladnitz an der Teichalm 164 S7
Flaschberg 170 K8
Flatschach 172 Q7
Flattach 170 K8
Flattnitz 171 O8
Flattnitzer Höhe 171 O8
Flaurling 167 F7
Flexenpaß 166 C7
Fließ 167 D7
Flirsch 166 D7
Floing 164 T7
Floridsdorf 159 V4
Fluchthorn 166 C8
Fluttendorf 172 R8
Föllim 159 V2
Fohnsdorf 172 Q7
Fontanella 166 B7
Forchach 167 D6
Forchenau 165 V5
Forchtenstein 165 U5
Fornach 162 M4
Forst 172 Q8
Forstau 162 M6
Frättingsdorf 159 V3
Fraham 157 O4
Frankenau 165 V6
Frankenburg 162 M4
Frankenfels 164 R5
Frankenmarkt 162 M5
Franking 161 K4
Frantschach-St. Gertraud 172 Q8
Franzen 158 S3
Franzensdorf 159 V4
Franz Josephs-Höhe 170 K7
Franz Senn H. 167 F7
Frastanz 166 A7
Fratres 158 S2
Frauenberg
(bei Bruck a. d. Mur) 164 S6
Frauenberg
(bei Liezen) 163 P6
Frauenburg 171 P7
Frauendorf 158 T3
Frauenkirchen 165 W5
Frauenstein
(Kärnten) 171 P8
Frauenstein
(Oberösterr.) 163 O5
Frauental 172 R8
Frauschereck 161 L4
Fraxern 166 B7
Freiburger H. 166 B7
Freiland 164 S5
Freiland
bei Deutschlandsberg 172 R8
Frein 164 S5
Freinberg 156 M3
Freistadt 157 P3
Fresach 171 N8
Fresing 172 S8
Friedauwerk 164 Q6
Friedberg 165 U6
Friedburg 161 L4
Friedersbach 158 R3
Friesach 171 P8
Friesach 172 S7
Fritzens 169 G7
Frohnleiten 164 R7
Frojach-Katsch 171 O7
Fügen 160 H6
Fügenberg 160 H6
Fürstenfeld 173 U7
Fuglau 158 S3
Fulpmes 167 G7
Furkajoch 166 B7
Furth 158 T4
Furth an der Triesting 164 T5
Furth bei Göttweig 158 S3
Fusch a. d.
Großglocknerstraße 170 K7
Fuschertal 170 K7
Fuscher Törl 170 K7
Fuschl 161 L5
Fuschlsee 161 L5
Fußach 166 A6
Futschölpaß 166 C8

G

Gaaden 165 U4
Gaaldorf 163 P7
Gaas 173 V7
Gaberl 172 Q7
Gabersdorf 173 S8
Gablitz 159 U4
Gablonzer H. 162 M6
Gaflenz 163 Q5
Gaichtpaß 167 D6
Gail 170 J8
Gailberg Sattel 170 K8
Gailtaler Alpen 170 K8
Gaimberg 170 K8
Gainfarn 165 U5
Gaisbach 157 P4
Gaisberg 161 L5
Gaisfeld 172 R7
Gaishorn 163 P6
Gaislacher Kogel 167 E8
Gaisruck 158 U3
Gaißau 166 A6
Gajach 170 L8
Galinakopf 166 A7
Gallbrunn 165 V4
Gallizien 171 P9
Gallneukirchen 157 P3
Gallsbach 156 N4
Gallspach 156 N4
Galtür 166 C8
Gaming 164 R5
Gamlitz 172 S8
Gamperdonatal 166 B7
Gampern 162 M5
Gams bei Hieflau 163 Q6
Gamsfeld 162 M6
Gamskarkogel 170 L7
Gansbach 158 S4
Ganser 171 O7
Gänserndorf 159 W3
Gargellen 166 B8
Garnei 161 L6
Gars am Kamp 158 T3
Garsten 163 P4
Gaschurn 166 C8
Gasen 164 S6
Gaspoltshofen 162 N4
Gasteiner Ache 170 L7
Gasteinertal 170 L7
Gastern 158 R2
Gattendorf 165 W4
Gaubitsch 159 V3
Gaweinstal 159 V3
Geboltskirchen 162 M4
Gedersdorf 158 T3
Geiersberg 156 M4
Geinberg 156 L4
Geisenheim 156 N4
Geisttal 172 R7
Gemeindealpe 164 R5
Gemeinlebarn 158 T3
Geras 158 T2
Gerasdorf 159 V4
Gerersdorf
(Niederösterr.) 158 S4
Gerersdorf-Sulz 173 U7
Geretsberg 161 K4
Gerhaus 165 W4
Gerlitzen 171 N8
Gerlos 169 I7
Gerlos 169 H7
Gerlosberg 169 H7
Gerlospaß 169 I7
Gerlostal 169 H7
Gerotten 158 R3
Gerzkopf 162 M6
Gesäuse 163 P6
Gettsdorf 158 T3
Gföhl 158 S3
Gföhlerwald 158 S3
Gilfertberg 169 H7
Gilgenberg am Weilhart 161 K4
Gimpel H. 167 D6
Ginzling 169 H7
Gitschtal 170 L8
Glanegg 171 O8
Glanhofen 171 O8
Glasenbach 161 L5
Glashütten 165 V6
Glashütten 172 R8
Glattjoch 163 O7
Glatzau 173 T8
Glaubendorf 158 T3
Glein 172 Q7
Gleinalmtunnel 164 R7
Gleinalpe 164 R7
Gleinstätten 172 S8
Gleisdorf 173 T7
Gleißenfeld 165 U5
Gleiwitzer H. 170 K7
Glemmtal 161 J6
Globasnitz 172 Q9
Glockturm 167 E8
Glödnitz 171 O8
Gloggnitz 164 T5
Gmund 169 I7
Gmünd
(Kärnten) 171 M8
Gmünd
(Niederösterr.) 157 Q2
Gmunden 162 N5
Gmundnerberg 162 N5
Gnadendorf 159 V3
Gnadenfall 171 M7
Gnadenwald 160 G7
Gnas 173 T8
Gnesau 171 N8
Gniebing 173 T8
Gnigl 161 L5
Göblberg 162 M4
Göfis 166 A7
Gölbner 170 J8
Göllersbach 159 U3
Göllersdorf 158 U3
Göltschach 171 P9
Göpfritz an der Wild 158 S2
Göpfritzschlag 158 S2
Göriach 171 N7
Görtschach 171 M9
Gösing 158 T3
Gösing 164 R5
Göß 164 R6
Gößeck 163 Q6
Gösselsdorf 172 P9
Gößl 162 N6
Gösting 172 S7
Göstling 163 Q5
Göstlingeralpen 163 Q5
Göttlesbrunn 165 W4
Götzendorf 171 P7
Götzendorf an der Leitha 165 V4
Götzens 167 F7
Götzis 166 A7
Going 161 I6
Goldeck 170 M8
Goldegg 161 L7
Goldwörth 157 O4
Golling 161 L6
Gollinger Wasserfall 161 L6
Gollrad 164 R6
Gols 165 W5
Gortipohl 166 C7
Gosau 162 M6
Gosaumühle 162 M6
Gosauschmied 162 M6
Gosdorf 173 T8
Gr. Galtenberg 160 H6
Gr. Höllkogel 162 N5
Gr. Ochsenhorn 161 J6
Gr. Schwarzkogel 162 M6
Gr. Teufelshorn 161 L6
Graben-Prebl 172 Q8
Graden 172 R7
Grades 171 O8
Grän 167 D6
Grafenbach St. Valentin 164 U5
Grafenberg 158 T3
Grafendorf 164 T6
Grafenegg 158 T3
Grafenschachen 165 U6
Grafenschlag 158 R3
Grafenstein 171 P9
Grafenwörth 158 T3
Grainbrunn 158 R3
Gralla 172 S8
Gramais 167 D7
Gramastetten 157 O3
Gramatneusiedl 165 V4
Grambach 172 S7
Grametten 158 R2
Grän 167 D6
Graßnitz 164 R6
Gratendorf 171 P8
Gratkorn 172 S7
Gratwein 172 R7
Graukogel 170 L7
Graz 172 S7
Graz
(Flughafen) 172 S8
Greifenburg 170 L8
Greifenstein 159 U3
Greillenstein 158 S3
Grein 157 Q4
Greith 164 R5
Gresten 163 R5
Greutschach 172 Q8
Gries 167 F7
Gries am Brenner 167 G7
Griesbach 157 Q3
Griesenau 161 J6
Gries im Sellrain 167 F7
Grieskirchen 156 N4
Grießen 161 K6
Grießenkareck 162 M7
Grießenpaß 161 K6
Griffen 172 Q8
Grillenberg 164 U5
Grimmenstein 165 U6
Grimming 163 O6
Grimsing 158 S4
Grins 167 D7
Grinzens 167 F7
Gröbming 162 N6
Grödig 161 L5
Groißenbrunn 159 W4
Groß Engersdorf 159 V3
Groß Gerungs 157 Q3
Groß Litzner 166 C8
Groß St. Florian 172 R8
Groß-Siegharts 158 S2
Groß Teufelshorn 161 L6
Großalm 162 M5
Großarl 170 L7
Großarltal 170 L7
Großau 158 S2
Grossau 165 U5
Großburgstall 158 S2
Große Mühl 157 O3
Große Sandspitze 170 K8
Große Schlenkerspitze 167 D7
Große Tulln 158 T4
Großebersdorf 159 V3
Großenzersdorf 159 V4
Großer Ahornboden 160 G6
Großer Bösenstein 163 P6
Großer Buchstein 163 P6
Großer Königstuhl 171 N8
Großer Krottenkopf 166 D7
Großer Ötscher 164 R5
Großer Priel 163 O5
Großer Pyhrgas 163 P6
Großer Rettenstein 161 I6
Großer Rosennock 171 N8
Großer Scheiben Berg 164 T6
Großer Speikkogel 172 Q8
Großes Mösele / Mesule 169 H8
Großes Walsertal 166 B7
Großfeistritz 172 Q7
Großglobnitz 158 R2
Großglockner 170 K7
Großglockner-
Hochalpenstraße 170 K7
Großgmain 161 K5
Großgöttfritz 158 R3
Großharras 159 U3
Großhartmannsdorf 173 T7
Großhaselbach 158 R2
Großheinrichschlag 158 S3
Großhöflein 165 V5
Großinzersdorf 159 W3
Großjedlersdorf 159 V4
Großklein 172 S8
Großkrut 159 W3
Großlobming 172 Q7
Großmeiseldorf 158 T3
Großmugl 159 U3
Großmürbisch 173 U7
Großnondorf 158 T3
Großpesendorf 173 T7
Großpetersdorf 165 U7
Großraming 163 P5
Großreifling 163 Q6
Großreinprechts 158 R3
Großriedenthal 158 T3
Großrußbach 159 V3
Großschweinbarth 159 V3
Großsölk 163 N6
Großsteinbach 173 T7
Großstelzendorf 158 U3
Großstübing 172 R7
Großtraberg 157 O3
Großveitsch 164 S6
Großvenediger 169 J7
Großwarasdorf 165 V6
Großweikersdorf 158 T3
Großweißenbach 158 R3
Großwilfersdorf 173 U7
Grub 165 U4
Grubigstein 167 E6
Grünau im Almtal 163 N5
Grünbach 157 P3
Grünbach am Schneeberg 164 T5
Grund 158 U3
Grundlsee 162 N6
Grutten-H. 161 I6
Gschaidt 165 U6
Gscheid 164 S5
Gschnitz 167 G7
Gschnitztal 167 F7
Gschwand 164 S5
Gshwandt 162 N5
Gstatterboden 163 P6
Gstoder 171 O7
Gündorf 172 S8
Güns 165 V6
Günselsdorf 165 U5
Günser-Gebirge 165 V6
Güssing 173 U7
Güttenbach 173 U7
Guffertspitze 160 H6
Guglwald 157 O3
Gumpoldskirchen 165 U4
Gundersdorf 172 R8
Gundersheim 170 L9
Gundertshausen 161 L4
Gunskirchen 162 N4
Guntesdorf 158 U3
Guntramsdorf 165 U4
Gurgltal 167 F8
Gurk 171 O8
Gurktal 171 O8
Gurktaleralpen 171 N8
Gurten 156 M4
Gurtis 166 A7
Gusen 157 P4
Gußwerk 164 R5
Gut 158 S3
Gutau 157 P3
Gutenbrunn
(bei Melk) 158 R3
Gutenbrunn
(bei St. Pölten) 158 T4
Gutenstein 164 T5
Guttaring 171 P8

H

Haag 163 P4
Haag am Hausruck 162 M4
Habernau 163 N5
Habicht 167 F7
Hadersdorf 159 U4
Hadersdorf am Kamp 158 T3
Hadres 158 U2
Hafelekar 167 F7
Hafendorf 164 R6
Hafner 170 M7
Hafnerbach 158 S4
Hafning 164 R6
Hagen 164 R5
Hagenberg 159 V3
Hagenberg im Mühlkreis 157 P3
Hagenbrunn 159 V3
Hagengebirge 161 L6
Hahnbaum 161 L6
Hahnenkamm 161 J6
Hahntennjoch 167 D7
Haibach ob der Donau 156 N3
Haid 157 O4
Haidboden 165 X5
Haidershofen 163 P4
Haimburg 172 Q8
Haiming 167 E7
Hain 158 S4
Hainburg a. d. Donau 159 W4
Haindlkarbrücke 163 P6
Haindorf 158 S4
Hainersdorf 173 T7
Hainfeld 164 T4
Hainsdorf-Brunnsee 173 T8
Hainzen 162 M5
Hainzenberg 169 H7
Hainzl 163 O6
Haitzendorf 158 T3
Halbenrain 173 T8
Halbturn 165 W5
Hall 163 P6
Hallein 161 L5
Haller Mauern 163 P6
Hall in Tirol 167 G7
Hallstätter See 162 M6
Hallstatt 162 M6
Hallwang 161 L5
Handalpe 172 R8

Hanfthal 159 V2
Hanging 156 N3
Hannersdorf 165 V7
Hansl im Reith 164 T6
Harbach 170 L7
Harbach 157 Q2
Hard 166 B6
Hardegg 158 T2
Hargelsberg 163 P4
Harham 161 K6
Haringsee 159 W4
Harland 158 S4
Harmannsdorf 158 T3
Harmanschlag 157 Q3
Harrachsthal 157 Q3
Hart 160 H6
Hart 163 Q5
Hartberg 164 T7
Harth 158 S2
Hartkirchen 157 N3
Hartmannsdorf 173 T7
Häselgehr 166 D7
Haslach an der Mühl 157 O3
Haslau 161 M5
Haslau 159 W4
Haßbach 164 U6
Hatting 167 F7
Hatzendorf 173 U8
Haugschlag 157 R2
Haugsdorf 158 U2
Haunsberg 161 L5
Haus 162 N6
Hausbrunn 159 W3
Hauskirchen 159 W3
Hausleiten 158 U3
Hausmannstätten 172 S8
Hebenkas 163 O6
Heckenau 163 N5
Hegerberg 164 S5
Heidenreichstein 158 R2
Heilbrunn 164 S6
Heiligenblut 170 K7
Heiligenbrunn 173 V7
Heiligengeist 171 N9
Heiligenkreuz 167 E8
Heiligenkreuz *(bei Baden)* 165 U4
Heiligenkreuz
am Waasen 172 S8
Heiligenkreuz
im Lafnitztal 173 U8
Heimschuh 172 S8
Heinreichs 158 R2
Heinrichs 157 Q2
Heinrichsbrunn 157 P4
Heiterwand 167 E7
Heiterwang 167 E6
Helenental 165 U4
Helfenberg 157 O3
Hellbrunn 161 L5
Hellmonsödt 157 O3
Hengstpaß 163 P5
Henndorf 161 L5
Herberstein 164 T7
Hermagor 170 M9
Hernals 159 U4
Hernstein 165 U5
Herrenhauser 160 G7
Herrnbaumgarten 159 W2
Herzogbirbaum 159 U3
Herzogenburg 158 T4
Herzogsdorf 157 O3
Hetzmannsdorf 159 V3
Heufurth 158 T2
Heutal 161 K6
Hieflau 163 Q6
Hietzing 159 U4
Himberg 165 V4
Himmelberg 171 O8
Hinteranger 156 N2
Hinterautal 160 F6
Hinterbichl 169 J7
Hinterbrühl 165 U4
Hintere Gosausee 162 M6
Hinterglemm 161 J6
Hinterhornbach 166 D6
Hintermoos 161 K6
Hinternaßwald 164 T5
Hinterriß 160 G6
Hintersdorf 159 U4
Hintersee 170 J7
Hintersee 161 L5
Hintersteinersee 160 I6
Hinterstoder 163 O5
Hinterthal 161 K6
Hintertux 169 H7
Hinterweißenbach 157 O3
Hinterwildalpen 163 Q6
Hippach 169 H7
Hippersdorf 158 T3
Hirm 165 V5
Hirschbach 158 R2
Hirschbach im Mühlkreis 157 P3
Hirschegg 166 C6
Hirschegger Sattel 172 Q7
Hirschegg-Rein 172 Q7
Hirschenwies 157 Q2
Hirschguntdal 166 C6
Hirschwang 164 T5
Hirtenberg 165 U5
Hirzberg 162 N6
Hirzmann-Stausee 172 R7
Hittisau 166 B6
Hitzendorf 172 R7
Hoadl 167 F7
Höbach 163 O5
Hochalmsattel 160 G6
Hochalmspitze 170 L7
Hochalpe 164 R6
Hochburg 161 K4
Hocheck 164 T5
Hochegg 165 U6
Hochfeiler /
Gran Pilastro 169 H8
Hochfeind 171 M7
Hochfilzen 161 J6
Hochfügen 169 H7
Hochgolling 171 N7
Hochgurgl 167 F8
Hochiß 160 H6
Hochjoch 166 B7
Hochkar 163 Q5
Hochkeil 161 L6
Hochkönig 161 L6
Hochkogel
(Eisenerzeralpen) 163 Q6
Hochkogel
(Jogland) 164 T6
Hochkreuz 170 L8
Hochlantsch 164 S6
Hochlecken-Hs. 162 M5
Hochneukirchen 165 U6
Hochosterwitz 171 P8
Hochplattig 167 E6
Hochreichart 163 P6
Hochrindlütte 171 N8
Hochschober 170 K8
Hochschwab 164 R6
Hochsölden 167 E8
Hochstein 170 K8
Hochstraß 165 V6
Hochstraß 158 T4
Hochstuhl 171 O9
Hochtannbergpaß 166 C7
Hochtor 170 K7
Hochtor
(Eisenerzeralpen) 170 P6
Hochtor
(Hohe Tauern) 170 K7
Hochvogel 166 D6
Hochwildstelle 162 N6
Hochwolkersdorf 165 U6
Hochwurzen 162 M6
Höchst 166 A6
Höfen 167 E6
Höflein 165 W4
Höhenberg 157 Q2
Höhnhart 161 L4
Höllengebirge 162 M5
Höllental 164 T5
Hönigsberg 164 S6
Hönigthal 172 S7
Hörbranz 166 B6
Hörgasgraben 172 R7
Hörsching 157 O4
Hörzendorf 171 P8
Hötzelsdorf 158 T2
Hof 161 L5
Hof am Leithagebirge 165 V5
Hofkirchen
an der Trattbach 156 N4
Hofkirchen im Mühlkreis 156 N3
Hofkirchen im Traunkreis 163 P4
Hofpürgl.H. 162 M6
Hofstätten a. d. Raab 173 T7
Hofstetten-Grünan 164 S4
Hohe Geige 167 E7
Hohe Kugel 166 B6
Hohe Mut 167 F8
Hohe Nock 163 O5
Hohe Salve 160 I6
Hohe-Tauern 170 I7
Hohe Wand 164 U5
Hohe Warte 161 K9
Hohenau 159 W3
Hohenberg 164 S5
Hohenbrugg 173 U8
Hohenbrunn 157 P4
Hoheneich 157 R2
Hohenems 166 B6
Hohenruppersdorf 159 V3
Hohentauern 163 P6
Hohenwart 163 O6
Hohenwarth 158 T3
Hohenweiler 166 B6
Hohenwerfen 161 L6
Hohenzell 162 M4
Hoher Riffler 166 D7
Hoher Dachstein 162 M6
Hoher Freschen 166 B7
Hoher Göll 162 L6
Hoher Ifen 166 C6
Hoher Sarstein 162 N6
Hoher Sonnblick 170 K7
Hoher Zinken 162 M5
Hohes Licht 166 C7
Hollabrunn 158 U3
Hollbruck 170 J8
Hollenbach 158 S2
Hollenburg
(Kärnten) 171 O9
Hollenburg
(Niederösterr.) 158 T3
Hollenstein an der Ybbs 163 Q5
Hollenthon 165 U6
Hollersbach 169 J7
Holzgau 166 D7
Holzhausen 157 O4
Holzleithen 162 M4
Holzleitner Sattel 167 E7
Holzschlag 156 N2
Hopfgarten 160 I6
Hopfgarten
in Defereggen 170 J8
Hopfreben 166 C7
Hörersdorf 159 V3
Horitschon 165 V6
Horn 158 S2
Hornbachtal 166 D6
Hornstein 165 V5
Ht. Sonnwendjoch 160 H6
Ht.-Thiersee 160 I6
Huben
(Osttirol) 170 J8
Huben
(Tirol) 167 E7
Hütten 161 K6
Hundskehljoch 169 I7
Hundstein 161 K6
Hunerkogel 162 M6
Hürm 158 S4
Hüttau 161 L6
Hutteltalkopf 169 I7
Hüttenberg 172 P8
Huttererhöß 163 O5
Hüttschlag 170 L7

I

I-Mattis-Hütte 171 M7
Ibm 161 K4
Idolsberg 158 S3
Igls 167 G7
Ill 166 A7
Illmitz 165 W5
Ilz 173 T7
Imbach 158 S3
Imbachhorn 170 K7
Imlau 161 L6
Immendorf 158 U3
Imst 167 E7
Imsterberg 167 E7
Ingolstädter Hs. 161 K6
Ingolsthal 171 O8
Inn 167 D8
Innbach 157 O4
Inneralpbach 160 H6
Innerbraz 166 B7
Innerfragant 170 L8
Innergschloß 170 J7
Innerkrems 171 N8
Innerlaterns 166 B7
Innernöring 171 M8
Innervillgraten 169 J8
Innsbruck 167 G7
Innsbruck
(Flughafen) 167 G7
Inntal 167 D8
Innviertel 161 L4
Inzersdorf 163 O5
Inzing 167 F7
Irdning 163 O6
Irnfritz 158 S2
Irnharting 162 N4
Irrsdorf 161 L5
Irschen 170 L8
Isar 160 F6
Ischgl 166 C7
Isel 169 I7
Iselsberg 170 K8
Iselsbergpaß 170 K8
Ispersdorf 157 R4
Itter 160 I6
Itzling
(Salzburg) 161 L5

J

Jagenbach 157 R3
Jagerberg 173 T8
Jaidhof 158 S3
Jakling 172 Q8
Jakobsberg 171 P7
Japons 158 S2
Jedenspeigen 159 W3
Jenbach 160 H6
Jenig 170 L9
Jennersdorf 173 U8
Jerzens 167 E7
Jetzelsdorf 158 U2
Jochberg 161 J6
Jochenstein
(Talsperre) 156 N3
Joglland 164 T6
Johnsbach 163 P6
Jois 165 W5
Josefsberg 164 R5
Judenau 158 U4
Judenburg 172 P7
Judendorf-
Straßengel 172 S7
Juifen 160 G6
Julbach 156 N3
Jungholz 166 D6

K

Kahlenberg 159 U4
Kahlersberg 161 L6
Kahlkogel 171 O9
Kaibing 173 T7
Kainach 172 R7
Kainach b. Voitsberg 172 R7
Kaindorf 164 T7
Kaindorf an der Sulm 172 S8
Kaiserdorf 165 V6
Kaisergebirge 160 I6
Kaiserhäuser 163 P6
Kaisers 166 C7
Kaisersberg 164 Q6
Kaisersteinbruch 165 W5
Kaisertal 160 I6
Kalch 173 U8
Kalkgruben 165 V6
Kalkkögel 167 F7
Kalksburg 159 U4
Kalkstein 169 I8
Kallham 156 N4
Kals 170 J7
Kalsdorf 172 S8
Kalsertal 170 J8
Kalser Tauern 170 J7
Kaltenbach 169 H7
Kaltenberg
(Oberösterr.) 157 Q3
Kaltenberg
(Vorarlberg) 166 C7
Kaltenbrunn 167 E7
Kaltenleutgeben 159 U4
Kaltwasser 171 O7
Kalwang 163 Q6
Kamering 171 M8
Kammern im Liesingtal 163 Q6
Kammersdorf 159 U3
Kamp 158 R3
Kampertal 163 P5
Kamptal 158 S3
Kaning 171 N8
Kanzelhöhe 171 N8
Kanzelkehre 160 H6
Kapellen 164 S6
Kapellerfeld 159 V4
Kapelln 158 T4
Kapfenberg 164 R6
Kapfenstein 173 T8
Kappel 171 P8
Kappl 166 D7
Kaprun 170 K7
Kaprunertal 170 K7
Karawanken 169 N9
Karawankentunnel 171 O9
Karl 165 V6
Karlsbach
(Niederösterr.) 164 R4
Karlsbach
(Oberösterr.) 156 N3
Karlstein 158 S2
Karlstetten 158 S4
Karlstift 157 Q3
Karnabrunn 159 U3
Karnburg 171 O8
Karnische Alpen 167 J8
Kärnten *(Land)* 171 M8
Karres 167 E7
Kartitsch 170 J8
Karwendelgebirge 160 F6
Karwendelhaus 160 G6
Kasereck 170 K7
Kasern 169 G7
Kasten 156 M3
Kasten
bei Böheimkirchen 158 T4
Katerloch 164 S7
Kathal 172 Q7
Katsch 171 O7
Katschberg 171 M7
Katschbergtunnel 171 M7
Katsdorf 157 P4
Kattowitzer H. 170 M7
Katzelsdorf
(bei Poysdorf) 159 W2
Katzelsdorf
(bei Wiener Neustadt) 165 U5
Kaumberg 164 T4
Kaunerberg 167 E7
Kauner Grat 167 E8
Kaunertal 167 E7
Kauns 167 E7
Kautzen 158 R2
Kefermarkt 157 P3
Kelchsau 160 I6
Kellerberg 171 N8
Kellerjoch 160 H7
Kelmen 167 E6
Kematen 163 Q4
Kematen am Innbach 162 N4
Kematen a. d. Krems 163 O4
Kematen in Tirol 167 F7
Kemeten 165 U7
Kemmelbach 164 R4
Kendlbruck 171 N7
Kernhof 164 S5
Kerschbaum 157 P3
Kerschdorf 171 O9
Kesselfall-Alpenhaus 170 K7
Kesselspitze 167 G7
Kettenreith 164 S4
Keutschach 171 O9
Kienberg 160 H6
Kienberg 164 R5
Kilb 164 S4
Kindberg 164 S6
Kirchbach
(Kärnten) 170 L9
Kirchbach
(Niederösterr.) 157 R3
Kirchbach in Steiermark 173 S8
Kirchberg 161 I6
Kirchberg a. d. Wild 158 S2
Kirchberg am Wagram 158 T3
Kirchberg am Walde 158 R2
Kirchberg am Wechsel 164 T6
Kirchberg an der Pielach 164 S4
Kirchberg a. d. Raab 173 T8
Kirchberg-Thening 157 O4
Kirchbichl 160 I6
Kirchdorf 164 R6
Kirchdorf an der Krems 163 O5
Kirchdorf in Tirol 161 J6
Kirchdorf a. I. 156 L4
Kirchenlandl 163 Q6
Kirchfidisch 173 V7
Kirchham 162 N5
Kirchheim 156 M4
Kirchplatzl 167 F6
Kirchschlag 158 R3
Kirchschlag bei Linz 157 O3
Kirchschlag
in der Bucklingen Welt 165 U6
Kirchstetten 158 T4
Kirnberg a. d. Mank 164 R4
Kirschentheuer 171 O9
Kittsee 159 X4
Kitzbühel 161 J6
Kitzbüheler Alpen 161 I7
Kitzbüheler Horn 161 K6
Kitzeck 172 S8
Kitzladen 165 U7
Kitzsteinhorn 170 K7
Kl. Gerungs 158 R3
Kl. Pertholz 158 R3
Klachau 163 O6
Klaffer 156 N2
Klagenfurt 171 O9
Klagenfurt
(Flughafen) 171 P9
Klam 157 Q4
Klamm 164 T6
Klammhöhe 164 T4
Klammljoch 169 I8
Klammpaß 170 L7
Klaus 164 R5
Klaus an der Pyhrnbahn 163 O5
Klausenleopoldsdorf 164 U4
Klebach 170 L8
Klein St. Veit 172 P8
Kleinarl 170 L7
Kleinarler H. 170 L7
Kleine Erlauf 164 Q4
Kleine Mühl 156 N3
Kleiner Loibl-Paß 171 O9
Kleinfeistritz 172 Q7
Klein Glödnitz 171 O8
Kleinhadersdorf 159 V3
Kleinhaugsdorf 158 U2
Kleinhöflein 158 T2
Kleinklein 172 S8
Kleinlobming 172 Q7
Kleinmariazell 164 T4
Kleinmeiseldorf 158 T3
Kleinneusiedl 165 V4
Kleinpertenschlag 157 Q3
Kleinpöchlarn 158 R4
Kleinraming 163 P4
Kleinreifling 163 P5
Klein St. Paul 172 P8
Klein St. Veit 171 O8
Kleinschweinbarth 159 V2
Kleinsölk 163 N6
Kleinstetteldorf 158 U3
Kleinstübing 172 R7
Kleinwarasdorf 165 V6
Kleinzell 164 T5
Kleinzell i. Mühlkr. 157 N3
Klement 159 V3
Klenglbach 156 N4
Kliening 172 Q8
Klingenbach 165 V5
Klippitztörl 172 Q8
Klobenstein 161 J5
Klöch 173 T8
Klösterle 166 C7
Klopeinersee 172 P9
Klostermarienberg 165 V6
Klosterneuburg 159 U4
Klostertal 166 B7
Klostertaler Gscheid 164 T5
Knappenberg 172 P8
Knittelfeld 172 Q7
Knittelkarspitze 167 D6
Kobenz 172 Q7
Kobernaußer Wald 161 L4
Kobersdorf 165 V6
Koblach 166 A6
Königalm 170 M7
Kössen 161 J5
Köflach 172 R7
Kogl 158 T4
Koglereck 172 R9
Koglhof 164 T7
Kohfidisch 173 V7
Kolbnitz 170 L8
Kollerschlag 156 N3
Kollersdorf 158 T3
Kolm Saigurn 170 K7
Kölnbreinsperre 170 M7
Kolomannsberg 161 L5
Königsberg 163 Q5
Königsbrunn am Wagram 158 T3
Königsdorf 173 U8
Königstetten 159 U4
Königswiesen 157 Q3
Kopfing i. Innkreis 156 N3
Kopfstetten 159 W4
Koppenbrüllerhöhle 162 N6
Koppl 161 L5
Kops-Stausee 166 C8
Koralpe 172 Q8
Kordeschkogel 172 Q9
Korneuburg 159 V3
Koschach 170 M8
Koschuta 171 O9
Köstenberg 171 O9
Köstendorf 161 L5
Kotezicken 173 V7
Kötschach 170 L8

Kottes 158 R3
Kottingbrunn 165 U5
Köttmannsdorf 171 O9
Kraig 171 P8
Krakaudorf 171 O7
Krakauebene 171 N7
Krakauhintermühlen 171 N7
Krampen 164 S5
Kramsach 160 H6
Kranebitten 167 F7
Kranichberg 164 T6
Kraubath 163 Q7
Kraüterin 164 R5
Krefelder H. 170 K7
Krems 158 S3
Krems 163 O5
Krems a. d. Donau 158 S3
Kremsbrücke 171 M8
Kremsdorf 157 O4
Kremsegg 163 O4
Kremsmünster 163 O4
Kremstal 158 S3
Krensdorf 165 V5
Krenstetten 163 P4
Kreuth 164 T5
Kreuzbach 172 R8
Kreuzberg 164 T5
Kreuzen 171 M8
Kreuzjoch 169 H7
Kreuzkogel 170 L7
Kreuzspitze 167 G7
Krieglach 164 S6
Kriml 169 I7
Krimmler Wasserfälle 169 I7
Krippau 163 Q5
Krippenstein 162 M6
Krispl 161 L5
Kritzendorf 159 U4
Kroatisch Geresdorf 165 V6
Kroatisch Minihof 165 V6
Krößbach 167 F7
Kröllendorf 163 Q4
Kronbichler 163 P6
Kronstorf 163 P4
Krottendorf 172 R7
Krumau 158 S3
Krumau 163 P6
Krumbach
(Niederösterr.) 165 U6
Krumbach
(Vorarlberg) 166 B6
Krumegg 173 S7
Krummnußbaum 158 R4
Krumpendorf 171 O9
Krusdorf 173 T8
Kuchenspitze 166 C7
Kuchl 161 L6
Kühtai 167 F7
Kufstein 160 I6
Kühnsdorf 172 P9
Kukmirn 173 U7
Kulm 162 N6
Kumberg 172 S7
Kumpfmühl 156 M4
Kundl 160 H6
Kürnberg 163 P4

L

Laa an der Thaya 159 V2
Laab 159 U4
Laaben 164 T4
Laakirchen 162 N5
Laas 170 K8
Lackenbach 165 V5
Lackendorf 165 V6
Lackenhof 164 R5
Ladendorf 159 V3
Ladingerspitze 172 P8
Ladis 167 D7
Lafnitz 164 U6
Lahn 162 M6
Lahn Sattel 164 S5
Lailachspitze 167 D6
Laimbach 158 R4
Lainbach 163 Q6
Lainsitz 157 Q2
Laintal 164 R6
Lambach 162 N4
Lambrechten 156 M4
Lammer 162 L6
Lammeröfen 161 L6
Lamprechtshausen 161 K5
Lamprechtshöhle 161 K6
Lamsenjoch-H. 160 G6
Landeck 167 D7
Landl 160 I6
Landsberger H. 167 D6
Landscha a. d. Mur 172 S8
Landsee 165 U6
Landskron 171 N9
Lanersbach 169 H7
Langau 158 T2
Langau 164 R5
Langbathsee 162 M5
Langeck 165 V6
Langegg 172 R8
Langegg
(Niederösterr.) 157 R2
Langegg
(Steiermark) 172 S9
Langen 166 B6
Langen am Arlberg 166 C7
Langenegg 166 B6
Langenlebarn 158 U3
Langenlois 158 T3
Langenrohr 158 U4
Langenstein 157 P4
Langenwang 164 S6
Langenzersdorf 159 V4
Langkampfen 160 I6
Langschlag 157 Q3
Langschwarza 158 R2
Längsee 171 P8
Langwies 162 N5
Lannach 172 R8
Lans 167 G7
Lanzenkirchen 165 U5
Lasberg 157 P3
Lasörling 169 J8
Lasörlinggruppe 169 I8
Lassach 170 L8
Lassee 159 W4
Lassing 163 O6
Lassing 163 Q5
Laßnitz 171 O7
Laßnitz *(Bach)* 171 S8
Laßnitz-Murau 171 O7
Laßnitzhöhe 172 S7
Laßnitzthal 173 S7
Laterns 166 B7
Latschach 171 N9
Laufener H. 161 M6
Lauffen 162 M5
Launsdorf 171 P8
Laussa 163 P5
Lauterach 166 B6
Lavamünd 172 Q9
Lavant *(Kärnten)* 172 Q8
Lavant *(Osttirol)* 170 K8
Lavanttalbrücke 172 Q8
Laxenburg 165 V4
Lebring 172 S8
Lebring St. Margarethen 172 S8
Lech 166 D6
Lech 166 C7
Lechaschau 167 E6
Lech *(Bach)* 167 D6
Lechtal 166 D7
Lechtaleralpen 166 C7
Ledenitzen 171 N9
Lehenrotte 164 S5
Leiben 158 R4
Leibnitz 172 S8
Leisach 170 K8
Leiserberge 159 V3
Leitenhaus 162 M6
Leitersdorf 173 T8
Leitersdorf 173 U7
Leitersdorf 173 S8
Leiterspitze 167 D7
Leithagebirge 165 V5
Leithaprodersdorf 165 V5
Leithner 163 P5
Leitring 172 S8
Leitzersdorf 159 U3
Lembach im Mühlkreis 156 N3
Lend 161 L7
Lendorf
(bei Klagenfurt) 171 O9
Lendorf
(bei Spittal) 170 M8
Lengberg 170 K8
Lengenfeld 158 S3
Lenzing 162 M5
Leoben *(Kärnten)* 171 M8
Leobendorf 159 U3
Leoben *(Steiermark)* 164 R6
Leobersdorf 165 U5
Leogang 161 K6
Leombach 163 O4
Leonding 157 O4
Leonsberg 162 M5
Leonstein 163 O5
Leopoldsberg 159 U4
Leopoldschlag Markt 157 P3
Leopoldsdorf
(bei Litschau) 158 R2
Leopoldsdorf
(bei Wien) 159 V4
Leopoldsdorf
im Marchfelde 159 W4
Leopoldsteiner See 163 Q6
Lermoos 167 E6
Lesach 170 J8
Lesachtal 170 K8
Lessach 171 N7
Leutasch 167 F6
Leutschach 172 S9
Lichendorf 173 T8
Lichendorf
(b. Mureck) 173 T8
Lichtenau 158 S3
Lichtenau im Mühlkreis 157 O3
Lichtenberg 157 O3
Lichtenegg 165 U6
Lichtenwörth 165 U5
Liebenau 157 Q3
Liebenfels 171 O8
Lieboch 172 R8
Liechtensteinklamm 161 L7
Liemberg 171 O8
Lienz 170 K8
Lienzer Dolomiten 170 K8
Lieserbrücke 171 M8
Lieserhofen 171 M8
Liesing 170 K8
Liesingau 163 Q6
Liezen 163 O6
Ligist 172 R8
Lilienfeld 164 S4
Limbach 158 R2
Limberg 158 T3
Limbergsperre 170 K7
Lind 172 Q8
Lind 171 O9
Lind b. S. 171 P7
Lindach 162 N5
Lindau 163 Q5
Lindauer H. 166 B7
Linderalm 172 P7
Lind im Drautal 170 M8
Lingenau 166 B6
Linz 157 O4
Linz
(Flughafen) 157 O4
Litschau 157 R2
Litzelsdorf 165 U7
Lizumer H. 169 G7
Lizumer Reckner 169 G7
Lobau 159 V4
Lobming 164 R7
Lochau 166 B6
Lochen 161 L4
Lockenhaus 165 V6
Lödersdorf 173 T8
Löffelspitze 166 B7
Lölling Graben 172 P8
Lofer 161 K6
Loferer Alpe 161 J6
Lohnsburg 162 M4
Loibichl 162 M5
Loibltal 171 O9
Loibltunnel 171 O9
Loidesthal 159 W3
Loipersbach
im Burgenland 165 V5
Loipersdorf
(Burgenland) 173 U7
Loipersdorf
(Steiermark) 165 U6
Loiwein 158 S3
Loosdorf 158 S4
Lorüns 166 B7
Losenheim 164 T5
Losenstein 163 P5
Loser 162 N6
Luckbauerhube 163 Q7
Luder-Lehen 163 O6
Ludersdorf-Wilfersdorf 173 S7
Ludesch 166 B7
Ludmannsdorf 171 O9
Ludweis 158 S2
Lünersee 166 B7
Lüsens 167 F7
Lüsenstal 167 F7
Luftenberg 157 P4
Lugendorf 158 R3
Luising 173 V7
Lungitz 157 P4
Lungitz 164 U7
Lungötz 162 M6
Lunz 164 R5
Lunzersee 164 R5
Lurgrotte 172 S7
Lustenau 166 A6
Lutzmannsburg 165 V6

M

Madau 166 D7
Madrisahorn 166 B8
Madstein 164 Q6
Mäder 166 A6
Magdalensberg 171 P8
Maiden 156 N3
Maiersdorf
(Niederösterr.) 164 U5
Maiersdorf
(Steiermark) 172 R7
Mailberg 159 U2
Maisbirbaum 159 U3
Maishofen 161 K6
Maiskogel 170 K7
Maissau 158 T3
Mallnitz 170 L8
Malta 171 M8
Maltatal 170 M7
Maltschach 171 O8
Mammuthöhle 162 N6
Mandling 162 M6
Manhartsbrunn 159 V3
Mank 164 S4
Mannersdorf
am Leithagebirge 165 V5
Mannersdorf
an der Rabnitz 165 V6
Mannsdorf 159 V4
Mannswörth 159 V4
Mantscha 172 R7
Marbach a. d. Kl. E. 164 R4
Marbach am Walde 158 R3
Marbach a. d. Donau 158 R4
Marbach im Felde 158 S3
March 157 P3
March 157 W3
Marchegg 159 W4
Marchfeld 159 V4
Marchstein 157 Q3
Marchtrenk 157 O4
Maria Alm 161 K6
Maria Anzbach 158 T4
Maria Dreieichen 158 T3
Maria Elend 171 O9
Maria Ellend 159 W4
Maria Enzersdorf 165 U4
Maria Feicht 171 O8
Maria Gail 171 N9
Maria Kirchental 161 K6
Maria Laach 158 S4
Maria Langegg 158 S4
Maria Lankowitz 172 R7
Maria Lanzendorf 165 V4
Maria Luggau 170 K8
Maria Neustift 163 P5
Maria Plain 161 L5
Maria Rain 171 O9
Maria Rast 169 H7
Maria Rojach 172 Q8
Maria Saal 171 P8
Maria Schmolln 161 L4
Maria Schutz 164 T6
Maria Taferl 158 R4
Maria Wörth 171 O9
Mariahilf 169 I8
Mariahof 171 P7
Mariapfarr 171 N7
Mariasdorf 165 U6
Mariastein 160 I6
Mariazell 164 R5
Mariensee 164 T6
Marienwasserfall 164 R5
Markersdorf
an der Pielach 158 S4
Markgrafneusiedl 159 V4
Markt Allhau 165 U7
Markt Neuhodis 165 V7
Markt Piesting 165 U5
Markt St. Florian 157 P4
Markt St. Martin 165 V6
Markt Übelbach 172 R7
Martinsberg 158 R3
Marz 165 V5
Masenberg 164 T6
Mathon 166 C8
Matrei am Brenner 167 G7
Matreier Tauernhaus 170 J7
Matrei in Osttirol 170 J7
Mattersburg 165 V5
Mattig 161 L4
Mattighofen 161 L4
Mattsee 161 L5
Matzendorf 165 U5
Matzen-Raggendorf 159 W3
Matzleinsdorf 158 R4
Mauer 158 S4
Mauerbach 159 U4
Mauerkirchen 161 L4
Maurach
(Salzburg) 170 L7
Maurach
(Tirol) 160 H6
Maustrenk 159 W3
Mautern 163 Q6
Mautern an der Donau 158 S3
Mauterndorf 171 N7
Mauthausen 157 P4
Mauthen 170 K9
Mautstatt 164 S6
Mayerling 164 U4
Mayrhofen 169 H7
Meggenhofen 162 N4
Mehrnbach 156 M4
Meiningen 166 A7
Meiselding 171 P8
Meißner Hs. 167 G7
Melk 158 S4
Mellau 166 B6
Memminger H. 166 D7
Merkendorf 173 T8
Merkersdorf
(bei Ernstbrunn) 159 U3
Merkersdorf *(bei Retz)* 158 T2
Merzenstein 158 R3
Messern 158 S2
Metnitz 171 O8
Mettersdorf 172 S8
Mettersdorf am Saßbach 173 T8
Mettmach 161 M4
Michaelbeuern 161 L4
Michaelnbach 156 N4
Michelbach 164 T4
Micheldorf 163 O5
Micheldorf 171 P8
Michelhausen 158 T4
Mieders 167 G7
Mieming 167 E7
Miemingergebirge 167 E7
Miesenbach 164 T6
Milders 167 F7
Millstatt 171 M8
Millstätter See 171 M8
Mils bei Imst 167 E7
Minihof-Liebau 173 U8
Minimundus 171 O9
Mining 156 L4
Mischendorf 173 U7
Missingdorf 158 T2
Mistelbach 159 V3
Mittagskogel 171 N9
Mittelberg 167 E8
Mittelberg
(Kl-Walsertal) 166 C7
Mitterarnsdorf 158 S3
Mitterau 161 L7
Mitterbach am Erlaufsee 164 R5
Mitterding 156 M3
Mitterdorf im Mürztal 164 S6
Mittergrabern 158 T3
Mitterkirchen 157 Q4
Mitterndorf 156 M3
Mitterndorf 158 T4
Mitterndorf an der Fischa 165 V5
Mitterretzbach 158 T2
Mittersill 170 J7
Mittertrixen 172 P8
Mitterweißenbach 162 N5
Mittewald a. d. Drau 170 J8
Mixnitz 164 S6
Möderbrugg 163 P7
Mödling 165 U4
Modriach 172 R8
Mödring 158 S2
Möchling 171 P9
Möderndorf 170 M9
Möllbrücke 170 M8
Möschitzgraben 171 P7
Mösendorf 162 M5
Mösern 167 F7
Mößna 163 O6
Mogersdorf 173 U8
Möggers 166 B6
Mölbling 171 P8
Mold 158 T3
Möll 170 K7
Molln 163 O5
Mollram 165 U5
Mölltal 170 K7
Molzbichl 171 M8
Molzegg 164 T6
Mönchdorf 157 Q3
Mönchhof 165 W5
Mondsee 161 M5
Mönichkirchen 164 U6
Mönichwald 164 T6
Montafon 166 B7
Moos 167 F6
Moosbach 156 L4
Moosbrunn 165 V4
Moosburg 171 O9
Moosdorf 161 K4
Mooserboden (Stausee) 170 K7
Moosersperre 170 K7
Moosham 171 N7
Moosheim 162 N6
Mooskirchen 172 R8
Moosland 163 Q6
Mörbisch 165 V5
Mortantsch 172 S7
Mörtschach 170 K8
Moschendorf 173 V7
Mosermandl 170 M7
Mößlacher 170 M8
Mötz 167 E7
Muckenkogel 164 S5
Mühlbach 171 O9
Mühlbach 169 J7
Mühldorf 170 M8
Mühlham 161 M5
Mühlheim 156 L4
Mühllacken 157 O3
Mühltal 167 G7
Müselbach 166 B6
Mugel 164 R6
Muggendorf 164 T5
Mühlbach am Hochkönig 161 L6
Mühlbach
am Manhartsberg 158 T3
Mühldorf 158 S3
Mühldorfer See 170 M8
Mühlen 171 P7
Mühltal 160 I6
Mühlviertel 156 N3
Muhr 171 M7
Müllendorf 165 V5
Münchendorf 165 V4
Munderfing 161 L4
Münichreith 158 R4
Münichthal 163 Q6
Münster 160 H6
Muntanitz 170 J7
Münzbach 157 Q4
Münzkirchen 156 M3
Murau 171 O7
Mureck 173 T8
Murstetten 158 T4
Murtal 164 S7
Mürz 164 S5
Mürzhofen 164 S6
Mürzsteg 164 S5
Mürzzuschlag 164 S6
Muthmannsdorf 165 U5
Mutterbergalm 167 F7
Mutters 167 G7

N

Naarn 157 P4
Nachbargauer 163 Q5
Namlos 167 E6
Namloser Wetterspitze 167 D7
Nappersdorf 159 U3
Napplach 170 L8
Nassereith 167 E7
Naßfeld-Paß 170 L9
Natternbach 156 N3
Natters 167 G7
Nauders 166 D8
Navis 167 G7
Nebelberg 156 N3
Nebersdorf 165 V6
Neckenmarkt 165 V6
Nederkogel 167 F8
Neidling 158 S4
Nenzing 166 B7
Nenzinger Himmel 166 A7
Nesselwängle 167 D6
Neßlegg 166 C7
Nestelbach bei Graz 173 S7
Neuaigen 158 U3
Neubau 159 V3
Neuberg 173 U7
Neuberg
an der Mürz 164 S6
Neudau 173 U7

Neudorf 165 W4
Neudorf im Sausal 172 S8
Neudorf bei Landsee 165 V6
Neudorf bei Staatz 159 V2
Neudörfl 165 U5
Neufeld an der Leitha 165 V5
Neufelden 157 O3
Neuhaus 164 R5
Neuhaus am Klausenbach 173 U8
Neuhaus *(Kärnten)* 172 Q9
Neuhaus *(Niederösterr.)* 164 U5
Neuhof 172 R7
Neuhofen an der Krems 163 O4
Neuhofen a. d. Ybbs 163 Q4
Neukirchen 162 N5
Neukirchen am Großvenediger 169 I7
Neukirchen am Walde 156 N3
Neukirchen an der Enknach 161 L4
Neukirchen an der Vöckla 162 M4
Neuleugbach 158 T4
Neumarkt 161 L5
Neumarkt an der Raab 173 U8
Neumarkt a. d. Ybbs 164 R4
Neumarkter Sattel 171 P7
Neumarkt im Hausruckkreis 156 N4
Neumarkt im Mühlkreis 157 P3
Neumarkt im Tauchental 165 U7
Neumarkt in Steiermark 171 P7
Neunagelberg 157 Q2
Neunkirchen 165 U5
Neupölla 158 S3
Neurißhof 165 U5
Neusach 170 L8
Neusiedl am See 165 W5
Neusiedl an der Zaya 159 W3
Neusiedler See 165 W5
Neußerling 157 O3
Neustadtl an der Donau 157 Q4
Neustift 156 N3
Neustift 164 R5
Neustift im Stubaital 167 F7
Neustift bei Güssing 173 U7
Neustift im Felde 158 T3
Neustift-Innermanzing 158 T4
Neutal 165 V6
Nickelsdorf 165 X5
Niederabsdorf 159 W3
Niederalm 161 L5
Niederalpl 164 S5
Niederau 160 I6
Niederdorf 171 P9
Niedere Tauern 171 N7
Niederfellabrunn 159 U3
Niederfladnitz 158 T2
Niederhollabrunn 159 U3
Niederkappel 156 N3
Niederkreuzstetten 159 V3
Niederleis 159 V3
Niederndorf 160 I6
Niederneukirchen 163 P4
Niedernfritz-St. Martin 162 M6
Niedernsill 170 J7
Niederösterreich *(Land)* 158 S3
Niederrüßbach 158 U3
Niedersachsen-Hs. 170 L7
Niedersulz 159 W3
Niederthalheim 162 N4
Niederthai 167 E7
Niederwaldkirchen 157 O3
Niederwölz 171 P7
Nikelsdorf 171 M8
Nikitsch 165 V6
Niklasdorf 164 R6
Nikolsdorf 170 K8
Nöchling 157 Q4
Nofels 166 A7
Nondorf 157 Q2
Nößlach 167 G7
Nöstach 164 U4
Nötsch 171 M9
Nußbach 163 O5
Nußdorf 161 L5
Nußdorf am Attersee 162 M5
Nußdorf an der Traisen 158 T3
Nüziders 166 B7

O

Obdach 172 Q7
Ober-Längenfeld 167 E7
Ober-Loibach 172 Q9
Oberaich 164 R6
Oberalm 161 L5
Oberasch 161 L5
Oberau 160 I6
Oberbergtal 167 F7
Oberdorf 171 M7
Oberdorf a. Hochegg 173 T8
Oberdorf im Burgenland 165 U7
Oberdrauburg 170 K8
Oberdrautal 170 K8
Oberes Gailtal 170 L9
Oberfeistritz 164 T7
Oberfellabrunn 158 U3
Obergänserndorf 159 V3
Obergottesfeld 170 M8
Obergrafendorf 158 S4
Obergrünburg 163 O5
Obergurgl 167 F8
Oberhaag 172 R8
Oberhaus 169 I8
Oberhof 171 O8
Oberhofen am Irrsee 161 L5
Oberhöflein 158 T2
Oberjoch Paß 166 D6
Oberkappel 156 N3
Oberland 163 Q5
Oberlech 166 C7
Oberleibnig 170 J8
Oberlienz 170 K8
Oberloibach 172 Q9
Oberloisdorf 165 V6
Obermarkersdorf 158 T2
Obermeisling 158 S3
Obermieger 171 P9
Obermillstatt 171 M8
Obermoos 167 E6
Obermosgan 172 Q9
Obermühl a. d. Donau 156 N3
Obermühlbach 171 O8
Obernalb 158 T2
Obernberg 167 G7
Obernberg am Inn 156 M4
Oberndorf a. d. Melk 164 R4
Oberndorf bei Salzburg 161 K5
Oberndorf in Tirol 161 J6
Oberneukirchen 157 O3
Oberort-Tragöß 164 R6
Oberösterreich *(Land)* 162 M4
Oberperfuß 167 F7
Oberpetersdorf 165 V6
Oberpullendorf 165 V6
Oberrabnitz 165 V6
Oberrohrbach 159 U3
Oberrußbach 158 U3
Oberschützen 165 U6
Obersiebenbrunn 159 W4
Oberstinkenbrunn 159 U3
Oberstrahlbach 158 R3
Obersulz 159 W3
Obersulzbachtal 169 I7
Obertauern 171 M7
Obertilliach 170 J8
Obertraun 162 N6
Obertrum 161 L5
Obertrumer See 161 L5
Obervellach 170 L8
Oberwalder H. 170 K7
Oberwaltenreith 158 R3
Oberwaltersdorf 165 U5
Oberwang 162 M5
Oberwart 165 U7
Oberweiden 159 W4
Oberwölbling 158 S4
Oberwölz 171 O7
Oberzeiring 171 P7
Obladis 167 D7
Oblarn 163 O6
Obritz 158 U2
Obritzberg 158 S4
Obsteig 167 E7
Ochsengarten-Wald 167 E7
Ochsner 169 H7
Ockert 164 R4
Ödenburgergebirge 165 V6
Odensee 162 N6
Oed 164 U5
Oed 163 Q4
Ödenhof 164 T5
Oehling 163 Q4
Oepping 156 N3
Österreichisches Freilichtmuseum 172 R7
Österreichring 172 Q7
Österreuten 167 E7
Östl. Karwendelspitze 160 G6
Oetz 167 E7
Ötztal 167 E7
Ötztaleralpen 167 E8
Oeynhausen 165 U5
Offenhausen 162 N4
Offensee 162 N5
Oftering 157 O4
Oggau 165 W5
Ohlsdorf 162 N5
Ois (Ybbs) 164 Q5
Olbendorf 173 U7
Ollersbach 158 T4
Ollersdorf 159 W3
Ollersdorf im Burgenland 173 U7
Olperer 169 G7
Olsach 171 M8
Oppenberg 163 O6
Opponitz 163 Q5
Ornding 158 R4
Ort 162 N5
Orth 159 W4
Ort im Innkreis 156 M4
Osch 164 R5
Oslip 165 V5
Osselitzenberg 171 P8
Ossiach 171 N8
Ossiacher See 171 N8
Ostermiething 161 K4
Ostpreußen-H. 161 L6
Ostrong 158 R4
Ottenhausen 161 L4
Ottenschlag 158 R3
Ottenschlag im Mühlkreis 157 P3
Ottensheim 157 O3
Ottenstein Stausee 158 R3
Ottenthal 159 V2
Otterthal 164 T6
Ottmanach 171 P8
Ottnang 162 M5
Ottsdorf 163 O5

P

Paasdorf 159 V3
Pabneukirchen 157 Q4
Pachfurth 165 W4
Pack 172 Q8
Packalpe 172 Q7
Packer Stausee 172 R8
Packsattel (Vier Tore) 172 Q8
Paldau 173 T8
Palfau 163 Q5
Palten 163 P6
Palterndorf 159 W3
Palting 161 L4
Pama 165 W4
Pamhagen 165 W5
Panzendorf 170 J8
Parndorf 165 W5
Parschlug 164 R6
Parseierspitze 166 D7
Partenen 166 C8
Pasching 157 O4
Paß Gschütt 162 M6
Paß Lueg 161 L6
Paß Strub 161 J6
Paß Thurn 169 J7
Passail 164 S7
Passering 171 P8
Paßriach 170 M9
Pasterze 170 K7
Patergassen 171 N8
Paternion 171 M8
Patsch 167 G7
Patscherkofel 167 G7
Pattigham 162 M4
Patzmannsdorf 159 U2
Paudorf 158 S3
Payerbach 164 T5
Paznauntal 166 C7
Peggau 172 S7
Pehendorf 157 R3
Peilstein 156 N3
Peishlach 170 J8
Pendling 160 I6
Penk 164 U6
Penk 170 L8
Penken 169 H7
Pennewang 162 N4
Penzing 159 U4
Perchau 171 P7
Perchauer Sattel 171 P7
Perchtoldsdorf 159 U4
Perg 157 P4
Pernegg 158 S2
Pernegg an der Mur 164 S6
Pernersdorf 158 U2
Pernitz 164 T5
Perschling 158 T4
Persenbeug 158 R4
Pertisau 160 H6
Perwang 161 L4
Perwarth 163 Q4
Pesentheim 171 M8
Petersdorf 173 T8
Peterskirchen 156 M4
Petronell-Carnuntum 159 W4
Pettenbach 163 O5
Pettnau 167 F7
Pettneu 166 D7
Petzeck 170 K8
Petzen 169 Q9
Petzenkirchen 164 R4
Peuerbach 156 N3
Pfänder 166 B6
Pfändertunnel 166 B6
Pfaffenhofen 167 F7
Pfaffensattel 164 T6
Pfaffenschlag bei Waidhofen an der Thaya 158 R2
Pfafflar 167 D7
Pfaffstätt 161 L4
Pfaffstätten 165 U4
Pfaffstetten 158 T3
Pfarrkirchen 163 O4
Pfarrkirchen im Mühlkreis 156 N3
Pfarrwerfen 161 L6
Pfeis-H. 160 G7
Pfitscherjoch 169 H8
Pflach 167 E6
Pfons 167 G7
Pfroslkopf 167 E8
Pfunds-Dorf 167 D8
Pfunds-Stuben 167 D8
Pians 167 D7
Piber 172 R7
Pich Auhof 162 M5
Pichl 161 L6
Pichl bei Aussee 162 N6
Pichl bei Wels 162 N4
Pichlern 171 N7
Pichlern 163 O4
Pichl-Großdorf 164 R6
Pichl-Preunegg 162 M6
Pielach 164 S4
Pierbach 157 Q3
Piesendorf 170 K7
Pießling 163 O5
Piesting 165 T5
Pilgersdorf 165 V6
Pill 160 H7
Piller 167 E7
Pillichsdorf 159 V3
Pinegg 160 H6
Pinggau 165 U6
Pinka 165 U7
Pinkafeld 165 U6
Pinsdorf 162 N5
Piringsdorf 165 V6
Pischeldorf 171 P8
Pischelsdorf am Engelbach 161 L4
Pischelsdorf in Steiermark 173 T7
Pisweg 171 O8
Pitschgau 172 R8
Pitten 165 U5
Pitzbach 167 E7
Pitztal 167 E7
Pitztaler Jöchl 167 E8
Piz Buin 166 C8
Plainfeld 161 L5
Planai 162 N6
Plangeroß 167 E8
Plank 158 T3
Plankenstein 164 R4
Plansee 167 E6
Platt 158 T2
Pleißing 158 T2
Plöckenpaß 170 K9
Plomberg 162 M5
Plumsersattel 160 G6
Pöchlarn 158 R4
Podersdorf am See 165 W5
Pöbring 158 R4
Pöham 161 L6
Pöllauberg 164 T7
Pölling 172 Q8
Pöndorf 162 M5
Pötschenhöhe 162 N6
Poggersdorf 171 P9
Pöggstall 158 R4
Pölfing-Brunn 172 R8
Pölla 171 M7
Pöllatal 171 M7
Pöllau *(bei Gleisdorf)* 164 T7
Pöllau *(bei Murau)* 171 O7
Pollham 156 N4
Polling im Innkreis 156 L4
Pöls 172 P7
Polster 163 Q6
Pontlatzerbrücke 167 D7
Porrau 159 U3
Pörtschach 171 O9
Possruck 172 S9
Postalm 162 M6
Postlingberg 157 O4
Pottenbrunn 158 T4
Pottendorf 165 V5
Pottenhofen 159 V2
Pottenstein 164 U5
Pötting 156 N4
Pottschach 164 T5
Pöttsching 165 V5
Potzneusiedl 165 W4
Poysdorf 159 V2
Präbichl 163 Q6
Prager H. 169 J7
Prägraten 169 J7
Pram 156 M3
Pram 156 M4
Prambachkirchen 156 N4
Pramerdorf 156 M4
Pramet 162 M4
Prater 159 V4
Preber 171 N7
Preding 172 S8
Predlitz 171 N7
Preg 163 Q7
Pregarten 157 P3
Preims 172 Q8
Prein 164 T5
Preiner Gscheid 164 T5
Preitenegg 172 Q8
Prellenkirchen 165 W4
Prendt 157 P3
Prescenyklause 164 R6
Pressbaum 158 U4
Preßguts 173 T7
Pretalsattel 164 S6
Prigglitz 164 T5
Prinzendorf 159 W3
Prinzersdorf 158 S4
Probstdorf 159 V4
Proleb 164 R6
Promau 163 Q5
Prottes 159 W3
Pruggern 162 N6
Prutz 167 D7
Puch 171 N8
Puch bei Hallein 161 L5
Puch bei Weiz 164 T7
Puchberg am Schneeberg 164 T5
Puchenstuben 164 R5
Pucking 157 O4
Pürschhaus 160 G6
Pulkau 158 T2
Pupping 157 O3
Pürbach 158 R2
Purbach am Neusiedler See 165 W5
Pürgg 163 O6
Purgstall 164 R4
Purk 158 R3
Purkersdorf 159 U4
Pürnstein 157 O3
Purrath 157 Q3
Purtscheller-Hs. 161 L6
Pusarnitz 170 M8
Pustertal 170 J8
Pusterwald 163 P6
Pustritz 172 Q8
Putschall 170 K8
Putzleinsdorf 156 N3
Pyhra 158 T4
Pyhrabruck 157 Q2
Pyhrn 163 O6
Pyhrnpaß 163 O6
Pyramidenkogel 171 O9
Pyramidenspitze 161 I6
Pyrawang 156 M3

R

Raab 173 T8
Raab *(Oberösterr.)* 156 M3
Raaba 172 S7
Raabs an der Thaya 158 S2
Raach 164 T6
Raasdorf 159 V4
Rabensburg 159 W3
Rabenstein 164 S4
Rabenwald 164 T7
Rabnitz 165 V6
Rachau 172 Q7
Radlbrunn 158 T3
Radlpaß 172 R9
Radmer a. d. Hasel 163 Q6
Radmer a. d. Stube 163 Q6
Radnig 170 M9
Radsberg 171 P9
Radstädter Tauern 170 L7
Radstädter Tauernpaß 171 M7
Radstädt 162 M6
Radstädter H. 162 M6
Raffelding 157 O4
Raggal 166 B7
Raggendorf 159 W3
Raglitz 164 U5
Ragnitz 173 S8
Raiding 165 V6
Rainbach im Innkreis 156 M3
Rainbach im Mühlkreis 157 P3
Rainfeld 164 T4
Ramingstein 171 N7
Ramsau (Molln) 163 O5
Ramsau im Zillertal 169 H7
Ramsau *(Niederösterr.)* 164 T4
Ramsau *(Oberösterr.)* 162 N5
Ramsau am Dachstein 162 M6
Ramsbach 163 Q6
Ranalt 167 F7
Randegg 163 Q4
Rangersdorf 170 K8
Rankweil 166 A7
Rannersdorf 159 W3
Ranshofen 156 L4
Ranten 171 O7
Rappenlochschlucht 166 B6
Rappoltenkirchen 158 U4
Rappolz 158 S2
Rappottenstein 158 R3
Rassach 172 R8
Rastenberg 158 R3
Rastenfeld 158 R3
Rastkogel 169 H7
Rastkogelhütte 169 H7
Rätikon 166 A7
Ratten 164 T6
Rattenberg 160 H6
Rattendorf 170 L9
Rattersdorf-Liebing 165 V6
Ratzersdorf an der Traisen 158 T4
Raucheck 161 L6
Rauchenwarth 165 V4
Rauchwart 173 U7
Rauris 170 K7
Rauz 166 C7
Ravelsbach 158 T3
Ravensburger H. 166 C7
Raxalpe 164 T5
Raxblick 164 T6
Raxendorf 158 R3
Rechberg *(Kärnten)* 172 P9
Rechberg *(Oberösterr.)* 157 Q4
Rechnitz 165 V7
Redl 162 M4
Redlthal 162 M4
Regelsbrunn 159 W4
Rehberg 158 S3
Reichenau 164 T5
Reichenau im Mühlkreis 157 P3
Reichenfels 172 Q7
Reichenspitze 169 I7
Reichenthal 157 P3
Reichenthalheim 162 M5
Reichersberg 156 M3
Reichraming 163 P5
Reidling 158 T4
Reifenstein 172 P7
Reifnitz 171 O9
Rein 172 R7
Reingers 158 R2
Reinprechtspölla 158 T3
Reinsberg 164 R5
Reinthal 159 W2
Reisach 170 L9
Reisalpe 164 S5
Reisenberg 165 V5
Reißeck 170 M8
Reißkofel 170 L8
Reit 161 K6
Reitdorf 162 M6
Reitereck 171 M7
Reith 160 H6

Reith bei Kitzbühel 161 J6
Reith bei Seefeld 167 F7
Reither Spitze 160 F7
Rekawinkel 158 U4
Rennfeld 164 S6
Rennweg 171 M7
Reschenpaß 169 D8
Rettenbach 160 I6
Rettenbachalm 162 N5
Rettenegg 164 T6
Retz 158 T2
Reuthe 166 B6
Reutte 167 E6
Reyersdorf 159 W3
Ried 171 M8
Ried 162 M5
Ried im Zillertal 169 H7
Ried am Riederberg 158 U4
Riedau 156 M4
Rieden 167 E7
Riedersdorf 157 Q3
Ried im Innkreis 156 M4
Ried im Oberinntal 167 D7
Ried im Traunkreise 163 O4
Ried in der Riedmark 157 P4
Riedlingsdorf 165 U6
Riefensberg 166 B6
Riegersburg *(Niederösterr.)* 158 T2
Riegersburg *(Steiermark)* 173 T7
Riegersdorf 173 T7
Riemann-Hs. 161 K6
Rietz 167 F7
Rietzer Grießkogel 167 F7
Riezlern 166 C6
Rifflkopf 161 L6
Rindbach 162 N5
Rinegg 172 S7
Ringelsdorf 159 W3
Rinn 167 G7
Rißtal 160 G6
Ritzing 165 V6
Rodingersdorf 158 T2
Röthis 166 A7
Rofangebirge 160 H6
Rohr 173 U7
Rohrau 165 W4
Rohrbach 157 N3
Rohrbach 158 R2
Rohrbach an der Gölsen 164 T4
Rohrbach an der Lafnitz 164 T6
Rohrbach an der Teich 165 U7
Rohrbach bei Mattersburg 165 V5
Rohrbach im Oberösterreich 157 N3
Rohr bei Hartberg 165 U7
Rohrberg 169 H7
Rohrbrunn 173 U7
Röhrenbach 158 S3
Rohrendorf 158 S3
Rohrer 163 O6
Rohrer Sattel 164 T5
Rohr im Gebirge 164 T5
Rohr im Kremstal 163 O4
Rohrmoos 162 M6
Roiten 158 R3
Roith 162 N5
Roitham 162 N4
Roppen 167 E7
Rosaliengebirge 165 U5
Röschitz 158 T2
Rosegg 171 O9
Roseldorf 158 T3
Rosenau am Hengstpaß 163 P5
Rosenau Schloß 157 R3
Rosenbach 171 O9
Rosenburg 158 S3
Rosenheim 170 M8
Rossatz 158 S3
Roßbach 161 L4
Roßberg 157 O3
Roßbrand 162 M6
Rossegg 164 T7
Roßkogel 164 S6
Roßleithen 163 O5
Roßwandspitze 169 H7
Rotenkogel 170 J8
Rotenturm 165 U7
Rote Wand 166 B7
Rötgülden 170 M7
Rotheau 164 S4
Röthelstein 164 S7
Rothenthurm 172 P7
Rothleiten 164 R7
Rothwald 164 R5
Rottal 157 R2
Rottenbach 156 N4
Rottenmann 163 P6
Rottenmanner Tauern 163 P6
Rottenstein 171 P9
Rubland 171 M9
Rückersdorf 172 P9
Rückersdorf-Harmannsdorf 159 V3
Ruden 172 Q9
Ruderhofspitze 167 F7
Ruders 158 R2
Rudersdorf 173 U7
Rudmanns 158 R3
Rudolfs-H. 170 J7
Rum 167 G7
Ruppersthal 158 T3
Ruprechtshofen 164 R4
Rußbach *(bei Abtenau)* 162 M6
Rust *(Burgenland)* 165 W5
Rust *(Niederösterr.)* 158 T4
Rüstorf 162 N4

S

Saalach 161 J6
Saalachtal 161 K6
Saalbach 161 J6
Saalfelden 161 K6
Sachendorf 172 Q7
Sachsenburg 170 M8
Säuling 167 E6
Safen 173 U7
Sagritz 170 K8
Salla 172 Q7
Sallapulka 158 T2
Sallingberg 158 R3
Salza 164 S5
Salzach 170 J6
Salzachgeier 169 I7
Salzachöfen 161 L6
Salzachtal 161 L6
Salzatal 164 R6
Salzburg 161 L5
Salzburg *(Flughafen)* 161 L5
Salzburg *(Land)* 161 K7
Salzburgring 161 L5
Salzkammergut 169 M5
Salzsteigjoch 163 O6
Samnaungruppe 166 D7
Sandl 157 P3
Sandling 162 N6
St. Aegidi 156 N3
St. Aegyd 164 S5
St. Agatha 156 N3
St. Agatha *(bei Bad Ischl)* 162 M6
St. Andrä 172 Q8
St. Andrä an der Traisen 158 T4
St. Andrä bei Frauenkirchen 165 W5
St. Andrä im Lungau 171 N7
St. Andrä im Sausal 172 S8
St. Andrä-See 171 N9
St. Andrä-Wördern 159 U4
St. Anna am Aigen 173 T8
St. Anton am Arlberg 166 C7
St. Anton an der Jeßnitz 164 R5
St. Anton im Montafon 166 B7
St. Bartholomä 172 R7
St Bernhard 158 S2
St. Blasen 171 O7
St. Christoph am Arlberg 166 C7
St. Christophen 158 T4
St. Corona 164 T4
St. Corona am Wechsel 164 U6
St. Donat 171 P8
St. Egyden 171 O9
St. Egyden am Steinfeld 165 U5
St. Filippen 171 P8
St. Florian am Inn 156 M3
St. Gallen 163 P5
St. Gallenkirch 166 B7
St. Georgen 172 Q8
St. Georgen 165 V5
St. Georgen am Fillmannsbach 161 L4
St. Georgen am Längsee 171 P8
St. Georgen am Reith 163 Q5
St. Georgen am Steinfelde 158 S4
St. Georgen am Walde 157 Q3
St. Georgen am Ybbsfelde 163 Q4
St. Georgen an der Gusen 157 P4
St. Georgen an der Leys 164 R4
St. Georgen an der Stiefing 172 S8
St. Georgen bei Obernberg 156 M4
St. Georgen bei Salzburg 161 K5
St. Georgen im Attergau 162 M5
St. Georgen ob Judenburg 171 P7
St. Georgen ob Murau 171 O7
St. Gilgen 162 M5
St. Ilgen 164 R6
St. Jakob 166 C7
St. Jakob an der Straße 171 P9
St. Jakob bei Mixnitz 164 S6
St. Jakob im Lesachtal 170 K8
St. Jakob i. Rosental 171 O9
St. Jakob im Walde 164 T6
St. Jakob in Defereggen 169 J8
St. Jakob in Haus 161 J6
St. Jodok 167 G7
St. Johann a. Pressen 172 P8
St. Johann am Tauern 163 P6
St. Johann am Walde 161 L4
St. Johann am Wimberg 157 O3
St. Johann bei Herberstein 173 T7
St. Johann im Pongau 161 L6
St. Johann im Saggautal 172 S8
St. Johann im Walde 170 J8
St. Johann in der Haide 164 U7
St. Johann in Engstetten 163 P4
St. Johann in Tirol 161 J6
St. Kanzian am Klopeiner See 172 P9
St. Katharein an der Laming 164 R6
St. Katharina 172 R8
St. Kathrein am Hauenstein 164 S6
St. Kathrein am Offenegg 164 S7
St. Kathrein im Burgenland 173 V7
St. Koloman 161 L6
St. Konrad 162 N5
St. Lambrecht 171 O7
St. Leonhard 171 N7
St. Leonhard a. Forst 164 R4
St. Leonhard am Hornerwald 158 S3
St. Leonhard am Walde 163 Q5
St. Leonhard bei Freistadt 157 P3
St. Leonhard im Pitztal 167 E7
St. Lorenz 162 M5
St. Lorenzen 171 N8
St. Lorenzen am Wechsel 164 T6
St. Lorenzen bei Knittelfeld 172 Q7
St. Lorenzen im Gitschtal 170 L8
St. Lorenzen im Lesachtal 170 K8
St. Lorenzen im Paltental 163 P6
St. Lorenzen ob Murau 171 O7
St. Magdalena 172 R9
St. Marein 172 Q8
St. Marein bei Graz 173 T7
St. Marein bei Knittelfeld 163 Q7
St. Marein im Mürztal 164 S6
St. Margareten im Rosental 171 P9
St. Margarethen an der Raab 173 T7
St. Margarethen an der Sierning 158 S4
St. Margarethen bei Knittelfeld 172 Q7
St. Margarethen im Burgenland 165 V5
St. Margarethen im Lavanttal 172 Q8
St. Margarethen im Lungau 171 M7
St. Margarethen ob Töllerberg 172 P8
St. Marien 163 O4
St. Marienkirchen 162 M4
St. Marienkirchen an der Polsenz 156 N4
St. Marienkirchen bei Schärding 156 M3
St. Martin 171 N9
St. Martin am Grimming 163 N6
St. Martin am Silberberg 172 P8
St. Martin am Tennengebirge 162 M6
St. Martin am Wöllmißberg 172 R7
St. Martin am Ybbsfelde 157 Q4
St. Martin an der Raab 173 U8
St. Martin bei Lofer 161 K6
St. Martin bei Traun 157 O4
St. Martin bei Weitra 157 Q3
St. Martin im Innkreis 156 M4
St. Martin im Mühlkreis 157 N3
St. Martin im Sulmtal 172 R8
St. Michael 172 Q9
St. Michael *(bei Wolfsberg)* 172 Q8
St. Michael *(Niederösterr.)* 158 S3
St. Michael ob. d. Gurk 171 P8
St. Michael am Zoldeld 164 R6
St. Michael im Burgenland 173 U7
St. Michael im Lungau 171 M7
St. Michael in Obersteiermark 164 R7
St. Nikola an der Donau 157 Q4
St. Nikolai im Sausal 172 S8
St. Nikolai im Sölktal 163 O7
St. Nikolai ob Draßling 173 T8
St. Oswald *(Kärnten)* 171 N8
St. Oswald *(Niederösterr.)* 157 R4
St. Oswald bei Freistadt 157 P3
St. Oswald bei Haslach 157 O3
St. Oswald bei Plankenwarth 172 R7
St. Oswald im Freiland 172 R8
St. Oswald-Möderbrugg 163 P7
St. Oswald ob Eibiswald 172 R8
St. Pankraz 163 O5
St. Pantaleon 161 K4
St. Pantaleon-Erla 157 P4
St. Paul im Lavanttal 172 Q8
St. Peter am Bichl 171 O8
St. Peter am Hart 156 L4
St. Peter am Kammersberg 171 O7
St. Peter am Ottersbach 173 T8
St. Peter am Wimberg 157 O3
St. Peter-Freienstein 164 R6
St. Peter in der Au Markt 163 P4
St. Peter ob Judenburg 172 P7
St. Pölten 158 S4
St. Radegund 161 K4
St. Radegund bei Graz 172 S7
St. Roman 156 M3
St. Ruprecht an der Raab 173 S7
St. Ruprecht ob Murau 171 O7
St. Salvator 171 P8
St. Sigmund 167 F7
St. Stefan am Walde 157 O3
St. Stefan an der Gail 171 M9
St. Stefan im Lavanttal 172 Q8
St. Stefan im Rosental 173 T8
St. Stefan ob Leoben 164 Q7
St. Stefan ob Stainz 172 R8
St. Thomas 156 N4
St. Thomas am Blasenstein 157 Q4
St. Ulrich 171 O8
St. Ulrich am Pillersee 161 J6
St. Urban 171 O8
St. Valentin 157 P4
St. Veit am Vogau 173 S8
St. Veit an der Glan 171 P8
St. Veit a. d. Gölsen 164 T4
St. Veit an der Triesting 165 U5
St. Veit im Innkreis 156 L4
St. Veit im Mühlkreis 157 O3
St. Veit im Pongau 161 L6
St. Veit in Defereggen 169 J8
St. Willibald 156 N3
St. Wolfgang im Salzkammergut 162 M5
St. Wolfgangsee 162 M5
St. Anna 172 Q7
St. Erhard 164 S6
St. Georgen 171 P8
St. Georgen 170 K7
St. Georgen i. d. Klaus 163 Q5
St. Georgen im Obdachegg 172 Q7
St. Gotthard im Mühlkreis 157 O3
St. Joseph 172 S8
St. Katarina 170 J8
St. Lorenzen 172 R8
St. Lorenzen im Mürztal 164 S6
St. Oswald 172 P8
St. Pankrazen 172 R7
St. Petel 171 M7
St. Peter im Lavanttal 172 Q7
St. Ruprecht 171 N9
St. Sebastian 164 R5
St. Stefan 172 Q9
St. Stefan 171 P8
St. Ulrich im Mühlkreis 157 O3
St. Veit im Jautal 172 P9
St. Vinzenz 172 R8
St. Walburgen 172 P8
St. Wolfgang 157 Q2
St. Wolfgang 172 P7
Santneralm 171 M7
Sarasdorf 165 W4
Sarleinsbach 156 N3
Sarmingstein 157 Q4
Satteins 166 B7
Sattelbach 165 U4
Sattelwirt 172 R7
Sattendorf 171 N8
Sattledt 163 O4
Saualpe 172 Q8
Sauerbrunn 165 U5
Sauerfeld 171 N7
Saurau 171 O7
Saurüsselkogel 162 M5
Sausal 172 S8
Säusenstein 158 R4
Sautens 167 E7
Sauwald 156 M3
Saxen 157 Q4
Schachendorf 165 V7
Schachenstein 164 R6
Schärding 156 M3
Schafberg 162 M5
Schäffern 165 U6
Schalchen 161 L4
Schallaburg 158 S4
Schardenberg 156 M3
Scharfling 162 M5
Scharfreuter 160 G6
Scharnitz 160 F6
Scharnitzpaß 160 F6
Scharnstein 163 N5
Scharten 157 O4
Schattbach 162 M6
Schattberg 161 J6
Schattendorf 165 V5
Schattwald 166 D6
Scheffau am Wilden Kaiser 160 I6
Scheffau an der Lammer 161 L6
Scheibbs 164 R4
Scheiblingkirchen 165 U6
Scheiblingstein 159 U4
Scheideldorf 158 S2
Scheifling 171 P7
Schellgaden 171 M7
Schenkenfelden 157 O3
Schesaplana 166 A7
Schiedlberg 163 O4
Schiefer 173 U8
Schiefling 171 O9
Schießeck 163 O7
Schildbach 164 T7
Schiltern 158 S3
Schindeltal 164 S5
Schirmitzbühel 164 R6
Schlader 158 S2
Schladming 162 N6
Schladminger Tauern 171 M7
Schlag 165 U6
Schlag 157 R2
Schlag bei Thalberg 164 T6
Schlägl 156 N3
Schlaiten 170 J8
Schleedorf 161 L5
Schlegeis-Speicher 169 H7
Schleinbach 159 V3
Schleißheim 163 O4
Schlicke 167 D6
Schlieferspitze 169 I7
Schlierbach 163 O5
Schlins 166 B7
Schlitters 160 H6
Schlögen 156 N3
Schlöglmühl 164 T5
Schloßhof 159 W4
Schlüßlberg 156 N4
Schmida 159 U3
Schmiding Vogelpark 156 N4
Schmirn 169 G7
Schmittenhöhe 161 K6
Schmittenstein 161 L5
Schnann 166 D7
Schneealpe 164 S5
Schneeberg 161 L6
Schneeberg 164 T5
Schneebergdörfl 164 T5
Schneegattern 161 L4
Schnepfau 166 B6
Schnifis 166 B7
Schober 161 L5
Schobergruppe 170 K8
Schoberpaß 163 Q6
Schöckl 172 S7
Schöder 171 O7
Schönau 160 H6
Schönau a.d.D. 159 V4
Schönberg 156 N2
Schöneck 170 K7
Schönering 157 O4
Schönwies 167 D7
Schöpfgitter 164 T4
Schörfling 162 M5
Schollach 158 S4
Schönau im Mühlkreis 157 P3
Schönbach 157 R3
Schönberg 158 T3
Schönberg bei Niederwölz 171 P7
Schönberg im Stubaital 167 G7
Schönbrunn 159 U4
Schönbühel an der Donau 158 S4
Schöneben 156 N2
Schönegg 157 O3
Schönegg bei Pöllau 164 T7
Schönenbach 166 B6
Schönfeld 159 W4
Schöngrabern 158 U3
Schönkirchen 159 V3
Schoppernau 166 C7
Schottwien 164 T6
Schrankogel 167 F7
Schrattenberg 159 V2
Schrattenthal 158 T2
Schreckenspitze 160 G6
Schrems 157 R2
Schrems bei Frohnleiten 164 S7
Schrick 159 V3
Schröcken 166 C7
Schrottkopf 170 J7
Schruns 166 B7
Schützen 165 V5
Schwadorf 165 V4
Schwaigern 162 M5
Schwaighof 161 M6
Schwallenbach 158 S3
Schwanberg 172 R8
Schwand im Innkreis 161 K4
Schwanenstadt 162 N4
Schwarza 164 T5
Schwarzach 166 B6
Schwarzach im Pongau 161 L7
Schwarzau am Steinfelde 165 U5
Schwarzau im Gebirge 164 T5
Schwarzenau 158 R2
Schwarzenbach 165 U6
Schwarzenbach an der Gölsen 164 S4
Schwarzenbach an der Pielach 164 R5
Schwarzenberg 166 B6
Schwarzenberg a. Böhmerwald 156 N2
Schwarzensee *(Niederösterr.)* 164 M5
Schwarzensee *(Oberösterr.)* 164 U4
Schwarzenstein 161 H7
Schwarzkopf 170 K7
Schwarzsee 161 J6
Schwaz 160 H6
Schwechat 159 V4
Schwechat *(Bach)* 164 U4
Schweiggers 157 R2
Schwendau 169 H7
Schwendt 161 J6
Schwerbach 164 S4
Schwertberg 157 P4
Schwoich 160 I6
Sebersdorf 173 T7
Seckau 163 Q7
Seckauer Tauern 163 P6
Seckauer Zinken 163 Q6
See 166 D7
See 171 P7
Seebach 171 O7
Seebarn an Wagram 158 T3
Seebenstein 165 U5
Seeboden 171 M8
Seefeld 159 U2
Seefeld 162 M5
Seefeld in Tirol 167 F6

A B C D E F G H I J K L M N O P Q R S T U V W X Y Z

SALZBURG

Auerspergstr. .... V 3
Bürglsteinstr. .... X 5
Erzabt-Klotz-Str. .... X 9
Gstättengasse .... X 12
Kaiserschützenstr. .... V 20
Lindhofstr. .... V 22
Mirabellpl. .... V 26
Nonntaler Hauptstr. .... X 29
Nußdorfer Str. .... X 31
Rainerstr. V
Schießstrattstr. .... V 33
Schwatzstr. .... V 34
Späthgasse .... X 37

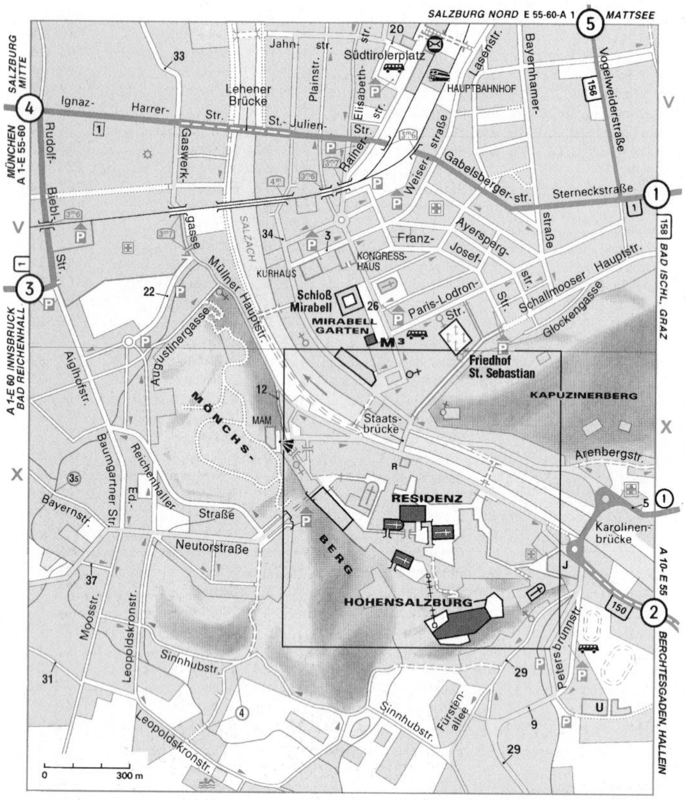

Seeham 161 L5
Seehaus 163 N5
Seekirchen 161 L5
Seeklause 162 N6
Seetal 171 N7
Seetaleralpen 172 P7
Seewalchen 162 M5
Seewiesen 164 R6
Seewinkel 165 W5
Seggauberg 172 S8
Seibersdorf 165 V5
Seibuttendorf 173 T8
Seiersberg 172 S7
Seisenbergklamm 161 K6
Seitenstetten Markt 163 P4
Seiz 163 Q6
Selbhorn 161 K6
Sellrain 167 F7
Sellraintal 167 F7
Selzthal 163 O6
Semmering Kurort 164 T6
Semmering-Paß 164 T6
Semriach 172 S7
Senftenbach 156 M4
Senftenberg 158 S3
Sengsengebirge 163 O5
Senning 159 U3
Serfaus 167 D7
Seyfrieds 158 R2
Seyring 159 V4
Sibratsgfäll 166 C6
Sicheldorf 173 U8
Siebenhirten 159 V3
Sieding 164 T5
Siegendorf 165 V5
Siegenfeld 165 U4
Sieggraben 165 V6
Sieghartskirchen 159 U4
Sierndorf 159 U3
Sierning 163 O4
Sierninghofen 163 P4
Siezenheim (Salzburg) 161 K5
Sigharting 156 M3
Sigleß 165 V5
Sigmundsherberg 158 T2
Silberegg 171 P8
Silbertal 166 B7
Sill 167 G7
Sillian 169 J8
Silvrettagruppe 166 C8
Silvrettahorn 170 C8
Silvretta-Stausee 166 C8
Silz 167 E7
Similaun 167 E8
Simmering 159 V4
Simonhöhe 171 O8
Simony-H. 162 M6
Sinabelkirchen 173 T7
Sinnersdorf 165 U6
Sipbachzell 163 O4
Sirnitz 171 O8
Sistrans 167 G7
Sittersdorf 172 P9
Sitzendorf 158 T3
Soboth-Ort 172 R8
Söchau 173 U7
Söding 172 R7
Södingberg 172 R7
Söll 160 I6
Sölling 164 R4
Sölden 167 F8
Sölker Paß 171 O7
Sollenau 165 U5
Solstein 167 F7
Sommerein 165 V5
Sonnblick 170 J7
Sonnjoch 160 G6
Sonntag 166 B7
Sonntagberg 163 Q5
Sonnwendstein 164 T6
Spannberg 159 W3
Sparbach 165 U4
Speicher Durlaßboden 169 I7
Speicher Sameralm 170 L7
Speicher Zillergründl 169 I7
Speiereck 171 M7
Speikkogel 172 R7
Speisendorf 158 S2
Spertental 161 I6
Spielberg 158 R3
Spielberg bei Knittelfeld 172 H7
Spielfeld 173 S8
Spillern 159 U3
Spiß 166 D8
Spital 161 J6
Spital am Pyhrn 163 P6
Spital am Semmering 164 T6
Spittal an der Drau 171 M8
Spitz 158 S3
Sportgastein 170 L7
Sprinzenstein 156 N3
Staatz 159 V2
Stadelhorn 161 K6
Stadl an der Mur 171 N7
Stadl-Paura 162 N4
Stadtschlaining 165 U7
Stafflach 167 G7
Stainach 163 O6
Stainz 172 R8
Stall 170 L8
Stallersattel 170 I8
Stallhofen 170 L8
Stallhofen 172 R7
Stambach 164 T6
Stammersdorf 159 V4
Stams 167 E7
Stang 165 U6
Stans 160 H6
Stanzach 167 D6
Stanz bei Landeck 167 D7
Stanzertal 166 D7
Stanz im Mürztal 164 S6
Starkenbach 167 D7
Stattegg 172 S7
Stattersdorf 158 S4
Statzendorf 158 S4
Stausee-Gepatsch 167 E8
Steeg 166 C7
Steeg 162 M6
Stegersbach 173 U7
Steiermark (Land) 172 P7
Stein 158 S3
Stein 173 U7
Steinabrückl 165 U5
Steinach 167 G7
Steinakirchen 164 R4
Steinalpl 164 S5
Stein an der Enns 163 N6
Steinbach am Attersee 162 M5
Steinbach am Ziehberg 163 O5
Steinbach an der Steyr 163 O5
Steinberg b. L. 172 R8
Steinberg am Rofan 160 H6
Steinberg an der Rabnitz 165 V6
Steinbrunn 165 V5
Steindorf 170 J7
Steindorf 162 M5
Steindorf am Ossiachersee 171 N8
Steinegg 158 S3
Steinerkirchen 163 N4
Steinernes Meer 161 K6
Steinfeld 170 L8
Steinfelden 163 N5
Steinfeldspitze 170 M7
Steinhaus 163 O4
Steinhaus am Semmering 164 T6
Steinplatte 161 J6
Steinsee-H. 167 D7
Steirische Kalkspitze 171 M7
Steirisch Laßnitz 171 O7
Sternstein 157 O3
Stetteldorf 158 U3
Stetten 159 V3
Steuerberg 171 O8
Steyesberger-Schwaig 164 T6
Steyr 163 P4
Steyr (Bach) 163 O5
Steyrbrücke 163 O5
Steyregg 157 P4
Steyrermühl 162 N5
Steyrling 163 O5
Stiefern 158 S3
Stiftung 157 P3
Stillfried 159 W3
Stilluppgrund 169 H7
Stillupp-Speicher 169 H7
Stinatz 173 U7
Stiwoll 172 R7
Stixneusiedl 165 W4
Stockenboi 171 M8
Stockerau 159 U3
Stocking 172 S8
Stockwinkl 162 M5
Stodertal 163 O6
Stollhof 164 U5
Stolzalpe 171 O7
Stoob 165 V6
Stopfenreuth 159 W4
Stössing 164 T4
Stotzing 165 V5
Straden 173 T8
Strallegg 164 T6
Stranig 170 L9
Straßburg 171 P8
Straßen 170 J8
Straßgang 172 S7
Straßham 157 O4
Straßhof an der Nordbahn 159 W4
Straß im Attergau 162 M5
Straß im Straßertal 158 T3
Straß im Zillertal 160 H6
Straß in Steiermark 173 S8
Straßwalchen 161 L5
Stratzing 158 S3
Straubinger Hs. 161 J6
Strechau 163 O6
Strem 173 V7
Strengberg 163 P4
Strengen 166 D7
Stripsenjoch 161 I6
Stripsenkopf 161 I6
Strobl 162 M5
Stroheim 156 N3
Stronsdorf 159 U3
Strub 161 J6
Struden 157 Q4
Strudengau 157 Q4
Stubachtal 170 J7
Stubaier Alpen 167 F7
Stubaital 167 F7
Stubalpe 172 Q7
Stubenberg a. See 164 T7
Stuben (Burgenland) 165 U6
Stuben (Vorarlberg) 166 C7
Stübming 164 S6
Stubnerkogel 170 L7
Studenzen 173 T7
Stuhleck 164 T6
Stuhlfelden 170 J7
Stuibenfall 167 E7
Stumm 169 H7
Suben 156 M3
Südwiener H. 170 M7
Suetschach 171 O9
Sulm 172 S8
Sulz 166 E6
Sulzberg 166 B6
Sulz im Wienerwald 165 U4
Sulzkogel 167 F7
Sulztal 167 F7
Summerau 157 P3

T

Tadten 165 X5
Taiskirchen 156 M4
Talnach 172 P9
Tamsweg 171 N7
Tannheim 167 D6
Tannheimer Gruppe 167 D6
Tarrenz 167 E7
Tarsdorf 161 K4
Tattendorf 165 U5
Tauchen 164 U6
Tauernmoossee 170 J7
Tauerntal 170 J7
Tauerntunnel (Autobahn) 170 M7
Tauerntunnel (Autotransport) 170 L7
Taufkirchen an der Trattbach 156 N4
Taufkirchen an der Pram 156 M3
Tauka 173 U8
Tauplitz 163 O6
Tauplitzalm 163 N6
Taurach 171 M7
Tautendorf 158 S3
Taxenbach 170 K7
Techendorf 170 L8
Telfes 167 G7
Telfs 167 F7
Tenneck 161 L6
Tennengebirge 161 L6
Terfens 160 G7
Ternberg 163 P5
Ternitz 164 U5
Terz 164 S5
Tessenberg 170 J8
Teufenbach 171 P7
Teuflau 156 M3
Teurnia (Ausgrabungen) 170 M8
Texing 164 R4
Thal 164 T5
Thalerkogel 164 R6
Thalgau 161 L5
Thalheim 163 O4
Thaur 167 G7
Thaures 157 R2
Thaya 158 R2
Thaya (Bach) 158 R2
Theiß 158 T3
Theißenegg 172 Q8
Thenneberg 164 T4
Theras 158 T2
Theresienfeld 165 U5
Thernberg 165 U5
Thierbach 160 H6
Thiersee 160 I6
Th. Korner-H. 162 M6
Thomasberg 165 U6
Thomasroith 162 M4
Thomatal 171 N7
Thon 171 P9
Thondorf 172 S7
Thörl 164 R6
Thüringen 166 B7
Thüringer H. 169 J7

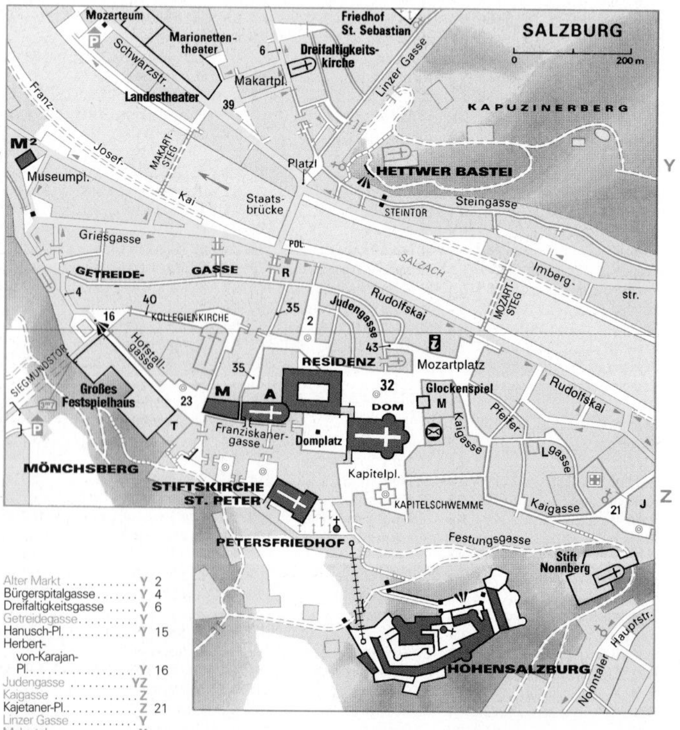

Alter Markt .... Y 2
Bürgerspitalgasse .... Y 4
Dreifaltigkeitsgasse .... Y 6
Getreidegasse .... Y
Hanusch-Pl. .... Y 15
Herbert-von-Karajan-Pl. .... Y 16
Judengasse .... YZ
Kaigasse .... Z
Kajetaner-Pl. .... Z 21
Linzer Gasse .... Y
Makartpl. .... Y
Max-Reinhardt-Pl. .... Z 33
Residenzpl. .... Z 32
Sigmund-Haffner-Gasse .... YZ 35
Theatergasse .... Y 39
Universitätspl. .... Y 40
Waagpl. .... Z 43

WIEN

Straße	Planquadrat	Nr.
Babenbergerstr.	HJS	
Bäckerstr.	KR	9
Bauernmarkt	KR	10
Bognergasse	JR	13
Bräunerstr.	JR	15
Dominikanerbastei	KR	22
Dorotheergasse	JR	25
Dr-Ignaz-Seipel-Pl.	KR	27
Falkestr.	KLR	33
Friedrichstr.	JS	38
Georg-Coch-Pl.	LR	40
Getreidemarkt	HJS	42
Graben	JR	
Griechengasse	KR	46
Gutenberggasse	HS	51
Heiligenkreuzer Hof	KR	55
Himmelpfortgasse	KR	61
Judengasse	KR	66
Judenpl.	JR	67
Kärntner Str.	JRS	
Kettenbrückengasse	HS	69
Kohlmarkt	JR	70
Landstr. Hauptstr.	LR	72
Lichtensteg	KR	78
Löwelstr.	HR	79
Marc-Aurel-Str.	KPR	81
Mariahilfer Str.	HS	
Millöckergasse	JS	29
Mölkerbastei	HP	85
Neuer Markt	JR	87
Neustiftgasse	HR	88
Oppolzergasse	HR	90
Philharmonikerstr.	JS	91
Plankengasse	JR	92
Prinz-Eugen-Str.	KS	93
Renngasse	JPR	95
Rotenturmstr.	KR	
Salvatorgasse	JPR	96
Schauflergasse	JR	97
Schönlaterngasse	KR	100
Schottengasse	HJP	102
Schreyvogelgasse	HR	103
Schulhof	JR	105
Schwertgasse	JP	106
Seitzergasse	JR	107
Sonnenfelsgasse	KR	108
Spittelberggasse	HS	114
Stephanspl.	KR	115
Stock-im-Eisen-Pl.	JR	116
Tegetthoffstr.	JR	117
Tiefer Graben	JPR	120
Tuchlauben	JR	123
Uraniastr.	LR	124
Weiskirchnerstr.	LR	130
Wiedner Hauptstr.	JS	132
Wollzeile	KR	

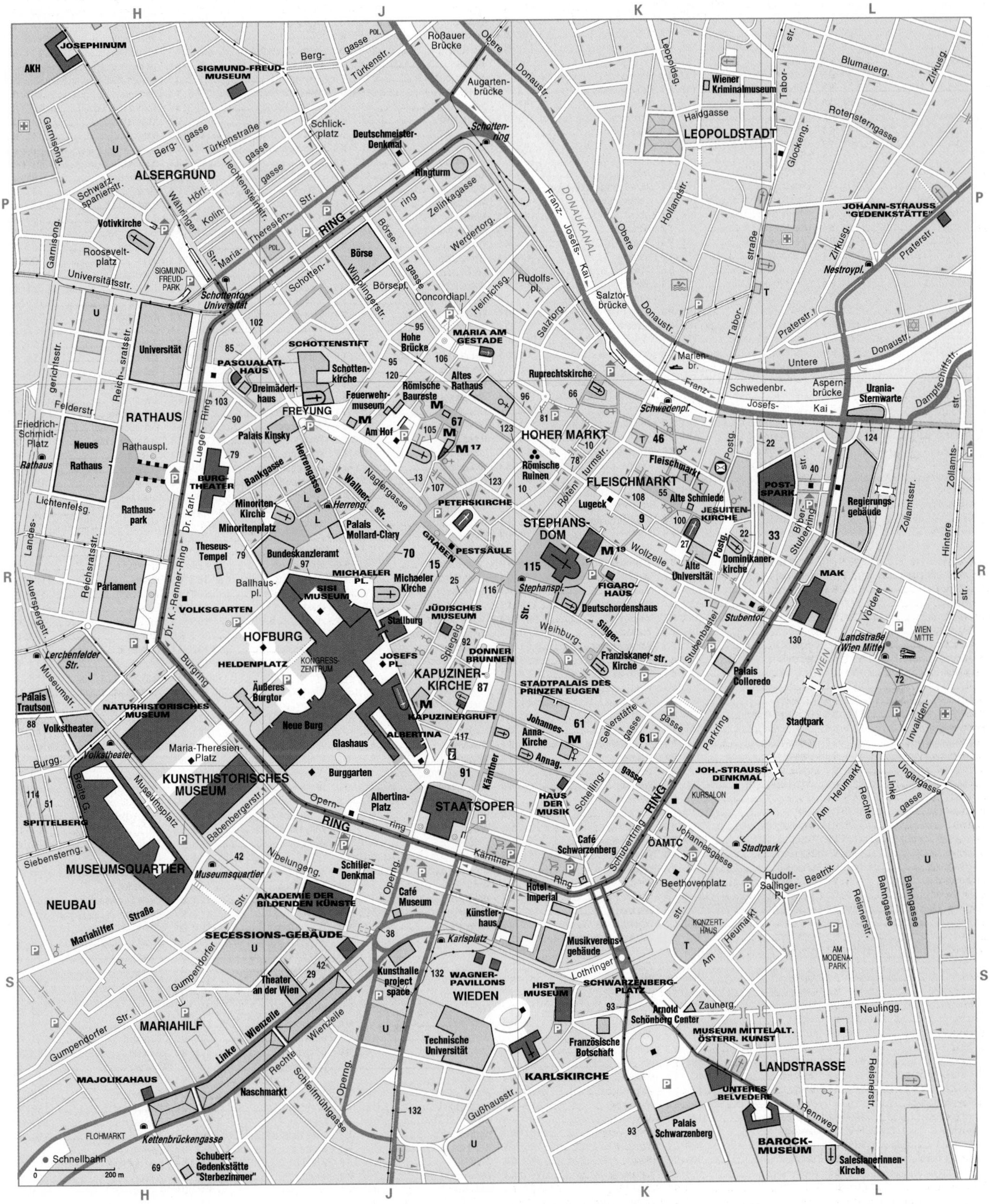

Thüringerberg 166 B 7
Thumersbach 161 K 7
Tiefbrunau 161 L 5
Tieschen 173 T 8
Tiffen 171 O 8
Tigring 171 O 8
Tillmitsch 172 S 8
Timelkam 162 M 5
Timmelsjoch 167 F 8
Tirol *(Land)* 167 F 7
Tisis 166 A 7
Tobaj 173 U 7
Tobelbad 172 S 8
Tölzer H. 160 G 6
Töplitsch 171 N 9
Topitza 172 Q 9
Toplitzsee 163 N 9
Tormäuer 164 R 5
Torren 161 L 6
Töschling 171 O 9
Tösens 167 D 7
Toter Mann 164 T 6
Totes Gebirge 163 N 5
Traboch 164 Q 6
Tradigist 164 S 4
Tragöß 164 R 6
Tragwein 157 P 4
Trahütten 172 R 8
Traisen 164 S 4
Traisen *(Bach)* 164 S 4
Traiskirchen 165 U 4
Traismauer 158 T 3
Traming 171 O 8
Trandorf 158 R 3
Trasdorf 158 T 4
Tratten 171 M 9
Trattenbach 164 T 6
Trattenbach 163 P 5
Trattenköpfl 169 I 7
Tratzberg 160 H 6
Traun 157 O 4
Traun *(Bach)* 162 N 6
Traunkirchen 162 N 5
Traunsee 162 N 5
Traunstein 158 R 3
Trausdorf 165 V 5
Trautenfels 163 O 6
Trautmannsdorf 165 V 4
Trautmannsdorf in Oststeiermark 173 T 8
Trebesing 171 M 8
Treffen 171 N 8
Treffling 171 M 8
Treglwang 163 P 6
Tresdorf 159 V 3
Tresdorf 170 K 8
Treubach 161 L 4
Trieben 163 P 6
Triebenthal 163 P 6
Triesting 165 V 4
Trimmelkam 161 K 4
Trins 167 G 7
Trisanna 166 C 8
Trisannabrücke 166 D 7
Tristach 170 K 8
Tristkopf 161 L 6
Trofaiach 164 R 6
Trögern 171 P 9
Tröpolach 170 L 9
Trumau 165 V 5
Tschagguns 166 B 7
Tschurndorf 165 V 6
Türchlwand 170 L 7
Tulbing 158 U 4
Tulfes 167 G 7
Tulln 158 U 3
Tullnerbach 158 U 4
Tullnerfeld 158 T 4
Tulwitz 164 S 7
Tumeltsham 156 M 4
Tumpen 167 E 7
Turnberg 162 M 4
Turnau 164 S 6
Türnitz 164 S 5
Turrach 171 N 8
Turracher Höhe 171 N 8
Tux 169 H 7
Tuxeralpen 169 G 7
Tuxerjoch 169 G 7
Tuxertal 169 H 7
Tweng 171 M 7
Twenger Talpaß 171 M 7
Twimberg 172 Q 8
Tyrnau 164 S 7

U

Überackern 161 K 4
Übersaxen 166 B 7
Übersbach 173 U 7
Uderns 160 H 7
Ulmerfeld-Hausmening 163 Q 4
Ulreichsberg 164 S 5
Ulrichsberg 156 N 2
Ulrichschlag 158 R 3
Ulrichskirchen 159 V 3
Umhausen 167 E 7
Ungenach 162 M 4
Ungerdorf 173 T 8
Ungerndorf 159 V 2
Unken 161 K 6
Unserfrau-Altweitra 157 Q 2
Unter-Längenfeld 167 E 7
Unter-Loibach 172 Q 9
Unterach 162 M 5
Unteramlach 171 M 8
Unterberg 164 T 5
Unterbergen 158 S 3
Unterbergtal 167 F 7
Unterbildein 173 V 7
Unterboden-Alm 163 Q 6
Unterbuch 164 T 7
Unterfladnitz 173 T 7
Unterfrauenhaid 165 V 6
Untergroßau 173 T 7
Untergrünburg 163 O 5
Unterkirchen 160 F 6
Unterkohlstätten 165 U 6
Unterlaussa 163 P 5
Unterleins 167 E 7
Unterlimbach 173 U 7
Unterloibach 172 Q 9
Unterloibl 171 O 9
Untermeisling 158 S 3
Untermühl 157 N 3
Unternberg 171 N 7
Unternußdorf 170 K 8
Unterolberndorf 159 V 3
Unterort-Tragöß 164 R 6
Unterpinswang 165 V 6
Unterpetersdorf 167 E 6
Unterpremstätten 172 S 8
Unterpullendorf 165 V 6
Unterpurkla 173 T 8
Unterrabnitz 165 V 6
Unterregau 162 N 5
Unterretzbach 158 U 2
Unterried 170 J 8
Untersberg 161 K 5
Untersiebenbrunn 159 W 4
Unterstinkenbrunn 159 U 2
Untertauern 162 M 7
Untertal 162 N 6
Unterthörl 171 M 9
Untertilliach 170 K 8
Unterwaltersdorf 165 V 5
Unterwart 165 U 7
Unterweißenbach 157 Q 3
Unterweitersdorf 157 P 3
Unterwolfern 163 P 4
Unterzeiring 171 P 7
Unzmarkt 171 P 7
Urbeleskarspitze 166 D 6
Urbersdorf 173 V 7
Urfahr 157 O 3
Ursprungpaß 160 I 6
Utermauerbach 159 U 4
Uttendorf 161 L 4
Uttendorf 170 J 7
Utzenaich 156 M 4

V

Valluga 166 C 7
Vals 167 G 7
Vandans 166 B 7
Vasoldsberg 172 S 7
Veitsch 164 S 6
Veitschalpe 164 S 6
Velden 171 O 9
Vellach 170 M 9
Velm 165 V 4
Velm-Götzendorf 159 W 3
Vent 167 E 8
Ventertal 167 E 8
Verditz 171 N 8
Vermunt-Stausee 166 C 8
Verwallgruppe 166 C 7
Verwalltal 166 C 7
Vesilspitze 166 C 8
Vesulspitze 166 D 7
Vichtenstein 156 M 3
Viechtwang 163 N 5
Viehdorf 163 Q 4
Viehhofen 161 K 6
Viehofen 158 S 4
Vigaun 161 L 5
Viktorsberg 166 B 7
Viktring 171 O 9
Villach 171 N 9
Villacher Alpe 171 M 9
Vilsalpsee 167 D 6
Vinaders 167 G 7
Virgen 170 J 7
Virgental 169 J 7
Vitis 158 R 2
Vöcklabruck 162 M 4
Vöcklamarkt 162 M 4
Vögelsberg 169 G 7
Völkermarkt 172 P 9
Völkermarkter Stausee 172 P 9
Völs 167 F 7
Voitsberg 172 R 7
Voitsdorf 163 O 4
Volders 169 G 7
Volderwildbad 169 G 7
Vomp 160 H 6
Von-Schmidt-Zabierow-H. 161 J 6
Vorarlberg *(Land)* 166 B 7
Vorau 164 T 6
Vorchdorf 162 N 4
Vorderberg 171 M 9
Vorderer Thiersee 160 I 6
Vorderer Gosausee 162 M 6
Vorderhornbach 167 D 6
Vorderkaiserfelden-H. 160 I 6
Vorderlanersbach 169 H 7
Vordernberg 164 Q 6
Vordersee 161 L 5
Vorderstoder 163 O 5
Vorderunutz 160 H 6
Vorderweißenbach 157 O 3
Vösendorf 159 V 4

W

Wachau 158 S 4
Wagendorf 164 U 7
Wagna 172 S 8
Wagrain 161 L 6
Wagrainer Höhe 161 L 6
Wagram a. d. Donau 159 W 4
Wagram ob der Traisen 158 T 3
Waidegg 170 L 9
Waidendorf 159 W 3
Waidhofen an der Thaya 158 R 2
Waidhofen an der Ybbs 163 Q 5
Waidisch 171 P 9
Waidmannsfeld 164 T 5
Waidring 161 J 6
Waisach 170 L 8
Waizenkirchen 156 N 4
Walchen 163 O 6
Walchsee 161 I 6
Wald 170 M 7
Wald 164 T 4
Wald 163 Q 6
Waldaist 157 Q 3
Wald am Arlberg 166 C 7
Waldbach 164 T 6
Waldburg 157 P 3
Waldegg 164 U 5
Waldenstein *(Kärnten)* 172 Q 8
Waldenstein *(Niederösterr.)* 157 R 2
Waldhausen 158 R 3
Waldhausen im Strudengau 157 Q 4
Wald im Pinzgau 169 I 7
Walding 157 O 3
Waldkirchen a. Wesen 156 N 3
Waldkirchen an der Thaya 158 R 2
Waldneukirchen 163 O 4
Waldviertel 158 Q 3
Waldzell 162 M 4
Walkenstein 158 T 2
Walkersdorf 173 T 7
Wallern 165 W 5
Wallern an der Trattbach 156 N 4
Wallersee 161 L 5
Wallsee 163 Q 4
Walpersbach 165 U 5
Walpersdorf 158 T 4
Wals-Siezenheim 161 K 5
Walterskirchen 159 W 3
Wambersdorf 165 V 5
Wang 163 R 4
Wanghausen 161 K 4
Wanneck 167 E 6
Wappoltenreith 158 S 2
Warscheneck 163 O 6
Wartberg 158 T 3
Wartberg 164 S 6
Wartberg an der Krems 163 O 5
Wartberg o. d. Aist 157 P 3
Warth 166 C 7
Wartmannstetten 164 U 5
Wasserburg 158 T 4
Wasserfallboden (Stausee) 170 K 7
Wasserfallwinkel 170 K 7
Wattens 169 G 7
Watzelsdorf 158 T 2
Waxenberg 157 O 3
Wechsel 164 T 6
Wechselpaß 164 T 6
Weer 169 G 7
Weerberg 169 H 7
Wegscheid 164 R 5
Wegscheidt 158 S 3
Wehrberg 161 K 4
Weibern 162 N 4
Weichselboden 164 R 5
Weichstetten 163 O 4
Weidach 167 F 6
Weiden am See 165 W 5
Weiden b. Rechnitz 165 U 7
Weidling 159 U 4
Weigelsdorf 165 V 5
Weikendorf 159 W 3
Weikersdorf 165 U 5
Weikertschlag 158 S 2
Weilbach 156 M 4
Weilhart-Forst 161 K 4
Weinburg 164 S 4
Weinburg am Saßbach 173 T 8
Weinebene 172 Q 8
Weingraben 165 V 6
Weinsbergerwald 157 Q 3
Weinsteig 159 V 3
Weinviertel 159 U 3
Weinzierl a. Walde 158 S 3
Weißbach 161 K 6
Weißberg 171 O 8
Weißbriach 170 L 8
Weißeck 170 M 7
Weißenalbern 157 R 2
Weißenbach 162 N 6
Weißenbach a. Lech 167 D 6
Weißenbach *(bei Bad Ischl)* 162 M 6
Weißenbach *(Kärnten)* 170 M 8
Weißenbach *(Stodertal)* 163 O 5
Weißenbach am Attersee 162 M 5
Weißenbach an der Enns 163 P 5
Weißenbach an der Triesting 164 U 5
Weißenbach bei Liezen 163 O 6
Weißenkirchen an der Perschling 158 T 4
Weißenkirchen in der Wachau 158 S 3
Weißensee 170 M 8
Weißenstein 171 N 8
Weiße Spitze 169 J 8
Weißkirchen 172 Q 7
Weißkirchen an der Traun 163 O 4
Weißkugel 167 E 8
Weißpriach 171 N 7
Weißsee 170 J 7
Weißseespitze 167 E 8
Weistrach 163 P 4
Weiten 158 R 4
Weitendorf 172 S 8
Weitenegg 158 R 4
Weitensfeld 171 O 8
Weitersfeld 158 T 2
Weitersfelden 157 Q 3
Weitra 157 Q 2
Weiz 173 S 7
Weizelsdorf 171 O 9
Wels 163 O 4
Wendling 156 M 4
Weng 161 L 7
Weng bei Admont 163 P 6
Weng im Innkreis 156 L 4
Wenigzell 164 T 6
Wenns 167 E 7
Weppersdorf 165 V 6
Werfen 161 L 6
Werfenweng 161 L 6
Wernberg 171 N 9
Werndorf 172 S 8
Wernstein 156 M 3
Wesenufer 156 N 3
Westendorf 160 I 6
Wetterspitze 166 D 7
Wetterstein Gebirge 167 F 6
Wettmannstätten 172 S 8
Wetzelsdorf 159 V 3
Wetzleinsdorf 159 V 3
Weyer Markt 163 Q 5
Weyerburg 159 U 3
Weyersdorf 158 S 4
Weyregg a. Attersee 162 M 5
Wiechenthaler H. 161 K 6
Wieden 173 T 8
Wiedersberger Horn 160 H 6
Wien 159 U 4
Wien-Schwechat *(Flughafen)* 159 V 4
Wienerbruck 164 R 5
Wienerherberg 165 V 4
Wiener Neudorf 165 U 4
Wiener Neustadt 165 U 5
Wienerwald 164 T 5
Wien *(Land)* 159 V 4
Wies 172 R 8
Wieselburg 164 R 4
Wiesen 165 U 5
Wiesenfeld 164 S 4
Wiesfleck 165 U 6
Wiesing 160 H 6
Wiesmath 165 U 6
Wiestal-Stausee 161 L 5
Wieting 172 P 8
Wildalpen 163 Q 6
Wildbad-Einöd 171 P 7
Wildendürnbach 159 V 2
Wilder Kaiser 161 I 6
Wildermieming 167 F 7
Wildgerlostal 169 I 7
Wildgrat 167 E 7
Wildkogel 169 I 7
Wildon 172 S 8
Wildschönau 160 I 6
Wildseeloder 161 J 6
Wildshut 161 K 4
Wildspitze 167 E 8
Wildungsmauer 159 W 4
Wilfersdorf 159 V 3
Wilfleinsdorf 165 W 4
Wilhelmsburg 164 S 4
Wilhering 157 O 4
Willendorf 164 U 5
Willersbach 157 Q 4
Wimpassing 164 U 5
Wimpassing an der Leitha 165 V 5
Windauer Ache 160 I 6
Windegg 167 F 8
Winden am See 165 W 5
Windgrube 164 R 6
Windhaag 157 Q 4
Windhaag bei Freistadt 157 P 3
Windhag 163 Q 5
Windigsteig 158 R 2
Windisch Bleiberg 171 O 9
Windische Höhe 171 M 9
Windischgarsten 163 O 5
Windorf 157 O 3
Winkl 161 M 5
Winkler 163 P 5
Winklern 170 K 8
Winklern bei Oberwölz 171 O 7
Winterbach 164 R 5
Winterstaude 166 B 6
Winzendorf 165 U 5
Wittau 159 V 4
Wittmannsdorf 173 T 8
Wölfnitz 172 Q 8
Wöllersdorf 165 U 5
Wölting 171 N 7
Wölzer Tauern 163 O 6
Wörgl 160 I 6
Wörnharts 157 Q 2
Wörschach 163 O 6
Wörth 170 K 7
Wörth a. d. Lafnitz 165 U 7
Wörther See 171 O 9
Wohlsdorf 172 S 8
Wolfau 165 U 7
Wolfpassing 164 R 4
Wolfpassing an der Hochleithen 159 V 3
Wolfsbach 163 Q 4
Wolfsberg 172 Q 8
Wolfsegg am Hausruck 162 N 4
Wolfsgraben 159 U 4
Wolfsthal 159 X 4
Wolfurt 166 B 6
Wolkersdorf 159 V 3
Württemberger Hs. 167 D 7
Wulka 165 V 5
Wulkaprodersdorf 165 V 5
Wullersdorf 158 U 3
Wullowitz 157 P 3
Wultendorf 159 V 3
Wultschau 157 Q 2
Wulzeshofen 159 U 2
Wundschuh 172 S 8
Würflach 164 U 5
Wurmbrand 157 Q 3
Würmla 158 T 4
Würmlach 170 L 9
Würnsdorf 158 R 4
Wurzen-Paß 171 N 9

Y

Ybbs 163 Q 4
Ybbs an der Donau 158 R 4
Ybbsitz 163 Q 5
Ysper 158 R 4

Z

Zahmer Kaiser 161 I 6
Zams 167 D 7
Zarnsdorf 164 R 4
Zauchen 163 N 6
Zauchensee 162 M 7
Zaunhof 167 E 7
Zaya 159 V 3
Zederhaus 171 M 7
Zedlitzdorf 171 N 8
Zeillern 163 Q 4
Zeinisjoch 166 C 8
Zeiritzkampel 163 Q 6
Zeiselmauer 159 U 4
Zelking 158 R 4
Zell am Moos 161 L 5
Zell am Pettenfirst 162 M 4
Zell am See 161 K 7
Zell am Ziller 169 H 7
Zell an der Pram 156 M 4
Zell an der Ybbs 163 Q 5
Zellberg 169 H 7
Zellerndorf 158 T 2
Zellerrain 164 R 5
Zeller See *(bei Zell a. Moos)* 161 L 5
Zeller See *(bei Zell a. See)* 161 K 7
Zellinkopf 170 K 8
Zell Pfarre 171 P 9
Zelting 173 U 8
Zeltschach 171 P 8
Zeltweg 172 Q 7
Zemendorf 165 V 5
Zemmtal 169 H 7
Zettersfeld 170 K 8
Zeutschach 171 P 7
Ziersdorf 158 T 3
Ziethenkopf 170 K 8
Ziller 169 I 7
Zillergrund 169 H 7
Zillertal 160 H 6
Zillertaler Alpen 166 H 7
Zillingtal 165 V 5
Zimba 166 B 7
Zinkenbach 162 M 5
Zipf 162 M 4
Zirbitzkogel 172 P 7
Zirl 167 F 7
Zirlerberg 167 F 7
Zissersdorf *(bei Raabs)* 158 S 2
Zissersdorf *(bei Stockerau)* 158 U 3
Zistersdorf 159 W 3
Zitterklapfen 166 B 7
Zlabern 159 V 2
Zöbern 165 U 6
Zöbing 158 T 3
Zöblen 166 D 6
Zuckerhütl 167 F 8
Zürs 166 C 7
Zug 166 C 7
Zugspitze 167 E 6
Zurndorf 165 W 5
Zwaring 172 S 8
Zweinitz 171 O 8
Zwentendorf 158 T 3
Zwentendorf 159 V 3
Zwerndorf 159 W 3
Zwettl 158 R 3
Zwettl an der Rodl 157 O 3
Zwickenberg 170 K 8
Zwieselstein 167 F 8
Zwingendorf 159 U 2
Zwölfaxing 159 V 4
Zwölferhorn 162 M 5

A B C D E F G H I J K L M N O P Q R S T U V W X Y Z

A

Abertamy 176 C 3
Adamov 182 K 5
Albrechtice 183 O 4
Albrechtice nad Vltavou 181 F 5
Arnoltice 177 F 2
Aš 176 B 3

B

Babylon 180 C 5
Bakov nad Jizerou 177 G 3
Bánov 183 M 6
Bartošovice 183 N 4
Bartošovice v Orlických horách 178 K 3
Baška 183 N 4
Batelov 181 H 5
Bavorov 181 F 5
Bečice 181 G 5
Bečov 176 E 3
Bečov nad Teplou 176 C 3
Bečva 183 L 5
Bedihošť 182 L 5
Bedřichov 182 J 5
Bechlín 177 F 3
Bechyně 181 F 5
Bělá nad Radbuzou 180 C 4
Bělá nad Svitavou 182 J 4
Bělá pod Bezdězem 177 G 2
Bělá pod Pradědem 179 L 3
Bělčice 180 E 5
Bělečko 178 I 3
Bělkovice-Lašťany 182 L 4
Bělotín 183 M 4
Benátky nad Jizerou 177 G 3
Benecko 178 I 2
Benešov (Jihočeský kraj) 182 K 4
Benešov (Středočeský kraj) 181 G 4
Benešov nad Černou 181 G 6
Benešov nad Ploučnicí 177 F 2
Bernartice (Jihočeský kraj) 181 F 5
Bernartice (Královéhradecký kraj) 178 I 2
Beroun 177 F 4
Berounka 176 E 4
Běšiny 180 D 5
Besednice 181 G 6
Běstvina 178 I 4
Bezděz 177 G 2
Bezdružice 176 C 4
Bezno 177 G 3
Bezvěrov 176 D 4
Bílá 183 N 5
Bílá Lhota 182 K 4
Bílá Třemešná 178 I 3
Bílá Voda 178 K 3
Bílé Karpaty 183 M 6
Bílina 177 D 2
Bílina 177 E 2
Bílovec 183 N 4
Bílovice 183 M 5
Bílovice nad Svitavou 182 K 5
Bílý Potok 177 H 2
Biskupice 183 M 5
Bítov 182 I 6
Blanice 181 F 5
Blansko 182 K 5
Blanský les 181 F 6
Blatná 180 E 5
Blatnice pod svatým Antonínkem 183 L 6
Blatno 176 D 3
Blížejov 180 C 4
Blíževedly 177 F 2
Blížkovice 182 I 6
Blovice 180 E 4
Blšany 176 D 3
Blučina 182 K 5
Bludov 178 K 4
Bobrová 182 J 5
Bochov 176 D 3
Bohdalice 182 L 5
Bohdalín 181 H 5
Bohdalov 182 I 5
Bohumín 179 N 4
Bohuňovice 182 L 4
Bohušov 179 M 3
Bohuslavice (Jihočeský kraj) 182 L 5
Bohuslavice (Královéhradecký kraj) 178 J 3
Bohuslavice (Moravskoslezský kraj) 179 N 4
Bohuslavice u Zlína 183 M 5
Bohutín 180 E 4
Bojkovice 183 M 5
Bolatice 179 N 4
Boleboř 176 D 2
Bolešiny 180 D 5
Boletice nad Labem 177 F 2
Bonětice 180 C 4
Bor 180 C 4
Bořetice 182 K 6
Borohrádek 178 J 3
Borotín 181 G 4
Borová 182 J 4
Borová Lada 180 E 6
Borovany 181 G 6
Borovnice 182 J 4
Borovnice (Královéhradecký kraj) 178 J 3
Boršice u Buchlovic 183 L 5
Bory 182 J 5
Boskovice 182 K 5
Boubín 180 E 6
Boubínský prales 180 E 6
Bouzov 182 K 4
Božanov 178 J 2
Božejov 181 H 5
Boží Dar 176 C 3
Božice 182 J 6
Břasy 176 E 4
Břeclav 182 K 6
Břehy 178 I 3
Břežany 182 J 6
Březí 182 K 6
Březina 177 H 2
Březnice 180 E 4
Březno (Středočeský kraj) 177 H 3
Březno (Ústecký kraj) 176 D 3
Březolupy 183 M 5
Březová (Moravskoslezský kraj) 183 M 4
Březová (Pardubický kraj) 176 C 3
Březová (Zlínský kraj) 183 M 6
Březůvky 183 M 5
Břidličná 179 L 4
Brandov 176 D 2
Brandýs nad Labem 177 G 3
Brandýs nad Orlicí 178 J 3
Branišovice 182 J 6
Brantice 179 M 3
Bratronice 177 F 3
Bratrušoz 178 K 3
Brloh 181 F 6
Brná nad Labem 177 F 2
Brněnec 182 K 4
Brniště 177 G 2
Brno 182 K 5
Brno-Tuřany (Letiště) 182 K 5
Brodek u Konice 182 K 4
Brodek u Přerova 182 L 5
Brodek u Prostějova 182 L 5
Broumov 178 J 2
Brozany 177 F 3
Brtnice 181 I 5
Brtníky 177 F 2
Brumov-Bylnice 183 N 5
Brumovice 179 M 3
Bruntál 179 L 4
Brušperk 183 N 4
Bublava 176 C 3
Bučovice 182 L 5
Budeč 181 I 5
Budíškovice 181 I 5
Budišov 181 I 5
Budišov nad Budišovkou 183 M 4
Budyně nad Ohří 177 F 3
Buchlov 182 L 5
Buchlovice 182 L 5
Bukovec 183 O 4
Bukovice 178 K 4
Buštěhrad 177 F 3
Byňov 181 G 6
Byšice 177 G 3
Býšť 178 I 3
Bystřany 177 E 2
Bystřička 183 M 5
Bystřice (Moravskoslezský kraj) 183 O 4
Bystřice (Středočeský kraj) 181 G 4
Bystřice nad Pernštejnem 182 J 4
Bystřice pod Hostýnem 183 M 5
Bystrc 182 K 5
Bystré 182 J 4
Bzenec 182 L 6

C

Čachrov 180 D 5
Čáslav 177 H 4
Častolovice 178 J 3
Častrov 181 H 5
Čechtice 181 H 4
Čechtín 182 I 5
Čejč 182 K 6
Čejkovice 182 K 6
Čeladná 183 N 4
Čelákovice 177 G 3
Čelina 181 F 4
Čenkovice 178 K 3
Čepřovice 180 E 5
Čeradice 176 D 3
Čerčany 177 G 4
Čerchov 180 C 5
Černá Hora 182 K 5
Černá hora 180 E 6
Černá hora 178 I 2
Černá v Pošumaví 181 F 6
Černčice 177 E 3
Černilov 178 I 3
Černošice 177 F 4
Černošín 176 C 4
Černovice 181 G 5
Černuc 177 F 3
Černý Důl 178 I 2
Čertův kámen 181 G 5
Červená Lhota 181 G 5
Červená Řečice 181 H 4
Červená Voda 178 K 3
Červené Janovice 177 H 4
Červený Kostelec 178 J 3
Červený Újezd 181 G 4
Červený vrch 182 K 5
Česká Bělá 181 I 4
Česká Kamenice 177 F 2
Česká Lípa 177 G 2
Česká Skalice 178 J 3
Česká Třebová 178 J 4
České Budějovice 181 F 6
České Velenice 181 G 6
České Žleby 180 E 6
Český Brod 177 G 3
Český Dub 177 H 2
Český Krumlov 181 F 6
Český les 180 C 4
Český ráj 177 H 2
Český Rudolec 181 H 5
Český Šternberk 177 G 4
Český Těšín 183 O 4
Čestice 180 E 5
Čestín 177 H 4
Čimelice 181 F 5
Čímeř 181 H 5
Činěves 177 H 3
Čisovice 177 F 4
Čistá 176 E 3
Čistá (Pardubický kraj) 178 J 4
Čížkovice 177 F 3
Čížová 181 F 5
Čkyně 180 E 5
Cehnice 180 F 5
Cínovec 177 E 2
Cítoliby 177 E 3
Cornštejn 182 I 6
Cvikov 177 G 2

D

Dačice 181 H 5
Dalečín 182 J 4
Dalešice 182 J 5
Dalešice (Vodní nádrž) 182 J 5
Dambořice 182 K 5
Dašice 178 I 3
Davle 177 F 4
Deblín 182 J 5
Debrník 180 D 5
Děčín 177 F 2
Děčínský Sněžník 177 F 2
Defurovy Lažany 180 E 5
Dejvice 177 F 3
Dešenice 180 D 5
Dešov 181 I 6
Deštná 181 G 5
Deštné v Orlických horách 178 J 3
Desná 177 H 2
Dětmarovice 179 N 4
Dětřichov nad Bystřicí 179 L 4
Devět skal 182 J 4
Dírná 181 G 5
Dívčí Hrady 182 K 6
Dívčice 181 F 5
Divišov 181 G 4
Dlouhá Loučka 182 L 4
Dlouhá Ves 180 E 5
Dlouhopolsko 177 H 3
Dobčice 181 F 6
Dobev 180 F 5
Dobřany 180 D 4
Dobřeň 177 G 3
Dobřenice 178 I 3
Dobříč 176 D 4
Dobřichovice 177 F 4
Dobříš 177 F 4
Dobrá 183 N 4
Dobronín 181 I 5
Dobrovice 177 G 3
Dobruška 178 J 3
Doksy 177 G 2
Dolany 180 L 4
Dolany (Olomoucký kraj) 182 D 5
Dolní Benešov 179 N 4
Dolní Bojanovice 182 L 6
Dolní Bousov 177 H 3
Dolní Břežany 177 F 4
Dolní Bukovsko 181 G 5
Dolní Čermná 178 K 4
Dolní Cerekev 181 H 5
Dolní Dobrouč 178 K 4
Dolní Dunajovice 182 K 6
Dolní Dvořiště 181 F 6
Dolní Hbity 181 F 4
Dolní Kalná 178 I 2
Dolní Kounice 182 J 5
Dolní Kralovice 181 H 4
Dolní Krupá (Středočeský kraj) 177 G 2
Dolní Krupá (Vysočina kraj) 181 I 4
Dolní Lipka 178 K 3
Dolní Loučky 182 J 5
Dolní Lukavice 180 D 4
Dolní Lutyně 179 N 4
Dolní Město 181 H 4
Dolní Morava 178 K 3
Dolní Němčí 183 M 6
Dolní Nivy 176 C 3
Dolní Oldřiš 177 H 1
Dolní Poustevna 177 F 2
Dolní Rožínka 182 J 5
Dolní Slivno 177 G 3
Dolní Údolí 179 L 3
Dolní Újezd (Olomoucký kraj) 183 M 4
Dolní Újezd (Pardubický kraj) 178 J 4
Dolní Vltavice 180 F 6
Dolní Žandov 176 C 3
Dolnomoravský úval 182 L 6
Domanín 182 L 6
Domašov 182 J 5
Domašov nad Bystřicí 183 L 4
Domažlice 180 C 5
Domousnice 177 H 3
Doubí 176 C 3
Doubravník 182 J 5
Doubravy 183 M 5
Doudleby nad Orlicí 178 J 3
Doupovské hory 176 D 3
Dřevohostice 183 M 5
Dříteč 178 I 3
Dříteň 181 F 5
Drahanovice 182 L 4
Drahany 182 K 5
Drahobuz 177 F 2
Drahonice 181 F 5
Draženov 180 C 5
Dražíč 181 F 5
Dražice 181 G 5
Drmoul 176 C 4
Drnholec 182 J 6
Drnovice 182 K 5
Dub nad Moravou 182 L 5
Dubá 177 G 2
Dubenec 181 F 4
Dubí 177 E 2
Dubice 177 F 2
Dubicko 178 K 4
Dublovice 181 F 4
Dubňany 182 L 6
Dubné 181 F 6
Duchcov 177 E 2
Dvořiště 181 G 5
Dvorce 179 M 4
Dvory nad Lužnicí 181 G 6
Dvůr Králové nad Labem 178 I 3
Dyje 182 J 6
Dyleň 176 C 4
Dymokury 177 H 3
Dýšina 176 D 4

E-F

Entenbühl 176 B 4
Fláje 176 E 2
Folmava 180 C 5
Francova Lhota 183 N 5
Františkovy Lázně 176 B 3
Frenštát pod Radhoštěm 183 N 4
Fryčovice 183 N 4
Frýdek-Místek 183 N 4
Frýdlant 177 H 2
Frýdlant nad Ostravicí 183 N 4
Frymburk 181 F 6
Fryšava 182 J 4
Fryšták 183 M 5
Fulnek 183 M 4

G-CH

Golčův Jeníkov 178 H 4
Grygov 182 L 4
Chabařovice 177 E 2
Cheb 176 B 3
Chlístov 180 D 5
Chlum (Chrudim) 182 I 4
Chlum (Hradec Králové) 178 I 3
Chlum (Jihočeský kraj) 182 K 4
Chlum u Třeboně 181 G 6
Chlumčany 180 D 4
Chlumec nad Cidlinou 178 H 3
Choceň 178 J 4
Chocerady 177 G 4
Chodov (Praha) 177 G 3
Chodov (Sokolov) 176 C 3
Cholina 182 L 4
Choltice 178 I 4
Chomutov 176 D 3
Chornice 182 K 4
Chorušice 177 G 3
Chotěboř 181 I 4
Chotěšov (Plzeňský kraj) 180 D 4
Chotěšov (Ústecký kraj) 177 F 3
Chotětov 177 G 3
Chotilsko 181 F 4
Chotoviny 181 G 5
Chřibská 177 F 2
Chřiby 182 L 5
Chříč 176 E 4
Chrášťany 177 G 4
Chrást 176 D 4
Chrast 178 I 4
Chrastava 177 G 2
Chroboly 180 F 6
Chropyně 183 L 5
Chrudim 178 I 4
Chudenice 180 D 5
Chudenín 180 D 5
Chudolazy 177 F 3
Chuchelná 179 N 4
Chvalčov 183 M 5
Chvaleč 178 J 2
Chvaletice 177 H 3
Chvalšiny 181 F 6
Chyňava 177 F 3
Chýnov 181 G 5
Chyše 176 D 3
Chyšky 181 F 4

H

Habartice 177 H 1
Habartov 176 C 3
Habrovany 182 K 5
Habry 181 I 4
Háj 176 B 3
Háj ve Slezsku 179 N 4
Hajnice 178 I 3
Halenkov 183 N 5
Halenkovice 183 L 5
Halže 176 C 4
Hanušovice 178 K 3
Harrachov 178 H 2
Hartmanice 180 D 5
Hať 179 N 4
Hatě 182 J 6
Hatín 181 G 5
Havířov 183 N 4
Havlíčkova Borová 182 I 4
Havlíčkův Brod 181 I 4
Havraň 176 E 3
Hazlov 176 B 3
Hazmburk 177 F 3
Hejnice 177 H 2
Helfenburk 180 F 5
Helfštýn 183 M 4
Heřmaničky 181 G 4
Heřmanova Huť 180 D 4
Heřmanovice 179 L 3
Heřmanův Městec 178 I 4
Herálec (Pelhřimov) 182 J 4
Herálec (Žďár nad Sázavou) 181 H 4
Hevlín 182 J 6
Hlavňovice 180 D 5
Hlinné 182 J 4
Hlinsko 182 I 4
Hlubočky 183 L 4
Hluboká nad Vltavou 181 F 5
Hluboké Mašůvky 182 J 6
Hlučín 179 N 4
Hluk 183 M 6
Hněvkovice 181 H 4
Hnojník 183 O 4
Hodkovice nad Mohelkou 177 H 2
Hodonice 182 J 6
Hodonín 182 L 6
Hodslavice 183 N 4
Hojsova Stráž 180 D 5
Holasovice 179 M 3
Holčovice 179 L 3
Holešov 183 M 5
Holice 178 I 3
Holoubkov 176 E 4
Holýšov 180 D 4
Homole 181 F 6
Honezovice 180 D 4
Hořejší Kunčice 179 M 4
Hořepník 181 H 4
Hořičky 178 J 3
Hořice 178 I 3
Hořice na Šumavě 181 F 6
Hořiněves 178 I 3
Hořovičky 176 E 3
Hořovice 177 E 4
Hora Svaté Kateřiny 176 D 2
Hora Svatého Šebestiána 176 D 2
Horažďovice 180 E 5
Horka nad Moravou 182 L 4
Horní Bečva 183 N 5
Horní Benešov 179 M 4
Horní Beřkovice 177 F 3
Horní Blatná 176 C 3
Horní Bříza 176 D 4
Horní Bradlo 182 I 4
Horní Čermná 178 K 4
Horní Cerekev 181 H 5
Horní Dvořiště 181 F 6
Horní Jelení 178 J 3
Horní Jiřetín 176 E 2
Horní Kněžeklady 181 F 5
Horní Kruty 177 G 4
Horní Libchava 177 G 2
Horní Lideč 183 N 5
Horní Loděnice 183 L 4
Horní Lomná 183 O 4
Horní Maršov 178 I 2
Horní Město 179 L 4
Horní Moštěnice 183 L 5
Horní Planá 180 F 6
Horní Počernice 177 G 3
Horní Slavkov 176 C 3
Horní Štěpánov 182 K 4
Horní Stropnice 181 G 6
Horní Suchá 183 N 4
Horní Vltavice 180 E 6
Horšovský Týn 180 C 4
Horusický rybník 181 G 5
Hošťálková 183 M 5
Hošťálkovy 179 M 3
Hoštka 177 F 3
Hostěradice 182 J 6
Hostim 182 I 5
Hostinné 178 I 2
Hostivice 177 F 3
Hostomice (Středočeský kraj) 177 F 4
Hostomice (Ústecký kraj) 177 E 2
Hostouň 180 C 4
Hostýnské vrchy 183 M 5
Hovězí 183 N 5
Hovorany 182 K 6
Hřensko 177 F 2
Hřiměždice 181 F 4
Hříškov 177 E 3
Hřivice 176 E 3

Hrabišín 178 L4
Hrabyně 179 N4
Hradčany 177 G2
Hradec Králové 178 I3
Hradec nad Moravicí 179 M4
Hradec nad Svitavou 182 J4
Hrádek
(Klatovy) 180 D5
Hrádek
(Rokycany) 180 E4
Hrádek
(Znojmo) 182 J6
Hrádek nad Nisou 177 G2
Hrádek u Nechanic 178 I3
Hradiště 176 D3
Hracholusky (Vodní nádrž) 176 D4
Hranice
(Karlovarský kraj) 176 B3
Hranice
(Olomoucký kraj) 183 M4
Hrejkovice 181 F5
Hrob 176 E2
Hrobčice 177 E2
Hrochův Týnec 178 I4
Hronov 178 J3
Hrotovice 182 J5
Hroznětín 176 C3
Hrubá Voda 183 L4
Hrubý Jeseník 177 L3
Hrušky 182 K6
Hrušovany nad Jevišovkou 182 J6
Hrušovany u Brna 182 K5
Hukvaldy 183 N4
Hulín 183 L5
Humpolec 181 H4
Huštěnovice 183 L5
Husinec 180 E5
Huslenky 183 N5
Hustopeče 182 K6
Hustopeče nad Bečvou 183 M4
Hutisko-Solanec 183 N5
Huzová 182 L4
Hvězdlice 182 L5
Hvožďany 180 E4
Hvozd 182 K4

I

Ivančice 182 J5
Ivanovice na Hané 182 L5

J

Jabkenice 177 H3
Jablonec nad Jizerou 178 H2
Jablonec nad Nisou 177 H2
Jablonné nad Orlicí 178 K3
Jablonné v Podještědí 177 G2
Jablůnka 183 M5
Jablunkov 183 O4
Jáchymov 176 C3
Jalubí 183 L5
Jankov 181 G4
Janov nad Nisou 177 H2
Janovice 183 N4
Janovice nad Úhlavou 180 D5
Janské Lázně 178 I2
Jaroměř 178 I3
Jaroměřice 182 K4
Jaroměřice nad Rokytnou 182 I5
Jarošov nad Nežárkou 181 H5
Jaroslav 178 J3
Jaroslavice 182 J6
Javořice 181 H5
Javorník
(Olomoucký kraj) 178 L3
Javorník
(Pardubický kraj) 182 J4
Jedlová 182 J4
Jedovnice 182 K5
Jemnice 181 I5
Jeneč 177 F3
Ještěd 177 G2
Jesenice
(Praha) 177 G4
Jesenice
(Rakovník) 176 D3
Jesenice (Vodní nádrž) 176 B3
Jeseník 179 L3
Jeseník nad Odrou 183 M4
Jestřebí 177 G2
Jetřichovice 177 F2
Jevany 177 G4
Jevíčko 182 K4
Jevišovice 182 I6
Ježov 182 L5
Jezeřany-Maršovice 182 J5
Jezerní hora 180 D5
Jičín 177 H3
Jičíněves 177 H3
Jihlava 181 H5
Jihlava
(Sídla) 181 I5
Jilemnice 178 I2
Jílové 177 F2
Jílové u Prahy 177 F4
Jílovice 181 G6
Jimramov 182 J4
Jince 177 E4
Jindřichov
(Bruntál) 179 M3
Jindřichov
(Šumperk) 178 K3
Jindřichovice 176 C3
Jindřichovice
pod Smrkem 177 H2
Jindřichův Hradec 181 H5
Jinošov 182 J5
Jiřetín pod Jedlovou 177 G2
Jiříkov 177 G2
Jirkov 176 D3
Jistebnice 181 G5
Jistebník 183 N4
Jívová 183 L4
Jizera 177 H2
Jizera 177 H2
Jizerské hory 177 H2
Josefov 178 I3
Josefův Důl 177 H2

K

Kaceřov
(Plzeň-sever) 176 E4
Kaceřov
(Sokolov) 176 C3
Kácov 181 H4
Kadaň 176 D3
Kadov 180 E5
Kájov 181 F6
Kalek 176 D2
Kámen 181 H5
Kamenice
(Středočeský kraj) 177 G4
Kamenice
(Vysočina kraj) 182 I5
Kamenice nad Lipou 181 H5
Kamenický Šenov 177 F2
Kamenný Přívoz 177 G4
Kamenný Újezd 181 F6
Kamýk nad Vltavou 181 F4
Kaplice 181 F6
Kařez 176 E4
Kardašova Řečice 181 G5
Karlova Studánka 179 L3
Karlovice 179 L3
Karlovy Vary 176 C3
Karlštejn 177 F4
Karolinka 183 N5
Karviná 179 O4
Kašperk 180 E5
Kašperské Hory 180 E5
Kasárna 181 I5
Kasejovice 180 E5
Katovice 180 E5
Katusice 177 G3
Kaznějov 176 D4
Kbely 177 G3
Kdyně 180 D5
Kejžlice 181 H4
Kelč 183 M5
Kepřník 178 L3
Kladno 177 F3
Kladruby 180 C4
Kladruby nad Labem 178 H3
Klášterec nad Ohří 176 D3
Klatovy 180 D5
Klecany 177 F3
Klenčí pod Čerchovem 180 C5
Klenovice na Hané 182 L5
Kleť 181 F6
Klimkovice 183 N4
Klínovec 176 C3
Klobouky 182 K6
Klobuky 177 E3
Kněždub 183 L6
Kněževes 176 E3
Kněžice
(Středočeský kraj) 177 H3
Kněžice
(Vysočina kraj) 181 I5
Knězmost 177 H3
Knížecí stolec 180 F6
Knížecí strom 176 B4
Kobeřice 179 N4
Kobylí 182 K6
Kocbeře 178 I3
Kojetín
(Olomoucký kraj) 182 L5
Kojetín
(Ústecký kraj) 176 D3
Kokašice 176 C4
Kokořín 177 G3
Kokory 183 L5
Kolín 177 H3
Kolinec 180 D5
Kolný 181 G5
Koloveč 180 D5
Komáří hůrka 177 E2
Komárov 177 E4
Komorní Lhotka 183 O4
Komorovice 181 H4
Koněprusy 177 F4
Konice 182 K4
Konopiště 181 G4
Konstantinovy Lázně 176 C4
Kopaniny 176 B3
Kopidlno 177 H3
Kopřivnice 183 N4
Kořenov 177 H2
Koryčany 182 L5
Korytná 183 M6
Košetice 181 H4
Košice 181 G5
Košťálov 177 H2
Košťany 177 E2
Koštice 177 E3
Kosičky 178 I3
Kosova Hora 181 F4
Kost 177 H3
Kostelec 181 I5
Kostelec na Hané 182 L4
Kostelec
nad Černými Lesy 177 G4
Kostelec nad labem 177 G3
Kostelec nad Orlicí 178 J3
Kostelní Hlavno 177 G3
Kostomlaty nad Labem 177 G3
Kostomlaty
pod Milešovkou 177 E2
Kotel 178 I2
Kounice 177 G3
Kouřim 177 G3
Kouty 182 I5
Kouty nad Desnou 178 L3
Kovářov 181 F4
Kovářská 176 D3
Kožlany 176 E4
Kozí Hrádek 181 G5
Kozlovice 183 N4
Kozojedy 176 E4
Kozolupy 176 D4
Křečovice 181 F4
Křelovice 181 H4
Křemže 181 F6
Křenice 180 D4
Křenov 182 K4
Křenovice 182 K5
Křešice 177 F2
Křetín 182 K4
Křinec 177 H3
Křivoklát 177 E3
Křižanov 182 J5
Křižany 177 G2
Křižová 182 I4
Křtiny 182 K5
Krajková 176 C3
Kralice nad Oslavou 182 J5
Králický Sněžník 178 K3
Králíky 178 K3
Královec 178 I2
Kralovice 176 D4
Kralupy nad Vltavou 177 F3
Králův Dvůr 177 F4
Kramolín 182 J5
Kraselov 180 E5
Kraslice 176 C3
Krásná 183 N4
Krásná Hora nad Vltavou 181 F4
Krásná Lípa 177 G2
Krásný Dvůr 176 D3
Kratochvíle 181 F5
Kravaře
(Liberecký kraj) 177 F2
Kravaře
(Moravskoslezský kraj) 179 N4
Krchleby
(Kutná Hora) 177 H4
Krchleby
(Nymburk) 177 H3
Krkonoše 178 I2
Krnov 179 M3
Kroměříž 183 L5
Krompach 177 G2
Krouna 182 J4
Krsy 176 D4
Krumvíř 182 K6
Krupá 176 E3
Krupka 177 E2
Krušné hory 176 C3
Kryry 176 D3
Kučeř 181 F5
Kuks 178 I3
Kunčice pod Ondřejníkem 183 N4
Kunčina 182 K4
Kunín 183 M4
Kunovice 183 L5
Kunštát 182 K4
Kunvald 178 J3
Kunžak 181 H5
Kuřim 182 K5
Kuřivody 177 G2
Kutná Hora 177 H4
Kvasice 183 L5
Kvasiny 178 J3
Kvilda 180 E5
Kyjov 182 L5
Kyjovice 179 N4
Kynšperk nad Ohří 176 C3
Kyselka 176 C3
Kytlice 177 G2

L

Labe 177 I3
Landštejn 181 H5
Lánov 178 I2
Lanškroun 178 K4
Lanžhot 182 K6
Lanžov 178 I3
Lásenice 181 G5
Lázně Bělohrad 178 I3
Lázně Bohdaneč 178 I3
Lázně Kynžvart 176 C3
Ledeč nad Sázavou 181 H4
Ledenice
(Jihočeský kraj) 181 G6
Lednice
(Jihočeský kraj) 182 K6
Lechovice 182 J6
Lelekovice 182 K5
Lenešice 177 E3
Lenora 180 E6
Lešná 183 M5
Lešná
(Severomoravský kraj) 183 M4
Leština u Světlé 181 H4
Leština 178 K4
Leskovec nad Moravicí 179 M4
Lesná 176 C4
Lesný 176 C3
Lestkov 176 C4
Letiny 180 D4
Letňany 177 G3
Letohrad 178 K3
Letonice 182 K5
Letovice 182 K4
Lezník 182 J4
Lhenice 181 F6
Lhota 183 M4
Lhota pod Libčany 178 I3
Lhota pod Radčem 176 E4
Lhotka 177 F3
Libá 176 B3
Libáň 177 H3
Libčeves 177 E3
Libčice nad Vltavou 177 F3
Libecina 178 J4
Liběchov 177 F3
Liberec 177 H2
Liběšice 177 F2
Libeznice 177 F3
Libchavy 178 J3
Libice nad Doubravou 182 I4
Libín 180 F6
Libina 178 L4
Libínské Sedlo 180 E6
Libňatov 178 J3
Libočany 176 E3
Libochovice 177 F3
Liboměřice 178 I4
Libošovice 177 H3
Libouchec 177 F2
Libřice 178 I3
Libušín 177 F3
Líčno 178 J3
Lidečko 183 N5
Lidice 177 F3
Lichnov 179 M3
Lindava 177 G2
Líně 180 D4
Lípa 181 I4
Lipí 181 F6
Lipnice 181 G6
Lipník 182 I5
Lipník nad Bečvou 183 M4
Lipno I (Vodní nádrž) 180 F6
Lipno-Lipenec 176 E3
Lipno nad Vltavou 181 F6
Lipoltice 178 I4
Lipov 183 L6
Lipová 182 K4
Lipová-lázně 179 L3
Lipovec 182 K5
Liptál 183 M5
Lipůvka 182 K5
Líšeň 182 K5
Lišov 181 G5
Lišťany 176 D4
Liteň 177 F4
Litenčice 182 L5
Litice 180 D4
Litobratřice 182 J6
Litohoř 182 I5
Litoměřice 177 F2
Litomyšl 178 J4
Litovel 182 L4
Litultovice 179 M4
Litvínov 176 E2
Lnáře 180 E5
Lobendava 177 F1
Loděnice 177 F4
Lochovice 177 E4
Loket 176 C3
Lom
(Jihočeský kraj) 180 E5
Lom
(Ústecký kraj) 176 E2
Lomnice 182 J5
Lomnice nad Lužnicí 181 G5
Lomnice nad Popelkou 177 H2
Loštice 182 K4
Loučeň 177 H3
Loučka 183 M5
Loučka (Přerov) 183 M4
Loučky 183 M4
Loučná nad Desnou 178 L3
Loučovice 181 F6
Louka 183 L6
Louňovice pod Blaníkem 181 G4
Louny 177 E3
Lovčice 182 L5
Lovečkovice 177 F2
Lovosice 177 F2
Loza 176 D4
Lubenec 176 D3
Lubná 183 L5
Lubná
(Východočeský kraj) 182 J4
Luby 176 B3
Lučina 183 N4
Ludgeřovice 179 N4
Ludvíkovice 177 F2
Luhačovice 183 M5
Luká 182 K4
Luka nad Jihlavou 181 I5
Lukavec 181 G4
Lukov 183 M5
Lukov
(Znojmo) 182 I6
Luleč 182 K5
Luštěnice 177 G3
Lusen 180 E6
Lutín 182 L4
Luž 177 G2
Luže 178 J4
Lužec nad Vltavou 177 F3
Lužice 182 L6
Lužické hory 177 G2
Lužná 176 E3
Lužnice 181 G6
Lysá hora 183 N4
Lysá nad Labem 177 G3
Lysice 182 K5

M

Macocha 182 K5
Machov 178 J3
Máchovo jezero 177 G2
Malá Morávka 179 L3
Malá Štáhle 179 L4
Malá Skála 177 H2
Malá Úpa 178 I2
Malé Březno
(Most) 176 E3
Malé Březno
(Ústí n. Lab.) 177 F2
Malešov 177 H4
Maletín 182 K4
Malonty 181 G6
Malšice 181 G5
Malšín 181 F6
Manětín 176 D4
Mariánské Lázně 176 C4
Markvarec 181 H5
Markvartovice 179 N4
Maršíkov 178 L3
Maršovice 181 G4
Maštov 176 D3
Maxičky 177 F2
Mcely 177 H3
Měčín 180 D5
Měděnec 176 D3
Mělcholupy 176 E3
Melč 179 M4
Mělnické Vtelno 177 G3
Mělník 177 F3
Měnín 182 K5
Měřín 182 I5
Merklín 180 D4
Městec Králové 177 H3
Městečko Trnávka 182 K4
Město Albrechtice 179 M3
Město Libavá 183 M4
Město Touškov 176 D4
Meziboří 176 E2
Meziměstí 178 J2
Mikulášovice 177 F2
Mikulov
(Jihomoravský kraj) 182 K6
Mikulov
(Ústecký kraj) 176 E2
Mikulovice
(Jihočeský kraj) 182 J6
Mikulovice
(Olomoucký kraj) 179 L3
Milešov
(Středočeský kraj) 181 F4
Milešov
(Ústecký kraj) 177 E2
Miletín 178 I3
Milevsko 181 F5
Miličín 181 G4
Milín 181 F4
Milotice 182 L6
Milovice
(Jihočeský kraj) 182 K6
Milovice
(Středočeský kraj) 177 G3
Mimoň 177 G2
Miřetice 178 I4
Mířkov 180 C4
Mirošov 180 E4
Miroslav 182 J6
Mirotice 180 F5
Mirovice 181 F4
Miškovice 183 M5
Misečky 178 I2
Místo 176 D3
Mladá Boleslav 177 G3
Mladá Vožice 181 G4
Mladé Buky 178 I2
Mladějovice 182 L4
Mladkov 178 K3
Mladošovice 181 G6
Mladotice 176 D4
Mlázovice 178 I3
Mlečice 176 E4
Mlýny 181 G5
Mnich 181 G5
Mnichov 176 C3
Mnichovice
(Benešov) 181 H4
Mnichovice
(Praha-východ) 177 G4
Mnichovo Hradiště 177 G2
Mníšek 177 H2
Mníšek pod Brdy 177 F4
Modřice 182 K5
Modrava 180 D5
Mochov 177 G3
Mochtín 180 D5
Mohelnice 182 K4
Mohelnice nad Jizerou 177 G2
Mohelno 182 J5
Mohyla míru 182 K5
Mokrá-Horákov 182 K5
Moldava 176 E2
Mořina 177 F4
Mořkov 183 N4
Morašice 178 J4
Morava 178 K3
Moravany 178 I4
Moravec 182 J5
Moravičany 182 K4
Moravice 179 M4

A B C D E F G H I J K L M N O P Q R S T U V W X Y Z

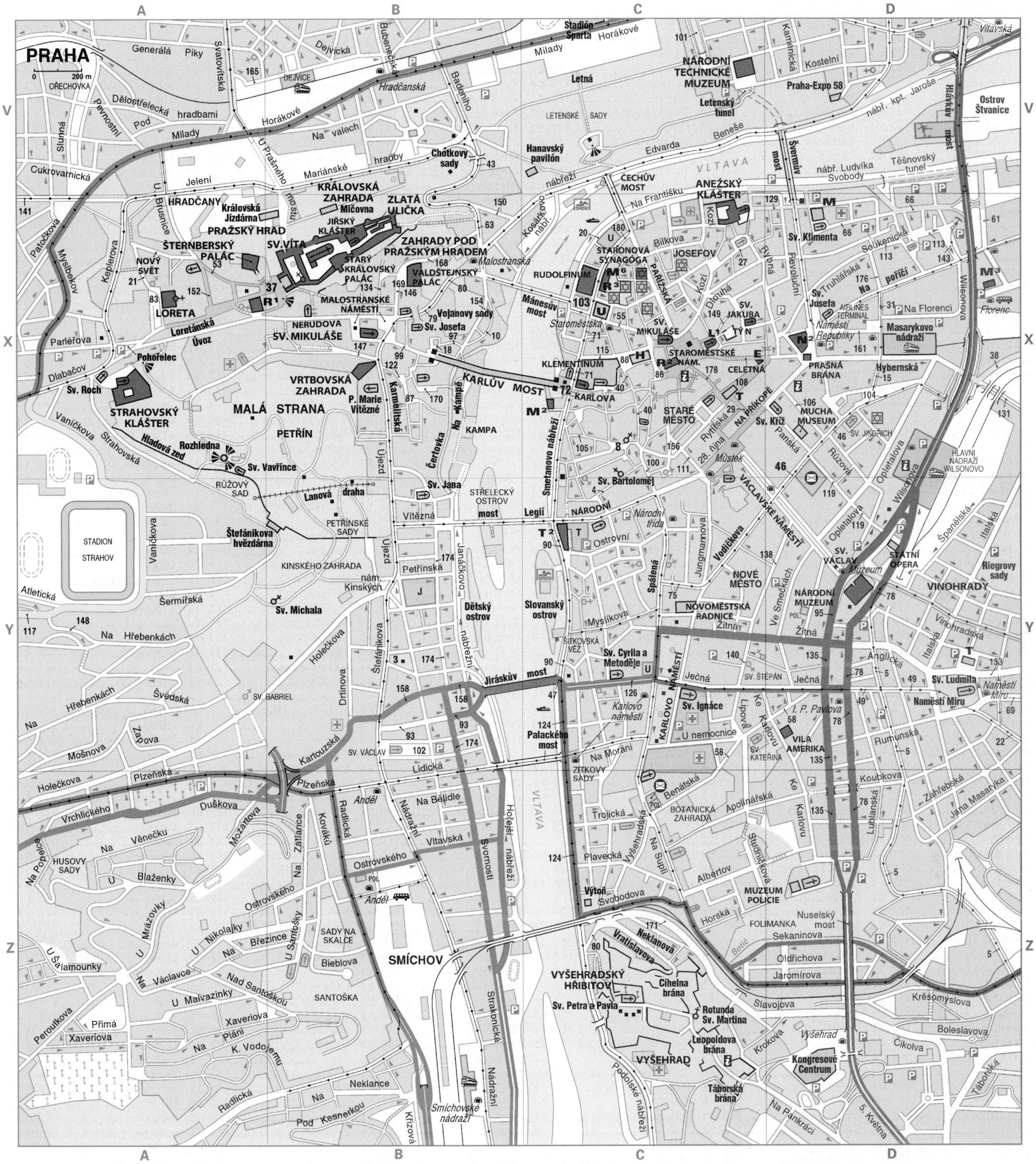

PRAHA
0 200 m
A
B
C
D
V
X
Y
Z
HRADČANY
PRAŽSKÝ HRAD
SV. VÍTA
ZLATÁ ULIČKA
KRÁLOVSKÁ ZAHRADA
Královská Jízdárna
Míčovna
JIŘSKÝ KLÁŠTER
ŠTERNBERSKÝ PALÁC
STARÝ KRÁLOVSKÝ PALÁC
ZAHRADY POD PRAŽSKÝM HRADEM
VALDŠTEJNSKÝ PALÁC
MALOSTRANSKÉ NÁMĚSTÍ
LORETA
NOVÝ SVĚT
Pohořelec
Sv. Roch
STRAHOVSKÝ KLÁŠTER
NERUDOVA
SV. MIKULÁŠE
VRTBOVSKÁ ZAHRADA
P. Marie Vítězné
MALÁ STRANA
PETŘÍN
Rozhledna
Hladová zeď
Sv. Vavřince
RŮŽOVÝ SAD
Lanová dráha
Štefánikova hvězdárna
STADION STRAHOV
KINSKÉHO ZAHRADA
Sv. Michala
SV. GABRIEL
KAMPA
KARLŮV MOST
Vojanovy sady
Sv. Josefa
Chotkovy sady
Hanavský pavilón
LETENSKÉ SADY
Letná
Stadión Sparta
NÁRODNÍ TECHNICKÉ MUZEUM
Letenský tunel
Praha-Expo 58
VLTAVA
ČECHŮV MOST
ANEŽSKÝ KLÁŠTER
RUDOLFINUM
STARONOVÁ SYNAGOGA
JOSEFOV
Mánesův most
KLEMENTINUM
KARLOVA
STAROMĚSTSKÉ NÁM.
SV. MIKULÁŠE
SV. JAKUBA
TÝN
CELETNÁ
STARÉ MĚSTO
Sv. Klimenta
Sv. Josefa
AIRLINES TERMINAL
Náměstí Republiky
PRAŠNÁ BRÁNA
Masarykovo nádraží
Hybernská
Florenc
MUCHA MUSEUM
Sv. Kříž
Můstek
NA PŘÍKOPĚ
VÁCLAVSKÉ NÁMĚSTÍ
SV. JINDŘICH
HLAVNÍ NÁDRAŽÍ WILSONOVO
Sv. Bartoloměj
NÁRODNÍ
Národní třída
STŘELECKÝ OSTROV
Most Legií
PETŘÍNSKÉ SADY
Vítězná
Dětský ostrov
Slovanský ostrov
SV. VÁCLAV
Muzeum
NÁRODNÍ MUZEUM
STÁTNÍ OPERA
VINOHRADY
Riegrovy sady
NOVÉ MĚSTO
NOVOMĚSTSKÁ RADNICE
Žitná
ŠITKOVSKÁ VĚŽ
Sv. Cyrila a Metoděje
Jiráskův most
Palackého most
KARLOVO NÁMĚSTÍ
Karlovo náměstí
Sv. Ignáce
U nemocnice
SV. ŠTĚPÁN
I. P. Pavlova
VILA AMERIKA
SV. KATEŘINA
Sv. Ludmila
Náměstí Míru
ZÍTKOVY SADY
BOTANICKÁ ZAHRADA
Anděl
SMÍCHOV
HUSOVY SADY
SADY NA SKALCE
SANTOŠKA
MUZEUM POLICIE
FOLIMANKA
Nuselský most
VYŠEHRADSKÝ HŘIBITOV
Cihelná brána
Sv. Petra a Pavla
Rotunda Sv. Martina
Leopoldova brána
VYŠEHRAD
Táborská brána
Kongresové Centrum
Vyšehrad
Smíchovské nádraží
Ostrov Štvanice
Těšnovský tunel
Hlávkův most

Arbesovo náměstí . . . . BY 3
Bartolomějská . . . . CXY 4
Bělehradská . . . . DYZ 5
Betlémské náměstí . . . . CX 8
Cihelná . . . . BX 10
Černínská . . . . AX 21
Dlážděná . . . . DX 15
Dražického náměstí . . . . BX 18
Dvořákovo nábřeži . . . . CX 20
Francouzská . . . . DX 22
Haštalské náměstí . . . . CX 27
Havířská . . . . CX 29
Havlíčkova . . . . DX 31
Heřmanova . . . . DV 34
Hradčanské náměstí . . . . AX 37
Husitská . . . . DX 38
Husova . . . . CX 40
Chotkova . . . . BV 43
Jindřišská . . . . DX 46
Jiráskovo náměstí . . . . CY 47
Jugoslávská . . . . DY 49
Jugoslávských partyzánů . . . AV 50
Kanovnická . . . . AX 53
Kaprova . . . . CX 55
Kateřinská . . . . CDY 58
Ke Štvanici . . . . DX 61
Klárov . . . . BX 63
Klimentská . . . . DX 66
Korunní . . . . DY 69
Křižonické náměstí . . . . CX 72
Křižovnická . . . . CX 71
Lazarská . . . . CY 75
Legerova . . . . DYZ 78
Letenská . . . . BX 79
Libušina . . . . CZ 80
Loretánské náměstí . . . . AX 83
Malé náměstí . . . . CX 86
Maltézské náměstí . . . . BX 87
Mariánské náměstí . . . . CX 88
Masarykovo nábřeží . . . . CY 90
Matoušova . . . . BY 93
Mezibranská . . . . DY 95
Míšeňskä . . . . BX 97
Mostecká . . . . BX 99
Nad štolou . . . . CV 101
náměstí Jana Palacha . . . . . CX 103
náměstí Maxima
Gorkého . . . . DX 104
náměstí 4. října . . . . BY 102
Náprstkova . . . . CX 105
Na Perštýné . . . . CY 100
Nekázanka . . . . DX 106
Ovocný trh . . . . CX 108
Perlová . . . . CX 111
Petrská . . . . DX 113
Platnéřská . . . . CX 115
Pod Stadiony . . . . AY 117
Politických vězňů . . . . DY 119
Prokopská . . . . BX 122
Rašínovo nábřeží . . . . CYZ 124
Resslova . . . . CY 126
Řásnovka . . . . DX 129
Seifertova . . . . DX 131
Slezská . . . . DY 133
Sněmovní . . . . BX 134
Sokolská . . . . DYZ 135
Střešovická . . . . AX 141
Štěpánská . . . . DY 138
Těšnov . . . . DX 143
Tomášská . . . . BX 146
Tržíště . . . . BX 147
Turistická . . . . AY 148
Tynská . . . . CX 149
Uhelný
trh . . . . CY 156
U Bruských Kasáren . . . . BX 150
U Kasáren . . . . AX 152
U lužického semináře . . . . . . BX 154
Václavkova . . . . AV 165
Valdštejnská . . . . BX 168
Valdštejnské náměstí . . . . . . BX 169
Velkopřevorské
náměstí . . . . BX 170
Vnislavova . . . . CZ 171
V botanice . . . . BY 158
V celnici . . . . DX 161
Zborovská . . . . BY 174
Zlatnická . . . . DX 176
Železná . . . . CX 178
17. listopadu . . . . CX 180

Morávka 183 O 4
Moravská Nová Ves 182 L 6
Moravská Třebová 182 K 4
Moravské Budějovice 182 I 5
Moravskoslezské Beskydy 183 N 5
Moravský Beroun 183 L 4
Moravský Kras 182 K 5
Moravský Krumlov 182 J 5
Moravský Písek 182 L 6
Morkovice-Slížany 182 L 5
Mošnov 183 N 4
Most 176 E 2
Mostek 178 I 3
Mostkovice 182 L 5
Mosty u Jablunkova 183 O 4
Moutnice 182 K 5
Mratín 177 G 3
Mrázov 176 C 4
Mšec 177 E 3
Mšené-lázně 177 F 3
Mšeno 177 G 3
Mukařov 177 G 4
Mutějovice 176 E 3
Mutěnice 182 L 6
Myštice 180 E 5
Myslejovice 182 L 5
Myslibořice 182 I 5
Mýtina 176 B 3
Mýto 176 E 4
Mže 176 C 4

N

Načeradec 181 G 4
Náchod 178 J 3
Náklo 182 L 4
Nalžovské Hory 180 E 5
Náměšť na Hané 182 L 4
Náměšť nad Oslavou 182 J 5
Napajedla 183 M 5
Nasavrky 178 I 4
Nebužely 177 G 3
Nečemice 176 E 3
Nečtiny 176 D 4
Nedakonice 183 L 5
Nedašov 183 N 5
Nedvědice 182 J 5
Nechanice 178 I 3
Nechranice (Vodní nádrž) 176 D 3
Nechvalice 181 F 4
Nejdek 176 C 3
Nekvasovy 180 E 5
Nemanice 180 C 5
Němčice 182 K 5
Němčice 180 D 5
Němčice nad Hanou 182 L 5
Nepomuk 180 E 5
Neratovice 177 G 3
Neslovice 182 J 5
Nesovice 182 L 5
Nespeky 177 G 4
Netolice 181 F 5
Netřebice 177 H 3
Netvořice 177 G 4
Neurazy 180 E 5
Neustupov 181 G 4
Neveklov 181 G 4
Nezamyslice 182 L 5
Nezvěstice 180 E 4
Nivnice 183 M 6
Nižbor 177 F 3
Nížkov 182 I 4
Nížkovice 182 K 5
Nová Bystřice 181 H 5
Nová Cerekev 181 H 5
Nová Hospoda 176 C 4
Nová Lhota 183 M 6
Nová Paka 178 I 3
Nová Pec 180 E 6
Nová Říše 181 I 5
Nová Role 176 C 3
Nová Včelnice 181 H 5
Nová Ves (*Břeclav*) 182 K 6
Nová Ves (*Jihlava*) 181 H 5
Nová Ves (*Mělník*) 177 F 3
Nová Ves I 177 H 3
Nová Ves v Horách 176 D 2
Nové Dvory 177 H 4
Nové Hrady (*Jihočeský kraj*) 181 G 6
Nové Hrady (*Pardubický kraj*) 178 J 4
Nové Město na Moravě 182 J 4
Nové Město nad Metují 178 J 3
Nové Město pod Smrkem 177 H 2
Nové Mitrovice 180 E 4
Nové Mlýny (Vodní nádrž) 182 K 6
Nové Sedlo 176 C 3
Nové Strašecí 177 E 3
Nové Syrovice 182 I 5
Nové Veselí 182 I 4
Novohradské hory 181 G 6
Novosedly nad Nežárkou 181 G 5
Nový Bor 177 G 2
Nový Bydžov 178 I 3
Nový Hrádek 178 J 3
Nový Hrozenkov 183 N 5
Nový Jičín 183 N 4
Nový Knín 177 F 4
Nový Kostel 176 B 3
Nový Malín 178 L 4
Nový Přerov 182 J 6
Nový Rychnov 181 H 5
Nýdek 183 O 4
Nymburk 177 H 3
Nýřany 180 D 4
Nýrsko 180 D 5

O

Obecnice 180 E 4
Obory 181 F 4
Obříství 177 F 3
Obrataň 181 G 5
Obrnice 176 E 2
Odolena Voda 177 F 3
Odra 183 N 4
Odry 183 M 4
Ochoz u Brna 182 K 5
Oheb 178 I 4
Ohře 176 D 3
Okna 177 G 2
Okounov 176 D 3
Okříšky 182 I 5
Okrouhlá 176 B 3
Okrouhlice 181 I 4
Olbramovice (*Jihočeský kraj*) 182 J 6
Olbramovice (*Středočeský kraj*) 181 G 4
Oldřichovice 183 O 4
Oldřišov 179 M 4
Olešnice (*Jihočeský kraj*) 181 G 6
Olešnice (*Jihočeský kraj*) 182 J 4
Olešnice v Orlických horách 178 J 3
Olomouc 182 L 4
Oloví 176 C 3
Olšany 178 K 4
Olšany u Prostějova 182 L 4
Olší 182 J 5
Olšovec 183 M 4
Oltyně 181 G 5
Ondřejov 177 G 4
Opařany 181 F 5
Opatov (*Pardubický kraj*) 178 K 4
Opatov (*Vysočina kraj*) 181 I 5
Opatovice 183 M 4
Opatovice nad Labem 178 I 3
Opava 179 M 3
Opava (*Sídla*) 179 M 4
Opočno 178 J 3
Opolany 177 H 3
Ořechov 182 K 5
Oráčov 176 E 3
Orlice 178 J 3
Orlické hory 178 J 3
Orlické Záhoří 178 J 3
Orlík 179 L 3
Orlík (Vodní nádrž) 181 F 4
Orlík nad Vltavou 181 F 4
Orlová 179 N 4
Osečná 177 G 2
Osek (*Plzeňský kraj*) 176 E 4
Osek (*Ústecký kraj*) 176 E 2
Osek nad Bečvou 183 M 4
Oskava 178 L 4
Oskořínek 177 H 3
Oslavany 182 J 5
Osoblaha 179 M 3
Osová Bitýška 182 J 5
Ostrava 179 N 4
Ostrava-Mošnov (Letiště) 183 N 4
Ostravice 183 N 4
Ostroměř 178 I 3
Ostrov (*Karlovarský kraj*) 176 C 3
Ostrov (*Pardubický kraj*) 178 K 4
Ostrov nad Oslavou 182 I 5
Ostrov u Macochy 182 K 5
Ostrovec 181 F 5
Ostrožská Nová Ves 183 L 5
Ostružná 178 L 3
Ostrý 180 D 5
Osvětimany 182 L 5
Otaslavice 182 L 5
Otava 180 D 5
Otice 179 M 4
Otnice 182 K 5
Otročín 176 C 3
Otrokovice 183 M 5
Otryby 177 G 4
Otvice 176 D 3
Ovčáry 177 H 3

P

Pačejov 180 E 5
Pačlavice 182 L 5
Pacov 181 H 5
Palkovice 183 N 4
Pancíř 180 D 5
Panenský Týnec 177 E 3
Panská skála 177 F 2
Panské Dubenky 181 H 5
Paračov 180 E 5
Pardubice 178 I 3
Pašovice 183 M 5
Paseka 182 L 4
Paskov 183 N 4
Pasohlávky 182 K 6
Pastviny 178 K 3
Pavlice 182 I 6
Pavlíkov 176 E 3
Pavlovské vrchy 182 K 6
Pec pod Sněžkou 178 I 2
Pěčín 178 J 3
Pečky 177 H 3
Pecka 178 I 3
Pelhřimov 181 H 5
Pěnčín 177 H 2
Pernarec 176 D 4
Pernink 176 C 3
Pernštejn 182 J 5
Perštejn 176 D 3
Peruc 177 E 3
Pětipsy 176 D 3
Petřvald 179 N 4
Petrovice (*Ústí n. Lab.*) 177 E 2
Petrovice (*Česká Lípa*) 177 G 2
Petrovice (*Příbram*) 181 F 4
Petrovice (*Znojmo*) 182 J 5
Petrovice u Karviné 179 O 4
Petrovice u Sušice 180 D 5
Pchery 177 F 3
Pila 176 C 3
Pilníkov 178 I 2
Píšť 179 N 4
Písečná 179 L 3
Písečné 181 H 6
Písek (*Jihočeský kraj*) 181 F 5
Písek (*Moravskoslezský kraj*) 183 O 4
Plaňany 177 H 3
Planá 176 C 4
Planá nad Lužnicí 181 G 5
Plánice 180 D 5
Plasy 176 D 4
Plavy 177 H 2
Plechý 180 E 6
Plešivec 176 C 3
Plesná 176 B 3
Plumlov 182 L 5
Plzeň 176 D 4
Přovany 176 D 4
Pňovice 182 L 4
Poběžovice 180 C 4
Počátky 181 H 5
Pocinovice 180 D 5
Podbořanský Robozec 176 D 3
Podbořany 176 D 3
Podbřezí 178 J 3
Poděbrady 177 H 3
Podhora 177 G 2
Podhradí 177 H 3
Podhradí nad Dyjí 181 I 6
Podivice 182 L 5
Podivín 182 K 6
Podlesí 183 M 4
Podmokly 176 E 4
Podolí 183 M 5
Podomí 182 K 5
Podstrání 176 C 3
Pohořelice 182 K 6
Pohoří na Šumavě 181 G 6
Pohorská Ves 181 G 6
Polánka 182 J 5
Polepy 177 F 2
Polešovice 182 L 5
Polička 182 J 4
Police nad Metují 178 J 2
Polná 182 I 5
Polná na Šumavě 181 F 6
Polnička 182 I 4
Pomezí 182 J 4
Pomezí nad Ohří 176 B 3
Popelín 181 H 5
Poříčany 177 G 3
Poříčí nad Sázavou 177 G 4
Poruba 183 N 4
Postoloprty 176 E 3
Postřekov 180 C 5
Postřelmov 178 K 4
Postupice 181 G 4
Potěhy 177 H 4
Potštát 183 M 4
Potštejn 178 J 3
Povrly 177 F 2
Pozdeň 177 E 3
Pozořice 182 K 5
Přáslavice 183 L 4
Přebuz 176 C 3
Předín 181 I 5
Předměřice nad Jizerou 177 G 3
Předměřice nad Labem 178 I 3
Přelouč 178 I 3
Přemyslovice 182 K 4
Přepychy 178 J 3
Přerov 183 L 5
Přerov nad Labem 177 G 3
Přešín 180 E 4
Přeštice 180 D 4
Příbor 183 N 4
Příbram (*Středočeský kraj*) 180 F 4
Příbram (*Ústecký kraj*) 177 F 2
Přibyslav 182 I 4
Přimda 180 C 4
Přísečnice (Vodní nádrž) 176 D 3
Praděd 179 L 3
Prachatice 180 F 5
Prachomety 176 C 3
Prachovice 178 I 4
Praha 177 G 3
Praha-Ruzyně (Letiště) 177 F 3
Prameny 176 C 3
Pravčická brána 177 F 2
Pražmo 183 N 4
Proseč 182 J 4
Prosiměřice 182 J 6
Prostějov 182 L 5
Prostřední Bečva 183 N 5
Protivanov 182 K 5
Protivín 181 F 5
Průhonice 177 G 4
Pruněřov 176 D 3
Prušánky 182 K 6
Prusinovice 183 M 5
Pšov 176 D 3
Pšov (*Západočeský kraj*) 176 D 3
Psáry 177 G 4
Ptení 182 K 4
Purkarec 181 F 5
Pustá Polom 179 N 4
Pustiměř 182 L 5

R

Řásná 181 H 5
Řečany nad Labem 178 H 3
Řečice 181 H 5
Řeka 183 O 4
Řepiště 183 N 4
Řevničov 177 E 3
Řevnice 177 F 4
Říčany (*Jihočeský kraj*) 182 J 5
Říčany (*Středočeský kraj*) 177 G 4
Říčky 178 J 3
Římov 181 F 6
Římov (Vodní nádrž) 181 F 6
Rabí 180 E 5
Rabyně 177 F 4
Račice-Pístovice 182 K 5
Radbuza 180 C 4
Radeč 176 E 4
Radíč 181 F 4
Radiměř 182 J 4
Radnice 176 E 4
Radomyšl 180 E 5
Radonice 176 D 3
Radošice 180 E 4
Radostín nad Oslavou 182 I 5
Radotice 181 I 6
Radotín 177 F 4
Radovesnice I 177 H 3
Radslavice 183 M 5
Raduň 179 M 4
Rájec-Jestřebí 182 K 5
Rajhrad 182 K 5
Rajnochovice 183 M 5
Rakovník 176 E 3
Rakvice 182 K 6
Rancířov 181 I 6
Rapotín 178 L 4
Rapšach 181 G 6
Raspenava 177 H 2
Rataje nad Sázavou 177 G 4
Ratiboř 183 M 5
Ratibořice 178 J 3
Ratibořské Hory 181 G 5
Ratíškovice 182 L 6
Ražice 181 F 5
Rejštejn 180 E 5
Ročov 177 E 3
Rohatec 182 L 6
Rohovládova Bělá 178 I 3
Rohozná 182 J 4
Rokycany 180 E 4
Rokytnice 183 L 5
Rokytnice nad Jizerou 178 H 2
Rokytnice nad Rokytnou 182 I 5
Rokytnice v Orlických horách 178 J 3
Ronov nad Doubravou 178 I 4
Ropice 183 O 4
Roštejn 181 H 5
Rosice 182 J 5
Rosovice 181 F 4
Rotava 176 C 3
Roudnice nad Labem 177 F 3
Rouchovany 182 J 5
Rousínov (*Jihočeský kraj*) 182 K 5
Rousínov (*Středočeský kraj*) 176 E 3
Rovečné 182 J 4
Rovensko pod Troskami 177 H 2
Rožďalovice 177 H 3
Rožmberk 181 G 5
Rožmberk nad Vltavou 181 F 6
Rožmitál pod Třemšínem 180 E 4
Rožnov pod Radhoštěm 183 N 5
Rozkoš 182 I 5
Rozkoš (Vodní nádrž) 178 J 3
Rozseč nad Kunštátem 182 J 4
Roztoky (*Praha-západ*) 177 F 3
Roztoky (*Rakovník*) 177 E 3
Rozvadov 180 C 4
Rtyně v Podkrkonoší 178 J 2
Ruda nad Moravou 178 K 4
Rudná 177 F 3
Rudník 178 I 2
Rudolfov 181 G 6
Rumburk 177 G 2
Rusava 183 M 5
Rybitví 178 I 3
Rybničná 176 C 3
Rybník 180 C 4
Rýdeč 177 F 2
Rychlebské hory 178 K 3
Rychnov 182 K 4
Rychnov nad Kněžnou 178 J 3
Rychnov u Jablonce nad Nisou 177 H 2
Rychtářov 182 K 5
Rychvald 179 N 4
Rýmařov 179 L 4
Rymice 183 M 5
Rynárec 181 H 5
Rynoltice 177 G 2

S

Šafov 182 I 6
Šakvice 182 K 6
Šance (Vodní nádrž) 183 N 4
Šardice 182 L 6
Šatov 182 J 6
Šebetov 182 K 4
Šebkovice 182 I 5
Šenov 183 N 4
Ševětín 181 G 5
Široká Niva 179 L 3
Šitbořice 182 K 5
Škrdlovice 182 I 4
Škvorec 177 G 3
Šlapanice 182 K 5
Šlapanov 181 I 4
Šluknov 177 F 2
Špičák 180 D 5
Špindlerův Mlýn 178 I 2
Šťáhlavy 180 E 4
Štěchovice 177 F 4
Štěkeň 180 F 5
Štěnovice 180 D 4
Štěpánkovice 179 N 4
Štěpánov 182 L 4
Štěpánov nad Svratkou 182 J 4
Šternberk 182 L 4
Štětí 177 F 3
Štítina 179 N 4
Štítná nad Vláří-Popov 183 M 5
Štíty 178 K 4
Štoky 181 I 4
Štramberk 183 N 4
Šumava 180 D 5
Šumice 183 M 5
Šumná 182 I 6
Šumperk 178 K 4
Šumvald 178 L 4
Švihov 180 D 5
Sadov 176 C 3
Sadová 178 I 3
Sadská 177 G 3
Sázava 181 G 4
Sázava (*Středočeský kraj*) 177 H 4
Sázava (*Vysočina kraj*) 182 I 4
Sebuzín 177 F 2
Seč 178 I 4
Sedlčany 181 F 4
Sedlec 178 I 3
Sedlec-Prčice 181 G 4
Sedlice 180 E 5
Sedliště 183 N 4
Sedlo 177 F 2
Semčice 177 H 3
Semily 177 H 2
Semněvice 180 C 4
Senice na Hané 182 L 4
Senomaty 176 E 3
Senožaty 181 H 4
Sepekov 181 F 5
Sezemice 178 I 3
Sezimovo Ústí 181 G 5
Sirotčí Hrádek 182 K 6
Skalná 176 B 3
Skašov 180 D 4
Skochovice 177 H 3
Skřipov 183 M 4
Skryje 176 E 4
Skuhrov 181 I 4
Skuhrov nad Bělou 178 J 3
Skuteč 178 I 4
Slabce 176 E 4
Slaný 177 F 3
Slapy 177 F 4
Slapy (Vodní nádrž) 177 F 4
Slatiňany 178 I 4
Slatinice 182 L 4
Slavhostice 177 H 3
Slavičín 183 M 5
Slavkov (*Moravskoslezský kraj*) 179 M 4
Slavkov (*Zlínský kraj*) 183 M 6
Slavkov u Brna 182 K 5
Slavkovský les 176 C 3
Slavonice 181 H 6
Sloup 182 K 5
Sloup v Čechách 177 G 2
Sloupnice 178 J 4
Slušovice 183 M 5
Smečno 177 F 3
Smědeč 181 F 6
Smidary 178 H 3
Smiřice 178 I 3
Smolov 180 C 4
Smrčná 181 I 5
Smrk 182 N 4
Smrk 178 L 3
Smrk 177 H 2
Smržice 182 L 5
Smržovka 177 H 2

Sněžka 178 I2
Sněžné 182 J4
Soběšice 180 E5
Soběslav 181 G5
Sobotín 178 L3
Sobotka 177 H3
Sokolnice 182 K5
Sokolov 176 C3
Solenice 181 F4
Solnice 178 J3
Sopotnice 178 J3
Sovinec 179 L4
Spálené Poříčí 180 E4
Spálov 183 M4
Spytihněv 183 M5
Srbeč 177 E3
Srbská Kamenice 177 F2
Srní 180 D5
Stachy 180 E5
Stáj 182 I5
Staňkov 180 D4
Stanovice (Vodní nádrž) 176 C3
Stařeč 182 I5
Stará Bělá 183 N4
Stará Boleslav 177 G3
Stará Libavá 183 M4
Stará Paka 178 I2
Stará Ves nad Ondřejnicí 183 N4
Stará Voda 176 C4
Staré Čívice 178 I3
Staré Hamry 183 N5
Staré Hobzí 181 H5
Staré Hradiště 178 I3
Staré Křečany 177 G2
Staré Město
(Bruntál) 178 L3
Staré Město
(Šumperk) 178 K3
Staré Město
(Svitavy) 182 K4
Staré Město
pod Landštejnem 181 H5
Staré Sedliště 176 C4
Staré Smrkovice 178 I3
Staré Splavy 177 G2
Staré Ždánice 178 I3
Stárkov 178 J2
Starý Hrozenkov 183 M6
Starý Jičín 183 M4
Starý Plzenec 180 D4
Starý Smolivec 180 E4
Stěbořice 179 M4
Stěžery 178 I3
Stod 180 D4
Stodůlky 177 F3
Stochov 177 E3
Stonařov 181 I5
Stonava 183 O4
Střekov 177 F2
Střela 176 D4
Střelice 182 K5
Stříbřec 181 G5
Stříbrná 182 K5
Stříbrná 176 C3
Stříbrná Skalice 177 G4
Stříbrnice 178 K3
Stříbro 176 C4
Střílky 182 L5
Stradouň 178 J4
Strachotice 182 J6
Strachotín 182 K6
Strakonice 180 E5
Strančice 177 G4
Strání 183 M6
Strašice 180 E4
Strašín 180 E5
Strašov-Vodochody 177 F3
Strašov 178 I3
Stráž 180 C4
Stráž nad Nežárkou 181 G5
Stráž pod Ralskem 177 G2
Strážek 182 J5
Strážiště 177 G2
Strážkovice 181 G6
Strážnice 182 L6
Strážný 180 E6
Strážný 180 E6
Strážov 180 D5
Strmilov 181 H5
Strunkovice nad Blanicí 180 F5
Strupčice 176 E3
Studánka 176 C4
Studánky 181 F6
Studená 181 H5
Studené 178 K3
Studenec 178 I2
Studénka 183 N4
Studnice 182 K5
Stvolny 176 D3
Sudice 179 N3
Sudoměřice 182 L6
Sudoměřice u Bechyně 181 G5
Suchdol 177 H4
Suchdol nad Lužnicí 181 G6
Suchdol nad Odrou 183 M4
Suchohrdly 182 J6
Suchomasty 177 F4
Suchý vrch 178 K3
Sukorady 178 I3
Sušice 180 E5
Svatá 177 E4
Svatá Kateřina 180 D5
Svatobořice-Mistřín 182 L6
Svatoslav 182 I5
Svatý Kopeček 182 L4
Svébohov 178 K4
Světlá Hora 179 L3
Světlá nad Sázavou 181 H4
Světlík 181 F6
Světnov 182 I4
Svinky 181 G5
Svitava 182 K5
Svitávka 182 K5
Svitavy 182 J4
Svoboda nad Úpou 178 I2
Svojanov 182 J4
Svojetín 176 E3
Svojsice 177 H3
Svratka 182 J4
Svratka 182 J5
Sychrov 177 H2
Syrovice 182 K5

T

Tábor 181 G5
Tachov 176 C4
Tálín 181 F5
Tanečnice 183 N5
Tanvald 177 H2
Tasov 182 J5
Tatenice 178 K4
Tavíkovice 182 J5
Tečovice 183 M5
Těchlovice 177 F2
Těchobuz 181 G4
Telč 181 H5
Telecí 182 J4
Telnice 177 E2
Temelín 181 F5
Teplá 176 C4
Teplice 177 E2
Teplice nad Bečvou 183 M4
Teplice nad Metují 178 J2
Teplicko-
adršpašské skály 178 J2
Terezín 177 F2
Těrlicko 183 N4
Těšetice 182 L4
Těšíkov 183 L4
Tichá 183 N4
Tišice 177 G3
Tišnov 182 J5
Tisá 177 F2
Tlumačov 183 M5
Tochovice 180 E4
Topolná 183 M5
Toužim 176 C3
Tovačov 182 L5
Třebařov 178 K4
Třebechovice
pod Orebem 178 J3
Třebenice
(Ústecký kraj) 177 E3
Třebenice
(Vysočina kraj) 182 J5
Třebíč 182 I5
Třebíz 177 E3
Třebnice 181 F4
Třebohostice 180 E5
Třebom 179 N3
Třeboň 181 G5
Třebotov 177 F4
Třebušín 177 F2
Třemešná 179 M3
Třemošná 176 D4
Třemošnice 178 I4
Třešť 181 H5
Tři Sekery 176 C4
Třinec 183 O4
Třtěno 177 E3
Travná 178 K3
Trhová Kamenice 182 I4
Trhové Sviny 181 G6
Trhový Štěpánov 181 H4
Trnava 182 I5
Trojanovice 183 N4
Troskovice 177 H2
Troubelice 182 L4
Troubky 183 L5
Tršice 183 L4
Trutnov 178 I2
Tučapy 181 G5
Tuchlovice 177 E3
Tuchořice 176 E3
Tuhaň 177 F2
Tulešice 182 J5
Tuřany 182 K5
Turnov 177 H2
Tvrdonice 182 K6
Týn nad Vltavou 181 F5
Týnec nad Labem 177 H3
Týnec nad Sázavou 177 G4
Týniště nad Orlicí 178 J3

U

Údlice 176 D3
Uhelná Příbram 181 I4
Uherčice 181 I6
Uherské Hradiště 183 L5
Uherský Brod 183 M5
Uherský Ostroh 183 L6
Uhlířské Janovice 177 H4
Úhonice 177 F3
Úhřetická Lhota 178 I4
Uhřiněves 177 G3
Újez u Brna 182 K5
Újezd 183 M5
Újezd nad Lesy 177 G3
Úlibice 177 H3
Únanov 182 J6
Úněšov 176 D4
Unhošť 177 F3
Uničov 182 L4
Úpice 178 J2
Určice 182 L5
Úštěk 177 F2
Úsov 182 L4
Ústí nad Labem 177 F2
Ústí nad Orlicí 178 J4
Úterý 176 D4
Úvalno 179 M3
Úvaly 177 G3

V

Vacenovice 182 L6
Vacov 180 E5
Valašská Bystřice 183 N5
Valašská Polanka 183 M5
Valašské Klobouky 183 N5
Valašské Meziříčí 183 M5
Valdštejn 177 H2
Valečov 177 H2
Valtice 182 K6
Vamberk 178 J3
Varnsdorf 177 G2
Včelná 181 F6
Vejprnice 180 D4
Vejprty 176 D3
Velehrad 183 L5
Velemín 177 E2
Velešín 181 F6
Velhartice 180 D5
Velichovky 178 I3
Velim 177 H3
Velká Bíteš 182 J5
Velká Bystřice 183 L4
Velká Deštná 178 J3
Velká Dobrá 177 F3
Velká Hleďsebe 176 C4
Velká nad Veličkou 183 M6
Velká Polom 179 N4
Velké Bílovice 182 K6
Velké Březno 177 F2
Velké Heraltice 179 M4
Velké Hoštice 179 M4
Velké Karlovice 183 N5
Velké Kunětice 179 L3
Velké Losiny 178 L3
Velké Meziříčí 182 J5
Velké Němčice 182 K6
Velké Opatovice 182 K4
Velké Pavlovice 182 K6
Velké Popovice 177 G4
Velké Přílepy 177 F3
Velký Bor 180 E5
Velký Osek 177 H3
Velký Šenov 177 F2
Velký Tisý 181 G5
Velký Týnec 182 L4
Velký Újezd 183 L4
Veltrusy 177 F3
Velvary 177 F3
Vémyslice 182 J5
Vepřová 182 I4
Veřovice 183 N4
Verneřice 177 F2
Věšín 180 E4
Veselí nad Lužnicí 181 G5
Veselí nad Moravou 183 L6
Větřní 181 F6
Větrný Jeníkov 181 H5
Veverská Bítýška 182 J5
Věž 181 H4
Vícov 182 K5
Viden 182 J5
Vidnava 179 L3
Vilémov 178 I4
Vimperk 180 E5
Vinařice 177 F3
Vír 182 J4
Višňová 177 H2
Višňové 182 J6
Vítězná 178 I3
Vítkov 183 M4
Vítkovice 178 I2
Vítkův kámen 181 F6
Vítonice 183 M5
Vizovice 183 M5
Vladislav 182 I5
Vlachovice 183 M5
Vlachovo Březí 180 E5
Vlašim 181 G4
Vlasatice 182 J6
Vlastiboř 181 G5
Vlčkovice v Podkrkonoší 178 I3
Vlčnov 183 M5
Vlhošť 177 F2
Vltava 181 F5
Vodňany 181 F5
Vodokrty 180 D4
Vojkov 181 G4
Vojtanov 176 B3
Volary 180 E6
Volenice 180 E5
Volevčice 176 E3
Volfartice 177 F2
Volyně 180 E5
Votice 181 G4
Voznice 177 F4
Vřesina 183 N4
Vřesová 176 C3
Vracov 182 L6
Vrané nad Vltavou 177 F4
Vranov (Vodní nádrž) 182 I6
Vranov nad Dyjí 182 I6
Vranovice 182 K6
Vranovská Ves 182 I6
Vratěnín 181 I6
Vratimov 183 N4
Vrbátky 182 L4
Vrbno pod Pradědem 179 L3
Vrčeň 180 E4
Vrdy 178 H4
Vrchlabí 178 I2
Vroutek 176 D3
Všemina 183 M5
Všeruby 180 C5
Všeruby
(Plzeň-sever) 176 D4
Všestary 178 I3
Všetaty 177 G3
Vsetín 183 M5
Vsetínské vrchy 183 N5
Výprachtice 178 K4
Vyškov 182 L5
Výškovice 183 M4
Výšovice 182 L5
Vyšší Brod 181 F6
Vysočany 181 I6
Vysočina 182 I4
Vysoká 183 N5
Vysoké Chvojno 178 I3
Vysoké Mýto 178 J4
Vysoké
nad Jizerou 177 H2
Vysoké Veselí 177 H3

Z

Žacléř 178 I2
Žalany 177 E2
Žamberk 178 J3
Žandov 177 F2
Žár 181 G6
Žarošice 182 K5
Žatec 176 E3
Ždánice 182 L5
Ždánický les 182 K6
Žďár
(Mladá Boleslav) 177 H2
Žďár
(Rakovník) 176 D3
Žďár nad Sázavou 182 I4
Žďárec 182 J5
Žďárské vrchy 182 J4
Ždírec 177 G2
Ždírec nad Doubravou 182 I4
Žebětín 182 J5
Žebrák 177 E4
Žebráky 176 C4
Žehuň 177 H3
Žehušice 177 H4
Želeč 181 G5
Želetava 181 I5
Železná 180 C4
Železná Ruda 180 D5
Železnice 177 H3
Železný Brod 177 H2
Želiv 181 H4
Želivka (Vodní nádrž) 181 H4
Želnava 180 E6
Žeravice 182 L5
Židlochovice 182 K5
Žichlínek 178 K4
Žichovice 180 E5
Žihle 176 D3
Žinkovy 180 D5
Žirovnice 181 H5
Živohošť 181 F4
Žiželice 177 H3
Žleby 178 I4
Žlutice 176 D3
Žlutice (Vodní nádrž) 176 D3
Žulová 178 L3
Záblatí 180 E6
Záblatský rybník 181 G5
Záboří 180 E5
Zábřeh 178 K4
Zadní Chodov 176 C4
Zádveřice 183 M5
Zahořany 181 F4
Záhoří 181 F5
Zahrádky 177 G2
Zaječí 182 K6
Zaječov 177 E4
Zákolany 177 F3
Zákupy 177 G2
Záluží 176 E2
Zašová 183 N5
Zásmuky 177 H4
Zastávka 182 J5
Zavidov 176 E3
Zbiroh 176 E4
Zborovice 182 L5
Zbraslav
(Jihočeský kraj) 182 J5
Zbraslav
(Praha) 177 F4
Zbraslavice 177 H4
Zbůch 180 D4
Zbýšov
(Jihočeský kraj) 182 J5
Zbýšov
(Středočeský kraj) 177 H4
Zbytiny 180 E6
Zděchov 183 N5
Zdice 177 E4
Zdíkov 180 E5
Zdobnice 178 J3
Zdounky 182 L5
Zhoř 180 C4
Zlatá Koruna 181 F6
Zlaté Hory 179 L3
Zlín 183 M5
Zliv 181 F5
Zlobice 182 L5
Zlonice 177 F3
Znojmo 182 J6
Zruč 176 D4
Zruč nad Sázavou 181 H4
Zubří 183 N5
Zubrnice 177 F2
Zvíkov 181 F5
Zvíkovské Podhradí 181 F5
Zvole 182 J5

Édition 2012 par la Manufacture Française des Pneumatiques Michelin
Société en commandite par actions au capital de 504 000 004 EUR
Place des Carmes-Déchaux - 63 Clermont-Ferrand (France)
R.C.S. Clermont-Fd B 855 200 507

CARTE STRADALI E TURISTICHE PUBBLICAZIONE PERIODICA
Reg. Trib. Di Milano N° 80 del 24/02/1997 Dir. Resp. FERRUCCIO ALONZI

Malgré tout le soin apporté à la réalisation de cet ouvrage, il se peut qu'un exemplaire défectueux ait échappé à notre vigilance.
Dans ce cas, veuillez le rapporter à votre libraire qui vous l'échangera ou contacter :
Michelin
Cartes et Plans
27 cours de l'Île Seguin
92105 Boulogne-Billancourt Cedex
cartes@tp.michelin.com
www.michelin-boutique.com
www.ViaMichelin.fr

Dépôt légal Janvier 2012
Impression : Nuovo Istituto Italiano Arti Grafiche (NIIAG) - 24126 Bergamo (Italie)